Anthologie historique
des lectures érotiques

de Guillaume Apollinaire à Philippe Pétain
1905-1944

JEAN-JACQUES PAUVERT

MATHIAS PAUVERT

Anthologie historique
des
lectures érotiques

De Guillaume Apollinaire à Philippe Pétain

1905-1944

Stock/Spengler

L'ESPRIT MODERNE

> « Des mesures angulaires calculées par Laclos naquit l'esprit littéraire moderne; c'est là qu'en découvrit les premiers éléments Baudelaire... »
>
> Guillaume Apollinaire, 1918.

L'AMOUR EN 1900 – GUILLAUME APOLLINAIRE

Les raisons qui font renvoyer, dans le découpage chronologique de cette anthologie, d'un homme de pouvoir à un écrivain (ou bien à un héros littéraire), sans doute auront-elles été rarement plus justifiées qu'ici.

Le nom d'Apollinaire, d'abord, a toujours été pour nous inséparable des notions d'érotisme littéraire, d'érotisme tout court, d'une certaine idée moderne de l'érotisme que nous rencontrerons beaucoup dans ce volume et dont il faut bien dire deux mots, en partant d'un peu loin selon notre mauvaise habitude.

De l'examen d'un certain nombre de lectures d'époque, confortées par quelques faits historiques, il nous semble qu'on peut retirer le point de vue suivant : sur la fin du XIXe siècle, en Occident, se précise dans les sensibilités un mouvement qui va contribuer à modifier notablement l'idée de l'amour, les rapports entre les hommes et les femmes et toutes ces sortes de choses, comme disent les Anglais. Un signe visible de ce mouvement peut être repéré environ cent ans plus tôt, à la fois chez les romantiques allemands et les érotiques français (faisant d'ailleurs ainsi se rejoindre dans le domaine amoureux des points de départ absolument antagonistes – du moins en apparence). Ce qu'on appelle en notre fin de XXe siècle *érotisme* – pris comme façon de voir, comportement –, en devient une composante de plus en plus importante dans le dernier tiers du siècle précédent, après de curieux méandres plus ou moins souterrains : Baudelaire, par exemple, y représente une station obligée; la lecture cachée, mais qui se répand comme une inondation, de Sade et de Laclos en est une des constantes (cela plonge évidemment des racines beaucoup plus loin; mais c'est l'affaire d'un autre volume). On en verra après 1918 des développements spectaculaires et des ramifications déviatrices. Une des branches les mieux portantes en est nourrie par le surréalisme; une bras mort méconnaissable, sorte d'excroissance pervertie, en sera le MLF de nos années 70. De même que ce qu'on appellera la « Révolution sexuelle » n'en aura été finalement qu'une extériorisation accessoire.

Naturellement, c'est la littérature dite érotique, disons l'utilisation de l'érotisme dans la littérature, qui devrait jalonner le mieux les divers avatars de ce mouvement. Et au carrefour de tous les courants qu'il engendre se dresse Guillaume Apollinaire, né en 1880, mort comme on sait en 1918.

Plus que par raisonnement historique, c'est plutôt instinctivement, au départ, que nous avions pris Apollinaire et sa génération comme repères d'un tournant des sensibilités situé pour nous vers 1905, au moment où les esprits venus au monde vers 1880 commencent à s'exprimer. Ce faisant, nous avions à lutter contre le fort courant de l'histoire conventionnelle, qui plaçait généralement la coupure en 14-18, et la métamorphose des mentalités pendant la guerre ou tout de suite après. Ce ne fut pas si facile.

Le professeur et la Grande Guerre – Générations

Juger, comme l'a fait Paul Valéry, que « les événements sont l'écume des choses », ne revient en aucune manière (en tout cas dans notre esprit), à minimiser les *faits*. La Grande Guerre, la première, ne saurait être évidemment considérée comme une péripétie négligeable. Reste qu'elle ne s'inscrivait à nos yeux que comme un formidable *accident* sur un terrain mental dont en fin de compte la pente, qui s'était établie nettement avant, n'en aura guère été modifiée fondamentalement. Tout au plus, par endroits, légèrement accentuée?

Il est toutefois bien normal que les proportions prises par une telle catastrophe dans le paysage historique aient pu fausser les perspectives, surtout pour ceux qui l'ont subie de plein fouet. Un événement de ce calibre n'a pas manqué de bouleverser, parfois radicalement, des millions et des millions de destinées humaines. D'où la très forte tentation de lui attribuer dans l'histoire des mentalités un rôle de cause majeure, alors qu'il ne saurait guère accéder, du moins à notre avis, qu'au statut de conséquence; mais ce n'était pas du tout le sentiment général.

En ce qui concerne particulièrement la France et le domaine littéraire, nous sommes restés longtemps embarrassés par la présentation que fait un célèbre historien littéraire français, Albert Thibaudet (*Histoire de la littérature française de 1789 à nos jours*), d'une impressionnante « génération de 1914 ». Car il n'est pas douteux que les changements importants dans les couleurs de sensibilité sont toujours marqués par l'avènement de générations littéraires au ton neuf. Était-ce donc le cas pour 14-18 ? La théorie des générations littéraires, remarquablement utilisée, sinon inventée par Albert Thibaudet, n'a pas de plus ferme défenseur que nous. Il est évident que l'apparition des productions de l'esprit, comme il en est de celles de la nature (mais ce sont aussi des productions de la nature) obéit à un mouvement de marée de force variable, qui porte de temps à autre sur nos rivages des productions nouvelles, plus ou moins groupées dans la même vague.

On connaît la méthode de Thibaudet : pour sa génération de 1820, par exemple, il prend pour noyau les écrivains qui ont à peu près vingt ans en 1820 et commencent donc à publier vers 1825/1830, Balzac, Hugo, Dumas, nés de 1799 à 1803. Il y joint ceux dont la sensibilité lui paraît proche, même s'ils sont nés avant ou après 1800, mais qui publient (donc qui sont *lus*) à peu près en même temps : Lamartine, né en 1790, qui débute en 1820, et Musset, né en 1810 « *mais qui débute à dix-neuf ans, et qui est célèbre à vingt* », et encore Vigny (1797), George Sand (1804) et Gautier (1811).

Apollinaire, né en 1880, devait donc normalement, s'il était aussi représentatif que nous le pensions, se trouver escorté d'une génération de 1900 publiant vers 1905/1910. Alors que Thibaudet ne reconnaissait qu'une génération de la Grande Guerre, dix ans plus tard. Nous en étions d'autant plus troublés que si l'on peut admettre que la fin des grands bouleversements politiques peut à la rigueur marquer la mort d'une époque[1], ce n'est jamais le cas de leurs débuts, déclaration de guerre ou prise de la

---

1. Ce qu'on voit en tout cas pour 1918. Car s'il n'y a pas de génération de 1914, Thibaudet, trop près des événements, laisse échapper une fort belle génération de 1920 : Montherlant et Drieu La Rochelle, qu'il cite (nés en 1896 et 1893), mais aussi Aragon (1897), Breton (1896), Artaud (1896), Bataille (1897), Michaux (1899), Tzara (1896), Eluard (1895), Vaché (1899), qui tous avec Malraux (1902), Queneau (1903), Prévert, Saint-Exupéry, Crevel (1900), Simenon, Dali (1904), commencent à occuper la scène vers 1920. Élargissant un peu le champ géographique, on trouve aussi, rien qu'aux États-Unis : Faulkner (1897), Dos Passos (1896), Hemingway (1899), ou Fitzgerald (1896).

Bastille, qui ne sont au mieux que l'ultime phase d'une cristallisation commencée bien avant, et non l'aube de temps nouveaux. Nous entreprîmes alors de vérifier le postulat de Thibaudet à l'aide de ses propres méthodes, faisant au passage plusieurs découvertes. La première, qu'il avait quarante ans en 1914, la deuxième qu'il avait singulièrement sollicité la chronologie, enfin qu'il avait rédigé son livre entre 1925 et 1935, sans assez de recul pour voir clair[1].

Quarante ans en 1914, c'était assister à l'écroulement de son univers d'homme. Comment n'y pas voir une date décisive? Les historiens du temps, d'ailleurs, croyaient encore que les guerres changent les mœurs et les sociétés, et l'ont répété pendant les Années folles. Mais ce n'est pas vrai, et il n'y a pas en France de génération littéraire de 1914, pas plus qu'il n'y en a eu en 1870 ou en 1940.

Quels sont les écrivains que Thibaudet voulait mettre dans sa génération de la Grande Guerre? Alain-Fournier, Pierre Benoit, Mac Orlan, Jules Romains, Apollinaire, Drieu La Rochelle, Montherlant, Mauriac, Maurois, Morand, Duhamel, Cocteau, Larbaud, Giraudoux, renforcés, à l'aide d'arguments ingénieux et convaincants, de Gide, Claudel, Proust et Valéry, nés entre 1868 et 1871.

Ne discutons pas les noms, voyons les dates : Alain-Fournier, Pierre Benoit sont nés en 1886, Mac Orlan en 1883, Mauriac, Maurois, Romains, en 1885, Morand en 1888 (comme Bernanos et Jouhandeau), Giraudoux en 1882, Larbaud en 1881, Duhamel en 1884, Cocteau (qui débute encore plus tôt que Musset) en 1889. Encadré de Max Jacob (1873), de Marinetti (1876), de Musil (1880), de Salmon (1881), de Joyce (1882), de Paulhan (1884), de Cendrars (1887), Apollinaire (1880) se trouve effectivement au centre d'une génération littéraire, disons de 1905, à laquelle on peut bien ajouter sans tricherie quelques grands aînés, débutants tardifs qui publient à peu près en même temps, avant 1910, comme Gide, Claudel, Proust et Valéry, et pourquoi pas Colette (1873), Léautaud (1870), et surtout Pierre Louÿs (1870). Mais, toujours plus près d'Apollinaire, on trouve encore Jarry (1873), Max Jacob (1876) et Raymond Roussel (1877).

Finalement, si la génération de 1914 en France n'était plus à ranger que

1. D'ailleurs il le sait et s'en plaint : « *Je me sens gêné devant la période actuelle. C'est de la littérature non triée, la perspective change du tout au tout.* »

dans les vues de l'esprit, il semblait bien avoir existé deux générations, l'une des environs de 1890, l'autre vers 1905, pour marquer le grand tournant de changement de siècle pour lequel nous tenions, sans compter une génération de 1918/1920 pour en tirer les conséquences.

MÉTAMORPHOSES ET COUPURES
LA RÉFLEXION ET SES OBJETS – QUANTAS, TSF ET RELATIVITÉS

Techniquement, scientifiquement, politiquement, le XIXᵉ siècle avait commencé sans que rien vraiment signale à l'opinion publique un quelconque changement d'ère. Les grands bouleversements politiques étaient assez loin derrière, les prémices d'importantes innovations scientifiques et techniques encore plus. Seule la grande borne littéraire du *René* de Chateaubriand était venue marquer en 1801, symboliquement, le passage d'une époque à une autre, tandis qu'à partir de 1797 Byron en Angleterre et le *Sturm und Drang,* en Allemagne, mettaient fin au règne occidental du classicisme.

Pour le XXᵉ siècle, c'est un peu l'inverse. De 1895, en gros, à 1910, on peut dire que toutes les inventions techniques, toutes les illuminations scientifiques sur lesquelles nous vivons encore un siècle plus tard (et qui engendreront l'après an 2000), arrivent en se bousculant. Après une sorte de préhistoire qui a vu en 1884 les premiers dirigeables, en 1885 la première inoculation du vaccin de la rage par Pasteur, et la réalisation de la première mitrailleuse par Maxim, en 86 la découverte des ondes électro-magnétiques par Hertz, en 87 les premières linotypes, en 88 les premiers moteurs à essence ou les premiers pneumatiques pour bicyclettes, le XXᵉ siècle commence en 1895.

C'est en 1895 que Röntgen conçoit l'application médicale des rayons X, Perrin les rayons cathodiques. Cette année-là les frères Lumière réalisent le premier appareil cinématographique ; en 1896 Becquerel découvre la radioactivité ; Marconi réalise la télégraphie sans fil, les frères Lumière donnent la première représentation de cinématographe au Grand Café, à Paris[1]. En 1897, Clément Ader fait décoller son « avion », comme il dit

---

1. Le premier film vraiment pornographique, *A l'écu d'or,* en 1908, aurait été paraît-il français ; évidemment (de toute façon, en 1906, 40 % du cinéma mondial est français). En Russie, une loi promulguée par le tsar interdit aussitôt ce type de film, désigné comme « genre de Paris ».

(ce même Clément Ader qui avait si bien perfectionné les premiers télé-phones, que dès 1883 Paris comptait 3039 abonnés à cette invention sur-prenante). En 1898 Pierre et Marie Curie découvrent le radium. En 1901, symboliquement, meurt la reine Victoria ; cette année-là, Marconi fait passer un premier message sans fil au-dessus de l'Atlantique (il est allé lui-même le recevoir à Terre-Neuve).

Brutalement extirpé de son cabinet de travail par la déflagration des pre-miers obus de 1914, le professeur Thibaudet découvre un univers dont la nouveauté a trop de visages pour qu'il les distingue tous, et leur apparition ne date pas, comme il le croit, du moment où il ouvre sa porte. Il est tout à fait exact, comme il le dit lui-même, « qu'il y a entre les techniques du XIXe siècle et celles du XXe siècle la même différence qu'entre le chemin de fer et l'automobile, ou plutôt entre les deux systèmes de force qui sont à la source l'un de l'autre, la machine à vapeur et le moteur à explosion ». Mais, obnubilé par sa Grande Guerre, il ne voit pas que la révolution pétro-lière s'est accomplie dans les premières années du siècle au moment où l'automobile, et même l'aéroplane, modifient les perspectives en même temps que la vie courante. Les futurs taxis de la Marne, c'est en 1904 qu'ils sortent de chez Renault. L'année précédente a vu Henry Ford fonder sa compagnie et monter les chaînes de ses usines, tandis que les frères Wright lançaient leurs premières machines au-dessus des prairies américaines. Blériot traversera la Manche en 1909. L'année 1904 a vu encore l'Anglais John Ambrose Fleming proposer la diode, dont les applications seront mul-tiples, l'Allemand Hulfsmeyer énoncer le principe du radar, l'Américain Benjamin Holt construire le premier caterpillar.

Les principales manifestations d'un profond changement de mentalité, de regard, de comportement, c'est entre 1890 et 1910 qu'elle se produi-sent. La mode féminine abandonne le corset rigide (Paul Poiret, né en 1879, ouvre sa maison de couture en 1906 – je ne l'invente pas). Les che-veux courts des étudiantes nihilistes russes frappent les imaginations vingt ans avant *La Garçonne* de 1922. Si Laurent Tailhade, en 1908, accuse avec violence le sport de préparer des générations de crétins (« génération du sport », dira Thibaudet des jeunes mobilisés de 14), c'est que les jeux Olympiques de cette année-là sont les quatrièmes depuis 1896. Garin gagne le premier Tour de France en 1903. Mais aussi le progrès médical annonce une autre révolution de société : en 1905 en Allemagne,

Schaudinn et Hoffmann découvrent le tréponème pâle de la syphilis; en 1906 Wassermann institue le sérodiagnostic de la maladie, qu'Erlich va bientôt guérir. On isole ce qu'on n'appelle pas encore les vitamines. De Vries redécouvre Mendel et ses théories génétiques vers 1900. En politique comme en géopolitique la marche du monde change de pas. La CGT est fondée à Limoges en 1897 (600 000 adhérents en 1902), la même année où naît le Comité pour la représentation du travail en Angleterre. Le Labour Party et les Trade Unions datent de 1900. On va bientôt mitrailler des grévistes devant le palais d'Été de Saint-Pétersbourg. A cette époque, les États-Unis et le Japon sont déjà devenus de grandes puissances. La stupéfiante victoire des Japonais sur les Russes à Port-Arthur marque les esprits en 1904/1905 (on la retrouvera dans *Les Onze Mille Verges* deux ans plus tard). Le congrès de Bâle en 1897, lui, a signalé le début du mouvement sioniste.

En même temps, dans une accélération bien caractéristique des temps nouveaux, l'univers mental accède à des dimensions inédites. Freud fait imprimer *La Science des rêves* en 1899, en 1905 *Trois essais sur la théorie de la sexualité*. Pendant qu'Henri Bergson ouvre à la réflexion des horizons « modernes[1] » tout en prenant grand soin de ne pas la séparer de ses objets, ces mêmes objets éclatent en des formes inouïes. Max Planck formule la théorie des quantas en 1899 et 1900 (Niels Bohr l'appliquera à l'atome en 1910). Inspiré sans doute par Henri Poincaré, le jeune Albert Einstein (né en 1879), pose les bases de la relativité dans l'un des trois articles des *Annalen den Physic* qui le font connaître en 1905.

PEINTURE ET MUSIQUE – UN OBSÉDÉ PERVERS
NOUS AUTRES, CHEVALIERS DES TEMPS MODERNES

Les arts suivent des chemins différents les uns des autres, mais on pourrait dire que la musique et la peinture marchent un peu du même

---

1. « *Le bergsonisme est une de ces rares philosophies dans lesquelles la théorie de la recherche se confond avec la recherche elle-même, excluant cette espèce de dédoublement réflexif qui engendre les gnoséologies et les méthodes* » (Vladimir Jankélévitch). Henri Bergson, né en 1859, est un de ces grands aînés qui s'expriment tard – comme Freud –, en même temps que la génération marquante qui les suit; il soutient ses thèses en 1889 (dont *L'Essai sur les données immédiates de la conscience*), et publie *Matière et Mémoire* en 1897, *L'Évolution créatrice* en 1907. Mais dans son sillage, immédiatement contemporains d'Apollinaire, se rencontrent Teilhard de Chardin (1879) et Lecompte du Nouÿ (1883).

pas. A l'impressionnisme succède le fauvisme. Le scandale de *Pelléas et Mélisande* est de 1902 (Ravel, la *Pavane* en 1899, Debussy, *Nocturnes*, 1900), celui des Fauves au Salon d'automne suit en 1905. Cézanne peint la dernière version de *La Montagne Sainte-Victoire* en 1904, Picasso (né en 1881) le *Portrait de G. Stein* et *Les Demoiselles d'Avignon* en 1906. Schönberg, Dukas, débutent vers 1907, la première toile cubiste de Braque (né en 1882) date de 1908. Guillaume Apollinaire est encore le contemporain de Béla Bartók (né en 1881), de Stravinski (né en 1882), de Klee (1879), de Picabia (1879). Duchamp (1886) n'est pas plus jeune de beaucoup.

Les esprits sont-ils préparés à tant de nouveautés? Pas complètement, bien sûr (ils ne le sont jamais complètement). Le monde scientifique mettra du temps à accepter les quantas ou la relativité. L'éditeur de *L'Interprétation des rêves* en vendra exactement 351 exemplaires entre 1899 et 1905[1]. Mais ce qui frappe en fin de compte, avec le recul du temps, dans ce « passage de la ligne » qu'aura été, en somme, le changement de siècle, et surtout les années 1895 à 1906, c'est la conscience, état d'esprit sans précédent depuis l'An Mille, qu'en ont eue ses contemporains, conscience qui s'extériorise dans les commentaires qui fleurissent dans le monde entier – en tout cas dans tout l'Occident, à propos de l'Exposition universelle de 1900 à Paris. C'est à cette occasion que la mode, qui mettait à toutes les sauces, depuis quelques années, l'expression « *fin de siècle* », va d'un seul coup la remplacer par l'adjectif « *moderne* » : l'exposition de 1900 sera celle du « *monde moderne* », ses visiteurs seront « *la femme moderne* », et « *l'homme moderne* », qui viendront s'y familiariser avec les « *merveilles du monde moderne* », etc.[2].

---

1. Tous les commentateurs freudiens s'accordent sur la date de 1906 comme celle du décollage de la psychanalyse. « *En 1906, alors que Freud a cinquante ans, le mouvement prend de l'ampleur. Son groupe viennois compte déjà dix-sept participants, et une première lettre, signée Carl-Gustav Jung, médecin d'un prestigieux hôpital zurichois, annonce la reconnaissance du milieu psychiatrique officiel* » (Gérard Chevalier, « Un enfant de Moravie » dans *Freud, comment fut découverte la psychanalyse*, cahier spécial de *Science et Vie*, Paris, août 1994. Mais on trouvera dans ce cahier de nombreux témoignages sur l'accueil hostile réservé aux théories sexuelles de Freud, qui devaient bouleverser si profondément l'approche de la nature humaine. « *Freud et ses quelques partisans furent souvent considérés comme des "pervers sexuels" ou des "Psychopathes obsédés."* Ils avaient osé décrire une sexualité chez l'enfant réputé innocent. Celui-ci se trouvait à présent affublé de « pulsions » sexuelles et agressives, qui menaçaient quelque peu son statut angélique. Cet « *enfant pervers polymorphe* » n'était-il pas le fruit d'une imagination elle-même perverse, le produit d'une « *sensibilité viennoise décadente* »? (Jean-François Rabain, 1906-1910 : Vienne, Zurich, Salzbourg, Worcester, Nuremberg, dans *Freud, comment fut découverte la psychanalyse, op. cit.*) Freud ne sera traduit en français qu'en 1926 *(L'Interprétation des rêves)*.

2. Ne pas confondre avec le modern' style, qui appartient, lui, à la fin de siècle.

Ce qui n'empêchera pas le public de passer complètement à côté du seul roman d'amour *moderne* – pourtant annoncé comme tel en couverture par son auteur – *Le Surmâle*, d'Alfred Jarry, en 1902.

Or la vie de Guillaume Apollinaire s'articule à peu près exactement sur cette charnière de deux siècles, de deux époques, de deux planètes historiques différentes. Lorsque, à la fin de 1899, Mme de Kostrowitsky s'installe définitivement à Paris avec ses deux fils Albert et Guillaume, ce dernier vient d'achever sa dix-neuvième année, qui marque la moitié de sa courte existence. Quand il mourra, en novembre 1918, l'Histoire enterrera toute une époque avec lui. Il aura fait plus que n'importe quel créateur de son temps pour hâter la venue de cet « esprit nouveau » qui lui était si cher et qu'il a incarné mieux que tout autre. Ce n'est pas simple coïncidence s'il a aussi plus fait que tout autre écrivain de son temps pour favoriser les lectures érotiques de ses contemporains. L'esprit nouveau était pour lui inséparable d'un sentiment, d'un mode de vie amoureux radicalement différents de ce que le monde avait connu jusque-là. Il l'exprime quand il montre dans la Juliette de Sade une préfiguration de la femme future, « *un être, dont on n'a pas encore idée, qui aura des ailes et qui renouvellera l'univers* ». Son héritage dans ce domaine est le seul qui sera accepté sans trop de réserve d'inventaire par ses légataires de « l'esprit moderne », les Surréalistes, même s'ils observeront – peut-être à tort –, qu'il aura pu faire œuvre, ici, plus d'intercesseur que de créateur. Robert Desnos :

> « *L'œuvre de Guillaume Apollinaire en érotisme est la plus importante de ces vingt dernières années. Il n'apparaît pas cependant comme un écrivain érotique. Il relève davantage de la poésie. Son influence se fera sentir sans doute par impulsion qu'il a pu donner à "l'esprit moderne" et à ce titre cette œuvre est d'une grande importance* [1]. »

Du métèque au maréchal

Quant à Philippe Pétain, choisi comme seconde borne, à l'autre bout de ce volume, c'est évidemment un peu différent, comme il convient.

---

1. *De l'érotisme considéré dans ses manifestations littéraires et du point de vue de l'esprit moderne.* Texte essentiel écrit en 1923 pour le couturier-mécène Jacques Doucet, publié seulement en 1953.

Philippe Pétain, maréchal de France et chef de l'État français à partir de l'été 1940 après la défaite et l'invasion du pays, perd le pouvoir à l'été 44 pendant que le Troisième Reich et ses alliés commencent à s'écrouler, et nul ne contestera que ce court règne se soit inscrit entre des dates notables. Un époque finit là. Celle qui commence l'année suivante se jouera, dans bien des domaines, avec une redistribution de toutes les cartes.

Ce n'est pas tout. L'avènement de Pétain en 1940 consacre le triomphe d'un Ordre moral modèle 73[1], auquel son équipe travaillait depuis de longues années, mais qui de toute manière était dans l'air du temps. Ce n'est pas Pétain, c'est le radical-socialiste Daladier qui en juillet 1939 prend des décrets relatifs « à la protection de la famille, de la *race* et de la natalité françaises ». On verra d'ailleurs après la Libération de la France les gouvernements de gauche, par ailleurs exactement opposés à toutes les conceptions politiques du régime Pétain, aggraver considérablement les dispositions policières dont disposait déjà le pouvoir pour veiller à la moralité du pays – et par conséquent le préserver de toute lecture malsaine. Attitude qui va d'ailleurs être celle de beaucoup de gouvernants dans les pays que l'on va bientôt qualifier d'« industrialisés ».

Mais cela se retrouvera dans le volume suivant, *D'Eisenhower à Emmanuelle.* En attendant, l'Histoire étant ce qu'elle est, on comprendra ce qui m'a fait placer le nom du « *grand Français des années noires* », comme disaient les journaux de l'époque, en opposition au nom de celui qu'Urbain Gohier traitait dans *L'Œuvre* en 1911 de pornographe et de métèque à propos du vol de la *Joconde*. « Nous sommes tous des Kostrowitsky [2] », devrait être le cri de ralliement des curieux de lectures érotiques face aux menaces d'Ordre moral.

---

1. Nous parlons évidemment de 1873 et de l'autre maréchal, Mac-Mahon.

2. Allusion historique que le temps qui passe obscurcit chaque jour davantage. En Mai 68, un ministre s'était indigné qu'un « Juif allemand soit un des meneurs des étudiants français » (il s'agissait de Daniel Cohn-Bendit). D'où un des cris de ralliement des manifestants : « Nous sommes tous des Juifs allemands. »

Claudine en ménage

1902

La série des Claudine (1900-1903[1]) appartient sans discussion possible à la Belle Époque. L'extrait suivant de *Claudine en ménage* est donc de ceux qui servent surtout de toile de fond pour les textes qui représenteront véritablement l'époque en cause dans ce volume, parmi lesquels figureront aussi d'ailleurs des textes de Colette. La série des Claudine est réellement une œuvre de collaboration car même si Willy n'en a pas écrit grand-chose, comme d'habitude, il n'en a pas moins dirigé fermement le plan et la rédaction. Bien que les *Dialogues de bêtes* datent de 1897, les véritable débuts de Colette datent de 1908 (*Les Vrilles de la vigne*) et 1909 (*L'Ingénue libertine*). Nous la retrouverons donc. Nous retrouverons aussi Willy, car il continuera à publier jusqu'à la fin des années 20 et sa carrière de polygraphe licencieux est intéressante à suivre pour notre propos.

Robert Desnos écrira plus tard de Claudine : « *La génération de 1900 a eu pour livres secrets Gamiani, Les Filles de Loth et les livres de Claudine… Elle tourbillonnait dans nos imaginations avec les échos du Moulin-Rouge, le retour des courses le dimanche et les récits à mots couverts que faisaient nos parents des spectacles des Folies-Bergère et des Ambassadeurs.* » Desnos, né le 4 juillet 1900, parle bien entendu des adolescents de l'immédiat avant-guerre, soit les années 1910/1914.

1. *Claudine à l'école*, 1900 ; *Claudine à Paris*, 1901 ; *Claudine s'en va*, 1903.

D*ES BOUDERIES ÉNERVÉES*, des larmes rageuses, des reprises câlines, des heures électrisées où le contact seul de nos mains nous affole, – voilà le bilan de cette semaine. Je n'ai pas parlé à Renaud, il m'en coûte tant ! Et Rézi m'en veut. Je n'ai pas même avoué à mon cher grand que la tendresse, de Rézi à moi, de moi à Rézi, se précise plus qu'on ne peut dire… Mais il sait tout, à peu près et sans détails, et cette certitude lui communique une fièvre singulière. Quel proxénétisme aimant et bizarre le mène à me pousser chez Rézi, à me parer pour elle ? A quatre heures, quand je jette le livre qui trompa mon attente, Renaud, s'il est près de moi, se lève, s'agite : « Tu vas là-bas ? – Oui. » Il passe dans mes cheveux ses doigts habiles pour aérer mes boucles, penche jusqu'à moi sa grande moustache, attentif à renouer ma cravate de grosse soie nattée, à vérifier la netteté du col garçonnier. Debout derrière moi, il veille à l'équilibre du turban de fourrure sur ma tête, me tend les manches de ma zibeline… C'est lui, enfin, qui glisse dans mes mains stupéfaites une botte de roses rouge-noir, la fleur chère à mon amie! Moi, j'avoue que je n'y aurais pas pensé.

Et puis, un grand baiser tendre :

– Va, ma petite fille. Sois bien sage. Sois fiérotte, pas trop humblement tendre, fais-toi désirer...

« Fais-toi désirer... » On me désire, hélas! mais ce n'est pas un résultat de ma tactique.

Quand c'est Rézi qui vient me voir, mon irritation croît encore. Je la tiens là, dans ma chambre, – qui n'est que *notre* chambre, à Renaud et à moi – un tour de clé, et nous serions seules... Mais je ne veux pas. Il me déplaît, par-dessus tout, que la femme de chambre de mon mari (fille silencieuse au pas d'ombre, qui coud à points si lâches, avec des mains molles) frappe et m'explique, mystérieuse, derrière la porte fermée : « C'est le corsage de Madame... on attend pour *réchancrer* les emmanchures. » Je redoute le guet d'Ernest, valet de chambre à figure de mauvais prêtre. Tous ces gens-là ne sont pas à moi, je m'en sers avec discrétion et répugnance. Je crains plus encore – il faut tout dire – la curiosité de Renaud...

Et voilà pourquoi je laisse Rézi, dans ma chambre, dérouler la spirale de ses séductions, et nuancer toutes ses moues de reproches.

– Vous n'avez rien trouvé pour nous, Claudine?

– Non.

– Vous n'avez pas encore demandé à Renaud?

– Non.

– C'est cruel...

A ce mot qu'elle soupire tout bas, les yeux soudain baissés, je sens ma volonté fondre. Mais Renaud vient, frappe à petits coups précautionneux, et reçoit en réponse un « Entrez » plus brutal qu'un pavé.

Je n'aime pas du tout la grâce suppliante qu'affecte envers lui Rézi, ni cette façon qu'il a de respirer sur elle ce que nous lui cachons, de fouiller ses cheveux et sa robe, comme pour y surprendre l'odorant souvenir de mes caresses.

Encore aujourd'hui, devant moi... Il lui baise les deux mains à l'arrivée, pour le plaisir de dire après :

– Vous avez donc adopté le parfum de Claudine, ce chypre sucré et brun?

– Mais non, répond-elle, candide.

– Ah, je croyais.

Le regard de Renaud dévie sur moi, renseigné et flatteur. Toute mon âme trépigne... Vais-je, exaspérée, me pendre à ses grandes moustaches, jusqu'à ce qu'il crie, jusqu'à ce qu'il me batte? ... Non. Je me contiens encore, je garde le calme crispé et correct d'un mari dont on embrasse la femme aux petits jeux innocents. Et, d'ailleurs, il prétend s'en aller, avec la réserve insultante d'un serveur de cabinet particulier. Je le retiens :

— Restez, Renaud...

— Jamais de la vie! Rézi m'arracherait les yeux.

— A quel propos?

— Je connais trop, mon petit pâtre bouclé, le prix d'un tête-à-tête avec toi...

Une vilaine crainte m'empoisonne : si Rézi, à l'âme fluide et menteuse, se prenait de préférence pour Renaud! Juste, aujourd'hui, il est beau, dans une jaquette longue qui lui sied, les pieds petits et les épaules larges... Elle est là, cette Rézi, sujet de toute ma peine, fourrée de loutre, blonde comme le seigle, coiffée d'un précoce chapeau de lilas et de feuille... Je reconnais en moi, naissante, la brutalité qui me faisait battre et griffer Luce... Que les larmes de Rézi seraient douces et poignantes à mon tourment!

Elle se tait, me regarde, et met toutes ses paroles dans ses yeux... Je vais céder, je cède...

— Renaud, mon grand, vous sortez avant dîner?

— Non, ma petite fille, pourquoi?

— Je voudrais vous parler... vous demander un service.

(Rézi jaillit de son fauteuil, affermit son chapeau, joyeuse, en désordre... elle a compris.)

— Je me sauve... Oui, justement je ne peux pas rester... Mais demain je vous verrai longtemps, Claudine? Ah! Renaud, qu'on doit vous envier une enfant comme celle-ci!

(Elle disparaît dans le chuchotement de sa robe, laissant Renaud confondu.)

— Elle est folle, je pense! Qu'est-ce qui vous prend, à toutes les deux?

(Mon Dieu! parlerais-je? Comme c'est dur!...)

— Renaud... je... vous...

(Il m'attire sur ses genoux. Peut-être que là ce sera plus facile...)

— Voilà... le mari de Rézi est bien embêtant.

— Ça oui, surtout pour elle!

— Il l'est pour moi aussi.

— Par exemple, je voudrais voir ça!... Il se serait permis quelque chose?...

— Non; ne remuez pas, gardez-moi dans vos bras. Seulement, ce Lambrook de malheur est tout le temps sur notre dos.

— Ah! bon...

(Oh! pardi, je sais bien que Renaud n'a rien d'un imbécile. Il comprend à demi-mot.)

— Ma chère petite bête amoureuse! Alors, on te tourmente, toi et ta Rézi? Que faut-il faire? Tu sais bien que ton vieux mari t'aime assez pour ne pas te priver d'un peu de joie... Elle est charmante, ta blonde amie, elle t'aime si fort!

— Oui? vous croyez?

– J'en suis sûr! Et vos deux beautés se complètent. Ton ambre ne craint pas l'éclat de sa blancheur... sauf erreur, c'est un alexandrin!

(Ses bras ont frémi... je sais à quoi il songe... Pourtant, je me détends à sa voix où coule la tendresse, une vraie tendresse...)

– Que veux-tu, mon oiseau chéri? que je vide demain, pour tout l'après-midi, cet appartement?

– Oh! non...

(J'ajoute, après un silence embarrassé :)

– ... Si nous pouvions... ailleurs...

– Ailleurs? Mais rien de plus facile!

(Il s'est levé d'un élan, m'a posée à terre, et marche à grands pas très jeunes.)

– Ailleurs... voyons... il y a bien... Non, ce n'est pas assez... Ah! J'ai ton affaire!

(Il revient à moi, m'enveloppe et cherche ma bouche. Mais, toute froide de confusion et de gêne, je me détourne un peu...)

– Ma petite fille charmante, tu auras ta Rézi, Rézi aura sa Claudine, ne t'occupe plus de rien – que de patienter un jour, deux jours au plus – c'est long, dis! Embrasse ton grand qui veillera, aveugle et sourd, au seuil de votre chambre murmurante!...

La joie, la certitude de Rézi, parée de sa blancheur et de ses parfums, l'allégement du vilain secret confessé, ne m'empêchent pas de ressentir une autre détresse... Oh! cher Renaud, que je vous eusse aimé, pour un sec et grondeur refus!...

Cette nuit d'attente, je l'avais souhaitée heureuse, rythmée de palpitations douces, de sommes mi-éveillés où l'image de Rézi passerait cendrée de lumière blonde... Mais cette attente même en évoque une autre, dans ma chambrette de la rue Jacob, une autre plus jeune et plus fougueuse... Non, je me trompe, ma veillée de cette nuit, je l'imagine plutôt pareille à celle de Renaud, deux ans passés... Rézi me trouvera-t-elle assez belle? Assez fervente, j'en suis sûre, oh! oui... Lasse d'insomnie, je heurte d'un pied mince et froid le dormir léger de mon ami, pour blottir dans son bras mon corps horripilé, et j'y somnole enfin.

A L F R E D   J A R R Y

1 8 7 3 - 1 9 0 7

Le Surmâle, roman moderne

1 9 0 2

S'il est exact – et vérifiable étonnamment –, que la science, les connaissances de toutes sortes, les innovations techniques, accompagnées de certaines explorations mentales, ont connu entre 1895 et 1910 une explosion extraordinaire, faisant passer vraiment la planète d'une époque à une autre, on pourrait dire d'un Moyen Âge perfectionné à un véritable monde moderne (même si on ne le sentira qu'après coup, souvent), quelles pourraient être les œuvres littéraires susceptibles de repérer ce bond sans précédent? Quel nom d'auteur s'impose pour servir ici de borne commémorative, à la manière de ce Chateaubriand de 1801, si commode?

Alfred Jarry.

Jarry et personne d'autre. On peut évoquer Gide (*Les Nourritures terrestres*, 1897), Claudel ou Valéry (*La Soirée avec M. Teste* dans *Le Centaure* en décembre 1896). Mais « *la Littérature, à partir de Jarry, se déplace dangereusement en terrain miné* » (André Breton), et les perspectives changent.

D'autres en parleront, en ont parlé, d'*Ubu* à *Faustroll*. De *L'Amour en visite* à *La Chandelle verte*. Ce qu'on n'avait pas nettement discerné, jusqu'à l'exploration décisive d'Annie Le Brun en 1990[1], c'est l'essentielle contribution de Jarry à l'*érotique*, au sens large du terme. Certes Patrick Besnier, en 1987, avait très bien rapproché *Le Surmâle* de *L'Ève future* de Villiers de l'Isle-Adam, écrivant : « *Le parallèle entre le roman de Villiers de l'Isle Adam et celui de Jarry n'est pas anecdotique; tous deux partent de la même question centrale : comment incarner l'absolu de l'amour*[2] *?* » Mais ce que déploie Annie Le Brun, c'est qu'« *il est des livres qu'on ne referme plus parce qu'il suffit de les ouvrir pour qu'avec eux s'ouvre l'horizon. Sans changer apparemment, le paysage en acquiert soudain une autre profondeur qui inquiète peu à peu toutes les perspectives. De ce trouble si particulier dont l'espoir est à lui seul une des rares raisons de lire, Le Surmâle constitue à mes yeux la plus belle cristallisation. Mais quelle est sa force véritable? Comment l'amour, insaisissable pierre qui roule dans l'écume des désirs, y est-il transformé en projectile? Et à une vitesse dont on ne revient pas, en projectile qui déchiquette les caractères, abat les lieux et pétrifie la durée, pour venir donner de plein fouet dans ce qu'on appelle la littérature.*

« *Depuis, c'était en 1902, il y a un trou énorme où l'on peut s'amuser à voir tomber l'un après l'autre, et sans même qu'ils s'en rendent compte, tous les romanciers, palotins et palotines emplumés de leur quelque chose à dire. Car si Le Surmâle est bien le "roman moderne" que son auteur annonce en sous-titre, alors les autres romans – les bons à la même enseigne que les mauvais – sont d'une vieillerie pitoyable. Pitoyable comme l'éternel retour du troupeau des sentiments, comme la prolifération des grands ensembles de l'absence ressassée ou encore les boursouflures saisonnières des outres*

---

1. « Comme c'est petit un éléphant », postface au *Surmâle*, Paris, 1990.

2. Notice pour *Le Surmâle*, *Œuvres complètes* d'Alfred Jarry, t. II, Bibliothèque de la Pléiade.

familiales que chaque époque regonfle de son pourrissement.

« En revanche, moderne, Le Surmâle l'est absolument comme une sidérante réponse à la question que Jarry posait ailleurs la même année : "Si l'on veut que l'œuvre d'art devienne éternelle un jour, n'est-il pas plus simple, en la libérant soi-même des lisières du temps, de la faire éternelle tout de suite ? "

« L'amour est un acte sans importance, puisqu'on peut le faire indéfiniment. » A partir de cet énoncé – d'ailleurs si sournoisement trompeur dans sa brutalité –, ce qui va se passer dans Le Surmâle, « au plus loin de la fatuité amoureuse [...] au plus loin aussi des promesses de la rhétorique amoureuse [...] au plus loin enfin de l'idée crétinisante d'un avenir amoureux » (A. Le Brun), chacun doit aller le lire tout seul, pour soi-même. Tout juste, ce dont on peut être sûr d'avance, c'est qu'avant ce livre, « jamais encore l'amour n'avait été si directement pris comme objet de révolte » (A. L. B.). Ensuite on jettera le livre avec dépit ou bien on se plongera dans « Comme c'est petit... » pour que les découvertes enchantées continuent.

Tenant encore par quelques fils au siècle précédent, Jarry invente résolument l'esprit moderne, et il le sait. Ce n'est pas un hasard si Le Surmâle est censé se passer en 1920. Ce n'en est pas un non plus si son auteur paraît annoncer parfois tellement ouvertement Apollinaire. Et peut-on dire que c'en est un si leur rencontre, qui eut lieu parfois physiquement, paraît avoir toujours buté, pour aller plus loin, sur des impondérables un peu bien objectifs ? On peut rêver sur ce qui, dans la (si rare) correspondance de Jarry, par ses lettres à Apollinaire [3], est révélé d'actes

3. « On ne connaît qu'assez peu de choses sur les relations de Guillaume Apollinaire et de Jarry, note Patrick Besnier, si l'on excepte les lettres de ce dernier au premier, et le texte sur Jarry qu'Apollinaire publia plusieurs fois » (Jarry, Œuvres complètes, t. III).

manqués, de contretemps tombés tellement dérisoirement à pic pour empêcher que ce passage de flambeau – qui n'avait sans doute rien à y gagner – devienne plus explicite :

27 octobre 1903, Jarry à Apollinaire : « Mon cher ami, C'est moi qui suis inexcusable de n'avoir écrit plus tôt. J'en fus tenté lors de l'épisode de l'hameçon et du surmulet, puis ma paresse naturelle a pris le dessus. Je crois que quand deux littérateurs sympathisent, il y a toujours rencontre, sans correspondance postale ».

1er juillet 1904 : « Mon cher ami, C'est une véritable guigne qui fait que nous ne nous rencontrons jamais. Votre télégramme m'était arrivé, retourné comme une lettre, dans des campagnes lointaines, et je voulais justement vous écrire [...]. Voulez-vous venir aujourd'hui à cinq heures (ainsi nous aurons plus de temps) au café du Rocher ? »...

Sans date, peu après sans doute : « Mon cher ami, Je suis infiniment désolé de n'être pas arrivé à temps au café » ...

Octobre 1904 : « Cher ami, Hélas ! votre aimable invitation me parvient trop tard »...

28 juillet 1905 : « Cher ami, Excusez-moi mille fois. Je ne suis jamais à Paris, j'ai trouvé votre mot lundi, m'invitant pour dimanche »...

Avril 1906 : « Cher ami, Mille excuses pour demain samedi. Je pars à la campagne avec Vallette »...

Alfred Jarry, comme on sait, malade depuis novembre 1905, meurt à Paris le 1er novembre 1907. Les cinq années qui voient finir Jarry, à partir du Surmâle, sont très exactement celles qui voient commencer Apollinaire : de L'Hérésiarque et Cie dans la Revue blanche de mars 1902, aux Onze mille verges et au Jeune don Juan clandestins de 1907, en passant par *L'Enchanteur pourrissant* (dans *Le Festin d'Ésope* en août 1904), et les premiers poèmes (« L'Émigrant de Landor Road », « Salomé », « Les cloches », « Mai », *Vers et Prose,* décembre 1905).

L'Indien tant célébré par Théophraste

ON PÉNÉTRAIT dans le hall par une double porte. L'Indien ouvrit la première, qu'il referma derrière lui. Il entendit, au-dehors, le bruit du verrou poussé par Bathybius et qui ne serait ôté que dans vingt-quatre heures. De son côté, il tira le verrou intérieur et étendit les bras vers la seconde porte...

Celle-ci s'était ouverte pendant qu'il se retournait, et il reconnut, debout, appuyée au chambranle, toute rose et toute nue, comme transparente sous la lumière des lampes, Ellen Elson qui lui souriait.

Avec la barbe, le lorgnon et les vêtements conformes à ceux de tout le monde, Marcueil avait dépouillé jusqu'au souvenir du monde.

Il n'y avait plus qu'un homme et une femme, libres, en présence, pour une éternité.

Vingt-quatre heures, n'était-ce pas une éternité pour l'homme qui professait qu'aucun nombre n'avait d'importance?

C'était l'*Enfin seuls* de l'homme et de la femme renonçant à tout pour se cloîtrer dans les bras l'un de l'autre.

— Est-ce possible? soupirèrent leurs deux bouches, et elles ne dirent rien de plus, car elles s'unirent.

Mais l'ironie froide n'abandonnait pas ses droits sur Marcueil, même poudré de poudre d'or rouge et maquillé en Indien, aussi ridicule au fond — il s'en aperçut tout d'un coup — que le Marcueil homme du *monde.*

— Enfin seuls! ricana-t-il avec amertume en repoussant Ellen. Et ces sept filles qui vont venir, et ce docteur qui regardera?

Ellen ricana à son tour, d'un rire discordant de pierreuse ivre, du plus beau des rires.

— Tes femmes, les voilà! Voilà (elle prit sur le lit et jeta quelque chose de froid comme une arme blanche à la poitrine de l'Indien) la clé de ton coffre-fort à femmes! Il ferme très bien! Je te les garde et elles sont très bien gardées. Mais elles sont à moi, tes femmes, puisque tu es à moi! *Combien êtes-vous?* m'a demandé un jour un petit monsieur pieds nus, emmailloté d'une robe de moine. C'est bien simple : *je suis sept!* Est-ce assez pour vous, mon Indien?

— C'est fou! dit Marcueil qui, entre autres infinis, semblait disposé à épuiser celui de la froideur. Ce docteur, qui va *voir...* il te reconnaîtra.

— J'ai pris mon masque, dit Ellen.

— Belle malice! Ton masque de chauffeuse, comme si beaucoup de femmes en portaient et si on ne savait pas que Miss Elson est une chauffeuse assidue! Tout le monde l'a vu. Bathybius te reconnaîtra mieux, voilà tout.

— Mes masques sont roses, et celui-ci est noir!

— C'est une raison... de femme.

— Alors... elle ne vaut rien? Écoute, c'est le masque d'une de tes femmes, elles sont quatre qui en portent, c'est une mode... Et puis... Ah! ... et puis, c'est bien bon pour un docteur! Et aussi : le masque d'une de tes femmes, ça te fera plaisir, tu croiras embrasser sa figure... et moi je croirai lui avoir coupé la tête... Et puis... je ne suis pas tout à fait une fille, tu ne voudrais pas que je sois tout à fait toute nue!

Son visage disparut dans le velours noir. Ses yeux et ses dents brillaient.

Une seconde après, un déclic claquait, et les poils blancs de Bathybius givraient confusément une petite vitre au bout de la salle.

— Allons, Indien, plaisanta Ellen, la Science vous observe, la Science avec un grand S, ou plutôt, car ce n'est pas encore assez imposant... : la SCIENCE avec une grande SCIE...

Marcueil, toujours froid :

— Sais-tu, après tout, si je suis l'*Indien*? Je le serai... peut-être... *après*.

— Je ne sais pas, dit Ellen, je ne sais rien, tu le seras et puis tu ne le seras plus... tu seras *plus* que l'Indien.

— ET PLUS? rêva Marcueil. Qu'est-ce que cela veut dire? C'est comme l'ombre fuyante de cette course... *Et plus*, cela n'est plus fixe, cela recule plus loin que l'infini, c'est insaisissable, un fantôme...

— Vous étiez l'Ombre, dit Ellen.

Et il l'enlaça, machinalement, pour s'accrocher à un appui palpable.

Dans un cornet de verre, sur une table, les embaumaient, non encore fanées, quelques-unes des roses du *Mouvement-Perpétuel*.

Comme un laurier tressé en couronne dont les feuilles palpitent au vent, le nom de cet être qui allait se révéler « au-delà de l'Indien » voleta et se précisa devant les yeux de Marcueil :

— LE SURMÂLE.

L'horloge annonça minuit et Ellen écouta :

— C'est fini?... Alors... à vous, mon maître.

Et ils tombèrent l'un vers l'autre, leurs dents sonnèrent et le creux de leurs poitrines – ils étaient si absolument de la même taille – fit ventouse et retentit.

Ils commencèrent de s'aimer, et ce fut comme le départ d'une expédition lointaine, d'un grand voyage de noces qui ne parcourrait point des villes, mais tout l'Amour.

Quand ils s'unirent d'abord, Ellen eut peine à ne pas crier, et son visage se contracta. Pour étouffer sa souffrance aiguë il lui fallait quelque chose à mordre, et ce fut la lèvre de l'Indien. Marcueil avait eu raison de dire que pour certains hommes toutes les femmes sont vierges, et Ellen en souffrit la preuve, mais elle ne cria point, quoique blessée.

Ils se repoussèrent au moment précis où d'autres s'enlacent plus étroitement, car tous les deux ils se souciaient d'eux seuls et ne voulaient point préparer d'autres vies.

Quand on est jeune, à quoi bon? Ce sont de ces précautions que l'on prend – ou que l'on cesse de prendre – au bout de sa vieillesse, après son testament, sur son lit de mort.

Le second baiser, mieux savouré, fut comme la relecture d'un livre aimé.

Au bout de plusieurs seulement, Ellen put démêler quelque plaisir au fond des yeux étincelants et froids de l'Indien… elle crut comprendre qu'il était heureux de ce qu'elle était heureuse jusqu'à souffrir.

– Sadique! dit-elle.

Marcueil éclata d'un rire franc. Il n'était pas de ceux qui battent les femmes. Quelque chose en lui leur était bien trop cruel, pour qu'il eût besoin d'y ajouter.

Ils continuèrent, et chacun de leurs baisers fut une escale dans un pays différent où ils découvraient quelque chose et toujours une chose meilleure.

Ellen paraissait décidée à être un peu plus souvent heureuse que son amant, et à atteindre avant lui le but indiqué par Théophraste.

L'Indien approfondissait en elle des sources de plaisir angoissé, qu'aucun amant n'avait effleurées.

A DIX, elle bondit avec légèreté hors du lit et revint tenant une mignonne boîte d'écaille prise au cabinet de toilette.

– A DIX, avez-vous dit, mon maître, il faut panser les blessures avec certains baumes… Ceci est un excellent baume distillé en Palestine…

– Oui, *l'ombre grinçait*, murmura Marcueil. Il rectifia doucement : – A ONZE. Plus tard.

– Tout de suite, dit Ellen.

Les forces humaines furent franchies, comme, d'un wagon, on regarde s'évanouir les paysages familiers d'une banlieue.

Ellen se révéla courtisane experte, mais c'était si naturel! l'Indien donnait si bien la sensation de quelque idole taillée dans des matériaux inconnus et purs, dont chaque partie que l'on caressait était la plus pure.

La fin de la nuit et toute la matinée, les amants n'eurent point d'heures de repos ni de repas : ils sommeillaient ou veillaient, ils n'auraient pu le dire ; ils grignotaient des gâteaux et des mets froids ; et boire − dans une même coupe − n'était qu'une des mille variantes de leur baiser.

A midi − l'Indien avait presque atteint et Ellen avait dépassé depuis longtemps le chiffre de Théophraste − Ellen se plaignit un peu.

− J'ai si chaud ! dit-elle en marchant par la salle, les mains sur ses seins tendus ; je ne suis pas assez nue. Est-ce que je ne pourrais pas ôter cette chose sur ma figure ?

Les yeux du docteur épiaient, de leur vitre.

− Quand l'ôterons-nous ? répéta Ellen.

− Quand le cerne de tes yeux débordera le masque, dit Marcueil.

− Qu'il déborde vite, gémit Ellen.

Il la prit sur ses bras où elle resta pliée comme un foulard froissé en boule ; il la recoucha comme une enfant, l'étendit, lui tira la peau d'ours sur les pieds en racontant, avec une pédanterie comique, pour la faire rire :

− Aristote dit en ses *Problèmes* : Pourquoi cela n'aide-t-il pas à l'amour d'avoir les pieds froids ?

Il lui récita des fables de Florian :

Une jeune guenon cueillit
Une noix dans sa coque verte...

Subitement, ils s'aperçurent qu'ils avaient faim. Ils allèrent choir contre la table servie à la Gargantua, et mangèrent comme des pauvres à une soupe populaire, des pauvres qui se seraient creusé les entrailles par des apéritifs de milliardaires.

L'Indien engloutit toutes les viandes rouges et Ellen toutes les pâtisseries ; mais il ne but pas tout le champagne, parce que la femme préleva la mousse de la première coupe de chaque bouteille. Elle la mordait comme elle eût croqué des meringues.

Elle embrassait son amant après : aussi, par-dessus son maquillage rouge, fût-il verni de choses sucrées sur toutes les parties du corps.

Ensuite, ils s'aimèrent à deux reprises... ils avaient le temps : il n'était pas deux heures de l'après-midi.

Puis ils dormirent : or, à onze heures vingt-sept du soir, ils dormaient encore, comme s'ils étaient morts.

Le docteur, dodelinant de la tête et près de s'assoupir lui-même, inscrivit le total alors atteint :

Et rentra son stylographe.

Le chiffre de Théophraste était égalé, mais non dépassé.

A onze heures vingt-huit, Marcueil se réveilla, ou plutôt ce qui, en lui, constituait l'*Indien* s'était réveillé avant lui.

Sous son étreinte Ellen cria douloureusement, se leva en titubant un peu, une main à sa gorge et l'autre à son sexe ; ses yeux furetèrent autour d'elle, comme un malade cherche une potion ou un éthéromane son Léthé...

Puis elle retomba sur le lit : sa respiration, à travers ses dents serrées, avait le même bruit d'imperceptible bouillonnement que font les crabes, ces bêtes qui fredonnent peut-être ce qu'ils essayent de se rappeler des Sirènes...

Tâtonnant toujours de tout son corps vers l'oubli de la brûlure profonde, sa bouche trouva la bouche de l'Indien...

Et elle ne se souvint plus d'aucune douleur.

Il leur restait, avant minuit, trente minutes, un temps qui leur suffit pour revivre, en comptant cette précédente étape, une fois le parcours connu des forces humaines...

inscrivit Bathybius.

Quand ils eurent achevé, Ellen se mit sur son séant, arrangea ses cheveux et fixa son amant avec des yeux hostiles :

— Cela n'a pas été amusant du tout, dit-elle.

L'homme ramassa un éventail, l'ouvrit à moitié et, à tour de bras, l'en gifla.

La femme sauta, dégaina de ses cheveux une longue épingle en forme de glaive, et, pour une vengeance immédiate, visa les yeux de Marcueil qui luisaient à hauteur des siens.

Marcueil laissa agir sa force : ses yeux se défendirent d'eux-mêmes.

Sous leur regard d'hypnotiseur, au moment où la femme abattait l'arme, elle s'endormit, cataleptique.

Le bras qui se prolongeait d'acier resta horizontal.

Alors Marcueil posa son index entre les sourcils d'Ellen et la réveilla tout de suite, car il était l'heure.

PAUL LÉAUTAUD

1872-1956

Le Petit Ami

1903

L'année de *Claudine en ménage* paraît *Le Petit Ami*, qui touchera beaucoup moins de lecteurs. Ce qu'on appelle un succès d'estime. « *Je ne suis jamais bien sûr d'avoir du talent* », note Léautaud dans son journal, le 18 février, jour où son livre paraît aux étalages des libraires, en même temps que le *Vérité* posthume de Zola, « *ce soir, en regardant tous ces étalages, je m'en sentais encore moins* ». Il va bientôt quitter la bazoche pour entrer au *Mercure de France*. Il est question de lui pour le prix Goncourt qui, à l'époque, n'assure pas encore des tirages de rêve, mais une somme d'argent considérable. Seulement, on trouve le livre immoral : « *Tout de même, c'est sa mère.* » Certains, dit Léautaud, « *trou-* vent cela abominable. » Pourtant, il a des partisans, mais qui ne l'emporteront pas sur ceux de Léon Frapié (*La Maternelle*). « *Ces jours-ci, Théry a vu Hennique, qui lui a dit que j'ai été à deux minutes d'avoir le Prix Goncourt. C'est le sujet du livre qui a fait hésiter. Je commence à être vexé, 5 000 F de ratés à cause de trois ou quatre sots.* » (*Journal littéraire*, 10 février 1904.)

Une semaine avant, il avait noté : « *J'ai rêvé cette nuit de ma mère. Elle m'apparaissait un peu plus forte qu'elle n'est. Nous étions à Calais, dans sa chambre, près de son lit. Elle en corset. Je la tenais dans mes bras, lui embrassant les seins, les épaules, le creux des bras. Il m'en reste ce matin encore de singulières émotions.* »

QUELQUES ANNÉES PLUS TARD, vers le milieu de l'année 1881, ma mère, que je connaissais à peine, vint passer quelques jours à Paris, tout à la fois pour se distraire et pour voir un peu son fils. Nous habitions alors, 21, rue des Martyrs, ce pavillon, au fond de la cour où j'ai commencé à connaître les ennuis de la vie. Ma vieille bonne Marie venait de quitter la maison ; une jeune personne, et d'un genre tout à fait différent, avait pris sa place. J'avais maintenant ma chambre à la maison paternelle, une petite chambre basse de plafond, où l'on m'enfermait chaque soir sitôt après le dîner. C'était vraiment fini de sourire...

Une après-midi, ma mère arriva. Elle était descendue, passage Laferrière, dans une maison meublée qui existe encore, au numéro 16, je crois, et tout de suite elle avait voulu voir comment j'étais fait. Cette entrevue fut courte. Au bout de quelques minutes, pendant lesquelles je restai muet, osant à peine la regarder et l'appelant timidement : Madame, – elle se leva, tapota ses jupes, arrangea sa figure et partit. Il était convenu que j'irais la retrouver chez elle le lendemain matin, pour passer toute la journée avec elle, et qu'elle me ramènerait le soir à la Brasserie des Martyrs, – au coin de la rue des Martyrs et de la rue Hippolyte-Lebas ; elle n'existe plus ; – où mon père s'arrêtait toujours en rentrant du théâtre.

Je partis donc la retrouver, le lendemain matin, dans cette maison du passage Laferrière, et certainement, timide comme je l'étais, ça ne devait pas être une petite affaire pour moi. Le passage Laferrière est devenu depuis la rue Laferrière et les deux grilles qui le fermaient à ses deux extrémités, rue Notre-Dame-de-Lorette et rue Bréda, ont disparu ; mais, à part cela, tout ce endroit est encore, comme alors, silencieux et féminin. Je ne me rappelle plus quel nom je demandai, en arrivant, pour me faire indiquer la chambre de ma mère ; ou plutôt, je flotte entre deux noms que je lui ai connus, sans savoir au juste lequel c'était à cette époque. Quoi qu'il en soit, on m'indiqua sa chambre, au premier étage, autant qu'il m'en souvienne, et après avoir frappé et qu'elle fut venue m'ouvrir, ou après avoir ouvert en tournant la clef qui était à la serrure, – cela encore m'échappe, – j'entrai dans la chambre où se trouvait cette femme qui me touchait de si près. Je la trouvai encore couchée, le buste un peu dressé, les cheveux défaits légèrement, les bras nus dehors, et la gorge aussi un peu nue, à cause de la chemise qui avait glissé... Elle me dit de venir près d'elle, qu'elle m'embrasse, et je m'approchai de son lit, heureux et gêné. Elle me prit la tête dans ses mains, l'attira sur sa poitrine, et pendant un instant m'embrassa comme un enfant. Je sentais contre ma joue la douceur de ses seins qui tremblaient en mesure avec les baisers. Tout un linge élégant et à jour, dont je m'émerveillais sans rien dire, était jeté négligemment sur tous les sièges, et un parfum s'en dégageait qui m'étourdissait peu à peu comme auprès de mes grandes amies. Tout cela sentait bon la légèreté, la coquetterie, l'amour sans importance. Après un moment passé ainsi, elle se leva, débarrassa une chaise pour que je m'asseye, fit sa toilette, puis s'habilla, allant et venant, rapide, familière, devant moi qui ne la quittais pas des yeux. Ah ! La jolie maman que c'était, je vous assure, et souple, et vive, et gracieuse ! C'était la première fois que je voyais une dame dans une pareille intimité et il est probable que je n'ai pas goûté tout l'agrément du moment. Je me souviens pourtant que je quittai à regret cette chambre où j'avais vu ma mère au lit, où elle m'avait tenu contre elle, si près... Quelle légèreté pleine de souplesse elle montra pour se lever. Je donnerais bien quelque chose pour être encore à ce moment-là.

[...] La journée du lendemain vendredi fut une journée bien remplie. Quand j'arrivai, le matin, vers huit heures, j'appris que ma tante était morte, il y avait à peu près une heure. C'était la seule personne de ma famille qui eût été bonne pour moi. J'étais resté pour elle encore un enfant, encore le petit garçon d'autrefois, lent et replié. « Prends bien garde aux voitures, ne bois pas d'eau non bouillie, ne va pas dans les manifestations, ne bois pas trop de café, ne fume pas trop, ne travaille pas trop le soir, etc., etc. » m'écrivait-elle chaque semaine. Chaque année aussi elle venait me voir à Paris, m'emmenant dîner dans de sales restaurants à prix fixe, d'où je sortais malade pour trois jours, me faisait faire d'interminables promenades sur des impériales d'omnibus, chaque année les mêmes, avec force paquets, et me racontant toujours les mêmes histoires, que lui rappelaient chaque année les maisons devant lesquelles nous passions. J'ai gardé un cœur si sensible, malgré les années, que toutes ces attentions ne m'embêtaient pas trop. Il y avait à peine quinze jours elle m'écrivait encore, soucieuse de ma tranquillité jusqu'à me cacher qu'elle était malade. Quand j'étais arrivé, ma grand-mère avait inventé un mensonge pour que ma présence ne lui donnât pas un coup. Ah! Cette pauvre femme, toute déformée, et plus vieille encore dans son lit de moribonde. Je me disais que c'était une vraie chance pour elle de n'avoir plus eu, tous ces jours passés, qu'à demi sa connaissance. Elle eût fait de trop tristes réflexions en nous voyant là tous les deux, ma mère et moi, après si longtemps, elle qui avait toujours si mal auguré de cette réunion. « Va, il vaut mieux que tu ne la revoies jamais, me disait-elle quelquefois, quand je l'amenais sur ce sujet, lors de ses voyages à Paris. Ta mère est moins sérieuse que toi, relativement. Tu n'en aurais que du chagrin. » Maintenant, elle pouvait être tranquille : quoi qu'il m'arrivât, elle n'en saurait rien. Ma maladie de cœur pouvait s'aggraver à la suite de trop de cigarettes et de trop de café, je pouvais encore une fois tomber d'omnibus, comme ça m'était arrivé en 1898, je pouvais me fatiguer bêtement en essayant de faire des chefs-d'œuvre, ma mère même pouvait me lâcher une seconde fois, elle n'aurait plus à se mettre en quatre pour m'aider à me débrouiller. Je la regardai un peu, étendue sur son lit. La garde était en train de lui mettre une mentonnière, et elle avait l'air, à présent, d'une énorme petite fille jaune, ridicule et bouffie. Je sentais ma bouche se plisser, malgré moi, d'une sorte de moquerie. Pauvre Fanny! J'aurais dû, j'aurais voulu l'embrasser, quand même, une dernière fois. Je ne le pus. Tout cela m'était sans intérêt. C'était bien la peine de tant célébrer la mort, il y avait quelques mois encore, dans les moindres pages que j'écrivais.

Je passai la matinée en courses, puis on déjeuna et tout de suite après ma mère et moi reprîmes nos épanchements. . Je me vois encore assis auprès d'elle, dans la chambre de ma grand-mère, entre une commode et un petit bureau. De combien de choses nous parlâmes, cette après-midi et la soirée du même jour! Si je voulais les dire toutes, je n'en finirais pas. Un mot, quelquefois, réveillait dix souvenirs. Ce n'était plus comme la veille, dans la chambre de Fanny. A présent, au moins, nous en étions aux choses sérieuses.

« Aimez-vous les femmes? » me demanda-t-elle soudain, après m'avoir fait diverses questions frivoles. Comment, si j'aimais les femmes! Mais, d'abord, est-ce que je ne l'aimais pas, elle? Toutefois, cette question m'embarrassait un peu et je restais comme quelqu'un qui ne saisit pas très bien. Alors : « Enfin, avez-vous du plaisir avec elles? reprit-elle. – Mon Dieu! lui répondis-je, en me sentant sur le chemin des attendrissements, ça dépend comme on l'entend. Certainement, les femmes me plaisent. Je crois même les aimer beaucoup. Mais le plaisir qu'elles me donnent est peut-être un peu particulier. C'est-à-dire… – Ah! m'interrompit-elle ici en riant de ce qu'elle appelait ma chasteté, vous m'avez encore l'air d'un drôle de garçon! »

Il y eut un silence, comme si j'avais été froissé. Elle jouait avec la trousse attachée à sa ceinture.

« Vous ne pouvez pas savoir, lui dis-je alors pour tâcher de changer la conversation, et ça m'est aussi bien difficile à vous dire, de quelle façon j'ai pensé à vous, souvent.

– Mais si, dites.

– Non, je n'oserais pas.

– Pourquoi? Qu'est-ce que ça fait? …

– Ah! c'est que c'est très mal, du moins, vous le penseriez. En tout cas, il n'y a rien à faire…

Et pour lui donner tout de même une idée de mes souvenirs, je lui rappelai notre journée de 1881 et surtout ma visite, le matin, passage Laferrière. « Vous en souvenez-vous? lui dis-je. Moi, depuis ce jour-là, quand je pensais à vous, c'était toujours dans cette chambre que je vous voyais, au milieu de toutes vos affaires, et dans votre lit, très décolletée… vous vous rappelez…

– Comme c'est curieux! » trouva-t-elle seulement à me répondre. Et nous continuâmes à parler d'un tas d'autres choses.

Entre-temps, j'allais rôder dans sa chambre, en cachette, et fouiller dans ses affaires, pour que rien ne m'échappât de sa personne. Jusqu'alors je n'avais d'elle que des souvenirs moraux, si je puis dire. Mais pendant ces trois journées passées avec elle je me suis enrichi de bien des détails. Je sais maintenant qu'elle chausse du 32, que sa poudre de riz est au Trèfle incarnat, que son eau de toilette vient de chez Houbigant, et qu'elle se sert de toutes petites épingles à cheveux, de ces épingles dites « neigeuses ». Cela n'a l'air de rien, je sais bien, et l'on dira même peut-être que c'est sans intérêt. Mais quand on retrouve sa mère, comme moi, au bout de vingt ans, on pense tout autrement, je prie de le croire, et la moindre découverte remplit de ravissement.

Entre-temps aussi nous nous embrassions, dès que nous étions seuls ou cachés derrière une porte. Ah! la morte étendue là-bas sur son lit, dans la chambre au bout du couloir, avec sa croix dans ses mains molles et toutes ses bougies autour d'elle, pouvait rêver tout à son aise. Nous ne pensions vraiment pas à l'aller déranger. « Embrasse-moi vite, nous sommes seuls! » me disait ma mère en me prenant par le cou avec la gaminerie d'une enfant. Et nous nous embrassions, très vivement et très bas. « Tout de même, se mit-elle à dire une fois, après nos baisers, qu'est-ce que l'on penserait de nous si l'on nous voyait nous embrasser comme ça, en cachette? » Et une autre fois : « Tu vois, nous avons encore l'air de deux amoureux. Qu'est-ce que ça aurait été, dix ans plus tôt! »

Ah! qu'importaient ces dix ans plus tard. Elle ne m'en plaisait pas moins cette mère tant désirée. Je n'en revenais pas de la retrouver ainsi, à peine changée, toujours mince et vive, toujours pâle et très brune, avec ses frisures jusqu'aux yeux, comme lorsqu'elle avait trente ans et que j'en avais dix et qu'elle venait me voir dans mon cher quartier de la rue des Martyrs, plein de femmes à son image. Non, rien n'était changé. Le temps n'avait pas passé. Ce n'était pas vrai que j'étais devenu si aimé des femmes et que j'avais acquis à si bon compte tant de souvenirs. C'était bien là ma maman d'autrefois, je la retrouvais, et quand elle m'embrassait c'était encore un peu l'enfant que j'ai été qui s'émotionnait en moi et j'aurais voulu le redevenir pour tenir mieux entre ses bras. J'étais même si heureux de la retrouver ainsi qu'à la fin il me fallut lui dire mon plaisir. « Je ne m'attendais vraiment pas à vous retrouver ainsi », lui dis-je à un moment où justement elle se laissait regarder. Elle ne comprenait pas bien. « Comment cela? fit-elle. – Oui, repris-je, je vous voyais un peu grossie, sévère, grave, une vraie bourgeoise enfin! » Elle riait d'un rire gamin et délicieux, que je revois encore, comme si je l'avais encore là, devant moi. « Vous me plaisez, ajoutai-je. Je vous trouve un peu garçon. Je vous aime mieux comme ça. »

Le plus souvent elle m'appelait Paul, mais de temps à autre, quand nous étions seuls, elle m'appelait aussi son enfant, et aussi son chéri. Comme j'en étais ému, tout au fond de moi-même! A peu près comme lorsque la plus chère de mes amies m'appelle mon mignon. Je détournais alors un peu la tête, pour mieux goûter, comme si j'avais été seul, la douceur de ces petits noms charmants. Si j'avais pu l'être encore vraiment, son enfant! Elle m'aurait embrassé, moi les bras autour de son cou et le visage dans sa poitrine, comme j'aimais alors qu'on m'embrassât. Dire que c'était fini, qu'il était trop tard! Comme elle devait me l'écrire par la suite, elle ne m'avait pas vu grandir, et tout d'un coup me retrouvait un homme. Moi-même je ne l'avais vue que très peu, la valeur peut-être de cinq ou six jours en tout, quand j'étais un enfant. Et à cause de cela, un peu de trouble était entre nous, d'elle à moi et de moi à elle. Ah! de moi à elle, surtout! « Ma chère Jeanne! » lui disais-je en moi-même. Et je pensais, en l'éprouvant déjà, à l'émotion que j'aurais de l'embrasser comme une maîtresse, elle, ma mère! mais une femme comme les autres, après tout. Et puis, elle m'avait vu si peu enfant. Je ne devais guère être pour elle qu'un homme, et un jeune homme encore! Et comme, tout de même, j'étais son fils, je pouvais peut-être ne pas lui déplaire? ... Jusqu'à quels détails intimes de sa personne mes pensées allaient...

Oui, tout son corps... Et elle, que pensait-elle, là, en me regardant?... Y avait-il en elle ce même dédoublement de tendresse qu'en moi, ce même trouble voluptueux de choses familiales et d'idées amoureuses? qui savait? légère comme elle l'avait été et comme elle paraissait l'être encore, avec toutes ses questions... Ah! la prendre dans mes bras, sa tête sur mon épaule, et la couvrir de baisers, en pleurant, peut-être, comme un enfant, c'est cela surtout que j'aurais voulu! Mais, comme un fait exprès, à chaque instant j'étais dérangé. Tantôt c'était ma timidité qui reprenait le dessus, ou quelqu'un qui survenait, ma grand-mère ou la bonne, ou un employé des pompes funèbres qui venait, combien triste! demander un renseignement ou prendre des mesures. Tantôt c'était ma mère qui passait soudain dans une autre pièce. Tout était à recommencer, alors! Et puis, je réfléchissais trop. Je pesais trop le pour et le contre. Ainsi, elle m'avait dit de la tutoyer, et de l'appeler maman, quand nous serions seuls; et malgré tout le plaisir que j'en aurais eu, je n'en faisais rien. Je sentais que si je la tutoyais je finirais par lui dire des choses trop brûlantes, et comme, cela, en définitive, il valait peut-être mieux l'éviter... Une fois, pourtant, j'osai lui dire *tu*. C'était le soir de ce même jour. J'allais la quitter, pour la laisser se coucher et pour regagner ma chambre d'hôtel. Elle était venue m'accompagner jusqu'à la porte, et nous étions là, sans lumière, sur le seuil. « Non, lui dis-je alors à voix basse, au moment qu'elle m'embrassait et que j'allais m'engager dans l'escalier obscur, non, malgré tout ce que je pourrais dire, tu ne sauras jamais combien je t'aime! »

WILLY

1859-1931

La Maîtresse du Prince Jean

1903

C'est peut-être s'attarder beaucoup sur les productions de Willy, mais elles sont très représentatives de leur époque. On sait que Henry Gauthier-Villars signait Willy des romans « légers », écrits la plupart du temps par des nègres parfois talentueux, comme Toulet ou Jean de Tinan.

L'intérêt de *La Maîtresse du Prince Jean* est d'avoir donné lieu à un procès avant que le livre ne soit publié. Willy en avait fourni des passages à une revue « parisienne », *La Vie en rose*, ce qui lui avait valu de devoir répondre aux questions extraordinairement insidieuses d'un juge d'instruction. Brillamment plaidé par Paul-Boncour, le procès se terminera par un acquittement. Nous l'évoquerons plus en détail dans le volume qui couvrira la fin de siècle. Retenons-en pour le moment que Willy bénéficia du soutien de Huysmans, Jules Renard, Striensky, Funck-Brentano et Catulle Mendès, qui tourna ingénieusement son témoignage :

« *Que des censeurs trop solennels, écrivait-il, lui reprochent de ne pas avoir encore, dans de très hautes œuvres, tenté ce qu'on nomme la grande littérature, cela est fort possible. Mais le certain, c'est que Willy est, de l'aveu, je crois, de tous ses confrères, un des princes des jolies lettres.* »

Une fois en librairie, le livre ne fut pas poursuivi. Le texte en avait d'ailleurs été revu et corrigé.

Suite de la première nuit d'amour

*I*L S'ÉTAIT OSTENSIBLEMENT dépouillé de son caleçon vierge et de ses deux chaussettes radieuses. De tous ses fameux dessous, il n'avait gardé que sa flanelle immaculée, et il allait se précipiter vers le lit où s'allongeait la comédienne, nue, les pieds croisés, la nuque appuyée sur ses mains ouvertes, attitude qui avantageait ses seins, d'ailleurs restés fermes et beaux.

— Vous y tenez beaucoup ? interrogea-t-elle.

— Comment, si j'y tiens !...

— Sans ça, je vous aurais prié de l'enlever.

— Qui ? Quoi ?

— Eh bien, votre flanelle. Le contact de la laine m'est insupportable.

— Je vais l'ôter.

Il l'ôta. Puis, moitié railleur, moitié ingénu :

— Et si vous voulez, mon amour, je vais remettre mon caleçon : il est en soie.

– Ta peau ! fit-elle.

Alors, il se précipita.

Ce fut une étreinte importante. Jamais, même aux heures déjà lointaines où il se mesurait à coup de poings avec ses meilleurs compagnons d'études, Lauban n'apporta plus de gravité dans l'attaque et plus de puissance dans la riposte. Et sinon jamais, du moins pas souvent, Gaëtane ne se montra aussi sérieusement fougueuse. Pour s'embrasser de cette sorte à la fois solennelle et farouche, il faut des raisons, et, qui sait ? sans qu'ils s'en rendissent compte ni l'un ni l'autre, ces deux êtres qui se connaissaient à peine s'entre-devinaient assez pour s'entre-haïr.

Rien ne dure, pas même les étreintes importantes. Un dernier baiser convulsif et sonore, puis quelques secondes d'immobilité torpide et de silence hébété. Peu à peu les lèvres de la comédienne se détendirent dans un léger sourire convalescent.

– Eh bien ?

Le poète ébaucha à son tour un convalescent sourire :

– Eh bien, ça ne va pas mal, merci.

Elle posa l'éternelle question :

– Tu m'aimeras ?

Il répondit d'un signe de tête qu'elle ne vit point. Nerveuse, elle lui pétrit la main.

– Tu m'aimeras ? répéta-t-elle.

– Pardi !

– Toujours ?

– Oui... Attends pourtant cinq minutes.

– Alors, dans cinq minutes ?...

– Parbleu !

– Toutes les cinq minutes ?

– Si tu veux.

– Mais tu es effrayant !

Maintenant, elle lui pétrissait l'épaule. En bon garçon pas contrariant, il se laissait tripoter, il fixait le ciel de lit, le constatait d'une étoffe bleue sans ornements, et regrettait cette simplicité : il eût souhaité voir là quelques attributs princiers, une couronne brodée, par exemple, ou, tout au moins, un semis de fleurs de lys d'or.

Soudain, Gaëtane s'étira, se leva ; et, spontanément, après elle, il sauta à bas du lit. Chaste ou – plus probablement – frileuse, elle s'enveloppa d'un frêle peignoir vermeil. Lui, faute de peignoir vermeil, il croisa ses mains devant lui. Ainsi pudiquement voilés ils se transportèrent à pas rythmiques dans le cabinet de toilette.

Là resplendissait – argent massif illustré de ces ciselures mythologiques – le célèbre Turenne, ce somptueux coursier intime dont, maintes fois, les échos des petits journaux potiniers célébrèrent la magnificence. Un fol orgueil envahit le poète à sentir les mythologies s'imprimer dans la peau de ses cuisses et cet orgueil devint incommensurable quand il songea que, sans aucun doute, le prince Jean

Trois fois sacré par Dieu, l'amour et la victoire

Le prince Jean s'était assis là, dans la même attitude, dans le même costume et pour les mêmes raisons. Le prince Jean parlait-il au cours de ces hygiéniques chevauchées? De quoi pouvait-il bien parler? De la ville ou du théâtre? De la guerre ou de l'amour? Lauban eût voulu que le hasard lui inspirât des paroles semblables à celles que le prince prononçait en ces occurrences. Pensif, il chercha une phrase digne, par sa tournure, de prendre place dans les histoires, quelque chose comme : « La séance continue », et ne trouva rien qui le satisfît; enfin, dardant ses regards vers le plafond peinturluré de nuages blonds et roses, il articula, faute de mieux, d'un ton qui s'appliquait à être royal :

– Ah!... ça fait du bien!

Mon Dieu, cette petite phrase n'avait pas l'air de grand-chose. Et cependant il est certain – tant sont bornées les impressions et les éloquences humaines – que le vieux prince, descendant des rois de France et de Navarre, l'avait dite un soir ou l'autre, que, même, il l'avait dite plusieurs fois, il fallait suivre son exemple. En quittant sa monture, le poète rouvrit donc royalement la bouche et réitéra :

– Ah! ça fait du bien!

Après quoi, le moment lui parut opportun d'offrir à sa partenaire, après le fougueux enthousiasme de l'étreinte, l'hommage plus raffiné d'une admiration détaillée, « artiste ». En de telles circonstances, et le prince Jean, qui passait pour l'homme le plus galant de notre époque de goujats, devait se comporter ainsi.

Lauban entreprit donc, congrûment, de louer tels fragments de Mlle Girard que le peignoir vermeil, en s'agitant, comme il convient, accusait l'un après l'autre plutôt qu'il ne les voilait.

– Oh! cette hanche!... cette poitrine!... cette aisselle.

Il s'extasiait de la forme, de la couleur, des frissons et des frisons de cette aisselle, nid mystérieux, sachet embaumé, gousset féerique :

– Oh! cette aisselle!

– Sans compter, signala gaiement Gaëtane, que j'en ai deux comme ça.

– Deux?... c'est vrai! c'est... c'est évident! proclama-t-il. Ah! mon amie...

Au comble de l'exaltation et, d'ailleurs, à bout d'éloges, il la saisit sans plus rien dire, la souleva brillamment. Un peu petite, soit! mais grassouillette de long en large, potelée de haut en bas, elle pesait, peignoir vermeil à part, elle pesait net cent trente-deux demi-kilos, ce qui, même à deux heures de la nuit, constitue une charge appréciable pour un simple mortel habitué à ne porter qu'une lyre. Une seconde, il demeura perplexe, se demandant s'il allait laisser seulement tomber la belle comédienne ou bien s'il allait tomber avec elle. Le poète pensa que le prince Jean, n'étant plus d'âge à faire des poids avec le corps de la bien-aimé, se fût inévitablement flanqué par terre. Eh bien! il voulut, lui, Lauban, affirmer sa supériorité sur le descendant de nos rois, et ce désir lui conféra une force insoupçonnée. Sans accident, il parvint jusqu'à la chambre, atteignit le lit aux coussins luxueux et bouleversés, sur quoi il déposa Mlle Girard épanouie, inconsciente du danger qu'elle avait couru.

— Tu es vigoureux, et cela me plaît, dit-elle.

Puisque cela lui plaisait, il n'y avait pas à se gêner. Et il ne se gêna pas. En avant, deux! ce fut une seconde étreinte importante.

Un peu plus tard, dans l'historique récipient d'argent, l'eau, de nouveau parfumée d'héliotrope, roula ses ondes.

— Et maintenant? interrogea Gaëtane d'une voix dont la langueur s'enrouait.

— Maintenant, ma foi, répondit Maurice, on pourrait varier un peu…

— Le plaisir?

— Oui. Par exemple, on pourrait…

Il s'interrompit. Mais, s'efforçant de suppléer à la parole par les gestes, il dessina des deux mains, en l'air, des académies violentes.

— C'est ça, souffla-t-elle, j'avais raison de le supposer tout à l'heure, c'est bien ça! tu es effrayant!

— Au contraire, ce qui serait effrayant, c'est que, quand on s'aime…

— On ne se démolisse pas.

Elle dit cela d'un ton presque triste, et de petites rides se froncèrent une à une aux commissures de ses paupières alourdies. Elle parut souffrir d'une névralgie subite. Ce malaise se dissipa-t-il instantanément, ou bien en eut-elle honte, ou bien encore son penchant excessif pour la luxure sut-il dompter sa douleur? Ses yeux s'animèrent; elle se passa la langue sur les lèvres, et, d'une voix qui maintenant badinait, elle reprit :

— Avoue-le que tu as l'intention de nous démolir. Et, comme si, pour y arriver, il ne suffisait pas du seul bon vieux système, voilà, Chérubin, voilà qu'il te faut des… des je-ne-sais-quoi… des complications!

— Nécessairement. Il faut ce qu'il faut, exprima Lauban avec une conviction extraordinaire.

Mlle Girard, convaincue à son tour, lança un défi :

— Chiche! s'écria-t-elle. Viens-t'en nous démolir!

Et elle bondit dans la chambre. Il s'élança à sa poursuite, l'atteignit juste au moment où elle enjambait le lit avec un geste de bacchante : le peignoir vermeil glissa du corps frémissant de la comédienne. Le programme s'accomplit avec une ponctualité empressée ; il y eut des *bis* charmants, des rappels flatteurs. Quand ils furent incontestablement et définitivement démolis, le poète d'un geste rassasié ramena le lascif désordre des couvertures sur tout son organisme vanné, jusqu'à ses tempes à la fois vides et bourdonnantes, et il sembla vouloir se reposer dans le sommeil.

A . V A N B E V E R
ET E . S A N S O T - O R L A N D

Œuvre galante des conteurs italiens

1 9 0 4

La publication de l'*Œuvre galante des conteurs italiens* au Mercure de France, en 1904, est une des nombreuses tentatives des éditeurs « officiels » de l'époque pour diriger vers leurs comptoirs une partie de la clientèle très fournie des libraires clandestins, ou spécialisés dans le livre licencieux. A la même époque, Flammarion se lance dans une série de petits romans français du XVIIIᵉ. A vrai dire, là encore, la frontière est fort imprécise. Les « spécialistes» ont nom Nillsson, Daragon, Offenstadt, Méricant, Juven, Fort et autres « Librairies Artistiques » ou « Sélect-bibliothèque[1] ». Mais Albert Méricant, par exemple, est un éditeur de très bonne tenue. Il publie certes un hebdomadaire, « Les maîtres du roman d'amour », semé d'illustrations fort déshabillées (« retroussées », comme on disait). Les auteurs de ces feuilletons signent Victorien du Saussay, René Emery, Jeanne de la Vaudère. Mais, une fois publiés, leurs romans voisineront au catalogue avec les livres de Paul Adam, Jean Ajalbert, Georges Clemenceau, Georges d'Esparbès, Paul d'Ivoi, Gustave Lerouge, Jean Lorrain... Le catalogue de Méricant vaut bien celui d'Ollendorff, et ses auteurs valent bien Willy. D'ailleurs, ils lui sont souvent pris par des maisons plus académiques qui, dans le même temps, laissent partir d'excellents écrivains. C'est pour publier les conteurs italiens ou l'Arétin que le Mercure décourage Léautaud (voir son *Journal*) et Jarry, à tel point que *L'Amour en visite* s'est retrouvé en 1898 au catalogue de P. Fort, père et prédécesseur de J. Fort, curieuse figure de la librairie galante. D'après Pascal Pia, Fort, à la lettre, ne savait pas lire. Pia assure l'avoir vu, obligé de donner son avis sur un texte, faire semblant de l'examiner en tenant le livre à l'envers. Nous retrouverons Jean Fort.

1. Dont l'éditeur ne s'appelait pas Massy, comme le pense le rédacteur d'une notice du *Dictionnaire des œuvres érotiques* à propos de Don Brennus Alera. La librairie était seulement installée à Massy, Seine-et-Oise à l'époque.

Les deux amis de Ravenne

A RAVENNE, cité très noble et très ancienne, située dans la Flaminia entre les deux fleuves le Ronco et le Montone, jadis siège de l'empereur Théodoric, puis exarquat des empereur byzantins, et maintenant fief du Saint-Siège, vivait un jeune homme né dans la ville même de noble famille mais de mœurs si vilaines et si dépravées qu'il était l'indigne fils d'une si aimable patrie. Tout enfant ayant perdu son père, il avait été élevé sans soin par une mère négligente et peu sage et nul n'avait, par suite, pu le guider dans la voie de la vertu et des bonnes mœurs. Il avait nom Remigio. Ses méfaits furent tels qu'on le bannit de sa patrie et des États de la Sainte Église et il se retira à Ferrare. Il ne faudrait pas croire que là il se repentit et qu'il fréquenta la cour ou les Écoles, comme il eût pu, étant riche et noble, fréquenter l'une ou les autres. Ayant trouvé des amitiés conformes à ses appétits, il aimait mieux passer ses journées dans les tavernes ou dans les lupanars.

Plusieurs mois s'étant ainsi écoulés, l'envie lui vint d'aller faire un tour dans sa patrie, avec le dessein de soutirer quelques écus à sa mère. Il avisa de son projet un étudiant modenais qui avait nom Pompilio de Bellinzini, assez dévoyé comme lui, lequel promit de lui faire compagnie. Peu après donc s'étant tous deux mis en route, sans nul serviteur, ils arrivèrent secrètement à Ravenne le deuxième jour, et s'étant arrêtés dans la demeure d'un pauvre homme qui était l'ami du Ravennais, celui-ci envoya en cachette prévenir sa mère qu'il était à Ravenne et qu'il voulait lui rendre visite avec un compagnon, mais qu'il la priait, pour diverses raisons, de ne pas faire voir qu'elle était sa mère, ne voulant pas mettre autrui au courant de sa situation, même son meilleur ami. La mère lui fit dire qu'elle l'attendait.

Remigio, je ne sais pas au juste pour quelle raison (ou pour ne pas oser se fier à son compagnon, ou pour faire, selon sa coutume, au rebours de tout le monde, ou pour le plaisir de ne point dire la vérité), ayant fait accroire au Modenais qu'il le conduisait dans la maison d'une amie, l'emmena avec lui dans sa propre maison, où la mère vint à leur rencontre sur le seuil et les reçut comme des amis avec beaucoup de courtoisie, ce dont elle était coutumière. Elle leur fit le meilleur accueil et les traita si bien qu'ils restèrent trois jours auprès d'elle, en grand secret.

La dame, mère de Remigio, avait une jeune servante qui n'était point belle, avec une tête de paysanne aux traits grossiers et laids, si bien qu'elle avait l'air d'être une *baroncia*[1] ; mais elle était grasse et dodue et s'appelait Vigoncia. Sans se soucier de son honneur ni de celui de sa mère, Remigio ne tarda pas à lui jouer de la prunelle et à la désirer, si bien qu'en peu de temps il s'en rendit maître. — Vigoncia, d'ailleurs, ne résista pas, car elle ne tenait aucunement à sa vertu et elle ne la ménageait guère. — La veuve le savait, mais n'en avait cure, car de son côté elle ne se faisait pas faute de se donner du plaisir avec l'un ou avec l'autre, histoire (sinon pour autre raison) de passer le temps.

Les choses allant de ce train, comme il y avait déjà trois jours que notre homme était arrivé avec son compagnon et qu'on avait longuement plaisanté avec la dame, Remigio, feignant d'avoir à faire, alla trouver la servante et laissa son compagnon seul avec sa mère. Les sens de la vaillante dame s'étaient fortement échauffés durant ces jours derniers dans la fréquentation de l'étudiant, dont

---

1. On appelait *berenzi* les habitants d'un quartier de Florence qui, suivant Boccace, étaient tous contrefaits et difformes.

l'air et les manières étaient tout à son goût. Sentant tout à coup les écrevisses s'agiter dans son panier, elle ne tarda pas à entrer en matière, car elle ne manquait pas de hardiesse, et, tout en parlant de choses et d'autres, tandis que Remigio s'oubliait avec la Vigoncia, elle se mit à dire à l'étudiant :

— Vous sauriez jamais, Signor, vous imaginer où se trouve en ce moment votre camarade ?

— Certes non, Signora, répondit l'autre.

— Eh bien, je vais vous le dire, reprit la dame en riant.

Et se rapprochant du jeune homme elle dit à voix basse :

— Il s'en est allé rejoindre une mienne servante dont il est amoureux fou depuis que vous êtes ici, et il fait ses folies avec elle. Il ne la quitte pas depuis son arrivée et il se consume pour elle.

Pompilio à ces mots se réveilla tout entier et il se sentit plein d'ardeur. Voyant par le discours de la dame la voie ouverte à son désir, il accepta l'invite et, devenant audacieux, il s'approcha d'elle encore d'avantage et riant il répondit :

— Qu'a-t-il de mieux à faire qu'à se donner du plaisir autant qu'il le peut ? Certes, il fait fort bien.

Et en parlant ainsi il lui posa la main sur le sein et, ne la trouvant pas revêche, il l'embrassa, si bien que, donnant et recevant des baisers, ils arrivèrent à plusieurs reprises aux derniers effets de l'amour, ce dont Remigio leur laissait toute commodité en s'oubliant lui-même longuement avec la servante.

La dame était de sa nature compatissante ; elle ne pouvait supporter de voir autour d'elle verser des larmes ni entendre soupirer et ne se complaisait point à voir qu'on se mourait d'amour à ses pieds ; aussi, elle ne fut pas longue à se laisser convaincre et à se laisser faire.

La danse achevée, il sembla à la dame que Pompilio ne s'était point comporté en gracile étudiant, mais plutôt en gaillard cavalier ; aussi lui voua-t-elle un amour qui devait durer de longues années.

Remigio, s'étant enfin libéré, retourna dans la chambre où il avait laissé la paille auprès du feu, et où sa docile et courtoise mère avait déjà préparé un goûter délicat de confetti et de vins généreux, goûter qu'elle avait bien gagné, mais qu'elle feignait de servir par devoir d'hospitalité. Remigio en mangea une bonne part, faisant compagnie au Modenais dans la restauration de ses forces, comme il l'avait fait dans la dépense.

Quand ils se furent gavés et rafraîchis, ils prirent congé de l'aimable dame, qui les invita chaleureusement pour une autre fois, en se recommandant à leur souvenir.

Comme il était tard, ils sortirent de Ravenne pour aller, à trois milles de là, prendre une barque et regagner Ferrare par les canaux. Chemin faisant, Remigio, qui brûlait du désir de narrer à son compagnon ce qu'il avait fait avec la servante, lui dit tout d'abord :

— Frère, je veux te raconter une chose, car j'éclaterais si je te la taisais : où croyais-tu que j'allais quand je t'ai laissé seul avec la gente dame ? Eh bien ! je suis aller m'ébattre sur la servante, laquelle est la meilleure compagne qui soit au monde.

Pompilio, riant de son côté, répondit :

— Grand bien te fasse ! Et toi que penses-tu que j'aie fait avec sa maîtresse ? Exactement la même chose.

— Comment ! tu dis que tu as fait la même chose avec la maîtresse ? s'exclama incontinent Remigio.

Son compagnon, qui attribuait cet étonnement à ce que Remigio ne le croyait pas capable d'avoir fait la chose, répliqua :

— Oui, te dis-je. Et pourquoi pas ? N'ai-je pas comme toi vie et force ?

Le fou de Ravennais s'avisant un peu tard de sa sottise resta comme à demi mort, ne sachant s'il devait se taire ou dévoiler sa honte, et, de son côté, Pompilio demeurait lui-même tout confus. Puis Remigio, enflammé de colère, se mit à déblatérer en lui-même et contre lui-même, maudissant le sort, comme si la faute de ce qui arrivait était d'autrui et non de lui-même, ne doutant pas que ce que lui découvrait Pompilio ne fût la vérité. Vaincu par la rage qui le minait intérieurement il répliqua :

— Est-il possible que tu aies osé coucher avec cette femme !

— C'est tout ce qu'il y a de plus certain, répondit Pompilio.

— Oh ! grand diable ! qu'as-tu fait là ! s'écria désespéré Remigio.

— Que veux-tu dire ? repartit le Modenais.

— Je veux dire que tu t'es fort mal comporté, répliqua Remigio, sans respect et sans discrétion à l'égard de cette dame qui n'est autre que ma mère.

— Tais-toi donc, dit Pompilio, ne dis point de telles balivernes, car je n'en crois rien.

— C'est assez, reprit Remigio, par la male heure ce n'est que trop vrai qu'elle est ma mère !

Tout courroucé à ces mots, le Modenais répliqua :

— Si j'étais certain que ce que tu dis est la vérité, je t'en voudrais toute ma vie de m'avoir trompé de cette manière, mais je ne veux point te croire.

— Veuille-m'en tant que tu voudras et fais ce qu'il te plaît, mais c'est ainsi, pour mon malheur ! continua Remigio, rempli de fureur et de honte.

Puis, sans attendre ni écouter son compagnon qui, enfin persuadé de l'erreur, voulait excuser et arranger la chose, le fou de Remigio, qui voyait que tout cela était arrivé par sa seule faute et qu'il n'y avait aucun remède, abaissa sur les yeux son chapeau qui plus d'une fois déjà avait couvert sa honte, et, la tête basse, redoublant le pas, il poursuivit sa route sans mot dire, se mordant tantôt la lèvre, tantôt le doigt, en attendant qu'avec le temps il digérât celle-là comme il en avait digéré bien d'autres.

Pompilio, en le voyant dans un tel état, non moins honteux que lui, tout au contraire ralentit le pas, pour lui donner le temps de s'éloigner et de cheminer seul puisqu'il ne voulait ni écouter ni entendre.

Arrivé à Ferrare, Remigio s'efforça de ne plus contracter d'amitié avec des Modenais ou des étudiants, car il les trouvait trop entreprenants, et, par ressentiment d'honneur, il ne voulut jamais plus de la société de Pompilio. Celui-ci, se voyant privé de la fréquentation du fils, cultiva celle de la mère avec laquelle il se rencontra maintes autres fois, trouvant son commerce plus que tout au monde à sa convenance.

ANONYME

L'Art érotique (Catalogue)

1 9 0 0 - 1 9 1 3

Un peu plus en marge encore que la librairie légère, se tient le petit monde du marché du sexe, à mi-chemin entre l'édition polissonne et la prostitution, tenant à l'un et l'autre univers par des interpénétrations multiples. Souvent les éditeurs clandestins et leurs auteurs ont simplement usé de pseudonymes pour passer de la pénombre des ouvrages légers aux ténèbres des publications sous le manteau. La prostitution est officielle et florissante. Paris compte à la fin du XIXᵉ siècle d'innombrables pierreuses, hétaïres, horizontales, cocottes grandes ou petites, 75 maisons de tolérance et 150 établissements de « massages », « lingeries » (« Chez Suzanne, on essaie »), « estampes japonaises », « photographie d'art »[1], et un certain nombre de cabinets de « livres rares », où on retrouve naturellement la production que nous avons déjà évoquée, à laquelle s'ajoutent, dans l'arrière-boutique, des ouvrages plus « salés », condamnés (assez rarement), saisis de temps à autre au hasard des descentes de police et des arrangements noués ou rompus avec « les mœurs », aujourd'hui brigade mondaine.

En fait de mœurs, il régnait à l'époque à Paris une liberté « que l'Europe nous enviait », suivant la formule célèbre, et qui a laissé à beaucoup de ses contemporains un souvenir ébloui. *« La civilisation d'Occident*, écrit Sylvain Bonmariage[2], *a connu son apogée en France entre 1900 et 1925 dans la liberté, la liberté de toute liberté, sous le signe de l'esprit et du plaisir qui nous valait la prospérité la plus inouïe... »* Les termes de cette affirmation pourraient être commentés diversement, mais l'existence de la liberté en question n'est pas niable. Nous avons choisi, pour l'attester, de citer ci-dessous assez longuement un catalogue de l'époque.

Les catalogues, d'ailleurs, selon Anatole France, ne sont-ils pas une lecture passionnante? Ils peuvent donc certainement, quand ils ressemblent au nôtre, constituer aussi une lecture érotique.

Celui-ci porte sur sa couverture les mentions suivantes :

L'ART ÉROTIQUE / (VOLUPTÉS SENSUELLES) / LIVRES / GRAVURES / PHOTOGRAPHIES OBSCÈNES VRAIMENT ARTISTIQUES / PRODUITS EXCITANTS / APPAREILS ÉROTIQUES / SÉCURITÉ.

Il est assez difficile de le dater avec précision. On trouve, page 22, la mention « nouveautés parues en octobre 1902 », mais page 48, sous le mention « vient de paraître », on y détaille le volume *L'Art de jouir*, dont Perceau, dans sa bibliographie du roman érotique, place la publication en 1908. Page 60, on propose le volume *Éjaculations d'un fouteur* (la pièce 5 F) également daté par Perceau de 1908. Enfin, page 86, dans les « nouveautés », voici la mention des *Jeux innocents, souvenirs de la quinzième année* (12 F) et des *Deux Sœurs, ou quatre ans de libertinage* (12 F), tous deux datés par Perceau de 1913. Il est vraisemblable que ce catalogue assez volumineux (96 pages) était remis à jour

---

1. Cf. G. Brandinbourg, *Croquis du vice*, Paris, 1895, cité par Patrick Waldberg dans son *Éros Modern style*, Paris, 1964.

2. Sylvain Bonmariage, *Willy, Colette et moi*, Paris, 1954.

périodiquement et complété sans que les pages déjà imprimées soient remaniées sinon dans un grand désordre des numéros des articles, qui passent en suivant du 100 au 2205, et du 2211 au 193. L'ensemble a dû être utilisé de 1902 à 1914 environ. Nous avons donc ainsi un panorama assez exemplaire de ce qui était proposé à la clientèle des « sex shops » de l'époque. Ces catalogues ne portaient pas d'adresse. Ils étaient envoyés aux amateurs qui répondaient aux petites annonces genre « Photographies artistiques disponibles, catalogue sur demande, s'adresser telle maison telle adresse ». L'amateur écrivait, et savait bien qui lui envoyait, ensuite, le catalogue, où pouvaient donc sans trop de difficulté figurer des livres interdits, par exemple. Tout se passait entre gens de bonne compagnie.

Voici la page I :

MESDAMES, MESSIEURS,
Notre maison n'est pas la seule qui vous fasse des offres alléchantes de photographies qualifiées toutes de merveilleuses et d'inimitables.

Plutôt que de vous formuler avec de belles phrases des promesses élogieuses, nous préférons vous engager à procéder par comparaison. La réclame à outrance et la concurrence nous sont d'autant plus favorables pour les clients déçus dans leurs espérances chez nos concurrents qu'ils nous reviennent et nous restent fidèles.

Notre maison est en effet la seule capable de donner la plus entière satisfaction.

Nous vous demandons de 8 à 10 jours pour effectuer les livraisons et cela pour pouvoir apporter à nos envois toute l'attention que comporte une expédition soignée.

Les personnes qui visitent Paris, Londres, Bruxelles, Berlin et qui ont le désir de connaître les dessous corrompus des grandes capitales sont invitées à nous faire connaître leurs intentions, nous leur procurons des guides, hommes ou dames, et qui les initient à tous les secrets des perversions sexuelles.

Nous facilitons, également, les mariages libres et s'il y a lieu les mariages légitimes *dans toutes les villes de France* et de l'étranger.

Suit un avis important :

NOUS SOMMES HEUREUX d'offrir à nos clients plusieurs nouvelles séries de *Photographies érotiques* de l'aspect le plus rare, le plus troublant, jusqu'aux suggestions les plus obscènes.

Nous sommes possesseurs de clichés uniques, où la splendeur des formes, la volupté des poses, la lubricité des mouvements s'unissent en une vision paradisiaque. Les charmes les plus secrets, l'expression des physionomies lorsque la chair pâmée est en proie aux plus irrésistibles désirs, ont été rendus avec une vérité qui sera goûtée des vrais amateurs.

Nous vous prions instamment de vouloir bien ne pas nous confondre avec les annonciers qui dissimulent sous des phrases alléchantes, sous des promesses tentantes, des marchandises de qualité tout à fait inférieure.

Nos lecteurs remarqueront que nous sommes les seuls pouvant offrir un nombre aussi considérable de séries.

Les commandes d'essai qu'il leur sera agréable de nous transmettre leur démontreront la véracité de nos affirmations.

Les promesses n'ont de valeur que lorsqu'elles sont tenues, et chez nous la réalité dépasse les espérances que les boniments de la réclame font espérer.

En un mot, avec la préoccupation de toujours donner entière satisfaction à nos clients, nous leur assurons toutes les garanties de discrétion et de probité qu'ils peuvent désirer.

Nous nous chargeons de chercher et de fournir dans des conditions avantageuses tout ce qu'il est possible de trouver dans le genre érotique.

Les expéditions sont faites dans les 8 jours qui suivent la commande.

Puis un AVIS GÉNÉRAL expliquant les modalités de paiement, d'expédition, etc, On accepte en paiement « *les mandats, les bons, les timbres-poste, les billets de banque et toute autre valeur négociable à Paris, déduction du change s'il y a lieu pour les pays étrangers* ». Remise sur les prix, Correspondance, etc. « *La correspondance étant détruite, prière de renouveler son adresse à chaque nouvelle commande.* »

La première partie du catalogue est intitulée PHOTOGRAPHIES, pages 5 à 42. Voici les pages 4, 5 et 6.

Photographies

Je m'adresse à vous, jeunes gens, que les appas secrets de la femme, lorsqu'ils se découvrent à vos regards, font bander comme des cerfs en rut.

Je m'adresse à vous, vieillards, dont la langue gourmande savoure le breuvage onctueux qui humecte les lèvres vaginales s'entr'ouvrant sous les caresses savantes.

Je m'adresse à vous, femmes, dont les regards s'allument du feu des désirs charnels à la vue d'un membre viril qui dresse fièrement sa tête orgueilleuse, prêt à éjaculer la liqueur séminale qui réchauffe vos entrailles altérées de voluptés.

Et vous jouirez longuement, délicieusement, en contemplant mes Photographies qui représentent non pas des individus amenés là pour imiter des postures érotiques, mais au contraire des jouisseurs et des jouisseuses surpris au moment du paroxysme voluptueux.

Vous serez au trou du voyeur et le spectacle des scènes lubriques que vous admirerez dépassera les raffinements de Sodome, de Gomorrhe, de Babylone.

L'obscénité des poses dépasse assurément de beaucoup tout ce que les spécialistes ont jusqu'à ce jour inventé.

Les sexes sont très apparents et les accouplements admirablement obscènes.

Les groupes ont été étudiés de façon à harmoniser l'obscénité avec l'élégance des poses et la beauté des lignes.

Les modèles, hommes, femmes et jeunes filles, sont admirablement faits et l'expression de distinction des visages prouve que les modèles ont été choisis dans un milieu aristocratique.

Les décors et les déshabillés sont extrêmement riches.

C'est la luxure mondaine, c'est le défilé d'un monde chic surpris aux moments des dépravations sexuelles.

Les amateurs d'érotisme trouveront dans ces séries des régals inaccoutumés.

Toutes nos séries ainsi que toutes nos vues stéréoscopiques sont aussi livrées coloriées, *sur demande*, aux prix indiqués plus loin.

Ce coloris, très finement exécuté, fait de nos séries de délicates aquarelles absolument inaltérables et donnant une apparence de vie très intense.

Comme nous tenons essentiellement à nous faire une clientèle sérieuse, nous répondrons toujours dans les 8 jours si, par suite d'une circonstance exceptionnelle, nous ne pouvions adresser les commandes immédiatement. Mais en aucun cas nous n'adresserons nos photographies aux mineurs.

Toutes nos lettres sont fermées et affranchies et nos envois cachetés et discrets.

Il est également envoyé, nous le répétons, des références qui sont la reproduction intégrale de chacune de nos séries ; malgré leurs dimensions exiguës, notre clientèle peut parfaitement se rendre compte des poses et de l'exécution matérielle de nos photographies.

Après une description détaillée des échantillons, le texte continue avec LES SPLENDEURS DE LA CHAIR, *Nos Parisiennes*.

Paris est le pays des merveilles, dont ses femmes auxquelles l'univers entier rend hommage.

L'impeccable beauté des lignes et des formes n'est pas la seule qualité des Parisiennes ; elles ont dans la pose, dans l'attitude, dans le regard, quelque chose de provocant, de tentant, de séducteur. Nos collections sont faites avec des modèles admirables et de telle sorte que pas une partie du corps ne soit mise en relief, et ne se présente aux regards de l'amateur comme une savante invitation aux assouvissements des passions de chair.

Quelques descriptions

Ô vous, muses libertines qui chantez les dépravations humaines, prêtez-moi vos accents et apprenez-moi les mots pornographiques capables de rendre les tableaux des infernales jouissances.

1. Deux Femmes pour un Amant

Elles sont deux en effet, deux jouisseuses effrenées qui dévorent à qui mieux mieux le plat d'amour qui s'offre à leurs convoitises.

Imaginez-vous tout ce que peuvent deux femmes voulant assouvir, sans la moindre réserve, toute la dépravation d'une exaltation des sens et de l'esprit, et vous n'aurez qu'une faible idée des prouesses accomplies par les trois personnages qui consomment ardemment les feux de la luxure et de l'érotisme désordonné.

25 n^{os}, la pièce 1 F 50; la douzaine 15 F; la série 30 F.

2. Au couvent

La religieuse est belle, bien faite, les formes sont proéminentes; les lignes correctes, les appas secrets d'une fraîcheur impeccable, les yeux flamboyants des désirs inassouvissables.

Joignez à cela un sacristain sachant manœuvrer le goupillon en maître expérimenté et faire sonner les cloches pendant que s'accomplit le sacrifice. Les 25 poses sont admirables d'érotisme sacré, de jouissances divines, de voluptés célestes.

Cette collection se recommande par l'étrangeté de ses postures et la béatitude voluptueuse des sujets.

20 n^{os}, la pièce 1 F 50; la douzaine 15 F; la série 25 F.

3. L'Artiste et son Modèle

La jeunesse et l'amour, les désirs, la passion qu'on assouvit, parce qu'avec plaisir on se donne l'un à l'autre.

La possession de la femme dans l'admiration de sa beauté plastique; les raffinements qui s'exercent sur chacune des parties de ce corps modèle dont les détails et l'ensemble sont des perfections de la nature. Toutes les fantaisies érotiques que permettent le chevalet et l'escabeau sont présentées aux regards de l'amateur avec d'autant plus de vérité que les clichés ont été pris à l'improviste par un camarade indiscret que n'attendaient point les amants pendant leurs ébats amoureux. Cette circonstance particulière rend la collection unique, admirable de réalité.

20 n^{os}, la pièce 1 F 50 ; la douzaine 15 F ; la série 25 F.

4. Orgie carrée

Cette série se compose de deux hommes de 20 ans, deux femmes de 18 et 21 ans, deux femmes de 18 et 21 ans, et d'une fillette de 11 ans.

Nous les trouvons dans un cabinet particulier, après de copieuses libations. – Les fumées de l'alcool ont surexcité les sens et l'imagination. – Tous les meubles du cabinet permettent des accouplements fantastiques de luxure et de dépravation.

La fillette les seconde de son mieux et participe à toutes leurs ivresses voluptueuses.

C'est un ensemble admirable de débauchés en rut, qu'éclaire la nudité charmante, par ses formes naissantes, d'une vierge de onze ans.

Cette série est splendide, 25 numéros : 30 F.

Par unité, 1, 50.

5. Au bois de Vincennes

Deux femmes et une fillette de 9 ans sont allées déjeuner au bois de Vincennes. – Leurs excentricités sont révoltantes de cynisme et de passion.

En plein air, elles se déshabillent complètement, et les saucissons, les bouteilles, etc., servent à les masturber furieusement.

La fillette, elle-même, n'ignore rien de tous les raffinements de la débauche. Les sexes sont très apparents.

La série comprend 25 numéros : 30 F.

Par unité : 1, 50.

6. Jeunes amoureux

Nous pouvons également appeler cette série le dépucelage d'une fillette. Elle a onze ans, très bien formée, des seins admirables, mais pas de poils sur le chat.

Les lèvres roses tranchent nettement sur la chair blanche et imberbe.

Il a 15 ans. C'est un joli garçon, très expert déjà et l'initiation de la fillette est pleine d'imprévus très polissons, de gourmandises érotiques très piquantes.

C'est la jeunesse avec ses fureurs de sensualité, ses abondances de joies et de voluptés de toutes sortes. – (Très belle série recommandée.)

La série comprend 20 numéros : 25 F.

Par unité : 1, 50.

7. En Égypte

Nous sommes dans un lupanar d'Orient. – Les murs sont ornés de gravures érotiques très lubriques ; devant ce décor, préparé pour les orgies charnelles, un homme fortement membré possède à la fois deux femmes énamourées.

L'originalité de cette série la recommande aux amateurs de rut à outrance.

La série comprend 25 numéros : 30 F.

Par unité : 1, 50.

8. Carmencia

La série « Carmencita » est l'une des plus belles et des mieux exécutées.

Un homme et une femme qui s'aiment réellement se donnent l'un à l'autre avec tout l'abandon sensuel, tout le désir voluptueux qui font les amants heureux.

Les poses sont naturelles et lascives.

Elles représentent tout le bonheur voluptueux dans toutes les postures agréables.

C'est une belle série où s'unissent l'art, l'érotisme et la volupté.

La série comprend 25 numéros : 30 F.

La pièce : 1, 50.

9. En famille

En famille, c'est-à-dire le frère et ses deux sœurs. Depuis le premier tableau, où avec une naïve perversité ils s'admirent mutuellement, jusqu'au dernier on peut suivre les lignes harmonieuses de leurs enlacements, la grâce due à la perfection des formes, l'ardeur que chacun apporte aux communs ébats sans constater à la fois une évidente ressemblance physique et une égale éducation sexuelle.

La série complète de 20 numéros : 25 F.

Par unité : 1, 50.

10. Gilka la Bohémienne

Gilka la Bohémienne résume en ces poses lascives toutes les luxures que sa nomade tribu ramassa bribe par bribe, dans les centres les plus célèbres des civilisations disparues et de la vie moderne. Les premiers Romanichels, ainsi que se nomment eux-mêmes les membres de la famille de Gilka, ont une réputation bien méritée quant à la pureté de la race et à la beauté de leurs filles, lesquelles sont à tour de rôle, par un usage immémorial, élues reines de Zincalis.

La série complète est de 20 numéros : 25 F.

Par unité : 1, 50.

Il faut sauter, faute de place, les descriptions du « Mariage de Suzette », du « Rêve du Pacha », de « La fillette au miroir », « Les deux écolières », « Les voluptés d'un bandeur », « Le voleur amoureux », « La fille indiscrète », « La perte d'un pucelage », « Ma grande sœur », « L'école buissonnière », « L'amour à travers les âges », « Le parc aux cerfs », etc.

Tout de même, quelques lignes pour « Le voleur amoureux » : « *Elle tient le poignard et, les sens repus, ayant joui du beau voleur, elle le tue froidement, sans pitié pour sa mâle beauté. Raffinée de sa revanche* (sic), *elle profane le beau corps inerte et lui arrache le sexe… L'amour, la volupté, le sang… »*

Viennent ensuite d'ANCIENNES SÉRIES de photographies, « Les raffinements de volupté », « Les furies du gouniottage », « Les progrès de la pédérastie », « La Belle Jardinière ». Puis les « Photographies des tableaux érotiques des musées secrets d'Europe », les vues stéréoscopiques en agrandissements, des séries coloriées, une « collection espagnole », des groupes en « format visite » (« très discrets »), une série flagellation, une « collection mignon », des albums et gravures : Fragonard, « La grande route », « Alphabet », « Les feuilles à l'envers » : « Feuilles épicuriennes recueillies par un Bourguignon salé parmi les écrits à prévoir des meilleurs écrivains de la jeune école », des cartes postales : « *Tout ce qu'il y a de plus érotique, de plus obscène et en même temps de plus artistique dans l'harmonie des poses et l'exécution des clichés a été choisi pour l'exécution des superbes cartes postales »,* et nous en arrivons aux livres :

Le catalogue s'ouvre sur les OUVRAGES RECOMMANDÉS, et en premier le n° 5020, *Adresse de tous les bordels de France, d'Algérie, de Tunisie, de Belgique, d'Italie, de Suisse, de Hollande. « Cet annuaire est indispensable à tous les amis du plaisir et des voluptés savantes qui, en voyageant, veulent connaître les adresses des maisons où les lits sont garnis. Prix 5 F. »*

La liste qui suit mêle beaucoup des titres que nous trouverons dans notre volume précédent, à quelques classiques de Nerciat, Mirabeau, Corneille Blessebois et autres Piron.

A noter le n° 138, *La Philosophie dans le boudoir*, par le Marquis de Sade, deux gros volumes in-18 de 200 pages chacun. « *L'ouvrage est tellement obscène que sa lecture dispense de connaître deux œuvres du même auteur "La Justine" et "La Juliette". Les mauvaises passions sont exprimées là dans les termes les plus révoltants. 30 F. »* A titre d'exemple, voici, pages 71 et 72 la notice du n° 2210, *La Maîtresse et l'Esclavage, mœurs contemporaines.*

La maîtresse et l'esclavage
Mœurs contemporaines

Un volume in-16 imprimé à petit nombre sur papier vergé, avec couverture en couleurs, élégamment broché. (200 pages.) 20 F.
(Il a été tiré 25 exemplaires numérotés sur papier vergé de luxe.)

Aux amateurs de littérature réaliste qui se plaignent de la faiblesse d'invention de nos écrivains actuels, nous recommandons la lecture de ce livre nouveau, vraiment curieux et rare, qui tranche avec vigueur sur la banalité courante et révèle un maître. C'est une histoire passionnelle, un drame vraisemblablement vécu, car une telle sincérité d'observation, un réalisme aussi intense ne cadrent point avec la fiction.

L'auteur nous montre son héros, Georges, encore enfant, contaminé par une servante épaisse et brutale. De ce simulacre de l'amour naît une perversion génésique, d'abord indécise, latente ; cet homme jeune, bien portant, d'apparence saine, est atteint d'une froideur inexplicable ; il ne sait ce qu'il veut ; la femme n'émeut pas ses sens ; l'union naturelle, le don affectueux du corps et de la pensée ne lui suffisent pas. Même dans un mariage d'amour, il ne trouve qu'une satisfaction éphémère.

A l'automne de la vie, parvenu à la considération et à la fortune, Georges rencontre une fille qui le devine, une vulgaire fille des rues, jetée par le hasard sur son chemin. De suite, pour l'asservir sûrement, elle lui inflige la plus avilissante des humiliations. Et elle répétera cet affront chaque fois qu'elle sentira chez l'esclave une velléité de révolte.

Et c'est alors qu'en un style net et simple, d'une clarté évocatrice, l'auteur nous fait assister à des scènes de volupté étrange, d'érotisme aigu. La douleur lascive, le plaisir poignant sont indissolublement liés. Toutes les délices exaspérées, les supplices affolants que les premières étapes de l'amour donnent et qui font perdre la prudence des aventures amoureuses de sa jeunesse. Mais ces scrupules durent peu, et nous assistons aux scènes les plus voluptueuses qu'on puisse rêver, parfaitement décrites, d'ailleurs.

Les dernières pages proposent des produits variés. Un PHILTRE D'AMOUR : « *La propriété extraordinaire de ce philtre consiste à donner aux femmes et jeunes filles le désir irrésistible de faire l'amour. Le besoin de jouir et d'être possédées les empoigne avec une telle intensité que leur volonté chancelle et qu'elles s'offrent sans résistance aux enlacements de l'amant qui les sollicite. Ce philtre est inoffensif à moins d'être pris à haute dose, ce qui n'est pas utile, attendu qu'une cuillère à café dans la boisson ordinaire produit les effets désirés au-delà de toute espérance. Le philtre 20 doses : 10 F.* »

Il y a ensuite L'EXCITATIVE. « *L'excitative, que nous vendons sous forme de poudre, est une substance qui a la propriété de faire participer les femmes insensibles aux voluptés de l'amour, etc., etc. 5 F la boîte.* »

Le n° 284 est la poudre « TOUJOURS VIERGES » ; « *Sachez Mesdames rester toujours des fleurs à peine écloses et qu'une rosée bienfaisante referme sans cesse la corolle suggestive que le temps et l'amour risquent de flétrir, si vous n'y prenez garde. Le flacon, 5 F, la boîte de poudre, 8 F.* »

Viennent ensuite la crème vaginale, des doigtiers, des « anneaux excitateurs », variante moderne de l'œil de biche : simples, 1 F 50, double, 2 F. Le MOYEN DE JOUIR À VOLONTÉ est un peu plus cher : 10 F. Quant au « *nouveau procédé infaillible et instantané producteur d'érection complète et durable par application extérieure* », Il vaut également 10 F seulement bien qu'il s'agisse du « *procédé qu'un savant célèbre de Paris vient de découvrir par le plus complet du hasard et qui est d'une salacité admirable dans ses effets et ses applications* ».

Le catalogue se terminerait sur des offres d'objets divers (breloques, fume-cigarettes érotiques, gravures, tableaux, etc.), si une dernière offre ne venait pas tenter de raccrocher le client qui par extraordinaire n'aurait pas été séduit par les 96 pages précédentes :

« NOTA : *en dehors des articles ci-dessus annoncés, nous sommes à la disposition de nos clients pour leur fournir tout ce qu'ils peuvent désirer. Nous répondons à toutes les demandes intimes et confidentielles qui nous sont adressées.* »

Ce catalogue sera reproduit intégralement en fac-similé par les Éditions L'Or du Temps (Régine Deforges), en 1970, mais avec un nom d'auteur : Jacques Bonhomme (?) et une préface de Régine Deforges :

... « *Il ne faut pas oublier que ce qu'on appelle une "révolution sexuelle" a d'abord consisté à remettre les pays scandinaves de 1960 au niveau de tolérance de la France de 1890...* »

ANONYME

Le Roman de la luxure

1903-1904

« *Après tout ce qui s'est dit, tout ce qui s'est écrit*, s'était écrié Maître Paul-Boncour pour défendre Willy, *La Maîtresse du Prince Jean*, et la *Vie en rose, je me demande ce qu'on pourra bien appeler obscène en 1903 !* » Le célèbre avocat parlait bien entendu des « audaces », des « trop libres fantaisies », qu'il regrettait lui-même dans les Claudine ou dans d'autres romans d'auteurs réputés, mis en vente par des éditeurs « honorablement connus sur la place de Paris ». A la même époque, les éditeurs clandestins ont une production beaucoup moins nuancée. L'année 1904 verra sortir de ces presses mystérieuses un certain nombre de romans nouveaux (13 d'après Perceau) dont les titres parlent d'eux-mêmes : *Priape s'amuse ou les petites cochonnes, Vénus à poil ou l'heu-* reux artiste, *Filles en rut, Les Mémoires du Baron Jacques, lubricité infernale de la noblesse décadente, Tap-tap, fouets et martinets, La Buveuse de larmes, sadisme anglais*, etc.

Toujours en 1904, paraît la première édition de *Cent vingt journées de Sodome*, imprimée clandestinement en français à Berlin par le docteur Dühren, alias Iwan Bloch, et tellement truffée de fautes qu'elle en est illisible. Il en est parlé ailleurs.

En 1904 encore, voici le tome VI et dernier d'un curieux ouvrage prétendument traduit de l'anglais (c'est fort possible) et bâti, en tout cas, sur le modèle de *Ma vie secrète*. Bien qu'il ait été plusieurs fois réimprimé jusque dans les années 50, *Le Roman de la luxure* est un texte assez peu connu.

*L*E *TEMPS PASSAIT* cependant. Frankland était veuve depuis déjà deux années, lorsqu'elle se proposa de faire un voyage de deux ou trois ans sur le continent sans revenir en Angleterre. Elle m'invita à l'accompagner et me fit une proposition des plus étonnantes et des plus surprenantes. Elle me dit :

– Charles, mon seul amour, je t'aime plus tendrement que jamais. Je suis, il est vrai, beaucoup plus vieille que toi, mais tu as maintenant vingt-cinq ans, tu es donc tout à fait un homme. Je désire te faire profiter de toutes mes richesses et je t'offre ma main en mariage. Ne crois pas que je veux monopoliser cette pine chérie (nous étions au lit complètement nus et venions de tirer un coup délicieux), non, avec notre amour pour les variétés, nous chercherons au contraire ensemble, mais comme mari et femme cela nous sera bien plus facile et plus sûr ; autrement, si nous voyageons ensemble sans être mariés, nous nous compromettrions dans chaque ville où nous nous arrêterions. Qu'en penses-tu, mon Charles chéri ?

Elle se jeta alors sur mon sein en levant vers les miens ses yeux pleins d'amour.

— Ce que j'en pense ? mon âme adorée. Regarde comme cette seule idée a fait revenir ma pine à la vie instantanément. Si quelque chose au monde pouvait me faire plaisir, c'est assurément ton offre généreuse. Dédier ma vie à une femme que j'aime mieux qu'aucune autre est une trop grande joie pour que je puisse l'exprimer. Je te remercie du fond de l'âme, mon adorable créature. Oh ! viens dans mes bras comme ma femme future et jouissons tous deux à cette délicieuse idée.

Telle fut la manière dont m'arriva ce bonheur qui dura de nombreuses années, quoique, hélas ! mon cœur veuf regrette encore, au moment où j'écris, la plus aimante des femmes et la meilleure des épouses. Oh ! comme j'ai été heureux aussi longtemps que je l'ai possédée !

Peu de jours après, nous nous mariâmes, grâce à une licence spéciale. La Benson et la Egerton furent présentes et Henry fut mon garçon d'honneur.

Nous nous rendîmes à sa maison, la nôtre maintenant, où nous déjeunâmes.

Ils restèrent aussi pour le dîner et couchèrent à la maison, afin que nous puissions célébrer notre mariage par une formidable orgie, car nous avions annoncé à nos amis qu'en nous mariant, loin de renoncer à nos orgies, nous avions l'intention, par notre union, d'en chercher de nouvelles, et qu'à notre retour nous renouvellerions ces parties délicieuses dont nous avions si souvent joui.

Henry et moi, à cette occasion, fîmes tout ce qui nous fut possible pour satisfaire les trois plus jolies femmes au monde, dont les qualités pour la fouterie ne furent jamais surpassées et rarement égalées.

Oh ! nous passâmes une nuit si délicieuse ! Quant aux femmes, elles ne firent que se gamahucher, ce qui était des plus excitant pour nous.

Nous allâmes passer un jour et une nuit chez ma tante, et en route pour le continent !

Ils furent très heureux de mon mariage, qui amenait une grande fortune dans la famille ; ma chérie fit présent à ma tante d'un chèque de 25 000 francs.

Madame Dale et Hélène vinrent nous rejoindre et nous passâmes une nouvelle nuit d'orgie, dans laquelle tout le monde s'épuisa en jouissances de toutes sortes.

Nous prîmes congé de mon oncle et de ma tante, de madame Dale et d'Hélène, après déjeuner, et nous nous dirigeâmes vers Douvres. Nous couchâmes à l'hôtel de Birmingham, où nous jouîmes de notre première nuit de mariage tout seuls. Nous fûmes très raisonnables, cependant nous éprouvâmes tous les plaisirs de deux jeunes amoureux.

Nous nous embarquâmes le lendemain pour Calais.

La mer nous parut calme d'abord, mais elle devint très mauvaise quand nous fûmes sortis du port. Ma chère femme souffrit beaucoup ; heureusement que je ne m'étais jamais senti aussi bien, et pus ainsi apporter tous mes soins à ma chère malade. Après être débarquée, elle éprouvait encore des nausées et un fort mal de tête, aussi cette nuit nous couchâmes chacun dans un lit séparé dans la même chambre, comme c'est l'usage dans les hôtels français et en général dans tous les hôtels du continent.

Ma chère femme était loin de se sentir très bien le lendemain matin, mais elle s'imagina que le voyage en chaise de poste jusqu'à Abbeville la remettait tout à fait. Nous accomplîmes facilement le trajet entre le déjeuner et le dîner, et nous trouvâmes un excellent hôtel avec de la bonne cuisine et des vins excellents. Ma femme fut très contente du dîner et se trouva ensuite tout à fait bien. Nous dormîmes ensemble en rapprochant les deux lits à côté l'un de l'autre, mais je ne l'enfilai qu'une seule fois avant de nous endormir et seulement deux fois le lendemain matin.

Nous passâmes un jour à Abbeville, nous promenant dans ses rues calmes et visitant sa magnifique cathédrale. Le lendemain, nous allâmes en chaise de poste jusqu'à Amiens, le surlendemain jusqu'à Beauvais où nous couchâmes et passâmes là le jour suivant, et enfin nous arrivâmes à Paris et descendîmes à l'hôtel Meurice, rue de Rivoli.

Nous avions télégraphié pour retenir un appartement au premier avec vue sur le jardin des Tuileries, en priant de tenir le dîner prêt pour une certaine heure. Nous arrivâmes juste à temps pour faire notre toilette et nous mettre à table en face du dîner délicieux. Dans notre chambre se trouvait, ainsi que nous l'avions commandé, un large lit où nous pouvions coucher tous les deux. Cet hôtel, où les Anglais ont l'habitude de descendre, était meublé avec le goût français, mais avec le confortable anglais.

Les agréables journées que nous avions passées, pendant notre voyage, à visiter les différentes villes intéressantes sur notre chemin avaient tout à fait rétabli la santé de ma femme qui avait, avec la santé, repris toute sa vigueur et sa lubricité. Le lit confortable, le bon dîner et les vins excellents m'avaient excité au suprême degré, et nous passâmes une nuit aussi délicieuse que celles que je passais avec elle dans les premiers temps que je la possédais dans sa chambre d'institutrice.

Nous nous rappelâmes ces jours heureux et nous livrâmes aux excès les plus lubriques, ma chère femme se surpassa ainsi que moi-même et nous foutîmes jusqu'à ce que le sommeil se fût emparé de nous, ayant ma pine enfoncée dans son con étroit et délicieux ; de sorte qu'en m'éveillant au grand jour je sentis ma pine se tenant toute raide dans son con, qui la pressait délicieusement, quoiqu'involontairement, car la chérie n'était encore réveillée.

Je l'éveillai par des mouvements gentils et en branlant son long clitoris, de sorte qu'elle s'éveilla en jouissant, ce dont elle n'était jamais lasse. A ce moment un besoin naturel nous obligea de déconner pour soulager nos vessies trop tendues.

Nous nous aperçûmes qu'il était plus de dix heures, aussi elle me claqua les fesses et m'envoya dans le cabinet de toilette pour m'habiller, afin que nous fussions prêts tous deux pour le déjeuner, car nous avions déjà un grand appétit. J'enfilai une robe de chambre et passai dans notre salon, je sonnai le garçon et lui ordonnai de tenir prêt le déjeuner immédiatement, de sorte que lorsque nous fûmes habillés le déjeuner nous attendait tout chaud sur la table autour de laquelle nous nous assîmes pour lui faire bonheur.

Nous passâmes plusieurs jours à visiter les merveilles de Paris. J'avais entendu parler d'un bordel fameux, au numéro 60 de la rue de Richelieu, et d'un autre, tenu par madame Leriche, rue Saint-Marc, où se trouvaient des chambres d'où l'on pouvait voir par des petits trous ce qui se passait dans les chambres voisines.

Les femmes de madame Leriche avaient l'ordre d'amener les plus beaux hommes qu'elles pouvaient trouver dans les rues, de faire semblant d'avoir un caprice pour leur beauté et de n'être satisfaites que lorsqu'ils se mettaient entièrement nus comme elles-mêmes, du reste. Quand ils étaient tout à fait nus elles leur caressaient la pine, valsaient avec eux autour de la chambre, ayant bien soin de s'arrêter en face des endroits où on pouvait les voir à travers les trous, caressant, maniant et montrant leurs pines raides aux voyeurs, et même se faisant foutre dans une position où tous les voyeurs pouvaient les voir et jouir de cette vue.

Le meilleur de la chose était l'inconscience de ces hommes qui ne savaient pas la raison de toutes ces actions. Ils croyaient fièrement que c'était un hommage rendu à leur virilité et à leur puissance et leurs charmes sur leur nouvelle conquête ; aussi étaient-ils d'autant plus lubriques, ne s'imaginant pas que c'était une scène bien préparée, montée pour plaire à d'autres et montrer leurs membres virils. Quelquefois l'homme et la femme étaient tous deux très attrayants et je foutais ma chère Florence tout en regardant ce qui se passait.

L'endroit où nous étions assis pour voir était une petite chambre très étroite, où il avait juste la place pour un sofa avec deux chaises de chaque côté près des trous par lesquels on regardait. Trois autres petites chambres étroites donnaient sur la même chambre d'opération.

Un jour, nous eûmes une magnifique vue d'un homme superbe foutant une fillette avec une énorme pine ; cette vue nous excita énormément et nous tirâmes un coup des plus délicieux.

Nous étions tous deux agenouillés sur le canapé jouissant des plaisirs langoureux qui suivent la décharge, lorsque nous entendîmes des soupirs avec des exclamations obscènes étouffées qui partaient de l'autre côté de la légère cloison près de nous.

Nous aussi nous nous étions servis d'expressions cochonnes. J'avais murmuré à Florence combien était délicieux son con poilu et étroit et comme son cul se tortillait magnifiquement sous mes yeux pendant que je la foutais.

Nous découvrîmes alors que le couple voisin nous avait entendus, car nous pouvions entendre la femme demander si les mouvements de son cul lui plaisaient autant que ceux d'à côté.

– Oh! oui, mon ange, tu tortilles ton immense cul dans la perfection et ton con est presque trop étroit.

– Alors fous-le avec ton énorme pine avec autant de vigueur que ton voisin.

J'eus alors une heureuse idée. Je mis mon doigt sur mes lèvres pour faire signe à Florence de ne pas bouger, je me glissai dans le passage et regardai par le trou de la serrure, par lequel on pouvait voir tout ce qui se passait dans la chambre étroite. Je vis un homme fort bel homme foutant une femme superbement grosse, se tenant à genoux la tête baissée et tournée vers la porte. Son cul tout nu était remarquablement joli, et elle le tortillait vraiment dans la perfection.

Je revins à notre chambre, décrivis à ma femme ce que j'avais vu et lui suggérai l'idée de leur parler à travers la cloison aussitôt qu'ils auraient fini, leur avouant que nous avions entendu tout ce qui s'était passé, comme ils avaient dû eux-mêmes nous entendre, et de leur proposer une partie carrée.

Florence sauta sur l'idée juste comme leur soupirs et le bruit du sofa à travers la cloison annonçaient la grande crise finale.

Nous les laissâmes se reposer quelques minutes, puis nous entendîmes la femme lui dire de le lui faire encore car elle sentait déjà sa pine se raidir dans son con.

– Ce n'est pas étonnant, répondit-il, avec les délicieuses pressions que me fait éprouver ton con si doux.

Nous pensâmes que le moment était bien choisi, car ils étaient tous deux très en chaleur; aussi frappant à la cloison et élevant la voix juste assez pour être entendu d'eux distinctement, je dis :

– Vous avez suivi notre exemple et paraissez être aussi lubriques que nous, voulez-vous que nous nous réunissons ce que nous changions de partenaires? Je suis sûr que vous êtes deux personnes très enviables et vous trouverez certainement que nous valons la peine d'être connus. Ce sera pour tous une nouveauté très excitante qui se terminera soit par une connaissance plus longue soit simplement par un caprice. Qu'en pensez-vous?

Je me tus et j'entendis des murmures qui furent suivis de ces mots :

– Eh bien! nous acceptons.

– Venez chez nous, car je suis à moitié nu! s'écria le monsieur.

Nous nous levâmes et allâmes dans leur chambre. Mon regard à travers la serrure m'avait donné l'idée de deux superbes personnes, mais quand je les vis complètement je les trouvai encore bien mieux. Il était encore enfoncé dans le con par derrière; elle leva la tête quand elle nous vit entrer, mais laissa exposé à notre vue son immense derrière et ne changea rien à sa position pour le moment. Nous le maniâmes et le caressâmes. Le monsieur, tâtant le cul de ma femme, cria à sa chérie :

– Voilà un cul qui vaut le tien.

Cependant, comme je me tenais à côté d'elle lui tâtant le cul, elle glissa sa main dans ma braguette, et en réponse à cette exclamation, elle dit :

– Voilà une pine plus grosse que la tienne. Oh ! je crois que nous allons être bien heureux !

Elle se releva et sortit tout à fait ma pine toute raide pour la faire voir à son mari, car comme nous, c'était un couple de gens mariés mais très lubriques.

Comme la chambre étroite ne pouvait contenir qu'un couple, je proposai de prendre sa femme dans ma chambre et de lui laisser la mienne, et comme les deux sofas étaient tout près de la cloison, nous pourrions nous exciter mutuellement par nos soupirs et nos expressions cochonnes.

Ceci fut accepté de suite.

Nous nous mîmes tous à poil ; ma nouvelle compagne était magnifiquement faite, elle ressemblait beaucoup comme corps à ma tante, avec un cul splendide, quoique cependant pas aussi développé que celui de ma chère tante. Son con était délicieux, son mont de Vénus large et tout couvert de poils frisés et doux comme de la soie ; son con juteux avait la véritable odeur et était très étroit ; quant à ses mouvements et à ses pressions intérieures, ils ne laissaient rien à désirer.

Je la gamahuchai d'abord ; son clitoris était bien dessiné et raide. Ses tétons étaient superbes et se tenaient fermes et bien séparés, sa figure était charmante et aimable avec de jolis yeux bleus, pleins des éclairs de luxure ; ses lèvres rouges et humides invitaient aux baisers.

Nous nous amusâmes aux délicieux préliminaires ; elle regarda bien longtemps ma pine, déclara qu'elle croyait qu'on ne pouvait pas en avoir une plus grosse que son mari, mais elle admit que la mienne était plus longue et plus grosse. Elle en suça la tête. S'étendant alors sur le sofa, elle me fit coucher sur son ventre, car elle aimait à commencer dans cette pose. Je montai sur elle, enfonçai graduellement ma pine jusqu'à la rencontre de nos poils, alors lui faisant alternativement langue fourrée ou lui suçant le bout de ses superbes tétons, je tirai un coup des plus délicieux, la faisant décharger trois fois et moi une seule fois.

L'autre couple, également occupé, avait fini de tirer leur coup avant nous et était en train de prendre la position dans laquelle nous avions déjà foutu nos femmes respectives.

Nous aussi nous prîmes la même position, et vraiment le joli cul de ma fouteuse, sa taille naturellement fine, qui se voyait dans la perfection dans cette attitude, ses magnifiques épaules comme on n'en pouvait pas voir de plus belles, tout cela était des plus tentateurs et des plus excitants. Je m'enfonçai d'un seul coup très vigoureux dans son con humide, et par la seule violence de mon attaque, la fit décharger aussitôt que ma pine fut entrée jusqu'aux couilles, me donnant en même temps avec le con un serrement qui pouvait rivaliser avec ceux de ma petite femme bien-aimée.

Elle était une si bonne fouteuse que je la foutis trois fois avant de déconner de ce réceptacle délicieux.

En comparant ensuite nos actions, j'appris que le fouteur de ma femme lui en avait fait tout autant, et quoique n'ayant pas une pine pouvant satisfaire un con aussi bien que la mienne, la variété et la nouveauté avaient donné un charme extra qui fit qu'elle ne s'était pas aperçue de la diminution du volume.

Nous étions donc tous ravis du changement de partenaires ; une connaissance faite aussi délicieusement devint une bonne amitié et un changement constant dans les agréables raffinements de la volupté, comprenant toutes les variétés de gamahuchage et de double jouissance pour tout le monde.

Les Contrerimes

1921

Collaborateur de Willy, auteur à part entière de *Tendres ménages* (1904), *Mon amie Nane* (1905), Toulet publiait encore après 1918, mais depuis 1912, malade, retiré dans son Pays basque, il avait déjà donné son meilleur. Giraudoux, sans aucun doute, a lu Toulet. S'il ne fallait garder qu'un roman de lui, ce serait probablement *Monsieur de Paur, homme public* qui, selon Henri Clouard, « *tient une étonnante gageure d'originalité libertine et de psychologie aussi désenchantée qu'orgueilleuse* ». Un seul livre, ce serait pour moi *Les Contrerimes*, recueil posthume de poésies où Toulet a laissé la trace la plus achevée d'une sensualité comme il se doit sans illusion.

Il y avait un choix difficile à faire dans ce petit volume. Comment laisser de côté

D'un noir éclair mêlés, il semble
Que l'on n'est plus qu'un seul
Soudain dans le même linceul
On se voit deux ensemble...

ou les quatre derniers vers, que j'aime bien, mais certainement difficiles à citer ici, comme un peu étrangers à notre propos :

Si vivre est un devoir, quand je l'aurai bâclé,
Que mon linceul, au moins, me serve de
[mystère
Il faut savoir mourir, Faustine, et puis se
[taire
Mourir comme Gilbert, en avalant sa clé.

De toute manière, maintenant c'est fait. Alors j'ai pris tout simplement les six premières pièces des *Contrerimes*. Elles ne dispensent pas de lire les autres.

I

Avril, dont l'odeur nous augure
Le renaissant plaisir,
Tu découvres de mon désir
La secrète figure.

Ah, verse le myrte à Myrtil,
L'iris à Desdémone :
Pour moi d'une rose anémone
S'ouvre le noir pistil.

II

Toi qu'empourprait l'âtre d'hiver
Comme une rouge nue
Où déjà te dessinait nue
L'arôme de ta chair;

Ni vous, dont l'image ancienne
Captive encor mon cœur,
Ile voilée, ombres en fleurs,
Nuit océanienne;

Non plus ton parfum, violier
Sous la main qui t'arrose,
Ne valent la brûlante rose
Que midi fait plier.

III

Iris, à son brillant mouchoir,
De sept feux illumine
La molle averse qui chemine,
Harmonieuse à choir.

Ah, sur les roses de l'été,
Sois la mouvante robe,
Molle averse, qui me dérobe
Leur aride beauté.

Et vous, dont le rire joyeux
M'a caché tant d'alarmes,
Puissé-je voir enfin des larmes
Monter jusqu'à vos yeux.

IV

Ces roses pour moi destinées
Par le choix de sa main,
Aux premiers feux du lendemain,
Elles étaient fanées.

Avec les heures, un à un,
Dans la vasque de cuivre,
Leur calice tinte et délivre
Une âme à leur parfum

Liée, entre tant, ô Ménesse,
Qu'à travers vos ébats,
J'écoute résonner tout bas
Le glas de ma jeunesse.

V

Dans le lit vaste et dévasté
J'ouvre les yeux près d'elle ;
Je l'effleure : un songe infidèle
L'embrasse à mon côté.

Une lueur tranchante et mince
Echancre mon plafond.
Très loin, sur le pavé profond,
J'entends un seau qui grince…

VI

Il pleuvait. Les tristes étoiles
Semblaient pleurer d'ennui.
Comme une épée, à la minuit,
Tu sautas hors des toiles.

— Minuit ! Trouverai-je une auto,
Par ce temps ? Et *le pire*,
C'est mon mari. Que va-t-il dire,
Lui qui rentre si tôt ?

— Et s'il vous voyait sans chemise,
Vous, toute sa moitié ?
— Ne jouez donc pas la pitié.
— Pourquoi ? … Doublons la mise.

LÉON BLUM

1872-1950

Du mariage

1907

Si *Du mariage* en son temps fait scandale, ce n'est pas bien sûr par un excès de grivoiserie, c'est à raison de l'audace des thèses qu'y soutient le jeune Léon Blum : on ne devrait se marier que quand on y est tout à fait prêt, l'union libre n'est pas complètement détestable, et surtout les jeunes filles devraient avoir droit à quelques expériences avant de s'engager pour la vie.

Tout de même, les historiettes dont sont truffées les démonstrations, et dont vous allez lire un échantillon, ne furent peut-être pas tout à fait étrangères au succès du livre.

Et cette pauvre Madame Girard, n'est-elle pas une version moderne de l'inconnue de Tilly (dans notre tome II)? - Plaisir en moins...

Quant aux scrupules d'après coups et au moralisme déplacé du déplorable M. Blum, peu fringant cavalier, on ne peut pas dire qu'ils soient terriblement d'avant-garde.

J'ESCORTAIS dans sa tournée d'adieu mon ami Loup, qui, par la confiance du Gouvernement de la République, venait d'être attaché comme substitut au parquet de Gap. Il parcourait Paris méthodiquement, tenant sa liste d'une main, son porte-cartes de l'autre, et, chemin faisant, nous échangions des confidences mêlées de vagues regrets. Arrivés boulevard de Courcelles, nous nous arrêtâmes devant la maison du sénateur M..., chez le concierge duquel Loup pénétra. Tandis que je faisais les cent pas sur le trottoir, une jeune femme tourna l'angle de la rue Alfred-de-Vigny d'un mouvement si court que je me trouvai vis-à-vis d'elle, et que nous nous dévisageâmes malgré nous. Elle était toute vêtue de noir, avec un voile de deuil. Ses cheveux blonds frisaient sous son chapeau. La figure était fine, très jeune, et je remarquai que cet air de jeunesse extrême, presque puérile, qui me frappa d'abord, résultait à la fois de la ténuité inachevée des traits et de l'expression parfaitement tranquille du regard. Ce mélange d'assurance et de candeur aurait assez bien convenu à une jeune fille qui pour la première fois se trouve seule dans la rue, et qui s'enorgueillit de son embarras. Ces impressions un peu vagues furent, comme on peut penser, perçues et ajustées en quelques secondes; mais, durant ces quelques secondes, il me sembla que la passante me regardait avec une égale attention. Puis, au moment où je croyais deviner sur ses lèvres un commencement de sourire, elle me dépassa et poursuivit son chemin.

Brusquement, je résolus de la suivre. Mais mon ami Loup, ayant achevé de minuter à l'adresse du sénateur M… l'expression de ses regrets et de sa gratitude dévouée, débouchait à cet instant de la porte cochère. J'allai à lui : « Mon vieux Loup, lui dis-je, pour aujourd'hui tu persévéreras sans moi. Je ne t'accompagne pas plus loin.

— Comment, tu me lâches ?

— Oui, tu vois cette femme en noir ?

— Celle qui trotte si vite sur le boulevard ?

— Elle-même. Elle est gentille, n'est-ce pas ?

— Mon vieux, tu sais, je ne vois que du crêpe.

— Enfin, je n'ai pas le temps de t'expliquer. Je pique un temps de galop et je la rattrape. Je te raconterai la suite ce soir. Nous dînerons ensemble. Je te prendrai à huit heures chez toi. »

Et, sans attendre de réponse, je m'élançai sur les traces de la femme en noir.

J'aimais beaucoup suivre les femmes, d'abord par manie de flâneur distrait qui attend que le hasard fournisse une direction à ses promenades solitaires, puis par goût de rêveur sentimental, guettant au coin de chaque rue l'aventure qui changera peut-être la face de sa vie. Je suivais donc volontiers les femmes, et je les suivais mal, avec une insistance maladroite qui pouvait sembler indiscrétion ou grossièreté, qui n'était pourtant que passivité obéissante. Une fois engagé dans le sillage, je suivais et je ne quittais plus, quitte à penser à autre chose. J'eus le loisir de penser à bien des choses ce jour-là, car la promenade fut longue. Nous atteignîmes l'Étoile, descendîmes par l'avenue Marceau au pont de l'Alma où nous franchîmes le fleuve, longeâmes l'avenue Bosquet, dépassâmes le Champ-de-Mars, puis les Invalides, nous engageâmes dans le boulevard Montparnasse. Je commençais à me sentir las, mais je marchais cependant, d'un pas égal et en conservant la distance.

Tout en marchant, je me disais : « Il faudrait pourtant lui parler, à cette enfant ? Si ma poursuite lui était désagréable ou incommode, je le saurais depuis longtemps. Donc, je dois parler. Mais que lui dire ? » J'étais aussi gauche pour aborder les femmes que pour les suivre, et c'est encore un des vices de l'éducation française que l'on saisit là. Nous avons fait beaucoup de discours et de narrations au lycée, mais qui donc s'est avisé de nous enseigner quel langage préparatoire il convient de tenir, suivant l'âge, le lieu et les circonstances, à une femme que l'on ne connaît pas ? Ma gêne redoublait ainsi avec ma fatigue quand, à l'angle du boulevard Montparnasse et de l'avenue du Maine, l'inconnue en noir se retourna d'un seul coup, s'arrêta en me dévisageant, me laissa venir jusqu'à elle, puis, après un silence qui me parut long, me dit d'un ton simple et courtois : « Voici bien longtemps que vous me suivez, monsieur ! »

Une fois la conversation entamée, j'étais capable d'y répondre. J'appris pêle-mêle différents détails qui me laissèrent presque incrédule : que mon inconnue était mariée depuis six mois, que son mari siégeait comme juge au tribunal de C… Cependant nous étions arrivés à la gare.

«Vous allez rentrer ce soir à C… ?

– Oui, mais je n'ai pas de train avant deux heures d'ici.

– Voulez-vous passer ces deux heures avec moi ?

– Volontiers, répondit-elle tout tranquillement. Mais qu'allons-nous faire ? »

Je me taisais, ne sachant que proposer.

« Il y a tout près d'ici, à droite, une sorte de restaurant,… d'hôtel,… où nous descendons parfois, mon mari et moi, quand il faut passer une nuit à Paris. »

Je la conduisis docilement à la maison qu'elle me désignait, et, en fort peu de temps, par un petit nombre de transitions dont la facilité et la rapidité me confondirent, nous nous trouvâmes en l'état où je n'aurais voulu parvenir, tel que j'étais, qu'après des semaines de tendresse et d'attente. L'étrange fille ! Son corps était aussi pur et aussi jeune que son regard. Dans l'échange de nos gestes elle révélait le plus déconcertant mélange d'innocence et de cynisme. Un souvenir de lecture me vint à l'esprit, et je me représentai ce qu'eût été, dans les *Liaisons dangereuses*, la nuit de noces de Cécile Volanges, après les quinze nuits que Valmont avait employées à la former préalablement. Il y avait à la fois dans ses mouvements de l'ingénuité virginale et de la tranquillité professionnelle. Nulle émotion de sa part, et, autant que j'en pus juger, nul agrément vif. Quant à moi, la confusion et le malaise n'avaient cessé de dominer le plaisir.

L'heure venue, je la reconduisis à la gare, et nous nous promîmes de nous écrire pour un prochain rendez-vous. Mais je ne devais plus la revoir. Et en effet, quand j'eus été réveiller Loup qui dormait à poings fermés sur son lit, et que nous nous trouvâmes attablés à notre petit restaurant habituel, je n'eus rien de plus pressé que de lui conter ma surprenante aventure. Il l'écouta d'abord avec indifférence, puis avec une émotion patente. Quand j'eus achevé, il me dit d'un ton solennel :

– Eh bien, veux-tu savoir maintenant avec qui tu as… parfaitement… cette après-midi ?…

– Tu le sais ?

– Avec la femme de Girard, mon pauvre vieux.

Je poussai une exclamation ahurie. Girard avait été l'un de nos camarades intimes de l'École de Droit, le plus doux, le plus rangé, le plus sérieux des hommes.

– Il n'y a pas de doute, reprit Loup. Girard a été nommé, il y a un an, juge à C…, un passe-droit ignoble, d'ailleurs. Il s'est marié il y a six mois avec la fille de son président. Il vient à Paris assez souvent, et je l'ai vu la semaine dernière. Il était tout confit de son bonheur. Une petite femme si bien élevée, me disait-il, si bonne ménagère ; on ne voit plus de ces éducations-là qu'en province. Une femme enfin sur qui l'on pouvait se reposer tranquille.

DU MARIAGE

– Je m'en suis bien aperçu.

– Tais-toi, interrompit Loup, tu me dégoûtes. Songe un peu à la tête de Girard, de ce pauvre Girard, s'il apprenait demain!...

La vérité est que je ne pensais pas à autre chose et que cette image me pesait affreusement. Madame Girard m'écrivit le surlendemain, je ne lui répondis pas. Elle m'écrivit encore, et je persistai dans mon silence. Ses lettres d'ailleurs étaient simples et gentilles, si parfaitement naturelles que je ne pouvais les relire sans un serrement de cœur.

S I G M U N D   F R E U D

1 8 5 6 - 1 9 3 9

Lettre ouverte au Dr M. Furst

1 9 0 7

Après la petite bombe de Léon Blum, l'immense champ de mines, encore insoupçonné. Freud n'est plus tout à fait un inconnu en 1907, mais il est encore loin de la célébrité mondiale. Il a publié déjà *L'Interprétation des rêves* en 1900, *Psychopathologie de la vie quotidienne* (1901= 1904), *Le Mot d'esprit dans sa relation avec l'inconscient* (1905). Mais ce ne sont pas encore des lectures internationales. Précédée par des traductions en anglais, la première traduction de Freud touchera la France en 1926 : ce sera *L'Interprétation des rêves*. Mais tout de même ses idées commencent à circuler un peu. Il y a du monde autour de lui : par exemple Adler et Jung. Il doute pourtant. Il doutera toujours, en fait. Il écrira : « *En général, je crois aussi avoir introduit quelque chose qui occupera constamment les hommes ; mais parfois l'insatisfaction me gagne quant à l'extension et l'approfondissement de la chose. [...] En vérité,*

il n'y a rien à quoi l'homme, par son organisa-tion, soit moins apte qu'à la psychanalyse. »

Il faudra revenir sur Freud, bien sûr, et ses sondages mémorables[1]. Mais d'abord la question essentielle ici : est-ce vraiment une lecture érotique ? Il est tentant de lais-ser chaque lecteur répondre pour son compte. En ce qui me concerne, j'userai d'une consternante facilité, d'une déro-bade inqualifiable : la simple constatation que dès leur apparition, les qualificatifs suscités par les textes de Freud sont rigou-reusement ceux que la répression n'a jamais cessé d'appliquer aux textes « éro-tiques » pour les condamner : « *Scabreux, malsain, révoltant, scandaleux, indécent, perver-tisseur, troublant, incitatif, attentatoire à la morale publique et aux bonnes mœurs, démorali-sant, dangereux pour les femmes, les enfants et les débiles mentaux* »... J'en passe, comme on s'en doute, mais vérifiez. Il s'agit bien du même procès.

Et quant à la nouveauté, Schnitzler dira très bien : « *Ce n'est pas la psychanalyse qui est nouvelle, mais Freud. De même que ce n'était pas l'Amérique qui était nouvelle, mais Christophe Colomb.* »

---

1. « *En dépit des sondages entre tous mémorables qu'y auront opérés Sade et Freud, il [le monde sexuel] n'a pas, que je sache, cessé d'opposer à notre volonté de péné-tration son infracassable noyau de nuit* » (André Breton, *Point du jour*).

C*HER* C*OLLÈGUE*
[...]

Je dois donc répondre à vos questions : peut-on, d'une façon générale, donner aux enfants des explications sur ce qui concerne la vie sexuelle ? A quel âge et de quelle manière cela peut-il être fait ? Permettez-moi de vous avouer, de prime abord, que je trouve très compréhensible une discussion sur le deuxième et le troisième point mais que je ne peux concevoir que le premier point puisse faire l'objet d'une diversité d'opinions. Que vise-t-on lorsque l'on veut cacher aux enfants – ou disons aux adolescents – de telles explications sur la vie sexuelle des êtres humains ?

Craint-on d'éveiller précocement leur intérêt pour ces choses, avant qu'il ne s'éveille spontanément en eux ? Espère-t-on par cette dissimulation contenir après tout leur pulsion sexuelle jusqu'au jour où elle pourra prendre les voies qui lui sont ouvertes par le seul ordre social bourgeois ? Veut-on dire que les enfants ne montreraient aucun intérêt ou aucune compréhension pour les faits et les énigmes de la vie sexuelle, s'ils n'y étaient engagés par quelqu'un d'extérieur ? Croit-on possible que la connaissance qu'on leur refuse ne leur soit pas donnée d'une autre manière ? Ou bien veut-on réellement et sérieusement les voir juger plus tard tout ce qui touche au sexe comme quelque chose de vil et d'abominable dont leurs parents et leurs éducateurs ont voulu les tenir éloignés aussi longtemps que possible ?

Je ne sais vraiment pas dans quel de ces desseins je dois trouver la raison de dissimuler aux enfants, comme on le fait, ce qui concerne la sexualité. Je les trouve tous également absurdes et il m'est difficile de les réfuter sérieusement. Je me rappelle cependant que dans les lettres de famille du grand penseur et ami de l'homme *Multatuli,* j'ai trouvé quelques lignes qui sont plus qu'une simple réponse [1].

« D'une façon générale, il y a des choses qui, selon moi, sont trop voilées. On a raison de conserver la pureté de l'imagination de l'enfant, mais cette pureté n'est pas garantie par l'ignorance. Je crois plutôt que le fait de cacher quelque chose aux garçons et aux filles leur fait soupçonner d'autant plus la vérité. Par curiosité, on cherche à pénétrer des faits qui, s'ils nous étaient communiqués sans beaucoup de détails, ne susciteraient que peu ou pas du tout notre intérêt. Si encore on pouvait conserver cette ignorance, je pourrais me réconcilier avec cela ; mais ce n'est pas possible. L'enfant prend contact avec d'autres enfants ; on lui met en main des livres qui le mènent à réfléchir et justement cette cachotterie de ses parents sur ce qu'il a cependant découvert ne fait qu'accroître son exigence d'en savoir davantage. Cette exigence qui n'est satisfaite qu'en partie et secrètement, échauffe le cœur et gâte l'imagination, l'enfant pèche déjà tandis que les parents pensent encore qu'il ne sait pas ce qui est coupable. »

Je ne sais pas ce qu'on pourrait dire de mieux sur ce sujet mais peut-être pourrait-on y ajouter quelque chose. Ce qui provoque la « cachotterie » des adultes à l'égard des enfants n'est rien d'autre certainement que la pruderie habituelle et la mauvaise conscience de ces parents eux-mêmes ; mais il est probable

1. *Multatuli-Briefe,* publiées par W. Spohr, 1906, t. 1, p 26.

qu'y concourt aussi une certaine ignorance théorique de leur part que l'on peut combattre en donnant aux adultes quelques explications. On pense généralement que la pulsion sexuelle est absente chez les enfants et ne survient pour la première fois en eux qu'à la puberté, avec la maturité des organes sexuels. C'est là une erreur grossière et pleine de conséquences pour la théorie comme pour la pratique. Il est si facile de la corriger par l'observation que l'on se demande comment elle a pu être commise. Le nouveau-né, en vérité, vient au monde avec de la sexualité ; certaines sensations sexuelles accompagnent son développement de nourrisson et de petit enfant et bien peu d'enfants pourraient se soustraire aux activités et sensations sexuelles avant la puberté. Celui qu'intéresse l'exposé détaillé de ces affirmations peut se référer à mes *Trois essais sur la théorie de la sexualité,* Vienne, 1905, que j'ai déjà mentionnés. Il y apprendra que les organes de reproduction proprement dits ne sont pas les seules parties du corps qui procurent des sensations de plaisir sexuel et que la nature justement contraignante a fait en sorte que des simulations mêmes des organes génitaux sont inévitables pendant la petite enfance. Cette période de la vie pendant laquelle un certain taux de plaisir sexuel véritable est produit par l'excitation de différents points de la peau (zones *érogènes),* par l'activité de certaines pulsions biologiques et par coexcitation dans de nombreux états affectifs, on la décrit selon une expression empruntée à Havelock Ellis comme la période de *l'auto-érotisme.* Tout ce que fait la puberté c'est de donner aux organes génitaux la primauté parmi toutes les zones et les sources qui procurent du plaisir : par là, elle contraint l'érotisme à se mettre au service de la fonction de reproduction. Ce processus peut évidemment succomber sous certaines inhibitions et chez beaucoup de gens, les futurs pervers et névrosés, il ne se réalise qu'incomplètement. D'autre part, l'enfant est capable bien avant d'avoir atteint la puberté de réaliser la plupart des exploits psychiques de la vie amoureuse (la tendresse, le dévouement, la jalousie). L'irruption de ces états d'âme accompagne aussi assez souvent les sensations somatiques de l'excitation sexuelle, si bien que l'enfant ne peut douter davantage de la connexion entre les deux. Bref, bien avant la puberté l'enfant est prêt pour l'amour, excepté pour la reproduction, et l'on peut bien dire que la « cachotterie ». ne le prive que de la faculté de surmonter intellectuellement des exploits pour lesquels il est psychiquement prêt et somatiquement ajusté.

L'intérêt intellectuel de l'enfant pour les énigmes de la vie sexuelle, sa soif de savoir sexuel se manifestent en effet même à un âge étonnamment précoce. Si des observations comme celles que je communique maintenant n'ont pu être faites plus fréquemment, ce ne peut être que parce que les parents sont comme frappés de cécité pour cet intérêt de l'enfant ou bien, au cas où ils ne peuvent pas ne pas le remarquer, parce qu'ils s'évertuent aussitôt à l'étouffer. Je connais un superbe petit garçon de quatre ans maintenant dont les parents compréhensifs s'abstiennent de réprimer par la violence une partie du développement. Le petit Hans qui n'a sûrement pas été exposé à une tentative de détournement de la part de sa nurse, montre depuis un certain temps déjà le plus grand intérêt pour cette partie de son corps qu'il a coutume de désigner comme le « fait-pipi ». A l'âge de trois ans déjà il a demandé à sa mère : « Maman, as-tu toi aussi un fait-pipi ? » A quoi sa mère a répondu : « Naturellement, que crois-tu donc ? » Il a posé à plusieurs reprises la même question à son père. Au même âge, visitant pour la première fois une étable, il a assisté à la traite d'une vache et s'est alors écrié stupéfait : « Regarde, il sort du lait du fait-pipi. » A trois ans trois quarts, il est en train de découvrir, indépendamment, par ses observations, des catégories exactes. Il voit comment l'eau sort d'une locomotive et dit : « Regarde, la locomotive fait pipi, où donc est son "fait-pipi ?" » Plus tard, plongé dans ses réflexions il ajoute : « Un chien et un cheval ont un fait-pipi ; une table et un siège n'en ont pas. » Récemment, témoin du bain de sa petite sœur alors âgée d'une semaine, il a eu cette remarque : « Mais son fait-pipi est encore petit. Quand elle grandira il deviendra bien plus grand. » (On m'a rapporté que d'autres garçons du même âge ont la même attitude vis-à-vis de la différence des sexes.) Je voudrais réfuter expressément l'idée que le petit Hans est un enfant sensuel ou même prédisposé pathologiquement ; je pense simplement que n'ayant pas été intimidé, il n'est pas tracassé par un sentiment de culpabilité et nous informe donc ingénument sur ses processus de pensée[1].

Le deuxième grand problème qui préoccupe l'enfant – sans doute à un âge un peu plus avancé – est celui-ci : d'où viennent les enfants ; il se rattache le plus souvent à la venue d'un petit frère ou d'une petite sœur non désirés. C'est la question la plus vieille et la plus brûlante de la jeune humanité ; qui sait interpréter les mythes et les traditions peut la détecter dans l'énigme que la Sphynge thébaine pose à Œdipe. Les réponses que l'on a coutume d'y donner dans la nurserie blessent la pulsion d'investigation honnête de l'enfant ; le plus souvent aussi, elles ébranlent pour la première fois sa confiance en ses parents. Il commence alors à se méfier des adultes et à garder pour lui ses intérêts les plus intimes. Un petit document peut montrer combien cette soif de savoir, justement, tourmente souvent des enfants plus âgés : c'est la lettre d'une fillette de onze ans et demi qui n'a pas de mère et qui a médité sur ce problème avec sa jeune sœur :

---

1. Additif, 1924 : sur la maladie névrotique ultérieure du « petit Hans ». et son rétablissement, cf. « Aanalyse der Phobie eines funfjährigen Knabe » (L'analyse de la phobie d'un garçon de cinq ans), *G. W.*, VII.

« Chère tante Mali,

« Sois assez bonne, je t'en prie pour m'écrire comment tu as reçu ta Christel et ton Paul. Tu dois bien le savoir puisque tu es mariée. Nous nous sommes hier même querellées à ce sujet et souhaitons savoir la vérité. Vraiment nous n'avons personne que nous puissions interroger. Quand donc venez-vous à Salzbourg ? Vois-tu, chère tante Mali, c'est que nous ne saisissons pas comment la cigogne apporte les enfants. Trudel croyait que la cigogne les apporte dans une chemise. Ensuite nous voudrions aussi savoir si elle les prend dans l'étang et pourquoi on ne voit jamais d'enfants dans les étangs. Je te prie de me dire aussi comment sait-on d'avance qu'on va les recevoir. Réponds-moi de façon détaillée.

« Avec mille saluts et baisers de nous tous.

« Ta curieuse Lili. »

Je ne crois pas que cette lettre touchante ait apporté aus deux sœurs les éclaircissements demandés. Celle qui a écrit la lettre a été plus tard victime de cette névrose qui provient de questions inconscientes n'ayant pas reçu de réponse, de ruminations obsessionnelles[1].

---

1. Mais la rumination fit place, quelques années après, à une démence précoce.

RÉMY DE GOURMONT

1858-1915

Un cœur virginal

1907

A cheval sur deux époques, Rémy de Gourmont appartient beaucoup plus à la première. *Physique de l'amour, essai sur l'instinct sexuel* (1903) n'a profité ni de Freud, ni de Krafft-Ebing, ni même du docteur Dühren, et son intérêt n'est pas vraiment celui d'un texte précurseur. Faute d'être approfondies, ses réflexions (« *de toutes les aberrations sexuelles, la plus singulière est encore la chasteté* ») restent un peu au niveau des discussions entre médecins philosophes chez Maupassant. Par ailleurs romancier, Gourmont passait pour libertin et même quelquefois pornographe à cause de livres comme celui-ci. Thibaudet, sans estime pour lui, a dit que son « *érotique sèche, alambiquée, réfrigérée, celle du Diable au Sabbat* » était une des parts les plus mortes de son œuvre. Ce n'est peut-être plus tout à fait exact.

*I*LS RENTRAIENT TOUS LES TROIS, Léonor un peu en avant. M. Hervart se taisait, car ce qu'il avait à dire exigeait le mystère, et des paroles banales lui étaient impossibles. Rose ne s'apercevait pas du silence ; elle-même ne songeait pas à parler. Elle était heureuse de marcher près de son ami. Parfois, d'un geste furtif, elle avançait la main et lui serrait un doigt. M. Hervart laissait exprès pendre son bras gauche. Léonor ne se retourna pas une seule fois. Rose lui en sut gré. M. Hervart, qui s'était senti deviné, eût préféré une discrétion moins voulue, moins suspecte.

« Que sont venus faire ces architectes ? se demandait-il. Tout cela semble arrangé par les des Boys en vue de caser leur fille. Reviendront-ils ? Léonor reviendra. Et moi ? Vais-je pouvoir rester ? »

Ses perplexités recommençaient. Quand la main de Rose touchait la sienne, il se sentait son prisonnier, son esclave heureux. Dès que le contact s'éloignait, des idées le prenaient, de fuite, de liberté. Il avait envie d'appeler Léonor, de jeter Rose dans ses bras et de s'en courir à travers champs.

« Jamais aucun amour ne m'a troublé ainsi.

« Ah ! c'est le mariage ! Quelles complications ! Ce Léonor, je le hais. Sans lui… Sans lui ? Est-il seul au monde ? Si ce n'est pas moi qui la prends, ce sera un autre… »

Il se rapprocha brusquement de Rose et, d'un ton fou, il lui jeta dans l'oreille des mots rapides, tendres et violents :

— Rose, je vous aime, je vous désire de tout mon cœur, je vous veux !

Rose tressaillit, mais ces paroles répondaient si bien à sa propre pensée qu'elle ne fut surprise de leur brusquerie. D'abord, elle rougit, puis un sourire d'une douceur heureuse éclaira sa figure où les yeux brillaient de vie et de désir.

Il rejoignirent bientôt Lanfranc et M. des Boys, qui devisaient en buvant. Quelques instants après, les architectes montaient en voiture.

Léonor, au moment où le domestique lâcha le cheval, se retourna. Rose comprit que ce geste était pour elle : elle haussa très légèrement les épaules.

— Je vais faire un peu de peinture, dit M. des Boys.

— J'ai aperçu dans le haut du jardin un scarabée qui m'intéresse, dit M. Hervart.

— Je monte à ma chambre, dit Rose.

Cinq minutes plus tard, les deux amants se retrouvaient près du banc où M. Hervart avait médité en vain.

Sans dire une parole, Rose se laissa aller dans les bras de son ami. Sa tête penchée découvrait son cou. M. Hervart le baisa avec plus de passion que d'habitude. Sa bouche repoussait le col de la robe, cherchait à pénétrer vers l'épaule.

— Asseyons-nous, dit-elle enfin, quand elle eut bien joui des tièdes caresses de son ami. Et à son tour, lui prenant la tête, elle le couvrit de baisers, mais plutôt sur les yeux et sur les sourcils, sur le front. Désirant un contact plus tendre, il prit l'offensive, saisit la tête charmante qui ne résistait pas, atteignit les lèvres et, après une légère résistance, en fit la conquête. Il y avait toujours une petite lutte pour en venir à ce point si doux, quand ils étaient assis : car souvent, pendant qu'ils se promenaient, elle lui avait tendu ses lèvres, avec franchise.

Sur le banc, c'était plus grave, parce que c'était plus lent, et aussi parce que le baiser irradiait plus à son aise dans toutes les parties de son corps moins défendu.

— Non, Xavier, non !

Mais elle laissait faire. Pour la première fois, M. Hervart, ayant réussi à dégrafer le corsage, passait sa main sous l'étoffe et atteignait la chair douce d'un sein éperdu de peur et de bonheur. Jusqu'alors il n'avait pas pressé la poitrine de son amie que sur la robe. C'était doux, mais équivoque. La franchise de la chair donnait des sensations bien plus naturelles, si naturelles que Rose, après le dernier émoi, se laissa aller sans remords de cette nouvelle caresse. La main qui enclavait son jeune sein et en écrasait doucement la pointe raidie se glissa vers l'aisselle, et l'attouchement, plus charnel encore sans doute par similitude, acheva d'attendrir la sensibilité bienveillante de la jeune fille. Sa bouche mouillée se laissait manger comme un fruit très mûr ; quand la morsure tardait, elle la provoquait câlinement. Un double sursaut arrêta enfin le double festin, et il n'y eut plus, assis l'un après l'autre, que deux amants à la fois heureux et mal satisfaits. L'un se demandait si l'amour n'avait pas de plus complètes fêtes, et l'autre se disait : quel dommage d'être un honnête homme !

M. Hervart se croyait en ce moment très réservé. Plus tard, revenu à tout son sang-froid, il éprouverait sans doute quelques scrupules, car il était délicat et sujet à la migraine à la suite des plaisirs indécis. Sur l'heure, il s'enorgueillissait de la domination, au moins partielle, qu'il savait, aux moments scabreux, exercer sur ses centres nerveux inférieurs, par l'intermédiaire d'un cerveau bien construit et en bonne pâte.

« Cela vaut encore mieux, après tout, se disait-il, que des rêves digitaux. La langueur qu'elle a ressentie sous mes baisers et mes chastes caresses, ne l'eût-elle pas trouvée, ce soir, dans la solitude d'un demi-sommeil ? Le plaisir fut menu, mais il fut partagé. Il n'y avait que quelques petites cerises rouges à la branche que nous avons cueillie, mais nous les avons mangées ensemble, fraternellement. L'amour est de la fraternité spirituelle et corporelle. D'ailleurs, elle est ma femme... »

GUILLAUME APOLLINAIRE

1880-1918

Les Onze Mille Verges ou les Amours d'un hospodar

1907

1907, avec toutes les réserves que nous avons déjà faites, restera une des années record de la littérature érotique clandestine. Perceau[1] dénombre 24 éditions originales de romans et 32 réimpressions, soit un chiffre total de 57 publications grâce à une originale double, qui placerait l'année 1907 au deuxième rang de toutes les années recensées par le Perceau, tout de suite après l'année 1911. Il est fort possible que les amateurs de l'époque n'aient pas fait une grande différence entre *Les Onze Mille Verges* et *Le Village des voluptés*, *Les Vacances au château*, *Les Petites Effrontées*, *Les Vicieuses de province* ou *Les Mémoires d'un exhibitionniste*. Ils auraient eu tort.

Après Louis Perceau, Gershton Legmann et Pascal Pia, autre éminent bibliographe, nous avons dit à notre tour les difficultés qu'il y avait à dater exactement les publications clandestines... Il faut simplement noter ici qu'il y eut une controverse entre Pascal Pia et Louis Perceau pour dater exactement l'édition originale des *Onze Mille Verges*, Pascal Pia tenant pour 1910 et Louis Perceau pour 1907. D'après Louis Perceau, le livre aurait bien été annoncé dans un catalogue clandestin de 1906-1907 parmi les dernières nouveautés, avec la notice suivante :

« *Plus fort que le Marquis de Sade, c'est ainsi qu'un critique célèbre a jugé Les Onze Mille Verges, le nouveau roman dont on parle à voix basse dans les salons les plus cossus de Paris et de l'étranger.*

« *Ce volume a plu par sa nouveauté, par sa fantaisie impayable, par son audace à peine croyable.*

« *Il laisse loin derrière lui les ouvrages les plus effrayants du Divin Marquis. Mais l'auteur a su mêler le charmant à l'épouvantable.*

« *On n'a rien écrit de plus effrayant que l'orgie en sleeping-car terminée par un double assassinat, rien de plus touchant que l'épisode de la Japonaise Kiliemu dont l'amant, tapette avérée, meurt empalé comme il a vécu.*

« *Il y a des scènes de vampirisme sans précédent.* [...]

« *La flagellation, cet art voluptueux dont on a pu dire que ceux qui l'ignorent ne connaissent pas l'amour, est traitée ici d'une façon absolument nouvelle.*

« *C'est le roman de l'amour moderne, écrit dans une forme parfaitement littéraire. L'auteur a osé tout dire, c'est vrai, mais sans aucun vulgarité.* » En 1923 Desnos dira : « Les Onze Mille Verges *sont un livre moderne, et avec* Calligrammes *le chef-d'œuvre d'Apollinaire.* » Pablo Picasso tenait *Les Onze Milles Verges* pour le plus beau livre qu'il ait jamais lu. Ce qui est sûr, c'est qu'on ne peut pas prétendre connaître vraiment Apollinaire sans avoir lu *Les Amours d'un hospodar*. Dans *La Quinzaine littéraire*, Raymond Jean donnera remarquablement vers les années 70 ses raisons là-dessus :

---

[1]. *Bibliographie du roman érotique français au XIXᵉ siècle* (2 vol.) Paris, 1930.

« *Tout Apollinaire est là, si on le connaît un peu, avec sa truculence, sa démesure, son rire, ses indécences et son énorme "obscénité" caractérielle. Il a une certaine façon sexuelle d'utiliser le mot cul qui trouve peu d'équivalents (sauf peut-être, paradoxalement, chez Bataille) ... Le langage y a une étrange puissance "quantitative" et générative. Le titre nous en avertit : vierges ou verges, emblèmes de coït ou de flagellation, les mots sont porteurs d'une pluralité de sens, d'une infinité d'images et Apollinaire ne se prive pas d'en jouer. Ensuite, il ne se prive pas non plus de mettre dans ce livre tout ce qui est peuple et hante sa mythologie personnelle... Pour qui sait lire, sa "thématique"* la plus personnelle se découvre à chaque ligne des *Onze Mille Verges. Ses mythes intimes y coexistent pacifiquement avec ses plus atroces fantasmes, ce n'est pas un des moindres paradoxes de ce livre aussi monstrueux que tendrement érotique.* »

La première édition officielle des *Onze Mille Verges* portant le nom de Guillaume Apollinaire sera publiée en 1970 par Régine Deforges, les héritiers ayant enfin admis l'existence du livre. Il finira par accéder aux *Œuvres complètes en prose* d'Apollinaire, t. III, en 1993, dans la collection de la Pléiade, présenté par Michel Décaudin.

Chapitre IV

*L*E SCANDALE fut très grand. Les journaux parlèrent de cette affaire pendant huit jours. Culculine, Alexine et le prince Vibescu durent garder le lit pendant deux mois. Pendant sa convalescence, Mony entra un soir dans un bar, près de la gare Montparnasse. On y consomme du pétrole, ce qui est une boisson délectable pour les palais blasés sur les autres liqueurs.

En dégustant l'infâme tord-boyaux, le prince dévisageait les consommateurs. L'un d'eux, un colosse barbu, était vêtu en fort de la Halle et son immense chapeau farineux lui donnait l'air d'un demi-dieu de la fable prêt à accomplir un travail héroïque.

Le prince crut reconnaître le visage sympathique du cambrioleur Cornabœux. Tout à coup, il l'entendit demander un pétrole d'une voix tonitruante. C'était bien la voix de Cornabœux. Mony se leva et se dirigea vers lui la main tendue :

— Bonjour, Cornabœux, vous êtes aux Halles, maintenant ?

— Moi, dit le fort surpris, comment me connaissez-vous ?

— Je vous ai vu, 114, rue de Prony, dit Mony d'un air dégagé.

— Ce n'est pas moi, répondit très effrayé Cornabœux, je ne vous connais pas, je suis fort aux Halles depuis trois ans et assez connu. Laissez-moi tranquille !

— Trêve de sottises, réplique Mony. Cornabœux, tu m'appartiens. Je puis te livrer à la police. Mais tu me plais et si tu veux me suivre, tu seras mon valet de chambre, tu me suivras partout. Je t'associerai à mes plaisirs. Tu m'aideras et me défendras au besoin. Puis, si tu m'es fidèle, je ferai ta fortune. Réponds de suite.

— Vous êtes un bon zigue et vous savez parler. Topez là, je suis votre homme.

Quelques jours après, Cornabœux, promu au grade de valet de chambre, bouclait les valises. Le prince Mony était rappelé en toute hâte à Bucarest. Son intime ami, le vice-consul de Serbie, venait de mourir, lui laissant tous ses biens qui étaient importants. Il s'agissait de mines d'étain, très productives depuis quelques années, mais qu'il fallait surveiller de très près sous peine d'en voir immédiatement baisser le rapport. Le prince Mony, comme on l'a vu, n'aimait pas l'argent pour lui-même ; il désirait le plus de richesses possible, mais seulement pour les plaisirs que l'or peut se procurer. Il avait sans cesse à la bouche cette maxime, prononcée par l'un de ses aïeux : « Tout est à vendre ; tout s'achète ; il suffit d'y mettre le prix. »

Le prince Mony et Cornabœux avaient pris place dans l'Orient-Express ; la trépidation du train ne manqua point de produire aussitôt son effet. Mony banda comme un Cosaque et jeta sur Cornabœux des regards enflammés. Au-dehors, le paysage admirable de l'est de la France déroulait ses magnificences nettes et calmes. Le salon était presque vide ; un vieillard podagre, richement vêtu, geignait en bavant sur *Le Figaro* qu'il essayait de lire.

Mony, qui était enveloppé dans un ample raglan, saisit la main de Cornabœux et, la faisant passer par la fente qui se trouve à la poche de ce vêtement commode, l'amena à sa braguette. Le colossal valet de chambre comprit le souhait de son maître. Sa grosse main était velue, mais potelée et plus douce qu'on n'aurait supposé. Les doigts de Cornabœux déboutonnèrent délicatement le pantalon du prince. Ils saisirent la pine en délire qui justifiait en tous points le distique fameux d'Alphonse Allais :

> La trépidation excitante des trains
> Nous glisse des désirs dans la moelle des reins.

Mais un employé de la Compagnie des Wagons-Lits qui entra annonça qu'il était l'heure de dîner et que de nombreux voyageurs se trouvaient dans le wagon-restaurant.

– Excellente idée, dit Mony. Cornabœux, allons d'abord dîner !

La main de l'ancien fort sortit de la fente du raglan. Tous deux se dirigèrent vers la salle à manger. La pine du prince bandait toujours, et comme il ne s'était pas reculotté, une bosse proéminait à la surface du vêtement. Le dîner commença sans encombre, bercé par le bruit de ferrailles du train et par les cliquetis divers de la vaisselle, de l'argenterie et de la cristallerie, troublé parfois par le saut brusque d'un bouchon d'*Apollinaris*.

A une table, au fond opposé de celui où dînait Mony, se trouvaient deux femmes blondes et jolies. Cornabœux qui les avait en face les désigna à Mony. Le prince se retourna et reconnut en l'une d'elles, vêtue plus modestement que l'autre, Mariette, l'exquise femme de chambre du Grand-Hôtel. Il se leva aussitôt et se dirigea vers ces dames. Il salua Mariette et s'adressa à l'autre jeune femme qui était jolie et fardée. Ses cheveux décolorés à l'eau oxygénée lui donnaient une allure moderne qui ravit Mony :

— Madame, lui dit-il, je vous prie d'excuser ma démarche. Je me présente moi-même, eu égard à la difficulté de trouver dans ce train des relations qui nous seraient communes. Je suis le prince Mony Vibescu, hospodar héréditaire. Mademoiselle que voici, c'est-à-dire Mariette, qui, sans doute, a quitté le service du Grand-Hôtel pour le vôtre, m'a laissé contracter envers elle une dette de reconnaissance dont je veux m'acquitter aujourd'hui même. Je veux la marier à mon valet de chambre et je leur constitue à chacun une dot de cinquante mille francs.

— Je n'y vois aucun inconvénient, dit la dame, mais voici quelque chose qui n'a pas l'air d'être mal constitué. A qui le destinez-vous ?

La bitte de Mony avait trouvé une issue et montrait sa tête rubiconde entre deux boutons, devant le prince qui rougit en faisant disparaître l'engin. La dame se prit à rire.

— Heureusement que vous êtes placé de façon à ce que personne ne vous ait vu... ça en aurait fait du joli... Mais répondez donc, pour qui cet engin redoutable ?

— Permettez-moi, dit galamment Mony, d'en faire l'hommage à votre beauté souveraine.

— Nous verrons ça, dit la dame, en attendant et puisque vous vous êtes présenté, je vais me présenter aussi... Estelle Ronange...

— La grande actrice du Français ? demanda Mony.

La dame inclina la tête. Mony, fou de joie, s'écria :

— Estelle, j'eusse dû vous reconnaître. Depuis longtemps j'étais votre admirateur passionné. En ai-je passé des soirées au Théâtre-Français, vous regardant dans vos rôles d'amoureuse ! et pour calmer mon excitation, ne pouvant me branler en public, je me fourrais les doigts dans le nez, j'en tirais de la morve consistante et je la mangeais ! C'était bon ! C'était bon !

— Mariette, allez dîner avec votre fiancé, dit Estelle, Prince, dînez avec moi.

Dès qu'ils furent en face l'un de l'autre, le prince et l'actrice se regardèrent amoureusement :

— Où allez-vous ? demanda Mony.

— A Vienne, jouer devant l'Empereur.

— Et le décret de Moscou ?

— Le décret de Moscou, je m'en fous ; je vais envoyer demain ma démission à Claretie... On me met à l'écart... On me fait jouer des pannes... on me refuse le rôle d'Eorakâ dans la nouvelle pièce de notre Mounet-Sully... Je pars... On n'étouffera pas mon talent.

— Récitez-moi quelque chose… des vers, demanda Mony.

Elle lui récita, tandis qu'on changeait les assiettes, *L'Invitation au Voyage*. Tandis que se déroulait l'admirable poème où Baudelaire a mis un peu de sa tristesse amoureuse, de sa nostalgie passionnée, Mony sentit que les petits pieds de l'actrice montaient le long de ses jambes : ils atteignirent sous le raglan le vit de Mony qui pendait tristement hors de la braguette. Là, les pieds s'arrêtèrent et, prenant délicatement le vit entre eux, ils commencèrent un mouvement de va-et-vient assez curieux. Durci subitement, le vit du jeune homme se laissa branler par les souliers délicats d'Estelle Ronange. Bientôt il commença à jouir et improvisa ce sonnet, qu'il récita à l'actrice dont le travail pédestre ne cessa pas jusqu'au dernier vers :

Épithalame

Tes mains introduiront mon beau membre asinin
Dans le sacré bordel ouvert entre tes cuisses
Et je veux l'avouer, en dépit d'Avinain,
Que me fait ton amour pourvu que tu jouisses !
Ma bouche à tes seins blancs comme des petits suisses

Fera l'honneur abject des suçons sans venin.
De ma mentale mâle en ton con féminin
Le sperme tombera comme l'or dans les sluices.

Ô ma tendre putain ! tes fesses ont vaincu
De tous les fruits pulpeux le savoureux mystère,
L'humble rotondité sans sexe de la terre,

La lune, chaque mois, si vaine de son cul
Et de tes yeux jaillit même quand tu les voiles
Cette obscure clarté qui tombe des étoiles.

Et comme le vit était arrivé à la limite de l'excitation, Estelle baissa ses pieds en disant :

— Mon prince, ne le faisons pas cracher dans le wagon-restaurant ; que penserait-on de nous ?… Laissez-moi vous remercier pour l'hommage rendu à Corneille dans la pointe de votre sonnet. Bien que sur le point de quitter la *Comédie-Française*, tout ce qui intéresse la maison fait l'objet de mes constantes préoccupations.

— Mais, dit Mony. *L'obscur Monsieur Claretie qui tombe les étoiles* vous fera des procès sans fin.

— T'occupe pas de ça, Mony, fais-moi encore des vers avant d'aller au dodo.

— Bien, dit Mony, et il improvisa ces délicats sonnets mythologiques.

Hercule et Omphale

Le Cul
D'Omphale
Vaincu
S'affale.

— Sens-tu
Mon phalle
Aigu ?
— Quel mâle !…

Le chien
Ma crève !…
Quel rêve ?…

— …Tiens biens ?
Hercule
L'encule.

Pyrame et Thisbé

Madame
Thisbé
Se pâme :
« Bébé ! »

Pyrame
Courbé
L'entame :
« Hébé ! »

La belle
Dit : « Oui ! »
Puis elle

Jouit
Tout comme
Son homme.

– C'est exquis! délicieux! admirable! Mony, tu es un poète archi-divin, viens me baiser dans le sleeping-car, j'ai l'âme foutative.

Mony régla les additions. Mariette et Cornabœux se regardaient langoureusement. Dans le couloir Mony glissa cinquante francs à l'employé de la Compagnie des Wagons-Lits qui laissa les deux couples s'introduire dans la même cabine :

– Vous vous arrangerez avec la douane, dit le prince à l'homme en casquette, nous n'avons rien à déclarer. Par exemple, deux minutes avant le passage de la frontière vous frapperez à notre porte.

Sans la cabine, ils se mirent tous les quatre à poil. Mariette fut la première nue. Mony ne l'avait jamais vue ainsi, mais il reconnut ses grosses cuisses rondes et la forêt de poils qui ombrageait son con rebondi. Ses tétons bandaient autant que les vits de Mony et de Cornabœux.

– Cornabœux, dit Mony, encule-moi pendant que fourbirai cette jolie fille.

Le déshabillage d'Estelle était plus long et quand elle fut à poil, Mony s'était introduit en levrette dans le con de Mariette qui commençant à jouir, agitait son gros postérieur et le faisait claquer contre le ventre de Mony. Cornabœux avait passé son nœud court et gros dans l'anus dilaté de Mony qui gueulait :

– Cochon de chemin de fer! Nous n'allons pas pouvoir garder l'équilibre.

Mariette gloussait comme une poule et titubait comme une grive dans les vignes. Mony avait passé le bras autour d'elle et lui écrasait les tétons. Il admira la beauté d'Estelle dont la dure chevelure décelait la main d'un coiffeur habile. C'était la femme moderne dans toute l'acception du mot : cheveux ondulés tenus par les peignes d'écaille dont la couleur allait avec la savante décoloration de la chevelure. Son corps était d'une joliesse charmante.

Son cul était nerveux et relevé d'une façon provocante. Son visage fardé avec art lui donnait l'air piquant d'une putain de haut luxe. Ses seins tombaient un petit peu mais cela lui allait très bien, ils étaient petits, menus et en forme de poire. Quand on les maniait, ils étaient doux et soyeux, on aurait cru toucher les pis d'une chèvre laitière et, quand elle se tournait, ils sautillaient comme un mouchoir de batiste roulé que l'on ferait danser sur la main.

Sur la motte, elle n'avait qu'une petite touffe de poils soyeux. Elle se mit sur la couchette et, faisant une cabriole, jeta ses longues cuisses nerveuses autour du cou de Mariette qui, ayant ainsi le chat de sa maîtresse devant la bouche, commença à le glottiner gloutonnement, enfonçant le nez entre les fesses, dans le trou du cul. Estelle avait déjà fourré sa langue dans le con de sa soubrette et suçait à la fois l'intérieur d'un con enflammé et la grosse bitte de Mony qui s'y remuait avec ardeur. Cornabœux jouissait avec béatitude de ce spectacle. Son gros vit entré jusqu'à la garde dans le cul poilu du prince allait et venait lentement. Il lâcha deux ou trois bons pets qui empuantirent l'atmosphère en augmentant la jouissance du prince et des deux femmes. Tout à coup, Estelle se mit à gigoter effroyablement, son cul se mit à danser devant le nez de Mariette dont les gloussements et les tours de cul devinrent aussi plus forts. Estelle lançait à droite et à gauche ses jambes gainées de soie noire et chaussées de souliers à talons Louis XV. En remuant ainsi, elle donna un coup de pied terrible dans le nez de Cornabœux qui en fut étourdi et se mit à saigner abondamment. « Putain! » hurla violemment le cul de Mony. Celui-ci, pris de rage, mordit terriblement l'épaule de Mariette qui déchargeait en beuglant. Sous l'effet de la douleur, elle planta ses dents dans le con de sa maîtresse qui, hystériquement, serra ses cuisses autour de son cou.

– J'étouffe! articula difficilement Mariette, mais on ne l'écouta pas. L'étreinte des cuisses devint plus forte. La face de Mariette devint violette; sa bouche écumante restait fixée sur le con de l'actrice.

Mony déchargeait, en hurlant, dans un con inerte. Cornabœux, les yeux hors de la tête, lâchait son foutre dans le cul de Mony en déclarant d'une voix lâche :

– Si tu ne deviens pas enceinte, t'es pas un homme!

Les quatre personnages s'étaient affalés.

Étendue sur la couchette, Estelle grinçait des dents et donnait des coups de poing de tous côtés en agitant les jambes. Cornabœux pissait par la portière. Mony essayait de retirer son vit du con de Mariette. Mais il n'y avait pas moyen. Le corps de la soubrette ne remuait plus.

– Laisse-moi sortir, lui disait Mony, et il la caressait, puis il lui pinça les fesses, la mordit, mais rien n'y fit.

– Viens lui écarter les cuisses, elle est évanouie! dit Mony à Cornabœux.

C'est avec une grande peine que Mony put arriver à sortir son vit du con qui s'était effroyablement serré. Ils essayèrent ensuite de faire revenir Mariette, mais rien n'y fit :

– Merde! elle a crampsé, déclara Cornabœux.

Et c'était vrai, Mariette était morte étranglée par les jambes de sa maîtresse, elle était morte, irrémédiablement morte.

– Nous sommes frais! dit Mony.

– C'est cette salope qui est cause de tout, déclara Cornabœux en désignant Estelle qui commençait à se calmer. Et prenant une brosse à tête dans le nécessaire de voyage d'Estelle, il se mit à lui taper dessus violemment. Les soies de la brosse la piquaient à chaque coup. Cette correction semblait l'exciter énormément.

A ce moment, on frappa à la porte.

– C'est le signal convenu, dit Mony, dans quelques instants nous passerons la frontière. Il faut, je l'ai juré, tirer un coup, moitié en France, moitié en Allemagne. Enfile la morte.

Mony, vit bandant, se rua vers Estelle qui, les cuisses écartées, le reçut dans son con brûlant en criant :

— Mets-le jusqu'au fond, tiens!… tiens!

Les saccades de son cul avaient quelque chose de démoniaque, sa bouche laissait couler une bave qui, se mêlant avec le fard, dégoulinait infecte sur le menton et la poitrine; Mony lui mit sa langue dans la bouche et lui enfonça le manche de la brosse dans le trou du cul. Sous l'effet de cette nouvelle volupté, elle mordit si violemment la langue de Mony, qu'il dut la pincer jusqu'au sang pour la faire lâcher.

Pendant ce temps, Cornabœux avait retourné le cadavre de Mariette dont la face violette était épouvantable. Il écarta les fesses et fit péniblement entrer son énorme vit dans l'ouverture sodomique. Alors il donna libre cours à sa férocité naturelle. Ses mains arrachèrent touffes par touffes les cheveux blonds de la morte. Ses dents déchirèrent le dos d'une blancheur polaire, et le sang vermeil qui jaillit, vite coagulé, avait l'air d'être étalé sur de la neige.

Un peu avant la jouissance, il introduit sa main dans la vulve encore tiède et y faisant entrer tout son bras, il se mit à tirer les boyaux de la malheureuse femme de chambre. Au moment de la jouissance il avait déjà tiré deux mètres d'entrailles et s'en était entouré la taille comme d'une ceinture de sauvetage.

Il déchargea en vomissant son repas tant à cause des trépidations du train qu'à cause des émotions qu'il avait ressenties. Mony venait de décharger et regardait avec stupéfaction son valet de chambre hoqueter affreusement en dégueulant sur le cadavre lamentable. Parmi les cheveux sanglants, les boyaux et le sang de mêlaient aux dégueulis.

— Porc infâme, s'écria le prince, le viol de cette fille morte que tu devais épouser selon ma promesse pèsera lourd sur toi dans la vallée de Josaphat. Si je ne t'aimais pas tant je te tuerais comme un chien.

Cornabœux se leva sanglant en refoulant les derniers hoquets de sa dégueulade. Il désigna Estelle dont les yeux dilatés contemplaient avec horreur le spectacle immonde :

— C'est elle qui est cause de tout, déclara-t-il.

— Ne sois pas cruel, dit Mony, elle t'a donné l'occasion de satisfaire tes goûts de nécrophile.

Et comme on passait sur un pont, le prince se mit à la portière pour contempler le panorama romantique du Rhin qui déployait ses splendeurs verdoyantes et se déroulait en larges méandres jusqu'à l'horizon. Il était quatre heures du matin, des vaches paissaient dans les prés, des enfants dansaient déjà sous des tilleuls germaniques. Une musique de fifres, monotone et mortuaire, annonçait la présence d'un régiment prussien et la mélopée se mêlait tristement au bruit de ferraille du pont et à l'accompagnement sourd du train en marche. Des villages heureux animaient les rives dominées par les burgs centenaires et les vignes rhénanes étalaient à l'infini leur mosaïque régulière et précieuse.

Quand Mony se retourna, il vit le sinistre Cornabœux assis sur le visage d'Estelle. Son cul de colosse couvrait la face de l'actrice. Il avait chié et la merde infecte et molle tombait de tous côtés.

Il tenait un énorme couteau et en labourait le ventre palpitant. Le corps de l'actrice avait des soubresauts brefs.

— Attends, dit Mony, reste assis.

Et, se couchant sur la mourante, il fit entrer son vit bandant dans le con moribond. Il jouit ainsi des derniers spasmes de l'assassinée, dont les dernières douleurs durent être affreuses, et il trempa ses bras dans le sang chaud qui jaillissait du ventre. Quand il eut déchargé, l'actrice ne remuait plus. Elle était raide et ses yeux révulsés étaient pleins de merde.

— Maintenant, dit Cornabœux, il faut se tirer des pieds.

Ils se nettoyèrent et s'habillèrent. Il était six heures du matin. Ils enjambèrent la portière et courageusement se couchèrent en long sur le marchepied du train lancé à toute vitesse. Puis, à un signal de Cornabœux, ils se laissèrent doucement tomber sur le ballast de la voie. Ils se relevèrent un peu étourdis, mais sans aucun mal, et saluèrent d'un geste délibéré le train qui déjà se rapetissait en s'éloignant.

— Il était temps! dit Mony.

GUILLAUME APOLLINAIRE

1 8 8 0 - 1 9 1 8

Les Mémoires d'un jeune Don Juan
ou les Exploits d'un jeune Don Juan

1 9 0 7

La première édition du livre s'intitulait *Les Mémoires d'un jeune Don Juan* et était signée des initiales G. A. Par la suite, toutes les éditions, y compris les réimpressions faites du vivant d'Apollinaire, comportaient le titre *Les Exploits d'un jeune Don Juan* qui a été définitivement adopté par tous les éditeurs. Il y eut d'ailleurs depuis, et elles ne sont pas finies, de nombreuses contestations sur l'authenticité du texte. *Les Exploits d'un jeune Don Juan* sont certainement moins personnels, en ce qui concerne l'écriture d'Apollinaire, que *Les Onze Mille Verges*. Il semble bien, néanmoins, depuis la pré-face que le professeur Michel Décaudin a donnée à la dernière édition des *Exploits*, que le doute ne soit plus guère permis. Si nous donnons ici un deuxième extrait d'un livre de Guillaume Apollinaire, tout de suite après *Les Onze Mille Verges*, c'est justement que ce texte est intéressant à la fois par rapport à Apollinaire et par rapport à la production clandestine habituelle de l'époque dont il se rapproche plus que *Les Onze Mille Verges*. Il ne manque pas, d'ailleurs, de lecteurs avertis d'Apollinaire pour préférer *Les Exploits d'un jeune Don Juan* aux *Onze Mille Verges*. Ce n'est pas notre avis.

Chapitre XI

A TABLE ON FUT TRÈS GAI. Mon père s'occupait de maman. M. Franck s'empressait autour de ma tante. Je m'entretenais avec mes sœurs. On avait donné ma chambre à l'invité. Je devais coucher au même étage que les femmes, dans la chambre d'Élise, qui partageait celle de Berthe avec Kate.

Quand tout le monde fut couché, je regardai dans la chambre de mes sœurs. Berthe dormait mais Élise n'était pas là. Je vis une lumière, je me cachai et vis apparaître Élise et ma tante en chemise qui regardaient par une fente de la porte de mes parents. On entendait de fortes claques sur un cul nu. Puis la voix de mon père s'éleva : « Maintenant laisse tomber la chemise, Anna… Comme tu es belle avec tes poils noirs. »

Baisers et chuchotements.

– Marche, Anna. En avant, marche !…Halte !… Les bras en l'air… Que tu as de poils aux aisselles… Regarde comme je bande, Anna, prends-le… Présentez, arme… Arme sur l'épaule… viens, ici!

— Voyons, Charles, ne t'excite pas tant… tu me fais mal… tu m'as assez vue. J'ai honte de me laisser regarder le derrière.

— Sois tranquille, mon enfant… Mets-toi sur le lit…, les pieds en l'air…, plus haut…, voilà… mon trésor…

On entendait les craquements du lit.

— Est-ce que ça vient, Anna?

— Bientôt, Charles!

— Oh! ça vient.

— C'est bon!… Cha-arles… Ah! Ah!

— Anna!… je décharge!… »

Sur les escaliers on entendait la voix de Kate. Élise l'entendit et rentra dans la chambre. Ma tante se sauva vers la sienne, mais sans la fermer. Elle ressortit. Mes parents avaient éteint la lumière. J'entrai dans la chambre de ma tante. En rentrant, elle eut peur. Je lui dis tout. Elle ralluma la lumière. Je l'embrassai sans parler. Je sentais les jolies formes de son beau corps. Elle tremblait. Je saisis son con sous sa chemise. Elle se débattait. Je la consolai.

— Soyons mari et femme, chérie, jolie Marguerite!

Mon doigt jouait sur le clitoris. Elle s'abandonna. Je découvris ses beaux tétons pareils à des boules de neige. Je la poussai vers le lit. Elle se mit à sangloter. Je lui proposai de partir pour nous marier. Ça la fit rire. Je mis mon vit nu. Elle était aussi excitée par le champagne qu'elle avait bu. Elle éteignit la bougie. Je mis mon vit dans sa belle main, puis je fis minette; le plaisir était trop grand, elle s'agitait, son clitoris se gonfla. Je mis un doigt dans son con et suçai ses tétons. Puis je lui enlevai la chemise, je la pressai contre moi et, bouche à bouche, je poussai à coups redoublés ma pine dure dans sa fente virginale.

Un seul cri léger précéda la jouissance qui l'accabla aussitôt. C'était maintenant une femme enflammée et elle s'abandonna à la volupté.

Un court combat, mais dont les sensations furent infinies, nous amena tous les deux aux bornes de l'extase la plus voluptueuse, et c'est avec les plus violentes secousses que je répandis dans son sein le baume vital.

Le plaisir avait été trop grand, je bandais toujours. Je la caressai puis je rallumai la bougie. Elle se cacha le visage dans les coussins; sa pudeur était revenue, mais je tirai la couverture pour voir son corps de Vénus. Une légère trace de sang se voyait sur les poils du con, mêlée avec notre sperme. Je la nettoyai avec mon mouchoir, la retournai, lui chatouillai le dos, le cul et lui mis la langue dans le trou du cul.

Puis je me mis sur elle, la tête enfouie dans ses cheveux parfumés. Je mis mes bras autour de son corps, la soulevai un peu et replongeai ma pine dans sa fente humide. Un long combat s'ensuivit qui nous fit transpirer par tous les pores. Elle déchargea la première en criant de volupté comme une folle. Ma décharge suivit dans une volupté presque douloureuse. C'était assez, nous nous séparâmes.

Quelques semaines se passèrent en plaisirs divers. M. Franck faisait de plus en plus la cour à ma tante. Un jour, Élise et ma tante entrèrent dans ma chambre en pleurant. Elles étaient enceintes. Mais elles n'osaient pas l'une devant l'autre dire que j'étais le malfaiteur. Mon parti fut vite pris.

– Élise, épouse Frédéric, et toi, tante, marie-toi avec M. Franck. Je serai votre garçon d'honneur.

Le matin du jour suivant, ma porte s'ouvrit.

Ursule entra. Elle aussi était enceinte. Je lui dis d'épouser le cousin du régisseur qui lui faisait les yeux doux et promis d'être le parrain de son enfant. Puis je la mis nue et lui léchai le con et le cul. Ensuite je me lavai avec de l'eau de Cologne et me fis lécher le cul par elle. Cela m'excita énormément. Je la baisai avec de telles secousses que ses cheveux flottaient sur le lit.

Nous eûmes bientôt les trois mariages. Tout se termina amoureusement et je couchai tour à tour avec les femmes de mon harem. Elles savaient chacune ce que je faisais avec les autres et sympathisaient.

Bientôt Ursule accoucha d'un garçon, plus tard Élise et ma tante, d'une fille ; le même jour je fus parrain du petit Roger d'Ursule, de la petite Louise d'Élise et de la petite Anna de ma tante, tous enfants du même père et qui ne le sauront jamais.

ADRIENNE SAINT-AGEN

Auteur inconnu

Les Amants féminins

1 9 0 7

Les Amants féminins, publié par la Librairie Artistique, 66, boulevard Magenta, dans les premières années du siècle, est un roman tout à fait représentatif de la littérature polissonne tolérée à l'époque. La Librairie Artistique a réussi avec *Les Amants féminins* un des plus jolis volumes, pour la présentation s'entend. Le livre n'a pas moins de 268 pages format in-8° couronne. Sous une ravissante couverture en couleurs, il est imprimé sans aucun soin mais comporte de nombreuses illustrations, gravures sur bois qui auraient pu tenter le Max Ernst des meilleurs collages. Le roman comporte une préface assez longue dont le ton moralisateur est tout à fait daté :

« *L'amour saphique, en dépit de son caractère monstrueux, n'est pas laid, morale à part. Il est attrayant et gracieux, doux et enjôleur, il vous prend par des dehors séduisants et enchanteurs. Mais, quand il vous tient, vous n'êtes qu'une misérable esclave de ses fantaisies qu'il fait mouvoir au gré de son caprice comme la mer grondante balance une épave sur ses vagues tourmentées.*

« *Dominée, enveloppée, vous l'êtes pour jamais. Il a des liens imbrisables parce qu'ils sont faits de honte et de volupté...*

« *Et ce sont ces dehors ensorceleurs et hypocrites qu'on ne saurait trop exposer pour éloigner de leur glu les petites natures de femmes sentimentales et rêveuses, d'autant plus menacées qu'elles sont ignorantes et plus pures... Le vice n'est funeste qu'aux sincères. Les curieuses et les légères ne le redoutent guère. Allez !...*

« *C'est là ce que vous appelez faire ressortir ce qu'il peut y avoir d'ignoble entre l'amour de l'homme et de la femme, ce puissant maître du monde et de la nature entière...* »

Bien entendu, le livre finit très mal et les deux dépravées se rejoignent dans la mort :

« *Elle tomba en travers de sa compagne et leurs cadavres formèrent une sinistre croix.*

« *Leurs âmes peut-être s'étaient rejointes... union pure et simple dans la purification de leur vie spirituelle débarrassée de la chair pécheresse.* »

« Adrienne Saint-Agen » était certainement un homme.

P ALOMA, chez elle, attendait Rose. Elle était couchée tout endolorie par une migraine implacable. Le timbre résonna. – C'est Rosette, pensa-t-elle, mais la femme de chambre lui remit la carte de Jean.

Il avait l'habitude de venir la voir ; ils causaient comme des amis évoquant le passé en parlant de Claudette.

– Faites entrer, dit-elle.

Une malade peut bien recevoir un vieil ami dans sa chambre à coucher, elle était loin du reste de prévoir ce qui allait se passer. Jamais Jean, ni dans son attitude, ni dans ses paroles depuis son deuil, ne lui avait donné lieu de redouter un tête-à-tête.

Hélas, le malheureux cachait soigneusement son secret ; Paloma n'était pas une femme que l'on oubliait quand une fois on l'avait désirée.

La vérité, c'est qu'il aimait avec une violence folle, et qu'en dehors du souvenir de Claudette, de sa musique et de Paloma, rien n'existait pour lui.

Oh ! les luttes terribles qu'il livrait à ses sens alors qu'assis aux côtés de Paloma ils s'entretenaient ensemble de choses futiles ou mille fois répétées ! ... Son départ était presque toujours une fuite. Le front brûlant, il marchait, marchait pour triompher de la fièvre d'amour que la trop désirable femme lui avait communiquée par sa seule présence.

Jean entra ; dès le seuil, il pâlit. Paloma, perdue dans les dentelles de son déshabillé, ses cheveux et ses yeux ressortant plus excitants sur la neige des oreillers, était belle à inspirer toutes les audaces... Jean eut envie de fuir, il fit un pas de retraite en disant :

— Je reviendrai.

— Entrez donc, Jean, et venez vous asseoir là, près de moi. Est-ce que je vous fais peur... Ce n'est pourtant pas d'aujourd'hui que vous me connaissez... La voix mélodieuse raillait légèrement.

Jean obéit, mais il tremblait. Paloma parla, il répondit, distrait, les yeux égarés sur la jolie main qui pendait là sur le bord du lit, à portée de ses lèvres.

— Oh ! tant pis ! ...

Sa bouche s'imprima sur les doigts fins.

— Voyons, Jean, fit Paloma moqueuse.

Habituée à ces sortes de galanteries, elle n'y attachait aucune importance, mais bientôt une inquiétude la gagna ; Jean, ayant pris dans sa main la main provocante, la tenait captive et ses lèvres brûlantes la dévoraient, imprégnées dans la paume. Tout à coup, il coula son bras autour des épaules de Paloma et couvrit de baisers le visage, le cou, les cheveux de la jeune femme.

Paloma, suffoquée d'abord, retrouva son sang-froid ; douce, mais ferme, elle le repoussa : rien, hélas, ne pouvait arrêter Jean.

— Je t'aime ! disait-il, je t'aime... en volant les caresses, je t'ai toujours aimée ! ... oh ! sois à moi et je te donnerai ma vie ! ... Paloma, je suis fou... je te veux ! ...

— Jean ! ... Jean ! ... vous abusez ! ... c'est mal... mais c'est très mal ! ...

— Oh ! pardonnez-moi... je t'aime ! je t'aime ! ...

Paloma couchée ne pouvait se défendre. Toujours combattante, elle se dressa glissant du lit, et elle fut debout, drapée seulement par un mince peignoir de nuit lui descendant jusqu'aux talons.

Jean affolé sentait à travers le linon les formes divines le frôler, la tiédeur de ce corps de femme le pénétrait, surexcitant son désir.

Paloma d'un appel eût pu en finir, ses domestiques seraient accourues, mais la tragédienne était bonne, d'une indulgence de femme supérieure. Elle voulait sauver Jean du ridicule, oubliant l'outrage qu'il lui infligeait pour ne songer qu'à être généreuse.

Et puis, si dominé par sa nature d'homme, il en inspirait de la pitié et Paloma le plaignait.

Elle continua sa lutte, espérant le calmer ou le fatiguer de sa résistance, décidée à ne pas appeler à l'aide.

Oh! non, pas de témoins à l'odieuse scène! D'ailleurs elle était robuste et un homme ne viole pas ainsi une femme qui se défend avec énergie.

Elle se borna donc à lui tenir les mains, dérobant sa bouche à la bouche chercheuse, elle essaya de le raisonner.

Ils avaient roulé sur le tapis. Étrange combat où on eût vainement cherché de la brutalité; Jean, tenace dans son désir, était délicat dans sa violence. Ce maraudeur de baisers avait des gestes doux, des yeux suppliants; une peur affreuse de faire du mal à sa belle adversaire le retenait de toutes brusqueries. En revanche, il déployait une adresse, une souplesse extraordinaire et Paloma eut un instant de stupeur. Allait-elle être vaincue? Une colère la prit soudain, ses yeux lancèrent des flammes.

– Laissez-moi… fit-elle, ah! laissez-moi!…

Il l'abandonna… et joignant les mains, à ses genoux il supplia :

– Je t'aime!…

Elle se releva avec un geste de refus très digne.

Sa folie le reprit, il courut à elle, l'étreignit avec force, lui prit les lèvres et sa main, adroite et leste, d'une audacieuse caresse souilla Paloma.

De nouveau elle s'était laissée glisser, enfonçant ses ongles dans la main trop habile, l'arrachant de sa chair, mais se considérant bien outragée et sans haine contre Jean elle manifesta sa honte en éclatant en sanglots. Jean, glacé par ce désespoir, la releva, la fit asseoir sur un fauteuil, la soutenant.

Paloma se blottit contre lui, tout à sa douleur, cachant sa tête sur le cœur du jeune homme. Oh! maintenant il aurait pu la prendre; entièrement vaincue sur sa peine, elle ne se serait pas défendue. Jean le sentit, mais il n'était pas lâche à ce point; d'ailleurs il ne songeait plus qu'à sécher les pleurs qu'il faisait couler. Il fut tendre, consolateur et respectueux.

C'est ainsi que Paloma eut raison de son agresseur et il la quitta en emportant son pardon.

Paloma se recoucha, sa migraine avait disparu, mais elle souffrait. Dans ses oreillers ses larmes coulèrent.

– Oh! Rosette… Rosette… sanglotait-elle, viens… viens vite… j'ai besoin de toi…

Rose arriva enfin.

– Oh! vite… s'écria Paloma, déshabille-toi et viens… viens dans mes bras! … tes baisers, oh! tes baisers, pour me laver de ceux que j'ai reçus…

Bientôt Rose se blottissait sur son cœur.

– Tes lèvres… murmura Paloma, tes lèvres, ma Rosette… pour débarrasser les miennes de leur souillure! …

Quelques instants après, heureuses, souriantes, elles dormaient, étroitement enlacées.

Étrange purification!!!

ANATOLE FRANCE

1844-1924

L'Ile des Pingouins

1908

Tout ce qu'on sait de la vie privée de François Anatole Thibault, dit Anatole France, le montre comme un grand amateur de femmes. Il semble bien par ailleurs qu'il n'ait jamais écrit aucun texte proprement érotique, mais il y a dans beaucoup de ses romans une sensualité diffuse qui a ému bien des adolescents, dont peut-être Monsieur François Mauriac, et parfois certains de leurs parents.

Les temps anciens

Chapitre premier

LES PREMIERS VOILES

CE JOUR-LÀ, saint Maël s'assit, au bord de l'océan, sur une pierre qu'il trouva brûlante. Il crut que le soleil l'avait chauffée, et il en rendit grâces au Créateur du monde, ne sachant pas que le Diable venait de s'y reposer.

L'apôtre attendait les moines d'Yvern, chargés d'amener une cargaison de tissus et de peaux, pour vêtir les habitants de l'île d'Alca.

Bientôt il vit débarquer un religieux nommé Magis, qui portait un coffre sur son dos. Ce religieux jouissait d'une grande réputation de sainteté.

Quand il se fut approché du vieillard, il posa le coffre à terre et dit, en s'essuyant le front du revers de sa manche :

— Eh bien, mon père, voulez-vous donc vêtir ces pingouins?

— Rien n'est plus nécessaire, mon fils, répondit le vieillard. Depuis qu'ils sont incorporés à la famille d'Abraham, ces pingouins participent de la malédiction d'Eve, et ils savent qu'ils sont nus, ce qu'ils ignoraient auparavant. Et il n'est que temps de les vêtir, car voici qu'ils perdent le duvet qui leur restait après leur métamorphose.

— Il est vrai, dit Magis, en promenant ses regards sur le rivage où l'on voyait les pingouins occupés à pêcher la crevette, à cueillir des moules, à chanter ou à dormir; ils sont nus. Mais ne croyez-vous pas, mon père, qu'il ne vaudrait pas mieux les laisser nus? Pourquoi les vêtir? Lorsqu'ils porteront des habits et qu'ils seront soumis à la loi morale, ils en prendront un immense orgueil, une basse hypocrisie et une cruauté superflue.

— Se peut-il, mon fils, soupira le vieillard, que vous conceviez si mal les effets de la loi morale à laquelle les gentils eux-mêmes se soumettent ?

— La loi morale, répliqua Magis, oblige les hommes qui sont des bêtes à vivre autrement que des bêtes, ce qui les contrarie sans doute ; mais aussi les flatte et les rassure ; et, comme ils sont orgueilleux, poltrons et avides de joie, ils se soumettent volontiers à des contraintes dont ils tirent vanité et sur lesquelles ils fondent et leur sécurité présente et l'espoir de leur félicité future. Tel est le principe de toute morale... Mais ne nous égarons point. Mes compagnons déchargent en cette île leur cargaison de tissus et de peaux. Songez-y, mon père, tandis qu'il en est temps encore ! C'est une chose d'une grande conséquence que d'habiller les pingouins. A présent, quand un pingouin désire une pingouine, il sait précisément ce qu'il désire, et ses convoitises sont bornées par une connaissance exacte de l'objet convoité. En ce moment, sur la plage, deux ou trois couples de pingouins font l'amour au soleil. Voyez avec quelle simplicité ! Personne n'y prend garde et ceux qui le font n'en semblent pas eux-mêmes excessivement occupés. Mais, quand les pingouines seront voilées, le pingouin ne se rendra pas un compte aussi juste de ce qui l'attire vers elles. Ses désirs indéterminés se répandront en toutes sortes de rêves et d'illusions ; enfin, mon père, il connaîtra l'amour et ses folles douleurs. Et, pendant ce temps, les pingouines, baissant les yeux et pinçant les lèvres, vous prendront des airs de garder sous leurs voiles un trésor ! ... Quelle pitié !

« Le mal sera tolérable tant que ces peuples resteront rudes et pauvres ; mais attendez seulement un millier d'années et vous verrez de quelles armes redoutables vous aurez ceint, mon père, les filles d'Alca. Si vous le permettez, je puis vous en donner une idée par avance. J'ai quelques nippes dans cette caisse. Prenons au hasard une de ces pingouines dont les pingouins font si peu de cas, et habillons-la le moins mal que nous pourrons.

« En voici précisément une qui vient de notre côté. Elle n'est ni plus belle ni plus laide que les autres ; elle est jeune. Personne ne la regarde. Elle chemine indolemment sur la falaise, un doigt dans le nez et se grattant le dos jusqu'au jarret. Il ne vous échappe pas, mon père, qu'elle a les épaules étroites, les seins lourds, le ventre gros et jaune, les jambes courtes. Ses genoux, qui tirent sur le rouge, grimacent à tous les pas qu'elle fait, et il semble qu'elle ait à chaque articulation des jambes une petite tête de singe. Ses pieds, épanouis et veineux, s'attachent au rocher par quatre doigts crochus, tandis que les gros orteils se dressent sur le chemin comme les têtes de deux serpents pleins de prudence. Elle se livre à la marche ; tous ses muscles sont intéressés à ce travail, et, de ce que nous les voyons fonctionner à découvert, nous prenons d'elle l'idée d'une machine à marcher, plutôt que d'une machine à faire l'amour, bien qu'elle soit visiblement l'une et l'autre et contienne en elle plusieurs mécanismes encore. Eh bien, vénérable apôtre, vous allez voir ce que je vais vous en faire. »

A ces mots, le moine Magis atteint en trois bonds la femme pingouine, la soulève, l'emporte repliée sous son bras, la chevelure traînante, et la jette épouvantée aux pieds du saint homme Maël.

Et tandis qu'elle pleure et le supplie de ne lui point faire de mal, il tire de son coffre une paire de sandales et lui ordonne de les chausser.

— Serrés dans les cordons de laine, ses pieds, fit-il observer au vieillard, en paraîtront plus petits. Les semelles, hautes de deux doigts, allongeront élégamment ses jambes et le faix qu'elles portent en sera magnifié.

Tout en nouant ses chaussures, la pingouine jeta sur le coffre ouvert un regard curieux, et, voyant qu'il était plein de joyaux et de parures, elle sourit dans ses larmes.

Le moine lui tordit les cheveux sur la nuque et les couronna d'un chapeau de fleurs. Il lui entoura les poignets de cercle d'or et, l'ayant fait mettre debout, il lui passa sous les seins et sur le ventre un large bandeau de lin, alléguant que la poitrine en concevrait une fierté nouvelle et que les flancs en seraient évidés pour la gloire des hanches.

Au moyen des épingles qu'il tirait une à une de sa bouche, il ajustait ce bandeau.

— Vous pouvez serrer encore, fit la pingouine.

Quand il eut, avec beaucoup d'étude et de soins, contenu de la sorte les parties molles du buste, il revêtit tout le corps d'une tunique rose, qui en suivait mollement les lignes.

— Tombe-t-elle bien? demanda la pingouine.

Et, la taille fléchie, la tête de côté, le menton sur l'épaule, elle observait d'un regard attentif la façon de sa toilette.

Magis lui ayant demandé si elle ne croyait pas que la robe fût un peu longue, elle répondit avec assurance que non, qu'elle la relèverait.

Aussitôt, tirant de la main gauche sa jupe par derrière, elle la serra obliquement au-dessus des jarrets, prenant soin de découvrir à peine les talons. Puis elle s'éloigna à pas menus en balançant les hanches.

Elle ne tournait pas la tête; mais, en passant près d'un ruisseau, elle s'y mira du coin de l'œil.

Un pingouin, qui la rencontra d'aventure, s'arrêta surpris, et rebroussant chemin, se mit à la suivre. Comme elle longeait le rivage, des pingouins qui revenaient de la pêche s'approchèrent d'elle et, l'ayant contemplée, marchèrent sur sa trace. Ceux qui étaient couchés sur le sable se levèrent et se joignirent aux autres.

Sans interruption, à son approche, dévalaient des sentiers de la montagne, sortaient des fentes des rochers, émergeaient du fond des eaux, de nouveaux pingouins qui grossissaient le cortège. Et tous, hommes mûrs aux robustes épaules, à la poitrine velue, souples adolescents, vieillards secouant les plis nombreux de leur chair rose aux soies blanches, ou traînant leurs jambes plus maigres et plus sèches que le bâton de genévrier qui leur en faisait une troisième, se pressaient, haletants, et ils exhalaient une âcre odeur et des souffles rauques. Cependant, elle allait tranquille et semblait ne rien voir.

– Mon père, s'écria Magis, admirez comme ils cheminent tous le nez dardé sur le centre sphérique de cette jeune demoiselle, maintenant que ce centre est voilé de rose. La sphère inspire les méditations des géomètres par le nombre de ses propriétés ; quand elle procède de la nature physique et vivante, elle en acquiert des qualités nouvelles. Et pour que l'intérêt de cette figure fût pleinement révélé aux pingouins, il fallut que, cessant de la voir distinctement par leurs yeux, ils fussent amenés à se la représenter en esprit. Moi-même, je me sens à cette heure irrésistiblement entraîné vers cette pingouine. Est-ce parce que sa jupe lui a rendu le cul essentiel, et que, le simplifiant avec magnificence, elle le revêt d'un caractère synthétique et général et n'en laisse paraître que l'idée pure, le principe divin, je ne saurais le dire ; mais il me semble que, si je l'embrassais, je tiendrais dans mes mains le firmament des voluptés humaines. Il est certain que la pudeur communique aux femmes un attrait invincible. Mon trouble est tel que j'essayerais en vain de le cacher.

Il dit, et troussant sa robe horriblement, il s'élance sur la queue des pingouins, les presse, les culbute, les surmonte, les foule aux pieds, les écrase, atteint la fille d'Alca, la saisit à pleines mains par l'orbe rose qu'un peuple entier crible de regards et de désirs et qui soudain disparaît, aux bras du moine, dans une grotte marine.

Alors les pingouins crurent que le soleil venait de s'éteindre. Et le saint homme Maël connut que le Diable avait pris les traits du moine Magis pour donner des voiles à la fille d'Alca. Il était troublé dans sa chair et son âme était triste. En regagnant à pas lents son ermitage, il vit de petites pingouines de six à sept ans, la poitrine plate et les cuisses creuses, qui s'étaient fait des ceintures d'algues et de goémons et parcouraient la plage en regardant si les hommes ne les suivaient pas.

Chapitre II

LES PREMIERS VOILES
(suite et fin)

L E   SAINT   HOMME   MAËL ressentait une profonde affliction de ce que les premiers voiles mis à une fille d'Alca eussent trahi la pudeur pingouine, loin de la servir. Il n'en persista pas moins dans son dessein de donner des vêtements aux habitants de l'île miraculeuse. Les ayant convoqués sur le rivage, il leur distribua les habits que les religieux d'Yvern avaient apportés. Les pingouins reçurent des tuniques courtes et des braies, les pingouines des robes longues. Mais il s'en fallut de beaucoup que ces robes fissent l'effet que la première avait produit. Elles n'étaient pas aussi belles, la façon en était rude et sans art, et l'on n'y faisait plus attention puisque toutes les femmes en portaient. Comme elles préparaient les repas et travaillaient aux champs, elles n'eurent bientôt plus que des corsages crasseux et des cotillons sordides. Les pingouins accablaient de travail leurs malheureuses compagnes qui ressemblaient à des bêtes de somme. Ils ignoraient les troubles du cœur et le désordre des passions. Leurs mœurs étaient innocentes. L'inceste, très fréquent, y revêtait une simplicité rustique, et si l'ivresse portait un jeune garçon à violer son aïeule, le lendemain, il n'y songeait plus...

Esclaves blanches

1 9 0 8

Don Brennus Alera, ou l'auteur inconnu caché sous ce pseudonyme flamboyant, était un polygraphe prolifique, spécialisé dans la flagellation. Son ouvrage le plus célèbre s'intitule *Le Tour du monde d'un flagellant*. Il était aussi l'auteur des *Mille et Une Nuits d'un flagellant*, de *Cinquante ans de flagellation*, du *Repaire souterrain* et de bien d'autres ouvrages.

On les trouve proposés dans le catalogue de Daragon, déjà cité, avec ceux de Sadie Blackeyes, d'Aimé Van Rod, de Jean de Virgans (*Esclaves modernes, Parisiennes flagellées…*). Parmi tant de titres, une mention spéciale peut-être pour *Tortures et tourments des martyrs chrétiens*, « Joli volume imprimé sur beau papier vergé anglais contenant 46 planches représentant des scènes de torture… » C'est le plus cher : 20 F, alors que *Les Détraquées et les frissonnières de Paris*, 2 volumes pourtant, ne coûtent que 7 F.

La littérature de flagellation était à l'époque en plein essor. Malgré les efforts d'écrivains comme Hugues Rebell qui présente un certain nombre de scènes de flagellation dans ses romans officiels et a signé du pseudonyme Jean de Villiot un certain nombre d'ouvrages dont *Le Tableau de la flagellation à travers les siècles*, en 1900, le catalogue que nous citions tout à l'heure, *L'Art érotique*, se plaignait :

« *La littérature galante n'est pas, à beaucoup près, aussi riche en France qu'en Angleterre en ce qui concerne la flagellation.* » L'éditeur favori de Don Brennus Alera, la « Select-Bibliothèque » de Massy, Seine-et-Oise, n'avait pas hésité à relever le gant et publiait un certain nombre « *d'ouvrages spéciaux illustrés sous couverture en couleurs très artistique* », à vrai dire assez mal imprimés. La marque de Select-Bibliothèque était un sphinx à tête de femme entouré d'un point d'interrogation. Sa publicité était ainsi rédigée : « *Select-Bibliothèque ne publie rien de banal. Tout manuscrit qui n'est pas original, captivant, littéraire, est rigoureusement écarté. Dans chaque genre, chaque ouvrage atteint au maximum d'intérêt. Ces qualités ont répandu dans les cinq parties du monde le sphinx légendaire avec l'énigme de son point d'interrogation.* »

Les romans de flagellation furent très librement répandus jusque dans les années 50 ; époque à laquelle on se mit à interdire même les réimpressions des ouvrages du genre parus avant 1914.

Les volumes de Select-Bibliothèque étaient vendus 5 F, prix assez élevé à l'époque du roman à 3 F 50. Les livres, il est vrai, étaient illustrés. Bien entendu, la plupart de ces récits finissaient plutôt mal.

Nous donnons ici les dernières pages d'*Esclaves blanches*.

*S*OIS DOCILE, conseilla Jasper ; je ne t'ai pas trompée en te disant que je te conduisais vers ta fille ; elle est ici ; lord Ascott peut te la montrer quand il le voudra.

– Certes ! fit l'Anglais, et je vais t'y conduire tout de suite.

Et Jasper, en s'éloignant, vit la pauvre mère qui, réconfortée par cette promesse, réglait son pas sur celui de son nouveau maître.

– Elle est ici, expliqua William, tu arrives à point, nous allions nous épouser !

Mistress Buttler, qui ne soupçonnait pas le lamentable sort de sa fille, ne pouvait apprécier cette ironie ; elle ne se doutait pas que celle-ci avait cruellement souffert toutes les hontes dont elle-même avait été abreuvée ; elle avait eu une joie soudaine, inespérée, croyant naïvement que sa fille était libre, et que son gendre, revenu à de plus tendres sentiments, lui en faisait part avec une désinvolture de mauvais ton.

Elle se hâta de suivre l'allée qui franchissait la barrière de plantes vertes et fut stupéfaite de se trouver en face de sa fille dans ses blancs atours d'épousée.

Un double cri jaillit des deux poitrines, et les deux femmes se jetèrent l'une vers l'autre dans un élan brusquement arrêté ; William, d'une saccade sur la chaîne, avait maintenu la mère à côté de lui et les mulâtresses s'accrochant désespérément à Suzannah, qui venait de relâcher son étreinte, l'immobilisèrent.

– Bravo ! tenez-la bien, s'écria l'Anglais, j'en ai deux maintenant à mettre à la raison ! Suzannah ! voilà ta mère qui vient assister à nos noces !

Traînant sa prisonnière vers le poteau armé de ferrures, il y attacha mistress Buttler, puis, se plaçant au milieu de l'espace vide, il fit claquer son fouet pour imposer silence aux folles effusions des deux femmes, heureuses et désolées à la fois de se retrouver de façon aussi inattendue et dans des circonstances si terribles.

– Habituez-vous d'abord, ordonna-t-il, à me considérer comme le maître. Toi, Suzannah, tu le sais ; quant à toi, fit-il en se tournant vers mistress Buttler, tu l'apprends seulement ; mais ne l'oublie pas, car je te le rappellerais durement en l'écrivant sur ta croupe avec la mèche de mon fouet.

Les deux femmes se turent, atterrées ; à chacune venait la révélation de tout ce qu'avait dû souffrir l'autre, et le regard qu'elles échangèrent à distance était submergé par une détresse infinie, par une désespérance sans nom.

– Femmes ! reprit le jeune homme en les regardant alternativement, je m'explique que vous mouriez d'envie de vous embrasser ; mais j'ai un besoin de caresses, d'étreintes, plus impérieux encore et vous admettrez bien que le désir du maître passe avant ceux des esclaves. Quand je me serai satisfait ce sera votre tour.

Le rouge qui empourpra les lis de ces deux fronts lui montra qu'elles entrevoyaient de quel prix il entendait leur faire payer le droit de se rapprocher, de s'enlacer, de mêler leurs larmes.

– Viens, Suzannah ! je pense que tu seras moins mauvaise tête maintenant que ta mère est là, prête à présider à tes doux épanchements aux bras du fiancé qu'elle même t'a choisi.

— Taisez-vous, monstre! s'écria la mistress avec indignation; c'est abominable.

Un coup de fouet châtia la liberté de cette appréciation; puis la voix outrageusement ricanante continua:

— Décidément, ma belle, j'ai bien fait de ne pas épouser ta fille, tu aurais fait une belle-mère pitoyable. Est-ce ainsi que tu l'exhortes à accepter le devoir conjugal?

Ces sarcasmes entraient dans l'âme des deux femmes comme une lanière coupante serait entrée dans leur chair, et elles versaient des larmes abondantes, amères, qui venaient du fond de leur être, qui emportaient quelque chose d'elles-mêmes; leurs yeux pleuraient comme saigne une blessure mortelle. Le sadique lord, qui en avait l'intuition, jouissait délicieusement de ces tortures morales qui sont pour de telles natures les plus violents piments dont puissent se relever les souffrances physiques.

Il fit signe aux deux mulâtresses, dont l'une, passant derrière Suzannah, la saisit à pleins bras, tandis que la main servile de l'autre violait le mystère de la jupe immaculée.

— Maudit! Damné! tu vas interdire à tes démons de toucher à ma fille.

— Esclave! reste dans ton rôle de belle-mère. A la troublante minute où nous sommes parvenus, tes pareilles ont l'habitude de submerger leur fille sous le flot de recommandations; elles les accompagnent jusqu'au seuil de la chambre nuptiale, la mort dans l'âme parce qu'elles voudraient pouvoir le franchir afin de veiller jusqu'au bout sur leur tendre progéniture. N'es-tu pas plus heureuse qu'elles? réjouis-toi: on ne te renvoie pas, on t'invite; tu suivras de près toutes les épreuves de ta tendre mignonne, et tu es autorisée à fournir tes conseils, à condition qu'ils soient bons et dictés par ton expérience amoureuse.

— Suzannah! défends-toi! cria-t-elle avec une angoisse éperdue, en voyant que les jambes de la malheureuse fléchissaient et que les esclaves de couleur allaient d'un instant à l'autre la coucher, brisée et vaincue, sur le tertre jonché de fleurs.

Ce suprême appel sembla insuffler une nouvelle force à la vierge dont il galvanisa les nerfs, si bien que les mulâtresses durent s'arrêter pour reprendre haleine.

Lord Ascott fronça les sourcils. Allait-il connaître un nouvel échec? la présence de la mère allait-elle créer un obstacle au lieu de prêter une aide involontaire?

S'étant assuré qu'elle était solidement attachée au poteau, il marcha vers les trois autres femmes, la figure mauvaise, l'œil dur et froid comme s'il avait été de porcelaine bleue.

— Allons, il faut en finir! Toi, dit-il en s'adressant à l'une des mulâtresses, maintiens l'esclave blanche, et toi, va chercher le chicote.

Il fut vivement obéi ; un instant après, la mulâtresse revenait, brandissant l'arme redoutable.

La scène avait pris un caractère tragique dont le changement d'éclairage augmentait l'intensité. Ce n'était plus l'apothéose rutilante du début qui projetait dans le ciel de saphir des feux multicolores, ce n'était plus le conflit entre les reflets d'incendie du crépuscule agonisant et la lumière bleue de la lune qui éteignait les premières étoiles. Maintenant l'astre mélancolique éclairait seul le tableau ; il montait lentement dans le ciel laiteux où apparaissait seulement le squelette miroitant des grandes constellations ; la lumière blafarde, qui se déversait à flots, givrait les feuillages sombres, découpant des ombres fantastiques, blêmissait le visage grimaçant d'Ascott, accentuait la pâleur des femmes blanches et jouait parmi les ors et les gemmes de leurs bijoux ainsi que sur les aciers polis des chaînes.

— Tu vas d'abord frapper le dos et la poitrine avec le chicote, expliquait lord Ascott à la mulâtresse en lui montrant mistress Buttler ; puis, si c'est nécessaire, on la mettra nue pour que tu puisses meurtrir le reste du corps.

Suzannah écoutait, les prunelles dilatées, la respiration sifflante :

— Le chicote !... ma mère !... il ne faut pas, maître !... il ne faut pas !...

— Cela dépend de toi, Suzannah ! dit à l'oreille de la jeune fille William qui avait baissé la voix pour que mistress Buttler ne pût distinguer l'infâme proposition.

— Non, maître !... vous ne la martyriserez pas !... elle n'a rien fait !... pitié pour elle !...

— Elle sera frappée jusqu'à ce que tu cèdes, ou qu'elle t'ordonne de céder ; si vingt coups ne suffisent pas, on lui en donnera cinquante...

Ascott se tourna du côté de la mulâtresse, qui leva le bras.

— Oh ! c'est affreux ! gémit la vierge. Je ne veux pas !... je ne veux pas !... Maître ! je ne peux pas voir frapper ma mère...

Et d'elle-même, glissant entre les bras de la mulâtresse, elle défaillit plutôt qu'elle ne se coucha sur la jonchée odorante.

Pourtant, elle eut la force de murmurer :

— De grâce ! faites que ma mère croie que je cède à la violence !

Alors, une des mulâtresses la cloua au sol par les épaules, tandis que l'autre la tenait sous la menace du fouet levé.

La mère douloureuse, qui tordait ses bras enchaînés, vit avec horreur les infâmes préparatifs, et sous ses yeux le crime s'accomplit...

... Cette sauvage volupté avait exacerbé le rut du jeune homme ; son soupir de triomphe s'accompagna d'un regard de convoitise jeté sur la mère.

Il donna à voix basse quelques ordres qui furent exécutés par les esclaves de couleur. Les doigts agiles dévêtirent Suzannah dont le corps élégant montra, l'une après l'autre, ses secrètes beautés ; quand elle fut nue, drapée de honte comme si une tunique invisible l'avait enveloppée, on lui lia les mains devant le corps, on lui entrava les chevilles. L'ayant ainsi réduite à l'impuissance, les mulâtresses délivrèrent la mère, puis la dépouillèrent de sa toilette de bal; l'éclat de sa splendeur charnelle était telle qu'elle ne parut pas moins somptueuse lorsqu'elle ne fut plus, entre les femmes de couleur vêtues d'étoffes vives, qu'une admirable statue de nacre et d'albâtre.

Lord Ascott, un brin de fleur d'oranger aux lèvres, n'avait rien perdu de cette scène.

— A ton tour, belle esclave! s'écria-t-il; je m'en voudrais de ne pas te faire partager les joies de cette heure unique.

Aux regards ardents qui s'enfonçaient dans sa chair comme des flèches aux pointes acérées et brûlantes, mistress Buttler comprit quelle monstrueuse volupté rêvait cet homme en qui elle n'était point encore habituée à voir un maître.

Elle manifesta une épouvante pire que la terreur du fouet; son visage, son attitude exprimèrent une telle répulsion que William goûta par avance le sadisme moral qui pimenterait la contrainte physique et ses railleries soulignèrent l'atrocité du forfait prémédité :

— Tu sembles oublier, ma chère, qu'il ne s'agit point d'un mariage banal. Certes, si j'avais épousé Suzannah, je n'aurais pu, dans ses bras, m'empêcher de songer à toi; mais sans doute j'en fusse resté là. Puisque je suis ton maître et le sien, je m'offre une fête complète.

Il les regardait toutes deux avec une expression tour à tour repue et gourmande suivant qu'il se tournait vers la mère ou vers la fille.

— Vous êtes si belles et si différentes, avec assez d'attraits communs pour que la possession de l'une ne soit complète qu'avec la possession de l'autre, pour que l'étreinte de cette double perfection atteigne au paroxysme de la volupté humaine.

Jamais cette impression ne s'était imposée à lui avec autant de force qu'en ce moment où, dans la lueur féerique de la lune, elles se tenaient, immobiles, écrasées sous le poids de l'infamie toute récente ou toute proche, chastes par leurs visages, impudiques par leurs nudités rayonnantes. Il les contemplait, et jamais elles n'avaient aussi bien figuré le fruit et la fleur, le fruit dans lequel il allait mordre, la fleur qu'il venait de polluer.

Les deux prisonnières auraient voulu s'élancer l'une vers l'autre malgré leurs chaînes, malgré leurs entraves; il mit son fouet entre elles :

— Non, mes trop belles! Après moi! je vous l'ai dit; je vous en laisserai.

Suzannah, traînée au poteau que venait de quitter sa mère, y fut attachée à sa place; comme ses mains pendaient, étroitement liées, devant le temple profané et que ses chevilles étaient entravées, les mulâtresses se contentèrent de passer son cou délicat dans un lourd carcan, de sorte qu'elle n'avait même pas la triste consolation de pouvoir détourner la tête, qu'elle était obligée de regarder en face ce stupre sans nom.

– Quoi ? Sous les yeux de ma fille ! implora la nouvelle esclave de William ; tout excepté cela !

– Crois-tu que je vais la priver d'une si profitable leçon ? Ta fille est ignorante, et montre peu de dispositions ; j'ai, ma foi ! fort bien fait de ne pas l'épouser. Je compte sur toi, sa mère, pour l'instruire ; me comprends-tu ? Ce que je veux, c'est pas seulement l'étreinte, le geste banal que mime toute la création : ce sont les délicieux préliminaires, les caresses lascives, les attouchements pervers, les sortilèges raffinés des grandes amoureuses. Allons ! viens sur ces fleurs qui gardent encore l'empreinte d'un corps de vierge ; mêle au satin nacré de leurs pétales les transparences laiteuses de la chair pétrie de volupté, comme elles sont imprégnées de parfums !

Il ne voyait pas, tandis qu'il s'exaltait à la peinture des délices si proches, des rêves malsains qui allaient devenir une enivrante réalité, il ne voyait pas les lueurs singulières qui passaient dans les yeux troubles de la victime, et les striaient, pareilles à un éclair qui se reflète dans une eau morne. Un grand frisson avait passé sur cette statue de marbre, aussi pâle que la pierre et les seins gonflés avaient dressé vers les rares étoiles leurs pointes menaçantes. Mais les deux mulâtresses, averties par leur instinct de bêtes dévouées, avaient vu le regard et senti la peur les saisir aux cheveux. Elles s'étaient jetées entre le jeune homme et l'esclave blanche, s'écriant :

– Maître, prenez garde ! elle vous veut du mal !

Il haussa les épaules, puis s'assit sur le tertre.

– Allons donc ! elle a trop peur de nos fouets !

Il se dévêtit, lui aussi, mit à nu son torse nerveux, ses jambes musclées, et s'étendit sur les fleurs dont les baisers froids furent agréables à sa peau dévorée par la fièvre.

– Esclave ! appela-t-il, viens ! Approche ; mets-toi à genoux ; mais avant de partager la couche de ton maître, mérite cette faveur par de savantes caresses qui instruiront l'ignorance de ta fille.

Une mulâtresse levait le fouet pour faire obéir la belle Américaine ; mais l'autre, se précipitant vers l'Anglais, répéta :

– Je vous en prie, maître ! j'ai peur pour vous ! Voyez : ses mains ne sont pas assez prisonnières !

– Eh bien ! fit William, indifférent. Qu'on les lui attache derrière le dos !

Les mulâtresses s'empressèrent ; détachant les fers, elles ramènent les bras en arrière dans une attitude qui fit pointer plus orgueilleusement la belle gorge en parade ; autour des poignets elles enroulèrent plusieurs fois une corde strictement nouée.

– J'attends! ordonna lord Ascott. Pose tes lèvres partout où sommeille une volupté prompte à éveiller, prodigue-moi toute la science des baisers les plus fervents; montre-toi la rivale des plus grandes courtisanes, auxquelles t'égalent ta merveilleuse beauté et ton charme irradiant.

Les mains brunes des mulâtresses, appuyées sur l'épaule ronde et blanche, la jetèrent les deux genoux sur le sol. Mais comme elle se révoltait, la nuque raidie et les lèvres closes, celle qui était armé du fouet cingla son rein onduleux et sa hanche mouvante, tandis que l'autre courbait impérieusement le front altier.

Alors, dans la clarté blême de la lune qui présidait aux orgies sataniques, ce fut une scène de sabbat qui se déroula sous les yeux de deux témoins indifférents et de l'autre victime éplorée, impuissante, suppliciée. Vaincue par la douleur ou acceptant la fatalité, mistress Buttler s'était soumise, et le corps de l'homme commençait à se crisper tandis que des râles sourds s'échappaient de la poitrine haletante et que les yeux chavirés se tournaient vers les étoiles.

Soudain, une clameur qui n'avait rien d'humain retentissait, cri de bête, hurlement démoniaque…

La soumission de l'esclave blanche était feinte; elle ne songeait qu'à se venger; et le maître, blessé, étendait vers la tête parfumée ses doigts crispés pour arrêter les infernales représailles.

Ce fut le cou potelé qu'il rencontra, et l'enserrant dans un collier vivant, il concentra toutes ses forces pour une étreinte désespérée.

A la vue de ce drame, Suzannah, oubliant qu'elle était attachée, projeta tout son corps en avant avec un mouvement qui aurait brisé des liens, mais qu'arrêta net le collier de fer; un craquement disjoignit ses vertèbres et elle s'affaissa sans connaissance.

William serrait toujours… si bien que la tête tomba inerte sur l'épaule, et il s'évanouit, épuisé.

Les deux mulâtresses, clouées sur place par la stupeur, considéraient cette scène macabre : au poteau la jeune fille suspendue au carcan et qui était morte, les reins brisés; à terre, la mère, allongée sans mouvement, les yeux révulsés, le corps griffé et meurtri, la langue pendant hors de la bouche ensanglantée; et sur les fleurs foulées, le maître étendu ne donnant plus signe de vie, atrocement mutilé.

Folles de terreur, elles s'enfuirent vers l'habitation sans tourner la tête et crièrent au secours, avec la voix lugubre des chiens hurlant à la mort.

Épilogue

Ayant achevé ce funèbre récit, lord Ascott se tut... longuement. Puis, sans oser regarder le baron de Mazerolles, il ajouta :

– On est venu : les deux femmes étaient mortes, moi je respirais encore. On m'a soigné ; j'avais vieilli subitement, ma face devait rester marquée de rides diaboliques, trace ineffaçable de cette heure rouge. Bref, on m'a sauvé et ce n'est peut-être pas ce qu'on a fait de mieux ; car j'étais sur la pente, j'ai continué à rouler jusqu'au bas, jusqu'à l'abîme, jusqu'à l'enfer, cherchant comme excuse un besoin lancinant de me décharger des pesants remords qui me hantaient, me poursuivaient. Ce fut en vain. Je les ai traînés partout comme un boulet, dont, éternel forçat du vice, je sentirai le poids jusqu'à ma mort...

VALERY LARBAUD

1881-1957

Portrait d'Éliane à quatorze ans

1908-1918

Le *Portrait d'Eliane à quatorze ans* parut seulement en librairie en 1918 dans le recueil collectif *Enfantines*. Mais il avait déjà été imprimé en 1908 dans la revue *La Phalange*. On ne connaît pas d'œuvre proprement érotique de Larbaud, mais dans un roman comme *Fermina Marquez* court d'un bout à l'autre un érotisme diffus et pourtant certain, qui était peut-être la cible suprême de son art. Comme Anatole France, Larbaud n'a pas laissé de textes secrets. Mais un Mandiargues ne s'y trompe pas :

« *Larbaud, érotomane évident qui n'écrivit pas de livre véritablement érotique et qui, dans la perversité même, resplendit à nos yeux de l'éclat de l'innocence... Larbaud qui se plut à rapprocher la Bibliothèque (la Nationale) du bordel (le Chabanais), les deux pôles d'attraction, peut-être, entre lesquels flamba son court bonheur* [1]. »

1. A. Pieyre de Mandiargues, Préface à *Trois filles de leur mère*, de Pierre Louÿs, 1970. Repris dans *Troisième Belvédère*, Paris, 1976.

*É*LIANE A QUATORZE ANS, depuis le mois de février, et nous sommes à la fin d'avril. C'est une enfant. Mais elle est déjà si grande pour son âge, si ronde et si forte, que bientôt on ne verra plus, éparse sur ses épaules et battant son dos, cette grande chevelure soyeuse et dorée que nous admirons − et il est probable qu'à l'automne sa mère la mettra en robe longue. Elle va s'épanouir dans l'été méridional. En attendant, sa jeune vigueur, sa santé campagnarde, se montrent à tous les yeux : ses jambes arrondies et dures tendent ses bas de laine noire ; elle ne peut plus boutonner les manches de son corsage sur ses poignets charnus. Vraiment, la robe qu'elle porte aujourd'hui, chef-d'œuvre d'une couturière de Murviel ou de Clermont-l'Hérault, cette robe *habillée*, brunâtre, à galon blanc, est sa dernière robe courte.

Éliane, taciturne et tout éblouie par ses rêves, est assise d'un air indifférent et soumis, sur une chaise, en face de sa mère qui tricote. Sa mère est une petite femme maigre et noire, aux yeux vifs. Une femme pratique dont la pensée n'est guère occupée que de repas, de raccommodages, de lessives, d'économies. Elle croit connaître sa fille, qu'elle domine matériellement de toute son autorité de mère de famille ; mais en réalité, elle est, comme bien des parents, parfaitement indifférente à la vie intérieure de sa fille, et peut-être même ne soupçonne-t-elle pas qu'on puisse avoir une vie intérieure. Elle n'a jamais cessé d'être amoureuse de son mari, un grand blond à tête de Germain, homme d'un aspect farouche, très doux de caractère. Il est le seul être au monde dont les idées et les sentiments lui importent. Le petit garçon qui est là, masse informe enveloppée de blanc, et surmontée d'un bourrelet d'osier tressé, ce bébé qui marche à peine et qu'Éliane a mission d'amuser, c'est le dernier gage qu'elle a donné de cet amour fidèle : il a les yeux noirs de sa mère. Éliane ressemble à son père : elle a le teint blanc et rose des filles du Nord et des yeux bleus ; c'est pourquoi sa mère s'écrie parfois en soupirant : « Ce n'est pas une fille que j'aurais voulu avoir, avec ces yeux-là ! » Ce mot, et bien d'autres encore, et les caprices de la tyrannie maternelle, lui ont enlevé l'affection de cette fille. Éliane redoute sa mère, et lui obéit à contrecœur.

Sa mère l'absorbe, l'anéantit, la tient dans une sujétion toujours plus pénible à mesure qu'elle devient grande fille.

Quand donc cela finira-t-il ?

Heureusement, la porte des rêves est ouverte, nuit et jour, pour la jeune Éliane. Il faut bien trouver des refuges contre les choses du dehors, et la vie ne peut pas être si dure, n'est-ce pas ? pour une grande enfant aux cheveux de fée, et dont les yeux sont les plus beaux et les plus cernés du monde. Jusqu'à l'année dernière encore, elle-même était une fée ; elle entrait dans leurs palais, comme cela se passe dans les belles histoires des livres. Surtout, il y avait le Prince Charmant... Ah ! le Prince Charmant. Éliane l'a aimé d'amour.

C'était comme dans le tableau de l' « Escarpolette » : il était assis sur la planche suspendue, tenant les deux cordes dans ses mains ; et elle montait à côté de lui ; la planche vacillait un instant, et puis, doucement, se penchant en arrière, repliant puis tendant ses jambes (dont toutes le formes étaient moulées par des chausses de soie bleue), il mettait la balançoire en mouvement. Elle admirait sa force ; elle sentait si bien sa présence, qu'elle avait l'illusion du vertige, et qu'elle se retenait, dans son lit, pour ne pas crier d'effroi. Peu à peu, le mouvement s'accélérait, le Prince Charmant l'emportait au-dessus des cimes des arbres, planait avec elle dans l'air. Des feuillages froissés, devant eux, derrière eux, frémissaient ; les cordes grinçaient ; ils bondissaient tous deux en plein ciel. Tout à l'heure, l'escarpolette tournerait sur elle-même, et ils tomberaient, précipités dans les abîmes.

Alors, Éliane, affolée, étreignait le torse du Prince Charmant, elle s'abandonnait à sa force, elle posait sa tête sur son épaule et fermait les yeux.

Et il n'y avait pas que l'escarpolette ; il y avait aussi la gondole du Lido, avec le seigneur vénitien (c'était encore le Prince Charmant) étendu aux pieds d'une belle dogaresse hautaine. Éliane entrait dans la gondole ; elle n'avait pas de colère contre la belle dogaresse ; elle s'agenouillait devant le Prince Charmant, et murmurait : « Je suis ton humble esclave. » Elle avait lu cela quelque part.

Et il y avait encore l'Homme Nu du Petit Larousse Illustré. Voici : quand elle était certaine de n'être pas observée, elle prenait ce dictionnaire, sur le bureau de son père, et tout émue du plaisir défendu (car sa conscience lui disait que c'était mal) elle donnait pâture à l'avidité de ses yeux. A l'article « Homme », il y a un tableau anatomique sur deux pages. On y voit le squelette, le système nerveux, les muscles mis à vif ; mais un homme nu, un athlète, ceint d'une étroite peau de bête à toison touffue, y est représenté de dos et de face, dans des attitudes de pugilat qui mettent en relief son ventre, ses pectoraux, les muscles de ses épaules et de ses cuisses.

Éliane ne se lassait pas de regarder cette image, effleurant, parfois, de ses lèvres, le papier.

Elle faisait aisément abstraction des traits et des mots indiquant et nommant les différentes parties de ce beau corps : occiput, médius, abdomen, épigastre. Elle en avait fait un être vivant, un personnage comme le Prince Charmant ; elle inventait des aventures, des romans dont il était le héros. Mais là son imagination se rebutait vite ; le regarder était encore plus agréable. Et elle aurait passé des heures à contempler l' « homme nu » ; mais on ne laisse jamais les enfants long-temps seuls.

Du reste, depuis un an, à peu près, Éliane a cessé d'être l'amie du Prince Charmant, et elle a épuisé tout l'enseignement du Petit Larousse Illustré. Maintenant, avec des précautions infinies, sans en avoir l'air, tremblant que sa mère ne s'aperçoive de son manège, Éliane regarde les hommes.

C'est une éducation. D'abord, elle les avait trouvés tous laids, et surtout insi-gnifiants, occupés d'intérêts grossiers, ennemis des rêves, inutiles comme des ombres, comme des morts. Vraiment, le Prince Charmant et le beau lutteur grec ne correspondaient à rien dans la réalité. Mais peu à peu le regard s'habitue ; le goût se dégage des écoles ; on n'a plus besoin, pour voir la beauté, qu'on vous la montre ; l'artiste s'affranchit de ses maîtres, et la jeune amoureuse apprend à se créer, avec les passants des rues, des vendangeurs à demi nus, un ouvrier debout sur un échafaudage, des amants choisis, êtres de beauté, caractères puissants, raf-finés, héroïques âmes de poètes et de conquérants. L'adoration, tout abstraite, des formes viriles ne suffisait plus à Éliane ; c'est un culte purement spirituel, où le cœur a trop peu de part.

Qu'était le beau lutteur lui-même, sans âme, sans une vie de sentiments et de pensées ? Cette vie intérieure, sur laquelle on peut agir, à laquelle on peut parti-ciper ? Mais Éliane commença par regarder de préférence les manœuvres, les beaux gars débraillés qui peinent au soleil. C'était encore l'admiration pour la chair nue, les muscles saillants, les poitrines plates, les hanches étroites, les bras durs. D'autre part, les gros bourgeois sont vraiment hideux. Ils poussent devant eux des bedaines dilatées par de longs excès de nourriture ; leurs cheveux tom-bent, leurs joues pendent, leur nez se violace et leur regard s'éteint. Mais à vingt ans, certes, ils ne sont pas ainsi. Éliane n'avait pas tardé à s'en apercevoir. Et puis, nous devons nous contenter de ce que la vie réelle nous offre, quittes à la magnifier. Elle en vint à découvrir une sorte de beauté plus délicate chez quelques étudiants rencontrés dans les rues du chef-lieu, durant un de ces courts séjours qu'elle y fait avec sa mère.

Et maintenant, il y a, partout, des hommes de trente ans, des messieurs, avec de belles barbes, des regards assurés et pourtant très doux.

Éliane est joyeuse de les voir, de fouler le sol où ils marchent. Mais elle ne parvient pas, la pauvre rêveuse, à prendre intérêt à ce que fait le monde, au petit train des choses. Les destinées médiocres ne la touchent pas. Il lui faut, pour ses amants à venir, des existences aventureuses, des actions d'éclat, la popularité, la gloire. Et tout cela doit bien se rencontrer mais non pas ici, pas autour d'elle. Du reste, n'est-elle pas comme une prisonnière? « Ah! quand j'aurai vingt ans! » Elle croit que c'est l'âge de la liberté.

Il y a, elle en est sûre, des êtres délicieux, dans le monde; toute leur vie est un poème; ils gagnent des batailles, ils organisent de grands mouvements populaires; ils passent brusquement de l'extrême pauvreté à la plus fabuleuse richesse; ils sont beaux, ils sont célèbres, et ils dédaignent les mesquineries de la vie. – Éliane est élevée dans la religion réformée; elle communiera l'année prochaine, mais le plus clair de son instruction religieuse, c'est une connaissance assez précise du Cantique des Cantiques, lu et relu dans la grande Bible familiale. Et son père, qui est libre penseur, ayant trop souvent raillé, devant elle, ce qu'il appelle les extravagances des saints et des saintes, elle n'éprouve que du dégoût pour l'humilité et l'obéissance. Elle méprise la faiblesse et la pauvreté, et elle a horreur des malades. – C'est pour ces raisons que les Êtres Délicieux sont tous forts et triomphants. Elle communique avec eux, dans le monde de l'esprit; elle est leur petite épouse.

Mais il faut un corps particulier à chacune de ces nobles âmes. Éliane, donc, choisit parmi les passants, dans son entourage, partout, l'homme qui incarnera son rêve du moment. Elle prend ses traits dans sa mémoire, conserve avec soin le souvenir de ses attitudes, et ferme les yeux pour mieux le revoir. Et c'est encore comme avec le Prince Charmant; mais la réalité fournit enfin un aliment à cette fantaisie qui, désormais, ne s'exerce plus dans le vide.

Éliane pense à quelqu'un qui existe vraiment. Éliane a un Bien-Aimé, plusieurs Bien-Aimés, et une multitude d'amants. Un Bien-Aimé toujours un peu imprécis, un Idéal; mais aussi d'autres Bien-Aimés, choisis par les jeunes gens de sa petite ville; leurs traits lui sont familiers; même, quelques-uns, dans la vie réelle, connaissent ses parents et lui adressent parfois quelques paroles banales. Mais, tandis qu'elle fait semblant d'apprendre ses leçons et de travailler à ses devoirs, elle vit à leur côté, elle les accompagne à travers mille aventures, des expéditions militaires, des voyages d'exploration. C'est tantôt celui-ci et tantôt un autre qui est son compagnon imaginaire.

Et c'est le soir surtout, dans son lit, avant de s'endormir, qu'elle pense à eux, à un d'entre eux. Chacun à son tour, chacun sa nuit, suivant l'humeur d'Éliane.

Quelquefois, elle restera fidèle à l'un des Bien-Aimés pendant toutes les nuits d'une semaine entière.

Il est étendu près d'elle ; ils s'embrassent, elle le caresse de ses mains brûlantes ; il lui rend ses caresses. Elle s'endort dans ses bras... Et il y a la foule de tous ceux dont elle a ramené, pour une nuit, le souvenir charmant et vite effacé : des officiers, des bohémiens vendeurs de corbeilles, des hommes du monde, un jeune marin.

Éliane croit à la transmission des pensées. Elle ne veut pas se persuader que tout cet amour, que tous ces désirs, se perdent, sans que rien en vienne effleurer l'âme de ceux auxquels ils s'adressent si passionnément. Ne rêvent-ils pas d'elle, ces nuits-là ? N'éprouvent-ils pas du moins quelque indéterminée sensation de plaisir, ceux qu'elle choisit ? Qu'elle en soit seulement sûre ; elle n'en demande pas davantage. Et si, pourtant, un des Bien-Aimés, un jour, daignait la remarquer, venait à elle, lui parlait secrètement ? Pour celui-là, quel qu'il soit, même le moins souhaité de tous, mais véritable amant qu'elle pourrait entourer de ses bras – ah ! comme elle abandonnerait vite tous ces rêves stériles où elle s'épuise...

A la fin des dernières grandes vacances, le mas était plein de vendangeurs. Elle en avait remarqué un : le pantalon roulé jusqu'au-dessus des genoux, les manches de la chemise relevées jusqu'aux épaules, la chemise largement ouverte sur un torse doré, admirable ; et une tête fine de jeune homme, avec de grands yeux noirs dont les regards étaient tendres. Éliane lui avait demandé une grappe de raisin ; jamais jusqu'alors elle n'avait tant osé.

Et, toute la nuit, dans la touffeur de sa chambre, haletante, en sueur, elle avait souhaité qu'il vînt, le beau vendangeur.

Elle se disait qu'à force de vouloir cela, qu'à force de l'appeler avec l'esprit, en concentrant toute la puissance de sa volonté, il l'entendrait. Il y eut un moment où le loquet de la porte sembla grincer. Elle s'assit dans son lit, la respiration coupée : elle avait si bien cru qu'elle pourrait le faire venir.

Elle cessa enfin d'espérer, et soudain, elle sanglota de rage. Le lendemain en s'éveillant, elle sentit les larmes séchées sur ses joues un peu pâlies. Elle baisa son image, longuement, dans la glace. Elle éprouvait beaucoup de pitié pour elle-même.

PIERROT

Auteur non identifié

Une séduction

1 9 0 8

Louis Perceau et Pascal Pia, une fois de plus, ne sont pas d'accord sur la date de publication de cet érotique clandestin, connu aussi sous le titre de *Séduction, jeunes amours*. Perceau tient pour 1908. De toute façon, c'est à deux ans près.

Fillette précoce
Pensionnat des jeunes filles

MARGUERITE avait largement profité des leçons de sa bonne. La graine était tombée dans un terrain favorable : elle était devenue la petite fille la plus passionnée qu'on pût imaginer. Bientôt, Germaine n'avait plus suffi à ses agaceries ; c'était sur Claude maintenant qu'elle jetait son dévolu. La scène si lubrique de la voiture lui était restée présente à la mémoire ; elle n'en avait parlé ni à sa sœur, ni à sa bonne, brûlant du désir d'avoir pour elle les caresses du joli garçon. Le sexe de l'homme piquait sa curiosité ; elle voulait connaître ce membre dont lui avait parlé Germaine, et surtout le voir de près et pouvoir le toucher à son aise. La petite gamine était rusée : elle imagina de mettre à profit les leçons de gymnastique que lui donnait Claude, pour arriver à son but. Le gymnase était aménagé dans une grande salle du premier étage, à l'extrémité du château. Claude appelait la fillette quand il avait un moment de liberté, et ces leçons assez courtes se passaient le plus souvent sans témoin.

Dans son désir de réussir, elle n'épargna rien pour exciter le jeune homme. Contrairement à l'ordre de sa mère, elle n'allait plus revêtir le pantalon fermé. Debout, les pieds passés dans les anneaux qu'il tenait sous elle, elle écartait les jambes le plus qu'elle pouvait, laissant le jeune homme tout troublé par la vue de ces dessous de fillette. Le regard lascif qu'il glissait entre ses cuisses n'était même pas attardé par l'étoffe du pantalon, ouvert par cette position et dévoilant les parties intimes qu'il avait pour mission de dérober aux regards indiscrets.

Ou bien encore elle prenait les anneaux entre ses mains pour faire un tour complet, mais s'arrêtait la tête en bas et les pieds en l'air. Robe et jupon, tout tombait, lui couvrant la figure, tandis que ses jambes, ses cuisses et son ventre étaient complètement découverts. Dans cette position même, elle écartait encore les jambes pour permettre à Claude de voir par la fente du pantalon une autre gentille petite fente qu'elle savait bien qu'il serait avide de contempler, surtout en se croyant à l'abri des regards indiscrets.

Elle faisait de même au trapèze, où elle se suspendait par les jarrets, renversée la tête en bas, et à l'échelle de corde, qu'il tenait en bas, tandis qu'elle se trémoussait au-dessus de lui, cherchant à encapuchonner sa tête sous ses jupes.

Claude n'aurait pas été lui-même s'il n'avait pas été ému par ces agaceries qu'il avait bien dû finir par remarquer. La fillette, nous l'avons dit, était des plus gentilles, jolie à ravir avec ses fins cheveux noirs ondulant gracieusement sur ses épaules. La crainte seule des indiscrétions de l'enfant le faisait hésiter.

Marguerite voyait bien ses yeux brillant de désir et de trouble qui faisait trembler sa voix et le rendait tout drôle pendant leurs séances de gymnastique. Elle se dépitait de ne pas le voir s'enhardir.

Se souvenant du moyen qui lui avait si bien réussi avec sa bonne, elle résolut de brusquer les événements. Un jour, elle demanda à s'absenter quelques minutes au milieu de la leçon : Claude pensa qu'il s'agissait d'un besoin naturel. Quand elle revint, elle était un peu rouge et gênée ; elle remonta aux anneaux, dans lesquels elle engagea ses jambes, puis, recommandant au jeune homme de bien la surveiller dans cet exercice nouveau, elle se rejeta la tête en bas, suspendue par les jarrets.

Le spectacle que vit Claude l'émotionna au plus haut point : les jupes retombaient, laissant toutes les parties intimes complètement nues, depuis les bas noirs arrêtés au-dessus du genou par de simples jarretières, jusqu'à la taille. On ne pouvait rien rêver de mieux que le corps de la brune fillette : ces cuisses potelées d'une blancheur immaculée et d'un contour exquis ; ce petit ventre dont la peau plus fine et plus veloutée que celle d'une pêche et d'une transparence admirable laissait voir les veines bleues courant en tous sens sous sa surface ; ces mignonnes fesses fermes et déjà grassouillettes, entre l'écartement desquelles se voyait un microscopique petit trou rose aux plis très fins, l'ensemble faisant le plus gracieux petit cul qui se puisse voir ; et entre les cuisses, ces deux mignonnes petites lèvres aussi rouges que des cerises et d'une forme délicieuse, cachant dans leur sein l'amoureux petit organe de plaisir appelant le baiser. Ainsi, la chaude petite gamine était sortie pour retirer le pantalon qu'elle portait au début de la leçon ! C'en était trop pour la vertu du professeur. Pris d'un désir irrésistible, Claude se jeta comme un fou sur le corps de la petite fille qu'il porta sur un sofa et colla ses lèvres entre les cuisses, à cet endroit troublant du sexe, la baisant, la suçant, passant sa langue dans toute la longueur de la petite fente et branlant son clitoris tout raidi, jusqu'à ce que l'enfant, qui s'agitait nerveusement et se cambrait sous son étreinte luxurieuse, arrivât enfin à la minute suprême de la jouissance et demeurât toute pâmée.

Claude était à peine remis de son émotion, que Marguerite, un peu gênée, lui demanda tout bas de bien vouloir lui laisser voir son sexe à son tour. Comme il hésitait à répondre à cette demande imprévue, la précoce fillette s'installa entre ses jambes et se mit en devoir de faire sauter les boutons de sa culotte. Elle arriva non sans peine à en faire sortir le membre raidi.

Alors, elle s'extasia devant cette chose nouvelle pour elle, prenant les testicules et les roulant dans ses mains, caressant tout le membre qui se dressait sous ses petits doigts avec des soubresauts nerveux. Elle en découvrait et recouvrait la tête rubiconde, s'étonnant de sa grosseur et des veines qui se gonflaient sous sa surface ; elle finit par le prendre de ses deux mains à la fois, lui donnant un mouvement de va-et-vient. Cet exercice fut la cause d'une petite mésaventure, à laquelle elle était loin de s'attendre : lorsque le liquide amoureux de Claude jaillit, elle en reçut un jet en pleine figure.

Le jeune homme demeura fort ennuyé de l'aventure dont il redoutait les conséquences. Aussi se félicita-t-il de ce que, quelques semaines après, Marguerite fût mise en pension à Orléans, ses parents l'y envoyant pour terminer son éducation.

La fillette transporta naturellement dans ce nouveau milieu ses précoces habitudes de jouissance, qui trouvèrent un élément favorable dans la personne de ses petites compagnes. En classe, au dortoir, dans les cabinets, elle trouvait le moyen de se livrer à ses plaisirs, soit seule, soit avec des petites filles qui, un peu effarouchées au début, ne tardaient pas à y prendre un goût singulier et à s'y livrer de tout cœur.

Son plus grand plaisir était de se faufiler pendant la classe sous les tables servant de bureaux aux élèves. Là, elle se glissait entre les jambes d'une fillette qui lui plaisait, relevait ses jupes et, par la fente du pantalon, caressait ses parties sexuelles, auxquelles elle faisait quelquefois minette. La pauvrette n'osait résister, de peur d'attirer l'attention de la maîtresse.

C'est ainsi qu'un jour une ravissante blondinette de treize ans, la petite Jeanne, qui était complètement innocente, la vit opérer sur sa voisine immédiate et en ressentit une émotion extrême. Jeanne, occupée à écrire, s'aperçut que le banc sur lequel elle était assise éprouvait un balancement qui la dérangeait. En se retournant, pour en chercher la cause, elle fut surprise de l'attitude de sa voisine de droite.

La fillette s'agitait sur son banc avec des soubresauts nerveux ; sa respiration était agitée et sifflante, et sa figure rouge jusqu'à la racine des cheveux ; ses lèvres roses étaient mouillées et ses beaux yeux noirs, également humides, trahissaient une indéfinissable expression de plaisir : une sorte d'extase semblait se dégager de tout son être. Toutes les fillettes qui l'entouraient, et qui ne perdaient rien de cette scène, souriaient entre elles en se lançant des regards d'intelligence, mais de manière à ne point attirer l'attention de la maîtresse; elles semblaient éprouver un malin plaisir à ce spectacle, sans pour cela s'en étonner beaucoup. La petite Jeanne intriguée se pencha pour regarder sous la table. Ce qui vit l'innocente fillette lui causa une émotion extraordinaire : Marguerite était accroupie sous la table, assise sur les talons, les jambes écartées. Dans cette position, sa robe courte ne cachait plus son corps, et par la fente du pantalon se voyaient les parties sexuelles. Marguerite maintenait relevés aussi haut que possible, avec sa main gauche, la robe et le jupon de la voisine de Jeanne, tandis que sa main droite, passée entre les cuisses, était animée d'un léger mouvement et semblait prodiguer des caresses très douces à une chose que Jeanne comprit fort bien, ce qui la fit beaucoup rougir. Cette scène érotique qui, tout en expliquant à Jeanne l'émotion de sa voisine, la plongeait dans un étonnement voisin de la stupeur, durait depuis un certain temps, lorsque tout à coup Marguerite enfonça sa petite tête entre les cuisses de la fillette et laissant retomber les jupes sur elles, ce qui ne permit plus de la voir. Jeanne leva les yeux sur sa voisine. Le brusque mouvement de Marguerite l'avait plongée dans un trouble inexprimable : sa respiration devint plus saccadée, ses yeux se dilatèrent de plaisir, ses jambes se raidirent sous la table et se serrèrent involontairement, au risque d'étouffer la lascive enfant; ses poings se serrèrent nerveusement; tout son corps éprouva une volupté voisine de l'extase. A plusieurs reprises, elle essaya de se dégager de l'étreinte luxurieuse, mais en vain. Enfin, un dernier spasme de volupté secoua le corps de la fillette qui se renversa un peu en arrière. Marguerite se retira par un brusque mouvement et passa rapidement sa manche sur le bas de sa figure, comme si elle eût été mouillée; puis, sans faire le moindre bruit, se servant de ses mains et de ses genoux, elle regagna sa place avec l'agilité d'une chatte.

Une émotion bien autrement intense était réservée à la petite Jeanne. Ce même soir, au dortoir, alors que tout le monde dormait et qu'elle seule était tenue éveillée par la scène lubrique qu'elle avait vue dans la journée et qui l'avait tant révolutionnée, elle vit venir à elle la brune Marguerite qui s'approcha de son lit, plaça sa petite tête câline et suppliante près de la sienne, et lui demanda de partager ses plaisirs.

Cette demande inattendue plongea la petite Jeanne dans un trouble inexplicable. Ce qu'elle avait vu lui avait causé une vive surexcitation, un sauvage désir; une extrême curiosité la poussait invinciblement. Marguerite l'embrassait avec ardeur sur la bouche, et déjà la main experte se glissait sous la chemise et caressait le corps nu, cherchant les parties secrètes. La courageuse blondinette chercha bien encore à résister et à se soustraire à la luxurieuse étreinte, mais ce fut en vain : elle était matée. En un clin d'œil, Marguerite s'était étendue sur le lit près d'elle, mais en sens inverse, c'est-à-dire jambes sur l'oreiller et sa tête aux pieds. Rejetant les couvertures et relevant la chemise de Jeanne jusqu'à son cou, elle examina avec le plus vif plaisir ce beau corps de vierge, pur de tout contact, et promena sa main caressante et libertine sur toutes ses parties, jusqu'en ses replis les plus cachés, lui causant une émotion intense. – Les deux fillettes étaient aussi émues l'une que l'autre. – Bientôt, la petite Jeanne sentit la langue chaude et humide de Marguerite qu'elle promenait avec audace sur son ventre et sur la partie intérieure de ses cuisses, feignant de lui donner des baisers. Puis soudain, comme si elle eût rejeté une dernière honte, et après avoir tourné vers son amie ses yeux suppliants, Marguerite, toute rougissante, appliqua ses lèvres de feu sur les parties sexuelles de la petite fille qui se cabra sous cette délicieuse caresse, le corps renversé en arrière, les yeux fermés, se sentant envahie d'une véritable ivresse.

En ouvrant les yeux, la petite Jeanne fut surprise de trouver tout contre sa figure le corps nu de Marguerite, sa chemise étant remontée sur sa poitrine par suite de mouvements qu'elle avait faits. Ce corps était absolument ravissant. La blondinette regarda avidement ces cuisses potelées et ce ventre d'un contour exquis. Un très léger duvet noir en ombrageait la partie inférieure et tranchait sur la blancheur de la peau.

Entre les cuisses se voyaient les deux petites lèvres toutes rouges et tout humides qui dégageaient une odeur excitante. Cette vue, jointe à ce qu'elle ressentait sous la luxurieuse étreinte de Marguerite, acheva de faire perdre la tête à la petite Jeanne. Vaincue par la volupté, et comme prise de vertige, elle se jeta comme une folle sur le corps nu de Marguerite, qu'elle serra dans ses bras au risque de l'étouffer, et couvrit de baisers brûlants ces cuisses blanches, ce ventre et surtout cette petite fente vermeille qui s'entrouvrait sous son souffle. Elle lécha avec ardeur le clitoris tout rouge et tout gonflé. Tout le corps de Marguerite frémissait sous son étreinte ; haletante, elle s'agitait avec des soubresauts nerveux, se tordait de plaisir. Un dernier spasme d'une intense volupté, qui lui arracha un cri d'extase, secoua le corps de la brune fillette et une tiède rosée mouilla les lèvres de la petite Jeanne avant qu'elle ait eu le temps de se retirer. Elle aussi, au même moment, atteignait au dernier degré du plaisir, et elle retomba sur son oreiller, ivre de volupté.

Ces scènes se répétaient souvent et se variaient à l'infini. Marguerite fut une véritable initiatrice pour les gamines du pensionnat qui ne demandaient qu'à s'instruire dans ce joli jeu d'amour, et quand elle revint au château de Messange, aux vacances d'août, il n'y avait guère d'élèves de sa classe dont elle n'eût peloté le petit cul, branlé le clitoris et léché la fente dans une délicieuse minette.

COLETTE

1 8 7 3 - 1 9 5 4

L'Ingénue libertine

1 9 0 8

En 1908, il y a deux ans que Willy et Colette ont divorcé. Willy, lancé par le succès colossal des Claudine, l'exploite de son mieux, et multiplie les livres « crous-tillants », avec un bonheur inégal. Toulet, Jean de Tinan ou Curnonsky ne sont pas inépuisables ni toujours disponibles. Il leur arrive aussi d'écrire pour eux et de signer leurs livres. C'est ce que fait désor-mais Colette, avec une sorte de timidité, de manque de confiance, assez étranges chez cette robuste Bourguignonne de trente-cinq ans. Pas d'explosion revendi-catrice, pas de libération fracassante de la tutelle masculine, au contraire. Le premier roman qu'elle publie seule, en 1907, est une suite aux Claudine : *La Retraite senti-mentale*, précédé d'un court *Avertissement* : « *Pour des raisons qui n'ont rien à voir avec la littérature, j'ai cessé de collaborer avec Willy. Le même public qui donna sa faveur à nos six filles... légitimes, les quatre* Claudine *et les deux* Minne, *se plaira, j'espère, à* La Retraite sentimentale, *et voudra bien retrou-ver dans celle-ci un peu de ce qu'il goûta dans celles-là.* » Signé : Colette Willy.

On retrouve Renaud, Marcel, Claudine, bien sûr, qui parle toujours à la première personne, et les autres person-nages de la série, dont Maugis, incarna-tion de Willy dans les romans sortis de sa manufacture. Belle occasion de l'égrati-gner un peu. Mais le Maugis de *La Retraite sentimentale* est un bien brave homme, paternel, un peu bourru mais fort délicat, et Claudine n'est guère com-bative. Il est vrai que c'est le roman où meurt Renaud, le vieux don Juan marié,

et la disparition de son seigneur et maître laisse Claudine meurtrie et amputée. « *Oh ! ma liberté que je refuse...* », dit-elle. Deux ans plus tard, *L'Ingénue libertine* aurait pu être pour Colette une éclatante démonstration de sa « différence », comme on dit aujourd'hui. D'autant plus qu'il s'agit, en quelque sorte, d'une reprise de biens. Deux romans, *Minne* et *Les Égarements de Minne*, avaient été publiés tout de suite après les Claudine en 1904 et 1905 sous la seule signature de Willy, et portant bien sa marque de fabrique, bien que les dialogues n'aient pas l'épaisse vulgarité de ceux de *La Maîtresse du Prince Jean* (« *Hier, par exemple, j'en ai planté un de fameux, de jalon. – Avec la youtresse ? – Évidemment...* »). *L'Ingénue libertine* est une version des deux *Minne* en un volume, précédée de deux petits textes :

«*D'un commun accord, les auteurs de* Minne *et des* Égarements de Minne *ont jugé nécessaire un remaniement de ces deux volumes. Cette refonte en un tome ayant été remise aux seuls soins de* MME COLETTE WILLY, *les deux collaborateurs ont jugé qu'elle seule devait la signer*[1].

« WILLY. »

«*1. Il va de soi qu'assumant seule la res-ponsabilité de cette publication, j'ai, par un élémentaire scrupule d'honnêteté littéraire, com-pris au nombre des « remaniements » la sup-pression de ce qui constituait la part de collabo-ration du précédent signataire.*

« COLETTE WILLY. »

Le thème du roman est simple, et commun à d'innombrables romans du temps. Une jeune femme cherche l'aventure en dehors de son ménage, s'égare un moment dans des plaisirs coupables, puis comprend son erreur et revient vivre avec son mari le reste de son âge. Tous les auteurs (masculins en général) de romans légers ont brodé là-dessus, avec des commentaires moralisateurs généralement assez sévères pour ces créatures faibles et soumises à leurs sens. Ainsi, parmi cent autres, *La Folie de la chair*, roman passionnel de Léonce d'Arcy (Librairie Artistique, éditeur, nombreuses illustrations). Colette pourrait, avec *Minne*, se rapprocher de celles (et de ceux) qui plaident pour un peu plus de liberté, de responsabilité, pour les femmes. D'autant que Minne, au contraire de la Fernande Descharnes de *La Folie de la chair*, victime d'un trop généreux tempérament, souffre simplement de ne pas avoir été « révélée », selon le titre d'un autre roman, de Michel Corday celui-là, *Les Révélées*.

Le mariage, le plaisir féminin, sont parmi les sujets que la fin du siècle a mis à l'ordre du jour. Le jeune Léon Blum (trente-cinq ans) a rassemblé en 1907 dans un livre qui a fait scandale, *Du mariage*, les questions que se posent ses contemporains sur une institution sérieusement contestée depuis quelque temps. Le point sera fait en 1911 dans *Mariage, collage, chiennerie*, de John Grand-Carteret... « *pour la défense du droit de nature, pour le contrat d'union libre, pour la légitimité de tous les enfants* »... *Mariage, collage, chiennerie* réunit des points de vue en majorité hostiles à l'indissolubilité du mariage, dont il a été débattu en 1896, à l'occasion d'un projet de loi prévoyant un divorce facilité. Ferme défenseur du mariage *(Un divorce*, 1904) en ce temps-là : M. Paul Bourget.

Dans *Les Révélées*, Michel Corday défend une thèse conciliatrice : oui au mariage, à condition de faire une maîtresse de sa femme, c'est-à-dire de l'initier aux plaisirs de la chair, de la révéler. Thèse audacieuse. Le roman offre le contraste des deux espèces de femmes : « *Des déceptions, des dégoûts, des nausées chez les unes. Et des transports, des délices, une vie comme vernie chez les autres.* » Les révélées se reconnaissent à un signe particulier : détendues, confiantes, heureuses, dans la journée, « *elles attendent le soir* ».

« *On devrait les reconnaître rien qu'à leur allure équilibrée, stable et coulante de frégate en course, leur langueur fraîche et saine de fleur arrosée. Le peuple, dans sa clairvoyance instinctive, reconnaît la femme "qui a ce qui lui faut, qui a son contentement". Les mots dégagent l'idée. Ah! j'en ai recueilli bien d'autres, au dispensaire, sur les lèvres de pauvres filles. Tenez, celui-là ; d'un raccourci en éclair : "J'ai relui"* ... *Les révélées... Comme elles sont en quiétude et bien d'aplomb... Il n'y a qu'à la nuit qu'elles s'agitent, un peu fébriles. La soirée leur paraît longue, le bridge interminable. Ah! parmi elles, il n'en est pas d'oisives. La journée ne leur paraît ni creuse ni vide. Leur journée a toujours un but : elles attendent le soir.* » Paul, le mari, a été inférieur à sa tâche et croit sa femme frigide. Lucette aura donc un amant. Mais tout s'arrangera. Dûment chapitré par sa belle-sœur Zonzon, Paul révélera enfin sa femme.

« *Il suffisait, pour s'en convaincre, de regarder ce joli profil animé qui, par instants, dans une rêverie charmante, se tournait vers le large horizon, vers le ciel perlé où déclinait le jour. Elle aussi attendait le soir...* » Fin du roman (Flammarion éditeur, 1909).

Fernande Descharnes, l'héroïne du *Démon de la chair*, n'a pas autant de chance. Il est vrai que le roman date du début du siècle. Torturée par une sensualité exigeante, elle a des aventures, beaucoup d'aventures, et beaucoup de plaisir, qu'elle rachète par des remords effroyables. A la fin du livre, elle prend la décision de renoncer à la volupté, comprenant enfin « *que sa vie ne lui appartenait pas, à présent qu'elle avait* créé d'autres êtres » (elle a deux filles). « *Que de souffrances l'attendaient encore ! Elle ne se les dissimulait pas, mais elle lutterait, et elle ne désespérait pas de vaincre. Peu à peu le temps, ce grand guérisseur de tous les maux, jetterait sur sa douleur, sur ses souvenirs, le voile de l'oubli.* » D'ailleurs, il y a peut-être quelque chose à tirer de sa vie quotidienne, une lueur d'espoir pour la pécheresse, « *là, tout près d'elle, dans ce mari qui la chérissait et qui pleurait et souriait avec elle, la fixant de ses yeux bons et doux de brave homme* ».

Minne, l'ingénue libertine, a elle aussi beaucoup d'aventures, mais sans résultat ; personne ne la révèle. Elle se retrouvera même dans les bras de Maugis, toujours là, mais de plus en plus paternel et délicat ; il « *la désarme par une sentimentalité foncière qu'on devine aux gestes précautionneux, au regard vite embué* ». Tout de même, « *il touche avec précaution les fleurs de cette gorge chaste* », car elle s'est déshabillée, prête au sacrifice. Mais tout à coup elle éclate en sanglots et « *ce gros Maugis à moustaches de demi-solde* » se conduit très bien. « *Le voilà tout ému, sa cravate de travers ! il n'est pas beau, il n'est pas jeune, et pourtant c'est à lui que Minne doit la première joie de sa vie sans amour — joie de se sentir chérie, protégée, respectée...* »

A la fin du roman, enfin, Antoine révèle Minne. Et, enfin aussi, Colette démontrera sa différence en donnant du plaisir féminin une description que l'on chercherait vainement dans Michel Corday, Léonce d'Arcy, ou Willy. Plus tard, Colette regrettera ce petit roman qui n'ajoute rien, en effet, à sa gloire littéraire.

P*OURVU QU'ELLE NE PLEURE PAS !* elle est si nerveuse, ce soir ! Il se jure, à bout de formules : « Je veux bien qu'elle me fasse cocu, mais je ne veux pas qu'elle pleure ! » Il devine, sous les cheveux mêlés, l'intensité du beau regard noir...

– Je n'aime personne, Antoine.

– C'est vrai ?

– C'est vrai.

Il dévore, front baissé, une joie et une amertume sans égales. Elle a dit : « Je n'aime personne », mais elle n'a pas dit qu'elle aimait Antoine...

– Tu es bien gentille, tu sais... Je suis content... Tu ne m'en veux plus ?

– Pourquoi est-ce que je t'en voudrais ?

– A cause... à cause de tout. Un moment, je voulais tout faire sauter... mais ce n'est pas parce que je t'aimais moins – au contraire ! ... Tu ne peux pas comprendre ça, toi...

– Pourquoi donc ?

– Ce sont des idées d'homme qui aime, dit-il simplement.

Minne tend hors du lit une amicale petite main :

– Mais je t'aime bien aussi, je t'assure.

– Oui ? questionne-t-il avec un rire forcé. Alors je voudrais que tu m'aimes assez pour me demander tout ce qui te ferait plaisir, mais *tout*, tu entends, même les choses qu'on ne demande pas d'ordinaire à un mari, et puis que tu viennes te plaindre, tu comprends, comme quand on est tout petit : « Un tel m'a fait quelque chose, Antoine : gronde-le, ou tue-le », ou n'importe quoi...

Elle a compris, cette fois. Elle s'assied sur son lit, ne sachant comment libérer la brusque tendresse qui voudrait s'élancer d'elle vers Antoine, comme une brillante couleuvre prisonnière... Elle est toute pâle, les yeux agrandis... Quel homme est-il donc, ce cousin Antoine ?

Des hommes l'ont désirée, l'un jusqu'à vouloir la tuer, l'autre jusqu'à, délicatement, la repousser... Mais pas un ne lui a dit : « Sois heureuse, je ne demande rien pour moi : je te donnerai des parures, des bonbons, des amants... »

Quelle récompense accordera-t-elle à ce martyr qui attend, là, en pyjama ? ... Qu'il prenne au moins ce que Minne peut donner, son corps obéissant, sa douce bouche insensible, sa molle chevelure d'esclave...

– Viens dans mon lit, Antoine.

Minne dort d'un sommeil fourbu, dans l'obscurité rose. Dehors, les fouets claquent, les roues grincent comme à minuit, et sous la terrasse vibrent des mandolines italiennes. Mais la muraille du sommeil sépare Minne du monde vivant et, seul, le nasillement ailé de la musique s'insinue jusqu'à son rêve pour l'agacer d'un bourdonnement d'abeille...

Le songe ensoleillé, bénin, se trouble, et la pensée de Minne remonte vers le réveil par élans inégaux, comme un plongeur qui quitte le fond d'un océan merveilleux. Elle respire profondément, cache sa figure au creux de son bras plié, cherche le noir et doux sommeil... Une douleur légère, bizarre, dont tout son corps retentit comme une harpe, l'éveille sans rémission.

Avant d'ouvrir les yeux, elle se sent nue dans sa chevelure ; mais l'insolite de ce détail n'importe guère : il est arrivé cette nuit quelque chose... quoi donc ? Il faut s'éveiller vite, tout à fait, pour s'en souvenir avec plus de joie : c'est cette nuit qu'un miracle acheva de créer Minne !

Elle tourne vers les rideaux un vague et animal sourire : « Le soleil ? ... nous avons donc dormi ? Oui, nous avons dormi, et longtemps... Antoine est sorti... Je n'aurai jamais le courage d'aller regarder l'heure... Heureusement que nous déjeunons tard, nous deux ! ... » Elle redit « nous deux » avec une naïveté orgueilleuse de jeune mariée et retombe sur l'oreiller, dans ses cheveux défaits...

« Viens dans mon lit, Antoine ! » Elle lui a crié cela, cette nuit, avec une équité convaincue de prostituée qui n'a que son corps pour payer l'amour des hommes... Et le malheureux, éperdu que la récompense fût si près de la peine, s'était jeté dans les bras exaltés de Minne.

Il ne voulait que la tenir contre lui, d'abord. Il l'enlaçait du buste, seulement, enivré aux larmes de la sentir si tiède et si parfumée, si menue, si flexible dans ses bras… Mais elle se rapprocha toute de lui, d'un sursaut de reins, et agrippa aux siens ses pieds lisses et froids. Faiblissant, il murmura « Non, non » en bombant le dos pour s'éloigner d'elle, mais une petite main téméraire le frôla et il fut d'un bond à genoux sur le lit, rejetant le drap…

Elle vit, comme elle l'avait vu tant de fois, noir au-dessus d'elle, faunesque et barbu, ce grand corps brun exhalant une odeur connue d'ambre et de bois brûlé… Mais, aujourd'hui, Antoine a mérité plus qu'elle ne saurait lui donner! « Il faut qu'il m'ait bien, que cette nuit le comble, il faut qu'il m'ait bien, que cette nuit le comble, il faut que j'imite, pour lui donner la joie complète, le soupir et le cri de son propre plaisir… Je ferai « *Ah! Ah!* » comme Irène Chaulieu, en tâchant de penser à autre chose… »

Elle glissa hors de la chemise longue, tendit aux mains et aux lèvres d'Antoine les fruits tendres de sa gorge et renversa sur l'oreiller, passive, un pur sourire de sainte qui défie les démons et les tourmenteurs…

Il la ménageait pourtant, l'ébranlait à peine d'un rythme doux, lent, profond… Elle entr'ouvrit les yeux : ceux d'Antoine, encore maître de lui, semblaient chercher Minne au-delà d'elle-même… Elle se rappela les leçons d'Irène Chaulieu, soupira « Ah! Ah! » comme une pensionnaire qui s'évanouit, puis se tut, honteuse. Absorbé, les sourcils noueux dans un dur et voluptueux masque de Pan, Antoine prolongeait sa joie silencieuse… « Ah! … ah! … » dit-elle encore, malgré elle… Car une angoisse progressive, presque intolérable, serrait sa gorge, pareille à l'étouffement des sanglots près de jaillir…

Une troisième fois, elle gémit, et Antoine s'arrêta, troublé d'entendre la voix de cette Minne qui n'avait jamais crié… L'immobilité, la retraite d'Antoine ne guérirent pas Minne, qui maintenant trépidait, les orteils courbés, et qui tournait la tête de droite à gauche, de gauche à droite, comme une enfant atteinte de méningite. Elle serra les poings, et Antoine put voir les muscles de ses mâchoires délicates saillir, contractés.

Il demeurait craintif, soulevé sur ses poignets, n'osant la reprendre… Elle gronda sourdement, ouvrit des yeux sauvages et cria :

– Va donc!

Un court saisissement le figea, au-dessus d'elle; puis il l'envahit avec une force sournoise, une curiosité aiguë, meilleure que son propre plaisir. Il déploya une activité lucide, tandis qu'elle tordait des reins de sirène, les yeux refermés, les joues pâles et les oreilles pourpres… Tantôt elle joignait les mains, les rapprochait de sa bouche crispée, et semblait en proie à un enfantin désespoir… Tantôt elle joignait les mains, les rapprochait de sa bouche crispée, et semblait en proie à un enfantin désespoir… Tantôt elle haletait, bouche ouverte, enfonçant aux bras d'Antoine dix ongles véhéments… L'un de ses pieds, pendant hors du lit, se leva, brusque, et se posa une seconde sur la cuisse brune d'Antoine qui tressaillit de délice…

Enfin elle tourna vers lui des yeux inconnus et chantonna : « Ta Minne... ta Minne... à toi... » tandis qu'il la sentait enfin défaillir, froissée contre lui, moirée de frissons...

Minne, assise au milieu de son lit foulé, écoute au fond d'elle-même le tumulte d'un sang joyeux. Elle n'envie plus rien, ne regrette plus rien. La vie vient au-devant d'elle, facile, sensuelle, banale comme une belle fille. Antoine a fait ce miracle. Minne guette le pas de son mari, et s'étire. Elle sourit dans l'ombre, avec un peu de mépris pour la Minne d'hier, cette sèche enfant quêteuse d'impossible. Il n'y a plus d'impossible, il n'y a plus rien à quêter, il n'y a qu'à fleurir, arrosée de volupté, qu'à devenir rose et heureuse et toute nourrie de la vanité d'être une femme comme les autres !... Antoine va revenir. Il faut se lever, courir vers le soleil qui perce les rideaux, demander le chocolat fumant et velouté... La journée passera oisive, Minne ne pensera à rien, pendue au bras d'Antoine, à rien... qu'à recommencer des nuits et des jours pareils... Antoine est grand, Antoine est admirable...

La porte s'ouvre, un flot de lumière blonde inonde la chambre.

– Antoine !

– Minne chérie !

Ils s'étreignent, lui frais de vent et d'air libre, elle toute moite, odorante de sa nuit amoureuse...

– Chérie, il fait un soleil ! C'est l'été, lève-toi vite !

Elle bondit sur le tapis, court aux persiennes et recule, aveuglée...

– Oh ! c'est tout bleu !

La mer se repose, sans un pli à sa robe de velours, où le soleil fond en plaque d'argent. Minne, éblouie et nue, suit dans une hébétude ravie le balancement, contre la vitre, d'une branche de pélargonium rose... Elle a poussé pendant la nuit, cette fleur ? et ces roses au nez roussi, Minne ne les avait pas vues hier...

– Minne ! j'en ai, des nouvelles !

Elle quitte la fenêtre et contemple son mari. Le miracle aussi l'a touché, lui dispensant, croit-elle, une nouvelle et mâle assurance...

– Minne, si tu savais ! Maugis m'a raconté une histoire impossible : Irène Chaulieu s'empoignant avec un Anglais, à cause d'une affaire de louis étouffés, tout un petit scandale... Tant et si bien qu'elle a dû prendre le train pour Paris !

Minne s'enveloppe d'un lâche peignoir et sourit à Antoine, qu'elle admire, si grand, si brun, la barbe assyrienne, le nez aventureux comme Henri IV...

– Et puis, voilà les journaux de Paris... Ça, c'est moins drôle... Tu sais bien, le petit Couderc ?

Ah ! oui, le petit Couderc, elle sait bien... Pauvre petit... Elle le plaint de loin, de haut, avec une mémoire redevenue indulgente...

– Le petit Couderc? qu'est-ce qu'il a fait?

– On l'a trouvé chez lui, avec une balle dans le poumon. Il avait voulu nettoyer son revolver.

– Il est mort?

– Dieu merci, non! on l'en tirera. Mais quel drôle d'accident, tout de même!

– Pauvre petit! dit-elle tout haut.

– Oui, c'est malheureux...

« Oui, c'est malheureux, songe Minne... Il vivra, il redeviendra un petit noceur gai – il vivra, guéri, amputé du bel amour sauvage dont il eût dû mourir. C'est maintenant que je le plains... »

– Il l'a échappé belle, ce gosse, hein, Minne? Est-ce qu'il ne te faisait pas la cour, ces derniers temps? Allons, dis-le! un tout petit peu? ...

Minne, demi-nue, frotte sa tête décoiffée à la manche d'Antoine, d'un geste amoureux de bête domestiquée. Elle bâille, lève vers son mari la flatteuse meurtrissure de ses yeux d'où s'est enfui le mystère :

– Peut-être bien... J'ai oublié, mon chéri.

MORI OGAÏ

1862-1922

Vita sexualis

1909

Nouvelle grande puissance moderne, le Japon, qui vient de vaincre la Russie, doit maintenant affronter ses écrivains, qui viennent de faire la découverte de Zola, de Maupassant, du naturalisme, leur modernisme à eux. « A partir de 1900, c'est à qui exposerait sous forme de fictions la réalité sociale, physiologique, morale, sexuelle, de l'homme japonais contemporain. Dès lors, d'année en année, les scandales éclatèrent. En 1906, Shimazaki Toson ose publier Hakai (La Rupture de l'interdit) titre à soi seul provocateur, et d'autant plus audacieux, quand on lit cette histoire [...]. En 1907 sortit Futon (Le Matelas) de Tayama Kataï. On s'indigna de tant de sincérité – cette même sincérité dont Gide allait en France faire une profession de foi. Les écrivains japonais parlaient de soi de plus en plus librement, et le roman dérivait vers un genre d'autobiographie qui ne cherchait pas à dissimuler, qui plutôt voulait exposer, le misérable petit tas de secrets que Malraux chez nous s'ingéniera toujours à camoufler [...]. Les lois de l'époque d'Edo restaient en vigueur durant le début du Meiji, celles du moins qui prétendaient censurer la littérature immorale. Si fortes néanmoins les influences de Zola, de Maupassant, du naturalisme en général, que maint écrivain japonais osa tourner ou défier des textes qui ne correspondaient plus ni à l'état des mœurs ni aux acquêts de la science. »

Ainsi parle Étiemble, préfaçant la première édition française de Vita sexualis (1981), interdit par le gouvernement japonais en 1909. Malgré l'état des mœurs et les acquêts de la science, le Japon ne se débarrassera jamais tout à fait de la censure morale, même en 1982.

En Europe, la parole est maintenant à Guillaume Apollinaire.

LES RUES étaient presque désertes. Les passants que nous rencontrions par hasard se retournaient, comme d'un commun accord, pour suivre des yeux nos pousse-pousse.

Où se dirigeait donc mon conducteur? Bien que je n'eusse pas une expérience personnelle de ce genre de choses, je savais ce que le mien m'aurait répondu si je lui avais demandé où il se rendait à cette allure.

Lorsque après avoir dépassé Hirokoji, le conducteur fut sur le point de tourner en direction de Nakachô, Ansai se dressa dans son poussepousse et cria en se tournant vers moi : « Fuyons!» Son conducteur obliqua vers Nakachô.

Ansai était héréditairement atteint d'une maladie chronique. Physiquement parlant, il n'était pas comme tout le monde. Il ne pouvait se rendre dans le genre d'endroit vers lequel nous nous dirigions.

« Suis-le ! » criai-je à mon conducteur. En tournant vers Nakachô, je m'éloignais de Kosuge, mais cela importait peu si j'arrivais, ce faisant, à me débarrasser de Seiha. L'homme hésita, mais il tourna les brancards en direction de Nakachô.

Au même moment, le pousse-pousse de Seiha franchissait le pont Mihashi vers le nord, lorsqu'il rebroussa chemin. Seiha se dressa dans le véhicule et hurla d'une voix forte :

« Hé là ! Vous ne pouvez pas vous enfuir comme cela ! »

Mon pousse-pousse suivit celui de Seiha. Sans arret, Seiha se retournait pour me surveiller.

Je n'essayai pas de m'enfuir une seconde fois. Si je m'étais obstiné à lui chercher querelle, Seiha ne se serait sans doute pas conduit grossièrement avec moi. Mals il ne fait pas ie moindre doute qu'il se serait efforcé par tous les moyens de m'entraîner avec lui. Je n'avais pas la moindre envie de me disputer avec lui au carrefour d'Ueno. En outre, j'avais un esprit indomptable, et il m'aurait été pénible que Seiha me tournât en ridicule. Cet esprit indomptable était une chose extrêmement dangereuse, capable de précipiter un homme dans le gouffre de n'importe quel péché. Et c'était à cause de mon esprit indomptable que j'avais décidé de me rendre dans cet endroit où je n'avais pas la moindre envie d'aller. Mais je ne dois pas oublier qu'un autre *facteur*[1] me poussa à suivre Seiha. C'était cette *Neugierde* à laquelle j'ai déjà fait allusion et qui attire l'homme vers ce qu'il ne connaît point.

Nos deux pousse-pousse franchirent la Grande Porte. Lorsque le conducteur de Seiha lui demanda devant quelle maison de thé il devait s'arrêter, Seiha hurla un nom comme s'il le réprimandait. Je crois que c'était le nom d'un animal à peau dure de la famille des *Astacidae*[2].

Minuit était passé depuis longtemps. Les maisons des deux côtés de la rue étaient toutes fermées. Nos pousse-pousse s'arrêtèrent devant la porte close d'une grande maison. Quand Seiha frappa, une petite porte basse à un seul battant s'ouvrit, et un homme qui se confondait en courbettes avec une rapidité prodigieuse sortit et s'entretint à mi-voix avec Seiha en formulant quelques objections concernant la maison. Après un vif échange de paroles, il nous conduisit à l'intérieur.

Lorsque nous montâmes au premier étage, Seiha disparut je ne sais où. Une femme d'âge moyen survint et m'introduisit dans une pièce.

Il y avait des *shôji* aux deux extrémités de la longue pièce et ils donnaient sur les couloirs. Dans le coin le plus long, une commode de laque noire à battants

1. En anglais dans le texte. (*N. d. T.*)

2. L'expression désigne en fait une femme âgée de vingt-cinq à trente ans. (*N. d. T.*)

ornée de nombreuses ferrures en laiton était encastrée dans une sorte de placard
A la lumière de la lampe en papier laqué rouge, le laiton et la laque étincelaient.
De l'autre côté, il y avait quatre *fusuma*[1]. La lampe en papier était posée près
d'un brasero enclos dans une boîte carrée où était accrochée, au-dessus d'un
faible feu, une grande théière en faïence.

La femme d'âge moyen m'introduisit dans cette pièce et disparut je ne sais
où. Toujours vêtu de mon kimono de taffetas, d'un noir tirant déjà sur le rouge
sombre, et tenant en main ma longue pipe en fer, je m'assis, les jambes croisées,
sur un coussin devant le brasero.

Comme j'avais été obligé, à Kanda, de boire cinq ou six coupes de saké que je
n'aimais pas, j'avais la gorge sèche. D'une main, j'effleurai la théière de faïence
qui me parut juste assez fraîche. Je versai le liquide dans une tasse trouvée près de
moi et m'aperçus que c'était du thé vert très fort. Je le bus d'un trait.

Au même moment, le *fusuma* derrière moi s'ouvrit doucement, et une femme
parut et se tint près de la lampe en papier. Comme les courtisanes de grande
classe que l'on voit au théâtre, sa chevelure était relevée en un haut chignon orné
de grands peignes et d'épingles à cheveux, et le bas de sa robe presque entièrement rouge dépassait de son kimono et traînait à terre. Son visage blanc aux
traits réguliers paraissait petit. La femme d'âge moyen qui m'avait accueilli arriva
à sa suite et disposa un coussin afin qu'elle pût s'y asseoir. Sans proférer une
parole, la courtisane me regarda en souriant. Je ne soufflai mot non plus et, l'air
grave, la dévisageai à mon tour.

La femme d'âge moyen remarqua la tasse dans laquelle j'avais bu mon thé.

« Vous vous êtes servi ?

– Oui. J'ai bu un peu.

– Oh ! »

D'un air bizarre, elle regarda la courtisane qui, cette fois-ci, eut un sourire
éclatant. Ses fines dents blanches brillèrent à la lumière de la lampe. La femme
d'âge moyen me demanda :

« Quel goût cela avait-il ?

– C'était bon. »

De nouveau, les deux femmes échangèrent un regard et, de nouveau, la courtisane eut un éclatant sourire. Ses dents, de nouveau, brillèrent. Il semblait que le
liquide contenu dans la théière ne fût pas du thé. Aujourd'hui encore, j'ignore ce
que j'avais bu. Sans doute était-ce quelque décoction. Il ne pouvait s'agir d'un
médicament à usage externe.

La femme d'âge moyen ôta les peignes et les épingles à cheveux de la courti-

---

1. Cloison ou porte à glissière tendue de papier opaque souvent décoré de peintures. *(N. d. T.)*

sane et les rangea. Puis elle se leva, prit dans la commode de laque noire une longue robe et l'en revêtit. C'était une robe chatoyante en crêpe de qualité supérieure et à raies verticales avec un collet de satin violet. La femme d'âge moyen était ce qu'il est convenu d'appeler une assistante. Sans dire un mot, la courtisane passa ses mains dans les manches du vêtement. Ses mains étaient étonnamment fines et blanches. L'assistante me dit :

« Il est déjà tard, venez par ici.

– Vous voulez que j'aille me coucher ?

– Oui.

– Je n'y tiens pas. »

Pour la troisième fois, les deux femmes échangèrent un regard. Pour la troisième fois, la courtisane eut un sourire éclatant. Et, pour la troisième fois, ses dents brillèrent. L'assistante soudain s'approcha de moi.

« Vos *tabi*… »

L'habileté dont faisait preuve cette « déshabilleuse [1] » tandis qu'elle me retirait mes *tabi* bleu foncé était réellement ahurissante. Puis, doucement, et de manière que je ne pusse lui opposer aucune résistance, elle m'entraîna de l'autre côté des *fusuma*.

J'étais dans une pièce de huit nattes. Devant moi, se trouvait le *tokonoma*, contre lequel était appuyé un *koto* enveloppé dans un sac. Un châssis en forme d'écran de laque noire avec des dessins d'or et d'argent et sur lequel on dépose des vêtements divisait la pièce en deux parties, dans l'une desquelles un lit était préparé. L'assistante me fit m'y allonger, toujours avec la même douceur et toujours de manière que je ne pusse lui opposer aucune résistance. Il me faut ici faire un aveu : le savoir-faire de cette femme était assurément fort subtil, mais lui tenir tête n'était pas absolument impossible. Il ne fait aucun doute que c'est le désir sexuel que j'éprouvais qui paralysa ainsi ma résistance.

Sans me soucier de Seiha, je réclamai un pousse-pousse et rentrai à la maison. De retour à Kosuge, je trouvai la porte fermée et la maison plongée dans un profond silence. Quand je frappai, ma mère parut aussitôt et m'ouvrit.

« Tu rentres bien tard !

– En effet. Il est très tard. »

Le visage de ma mère prit une expression singulière. Mais elle ne dit rien. Je n'ai pu oublier son visage à cet instant. Je me contentai de lui souhaiter une bonne nuit et entrai dans ma chambre. Ma montre marquait trois heures et demie. Sans même me déshabiller, je me glissai dans mon lit et sombrai dans un profond sommeil.

---

1. Allusion à la vieille femme qui dépouille les morts avant leur entrée aux enfers. *(N. d. T.)*

Le lendemain matin, alors que je prenais mon petit déjeuner, mon père déclara qu'il avait entendu dire que Miwazaki Seiha menait une vie dissolue et ne prenait du plaisir à boire qu'à condition d'y passer toute la nuit, et que, si tel était effectivement le cas, il était sans doute préférable que je ne le fréquentasse pas trop. Ma mère garda le silence. Je dis à mon père que Seiha et moi avions des tempéraments trop différents et que je n'avais pas l'intention de me lier avec lui. Et telle était réellement ma pensée.

Lorsque j'eus regagné ma chambre de quatre nattes et demie, je me mis à songer à ce qui s'était passé la veille. Était-ce là l'assouvissement du désir sexuel? Le couronnement de l'amour n'était-il rien de plus que l'acte accompli la nuit précédente? Comme c'était ridicule, me dis-je. En même temps et contre toute attente, je n'éprouvais pas une ombre de regret. Je ne ressentais nul remords. Bien entendu, je pensais qu'il était mal d'aller dans ce genre d'endroit. Je ne crois pas qu'on puisse franchir le seuil de sa propre maison dans l'intention de se rendre en un pareil lieu. Si je m'y étais rendu, pensais-je, c'était parce que je ne pouvais faire autrement. L'on peut dire, par exemple, qu'il est mal de se quereller. On ne sort pas de chez soi dans le dessein d'aller chercher querelle à quelqu'un. Mais, une fois dehors, il arrive parfois que l'on ne puisse faire autrement. C'est exactement ce qui s'était passé pour moi. Une vague angoisse, néanmoins, demeurait ancrée au fond de mon cœur. Et si j'avais attrapé quelque affreuse maladie? Même lors d'une querelle, il arrive qu'une meurtrissure quelques jours plus tard vous fasse souffrir. Ce serait vraiment trop horrible que d'avoir contracté une maladie au contact de cette femme. Je songeais que cette infortune risquait même d'avoir des répercussions sur mes descendants. Telles furent les fluctuations psychologiques que j'éprouvai tout d'abord au lendemain de cette expérience, et elles se révélèrent bien moindres que je ne l'aurais cru. En outre, de même que les ondulations que l'air reçoit se font de moins en moins perceptibles à mesure que la distance augmente, mes fluctuations psychologiques diminuèrent aussi à mesure que le temps passait.

GEORGES FOUREST

1867-1945

La Négresse blonde

1909

Préfaçant *La Négresse blonde*, Willy, évoquant le temps de sa « jeunesse studieuse », se souvient de ceci :

« *Vieil habitué du Soleil d'Or, jamais, de ma demi-mondaine de vie, jamais je n'oublierai la formidable acclamation qui ébranla les murs du sous-sol où s'entassaient, chaque semaine, tant de poètes, le jour que leur fut récitée l'*Épître falote et testamentaire *pour régler l'ordre et la marche de mes funérailles. Dans l'opaque fumée de la tabagie en liesse, les bravos crépitaient furieusement en l'honneur du porte-lyre absent dont les strophes se déroulaient avec une ampleur de la plus grandiloquente cocasserie...* » Le Soleil d'Or, place Saint-Michel, réunissait vers la fin du siècle les plaisirs de la boîte à chansonniers et des salons littéraires. Tous les samedis, sous la présidence de Louis Deschamps, y avaient lieu les soirées de *La Plume*, et l'on imagine assez bien la scène que rapporte Willy :

« *Tous bavaient d'extase. Adolphe Retté, aujourd'hui bénédictin, alors anarchiste, Rambosson, notoire de par son romantique prénom d'Yvanoé ; F.-A. Cazals, étranglé d'une haute cravate en spirales, le front barré d'une mèche à la Delacroix, féroce et loyal "en un frac très étroit aux boutons de métal". Le piano, hebdomadairement massé par le docteur Le Bayon, avait cessé ses gémissements coutumiers, et, assoiffés de lyrisme, les chansonniers eux-mêmes écoutaient ; nasillardes clameurs de Canqueteau, vocalises sopranisées par Montoya, couplets antigouvernementaux mâchés férocement par Ferny, tout se taisait : on n'entendait plus, scandée par le récitant, que l'impressionnante épitaphe :*

Ci-gît Georges Fourest, il portait la
[royale,
Tel autrefois Armand Duplessis-Richelieu,
Sa moustache était fine et son âme loyale,
Oncques il ne craignit la vérole ni Dieu! »

S'ensuivit un monôme improvisé tout au long du boulevard Saint-Michel, scandé par les quatrains de Georges Fourest, ajusté, pour la circonstance, « *sur l'air du tra, la, la, la...* » :

Que mon enterrement soit superbe et
[farouche,
Que les bourgeois glaireux bavent d'éton-
[nement,
Et que Sadi-Carnot, ouvrant sa large
[bouche,
Se dise : « Nom de Dieu! le bel enterre-
[ment » ...

C'était en somme l'irruption de la chanson de salle de garde dans la forteresse chancelante de la poésie modern style, mi-symboliste, mi-parnassienne. Publiés de temps en temps dans *L'Ermitage*, réunis en volume en 1909 chez Messein, bien sûr, les poèmes de *La Négresse blonde* reçurent dans l'ensemble un fort bon accueil. Raymond Escholier, dans une excellente formule, résume l'impression générale en estimant que : « *Le Chat Noir, cette Sorbonne de l'irrévérence, nous a au moins donné un grand lyrique »...* René Ghil réunit dans son éloge le nom de Fourest à ceux de Laforgue et de Corbière. Les seules réticences vinrent des « témérités » de l'auteur (Émile Bergerat), qui n'avait

« pas peur des mots » (J. de Pierrefeu). Il n'était pas facile « *de choisir dans son œuvre quatorze vers dont il ne soit pas un seul pour choquer des pudeurs après tout légitimes* » (Pierre Mille, *Le Temps*). Après tout, concluait le compte rendu d'Orion dans *l'Action française*, « *les lettrés s'y divertiront, les jeunes filles ne liront pas ce livre qui n'est pas fait pour elles* ». Les jeunes filles et les lettrés vivaient alors des vies quelquefois parallèles, toujours fort séparées.

Jusqu'où pouvait-on aller trop loin, dans le divertissement des lettrés ? Le *Mercure de France*, qui continuait à exploiter la veine des conteurs italiens (*Amours charmantes et cruelles, récits du quattrocento*, curieusement adaptés par Maurice Hewlett, et retraduits en français de son texte anglais, 1908), se traçait lui-même ses limites, en 1907, en publiant, par les soins de Van Bever, le *Livret de Folastries* de Ronsard, « *sur l'édition originale de 1553, et augmenté d'un choix de pièces d'expression satyrique et gauloise tirées des éditions originales* ». « *Aux "folastries" de 1553*, dit Van Bever dans sa préface, *nous avons ajouté deux odes du même genre qui n'ont, jusqu'à ce jour, pris place dans aucune des réimpressions de Ronsard, mais par contre, nous avons écarté deux pièces extraites d'une contrefaçon du* Livret *faite en 1584 et du* Cabinet satyrique, *l'une, parce qu'elle est dépourvue d'intérêt, et l'autre parce que son caractère d'obscénité n'eût point manqué de choquer le lecteur le moins pudibond.* »

Et Van Bever ajoute en note :

« *Il s'agit de* La Bouquinade. *Cette pièce, d'un érotisme furieux, parut pour la première fois dans* Le Cabinet Satyrique et Recueil parfait des vers piquants et gaillards de ce temps, *Paris, Billaine, 1613 (lire 1618), avec privilège. Voici, pour les curieux, les premiers vers du poème, ils nous dispenseront de tout commentaire sur la suite :*

Ce petit diable dieu, ce dieu fils de putain,
Fils de cette Vénus qui couronna Vulcain
D'un chapeau de cocu, d'un panache de cornes,
Non content de son règne, outrepassant les
  [bornes
Voulut, ambitieux, assujettir les bois
Et les subjects de Pan, à ses paillardes loix…

« *Ce n'est point, ajoutons-le, la seule pièce du genre que nous ayons dû écarter de notre travail…* »

La Bouquinade continue ainsi :

Déjà tocquait aux champs le ribaut la baguesse,
Rangeant sous son drapeau l'incestueuse presse
Des soldats de Vénus, qui s'attendaient,
  [hagards,
De faire reboucher cent mille braguemards, etc.

Érotisme furieux ?

Phèdre

Dans un fauteuil doré, Phèdre, tremblante et blême,
Dit des vers où d'abord personne n'entend rien.

LE DUC DE NEVERS.

Dans un fauteuil en bois de cèdre
(à moins qu'il ne soit d'acajou),
en chemise, madame Phèdre
fait des mines de sapajou.

Tandis que sa nourrice Œnone
qui, jadis, eut de si bon lait,
se compose un maintien de nonne
et marmotte son chapelet,

elle fait venir Hippolyte,
fils de l'amazone et de son
époux, un jeune homme d'élite,
et lui dit : « Mon très cher garçon,

« Dès longtemps, d'humeur vagabonde,
« monsieur votre père est parti ;
« on dit qu'il est dans l'autre monde ;
« il faut en prendre son parti !

« Sans doute, un marron sur la trogne
« lui fit passer le goût du pain ;
« requiescat ! il fut ivrogne,
« coureur et poseur de lapin ;

« oublier cet époux volage
« ne sera pas un gros péché !
« Donnez-moi votre pucelage
« et vous n'en serez pas fâché !

« Vois-tu ma nourrice fidèle
« qu'on prendrait pour un vieux tableau ?
« elle nous tiendra la chandelle
« et nous fera bouillir de l'eau !

« Viens, mon chéri, viens faire ensemble
« dans mon lit nos petits dodos !
« Hein ! petit cochon, que t'en semble,
« du jeu de la bête à deux dos ? »

A cette tirade insolite,
ouvrant de gros yeux étonnés
comme un bon jeune homme Hippolyte
répondit, les doigts dans le nez :

– Or çà! belle-maman, j'espère
« que vous blaguez, en ce moment!
« Moi, je veux honorer mon père
« afin de vivre longuement;

« à la cour brillante et sonore
« il est vrai que j'ai peu vécu :
« mais je doute qu'un fils honore
« son père en le faisant cocu!

« Vos discours, femelle trop mûre,
« dégoûteraient la Putiphar!
« Prenez un gramme de bromure
« avec un peu de nénuphar! ... »

Sur quoi, faisant la révérence,
les bras en anse de panier,
il laisse la dame plus rance
que du beurre de l'an dernier.
– Eh! va donc, puceau, phénomène!
« Va donc, châtré, va donc, salop,
« Va donc, lopaille à Théramène!
« Eh! va donc t'amuser, Charlot! ... »

Comme elle bave de la sorte,
de fureur et de rut, voilà
qu'un esclave frappe à sa porte :
– Madame, votre époux est là!

« Theseus, c'est Theseus! il arrive!
        « C'est lui-même : il monte à grands pas! »
Venait-il de Quimper, de Brive,
d'Honolulu? je ne sais pas,

mais il entre, embrasse sa femme
la rembrasse en mari galant;
aussitôt la carogne infâme
pleurniche, puis d'un ton dolent :

– Monsieur, votre fils Hippolyte,

« avec tous ses grands airs bigots,
« et ses mines de carmélite,
« est bien le roi des saligots !

« Plus de vingt fois, sous la chemise
« le salop m'a pincé le cul
« et, passant la blague permise,
« volontiers vous eût fait cocu :

« il ardait comme trente Suisses
« et (rendez grâce à ma vertu !)
« si je n'avais serré les cuisses,
« Votre honneur était bien foutu ! ... »

Phèdre sait conter une fable
(tout un chacun le reconnaît) :
son discours parut vraisemblable
si bien que le pauvre benêt

de Theseus promit à Neptune
un cierge (mais chicocandard !)
un gros cierge au moins d'une thune
pour exterminer ce pendard !

Pauvre Hippolyte ! Un marin monstre
le trouvant dodu, le mangea
puis le digéra, ce qui *monstre*
(mais on le savait bien déjà !)

qu'on peut suivre, ô bon pédagogue,
avec soin le commandement
quatrième du décalogue
sans vivre pour ça longuement !

JACQUES ONCIAL

Le Trésor des équivoques

1909

Langage masculin par excellence, la contrepèterie, comme le calembour, est l'apanage des piliers de brasserie, journalistes lettrés, poètes, romanciers, auteurs de théâtre, boulevardiers divers, tous adeptes de « la franche beuverie » et du gros cigare. Elle a ses amateurs et ses artistes, experts les uns et les autres à faire passer et à recevoir le message codé, vers deux heures du matin, devant les yeux agrandis et incompréhensifs des actrices et des « petites femmes », au cervelet réputé imperméable à « la bigarrure des accords » du regretté Tabourot (voir notre tome I).

Le Trésor des équivoques est le premier recueil de contrepèteries imprimé. Encore est-ce à 50 exemplaires et hors commerce. Il est vrai que Jacques Oncial, de son vrai nom Dupré Carra, n'hésite pas à énoncer en clair la solution des rébus. On trouvera quelques renseignements sur lui dans le tome II des *Livres de l'Enfer* de Pascal Pia.

Chapitre I

DES CONTREPÈTERIES INVOLONTAIRES. –
DE LEURS DANGERS. – REMÈDES PROPOSÉS.

*C*ERTAIN JEUNE PREMIER, fâcheusement saisi du trac intense des débutants, se jetait, un soir, devant une salle comble, aux genoux de la grande coquette, en lui lançant, d'une voix toute vibrante de passion, cet appel désespéré :
– Madame, un *mou* de *veau*, et je reste !

Le malheureux, sans le savoir, – comme M. Jourdain faisait de la prose, – et surtout sans le vouloir, venait de commettre une *contrepèterie* intempestive. Elle obtint, auprès du public, le franc succès d'hilarité que l'on pense ; mais le triste héros de cette pitoyable aventure dut renoncer pour toujours, après ce malencontreux *lapsus*, à la carrière théâtrale qui s'ouvrait devant lui, toute remplie d'éblouissantes promesses.

L'un de mes meilleurs amis, avocat éminent et orateur de la bonne école, dans le feu d'une plaidoirie d'assises, – alors qu'il s'agissait de sauver la tête de l'accusé, – voulut faire allusion aux *notes de police* fournies sur son client. Mais sa langue, subitement, se montra rebelle à traduire exactement sa pensée, et les fiches du service de la Sûreté devinrent, par une étrange et inconcevable magie, les *noces de Polyte* !

Contrepèterie encore, aux conséquences funestes. Le jury, en effet, n'en demanda pas davantage : après cinq minutes de délibérations, il rapportait un verdict de culpabilité, muet sur les circonstances atténuantes, et un vœu en faveur du rétablissement des exécutions capitales ; il refusait sa pitié à un criminel assez endurci pour préméditer son forfait au sein même d'une réunion joyeuse empressée à fêter le mariage d'un camarade.

Enfin, tout récemment, l'un de nos plus doctes maîtres en Sorbonne, traitant, du haut de sa chaire magistrale, de l'expansion anglaise dans l'Afrique du Sud, se proposait d'entretenir son auditoire des *populations* laborieuses du *Cap*. Mais hélas ! la parole, encore, vint singulièrement dénaturer sa pensée : les colons occupés aux travaux des champs, la pioche des mineurs s'abattant, fiévreuse, sur le sol aride pour en faire jaillir le grain d'or ou la parcelle de diamant, les cheminées d'usines vomissant des torrents de fumée sous un soleil de feu, tout ce tableau grouillant d'une activité débordante s'évanouit soudain. Sous la baguette d'une fée, odieusement perverse et infiniment maligne, l'Afrique est traversée, la Méditerranée franchie, la Sicile enjambée : l'illustre conférencier a transporté ses auditeurs dans la cité de saint Pierre, où il les fait assister, ahuris et scandalisés, dans les appartements – secrets, j'aime à le croire, – de la somptueuse prison Vaticane, à un travail d'un genre éminemment spécial : les *copulations* laborieuses du *pape*.

Contrepèterie toujours, irrévérencieuse au premier chef, et destinée à produire, sur les âmes bien-pensantes, le plus déplorable effet.

Ces divers exemples, marqués au coin de la plus rigoureuse authenticité, montrent avec quel soin tous ceux qui, par profession, font un usage journalier de la parole (on en trouvera la liste dans la réclame des pastilles Géraudel) doivent se méfier de ces sournoises et involontaires transpositions de lettres, qui amènent, fatalement, les gens les mieux élevés à commettre des écarts de langage, vraiment inadmissibles dans une société convenable.

Nous-mêmes, modestes artisans, infimes employés de commerce, rentiers microscopiques, en relations verbales forcées avec des patrons pointilleux, des chefs de rayon draconiens et des agents du fisc âpres à la curée, nous sentons, suspendue, à toute heure, sur notre langue, cette épée de Damoclès terrible et menaçante : la *contrepèterie involontaire*, capable de nous ruiner, instantanément, dans l'estime de nos chers, et de nous aliéner, sans appel, la bienveillance des pouvoirs publics.

Le sabotier le plus enclin à la mansuétude ne pardonnera jamais à son apprenti d'aller raconter dans le quartier qu'il revient de porter une paire de *balloches* à sa *grue*, alors que le jeune commissionnaire était expressément chargé de livrer une paire de *galoches* à la *belle-fille* de son patron.

Est-il une maison de nouveautés, tant soit peu respectueuse de sa clientèle, assez inconsciente pour tolérer que ses calicots fassent l'article pour des *cons* de *bretonnes*, quand il s'agit des *bons* de *cretonne* exposés à la devanture ?

Peut-on, enfin, se faire une idée de la stupéfaction monumentale, mêlée d'une indignation légitime, d'un contrôleur des contributions directes, en butte aux instances d'une vieille demoiselle réclamant à cor et à cri que l'on *codifie sa motte*,

— ce qui ne tendrait à rien moins qu'à en faire imposer légalement l'usage, — alors qu'elle sollicite, simplement, une *modification* de *cote*, pour cause d'indigence notoire?

Le mal est grand, on en conviendra; il nous guette, sans relâche, jusque dans les rencontres les plus banales de la vie, prêt à fondre sur nous sans crier gare, et à terrasser sans phrases — un seul mot suffit — le philosophe le plus détaché des misères d'ici-bas.

Mais existe-t-il un remède? Est-il possible d'arriver à dompter cette cavale fringante et indisciplinée qu'est la langue humaine? Elle trotte, elle saute, elle caracole, elle franchit fièrement les obstacles, elle provoque les admirations enthousiastes et fait naître les élans sublimes; mais elle bute aussi, parfois, un rien l'arrête dans sa fougue endiablée, elle se cabre et fait un écart : la perfide *contrepèterie*, embusquée au tournant de la route, l'a frôlée au passage, et l'ardent coursier fait panache en écrasant son cavalier.

Un seul moyen s'offre à nous de conserver notre assiette, si nous voulons éviter de mettre, à tout propos, les pieds dans le plat : c'est l'observation attentive, l'étude approfondie, et aussi la recherche intelligente de ces déviations possibles de la parole, auxquelles nos vieux auteurs, dans leur culte fervent de l'étymologie latine, donnaient ce nom, harmonieux et chantant, de *contrepèteries*, tombé dans l'oubli depuis près de quatre siècles, mais bien digne de revoir le jour pour briller d'un nouvel éclat.

Et quels immenses et inestimables bienfaits cette science féconde n'est-elle pas appelée à répandre sur l'humanité désireuse de se perfectionner et de s'instruire! Plus d'imprévu dans l'exposé savant du professeur d'histoire ancienne, prémuni, désormais, contre la dangereuse confusion — qui tournait régulièrement à la sienne, — entre la *mort* des *Scipions* et la fameuse *scie* des *morpions*, poème épique en quinze cents vers, qui traîne dans toutes les études des collèges de province; plus de surprise pour le prédicateur, exposé naguère, au milieu des épreuves d'une séparation douloureuse, à inviter, sans profit pour personne, ses fidèles à porter leur *étron* dans le *cul*, au lieu de les engager, conformément aux prescriptions épiscopales, à déposer leur *écu* dans le *tronc* de la paroisse; plus, enfin, de ces désastreuses coquilles parlementaires susceptibles de porter gravement atteinte au prestige de la défense nationale : telle cette déclaration stupéfiante du président du Conseil, venant affirmer, du haut de la tribune, que l'on faisait, dans la flotte, travailler les *mains* à la *braguette*, alors qu'il voulait simplement informer ses collègues que, depuis l'avènement du ministre Picard, on faisait travailler les *marins* à la *baguette* sur les navires de l'État.

L'Enchanteur pourrissant

1909

En 1909, l'œuvre officielle publiée d'Apollinaire n'existe pour ainsi dire pas. Il n'est encore, avec Paul Napoléon Roinard et Victor-Émile Michelet, que l'un des trois auteurs de *La Poésie symboliste*, recueil de conférences données au Salon des Indépendants en 1908. Notable activité en revanche dans les revues dès 1902 : contes dans *La Revue blanche*, vers dans *La Plume*, textes divers dans les revues qu'il fonde, *Le Festin d'Ésope*, ou *La Revue immoraliste*, devenue *Les Lettres modernes*, et aussitôt disparue. En 1908, il se lie avec Marie Laurencin, devient critique d'art, soutient par des articles, des conférences, une nouvelle génération de peintres : Picasso, Braque, Matisse, Van Dongen, Derain, Dufy, Vlaminck, bientôt le Douanier Rousseau. 1909 est une année importante. Le 1er mai, le *Mercure de France* publie *La Chanson du Mal-Aimé*, *Les Marges* des séries d'articles de lui, signés soit de son nom, soit du pseudonyme de Louise Lalanne. Jeunes éditeurs, les deux frères Briffaut, Robert et Georges, lui confient deux collections, « Les Maîtres de l'amour » et « Le Coffret du Bibliophile ». En un peu moins de dix ans, Apollinaire présentera ainsi au public *L'Œuvre du Divin Arétin*, celle de Nerciat, de Baffo, de John Cleland, de Francesco Delicado, *Le Joujou des demoiselles*, *Un été à la campagne*, *Les Mémoires d'une chanteuse allemande*… en tout plus de trente volumes. Bien sûr, les textes ne seront pas d'égale qualité. Apollinaire ne se privera pas, dans *L'Enfer de la Bibliothèque Nationale*, en 1914, de juger Pierre-Corneille Blessebois « un piètre écrivain ». Mais la plupart du temps, on sent chez lui de l'enthousiasme pour les auteurs qu'il défend, un vif sentiment de justice rendue, vis-à-vis de ces exclus de la librairie officielle et des anthologies académiques. Cet état d'esprit est particulièrement sensible dans l'introduction qu'il a écrite pour un des deux premiers volumes des « Maîtres de l'amour » en 1909, celui où il présente le plus maudit et le plus considérable de ses protégés, l'homme que Flaubert appelait « le Vieux », comme on appelle aujourd'hui les personnages qui détiennent tous les pouvoirs occultes dans les romans d'espionnage, l'écrivain le plus condamné, le plus enfermé, le plus rejeté : Sade. Ce n'est pas un hasard que Guillaume Apollinaire ait commencé par lui.

Sade n'était pas à l'époque « totalement négligé », comme on l'a dit. La courbe de l'intérêt qu'on lui portait avait même exactement suivi celle de l'évolution des mœurs. On est assez loin en 1909 des imprécations de Jules Janin dans *La Revue de Paris* en 1834 :

« *Voilà un nom que tout le monde sait et que personne ne prononce : la main tremble en l'écrivant, et quand on le prononce, les oreilles vous tintent d'un son lugubre…*

« *Les livres du Marquis de Sade ont tué plus d'enfants que n'en pourraient tuer vingt maréchaux de Retz, ils en tuent encore…*

« *Il y avait autour de ce jeune homme je ne sais quel air empesté qui le rendait odieux à tous…*

« *A l'heure qu'il est, c'est un homme encore honoré dans les bagnes ; il en est le dieu, il en* est le roi, il en est le poète, il en est l'espérance et l'orgueil. Quelle histoire ! Mais par où commencer, et de quel côté envisager ce monstre, et qui nous assurera que dans cette contemplation, même faite à distance, nous ne serons pas tachés de quelque éclaboussure livide ? »

Il y a eu particulièrement : en 1887, la plaquette anonyme de Charles-Henry, *La Vérité sur le Marquis de Sade*, en 1900 *La Prétendue folie du Marquis de Sade*, l'étude de Dr Cabanès dans *Le Cabinet secret de l'Histoire*, en 1901 l'étude considérable du Dr Dühren (Iwan Bloch), publiée simultanément à Berlin et à Paris, *Le Marquis de Sade et son temps*. On peut y ajouter *La Marquise de Sade*, de Paul Ginisty (1901), *Le Marquis de Sade et son œuvre devant la science médicale et la littérature moderne*, « par le docteur Jacobus X » (1901), *Le Marquis de Sade, l'homme et l'écrivain* d'Henri d'Alméras (1906), et des articles de plus en plus nombreux dans les premières années du siècle. De tous les livres que nous avons cités, celui de Dühren est le plus objectif. Il aura beaucoup fait pour la justice peu à peu rendue à Sade. Mais l'élan définitif est donné par la préface d'Apollinaire au volume des « Maîtres de l'amour », et les accents lyriques par lesquels il joint la venue au grand jour d'une œuvre sans pareille, et la naissance de « l'esprit nouveau » :

« *Un grand nombre d'écrivains, de philosophes, d'économistes, de naturalistes, de sociologues depuis Lamarck jusqu'à Spencer se sont rencontrés avec le Marquis de Sade et bien de ses idées, qui épouvantèrent et déconcertèrent les esprits de son temps, sont encore toutes neuves. On trouvera peut-être nos idées un peu fortes, écrivait-il, qu'est-ce que cela fait ? N'avons-nous pas acquis le droit de tout dire ? Il semble que l'heure soit venue pour ces idées qui ont muri dans l'atmosphère infâme des enfers de bibliothèques et cet homme qui parut ne compter pour rien pendant tout le XIXe siècle pourrait bien dominer le XXe.*

« *Le Marquis de Sade, cet esprit le plus libre qui ait encore existé, avait sur la femme des idées particulières et la voulait aussi libre que l'homme. Ces idées que l'on dégagera quelque jour ont donné naissance à un double roman : Justine et Juliette. Ce n'est pas au hasard que le Marquis a choisi des héroïnes et non pas des héros. Justine, c'est l'ancienne femme, asservie, misérable et moins qu'humaine. Juliette, au contraire, représente la femme nouvelle qu'il entrevoyait, un être dont on n'a pas encore idée, qui se dégage de l'humanité, qui aura des ailes et qui renouvellera l'univers...*

« *Et pour conclure cet essai sur un des hommes les plus étonnants qui aient jamais paru, il convient de transcrire cette phrase dans laquelle le Marquis de Sade, conscient de ce qu'il était, s'annonçait avec une fierté tranquille au monde bouleversé, aux hommes qu'il épouvantait : "Je ne m'adresse qu'à des gens capables de m'entendre, et ceux-là me liront sans danger".* »

A la lumière de semblables déclarations, le choix de textes présentés par Apollinaire peut sembler aujourd'hui bien timide. Il ne faut pas oublier qu'en 1909 *tous* les principaux ouvrages de Sade étaient condamnés. Même en ne publiant comme ils le faisaient que des extraits de *Justine, Juliette* et *La Philosophie dans le boudoir*, les frères Briffaut et leur directeur de collection risquaient la correctionnelle [1].

L'Enchanteur pourrissant fut publié en novembre 1909 par le marchand de tableaux Henri Kahnweiler, illustré de bois d'André Derain, et tiré à 106 exemplaires. On est frappé par « l'air de famille » de ce texte avec certaines productions de Jarry, comme *Les Minutes de sable mémorial*.

1. Les livres inédits et non illustrés comparaissaient, lorsqu'ils étaient poursuivis, en cour d'assises. Les éditeurs, vendeurs, colporteurs, etc., des livres déjà interdits relevaient de la correctionnelle.

J'EMBRASSERAIS volontiers celle qui a fait mourir l'enchanteur. Je l'embrasserais, fût-elle un spectre. J'ai ignoré la science des fuites. Enchanteur! Je
crache sur le sol, je voudrais cracher sur toi.

DALILA

Marâtre, tu donnas la Toison à l'argonaute. Moi, je coupai la chevelure de
mon amant. Nous aimions toutes deux, mais différemment. Tu aimais les
hommes forts; moi, je fus la femme forte. La dame qui enchanta l'enchanteur lui
coupa sans doute la chevelure, suivant mon exemple. Qu'en penses-tu?

MÉDÉE

Chercheuse de poux, ne parle pas d'enchantements. Un chevelu devient ridicule après avoir été tondu. Toi-même que serais-tu si l'on te tondait? Ni plus ni
moins forte. Qu'aurais-tu fait contre le tondu, sans d'autres hommes? Et même,
tout fut vain à cause de toi. L'homme fut plus fort contre toi, contre toutes.

HÉLÈNE
vieille et fardée.

Je l'avoue, lorsque j'aimai le berger troyen et qu'il m'aima, j'avais plus de
quarante ans. Mais mon corps était beau et blanc comme mon père, le cygne
amoureux qui ne chantera jamais. J'étais belle comme aujourd'hui, plus belle
que lorsque, petite fille, le vainqueur de brigands me dépucela. J'étais bien
belle, car j'avais su conserver ma beauté en restant nue et en m'exerçant
chaque jour à la lutte. Je savais aussi (car Polydamne me l'avait appris en
Égypte) me servir des herbes pour en faire des fards et des philtres. Je suis belle
et je reparais toujours, prestige ou réalité, amante heureuse et féconde et jamais
je n'ai tondu mes amants, ni tué mes enfants. Pourquoi tuer les hommes? Ils
savent s'entre-tuer sans que nous le demandions. Je suis curieuse de savoir
pourquoi cette dame veut faire mourir ce vieillard qui est son amant; car il est
certainement son amant.

ANGÉLIQUE

Sait-on s'il est son amant? Elle-même le sait puisqu'il lui a tout enseigné, tout
ce qu'il savait. Nul ne saurait deviner l'énigme de la mort de l'enchanteur. Les
hommes savent s'entre-tuer sans que nous le demandions. Il était mourant, le
jeune homme que je recueillis, un jour, que je guéris et qui m'aima comme je

l'aimai. J'avais quarante ans alors et j'étais plus belle que jamais. Non, non, il n'y a pas de raison pour qu'une femme tue un homme.

On entendit alors des cris lamentables. Les sorcières, démons femelles, enchanteresses et magiciennes se plaignaient.

LE CHŒUR FÉMININ

Il y a dans la forêt profonde et obscure une odeur vivante, une odeur de femme. Les mâles sont en rut parce qu'une irréalité a pris la forme de la réalité. Et Angélique est vivante faussement dans la forêt profonde et obscure.

LE CHŒUR MASCULIN

Est-ce si rare et si étrange? Les irréalités deviennent raisonnables parfois et regardent alors ce qui est beau, de là leur forme. En ce siècle, quelle forme est plus belle que celle d'Angélique? Irréalité raisonnable, nous t'aimons, nous t'aimons parce que tu cherches comme nous, ce qu'il y a de plus beau dans le siècle : le cadavre de l'enchanteur. Mais notre raison est vaine, car jamais plus nous ne pourrons le regarder, puisqu'il est enseveli. Irréalité raisonnable nous t'aimerons pour pouvoir ensuite être tristes jusqu'à la mort, car nous sommes raisonnables maintenant aussi mais trop tard, puisque nous ne verrons pas, parce qu'il est enseveli, le beau cadavre, le très beau, et qu'en vérité tout notre amour te laissera stérile en notre raison informe quoique nous t'aimions.

ANGÉLIQUE

A la vérité, je suis vivante et amante heureuse, plus heureuse que celle dont les frères stellaires, les Dioscures, scintillent. Je suis vivante, vivante. Je naquis en Orient, mécréante et maudite et faussement vivante, tandis que maintenant je vis et je vous maudis, irréalités, car depuis j'ai été baptisée comme le fut l'enchanteur lui-même.

LE DOUBLE CHŒUR

La Chinoise a crié son vrai cri. Ce n'est pourtant pas le cri de l'innocence, c'est un pauvre aveu. Voyez comme elle s'agenouille. De honte, elle cache son front dans ses mains. Aucune raison formelle ne fut plus douloureuse. Sa honte est le signe de sa méchanceté. Le beau cadavre de l'enchanteur serait-il honteux aussi pour être enseveli et caché à nos regards. Hélas! Hélas! le beau cadavre pue peut-être.

LE CHŒUR FÉMININ

La vivante n'est pas virginale. Ayons pitié d'elle.

ANGÉLIQUE

Je vous maudis. Je ne suis pas vierge, mais reine, amante et bien nommée. Je serai sauvée.

LE CHŒUR INOUÏ DES HIÉRARCHIES CÉLESTES

La bien nommée s'est réalisée. Au nom du nom silencieux, nous l'aimerons pour s'être bien nommée. On prépare sa mort parce qu'elle est bien aimée.

ANGÉLIQUE

Je te loue tristement, songe noir, songe de ma destinée.

LE CHŒUR INOUÏ DES HIÉRARCHIES CÉLESTES

La quadragénaire est belle comme une jeune vierge parce qu'elle est bien nommée. Elle a oublié tout ce qui est païen, magique et même naturel. Son nom fait hésiter les mâles. On prépare sa mort parce qu'elle s'est agenouillée.

LE CHŒUR MASCULIN

Nous t'aimons, ô Chinoise agenouillée, nous t'aimons en dépit de ton nom.

Ils violèrent tour à tour l'irréalité raisonnable, belle et formelle de la faussement vivante Angélique. La forêt profonde et obscure s'emplit de vieux cris de volupté. La vivante palpita longtemps et puis mourut d'être toujours blessée. Son corps pantela d'un dernier râle vénérieux et encore agenouillé se courba tant que la tête de la morte touchait le sol. Des vautours, sentant l'odeur du cadavre, accoururent de toutes parts, malgré la nuit et emportèrent par lambeaux, par-delà le ciel, la chair de la morte visible.

LE CHŒUR INOUÏ DES HIÉRARCHIES CÉLESTES

L'âme de la quadragénaire stérile fut purifiée par un joyeux martyre. Elle sera nue dans le ciel, on lui donnera une maison de feu, parce qu'elle fut bien nommée.

LA VIOLÉE

Je ne sais plus rien, tout est ineffable, il n'y a plus d'ombre.

UN ARCHANGE
rapide et inouï.

Elle est sauvée à cause de son nom. Elle a tout dit, elle ne sait plus rien.

CAMILLE PITON

Paris sous Louis XV

1 9 1 0

En publiant au Mercure de France, dans la « Nouvelle Collection documentaire », les rapports qu'Antoine de Sartines faisait rédiger par ses inspecteurs pour la distraction du Roi, Camille Piton faisait œuvre à la fois utile et commerciale. Sans trousser l'historiette comme Tallemant des Réaux, Marais et Meusnier ont la phrase nette dont même les laquais et les boutiquiers de leur temps disposaient pour s'exprimer. *Paris sous Louis XV* est une collection de passionnants petits tableaux de mœurs.

M. *LE COMTE* de Lowendal, qui passait pour être un peu antiphysicien, pour faire diversion à cette réputation, vient de prendre, aux appointements de vingt-cinq louis par mois, la demoiselle Rozette, qu'on voyait ci-devant circuler chez la femme Brissault. Cette demoiselle demeure rue du Chantre et est honnêtement dans ses meubles. Ceux qui connaissent à fond M. de Lowendal et ses facultés prétendent qu'il n'a pris cette demoiselle que pour amorcer les personnes qu'il rassemble chez lui pour jouer et c'est ce dont on sera instruit par la suite.

M. le comte de Duras vient de se brouiller avec la petite La Croix, parce qu'à son insu elle vient de rentrer à l'Opéra pour figurer dans les ballets, ce qui lui donnerait sur son compte trop d'inquiétudes, la connaissant d'une complexion fort amoureuse et très susceptible de lui en associer plusieurs; mais, comme elle n'ignore pas sa faiblesse pour elle, elle est très persuadée qu'avant quinze jours il sera trop heureux de venir faire sa paix et je suis persuadé qu'elle ne se trompe pas.

Le 5 de ce mois, M. le comte de Bentheim a donné à souper chez lui à M. le chevalier de Beauvais, à M. de duc de Fronsac, M. le comte et chevalier de Cogny et au vicomte de Chabot avec les demoiselles Gauthier, Rozan et Julie.

1767, 27 novembre.

M. le comte de Chabot a quitté la demoiselle Rozalie de l'Opéra qu'il entretenait depuis quelques mois, sans avoir sujet de se plaindre de sa conduite; mais il a dit à ses amis, qui lui en demandaient la raison, qu'elle puait. Cependant plusieurs connaisseurs qui en ont tâté ne s'en sont jamais aperçus, et M. l'abbé Darty, sans s'arrêter à son dire, s'en accommode très bien. Comme il passe pour avoir le goût délicat, les propos du comte n'ont point altéré la réputation de

Rozalie ; au contraire, ils le font regarder du peuple galant comme une méchante langue qu'on doit bien étriller lorsqu'il a quelques désirs.

M. Rochard, l'aîné, riche Américain, demeurant rue Vieille de Temple, entretient la demoiselle Rozan qui est arrivée depuis peu de Bordeaux, extrêmement nippée, mais sa santé un peu dérangée. Aussi, M. Rochard, pour se tranquilliser sur les plaisirs qu'il se propose avec elle, lui fait passer les grands remèdes et pour l'assurer de la durée de son goût pour elle, il lui a donné des meubles fort propres qui sont placés rue Montmartre, maison du bureau des Fripiers, où son chirurgien la soigne. On ne peut pas être plus jolie que cette demoiselle. La Gourdan, monsieur, vous l'a présentée un jour à son audience, avant qu'elle s'en allât à Bordeaux, parce qu'elle éprouvait quelques tracasseries de la part de sa famille.

La demoiselle Marianne Prat dite de Bieu, âgée de quinze ans, a été arrêtée en visite de nuit il y a quelques mois, avec sa mère qui était réputée la prostituer et toutes deux ont été conduites à Saint-Martin. Par la visite de la Matrone de cette prison, la fille s'est trouvée encore pucelle, en conséquence elle a obtenu sa liberté ; mais, depuis ce moment, livrée à elle-même et débarrassée de l'ambition de sa mère qui réservait cette fleur pour un paillard opulent, elle s'est livrée à tout venant. Bientôt son teint s'est obscurci et elle serait tombée par lambeaux sans les soins obligeants de M. Duplessis, Américain, logé rue Royale, qui, touché de voir périr en naissant les plus jolis traits du monde, l'a retirée de la plus abominable prostitution et l'a séquestrée rue de Seine, faubourg Saint-Germain, à l'hôtel de Chaumont en garni, où il lui fait passer les remèdes. Cette petite fille est toute jolie et son bienfaiteur se promet tout de sa reconnaissance.

La demoiselle Darcy, ci-devant figurante dans les ballets de l'Opéra, est entretenue depuis un mois par M. Leroux, Américain, qu'elle a enlevé à la demoiselle Verdault. Il lui donne vingt-cinq louis par mois et elle compte encore lui faire grâce, et lui en fait porter sans ménagement. Cette semaine, elle a fait deux passades, l'une avec M. de Tavannes et l'autre avec de M. de Lignerac, tous deux beaux-frères, dont elle a été très bien payée. Il n'y a pour ainsi dire aujourd'hui que les Américains d'assez hardis pour entretenir nos demoiselles ; nos Français trouvent plus commode de les avoir en passade.

Le 26 de ce mois, M. le Duc de Lauzun a soupé en tête à tête avec la demoiselle Delisle dont il s'est retiré très satisfait ; cette demoiselle joignant à un air décent des ressources infinies pour le plaisir. Cela n'est pas étonnant, elle a été éduquée par le clergé.

Du 4 décembre 1767.

M. l'abbé Darty n'a eu qu'en passant la demoiselle Rozalie de l'Opéra ; c'est M. de la Grange, ci-devant conseiller au Parlement, qui s'en est emparé lorsque

M. le comte de Chabot l'a quittée, soi-disant parce qu'elle puait ; mais vraisemblablement parce qu'elle est d'une impudence extrême. Au reste, il faut croire que cela plaît à M. de la Grange, car il lui donne tout ce qu'il peut et certainement il n'est pas riche. Au surplus, c'est un aimable homme qui a de l'esprit et d'un commerce très agréable pour les femmes, ce qui fait imaginer qu'il ne la gardera pas longtemps ; cependant, j'en ai connu plusieurs qui n'ont pas captivé leurs amants et qui n'ont réussi qu'à force d'impertinences.

La prétendue comtesse de Fontanelles est toujours à Paris, mais elle commence à battre de l'aile. Pendant longtemps elle en a imposé sur son extraction. Elle est fille d'un chirurgien de Lyon ; elle a épousé le sieur Defontanelles, officier réformé, qui est par lui-même fils d'un avocat de la même ville. La jolie figure de sa femme lui fit imaginer de la conduire à Paris vers le printemps dernier, dans l'espérance d'en tirer parti pour sa fortune, et comme son ambition était grande, il la promena d'abord dans toutes les maisons royales et avait grand soin de la faire trouver sur le passage de Sa Majesté ; mais elle ne prit point, ce qui fit qu'elle chercha à se rabattre à Paris, dans les maisons de finance. Quelque temps on en fut la dupe, et ils se trouvèrent faufilés en bonne compagnie ; mais les besoins réitérés du sieur Fontanelles dessillèrent enfin les yeux. Il s'aperçut que son rôle était fini et disparut, abandonnant ici sa femme au bras séculier. M. de Varenehant, fermier général, pour se couvrir des avances qu'il leur avait faites et n'étant pas absolument désabusé, lui a fourni pendant quelques mois de quoi soutenir son étalage, usant tout à son aise des charmes de Mme la comtesse, qui, de son côté, sans gêne, les prodiguait à tous les agréables de façon que M. de Varenehant en a été instruit, si bien qu'il lui a retranché presque toutes ses largesses et ne lui donne aujourd'hui que très succinctement de quoi vivre et désirerait en être totalement désembarrassé. Elle demeure présentement et tient ménage rue Quincampoix avec le sieur Champreux et sa femme. Ce Champreux est un officier invalide, le même qui a eu cette affaire l'été dernier, avec les sieurs Lys et la Roncière, que le tribunal a condamnés à être enfermés pour trois ans à Saint-Venant.

Ladite Fontanelles est une brune piquante, d'une figure très agréable, bien prise dans sa taille, et qui peut être âgée d'environ vingt-six à vingt-sept ans.

M. de Rochechouart, peu instruit des ruses que nos demoiselles mettent en usage pour avoir l'air d'avoir encore leur première fleur, a été assez dupe de donner vingt-cinq louis, le 30 de ce mois, à la demoiselle Brantan, fille d'un marchand de vin qui a fait banqueroute, demeurant avec sa mère, rue des Deux-Écus, qui lui a été présentée par le nommé Milet comme une fille intacte et qu'il a savourée comme telle. Cependant ce pucelage voyageait depuis quelques jours, avec un nommé M. Duplessis que la Gourdan a procuré à cette jeune fille et qui lui donne, du consentement de sa mère, 300 livres par mois. Au reste, pucelage à part, cette demoiselle n'a que quinze ans et est très aimable.

M. Vart, Anglais, est de retour à Paris depuis quelques jours, et aussitôt son arrivée il a renoué avec la demoiselle Stenhaus dite Philippine, danseuse aux Italiens, qui est certainement une très jolie fille. Son seul défaut est d'être guerluchonnée par le sieur Donadieu maître d'armes. L'Anglais lui donne vingt-cinq louis par mois et va lui faire meubler un appartement.

Du 11 décembre 1767.

M. le prince de Lamballe continue toujours de voir la demoiselle La Cour entretenue par M. Magon de la Balue qui demeure à la porte Saint-Honoré ; mais ce n'est que pour mieux cacher une intrigue qui paraît bien plus sérieuse avec la demoiselle Dubois, actrice à la Comédie. Française, et dont cependant bien du monde est déjà instruit. Cette demoiselle le mènera du côté de la dépense ; mais il est fait pour cela et n'en sera pas plus aimé.

La demoiselle Desforges, ci-devant danseuse aux Italiens, depuis sa dernière couche, dont elle a été peu dédommagée par M. Boutonnet auquel elle avait prêté cette paternité, paraissait absolument délaissée et vivait dans une petite chambre garnie, aux Porcherons, avec un extrait ou courtier de banquier dont j'ignore le nom. Milord Rochard, qui l'avait vue il y a deux ans au Théâtre Italien, avait pris alors un goût pour elle qu'il n'avait pu satisfaire. Aujourd'hui, il paraît être revenu tout exprès de Londres pour la tirer de la misère, car aussitôt arrivé à Paris il s'est informé de tous côtés et l'ayant jointe, il lui a fait offre de son cœur et de sa bourse. Les articles préliminaires ont été trente louis pour le premier mois, une très belle montre à chaîne d'or et cent louis pour commencer à avoir des meubles. Cela a été palpé à l'instant et le mariage s'est consommé. Le milord en a paru enchanté ; aussi la demoiselle Desforges a-t-elle saisi le moment pour lui faire comprendre que pour jouir paisiblement de ses bienfaits il serait à propos d'apaiser quelques créanciers qui la tourmentaient. Milord, pour la tranquilliser, lui a dit que son bonheur avait commencé à l'époque de sa connaissance, qu'il était riche et que s'il n'était question que de 20 000 livres elle pouvait regarder ses dettes payées. Elle lui en a témoigné toute sa reconnaissance et se propose bien de ne rien oublier dans l'état qu'il en a exigé et auquel elle travaille avec beaucoup d'application. Ainsi la voilà encore une fois relevée.

La demoiselle Beaupré, des Italiens, malgré les bruits désavantageux qui courent sur la santé de M. le comte de Sarsal, vient de s'arranger avec lui à vingt-cinq louis par mois, mais, comme il n'a pas coutume de gêner ses maîtresses, elle espère ne rien changer dans son ordinaire. Ainsi Corby sera toujours chargé, sous le précieux prétexte de protecteur des demoiselles à talent, de fournir sa cave de bon vin et son croc de gibier, et Clerval de lui faire répéter ses rôles. Mme la Ruette ne voit pas sans indignation Clerval prendre ce soin pour la demoiselle Beaupré et le public s'en aperçoit lorsqu'elle joue avec lui.

M. le marquis de Lignerac, mardi dernier, a couché avec Mme Defontanelles ; dix louis en ont fait l'affaire ; mais il n'a pas envie d'y retourner, car, le lendemain, il a dit à tous ceux qui l'ont voulu entendre que cette femme n'avait que de la figure, et qu'au lit c'était la plus grande rosse qu'il eût encore rencontrée ; qu'elle n'était bonne que pour un financier aussi massif que M. de Varenehant.

Du 18 décembre 1767.

La demoiselle Le Bé de Villers, arrivée à Paris de la Hollande depuis quelques mois et dont il a été mention dans mes feuilles du mois de novembre dernier avec M. de Sénac, a soutiré cette semaine à milord Rochard une bague de prix qui en a été totalement la dupe, car elle ne lui a pas accordé la plus légère faveur et il avait été présenté chez elle comme chez une femme honnête ; mais, ayant su depuis qu'elle ne l'était que dans son extérieur puisqu'elle faisait ici commerce de ses charmes, il se propose d'aller revendiquer son bijou, ou tout au moins qu'elle lui laissera courir la bague. Cette femme en mérite bien la peine, surtout quand elle a fait toilette, car, sans cela, elle paraît un peu fatiguée. Cet étranger est très galant. C'est le même qui entretient la demoiselle Desforges à gros frais, ainsi que je l'ai annoncé dans mes feuilles dernières.

M. de Bourgogne, gendre de M. Duverger, premier commis du Comptant, a fait un tour indigne d'un galant homme à la demoiselle Sonville, qu'il entretient depuis environ dix-huit mois. Sous prétexte d'une jalousie mal fondée, la semaine dernière il vient chez elle avec toutes les démonstrations d'amitié, et lui demande la clef de son secrétaire disant qu'il avait une lettre pressée à écrire à son beau-père. Elle (la) lui confie et, pour le laisser libre, elle va se mettre à sa toilette. M. de Bourgogne profite de ce temps pour lui enlever son portefeuille renfermant un billet de 20 000 livres qu'il lui avait fait, avec promesse de lui en passer contrat et pour plus de 10 000 livres de billets des Fermes, lui prend ses boucles d'oreilles et cent louis d'argent comptant et se sauve comme un voleur avec cette pacotille. Elle est instruite à l'instant par ses gens que M. de Bourgogne est disparu et de la friponnerie qu'il lui a faite. Elle court chez M. de Menneville, son frère, qui la tranquillise de son mieux et lui promet que tout sera réparé. Effectivement, il joint M. de Bourgogne et le conduit chez la demoiselle Sonville. On s'explique ; il voit qu'il a tort ; il lui rend les billets des Fermes et ses boucles d'oreilles qui ne venaient pas de lui ; mais il ne lui a pas encore restitué le billet de 20 000 livres et les cent louis, et cette demoiselle qui sait tous les ménagements qu'il a à garder avec son beau-père n'a pas voulu porter de plainte et elle espère toujours de ses caresses et de son bon droit que M. de Bourgogne lui restituera ses effets. Certainement il y a peu de demoiselles susceptibles d'autant d'honnêteté.

La demoiselle Couston, en attendant 3 000 livres que M. Marion, officier de la Compagnie des Indes, qui a vécu avec elle, doit lui envoyer pour venir le joindre à Bordeaux et de là passer avec lui dans l'Inde, reçoit de M. Le Gras, Américain, vingt-cinq louis par mois, qui lui a fait présent aussi avant-hier d'une belle boîte en or et pour le moins de cent louis de dentelles. Cependant M. Marion, pour l'engager à lui être fidèle, lui a laissé il y a un mois en partant 1 000 livres.

M. le chevalier Nau, aussi vilain que son frère le conseiller au Parlement, vient de prendre à ses appointements la demoiselle Villette, veuve de Mathieu Piquenot, maître boulanger. Elle demeure chez lui, rue Bourglabbé. C'est une grande femme qui a bonne façon, mais qui a tout le ton des femmes de la Halle, où cy-devant elle avait coutume de vendre son pain.

Du 25 octobre 1767.

Mgr le duc de Chartres ayant entendu vanter la demoiselle La Mulle, appareilleuse sous le manteau, comme une femme adroite qui avait à sa dévotion nombre de petites bourgeoises, lui fit dire samedi dernier d'en conduire une des plus jolies à la petite maison, rue Saint-Lazare, numéro 10. Cette femme fut exacte et lui présenta comme une jeune veuve la demoiselle Maisonville, connue de tous les sérails et de tous les mauvais sujets de Paris, au reste très jolie. Mais, comme tout gist dans le préjugé, le prince l'a trouvée adorable, il s'est amusé complètement avec elle et a très bien récompensé la demoiselle La Mulle qui, par reconnaissance, a procuré le dimanche suivant à M. le comte Dossemont, qui l'avait annoncée à son Altesse, la demoiselle Delisle, comme une autre bourgeoise. Mais au premier souper que ces messieurs feront par le canal de la Brissault qui en a été instruite le crédit de la femme La Mulle tombera, car elle leur présentera ses mêmes bourgeoises, et ils connaîtront qu'elles ne sont pas apprenties de savoir remuer leur casaquin.

M. de Montregard, des Postes, a fait cette semaine la proposition à la demoiselle Godeau, danseuse à l'Opéra, de lui donner cinquante louis par mois, si elle voulait quitter pour lui M. le Gué, commis de la Marine. Cette demoiselle l'a refusé, parce qu'elle le connaît changeant et que M. Le Gué, depuis trois ans, lui paye très exactement vingt-cinq louis par mois, à l'appui desquels vient de temps à autre quelques cafetières en argent et autres bonnes nippes, et le tout, sans l'empêcher de voir le sieur de Changrant, son guerluchon, qui est très exact à faire pour lui le service de nuit.

La prétendue baronne de Claubourg qui n'est autre chose que la fille d'un armurier de la ville de Metz, et la même qui vivait avec cet Anglais qui a eu cette affaire à l'Opéra avec le chevalier Houque, est présentement entretenue par le comte de Chidde premier gentilhomme du roi de Pologne, et pour épargner les frais, ils logent ensemble rue et hôtel Platrière en garni, ce qui n'empêche pas la baronne d'avoir le petit carrosse, même un coureur, ce qui paraît assez ridicule.

La demoiselle le Bé dite de Villiers, depuis la retraite du sieur Menissier, maître en fait d'armes, qui la chagrinait un peu, est entretenue par M. le marquis de Chabanais qui s'est laissé prendre aux dehors trompeurs de cette femme, mais l'illusion se dissipera bientôt. Elle est trop mal entourée pour qu'un galant homme la garde longtemps; il lui donne vingt louis par mois.

M. le comte de Bintheim continue toujours de voir la demoiselle Dorothée comme une ancienne amie : c'est chez elle qu'il traite ses amis; la demoiselle Lavigne dite Durancy comme une coquine très aimable, avec laquelle il se retrouve toujours et qui ne lui coûte pour ainsi dire que la clef de sa loge aux Italiens où elle est bien aise de venir faire des mines, car M. de la Lande, qui l'entretient, ne lui laisse manquer de rien. Il lui a fait présent cette semaine de treize beaux plats d'argent; et pour contenter la grosse faim, le comte de Bintheim a encore la demoiselle Verdault, à laquelle il donne quinze louis par mois.

M. de Varenehant, fermier général, a totalement quitté Mme Defontanelles. C'est présentement le petit duc de Gesvres qui est sur les rangs et qui la traite en divinité. On ne croit pas cependant encore que l'affaire soit faite parce qu'elle voudrait lui soutirer au moins de quoi apaiser les plus avides de ses créanciers.

Je ne sais, monsieur, si vous êtes instruit de l'aventure du sieur de Poinsinet avec la demoiselle Du Brieulle, chanteuse à l'Opéra; mais dans le cas où vous l'ignoreriez je vais vous la dire; elle fait l'amusement des coulisses de ce spectacle et il est certain que le fond en est vrai. Cette princesse a accordé ses faveurs à ce petit singe, et un soir qu'il est revenu chez elle, saoul comme une grive, il l'a enfilée. Comme la demoiselle ne veut pas avoir d'enfants, elle avait pris la pré- caution de mettre au fond une petite éponge qu'elle attachait avec un bout de faveur. Poinsinet, à qui les fumées du vin et la force de son amour rendaient les mouvements plus énergiques, a bourré l'éponge et toute la faveur si avant que le doigt n'était plus suffisant pour les ravoir, et après d'inutiles efforts, la princesse imagina d'employer son compas à friser. Il s'est encore trouvé trop court. Heureusement que l'ingénieux Poinsinet a pris les pincettes, et avec le secours des badines, il a d'abord retiré le bout de faveur et repêché l'éponge.

Le conseiller Meslée, après avoir enchaudepissé la petite Saint-Martin, figurant dans les ballets de l'Opéra, l'abandonne au bras séculier, et répand de tous côtés dans le commerce l'effet dont il lui a fait cadeau.

OSCAR VENCESLAS DE LUBICZ-MILOSZ

1877-1939

L'Amoureuse Initiation

1910

Flamboyant comme un palais de Gaudi, le roman de Milosz, érotique ou non (je trouve que oui), fut à peine une lecture en son temps. Comme les autres livres que nous a donnés le seul prince lituanien de la littérature française, il s'en vendit quelques dizaines d'exemplaires.

L'Amoureuse initiation a d'ailleurs toujours été traitée plutôt dédaigneusement par les admirateurs officiels de Milosz, comme on a pu le voir à l'exposition qui lui a été consacrée par la Bibliothèque nationale en 1977. « *Écrit dans l'exaltation,* dit la notice du catalogue, *ce livre extravagant, dans lequel les passions charnelles, même dégradées et luxurieuses, sont considérées comme un tremplin privilégié pour accéder à l'amour divin, manifeste une singulière confusion des valeurs dans l'esprit de l'auteur.* » Eh! oui, on ne plaisantait pas avec les valeurs, à la BN, en 1977.

*A*H ! CHEVALIER DE MON CŒUR ! ami du hasard et du diable ! Il n'est sans doute pas que vous n'ayez connu, vous aussi, la venimeuse douceur de quelque tendre colombe de gueuse. Je connais… non, je ne connais pas votre vie… ; mais, dès la première vue, vos yeux éloquents m'ont tout découvert, la nuit passée, au Ponte Tappio. La passion attendrie d'une drôlesse, la douceur maternelle dans la frénésie du vice, la candide amitié de la sœur dans le cœur de Messaline, la grossièreté de l'outrage et la lâcheté de la compassion, la pitié et le dégoût de la pitié, la jalousie que l'on savoure comme un vieux vin de Chypre mixtionné d'amers aphrodisiaques ; toutes ces choses horribles et délicieuses sont enfermées dans le nom magique d'Annalena-Clarice de Mérone, la fausse comtesse de Sulmerre, l'aventurière lunatique, la redoutable et la douce, la maternelle et la nymphomane. Douce – eh oui, corbleu ! et très douce – car elle m'a su donner des nuits furieuses et de tendres jours. Il y avait dans sa chair de l'enfant et de la chèvre, et dans son âme de l'ange et du babouin. Son esprit avait du singulier et du charmant, son cœur… Au demeurant, un amour tel que le mien se passe fort aisément d'excuses.

« Il ne me reste plus, monsieur le chevalier, qu'à vous conter en quelques mots l'inévitable trahison qui fut cause de la brusque rupture de notre commerce. La scène me paraît trop licencieuse pour qu'il me soit libre de m'y attarder. Que si vous désiriez, toutefois, de connaître en ses détails intimes l'inénarrable spectacle auquel j'eus l'affreux plaisir et le risible malheur d'assister, quelques esquisses secrètes tracées de mémoire suffiraient pleinement, ce me semble, à satisfaire votre curiosité.

« Certaine nuit, donc, qu'il avait, selon la coutume des Scythes, le vin plus indiscret que de raison, le prince Serge, m'entraînant dans une galerie écartée du palais di B…, me mugit à l'oreille, entre deux baisers mielleux et grommeleurs : "Par Hercule et Labounoff ! pigeonneau de comte, petite âme de duc, tu n'auras bientôt, par ma foi, plus rien à te reprocher. Il m'est revenu que tu devais quitter Venise cette nuit même, dans une affaire qui ne souffre pas de répit. Sache donc que mes mesures sont tout aussi bien prises que les tiennes et que le plus cher de mes vœux sera exaucé bientôt, à tes dépens, s'entend, cocu du diable que tu es ! Par Hercule ! jamais je ne me suis senti en plus belle humeur de cajoleries ! C'est un caprice obscène et exquis de notre charmante délurée. Plus d'émulation désormais entre nous ; aussi bien n'était-ce que justice de nous laisser jouir enfin, en tout repos, d'une félicité commune. »

« Pour ivre-mort qu'il fût, le bourreau ne laissa pas de prendre garde à l'effet que ses étranges propos faisaient sur l'esprit de la victime. Les fumées de son vin eurent quelque peine, apparemment, à obscurcir sur mon front le feu de l'indignation et de la honte. Quelque effort qu'il fît, toutefois, pour changer de ton et tourner la chose en plaisanterie, j'eus peine à me prêter à son manège ; et cela d'autant plus que son allusion à mon voyage donnait toute vraisemblance à l'odieux complot ; car une affaire fort pressante m'appelait effectivement à Livourne. Je ne jugeai donc point à propos d'écouter la suite du singulier discours. L'injure m'avait percé jusqu'au vif. Le dépit me tenant lieu de fermeté, je différai mon départ et je pris la détermination de rompre sur l'heure avec l'ingrate.

« Suivi du paternel Giovanni, je courus au logis de ma maîtresse ; mais la coquine qui, depuis l'aube, n'avait point arrêté de se plaindre de vapeurs, avait déjà, à l'insu des caméristes, quitté d'un même coup et son lit et sa maison. Il n'en fallait pas davantage pour me faire perdre le peu de sang-froid que m'avait permis de conserver la confidence du prince. L'ingénieux Giovanni eut cependant tôt fait de dresser ses batteries et de mettre sur pied une légion d'émissaires. L'ironique Phébé seconda nos desseins ; la corruptibilité des gondoliers nous fut aussi de quelque secours ; de sorte qu'après une heure de battue à travers la ville, nous nous vîmes en état, Giovanni et moi, de marcher à l'ennemi.

« Je n'entrerai point dans le détail de cette burlesque expédition. Je n'en ai aucune mémoire. J'avais la tête renversée ; je courais comme un perdu, de-ci, de-là, me heurtant à chaque pas aux décombres de ma vie écroulée. La traversée du sinistre Campiello del Piovan : une vieille maison sise au mitan d'un quartier des plus crapuleux ; un escalier puant et gras tout parsemé de pelures d'oranges ;

un grand coup, enfin, de l'épée de Giovanni dans la porte ; voilà les seules choses dont il me souvienne. Je ne regagnai quelque emprise sur mes sens qu'à l'instant où l'on nous vint ouvrir. J'aperçus Labounoff nu comme la main. A ma vue, il recula plusieurs pas en arrière. J'entrai.

« A la clarté dansante d'une chandelle unique, j'aperçus Clarice-Annalena Mérone, comtesse de Sulmerre, dévêtue à la mode d'Arcadie et se prélassant sur la plus voluptueuse des couches : son frère Alessandro lui servait de coite, Zegollary de traversin et mylord Edward Gordon Colham de colifichet mignon pour le désœuvrement de ses charmants petits doigts. La vie faillit à m'abandonner.

« Mon premier mouvement fut de mettre ma fidèle épée à la main ; mon deuxième, de sourire en me rappelant que j'étais Brettinoro, Benedetto et Guidoguerra ; enfin, par le jeu d'une association bizarre, ma pensée s'arrêta sur l'image de l'abbé de Rancé ; et ce rapprochement subtil et saugrenu acheva de me dérider.

« Aucune des nudités convulsées du groupe mythologique et aviné ne se teinta du sang des vengeances. Personne ne mourut cette nuit-là ; non, pour dire le vrai, personne. Car ma jeunesse et mon illusion étaient déjà mortes, ah ! par la fourche et la queue du diable ! mortes et ensevelies depuis longues, longues années.

« Une violente surprise nous éclaire parfois sur la nature réelle de nos sentiments avec une sûreté que nous attendrions en vain d'une raison sans cesse troublée par d'extravagants soucis. Ainsi, devant l'ignoble et séduisant spectacle qui fascinait ma vue, je reconnus, sur le tard, avoir été, à tout propos, cruellement moqué par ma gueuse d'imagination. Le destin des mélancoliques pasquins de mon espèce est de poursuivre, leur vie durant, quelque vain fantôme de passion, d'art ou de philosophie, puis de s'endormir dans la sainte et unique réalité du sein de Dieu.

« Passé le premier saisissement, je m'excusai auprès des amoureux penauds de la brusque interruption de leurs ébats ; et, tout en plaisantant agréablement la fougue juvénile de leurs transports, je les complimentai sur la grâce attique de leurs jeux et les implorai de s'en retourner à leur chef-d'œuvre inachevé. Labounoff aussitôt donna le signal d'un nouvel assaut. Justes dieux ! que le prince l'avait donc belle ! Sans faire difficulté, j'avoue m'être senti animé, à ce moment, d'un vif désir de participer à l'aimable lutte. Il s'en fallut de peu que je me jetasse dans l'amoureuse mêlée ; telle était cependant la violence de ma belliqueuse envie, que la vue seule des armes et des blessures suffit à la contenter. Tout le temps que ses amis furent aux petits soins avec elle, ma chère Mérone s'amusa à m'envoyer de malicieux baisers tout pleins de tendresse ; jamais encore la friponne ne m'avait paru si belle, ni si gracieusement parée de tous les attraits de l'innocence. Le hasard des poses licencieuses n'ôtait rien à la modestie animale de son maintien ; je la voyais enfin telle que la nature l'avait créée ; je ne doutais plus de l'ingénuité de ses amours. Le spectacle me ravissait d'aise. J'étais surtout vivement touché des témoignages d'affection que le jeune Alessandro prodiguait à sa sœur ; cependant, tout en couvrant de louanges les principaux acteurs de cette scène, je ne laissais pas de marquer quelque admiration aux emplois secondaires ; car il n'y avait pas jusqu'à ce calculeux et rogneux Zegollary qui ne fît preuve, en l'occasion, d'une compétence et d'une dextérité dignes des plus grands éloges. Pour ce qui est de ma chère maîtresse, sitôt terminé l'inoffensif pugilat, je la pressai tendrement contre mon sein et déposai sur son front à nouveau rougissant une couple de fraternels baisers. Que ne rompons-nous, chevalier, avec la sotte routine de considérer comme notre semblable une Eve dont nous ne connaîtrons jamais l'esprit ni la chair ? Car que pouvons-nous pénétrer d'une créature qui nous sait demeurer entièrement fidèle dans le moment même qu'elle essuie le feu d'un corps de garde au complet ?

« Me sentant à jamais guéri de ma vieille sottise, je pris gaiement congé de mes amis, sans même un instant songer à leur faire reproche de la singulière conduite qu'ils avaient tenue avec moi. Je courus chez mon banquier. Rien, à mon sens, n'égale en noblesse une belle tête de fourbe gravée dans de l'or palpable et chantant. Je fis d'abord mes adieux aux tripots et aux mauvais lieux de Venise, de compagnie avec l'ingénu et doux vicomte ; ensuite à la ville ellemême. Ma folle amitié pour Edward Gordon Colham n'eut que peu de durée. Je trouvais à mylord un esprit trop formé déjà par le commerce périlleux des femmes.

« Au jour fixé pour le départ, je me présentai pour la dernière fois chez la douce maîtresse de ma vie. Je traversai d'un pas alerte les galeries obscures et les salles silencieuses. J'entrai sans frapper dans le salon à l'épinette. Ma très ravissante était là, plus pâle que de coutume et tapie tristement dans le petit coin si doux à mes vieilles songeries, entre la cheminée et le bahut de chêne, sous le Hogarth et en face du Longhi. "L'heure est venue, mon Annalena chérie — lui dis-je simplement. — Hélas, monsieur, me répondit-elle d'une voix d'enfant, pourquoi faut-il donc que vous soyez si peu de votre siècle ? Haïssez-moi, mais ne me méprisez point ; car il me sera certainement beaucoup, beaucoup pardonné." Je ne pus que sourire à cette application bizarre de mes prêches anciens. Toutefois, en interrogeant les yeux de la belle, j'y lus la même réponse dans un beau regard de jeune chienne innocente, chaude et fidèle. "Ah ! que ne vous ai-je conté plus tôt l'histoire infortunée de ma vie ! poursuivit-elle ; je n'ai jamais connu de père ; ma mère était une…" Je lui mis la main sur les lèvres : "Trop tard, trop tard, ma chère enfant !" Des larmes filiales coulaient sur les pauvres et douces joues. Elle se leva comme pour aller à l'épinette. Je devinai son mouvement et l'arrêtai au milieu de la chambre. Ah! pauvre amour; ah! triste vérité! Mon regard dans la haute glace rencontra mon regard. Ma vieillesse m'apparut pour la première fois en toute sa sincérité. "Le temps des amourettes est passé, – me dis-je, – il se fait tard dans le jour du monde; l'amour est proche." Puis, me tournant vers ma charmante : "Le moment, à son tour, est venu, ma Clarice adorée." Je fis quelques pas vers la porte. La Sulmerre ne branla point. La Sulmerre restait comme figée. Deux vers très vieux et très ridicules chantaient dans ma mémoires :

> *Ta femme, ô Loth, bien que sel devenue,*
> *Est femme encor, car elle a sa menstrue.*

« J'appuyai sur le bouton de la serrure. J'entrouvris la porte. Le cri d'un gondolier s'éleva dans l'éloignement. Puis tout rentra dans le silence. »

PAUL BOURGET

1852-1935

Les Cousins d'Adolphe
(La Dame qui a perdu son peintre)

1910

« *Écrits dans une langue terne, privée de tout pouvoir et de toute beauté* » (Kléber Haedens), les romans de l'auteur de la *Physiologie de l'amour moderne* sont tout sauf flamboyants. On aurait bien envie de dire qu'il fallait être François Mauriac pour y découvrir comme il l'a fait des «douceurs» et des «suavités» (voir *Histoire d'O*, dans notre tome IV). Reconnaissons qu'au début du siècle il y avait un certain nombre d'adolescents réduits à vibrer avec Paul Bourget, et donnons-en un échantillon. *La Dame qui a perdu son peintre* est un recueil de nouvelles. Celle dont nous avons extrait le texte suivant s'intitule *Les Cousins d'Adolphe*.

TE RAPPELLES-TU ? disait-elle sans cesse à Frédéric, une promenade que nous avons faite là, tiens, dans cette allée avec... Et elle évoquait des fantômes : « Il y avait un bouquet d'arbres ici, qui n'y est plus... C'est peut-être mieux. On voit le château, avec sa jolie nuance rouge, se refléter tout entier dans la pièce d'eau... Je regrette tout de même nos arbres!... Te souviens-tu, quand je me suis échappée, tiens, dans ce fourré, parce que Casal était venu de Paris avec un Phaéton et un petit groom anglais, son tigre, comme on avait dit devant moi? Et, stupide, je m'imaginais qu'il s'agissait d'un tigre véritable!... Te souviens-tu?... »

– Oui, je me souviens, répondait le jeune homme et sa mémoire lui montrait en effet, par delà les années, l'enfant rieuse qu'il avait connue, avec laquelle il avait grandi, et cette enfant s'épanouissait maintenant dans la femme adorable qu'il avait auprès de lui, dont les mouvements s'harmonisaient aux siens, qui le regardait avec ses prunelles humides, qui lui souriait avec sa bouche voluptueuse, qui posait dans le sable des allées l'empreinte légère de ses pieds si fins. Et de ce même pas souple, cette femme avait couru à des rendez-vous cachés, ces lèvres fines s'étaient pâmées sous les baisers d'un amant, ces longues paupières aux cils blonds avaient palpité de plaisir sur ces prunelles extasiés dans des minutes de complet abondon. Cette femme s'était donnée. Avec quelle passion, sa folle incartade de la veille le prouvait trop, ses larmes et le frémissement dont elle était, maintenant encore, toute vibrante!... Et voici que le compagnon d'adolescence de cette amoureuse trahie et désespérée découvrait, avec un inexprimable mélange de regrets et d'espérance, qu'à son insu il avait toujours eu pour elle des sentiments bien différents de la simple amitié. Du moins, il croyait le découvrir. Peut-être, par une illusion rétrospective, l'image de Charlotte enfant et jeune fille s'éclairait-elle pour lui des feux du désir qui le possédait à présent. Car il se sentait, avec épouvante, la désirer passionnément, éperdument. Qu'était devenue sa noble et chevaleresque résolution d'hier, celle de la sauver de son affolement? D'où cette convoitise soudain déchaînée en lui, rien qu'à cette idée que Charlotte avait été la maîtresse d'un autre? Toutes les vagues émotions sensuelles qu'il avait pu éprouver, sans les admettre, sans même les soupçonner, durant leur dangereuse mais innocente intimité de jeunesse, se réveillaient à chacun de ces : « Te souviens-tu? »... En même temps, une curiosité malsaine et violente le poignait, celle de tout savoir de cette aventure qui avait fait d'elle, entre les bras d'Antoine de Grécourt, ce qu'elle était aujourd'hui. Frédéric reculait devant cette basse et salissante enquête, il en avait honte, et il essayait de s'étourdir en répondant aux évocations de sa compagne, par des évocations pareilles. Lui aussi reprenait, quand elle se taisait : « Te rappelles-tu?... » Ah! Ce n'étaient pas les chastes, les gracieuses réminiscences de leur commune naïveté qu'il aurait voulu qu'elle se rappelât et qu'elle lui rappelât... C'étaient les scènes qu'elle avait traversées pour en arriver à son action d'hier, ses joies, ses douleurs, tout un passé dont Frédéric était jaloux maintenant, comme s'il eût aimé Charlotte... Mais oui. Il l'aimait! Il l'avait toujours aimée! Il s'en apercevait quand il était trop tard, – trop tard pour l'épouser, – trop tard pour avoir d'elle ce premier baiser qu'il aurait pu cueillir, alors qu'ils erraient tous deux dans la liberté de leur demi-parenté, sous les branches de ces arbres, – trop tard pour avoir d'elle-même cette virginité de la sensation passionnée, qui peut faire l'orgueil du premier amant. C'était un tumulte en lui qu'il finit par ne plus dominer. Il tomba dans un silence qu'elle ne pouvait pas ne pas remarquer. Le soir arrivait. Ils étaient assis sur un banc de pierre dans un coin du parc aménagé pour avoir une vue sur une partie de cette divine vallée de Chevreuse, aux horizons sauvages et doux comme son nom. Pas un souffle d'air ne remuait les feuillages des bouleaux et des chênes, autour d'eux :

– Qu'as-tu? demanda Charlotte à Frédéric, après être restée un peu de temps taciturne, elle-même.

– Tu veux le savoir? répondit-il, d'une voix qui s'étouffait.

– Oui, fit-elle.

– J'ai que je t'aime, dit-il, et que je ne le sais que depuis vingt-quatre heures. Oui, continua-t-il sauvagement, je t'aime...

Et, l'attirant contre lui, toute saisie, toute paralysée par cet éclat brutal d'une passion si complètement inattendue, il appuya sa bouche sur la bouche de la jeune femme qui essaya une seconde de se débattre, et elle finit par lui rendre pourtant son baiser, en disant :

— Ah ! c'est mal, Frédéric, c'est si mal !...

Puis, brusquement, sauvagement, elle aussi, elle s'arracha de cette étreinte. Elle s'était levée, frissonnante, et, comme pour secouer son égarement, elle passa les mains sur ses yeux :

— C'est moi, maintenant, qui te dis ce que tu me disais hier. Frédéric, il faut que tu partes... Il le faut, pour notre honneur à tous deux...

— Eh bien ! répondit-il, en se levant à son tour, je partirai.

Ils se regardèrent, après s'être prononcé ces paroles de courage, — et ils reprirent le chemin du château, sans ajouter un mot. Ils venaient de lire dans les yeux l'un de l'autre qu'en dépit de cette résolution le jeune homme ne partirait pas. Ils y lisaient aussi ce qui devait arriver, et ce qui est arrivé : cette folie du désir allumé dans les veines du « sauveur » s'était communiquée, dans cet ardent baiser, à la femme trahie et trop émue au plus intime de son être pour que sa volonté n'en fût pas toute troublée, toute déconcertée. Ils avaient lu encore, dans cet ardent et terrible regard, qu'ils allaient être l'un à l'autre, d'une possession douloureuse et comme criminelle. L'amour le plus empoisonné est celui qui naît d'une rencontre entre des rancunes affolées d'une maîtresse outragée et les sensualités d'une jalousie. Où est l'antidote contre ce venin ?

SADIE BLACKEYES

Pierre Mac Orlan

1882 - 1970

Baby douce fille

vers 1911

A la fin du siècle, le jeune Mauriac se dépravait à la lecture de Paul Bourget. Il aurait pu disposer de lectures plus « cliniques », selon son expression, qu'une belle carrière littéraire eût peut-être changé de face. Peut-être n'achetait-on pas certains livres chez les Mauriac, ou bien les bibliothèques secrètes étaient-elles mieux fermées. Chez les Desnos, un peu avant 1914, le jeune Robert avait plus de chance : il pouvait lire *Gamiani* et les Claudine, et découvrait Sadie Blackeyes et Aimé Van Rod. Sadie Blackeyes était le pseudonyme choisi par un écrivain débutant, Pierre Mac Orlan, pour signer des ouvrages de flagellation. Il en signait aussi de son vrai nom, Pierre Dumarchey. La littérature de flagellation s'était extraordinairement répandue depuis quelques années, et le marché,

tout à fait officiel, se partageait entre Jean Fort et P. Brenet, également responsable de la Librairie Artistique. Les publications étaient nombreuses, régulières, écoulées dans toute la France par un réseau de quarante à cinquante libraires, à l'étranger, aux colonies. En 1912, Pierre Dumarchey était déjà responsable d'un certain nombre d'ouvrages, si l'on en croit le catalogue de Daragon, éditeur rue Blanche, et aussi libraire et commissionnaire : *Lise fessée, Le Masochisme en Amérique, La Comtesse au fouet (Belle et terrible), Les Grandes Flagellées de l'Histoire*. C'est vers cette époque que Dumarchey commence à signer Sadie Blackeyes des romans comme *Petite Dactylo*, ou *Baby douce fille*. Il y aura aussi une autre édition de *Lise fessée* signée Sadie Blackeyes.

Q UAND HELEN, suivie de May, et toutes deux escortées par les servantes pénétrèrent dans le grand amphithéâtre, toutes les têtes des gracieuses spectatrices se penchèrent avec intérêt.

Dieu! que cet amphithéâtre était bien construit! Chacune pouvait voir à son aise, et ces demoiselles se délectaient à la pensée du spectacle qu'on allait leur offrir.

Plus que du cinématographe ou que des conférences faites par un professeur français elles étaient friandes du régal offert, et quel régal : deux victimes de choix.

May et Helen comptaient, en effet, parmi les « belles » de la pension. Elles étaient célèbres par leur grâce et leur élégance, et l'une d'elles, cette farouche Mlle Baby, n'avait jamais connu la honte de faire voir sa lune en public et de sentir son gros derrière bondir sous la morsure des verges souples de bouleau.

Cette pensée même mettait toute cette jolie volière de girls perverties dans un émoi charmant. Chacune de ces futures ladies chuchotait en minaudant avec ses voisines. Il fallut l'intervention de mistress Grant pour rétablir le silence :

– Mesdemoiselles, où vous croyez-vous ?

Le silence se rétablit tout aussitôt. On eût entendu voler une mouche.

Entre Clara Kelb et plusieurs maîtresses se tenaient les deux coupables. Helen semblait avoir perdu sa belle assurance ; quant à May, c'était une chiffe, une pauvre petite chiffe molle, si jolie, si tendre malgré son petit nez rougi par les larmes.

Les servantes s'activaient dans le grand silence précurseur de la terrible cérémonie.

Dans quelques minutes, les jeunes spectatrices le savaient bien, il en serait tout autrement.

La vaste salle ne tarderait pas à retentir de gémissements, de honte d'abord au moment de l'odieux retroussage, plus ignoble, à l'avis de toutes, qu'un déshabillage complet. Elles avaient bien conscience, les mignonnes, que de dénuder spécialement la chair douce de leurs assises les rendait plus ridicules que la nudité complète exigée par le bain par exemple. On les ravale au rang des tout petits babies et, dame, c'est là une chose que des jeunes demoiselles de treize à dix-sept ans n'aiment pas beaucoup.

Les servantes, dirigées par Kate, à qui était dévolu le rôle officiel de correctrice, avaient placé le banc dans la position voulue. C'était un banc assez haut sur pieds, plus exactement une poutre, ressemblant assez au fameux cheval de bois, le « poney » en usage dans les écoles d'outre-Manche.

La patiente devait se placer à califourchon sur ce banc, dont les pieds de devant étaient plus bas que ceux de derrière. Placée ainsi, la coupable, solidement assujettie grâce à des boucles qui encerclaient les mains et les chevilles, se trouvait avoir la tête en bas et l'opposé tout naturellement en l'air, de la manière la plus choquante et la plus ridicule pour une jeune personne de qualité.

Quand tout fut prêt, Louisa apporta quatre verges qu'elle déposa dévotieusement sur une chaise à côté du banc du supplice. Mistress Grant, qui s'était contentée de surveiller ces préparatifs d'un air de Junon indignée, prit alors la parole pour le petit speech nécessaire et se tourna vers les élèves, qui, attentives, levaient leurs petits nez fripons et curieux.

– Mesdemoiselles, – elle toussa pour affermir sa voix, – mesdemoiselles, vous allez assister à la punition de deux de vos camarades qui ont été condamnées, ce matin, par le conseil de discipline que je présidais, à recevoir le fouet. Je vous prie de considérer ce châtiment comme un exemple et de garder vos impressions pour vous. S'il est quelques-unes d'entre vous qui ne se sentent pas le courage d'assister à cette juste correction, elles peuvent sortir.

Mais personne ne sortit et la directrice sourit malicieusement d'un petit air qui signifiait : « Parbleu, ces petites sottes seraient bien chagrines si on les obligeait à sortir maintenant. »

— Personne ne veut sortir, constata mistress Grant ; c'est donc parfait. Louisa et Fanny, amenez miss Helen, préparez-la, et Kate commencera aussitôt : cinquante coups de verge pour la première.

Louisa et Fanny s'approchèrent d'Helen, qui, docile, se laissa faire.

Le déshabillage commença.

Ce fut court. Les mains agiles de Louisa glissèrent sous les jupes de la jeune fille résignée, un peu pâle. Elles tâtonnèrent un instant autour de la taille, puis le pantalon, comme un gros flocon blanc, s'écroula sur les mignons souliers.

— Enjambez, miss, dit Louisa.

Helen obéit et, soutenue par les deux servantes, se dirigea vers le banc, où elle fut hissée à califourchon par la robuste poigne des deux filles.

Kate pesa sur la nuque d'Helen, lui fit baisser la tête. En deux temps trois mouvements la mignonne fut couchée, chevilles et poignets emprisonnés dans les boucles de cuir, dans l'incapacité la plus absolue de se dégager de la posture qu'elle devait occuper jusqu'à la fin de sa punition.

— Retroussez-la, commanda mistress Grant.

Tous les regards des assistantes convergèrent vers ce point qu'on allait dénuder. Les servantes tirèrent sur les jupes, les retroussèrent largement, entraînèrent la chemise, et la « splendeur » apparut ronde, potelée, dodue. Helen rougit un peu et tandis que les servantes fixaient ses jupes et sa chemise avec des épingles afin de les empêcher de retomber durant la correction, toutes les spectatrices purent contempler à leur aise l'adorable derrière de la jeune fille, un petit derrière en pomme, deux belles joues profondément séparées, cachant mal dans leur fissure des mystères charmants.

Mistress Grant, Clara Kelb, les maîtresses, les élèves et les servantes regardaient avec complaisance cette aimable rose de chair, si pâle, si douce, si rose dans l'écrin blanc de sa chemise relevée. Helen, belle rose blanche, bientôt rose de pourpre !

Kate, sur un signe discret de mistress Grant, prit la plus grosse des quatre verges, l'assujettit bien dans sa main. Ce mouvement n'échappa pas à la patiente. On vit les jolies fesses se serrer convulsivement et le premier coup tomba, balafrant ce gracieux visage postérieur d'un long sillon rouge cuivré.

Un gémissement étouffé se fit entendre et la verge reprit son œuvre, mordant, hachant, fouaillant ces belles chairs plus faites en vérité pour connaître les douces caresses d'un jouvenceau passionné que ce brutal affront qui les outrageait si douloureusement.

May, maintenue aux épaules par Clara Kelb, dont les fines narines roses palpitaient de volupté, regardait ce spectacle avec des yeux étrangement dilatés.

Elle suivait le mouvement du bras brandissant les verges, elle se contractait elle-même quand les baguettes avec un bruit mat frappaient la chair gonflée si harmonieusement arrondie.

Helen ne criait pas et cela stupéfiait Bébé, si douillette, si craintive.

Sa pudeur, déjà grandement choquée, se révoltait devant les mines que le postérieur d'Helen semblait lui faire, pour la narguer.

Cette énorme lune, narquoise, tantôt semblait rire dans un épanouissement insolent de ses deux joues, tantôt semblait, en se serrant au point de ne plus révéler la raie médiane que telle une simple ligne, prendre des airs pincés pour s'épanouir de nouveau.

C'était la plus comique des danses, la danse du fouet, et le derrière d'Helen sautait en mesure, se levait, s'abaissait, se contractait, se dilatait, au rythme des verges marquant la cadence de la valse sur la peau fine, jadis blanche, maintenant rouge, d'un rouge ardent et luisant, un rouge de brûlure.

Au trentième coup, qui cingla affreusement la jeune fille, celle-ci se raidit dans ses liens, ouvrit la bouche pour crier, mais le son ne sortit pas.

Kate dirigea la pointe de ses verges de manière à frapper le postérieur en long, atteignant le sillon des fesses et entre les jambes, un peu trop largement écartées.

Helen poussa un cri aigu cette fois.

Puis, chose étrange, cependant que la correction se poursuivait méthodiquement, elle ne proféra plus un cri, plus un gémissement. Comme engourdie, elle fermait les yeux, desserrait les dents dans un rictus d'opiomane, abandonnait son corps, mollement…

La correction, sur un signe de mistress Grant, cessa. Les cinquante coups de verge avaient été donnés et reçus. La morale était sauve.

On détacha la pauvre Helen, dont la tête penchait gracieusement sur l'épaule gauche. On retira les épingles qui maintenaient ses jupes en l'air, et elle put cacher ses fesses douloureusement éprouvées.

– Ah! j'ai mal, j'ai mal! murmura-t-elle d'une voix douce.

– Conduisez-la à l'infirmerie, régime spécial; à moins qu'elle préfère rester ici pour voir le châtiment de sa camarade.

– Ah! oui, madame, je préfère… Donnez-moi à boire quelque chose, j'ai tellement soif.

On lui servit une citronnade, puis un cordial qui la réveilla, lui redonna des forces, ranima ses joues pâles.

– Je resterai debout, si vous le permettez, madame, car vraiment… je ne puis m'asseoir.

Mistress Grant sourit avec gentillesse. Elle n'avait pas l'air d'être fâchée contre Helen. Étrange directrice; étranges élèves!

Cependant le tour de Mlle Bébé, la pure, la chaste et merveilleuse Mlle Bébé était venu.

C'était en quelque sorte le clou de la cérémonie. Enfin on allait pouvoir contempler à loisir ce qui *n'avait jamais été vu*, la merveille des merveilles, le pur joyau de chair blanche, soigneusement enveloppé dans les lingeries fines, ainsi qu'un bonbon fin dans son enveloppe de soie.

Dans cinq minutes à peine, la lune de Mlle Bébé, éclipsant l'astre d'Helen, allait briller d'un éclat incomparable, bel astre de crème, de crème fouettée, bien entendu, perle laiteuse sur l'écrin bleu sombre des jupes relevées.

Quand les servantes s'approchèrent de May pour la préparer, la pauvre enfant se jeta à genoux, suppliant, gémissant, promettant d'une voix affolée tout ce qu'on ne lui demandait pas.

– Mon Dieu! Laissez-moi... Madame, pardon, pardon, je ne le ferai plus... je vous le jure... laissez-moi... je ne veux pas, je ne veux pas... Oh!...

Ce « oh! » de désespoir suprême venait de ce que Louisa, ayant glissé ses mains sous les jupes de Bébé écroulée à terre et se débattant sous l'étreinte de Kate et de Fanny qui la maintenaient sans douceur, venait de trouver la coulisse du pantalon et déculottait tout tranquillement la mignonne époumonée.

L'opération fut d'ailleurs conduite avec une rapidité qui prouvait l'habileté de Louisa dans ces sortes d'opérations.

Comme on dépouille un lapin la servante dépouilla la sanglotante Mary de son inexpressible, qu'elle sortit triomphalement et agita en l'air devant les élèves.

Alors, elle aida ses deux autres compagnes à relever May, qui se faisait lourde, s'agrippait aux robes, aux corsages des femmes.

– Quelle sotte! fit mistress Grant. Kate, je vous recommande de soigner particulièrement son derrière.

Presque portée, la pauvre May fut hissée sur le banc. Ainsi, c'en était fait : la honte suprême allait être subie. Elle sentait les courroies enserrer ses poignets, on lui baissait les épaules... Oh! quelle posture lui faisait-on prendre? Sa croupe levée lui semblait dominer toute la salle. Elle avait la sensation de n'être plus qu'un énorme postérieur tendu au-devant de l'atroce fessée.

Quand elle sentit la main de Fanny relever ses jupes, elle cria, encore une fois : « Pardon; pas ça! Oh! mon Dieu! »

Les jupes relevées, épinglées sur les épaules, Fanny souleva la chemise, fit claquer sa langue d'un air admiratif et leva le rideau.

Un petit « oh! » d'admiration, vite réprimé par un regard sévère de mistress Grant, courut dans les rangs des spectatrices, quand apparurent à l'air les admirables fesses de la fillette callipyge.

C'était pur de lignes, aimablement rond, pas trop copieux, mais bombé avec grâce, une croupe en pomme, séduisante, mutine, affriolante et douce au toucher comme une pêche.

Parmi tous les beaux derrières de Saint-Paul school, le derrière de May tenait le premier rang. La posture de la jeune fille le présentait beau à souhait avec ses deux joues d'ange, son sillon un peu évasé vers le pli des cuisses, cible adorable, dont un point noir indiquait le centre mystérieux.

Un sourire de contentement et d'admiration sincère errait sur les lèvres décloses des assistantes.

Ces dames et ces demoiselles étaient connaisseuses en cette matière, et May obtenait des suffrages dont elle se serait d'ailleurs fort bien passée.

– Vous lui en donnerez vingt-cinq coups pour cette fois.

– Bien, madame, répondit Kate.

Elle leva les verges.

« Ouille! » fit May avant d'avoir été fouettée. La jolie douillette fit rire toute la salle. Mme Grant ne put elle-même garder son sérieux.

« Oh! là là! »

Cette fois, c'était pour de bon, les verges venaient de cingler le pauvre mignon fessier, le zébrant de rouge.

Kate comptait les coups : « Un... deux... trois... quatre... cinq... »

Et Bébé, faisant sauter sa croupe, hurlait en réponse : « Assez... oh là là! ... Mon... oh... Dieu... aaassez! Je ne le ferai... pluus! ... ooh... »

« Six... sept... huit... neuf... dix... onze... douze... », continuait l'implacable fesseuse.

La peau si blanche de Bébé prenait maintenant la chaude coloration des pivoines pourpres.

« Je vais... mourir... Ohh! vous me faites... mal... ooh... aïe! Pardon! ... pardon! je ne... le... ferai plus. »

Ces supplications et ces promesses n'émouvaient guère la correctrice, qui tranquillement continuait d'appliquer la fessée.

Bébé ne pensait même plus à la honte de montrer son derrière. La douleur enlevait chez elle toute autre sensation. Et elle laissait bondir sa croupe juvénile, sans penser – heureusement – aux mystères ravissants qu'elle dévoilait – oh! en toute innocence – dans les bonds désordonnés qu'elle faisait pour essayer de se dérober à l'averse de feu qui torturait les parties les plus charnues de son gentil petit corps potelé.

Jamais elle n'aurait cru pouvoir supporter une telle souffrance sans mourir. Et pourtant elle se sentait solidement fessée et elle ne mourait pas.

On ne meurt pas d'une bonne fessée. May en fit l'expérience, et le vingt-cinquième coup, administré de tout cœur par le bras nerveux de l'impassible Kate, tomba juste en travers des deux mignonnes fessettes qui se contractèrent et s'épanouirent pour la dernière fois.

May, sanglotante, brisée, incapable de rassembler une idée, fut déliée du banc.

Un étourdissement la prit dès qu'elle fut remise sur pied et, avant qu'on ait eu le temps de rabattre jupes et chemise, la fillette tombait sur le sol évanouie.

On la transporta à l'infirmerie, régime spécial, comme sa camarade Helen.

Le spectacle était terminé.

HAVELOCK ELLIS

1859-1939

L'Impulsion sexuelle

1911

En 1920, l'étude psycho-scientifique de la sexualité n'était plus une nouveauté, mais il revenait à Havelock Ellis d'en faire un panorama aussi large dans ses *Études de psychologie sexuelle*, attirant vers ses imposants volumes de 400 pages in-8° une clientèle variée où voisinaient les médecins, les curieux, les collégiens. C'est à Havelock Ellis, on l'oublie quelquefois, que l'on doit la formule célèbre, qui sera bientôt utilisée par Raymond Poincaré pour la défense d'un livre poursuivi : « *Les hommes ont besoin de récits érotiques comme les enfants de contes de fées.* »

Publiées sans problèmes de 1908 à 1939 au Mercure de France, les *Études de psychologie sexuelle* firent l'objet d'un arrêté d'interdiction à l'affichage en France lorsqu'elles furent réimprimées chez Tchou en 1964/66. C'est invraisemblable mais c'est vrai.

HISTOIRE VIII. – Une dame m'écrit : « Lorsque j'avais 8 ans, nous avions l'habitude de jouer au père et à la mère avec plusieurs enfants. Nous détachions nos vêtements et appliquions nos parties sexuelles les unes aux autres, comme nous supposions que le font les gens mariés, mais il n'y avait pas de sensations sexuelles et les garçons n'avaient pas d'érections. » A dix ans elle eut conscience d'une sensation agréable évoquée par l'odeur de cuir, et cette particularité lui est restée depuis. Elle passait à cet âge parfois quelque temps dans un magasin en gros de registres reliés en cuir. Elle ne faisait pas attention, à cette époque, à la sensation et certainement elle n'était pas consciente d'une connexion avec l'émotion sexuelle. La menstruation fit son apparition à l'âge de 13 ans et demi. Quelques mois plus tard, elle observa pour la première fois des sensations sexuelles distinctes. « Les premières sensations d'amour que j'ai éprouvées se présentèrent à l'âge de 14 ans, pour un joli garçon qui venait souvent chez nous. Il avait de la sympathie pour moi, mais sans m'aimer. Rarement il s'assit à mon côté et prit ma main dans la sienne comme je le désirais. Cela dura jusqu'à ma 17e année, lorsqu'il s'en alla à l'université. A son premier retour, il fit preuve d'attraction vers moi ; mais quoique je l'aimasse beaucoup, j'étais trop fière pour le montrer. Lorsqu'il tenta de m'embrasser, je résistai, tout en le désirant. Il s'imagina que j'étais très offensée, et il me fit des excuses, ce qui me mit en colère. Toutes ces années je l'avais adoré et il avait rempli toute ma pensée. » Lorsqu'elle était en compagnie de ce jeune homme, elle éprouvait des sensations physiques, avec huméfaction de la vulve. Cela dura jusqu'à l'âge de 20 ans, mais l'objet de ces émotions n'a jamais renouvelé ses propositions.

A l'âge de 19 ans, elle devint la fiancée d'un autre. Au début elle était physiquement indifférente pour son fiancé, mais la première fois qu'il l'embrassa, elle devint très excitée. Pourtant l'engagement fut bientôt cassé, à cause de l'absence d'une affection suffisante des deux côtés, et surtout, à ce qu'il semble, parce que l'ardeur du fiancé s'était refroidie. Elle pensa qu'il eût été plus fortement attaché à elle si elle avait été plus froide pour lui, ou si elle avait prétendu l'être, au lieu de l'agréer avec simplicité et franchise.

Pendant quelques années, rien d'important n'arriva. Elle travaillait durement, et ses amusements étaient plutôt enfantins. Elle aimait beaucoup la danse, et elle était toujours contente lorsque quelqu'un lui montrait des attentions. Souvent elle était consciente de sensations sexuelles, parfois elle en était tourmentée, et elle regardait cela comme une chose dont elle devait avoir honte. L'aspiration constante vers l'amour n'était que peu ou nullement affectée par le travail. Elle aimait beaucoup alors rêver à l'état éveillé et lire des poésies, surtout si elle ne pouvait pas très bien les comprendre. Cela l'amenait à toute espèce de rêves d'amour, qui n'excédaient jamais les préliminaires de l'amour, car c'était là tout ce qu'elle en savait à cette époque. Elle ne s'est jamais masturbée et elle doute que cette méthode de soulagement fût possible dans son cas. Ses rêveries évoquaient toutes les sensations physiques du désir sexuel, avec des sécrétions abondantes, mais jamais d'orgasme, qu'elle ignorait encore. Pourtant l'excitation sexuelle était assez grande pour causer une sensation de soulagement après. Les rêveries de jour constituaient la seule manière dont l'éréthisme sexuel était déchargé. Elle ne se rappelle pas avoir eu des rêves érotiques ou des manifestations sexuelles quelconques pendant le sommeil.

L'excitation sexuelle spontanée était présente quelques jours avant la menstruation, et assez marquée pendant et immédiatement après la période. Cette excitation avait aussi une tendance à se produire au milieu de la période intermenstruelle.

La sensation agréable en rapport avec l'odeur du cuir devint plus marquée à l'approche de l'âge adulte, surtout lorsqu'elle eut 24 ans ; cette sensation produisait une émotion sexuelle avec huméfaction de la vulve dont elle avait pleine conscience. Elle était souvent associée avec des sacs en cuir, mais non avec des souliers, quoiqu'elle découvrît, en frottant le cuir de souliers, que la même odeur était présente. Elle ne comprend pas l'origine de cette sen-sation, dont sa conduite n'a jamais été affectée et qui n'a pas amené des habitudes fétichistes.

Certaines autres odeurs ont le même effet, mais non au même degré que le cuir. Tel est le cas surtout avec certaines fleurs, spécialement des fleurs blanches au parfum violent, comme les gardénias. A une période ultérieure, l'influence sexuelle des odeurs personnelles a été éprouvée parfois, mais cette histoire ne raconte que la période avant le mariage.

Elle croit, en jetant un coup d'œil rétrospectif sur le développement de son sentiment sexuel, que ce développement a été peut-être lent sous certains rapports, mais qu'il a été simple, naturel et spontané, et qu'il correspond au développement de toute jeune fille. La jeune fille ne s'intéresse pas à comprendre son sentiment sexuel. Plus tard tout semble clair et simple. Beaucoup d'occupation cérébrale, et l'occupation des mains en même temps, ne neutralise pas le désir, mais est de grande importance pour aider et protéger une jeune fille grandissante, lorsque cette occupation est combinée avec des informations suffisantes sur elle-même et sur son rapport au mâle, afin qu'elle sache s'orienter et qu'elle soit capable de choisir l'homme qu'il lui convient. Sous les meilleures conditions, on peut, bien entendu, encore se tromper.

Histoire IX. – Le sujet appartient à une grande famille, dont certains membres sont névrosés ; elle a passé son enfance dans une grande ferme. Elle est vigoureuse et énergique, a des goûts intellectuels, est accoutumée à penser pour elle-même, d'un point de vue non conventionnel, sur beaucoup de problèmes. Ses parents étaient très religieux. Son enfance fut dépourvue d'association d'un caractère sexuel, et elle se rappelle peu qui pourrait être mentionné à cet égard. Elle se rappelle que dans son enfance et encore quelque temps après, elle croyait que les enfants naissaient par le nombril. Son activité se dirigeait surtout dans des directions humanitaires et utopiques, et elle nourrissait des idées d'une vie large, saine et libre, une vie qui ne serait pas entravée par la civilisation. Elle se regarde elle-même comme très passionnée, mais il semble que ses émotions sexuelles se sont développées d'une manière très lente et qu'elles ont été un peu intellectualisées. Après avoir atteint la vie adulte, elle a contracté plusieurs relations sexuelles successives avec des hommes, qui lui étaient sympathiques par affinité de tempérament, d'idées ou de goûts. Ordinairement ces relations ont été suivies d'un certain degré de désillusion, et pour cette raison elles ont été dissoutes. Elle n'est pas partisan du mariage légal, mais sous des circonstances propices elle aimerait beaucoup avoir un enfant.

Jusqu'à l'âge de 27 ans elle ne s'est jamais masturbée. A cette époque, une amie mariée lui raconta que cela était possible. Elle découvrit qu'elle pouvait ainsi se procurer du plaisir, et même davantage que jamais le coït ne lui avait donné, sauf dans un seul cas. Elle ne s'est jamais masturbée avec excès, mais à de grands intervalles, et elle croit que la masturbation est très utile si on la pratique avec modération. Parfois, après des excitations mentales, elle n'aurait pas pu dormir sans avoir recours à la masturbation pour calmer la tension.

L'excitation sexuelle spontanée est la plus forte immédiatement avant l'époque menstruelle.

Des rêves sexuels dérivant de l'excitation sexuelle pendant le sommeil n'ont pas eu lieu, sauf peut-être une ou deux fois.

Dès sa jeunesse, elle a eu des rêveries érotiques le jour, au cours desquelles elle imaginait des histoires d'amour dont elle était elle-même l'héroïne ; le climax de ces histoires s'est développé avec l'augmentation de sa connaissance des choses sexuelles.

Elle n'est pas invertie, et n'a jamais eu de l'amour pour une femme. Pourtant elle trouve qu'une belle femme constitue distinctement une excitation sexuelle, qui évoque des manifestations physiques véritables d'émotion sexuelle. Elle explique cela en disant qu'alors elle se place instinctivement à la place d'un homme, et qu'elle ressent comme il lui semble qu'un homme ressentirait.

Elle trouve que la musique excite les émotions sexuelles, ainsi que plusieurs odeurs, soit de fleurs, soit l'odeur personnelle de la personne aimée, soit des parfums artificiels.

Histoire X. – « Lorsque j'entendis parler pour la première fois de l'acte sexuel, écrit une autre femme, cela me parut tellement absurde que je n'y fis pas grande attention. Vers l'âge de 10 ans j'en discutai beaucoup avec d'autres fillettes. »

A peu près un an après le début de la menstruation, elle découvrit par hasard la masturbation en se penchant sur une table. « Je le découvris d'une manière naturelle, personne ne me l'avait enseigné ; le caractère naturel de l'impulsion m'amena souvent, dans les années qui suivirent, à douter si cela pouvait être nuisible. » Ses deux sœurs se masturbèrent depuis leur enfance, mais autant qu'elle sache son frère ne s'y est jamais adonné. Pendant beaucoup d'années elle lutta contre cette habitude, mais en vain. « La vue des animaux qui s'accouplaient, la lecture de beaucoup de livres (Shakespeare, Rabelais, Gautier, *Mademoiselle de Maupin*, etc.), la vue de figures nues dans certains tableaux de Bacchanales (comme ceux de Rubens), tout éveillait ma passion. En même temps, et peut-être comme résultat de ces faits, il se développa un dégoût pour le coït normal. Je devins amoureuse et j'aimais me faire embrasser, mais la seule pensée à quelque chose au delà me dégoûtait déjà. Si mon fiancé avait proposé pareille chose, j'aurais perdu tout mon amour pour lui. Mais tout ce temps la masturbation continuait, quoique aussi rarement que possible et sans penser à mon ami. L'amour pour moi était une chose idéale, et tout à fait à part du désir, et j'estime toujours qu'il est faux d'essayer de mettre les deux en rapport. Je crains que maintenant encore, si je devenais amoureuse, le rapport sexuel briserait tous les charmes. A l'âge de 17 ans je lus la *Sonate à Kreutzer*, de Tolstoï, et je fus très heureuse d'y trouver toute ma propre pensée. Mais j'ai vu une amie heureusement mariée, et graduellement je suis venue à une vue plus normale des choses. Je regarde les hommes d'une manière très critique et je n'en ai rencontré aucun assez juste et assez libre d'esprit pour me plaire. Si j'en trouvais un, j'arriverais peut-être à un point de vue tout à fait sain. »

Peu à peu, elle a adopté plusieurs procédés pour augmenter l'excitation sexuelle lors de la masturbation. Ainsi elle a trouvé par exemple que les effets de l'excitation sexuelle sont augmentés lorsque la vessie est pleine. Mais la méthode principale qu'elle a imaginé pour augmenter et prolonger l'excitation préliminaire consiste en ce qu'elle porte un corset très lacé (ce qui est contraire à son habitude), et qu'elle se maquille la figure. Elle ne sait pas expliquer cela. Il semble que c'est une objectivation de la propre personne du sujet, associée avec des sentiments homosexuels. L'auto-excitation est complétée par la friction, ou parfois par l'introduction d'un morceau de bois dans le vagin. Elle trouve que plus répète la masturbation fréquemment, plus facilement elle est excitée. La sensation sexuelle spontanée est la plus forte avant et après la période menstruelle, mais non autant pendant la période.

Il y a plusieurs traits faibles d'homosexualité dans l'histoire du développement sexuel de cette femme. Récemment ceci est arrivé à un climax par la formation d'une relation homosexuelle avec une amie. Cette relation lui a procuré grand plaisir et satisfaction. Pourtant elle ne se considère pas comme une invertie proprement dite.

Il y a eu des rêves sexuels très vifs vers l'âge de 17 ans (évidemment dans la période où elle avait un amoureux). Mais ces rêves ne se rapportaient spécialement à des personnes ni de l'un ni de l'autre sexe.

A part l'influence déjà mentionnée de certains livres et tableaux, elle remarque qu'elle est sexuellement affectée par l'odeur personnelle d'une personne aimée, mais non, à ce qu'elle sache, par aucune autre odeur.

Histoire XI. – Veuf, 40 ans, chirurgien.

« Mon expérience des choses sexuelles a commencé très tôt. Comme j'avais environ 10 ans, un camarade d'école, qui était pour quelque temps chez nous, me raconta que sa sœur le faisait se découvrir et qu'elle jouait alors avec lui et qu'elle l'encourageait à faire la même chose avec elle. Il trouva la chose drôle et suggéra de prendre deux de mes sœurs avec nous pour répéter l'expérience avec elles. Nous l'avons fait et nous avons essayé de notre mieux d'avoir des rapports avec elles ; elles ne résistèrent aucunement et firent au contraire tout ce qu'elles pouvaient pour nous aider, mais rien ne fut atteint et je n'éprouvai aucun plaisir. »

A l'école, un garçon plus âgé essaya de le masturber ; puis une bonne eut des relations sexuelles avec lui. A l'école il pratiquait la masturbation mutuelle avec d'autres garçons et il eut sa première émission à l'âge de 14 ans. Il aimait à se coucher dans les bras d'un autre garçon en se caressant et s'excitant l'un l'autre, pour enfin se masturber mutuellement. Ils n'ont jamais eu des rapports contre nature. Après avoir quitté l'école il n'eut pas l'occasion d'avoir des rapports avec le sexe masculin, et il n'en désira pas, mais devint un esclave des charmes féminins.

La vue des jambes ou du buste d'une femme, surtout lorsqu'ils étaient partiellement cachés par de beaux dessous, et plus encore quand il pouvait les voir à la dérobée, étaient suffisants pour lui procurer une sensation voluptueuse et une érection violente, avec palpitations au cœur et à la tête.

« A l'âge de 17 ans je pratiquais le coït fréquemment et me masturbais régulièrement. J'aimais masturber une jeune fille, plus encore que d'avoir des rapports avec elle, et cela était surtout le cas pour des jeunes filles qui jamais n'avaient encore subi la masturbation... J'obtins de nombre de jeunes filles de se laisser faire, mais l'offre ne fut jamais égale à la demande... J'allai étudier la médecine à cause des opportunités que j'aurais d'entrer en intimité avec beaucoup de femmes qui autrement auraient été hors de ma portée.

« A l'âge de 25 ans je me mariai avec une jeune fille très belle et très amoureuse. Pendant les fiançailles nous demeurions des heures dans les bras l'un de l'autre, en pratiquant la masturbation mutuelle. Je l'embrassais aussi passionnément sur la bouche, en introduisant ma langue dans sa bouche de temps à autre, avec le résultat invariable que j'avais une émission tandis qu'elle commençait à soupirer et à trembler. Après le mariage nous pratiquâmes toute espèce de coït spécial, *coïtus reservatus*, etc.; rarement nous passions 24 heures sans avoir deux fois des rapports, même jusqu'à sa grossesse bien avancée.

« Dans cet intervalle j'allai passer quelque temps chez un ancien camarade d'école, qui avait été un de mes amants autrefois. J'avais à partager sa chambre, et la vue de son corps nu éveilla mes sentiments voluptueux. Lorsqu'il eut éteint la lumière, je me rendis à son lit et comme il ne fit aucune objection, nous passâmes la nuit avec masturbation mutuelle, des caresses, *coïtus inter femora*, etc. Je fus surpris de trouver combien je préférais cet état de choses au coït avec ma femme, et je me résolus de jouir autant que possible de l'occasion. Nous passâmes quinze jours ensemble de cette manière et je retournai chez ma femme et fis mon devoir, mais jamais je n'éprouvai le même plaisir. Lorsque ma femme mourut, cinq ans plus tard, je ne fus pas tenté de me remarier, mais me dévouai âme et corps à mon ancien camarade d'école, avec lequel j'entretins des relations tendres jusqu'à sa mort, l'année passée. Depuis j'ai perdu tout intérêt à la vie. »

Le patient m'a consulté il n'y a pas longtemps, écrit l'éminent aliéniste à qui je dois l'histoire qui précède, je l'ai trouvé être un homme assez sain, souffrant un peu de neurasthénie et avec une tendance à la mélancolie. Organes sexuels grands, un des testicules un peu atrophié, poils pubiques abondants, forme du corps distinctement masculine; tempérament neurotique. Le traitement lui fut profitable; après trois consultations et après avoir écrit l'histoire ci-dessus, il ne revint pas.

AIMÉ VAN ROD

Auteur inconnu

Grace Rod

1 9 1 2

Certains auteurs cachés par des pseudonymes sont impossibles à identifier. C'est particulièrement le cas d' « Aimé Van Rod », car ce nom, d'après ce que nous a dit Pascal Pia, cache non pas un, mais plusieurs écrivains.

Comme « Jean de Villiot », nom sous lequel publia quelquefois Hugues Rebell vers 1900, il s'agit d'un pseudonyme collectif, propriété d'un éditeur (en l'occurrence P. Brenet), qui le mettait à la disposition des rédacteurs qui travaillaient pour lui. La lecture des romans publiés sous ce nom avait fait en tout cas une certaine impression à Desnos, qui les jugeait supérieurs à ceux de Sadie Blackeyes, dont il n'ignorait pas le véritable nom (voir R. Desnos, *De l'érotisme...*)

L*A CHAMBRE D'ALICE* se trouvait située non loin de celle de Grace et dans la même aile du château. Elle était très simplement meublée : un lit laqué blanc, bas et large, un fauteuil et des chaises, le tout en bois laqué ; une armoire, un bureau de dame, une sorte de petit tabouret de piano dont le siège, – Grace le remarqua tout de suite, – était recouvert par le même tissu-brosse qui garnissait la chaise de pénitence sur laquelle, à midi, avait dû s'asseoir Alice.

Le parquet était recouvert d'une carpette.

Lorsque le colonel et Grace entrèrent dans la chambre, Alice et Miss Mabel s'y trouvaient déjà. La première, en chemise de jour, qui laissait découvertes sa poitrine et ses épaules et lui venait aux mollets, était debout au pied de son lit. Elle avait les mains attachées et la corde qui les liait était attachée elle-même à la barre de cuivre du lit.

Le colonel lâcha la main de Grace qui frémissait de terreur et d'indignation et il ferma la porte à clef, puis il revint s'asseoir dans le fauteuil.

– Quelle correction ce soir, miss Mabel ? demanda-t-il.

– Ce soir, sir, je vais fouetter les épaules de miss Alice et sa poitrine avec un petit bouquet d'orties fraîches et je lui donnerai douze coups de martinet sur le derrière.

– A nu ?...

– Non, sir, je lui ai fait mettre le petit caleçon étroit, en linon.

– Parfait. Allez.

Miss Mabel ouvrit une boîte en carton dans laquelle se trouvaient rangées une dizaine de tiges d'orties bien garnies de leurs feuilles et Grace remarqua que la *governess* avait ganté de cuir sa main droite afin, évidemment, d'éviter les piqûres.

Miss Mabel dénoua les rubans qui retenaient la chemise d'Alice aux épaules et abaissa cette chemise jusqu'à la taille ou elle la maintint en l'attachant par les rubans.

Les épaules, le dos gracieusement incurvé, la poitrine bombée, les seins droits et blancs comme la neige, fleuris de rose, apparurent, si chastes qu'on eût dit une statue de marbre rose et qu'il ne s'en dégageait qu'une impression de beauté pure.

Mais ni miss Mabel ni, sans doute, le colonel ne s'attardaient à de telles pensées. Tous deux ne voyaient là que chair à macérer et, partant, qu'esprit à dominer, à courber, à étouffer…

– Baissez la tête, Miss, dit la *governess*, et pendant que je vais vous infliger la correction rituelle, méditez et prenez de bonnes résolutions !

Tout cela c'était parler pour ne rien dire, car miss Mabel devait bien se douter qu'on ne médite pas pendant qu'on vous fouette. Mais ces paroles, comme toutes celles prononcées en pareilles circonstances, n'avaient pour but que d'ajouter à la confusion de la coupable et Grace s'en rendit bien vite compte et nota ces raffinements incessants qui caractérisaient l'étrange conduite du colonel et de sa gouvernante.

Cependant miss Mabel, brandissant le bouquet d'orties, commença d'en flageller mollement les épaules et les seins, le dos et les flancs d'Alice.

La fustigée se mit à pleurer et à gémir tout doucement tandis qu'elle remuait son buste en tous sens sous l'action cuisante des terribles feuilles.

– Alice ! dit sévèrement miss Mabel, voulez-vous rester tranquille ?… Je vous défends de bouger ainsi ! Baissez la tête ! Si vous persistez dans votre inconvenante attitude je vais vous donner vingt-quatre coups de martinet sur le derrière au lieu de douze ! …

La jeune fille ne bougea plus. Seuls se voyaient encore les mouvements spasmodiques dus à ses sanglots. Et cependant la *governess* fouettait toujours, sans répit, promenant l'humiliante et douloureuse morsure des orties sur toutes les parties du buste.

Maintenant la peau tout entière était couverte de boutons qui, blancs d'abord sur fond rouge, avaient rougi eux-mêmes, s'étaient groupés et avaient formé de larges boursouflures.

On eût dit qu'Alice était en proie à une attaque de rougeole et la vue de ce corps si rapidement enflammé émouvait Grace au-delà de toute expression.

Combien Alice devrait souffrir ! Mais Grace pensait qu'à sa place elle souffrirait plus encore dans sa pudeur que dans son corps.

L'acte du colonel fermant la porte à clef la faisait réfléchir, sans quoi elle n'eût peut-être pu résister à l'envie d'exprimer son indignation, ce qu'elle aurait fait, comme toujours avec violence. Mais, elle était bien forcée de se l'avouer, elle avait peur. Elle avait peur d'être fouettée.

Il lui semblait que si elle sentait sur elle les mains de miss Mabel, si elle se voyait retrousser et préparer suivant l'usage pour la réception du fouet, elle ne pourrait vivre. Son cœur s'arrêterait de battre… elle mourrait.

Et pendant qu'elle pensait à ces choses, miss Mabel continuait à fouetter Alice aux orties. La jeune fille, obéissante, ne bougeait plus et subissait en pleurant silencieusement le fouettement mou des feuilles de moins en moins nombreuses, car elles se détachaient à chaque fouettade. Enfin miss Mabel jugea que l'urtication était suffisante et elle replaça les débris du bouquet dans la boîte en carton. Ensuite elle remonta la chemise, rattacha les rubans sur les épaules et retroussa la chemise par derrière.

Grace frissonnait de tout son corps. Elle vit l'étroit caleçon si mince, presque transparent, qui étreignait la croupe rebondie d'Alice et toute sa pudeur lui monta à la face.

— Pourquoi rougissez-vous ? demanda le colonel. Expliquez-vous, Grace !

— Comment ne rougirais-je pas, fit-elle avec effort, quand je vois ce que vous m'obligez à voir ? C'est une honte, une indignité ! Laissez-moi me retirer !

— L'exhibition d'un séant qu'on va fouetter ne peut en rien offenser la morale, dit miss Mabel. Il ne faut voir que le but, non les moyens. Le but sanctifie les moyens… C'est un vieil adage qui sera vrai toujours. Par suite, exhiber un postérieur pour le fouetter est une excellente chose et vous en conviendrez vous-même avant qu'il soit longtemps !

— Je ne comprends rien à votre morale ! cria Grace. Je…

— Assez ! trancha le colonel. Pas un mot de plus, Grace. Dans votre intérêt pas un mot de plus ! …

Elle se tut, les poings à la bouche, ravalant ses cris de rage et d'indignation.

— C'est cela, dit posément miss Mabel. Ne troublez pas par vos sottises la dignité du châtiment… Penchez-vous un peu, Alice. Encore… Vous savez que j'exige que votre derrière soit bien tendu ?… Répondez ! Vous le savez, n'est-ce pas ?

— Je le sais, miss… sanglota la patiente.

— Vous serez une bonne fille, n'est-ce pas…

Une bonne et sage fille, bien soumise, bien aimante, bien obéissante, vous avez pris de bonnes résolutions ?

— Ou…i… miss…

— Vous regrettez vos fautes passées ?

— Oui… miss…

— Vous ferez tous vos efforts à l'avenir pour les éviter.

— Oui, miss…

– C'est bien. Soyez sage. Penchez-vous encore un peu, je vais appliquer les douze coups de martinet sur votre derrière…

Elle se pencha en avant. Miss Mabel lui plaça la main gauche sous l'estomac, au creux, pour la soutenir et, ayant passé sa dextre, armée du martinet, sur le gros séant tendu pour se rendre compte *de tactu* de l'adhérence parfaite du mince petit pantalon.

Et elle commença l'infliction du martinet.

Le premier coup, donné en travers des fesses, elle l'appliqua très bas, presque sur les cuisses, et Grace vit distinctement la masse rebondie des chairs tressaillir tout entière dans son enveloppe en même temps que son oreille percevait le bruit de grêle des six lanières s'abattant presque simultanément et le cri étouffé d'Alice avouant sa souffrance aiguë.

Le second coup suivit presque aussitôt, puis le mouvement se précipita. Alice reposait presque de tout son poids, courbée comme elle était, sur la main gauche de la fouetteuse et celle-ci, toute rouge de l'effort terrible qu'elle fournissait, fouettait avec force et rage, sans donner une seconde de répit au pauvre derrière corrigé.

Et la souffrance, à en juger par les cris déchirants et les contorsions d'Alice, devait être terrible… Heureusement elle fut courte. Un dernier coup ébranla rudement la mappemonde dont les boursouflures soulevaient le mince linon en deux ou trois endroits et miss Mabel posa le martinet sur le lit. Elle palpa un instant la partie fouettée, pour voir sans doute si elle était suffisamment échauffée par le fouet, et elle rabattit la chemise.

Sans un mot, elle détacha les mains d'Alice et alla s'asseoir sur une chaise.

Alors Grace fut témoin du fait le plus extraordinaire de cette aventure.

Alice, sitôt que ses mains furent détachées, se frictionna sans pudeur aucune, mais sur un sévère avertissement de miss Mabel elle s'agenouilla et vint, sur ses genoux, vers son père.

Derrière ses mains elle cachait son visage en larmes et tout empourpré par la honte. Elle prit celles du colonel et les baisa humblement, après quoi elle baisa également ses pieds et elle sanglota :

– Mon bon papa… je vous remercie de tout mon cœur… de l'excellence fouettée… que vous… m'avez… fait infliger… Je vous promets… qu'elle me sera bien profitable…

– Je l'espère ! dit simplement le colonel.

Elle rampa dans les mêmes conditions vers miss Mabel à qui, plus humblement encore, si possible, elle baisa le bas de la jupe, les genoux et les deux mains.

– Chère miss, fit-elle d'une voix brisée et tout entrecoupée de hoquets, je vous remercie de tout mon cœur de la bonne fouettée… que vous venez de me donner… Je vous aime tendrement et je vous supplie de me continuer vos fructueuses sévérités !…

— Ainsi ferai-je, dit la *governess*. Relevez-vous, je vais vous donner le baiser de paix...

Alice se releva, plus humble que jamais, et miss Mabel la pressant contre sa poitrine échangea avec elle l'humiliant, le honteux baiser de paix qu'en elle-même Grace craignait davantage peut-être que la plus cuisante des corrections.

— Maintenant votre prière ! fit la *governess*.

Alice s'agenouilla près de son lit, joignit ses mains qui tremblaient encore et prononça tout haut une étrange prière dont l'esprit et la forme entretinrent en Grace l'indignation la plus violente peut-être qu'elle eût connue à ce jour.

La jeune fille priait, il est vrai, mais elle demandait à Dieu de si étranges choses ! Ne nous y attardons point. Notons seulement que, à la suite sans doute d'une leçon sérieuse de son père et de miss Mabel, elle sollicitait de la Puissance d'En Haut l'anéantissement de l'esprit d'orgueil qui anime les suffragettes. Elle demandait que les hommes, mieux éclairés, comprissent que dans le châtiment corporel des militantes, et dans ce genre de châtiment seul, était la sécurité de l'ordre social établi. Elle demandait encore et surtout, pour elle-même, des corrections nombreuses et sévères afin que fût définitivement étouffé son orgueil féminin sous le poids de la discipline familiale...

Sans doute il était visible que la jeune fille récitait là une leçon. Son débit était incolore, monotone, nul élan, nulle palpitation n'y étaient perceptibles, elle faisait cette prière comme elle en eût fait une autre ; mais que d'abjection dans cet acte tout simple en apparence ! Comme il fallait que l'homme et la gouvernante fussent puissants pour avoir amolli, à ce point qu'ils pouvaient le plier à toutes leurs fantaisies, cet esprit qu'ils disaient avoir été indépendant, personnel, difficile ! ...

La prière terminée, Alice se releva. Sur un ordre de miss Mabel, elle retira sa chemise de jour et passa sa chemise de nuit, toute blanche avec de grandes larges manches, et très longue, car elle faisait des plis sur le tapis.

Sans dire un mot, miss Mabel prit des rubans noirs qui, au nombre de cinq ou six, étaient disposés sur le dossier d'un fauteuil et elle en noua deux sur les bras d'Alice, au-dessus du coude. Ensuite, elle réunit les extrémités des manches, qui dépassaient les mains, et enfin elle attacha fortement le bas de la longue chemise de façon à former un sac dans lequel se trouvait plongé tout le corps d'Alice.

Elle souleva la jeune fille et la plaça elle-même dans son lit, la borda et lui souhaita bonne nuit.

Grace, ahurie, avait regardé bouche bée miss Mabel préparer ainsi Alice pour la nuit. Le colonel, qui ne perdait pas de vue sa nièce, la prit sous le bras et l'entraîna vers la porte.

— Avec les jeunes filles, dit-il, on ne saurait prendre trop de précautions. Chaque soir Alice est attachée de la sorte et nous sommes certains qu'elle ne peut ni se lever ni mal faire...

EDMOND DARDENNE BERNARD

Anthologie hospitalière

1 9 1 1 - 1 9 1 3

Après les contrepèteries, les chansons de salle de garde accèdent à la lecture. Dans sa préface à l'édition de l'*Anthologie hospitalière* au Cercle du Livre précieux, reprise depuis chez Régine Deforges, Gershton Legman, comme à son habitude, a tout dit sur le sujet :

« *Cette anthologie n'est pas seulement la première en date, mais aussi de beaucoup la plus importante de toutes les collections de chansons érotiques, humoristiques ou populaires, qui circulent oralement parmi les étudiants en médecine et les étudiants des Beaux-Arts.* » Elle est aussi, d'une certaine manière, la seule, ajoute G. Legman, puisque ensuite toutes les autres publications du genre furent copiées sur les deux volumes publiés à petit nombre en 1911 et 1913.

Mélancolie blennoragique

Petit anneau de chair, petite fente laide,
Petit sphincter païen,
Petit coin toujours moite, empoisonné d'air tiède,
Petit trou ; petit rien !

Es-tu laid, quand tu ris de ta lèvre lippue ;
Es-tu laid quand tu dors !
Laid, toi que Dieu cacha dans cet angle qui pue,
Près des égouts du corps !

Ah ! tu peux pourlécher ta babine rosée,
Vilain monstre d'orgueil !
Tu peux, ouvrant ta gueule à crinière frisée,
Bâiller comme un cercueil.

Ventouse, venimeuse, insatiable gouffre,
Si funeste et si cher ;
Je veux te mépriser, toi par qui pleure et souffre
Le meilleur de ma chair.

Je veux te détester à toujours, chose infâme,
Toi qui rends mal pour bien ;

Petit néant creusé dans le bas de la femme,
Petit trou, petit rien!

Et dire que c'est là que Satan met son trône
Et l'homme son honneur!
Là que la poésie a placé ta couronne,
Éros, dieu du bonheur!

Et dire que c'est là que l'Idéal du Rêve
Vient toujours aboutir;
Là que meurt – agonie ineffable et trop brève –
L'amour vierge et martyr!

Que c'est quand nous naissons par cette plaie immonde
Que le jour nous sourit;
Et par elle, quand Dieu voulut sauver le monde,
Qu'entre le Saint-Esprit!

Dire que c'est là que Junon perdit Troie,
Que Ninive croula;
Dire que tout, espoir, force, courage et joie,
Nous vient de ce trou-là!

Et qu'il est le chemin du ciel, la grand'porte
Qu'Ève ouvrit d'un recul;
Et dire qu'une femme, et vieille et laide porte
L'Infini sous son cul!

FERNAND FLEURET

1883-1945

Le Carquois du Sieur Louvigné du Dézert Rouennois

1912

« L'histoire littéraire ne connaît pas une meilleure supercherie que Le Carquois du Sieur Louvigné du Dézert *entièrement composé par M. Fernand Fleuret dans les années 1910 et 1911* », écrit Apollinaire[1]. Tiré à 50 exemplaires seulement (hum!), *Le Carquois* était présenté par Fleuret comme l'œuvre retrouvée d'un certain Annibal Louvigné du Dézert, mort en 1650. « *Cet ouvrage ne témoigne pas seulement d'une érudition où l'on ne trouverait rien à reprendre, mais aussi d'un talent personnel et charmant*, dit encore Apollinaire, le Carquois *fait de M. Fernand Fleuret le plus audacieux des libertins.* » Un bon esprit, Francis Jammes, en fut scandalisé. Quelques poèmes du regretté Louvigné ayant paru dans *Les Marges* avant l'impression du volume, il écrivit au directeur, Eugène Montfort, la lettre suivante : « *Orthez, 22 janvier 1912. Mon cher Montfort, dans le numéro des* Marges *que je reçois, est imprimé un sonnet de Louvigné du Dézert sur Notre-Seigneur Jésus-Christ. Vous devinez quelle insulte, quel atroce affront est à un croyant un tel poème et quelle profonde tristesse il lui cause.*

« *Je ne sais si cet horrible blasphémateur a été foudroyé, dans ce monde ou dans l'autre, par la justice de Dieu. Ce que je sais, mon pauvre Montfort, et je vous le déclare avec une bien douloureuse sympathie, c'est qu'en laissant publier dans votre revue une telle chose, vous vous préparez, et avant longtemps, peut-être, le plus effroyable des châtiments.*

« *Prenez cette lettre pour l'avis d'un ami qui vous tend la main tant qu'il est temps encore. Francis Jammes.* »

Et cependant, la foi catholique de Fernand Fleuret était réelle. Un peu huysmansienne probablement, pour Francis Jammes, qui ignorait d'ailleurs tout de l'auteur véritable du *Carquois*. Fernand Fleuret n'en déploya pas moins pendant longtemps une activité libertine qui lui aurait valu le bûcher en d'autres temps

« *Ami et frère spirituel d'Apollinaire dont il partageait bien des curiosités, il était tourné exclusivement vers le passé alors que Guillaume réussissait à concilier les préoccupations érudites avec les vues d'avenir, mais ils avaient en commun le goût de l'étrange, de l'insolite, du scabreux. Leur liberté intellectuelle était admirable*[2]. » Né un 1er avril, il avait un goût prononcé pour la mystification, si parfois « *certaines [de ses] plaisanteries dépassaient de beaucoup les limites du bon goût dont son esprit délié aurait dû faire preuve s'il avait eu toute son intégrité. Des farces douteuses où l'obscénité le disputait à une cocasserie renouvelée de Jarry, mettaient quelquefois ses meilleurs amis en des situations difficiles*[3] ».

---

1. Notice pour *L'Enfer de la Bibliothèque Nationale*, reprise et augmentée pour l'édition en librairie de ses préfaces aux « Maîtres de l'amour », *Les Diables amoureux*, volume publié seulement en 1964 par les soins éclairés de Michel Décaudin.

2. André Billy, préface à J. de Saint-Jorre, *Fernand Fleuret et ses amis*, Coutances, 1958. On peut se procurer ce livre, extrêmement bien documenté, chez l'auteur.

3. J. de Saint-Jorre.

André Billy rappelle « *ses boucles blondes, ses yeux bleus, ses cils pâles, sa silhouette romantique d'esthète bavarois* », note : « *avec quelle autre femme que sa mère eût-il vécu en bonne harmonie?* », et conclut : « *Un être totalement désarmé, voilà ce qu'était dans la vie quotidienne le pauvre Fernand. Il avait d'innocences colères, des révoltes d'aristocrate offensé. Je l'ai rarement vu content, détendu. Quelque tracassin l'occupait toujours, quelque compte à régler, quelque querelle chimérique. Il a peu connu le repos ici-bas. Puisse-t-il l'avoir maintenant!* »

A partir de 1936, le comportement de Fleuret commença à inquiéter son entourage. On trouve dans les *Souvenirs sans fin* de Salmon le récit suivant, qui aurait certainement réjoui malignement le cœur aigre de Francis Jammes, chrétien sans charité :

« *Organisateur d'une matinée poétique dans une galerie de tableaux du faubourg Saint-Honoré, ayant réussi cela avec l'aide aussi gentille que généreuse de mon aîné Fernand Gregh, je mis Fernand Fleuret au programme. Un comédien déclama fort bien* deux sonnets de Louvigné du Dézert. Vif succès pour le poète et pour l'interprète. Ménageant mon public, j'avais choisi deux poèmes excellents d'entre les moins susceptibles d'affliger les cœurs pleins de foi chrétienne. Certes, quelqu'un d'aujourd'hui, moi, par exemple, pourrait dire que ça restait suffisamment gratiné.*

« *Fernand Fleuret était là, le blasphémateur endurci que je croyais bien connaître. Il vint à moi :*

« *– Pourquoi? Pourquoi avoir fait réciter ça? …C'est sacrilège! C'est affreux!*

« *Il bégayait. Il était blême. Des larmes lavaient ses joues du carmin léger et du rien de violâtre qu'y posa naguère son ami Othon Friesz [4].* »

Victime semble-t-il de son hérédité, Fernand Fleuret passa ses dernières années interné, et mourut à Sainte-Anne le 17 juin 1945, assisté par le professeur Jean Delay.

4. André Salmon, *Souvenirs sans fin II*, Paris, 1956.

Sonnet pour un petit conin

Petit nid sous un petit toit,
D'une oyselle fine industrie ;
Nid qui n'a rien d'un nid de pie,
Mais où la pie hïer estoit ;

Petit annelet trop estroit
Dont je tente l'escroquerie ;
Chef-d'œuvre de serrurerie
Qu'un vit en crochet n'ouvriroit !

Fissure où vrille une lambrusque,
Bosquet où le Plaisir s'embusque :
Tel est le conin d'Alison,

Luy qui regalle ma braguette
Du sphincter d'un jeune garçon
Sous la motte d'une fillette.

Sonnet pour un belle nonnain

QUI SE DISOIT ESPOUSE DU CHRIST
ET REPOUSSOIT UN CAVALIER

Tousjours : Jesus par-cy ; tousjours : Jesus par-là,
Jesus veut la vertu, la pudeur il réclame ;
Sans combler, ce pendant, le désir qu'il affame,
Jesus deffend cecy, Jesus deffend cela.

Sambregoy ! Je vous plains si vous estes sa femme
Car dans ceste Famille aucun ne bricola :
Fust-ce pas un Pigeon que l'Esprit racola
Pour faire foutre en lieu de Luy dans le Trou Nostre-Dame ?

Il faut, ce Jesus-là, le faire un peu Cocu :
Quoy ! souffrir qu'un tyran régisse vostre Cu ?
Qu'il le laisse béant, sans gloire et sans usage ?

Tenez, je le renie, ouy, je change de Foy,
J'honnore Cupidon propice au culletage,
Et vivent les Faux-Dieux qui bandent comme moy !

VALENTINE DE SAINT-POINT

Anna, Jeanne, Valentine Vercell Deglans de Cessiat

1875-1953

Manifeste de la femme futuriste

1912

Voici un cas. Malgré tous mes efforts, je n'ai pu arriver à comprendre pourquoi le *Manifeste de la femme futuriste* figurait dans le *Dictionnaire des œuvres érotiques*. Est-ce, ou non, une lecture érotique ? Je publie tout de même ce texte pour trois raisons : il est rare (j'en dois la communication à Pascal Pia), il est court, peut-être enfin quelqu'un, l'ayant lu, me donnera-t-il une explication.

De toute façon, il s'agit d'un document intéressant. Nous parlerons plus longuement de Valentine de Saint-Point plus loin (p. 224).

Le «Manifeste futuriste» de Marinetti venait de paraître dans *Le Figaro*, exaltant la vitesse, la machine et la guerre, «*seule hygiène du monde*». Apollinaire paraît avoir considéré jusqu'à sa mort Marinetti et le futurisme sans hostilité, avec une condescendence amusée, par exemple pour le manifeste des cinq peintres futuristes, en cette même année 1912, lequel «*plein de pauvretés d'idées antiplastiques, peut cependant par sa violence être considéré comme un stimulant, bon pour les sens artistiques affaiblis des Italiens*» (*Le Petit Bleu*, 9 février 1912).

Réponse à F. T. Marinetti

« Nous voulons glorifier la guerre, seule hygiène du monde, le militarisme, le patriotisme, le geste destructeur des anarchistes, les belles Idées qui tuent et le mépris de la femme. »

PREMIER MANIFESTE DU FUTURISME.

L'Humanité est médiocre. La majorité des femmes n'est ni supérieure ni inférieure à la majorité des hommes. Toutes deux sont égales. Toutes deux méritent le même mépris.

L'ensemble de l'humanité n'a jamais été que le terrain de culture, duquel ont jailli les génies et les héros des deux sexes. Mais il y a dans l'humanité, comme dans la nature, des moments plus propices à la floraison. Aux étés de l'humanité, alors que le terrain est brûlé de soleil, les génies et les héros abondent.

Nous sommes au début d'un printemps; il nous manque une profusion de soleil, c'est-à-dire beaucoup de sang répandu.

Les femmes, pas plus que les hommes, ne sont responsables de l'enlisement dont souffrent les êtres vraiment jeunes, riches de sève et de sang.

Il est absurde de diviser l'humanité en femmes et en hommes. Elle n'est composée que de *féminité* et de *masculinité.* Tout surhomme, tout héros, si épique soit-il, ou tout génie, si puissant soit-il, n'est l'expression prodigieuse d'une race et d'une époque que parce qu'il est composé, à la fois, d'éléments féminins et d'éléments masculins, de féminité et de masculinité : c'est-à-dire qu'il est un être complet.

Un individu exclusivement viril n'est qu'une brute ; un individu exclusivement féminin n'est qu'une femelle.

Il en va des collectivités, des moments d'humanité, comme des individus. Les périodes fécondes, où du terrain de culture en ébullition jaillissent le plus de héros et de génies, sont des périodes riches de masculinité et de féminité.

Les périodes, qui n'eurent que des guerres peu fécondes en héros représentatifs parce que le souffle épique les nivela, furent des périodes exclusivement viriles ; celles qui renièrent l'instinct héroïque et qui, tournées vers le passé, s'anéantirent dans des rêves de paix, furent des périodes où domina la féminité.

Nous vivons à la fin d'une de ces périodes. *Ce qui manque le plus aux femmes, aussi bien qu'aux hommes, c'est la virilité.*

Voilà pourquoi le Futurisme, avec toutes ses exagérations, a raison.

Pour redonner quelque virilité à nos races engourdies dans la féminité, il faut les entraîner à la virilité jusqu'à la brutalité. Mais il faut imposer à tous, aux hommes et aux femmes également faibles, un dogme nouveau d'énergie, pour aboutir à une période d'humanité supérieure.

Toute femme doit posséder, non seulement des vertus féminines, mais des qualités viriles, sans quoi elle est une femelle. L'homme qui n'a que la force mâle, sans l'intuition, n'est qu'une brute. Mais, dans la période de féminité dans laquelle nous vivons, seule l'exagération contraire est salutaire : *c'est la brute qu'il faut proposer pour modèle.*

Assez des femmes dont les soldats doivent redouter « les bras en fleurs tressés sur leurs genoux au matin du départ » ; des femmes gardes-malades qui perpétuent les faiblesses et les vieillesses, qui domestiquent les hommes pour leurs plaisirs personnels ou leurs besoins matériels !... Assez des femmes qui ne font des enfants que pour elles, les gardant de tout danger, de toute aventure, c'est-à-dire de toute joie ; qui disputent leur fille à l'amour et leur fils à la guerre !... Assez des femmes, pieuvres des foyers, dont les tentacules épuisent le sang des hommes et anémient les enfants ; *des femmes bestialement amoureuses qui, du Désir, épuisent jusqu'à la force de se renouveler !*

Les femmes, ce sont les Erynnies, les Amazones ; les Sémiramis, les Jeanne d'Arc, les Jeanne Hachette ; les Judith et les Charlotte Corday ; les Cléopâtre et les Messaline : les guerrières qui combattent plus férocement que les mâles, les amantes qui incitent, les destructrices qui, brisant les plus faibles, aident à la sélection par l'orgueil ou le désespoir, « le désespoir par qui le cœur donne tout son rendement ».

Que les prochaines guerres suscitent des héroïnes comme cette magnifique Caterina Sforza, qui, soutenant le siège de sa ville, voyant, des remparts, l'ennemi menacer la vie de son fils pour l'obliger elle-même à se rendre, montrant héroïquement son sexe, s'écria : « Tuez-le, j'ai encore le moule pour en faire d'autres ! »

Oui, « le monde est pourri de sagesse », mais, de par instinct, la femme n'est pas sage, n'est pas pacifiste, n'est pas bonne. Parce qu'elle manque totalement de mesure, elle devient fatalement, durant une période somnolente de l'humanité, trop sage, trop pacifiste, trop bonne. Son intuition, son imagination, sont, à la fois, sa force et sa faiblesse.

Elle est l'individualité de la foule : elle fait cortège aux héros, ou, à défaut, prône les imbéciles.

Selon l'apôtre, incitateur spirituel, la femme, incitatrice charnelle, immole ou soigne, fait couler le sang ou l'étanche, est guerrière ou infirmière. C'est la même femme qui, à une même époque, selon les idées ambiantes groupées autour de l'événement du jour, se couche sur les rails empêchant les soldats de s'embarquer pour la guerre, et qui se jette au cou du champion sportif victorieux.

Voilà pourquoi aucune révolution ne doit lui rester étrangère. Voilà pourquoi, au lieu de la mépriser, il faut s'adresser à elle. C'est la plus féconde conquête qu'on puisse faire, c'est la plus enthousiaste, qui, à son tour, multipliera les adeptes.

Mais, pas de Féminisme. Le Féminisme est une erreur politique. Le Féminisme est une erreur cérébrale de la femme, erreur que reconnaîtra son instinct.

Il ne faut donner à la femme aucun des droits réclamés par les féministes. Les lui accorder n'amènerait aucun des désordres souhaités par les Futuristes, mais, au contraire, un excès d'ordre.

Donner des devoirs à la femme, c'est lui faire perdre toute sa puissance féconde. Les raisonnements et déductions féministes ne détruiront pas sa fatalité primordiale : ils ne peuvent que la fausser et l'obliger à se manifester à travers des détours qui conduisent aux pires erreurs.

Depuis des siècles, on heurte l'instinct de la femme, on ne prise plus que son charme et sa tendresse. L'homme anémique, avare de son sang, ne lui demande plus que d'être une infirmière. Elle s'est laissé dompter. Mais criez-lui une parole nouvelle, lancez un cri de guerre, et avec joie, chevauchant à nouveau son instinct, elle vous précédera vers des conquêtes insoupçonnées.

Quand vos armes devront servir, c'est elle qui les fourbira.

Elle aidera de nouveau à la sélection. En effet, si elle sait mal discerner le génie parce qu'elle s'en rapporte à la renommée passagère, elle a toujours su récompenser le plus fort, le vainqueur, celui qui triomphe par ses muscles et son courage. Elle ne peut s'égarer sur cette supériorité qui s'impose brutalement.

Que la Femme retrouve sa cruauté et sa violence qui font qu'elle s'acharne sur les vaincus, parce qu'ils sont des vaincus, jusqu'à les mutiler. Qu'on cesse de lui prêcher la justice spirituelle à laquelle elle s'est efforcée en vain. *Femmes, redevenez sublimement injustes, comme toutes les forces de la nature !*

Délivrées de tout contrôle, votre instinct retrouvé, vous reprendrez place parmi les Éléments, opposant la fatalité à la consciente volonté de l'homme. Soyez la mère égoïste et féroce, *gardant jalousement ses petits* ayant sur eux ce qu'on appelle tous les droits et les devoirs, *tant qu'ils ont physiquement besoin de sa protection.*

Que l'homme, libéré de la famille, mène sa vie d'audace et de conquête, dès qu'il en a la force physique, et malgré qu'il soit fils, et malgré qu'il soit père. L'homme qui sème ne s'arrête pas sur le premier sillon qu'il féconde.

Dans mes *Poèmes d'orgueil* et dans *La Soif et les mirages,* j'ai renié le Sentimentalisme, comme une faiblesse méprisable, parce qu'il noue des forces et les immobilise.

La luxure est une force, parce qu'elle détruit les faibles, excite les forts à la dépense des énergies, donc à leur renouvellement. Tout peuple héroïque est sensuel. La femme est, pour lui, le plus exaltant des trophées.

La femme doit être mère ou amante. Les vraies mères seront toujours des amantes médiocres et les amantes des mères insuffisantes, par excès. Égales devant la vie, ces deux femmes se complètent. La mère qui reçoit l'enfant, avec du passé fait de l'avenir; l'amante dispense le désir qui entraîne vers le futur.

Concluons :

La femme, qui, par ses larmes et sa sentimentalité, retient l'homme à ses pieds, est inférieure à la fille qui pousse son homme, par vantardise, à conserver, le revolver au poing, sa crânante domination sur les bas-fonds des villes : celle-ci cultive du moins une énergie qui pourrait servir de meilleures causes.

Femmes, trop longtemps dévoyées dans les morales et les préjugés, retournez à votre sublime instinct, à la violence, à la cruauté.

Pour la dîme fatale du sang, tandis que les hommes mènent les guerres et les luttes, faites des enfants, et parmi eux, en sacrifice à l'héroïsme, faites la part du Destin. Ne les élevez pas pour vous, c'est-à-dire pour leur amoindrissement, mais, dans une large liberté, pour une complète éclosion.

Au lieu de réduire l'homme à la servitude des *exécrables besoins sentimentaux*, poussez vos fils et vos hommes à se surpasser.

C'est vous qui les faites. Vous pouvez tout sur eux.

A l'humanité vous devez des héros. Donnez-les-lui.

Valentine de Saint-Point.

Paris, le 25 mars 1912.
19, Avenue de Tourville.

DIRECTION DU MOUVEMENT FUTURISTE :
Corso Venezia, 61 – MILAN

MARIUS BOISSON

Anthologie universelle des baisers

1 9 1 2

Ce qu'on appelle, souvent bien improprement, la littérature légère, réserve à mon sens bien plus de surprises au lecteur non prévenu que la littérature dite érotique. Je veux dire que l'on peut découvrir d'excellents textes dans les érotiques sous le manteau, une écriture, un ton, de l'originalité dans l'approche, une nécessité, bref, des écrivains et de vrais livres. Mais il me semble que la recherche d'une clientèle par les éditeurs polissons, croustillants, grivois, scabreux, tout ce que vous voudrez, a poussé quelquefois, sous l'apparence de la banalité, dans des directions très extravagantes, qui ouvrent sur les replis de l'esprit humain, la civilisation, les rapports de l'homme avec son sexe, et j'en passe, des perspectives d'autant plus vertigineuses que ces tentatives apparemment aberrantes ont été couronnées par le succès commercial. Est-ce le cas de l'*Anthologie des baisers*? Difficile à savoir aujourd'hui. Toujours est-il que la Bibliothèque nationale contient bien les six volumes de cette entreprise confondante, publiés en 1911 et 1912. On peut penser que l'éditeur, H. Daragon, 96-98, rue Blanche, n'aurait pas poussé jusqu'au bout (pour l'amour de quoi?) une publication sans acheteurs.

De quoi s'agit-il? Sous le titre *Anthologie universelle des baisers*, et la signature de Marius Boisson, cinq volumes se répartissent *Asie, Europe, La France, L'Afrique, L'Amérique et L'Océanie*, le *Supplément* étant une espèce de fourre-tout. Le sous-titre dit : *Le Baiser dans les cinq parties du monde/Le Baiser dans l'Histoire, la Littérature, la Poésie, la Chanson, /le Théâtre et les Arts. /Le Baiser dans les Sciences. /Le Baiser Maternel. — Le Baiser d'Époux — Le Baiser Chaste. — Le Baiser Pervers. /Le Baiser de la* *Vie. — Le Baiser de la Mort.* Ce sont des in-8° imposants (14 x 22, 5 cm) de plus de trois cents pages, sans illustrations sauf un frontispice. Le volume que nous citons est le cinquième de la série. La couverture porte en gros caractères, sous le titre général et le numéro V, la précision AMÉRIQUE/OCÉANIE, et, plus bas, *États-Unis — Pérou — Antilles — Mexique — Sud-Amérique Sonde — Australie — Polynésie.*

Ces mentions sont reproduites en page de titre, accompagnées du sous-titre déjà cité plus haut, face à un frontispice qui n'est autre, assez étrangement, que la photographie reproduite en héliogravure d'une sculpture de Frémiet, *Le Gorille*, qui met en scène un gorille enlevant une femme d'un bras et tenant une grosse pierre de l'autre, à des fins manifestement agressives. Consulté, le Grand Larousse illustré nous apprend d'une part que *Le Gorille* obtint une médaille d'honneur au Salon de 1887, d'autre part que l'habitat du gorille est exclusivement africain. Il est dit aussi que le groupe de Frémiet fut acheté par l'État et offert au Muséum, où je l'ai vu en effet.

Le livre se divise en quatre parties inégales : un *Avant-Propos*, jusqu'à la page 80, une *Anthologie*, d'un peu plus de 200 pages, enfin des *Notes* (20 pages) et un *Baisiana* de 12 pages. L'avant-propos est consacré à des considérations plus ou moins oiseuses sur les États-Unis puritains, entremêlées d'anecdotes et de citations qui aident l'auteur à remplir les quatre-vingts pages. L'une de ces citations est une page de *l'Ève future*, de Villiers de l'Isle-Adam, qui se termine par : « *Edison choquait contre sa joue l'embouchure du téléphone qui lui apportait ces baisers naïfs* », permettant à Marius Boisson de s'écrier triomphalement : « *Nos* lecteurs ont dû se demander ce que signifiait, dans notre annonce : Le Baiser dans les Sciences. *Ce baiser, plus inattendu que certains autres, le voilà justifié* »…

L'anthologie donne aussi des anecdotes et des coupures de journaux, mais la plupart de ses pages sont occupées par des citations empruntées à Walt Whitman (6 fois), Pierre Boissie (6 fois), Edgar Poe (3 fois), Chateaubriand, Mallarmé, Hugues Rebell, E. Ourliac, G. Montoya, Auguste Petyt, etc. Il s'agit la plupart du temps de textes où en effet il est question du baiser, comme le premier poème cité d'Edgar Poe, où peuvent se lire les lignes suivantes :

« *Tendrement elle m'embrasse, passionnément elle me caresse ; et alors je tombai doucement endormi sur son sein — profondément endormi sur son sein qui m'ouvrait le ciel.* »

Mais parfois les textes n'ont aucun rapport, de près ou de loin, avec un baiser quelconque, et s'il arrive que l'action en soit située dans les pays annoncés au début du livre, ce n'est pas une règle ; on y trouve des *Contes chinois* et des *Facéties persanes* un peu insolites ici, bien que l'auteur s'en explique dans les Notes :

« *Notre lecteur n'aura pas été sans remarquer que dans ce cinquième volume furent insérées quelques rares pièces autres qu'américaines ; l'explication de l'anomalie est bien simple : ces pièces, rejetées de notre supplément, qui est très important et déjà imprimé, furent placées par l'imprimeur au cinquième volume.* »

Dernière particularité du livre, et non des moindres : sur les deux cents pages de l'*Anthologie*, plus de *soixante* sont occupées par des extraits (cinq en tout) des *Chants de Maldoror*, signés « Maldoror, de Montevideo ». A la fin du deuxième extrait, page 144 on lit : « *Nous empruntons tous ces chants de Maldoror à la première édition, bien connue des bibliophiles (Paris et Bruxelles, en vente chez tous les libraires, 1874) :* les Chants de Maldoror, *par le*

comte de Lautréamont. *(Isidore Ducasse, natif de Montevideo.)* Page 308, tout à la fin des *Notes*, M. Boisson ajoute : « *Il ne nous reste plus qu'à annoncer notre future réédition des œuvres de l'Edgar Poe américain : Maldoror, de Montevideo.* »

L'achevé d'imprimé du livre est du 15 mai 1912. On peut rêver assez longtemps, en tout cas je l'ai fait, sur ce qui pouvait se passer dans la tête des différents lecteurs du cinquième volume de l'*Anthologie des baisers*, avant et après l'achat du livre, deux ans avant la Grande Guerre. En 1904, Léon Frapié, l'auteur de *La Maternelle*, dans un roman bien oublié, *Les Obsédés*, observait les abords d'une librairie parisienne :

« *Ferdinand se planta sur le seuil de la boutique, à regarder l'étalage des livres, les flâneurs, les acheteurs et le commis-libraire.*

« *Tiens, remarqua-t-il, quelle quantité de titres émoustillants, l'*Amour épileptique *; *Tiers-partage *; les *Fastes de la volupté. *Ou alors, des ouvrages signés de noms aristocratiques : les *Flirts élégants *; le *Parc aux étoiles.* "

« *Une fine main gantée saisit* Tiers-partage. *Un jouvenceau hésita longtemps entre l'*Amour épileptique *et un autre roman dont le titre se faufilait entre des esquisses grivoises. Deux exemplaires de la *Vie en habit noir *furent vendus coup sur coup. Un monsieur, genre clergyman, prit une Revue, la posa sur un livre orné d'une frimousse de servante et intitulé les *Péchés du patron, *feuilleta d'autres publications à droite et à gauche, puis ramassa et paya la Revue et le livre dissimulé dessous.* »

Éternel manège. Ce qui m'intéresse, c'est ce que le jouvenceau, le monsieur genre clergyman, la fine main gantée, trouvaient, trouveraient peut-être encore, dans l'*Anthologie des baisers*. Quelle étincelle, pour quelle combustion ?

J'allais oublier : chaque volume de l'*Anthologie* coûtait dix francs, à une époque où un roman de quatre cents pages se vendait trois francs cinquante. En francs d'aujourd'hui, dix francs de 1912 représentent cent ou cent vingt francs.

Quelques définitions américaines du baiser

L E   B A I S E R est la vingt-septième lettre de l'alphabet : mais qui ne peut être prononcée qu'à l'aide de deux paires de lèvres. (*Wendell Holmes.*)

Qu'est-ce qu'un baiser ? Un rien divisé en deux parties. (*Gashaw.*)

Le baiser est la porte qui ouvre la citadelle du cœur. (*De Levis.*)

Qu'est-ce qu'un baiser ? Le sceau qui sert à exprimer notre sincère attachement ; l'engagement d'une union future ; un baume pour un cœur altéré d'amour ; une délicieuse morsure des lèvres ; un mets exquis qui ne nous rassasie jamais ; un doux fruit que nous semons et que nous cueillons en même temps. (*A. Locker.*)

Qu'y a-t-il dans un baiser ? Des millions d'êtres humains ont été rendus heureux, d'autres millions ont été plongés dans la misère et le désespoir grâce au baiser, qui n'est en somme qu'une simple moue des lèvres. (*H. Cockton.*)

Miss Nellie Marshall dit que le baiser est doux comme le parfum embaumé des fleurs de l'été ; Sidney dit que c'est le délicieux nectar qui lie ensemble deux âmes.

Sidney dit encore, dans un de ses poèmes, que le baiser est « le suprême chatouillement des lèvres, la titillation qui fait que les cœurs s'ouvrent à l'amour ».

Un grammairien américain définit le baiser le point d'interrogation dans la littérature de l'amour.

Le même grammairien conjugue ainsi le verbe embrasser, *to kiss*, ou plutôt *to buss* :

Buss, embrasser ;

Rebus, embrasser plusieurs fois ;

Pluribus, embrasser sans égard au nombre de baisers ;

Sillybus (silly-niais), embrasser la main ;

Erebus (erebus-enfer), embrasser dans l'obscurité ;

Blunderbus (blunder-bévue), embrasser en se trompant d'adresse ;

Omnibus, embrasser tout le monde à la ronde, dans un salon.

Le baiser, dit Josh Billings, résiste à toute analyse, à toute définition ; plus un homme essaie d'analyser un baiser, et plus il s'aperçoit que c'est chose impossible ; aussi, la meilleure façon de le définir, c'est d'en prendre un, ou même plusieurs, sur les lèvres roses d'une belle jeune fille : on comprend alors de suite, sans avoir besoin de parler.

L'humoriste américain George D. Prentice dit que l'ardeur du baiser se mesure à sa longueur ; qu'il ne faut pas exagérer cependant, comme Mrs. Brown qui parle d'un baiser :

« As long and silent as the ecstatic night! »

Silencieux et long baiser comme toute une nuit d'extase !

Le Révérend Sidney Smith, l'éloquent prédicateur et savant théologien, s'exprime ainsi au sujet du baiser : « Il est bon de montrer un peu de réserve et de circonspection, au moment de donner un baiser; que cette réserve cependant ne dure pas trop longtemps, ce qui refroidirait l'ardeur. Si c'est une jeune fille qui embrasse, qu'elle le fasse avec énergie et chaleur, qu'elle mette son âme entière dans son baiser. Si elle ferme les yeux et soupire immédiatement après l'oscultation, l'effet produit par son baiser sera d'autant plus grand. Qu'elle se garde de baver en embrassant; qu'elle baise son ami comme fait le colibri qui enfonce délicatement son joli bec dans la fleur odorante du chèvrefeuille. Il y a beaucoup de vertu dans un baiser bien donné. Nous gardons précieusement, au plus profond de notre cœur, le souvenir d'un baiser qui nous fut donné il y a plus de quarante ans; et nous sommes certain que c'est à ce délicieux baiser encore que nous penserons, lorsque nous serons sur le point de rendre notre âme à notre Créateur. »

Les baisers, d'après Sam Slick, sont comme la création, parce que, comme celle-ci, ils sont faits de *rien*.

*
* *

Une beauté américaine, Lady Naylor Leyland (Miss Jennie Chamberlain, de Cleveland) réussit à envoyer son mari au Parlement à force d'embrasser les électeurs. Le résultat de l'élection était très douteux, mais lorsque, montant à cheval, elle se mit à parcourir la circonscription électorale de son mari, distribuant partout des sourires engageants et plus encore des baisers séduisants, les électeurs s'empressèrent de donner leurs voix à un candidat dont la femme était si charmante.

*
* *

— Je vous ai vu embrasser ma fille, monsieur, et apprenez que cela ne me convient pas.

— C'est votre faute, aussi; si vous n'aviez pas regardé, vous n'auriez rien vu !

La mère. — Pourquoi lui avez-vous permis de vous embrasser ?

La fille. — Je ne le lui ai pas permis; je lui ai dit que, s'il m'embrassait, ce serait sans ma permission !

Chicago Record.

Jeune femme. – Combien cette mousseline ?

Le marchand. – Ce sera un baiser par mètre, parce que c'est vous.

Jeune femme. – Très bien ; vous m'en donnerez dix mètres.

Le marchand. – Alors cela fait dix baisers.

Jeune femme. – Certainement, et vous enverrez la facture à ma grand-mère.

Puck.

*
* *

— Jeune homme, est-ce que je ne vous ai pas entendu embrasser ma fille, il y a quelques instants ?

— Non, madame, mais vous avez entendu votre fille m'embrasser, ce qui n'est pas la même chose.

Chicago Tribune.

— Juste en passant, vous savez, je lui dis qu'elle était assez belle pour être embrassée.

— Eh bien ?

— Eh bien, me dit-elle, c'est précisément comme cela que je désire être.

— Et alors…

— Parfaitement…

Chicago Post.

*
* *

— Il m'a semblé entendre quelque chose qui ressemblait à un baiser, dit l'avocat.

— Oui, répondit sa fille, en rougissant. Imaginez-vous que Mr Brown a eu l'audace de me prendre un baiser !

— Ensuite, il m'a semblé entendre quelque chose qui ressemblait à une répétition ?

— Naturellement, dit-elle, je lui ai rendu le baiser qu'il avait eu l'imprudence de me donner.

Ibidem.

Maud. – Il faisait si noir dans le salon, hier au soir, que lorsque Mr Swiftkeigh est rentré, je n'ai pas remarqué qu'il s'était fait raser les moustaches.

Ethel. – Moi, j'ai senti la différence quand vous êtes allée chercher des allumettes !

Philadelphia North American.

– Jeune homme, dit le magistrat, d'une voix sévère, toutes les preuves sont contre vous. Vous avez essayé d'embrasser la plaignante, malgré elle. Avez-vous à dire quelque chose encore, avant que je passe au jugement sur votre cas, qui est assez grave ?

– Ceci seulement, répliqua le jeune homme. Je suis extrêmement vexé de n'avoir pas réussi. En voyant la belle figure et les lèvres roses de la plaignante, j'aurais payé sans le moindre regret l'amende à laquelle vous allez me condamner.

– Monsieur le juge, dit alors la plaignante, si vous n'y voyez pas d'obstacle, je voudrais bien retirer ma plainte : ce jeune homme n'a pas mérité d'être puni.

HENRY S. CHAPMAN.

TOMY

Auteur non identifié

Jeux innocents, souvenirs de la quinzième année

1913

Notice d'un catalogue de l'époque :

« Ce sont les souvenirs d'un être privilégié qui avoue avoir connu, savouré de l'amour toutes les folies, et qui tout particulièrement se plaît à raconter ses propres curiosités, au milieu des jeux innocents, son initiation au baiser avec, comme partenaires, ses deux exquises cousines, Marthe la brune, aux yeux de gazelle, Rose la blonde, aux lèvres fraîches et caresseuses. Dans une collaboration étroite du cœur et des sens, les trois néophytes apprirent, connurent, aimèrent tout d'eux-mêmes, et ne se refusèrent rien. Tous les baisers que la nature enseigne, ils se les donnèrent sans aucune restriction.

« Dès le jour où Marthe et Rose, ne pouvant épouser toutes deux leur cousin adoré, se marièrent ailleurs, chacune de son côté envoya à l'initiateur un récit fidèle, complet, de sa première nuit de noces, en hommage de soumission entière : l'une, aux côtés d'un époux à la monstrueuse virilité, a passé des heures joyeuses ; l'autre, accouplée à un vicieux, passioné de Sodome, a réussi à le décider au baiser normal par des stimulants hors nature, des flagellations violentes. L'ère des jeux innocents est bien finie pour Marthe et pour Rose. »

Il s'agit évidemment d'un livre clandestin.

N OUS EN REVÎNMES AU BAISER, et ce fut pendant une semaine un assoiffement de rencontres et d'étreintes. Était-ce pudeur ou désir de ne pas être dérangés, nous échangions nos caresses en cachette. Dans les bosquets, dans la grotte et dans nos chambres qui étaient contiguës, partout où nous nous trouvions, nous volions à notre plaisir. Nous étions possédés d'une fièvre, d'une excitation qui nous poussait aux joies bruyantes.

– Qu'ils sont heureux, ces enfants, disait tante Mathilde.

Nous étions heureux en effet, mais nous ne l'étions pas totalement : nous souffrions de nos désirs mêmes, car le rassasiement ne venait pas. A cette recherche tendaient tous nos efforts, mais ils demeuraient stériles en nous laissant perplexes. Une inquiétude étrange nous dominait. Elle devait néanmoins momentanément cesser.

Tante Mathilde possédait deux levrettes qu'elle adorait. Ces bêtes la quittaient rarement et la nuit elles dormaient dans sa chambre. D'une élégance extrême, elles portaient le cachet d'une pure race. Tantôt paresseuses et tantôt vives, elles avaient des allures pleines de nonchalance et de grâce, des habitudes de poses qu'on eût dites recherchées. C'étaient maintenant des marquises minaudant et sautillant et tout à l'heure des favorites de sérail ennuyées et rêveuses. Pourquoi ne pas croire à la métempsychose, à la migration des âmes? Elles étaient trop fines, trop féminines, trop civilisées pour n'être que des bêtes. Leurs yeux si doux et si profonds avaient une expression presque humaine. Regardaient-ils vers le passé ou sondaient-ils l'avenir? Une énigme persistait en elles et l'on s'attendait à les voir parler.

Souvent je les caressais et les prenais sur mes genoux : quelquefois, je bondissait avec elles dans le parc. Cet après-midi-là, ma tante et mes cousines s'attardaient à examiner des étoffes ou quelque tapisserie, lorsque, appelant à moi les levrettes, nous pénétrâmes sous bois; mais nous n'avions pas fait cent mètres qu'elles s'arrêtèrent et s'étendirent au soleil. Et j'assistai à un spectacle qui, comme celui des colombes, devait ouvrir de nouveaux horizons à mon imagination tourmentée.

Tout d'abord, elles se mordillèrent et s'étreignirent, debout, levées; puis s'étant laissées retomber sur leurs pattes, elles se prirent et se roulèrent jusqu'à ce que l'une allongée sur le dos restât ainsi pendant que l'autre la chevauchait; elles étaient à figure opposée, tête à queue. Leur langue allait à certaine fente et leur museau s'y appliquait pour en aspirer l'odeur. J'avais presque compris. Cette vue me mit en état d'effervescence telle que j'aurais désiré remplacer l'une ou l'autre. Je me précipitai vers la maison à la recherche de mes cousines, mais je les aperçus qui venaient vers moi.

— Vite, vite! criai-je.

Elles s'élancèrent.

— Vite à la grotte, j'ai trouvé!

Je les fis asseoir.

— Dites-moi la vérité, comment êtes-vous faites? Qu'avez-vous là, là? …

Je leur touchai le bas du ventre.

— Regarde, répondit Marthe en levant ses jupes.

— Regarde, ajouta Rose en levant les siennes.

Je m'étais mis à genoux, mais je distinguais mal.

— Étendez-vous sur le dos, recommandai-je, écartez un peu les cuisses, relevez les jambes.

Elles portaient le pantalon avec ouverture.

Je me penchai et constatai l'existence d'une fente.

— Ne bougez pas, dis-je.

Je me penchai davantage et je donnais un coup de langue sur la fente de Marthe, un autre sur celle de Rose, et toutes deux se mirent à rire en poussant un petit cri. Je recommençai; les petits cris se succédèrent et devinrent énervés et plaintifs. Comme je n'avais qu'une langue et qu'il me fallait aller de l'une à l'autre, elles me réclamaient, elles m'appelaient.

– A moi, disait Marthe.

– A moi, disait Rose.

Je baisais, je léchais, j'aspirais de toutes mes forces l'odeur exquise.

Et toujours de Rose à Marthe et de Marthe à Rose j'allais et venais, mêlant leurs odeurs pendant qu'elles riaient et se trémoussaient de plus belle. Mes lèvres endolories refusaient le service.

– Encore, encore, criaient-elles.

Je dus confesser que j'étais fourbu et que ma langue n'avait plus de force.

Je me relevai et voulus les aider à se relever, mais elles refusèrent, se trouvant bien ainsi.

– Le méchant qui ne veut pas continuer, gémissait Rose.

– Achève, réclamait Marthe.

Toutes deux :

– Calme-nous, embrasse-nous ; nous souffrons.

Les calmer, comment l'aurais-je pu ? Néanmoins elles finirent par se lever, et Rose dit alors :

– Nous allons te le faire aussi.

– C'est juste, déclara Marthe. Étends-toi.

Je refusai, je m'échappai, elles me poursuivirent. Mais nous étions déjà hors de la grotte.

– Je vous promets que ce sera pour ce soir, leur dis-je ;

Je retardais mon plaisir, je le remettais à la nuit. Étant différent d'elles, j'étais honteux de me montrer nu. Si j'avais été femme, je n'aurais pas hésité un seul instant à me livrer à leurs caresses. Mais leur sexualité m'avait étonné, la mienne devait naturellement les étonner aussi. Pourquoi ce morceau de chair pendant entre mes cuisses ? N'auraient-elles pas une hésitation, un recul ? A quoi cela pouvait-il bien servir ? Et si c'était pour uriner, un petit trou placé quelque part n'eût-il pas suffi ? Je m'ignorais, je le répète, je n'avais jamais vu d'autre homme que moi et je connaissais maintenant la femme. Toutes devaient se ressembler puisque mes cousines se ressemblaient, mais tous les hommes se ressemblaient-ils aussi ? N'étais-je pas une exception ? N'étais-je pas affligé de quelque difformité particulière ?

J'avais donc promis de me livrer le soir ; mais lorsque, après dîner, nous montâmes nous coucher, j'eusse voulu disparaître. Elles étaient, au contraire, toutes fringantes, toutes drôles, tout en expansion.

– Pourquoi es-tu triste ? me demanda Rose au passage.

– On va te rendre heureux, me souffla Marthe.

Elles se retirèrent dans leur chambre et moi dans la mienne. L'idée me vint de fermer ma porte à clé, et si je ne le fis pas, ce fut par crainte de les peiner. Mais je ne me déshabillai pas et j'attendis leur venue, tout en la redoutant.

Toc, toc, à la porte.

Ma poitrine éclatait tant mon cœur y sautait fort.

Elles se présentèrent en chemise, chaussées de mules grises d'où montaient des bas blancs. La chemise échancrée dégageait leur cour fin, et leurs bras étaient nus jusqu'aux épaules…

– Comment! tu n'es pas encore déshabillé? dit Marthe.

– Le paresseux, ajouta Rose.

Déjà j'avais passé mes bras autour de leur taille, et les entraînant vers la haute et large glace :

– Voyez comme vous êtes belles.

– Mais tu es laid, toi, avec ton pantalon et ton veston, prononça Marthe.

– Enlève tout ça, commanda Rose.

Et toutes deux, l'une à droite, l'autre à gauche, tirèrent sur le veston et je me trouvai en manches de chemise. Mais je ne leur donnai pas le temps d'enlever ma culotte, et les prenant dans mes bras, je les jetai sur le lit.

Au premier coup de langue ardemment appliquée, elles ne songèrent plus qu'à leur propre plaisir. Je relevai ensuite leur chemise jusqu'à la ceinture et je demeurai émerveillé.

Leurs deux ventres ronds avec une fossette au milieu semblaient me sourire. Au bas, un léger monticule où frisait quelque soie formant une ombre douce, pendant que des jambes fines et fermes, aux rotules adoucies, se délaissaient nonchalamment. Je baisotai ces ventres, ces jambes et ces cuisses à la pulpe savoureuse. Je mordillai les soies, je mis ma langue dans les nombrils, je parcourus du haut au bas et du bas au haut toutes ces splendeurs, m'arrêtant ici, flânant là, courant plus vite ailleurs, activant mes caresses selon les soubresauts et les soupirs. Les bustes ondulaient, les bras se rendaient, les jambes se crispaient…

Je leur enlevai la chemise, et alors m'apparurent quatre petits globes, à tenir chacun dans la main. Ils étaient fermes comme des pommes non mûres. C'étaient des nénés et non pas des mamelles. Une petite éminence, un mamelon s'élevait du milieu de chacun d'eux. Ces mamelons étaient d'un tendre rouge chez Rose et d'un brin foncé chez Marthe, avec chacun une auréole de couleur pareille mais plus tenue. De petites rugosités survinrent à une première succion – car comment aurais-je pu ne pas caresser de la langue ces jolies éminences? – et les mamelons se gonflèrent, se tendirent, se raidirent. Les chères cousines devenaient folles à ces attouchements. De lents soupirs et des cris étouffés accompagnaient mes démonstrations. Leurs yeux vitreux s'ouvraient ou se fermaient tantôt rapidement, tantôt lentement, selon la vibration ou l'accalmie de leurs nerfs. Je me sentais une force, un pouvoir surhumains. A moi tous ces biens, tous ces trésors, ces nénés durs, ces ventres jolis, ces cuisses rondes! Quel ravissement!

Parallèlement étendus, ces beaux corps excitaient ma passion par leur contraste. En passant de l'une à l'autre, je trouvais ce changement qui est si nécessaire à l'amour. Rose était toute blanche, de chair délicate et mousseuse ; Marthe, brune exquise, avait la chair mordorée. Mais la blonde et la brune étaient deux liqueurs capiteuses qui m'enivraient par leur mélange même. J'étais comme fou, transporté, je les eusse mangées vivantes.

– A vous deux, dis-je. L'une à l'autre…

Je plaçais Marthe sur Rose ainsi que je l'avais vu faire aux levrettes, et je les initiai aux caresses lesbiennes. L'initiation ne dura qu'une seconde ! Rose avait saisi la croupe de Marthe à deux bras, pendant que Marthe avait passé les siens autour des cuisses de Rose, et toutes deux se dévorèrent de baisers. Je fis la navette d'une tête à l'autre.

– C'est bien, Marthe ; courage, Rose…

M'entendaient-elles ? Je ne sais. Les croupes et les reins se soulevaient, se tordaient. C'était un fouillis de chairs que je caressais des mains et de la bouche. Puis des plaintes lentes et des gémissements. Ensuite de soubresauts rapides, une agitation fébrile, des envolées de croupes.

Je les arrêtai.

– Changez de position, commandai-je. Rose sur Marthe maintenant.

– Méchant, disaient-elles ; laisse-nous comme nous sommes ; nous sommes bien.

Je ne l'entendais pas ainsi, je ne voulais pas de jalouse et, sans les désenlacer, je les retournai.

Elles repartirent de plus belle. Chacune y mettait son cœur et son âme, toute son ardeur, toute sa fièvre, toute son impétuosité. C'étaient des remous plus désordonnés, des crispations de main, de rages de bouche. Elles devaient se mordre. J'entendis comme des cris d'angoisse, des plaintes retenues ; je vis leurs membres sursauter convulsivement pendant un moment encore, puis tout se tendit et demeura inerte.

– Souffrez-vous ? m'écriai-je inquiet.

– Non, répondit languissamment Marthe.

Et d'une voix dolente :

_ Tout mon corps s'est fondu dans une joie divine.

– J'ai cru mourir, ajouta Rose.

Je voulus les caresser, mais elles me repoussèrent doucement.

– Laisse-nous.

J'insistai, je suppliai. Je ne parvins pas à les raviver, mais je pus boire de la rose toute la rosée que les deux fleurs contenaient dans leur calice.

Insensiblement elles reprirent leurs sens.

— Tu ne saurais t'imaginer comme c'est bon, disait Rose.

— Essaie, affirmait Marthe, enlève ton pantalon.

Ce pantalon maudit, le voilà qui revenait sur le tapis.

— Pourquoi hésites-tu? disaient-elles. Qui t'en empêche? Viens au bonheur.

Déjà leurs mains m'ont saisi; je tente de résister. Impossible. Leurs doigts agiles, habitués au maniement de corsages, m'ont vite dessanglé et déboutonné. Marthe, à genoux, tire le pantalon; j'étais en chemise déjà, cachant de mes deux mains l'endroit sensible.

— Montre; tu te caches, lançait ironiquement Rose.

— Je n'ose pas.

— Pourquoi cela? ricana Marthe.

Elles se jettent à l'envi sur moi et s'efforcent de me découvrir.

— Non, non, suppliais-je, laissez-moi, je ne suis pas fait comme vous.

— Tu n'es pas fait comme nous! alors nous voulons voir.

Tôt ou tard elles auraient eu raison de ma résistance. J'avais conscience que j'étais le plus faible.

— Vous le voulez? dis-je avec assurance en me tenant debout, face à elles.

— Oui, nous le voulons.

D'un coup je relevai ma chemise en m'écriant :

— Voilà!

— Oh!

Ce fut une exclamation simultanée.

— Qu'est-ce qu'est cela? s'écria Marthe.

— Approchons, répondit Rose.

— Il vit! s'écria l'une.

— Il vit! s'écria l'autre.

Vous l'avez entendue cette exclamation. Il *vit*! La nature avait dicté le mot. C'était bien le vit qui vivait, le vit, source de vie, source des joies suprêmes.

Marthe l'étreignit.

— Qu'il est raide! fit-elle.

— Vois donc, il est dur comme du marbre, exclama Rose.

Le vit tenait la tête haute, fier et brutal à la fois.

— Je comprends maintenant, remarqua Marthe, pourquoi tu n'es pas habillé comme nous.

— Et j'ai compris, ajouta Rose, pourquoi l'on vous appelle des hommes.

— De sorte, dis-je à mon tour, que les porteurs de veste et de pantalon ont tous entre les jambes la vilaine chose que voici?

— Une queue, clama Rose.

— Une queue sans poils, s'écria Marthe.

— Est-ce que ça te fait mal quand on y touche?

— Non, au contraire.

— Montre-nous-la mieux ; viens t'étendre sur le lit, demanda Rose.

Je fis selon son désir.

Elles enlevèrent ma chemise.

— Tiens, s'exclama Rose, il n'a pas de nénés !

— De tout petits boutons. Oh ! qu'ils sont mignons, disait Rose, on peut à peine y mordre ; à peine si je les sens entre mes lèvres.

Marthe vint frotter ses mamelons à mes petits boutons.

Elles continuèrent leur minutieuse inspection.

— Il a, lui aussi, un bourrelet de soie. Regarde plutôt, Rose, et touche. Comme c'est fin, comme c'est doux !

Et celle-ci :

— Que vois-je ? Une bourse ? Une bourse pleine ! Qu'y a-t-il dedans ?

Marthe, curieusement, s'était penchée, l'avait à son tour soupesée et palpée.

— Des œufs ! s'écria-t-elle.

— Des œufs ! murmura Rose, stupéfaite.

Elle les serra, les pressa très fort.

— Tu m'as fait mal, soupirai-je

— Oh ! les jolis petits œufs ! que je les baise plutôt...

Ses lèvres les baisèrent, sa langue les picota, les lécha.

— Continue, disait Marthe, je caresse plus haut.

Et chevelure blonde et chevelure noire se mêlèrent.

Une langueur m'envahissait ; une émollience engourdissait mes membres et il me semblait que ma chair fondait. Les battements de mon cœur s'arrêtaient parfois ; je me sentais faiblir, mais je n'avais pas la tentation de les arrêter. Mon mal me semblait doux et nécessaire et je fermai les yeux en m'abandonnant. Puis, il s'opéra une transformation : une excitation survint, mon cœur battit éperdument, mes veines se gonflèrent, ma tête craquait. Un coup de langue me toucha à la pointe et je poussai un cri. Une douleur aiguë survenue un peu au-dessus de la bourse me fit tordre, et je me raidis en râlant dans une épandaison brûlante.

— Dieu ! s'exclama Marthe, de la liqueur ! et quel goût étrange !

Rose avait aussitôt remplacé Marthe à la source et goûté ce qui restait.

— Que peut être cela ? disait-elle. C'est presque aussi blanc que du lait et ce n'est pourtant pas du lait.

— On dirait d'une crème un peu pâteuse dans laquelle on n'aurait pas mis de sucre, ajouta Marthe.

J'écoutais et je me demandais si j'étais mort ou vivant, ou si j'allais mourir.

L'innocence, certes, est une belle chose ; mais que de fois ne me suis-je pas dit que le père ou la mère avaient grand tort de laisser l'enfant dans l'ignorance de sa future puberté. Quant à moi, dans ce moment psychologique, je me considérais comme perdu !

Marthe disait :

– Cela doit être ainsi, et c'est pourtant drôle. Nous allons recommencer. Changeons de place, veux-tu, Rose ?

– Parfaitement.

Elle ne me consultèrent pas. Je les laissai faire.

– C'est tout mou, maintenant, riait Marthe entre deux bécots.

– C'est mort, psalmodiait Rose.

– Le voilà qui grossit.

– Il s'allonge.

– Il durcit.

– Qu'il est ferme !

Allez, chères cousines, vos langues sont douces et légères et leur chatouillis m'énerve divinement. A chaque coup subit que vous dardez avec force, mon cœur s'émeut, mes tempes bourdonnent, ma bouche s'entr'ouvre. Allez toujours ; à fleur de peau me court un lent frisson. Il me semble souffrir et j'aime cette souffrance. Quel est ce besoin violent de crispation ? Le sang court en mes veines ; quel plaisir ! Je me meurs ; non, pas encore ; ça passe, ça revient ; j'arque les reins, je souffre ; ça disparaît encore. Quel est ce jeu ? Vite, vite, pressez, dardez vos langues agiles.

Ciel, quelle flamme ! Je me sens transpercé d'un coup de couteau. Je déborde, je suis inondé. L'immense apaisement ! ... Je reste accablé de bonheur.

Leur langue moins active calme la douleur.

– Que c'est redevenu petiot, remarque l'une.

– C'est tout ratatiné, dit l'autre.

– Est-ce que tu peux le faire revivre à volonté ? demanda Rose.

Je réponds que je n'en sais rien et vraiment je suis sincère.

Elles se redressent alors et viennent en rampant poser leur bouche sur la mienne, pendant que je plonge mes mains dans leurs cheveux et que je les emmêle.

Premier amour, joie ineffable ! Si loin déjà et si près encore, pourtant.

Dieu, que je voudrais revivre cette vie !

[...]

Nous nous regardâmes en souriant, un peu confus de notre audace.

Nous n'étions plus vierges, mais nous étions encore puceaux.

WILHELMINE SCHROEDER-DEVRIENT ?

Mémoires d'une chanteuse allemande

1913

Même si les *Mémoires d'une chanteuse allemande*, faussement attribués, sans doute, à la cantatrice Wilhelmine Schroeder-Devrient (voir le tome II de cette anthologie), n'étaient pas un classique, nous aurions choisi de citer ses deux premières traductions françaises, parce que c'est une des dernières occasions de retrouver Guillaume Apollinaire. Il lui reste cinq ans à vivre ; il en a trente-trois. Il voudrait être connu pour ses livres : *L'Hérésiarque et Cie* (1910), *Le Bestiaire* (1911), *Méditations esthétiques* (1913), *Alcools* (1913). C'est parce qu'on l'accusait d'avoir volé la *Joconde* qu'il a fait six jours de prison en 1911 et qu'il a été, un court moment, célèbre. Il a failli être expulsé de France, il en est resté un peu tremblant, et la mère de Marie Laurencin n'a pas aimé que sa fille fréquente ce personnage suspect. S'il avait la Légion d'honneur, tout s'arrangerait peut-être. Contrairement à la légende, il ne l'aura jamais, guerre européenne ou pas[1].

Les *Mémoires d'une chanteuse allemande* n'avaient jamais été publiés en France. Coup sur coup, en voici deux éditions, l'une officielle, préfacée par Apollinaire dans la collection des « Maîtres de l'amour », l'autre clandestine. Pascal Pia nous apprend qu'Apollinaire est aussi responsable, aidé par Cendrars, de la deuxième, publiée quelques mois après. C'est dans l'introduction à l'édition clandestine que l'on trouve le curieux passage, dont nous reparlerons, où le « Docteur H. E. » semble s'en prendre à Apollinaire : « Traduttore, traditore. *Le traducteur français, malgré sa pruderie ridicule, qui s'effarouche des mots précis, a rendu ce livre beaucoup plus dangereux qu'il n'est en réalité car il cache sous de séduisantes périphrases ce qui, dans l'original, n'était mis que pour provoquer l'indignation et détourner du mal.* »

Il est probable que ce bon apôtre voulait surtout détourner les soupçons des frères Briffaut, dont la concurrence d'une autre édition presque simultanée n'arrangeait peut-être pas les affaires.

Le rôle de Cendrars fut surtout, d'après P. Pia, d'aider Apollinaire à traduire le texte, car il parlait l'allemand beaucoup plus couramment.

Nous donnons ici successivement la version des « Maîtres de l'amour » et la version clandestine du même passage, ou presque. Presque, car le texte des « Maîtres de l'Amour » semble avoir été sérieusement remanié, et la concordance est difficile à établir exactement.

---

1. Voir plus loin la préface attribuée à Aragon de la réédition des *Onze Mille Verges* en 1930 (p. 232).

Édition des « Maîtres de l'amour »

LE 23 JANVIER, à sept heures du soir, nous allâmes, Anna et moi, à la rue des Brodeurs. J'avais jeté sur mon costume une lourde pelisse. Anna me quitta dans le vestibule. Rési Luft me reçut. Il y avait déjà beaucoup de monde dans la salle et l'orchestre jouait. Les messieurs que je vis étaient M. de D... et le baron... Ils ne portaient pas de masques. Bizarrement accoutrés, ils n'avaient qu'une sorte de caleçon de bain en soie. Mon entrée dans la salle fit sensation ; j'entendis les dames murmurer : « Celle-ci va nous battre », « Comme elle est belle ! » « Elle est en sucre, on a envie d'y mordre », etc., etc. Les messieurs étaient encore plus ravis. Les plus belles parties de mon corps étaient faiblement voilées, mes reins, mes bras, mes mollets. Je cherchais Ferry dans la foule. Il était avec une dame, costumée de tulle blanc, avec des roseaux et des lis comme attributs, car elle était en nymphe. Son corps était assez bien fait, mais pas aussi beau que le mien. Une autre dame entourait d'un bras les hanches de Ferry. Elle ne portait qu'une ceinture d'or, des diamants et un diadème dans ses cheveux noir de corbeau ; elle représentait Vénus. Elle tenait la main de Ferry dans la sienne, et la main de Ferry était ornée de belles bagues où brillaient des diamants d'une grosseur inhabituelle et de la plus belle eau. Je n'en avais jamais vu d'aussi gros ni surtout lançant de si beaux feux. Ferry, d'autre part, ne portait que des sandales rouge sang. Ni l'Apollon du Belvédère, ni Antinoüs n'étaient aussi proportionnés et aussi beaux que lui. Son corps était d'un blanc éblouissant, avec des ombres rosâtres aux contours. A sa vue, je me mis à trembler, je le mangeais des yeux, et je m'arrêtai involontairement devant eux. Vénus avait un très beau corps, très blanc, mais ses seins n'étaient pas parfaits. En somme, c'était une femme un peu fanée ; on voyait qu'elle servait assidûment la déesse qu'elle représentait.

Les yeux de Ferry s'arrêtèrent sur moi ; il sourit légèrement et dit : « Tiens, c'est la meilleure méthode pour prendre l'initiative. » Il me souffla mon nom à l'oreille. Je rougis sous mon masque.

L'orchestre attaqua une valse. Il était caché, un grand paravent le séparait de la bacchanale. Ferry me prit par la taille et nous nous mêlâmes au tourbillon des couples. L'attouchement multiplié de tous ces corps brûlants et brillants d'hommes et de femmes m'affolait. Tous les yeux masculins étaient brillants ; durant la danse, ils se tournaient tous vers un but précis ; les baisers pétillaient. Un parfum voluptueux s'élevait de ces hommes et de ces femmes. J'avais le vertige. Les bagues de Ferry me touchaient, elles m'écorchaient ; je me pressais contre lui, j'étais prête à lui dire qu'il me plaisait ; mais il ne le remarqua pas et me demanda : « N'es-tu pas jalouse ? »

– Non ! fis-je. J'aurais voulu te voir comme Mars avec Vénus.

Il me quitta et prit Vénus, qui causait avec un autre homme.

Quelques filles de la maison apportèrent un tabouret recouvert de velours rouges. Elles le placèrent au milieu de la salle. Vénus s'y assit et Ferry s'accroupit devant elle. Vladislawe et Léonie s'accroupirent à leurs pieds. L'une rafraîchissait avec un éventail le visage de la déesse et en essuyant la sueur avec un mouchoir ; l'autre chantonnait doucement des chansons gaies de circonstance.

C'était trop ! Vénus et une autre dame dansaient devant moi ; une troisième m'éventait avec de grands éventails de plumes comme on en voit sur les peintures murales des Égyptiens, ou encore comme ceux dont on se sert pour les fêtes papales à Rome. Mes sens s'évanouissaient, mon souffle haletait, mon corps tremblait, tremblait si fort dans cette folie qu'il me brûlait. Tout tournait autour de moi, il me semblait être dans le désert pendant le simoun, quand le voyageur égaré croit voir toutes sortes de mariages plus affolants les uns que les autres et qui trompent son anxiété. Je râlais. Tous mes nerfs, qui s'étaient détendus, se crispèrent, mes tempes étaient en feu. Les danseurs et les danseuses diaboliques tournaient. Oh ! ce qu'ils s'entendaient bien aux folies. Parfois, la danse s'arrêtait complètement. Je ne me souviens d'avoir assisté à une telle folie qu'à Paris, dans une fête mondaine où, tout à coup, les invités furent pris d'une frénésie égale et se mirent à danser comme font les Peaux-Rouges dans la terrible danse du scalp, qu'ils exécutent devant l'ennemi qu'ils vont immoler après l'avoir vaincu et pris. Mais à Paris, cependant, ces danses – les plus folles des danses – me paraissent réglées par une sorte de bienséance que les Français, même les plus mal élevés, n'abandonnent jamais. Tandis qu'ici toute bienséance, toute morale enfin étaient mises de côté, et il ne restait que le plaisir de s'amuser, le plaisir d'être libre pendant quelques heures, avant de reprendre le hideux masque de la respectabilité mondaine, qui est la vraie règle des civilisations, règle nécessaire aussi, puisque sans elle nos sens, nos instincts déchaînés nous ramèneraient vraisemblablement très vite à l'état des animaux.

La danse s'arrêta un moment aux applaudissements des spectateurs, qui avaient fait cercle autour de nous. Les danses seules se suivaient à intervalles réguliers, on les applaudissait à chaque fois. Je sentis une commotion électrique qui me paralysa le cœur. Sans sa présence d'esprit, je serais tombée ; Ferry eut assez de sang-froid pour me soutenir, si bien que personne ne s'aperçut de mon étourdissement.

Et cette fois il ne cessa pas encore de me donner des preuves de son amour et de sa gaieté. Les assistants applaudissaient ; ils délibérèrent quand ils le virent pour la troisième fois se remettre à danser un cavalier seul en tenant une houlette. Ils criaient : « Toutes les bonnes choses sont trois. » La danse dura un bon quart d'heure et ils nous entouraient toujours. Des paris se faisaient. Ferry était infatigable, mais la crise arriva enfin et il tomba épuisé à mes pieds, où il resta haletant, les yeux fermés, comme mourant. Je n'étais plus debout sur mes pieds, plusieurs pensionnaires de la maison me soutenaient. De tous côtés, sous mes pieds, à gauche, à droite, je ne sentais que des soutiens. Les dames me couvraient de baisers, elles m'éventaient et essuyaient mon visage, et Ferry, qui s'était remis, debout derrière moi, me serrait dans ses bras.

Enfin, on nous laissa tranquilles. Ferry m'étreignit une dernière fois ; puis il m'offrit le bras pour m'emmener dans une autre chambre. « Sur le trône ! sur le trône ! » crièrent plusieurs voix. On avait dressé, au bout de la salle, une espèce de tribune, avec une ottomane recouverte de velours rouge, d'épais rideaux et un baldaquin de pourpre. C'est là que l'on voulait nous mener en triomphe, pour nous témoigner que nous avions gagné la première place dans cette fête. Ferry déclina, en mon nom, tant d'honneur. Il dit qu'il préférait, si on voulait bien le lui permettre, prendre un rafraîchissement ; sur quoi, la dame qui était costumée en Vénus nous mena au buffet, dans la salle du banquet, où la table n'était pas encore dressée.

— Est-ce qu'il n'y a pas un cabinet sombre où ma Titania (c'est ainsi qu'il me nommait, princesse des elfes, à cause de mon costume) pourrait se reposer un instant ?

— Rési Luft doit en avoir plusieurs, répondit Vénus. Je vais lui dire d'en ouvrir un.

Elle s'éloigna et revint bientôt, accompagnée de l'hôtesse. A sa vue, nous éclatâmes de rire. Rési Luft avait suivi notre exemple : elle était vêtue en Tyrolienne. Elle était vieille, grosse, grasse, le portrait de cette reine des îles du Sud, de la célèbre Nomahanna, si cette horrible reine sauvage avait porté le costume du Tyrol. Mais c'était encore appétissant, et je compris qu'il se trouvât des hommes pour goûter à ces charmes et s'engloutir dans cette mer de chairs.

Elle nous ouvrit un cabinet, près de la salle de danse. Par la porte ouverte, je pouvais suivre la voluptueuse bacchanale. Quelques couples dansaient encore ; les autres préféraient une occupation plus sérieuse. Nous entendîmes le murmure des voix, le bruit des baisers, le halètement des hommes et les soupirs voluptueux des femmes. Ce spectacle m'excitait. J'étais assise sur les genoux de mon amant, un bras autour de son cou. Je sentais cependant que Ferry avait envie de se mêler encore à la danse.

— Tu ne vas pas recommencer ? lui dis-je, l'étouffant de baisers.

— Et pourquoi pas ? dit-il en souriant, puis voyant que je voulais pas : « Mais je voudrais fermer la porte. Enlève ton masque pour que je lise la gaieté dans tes traits. Pourrais-tu me le refuser ? »

Il n'était pas le despote, le tyran que j'avais cru. Il était aussi doux, aussi caressant qu'un berger. Je fermai la porte, je poussai les verrous et je me jetai sur le lit. Je me reposais avec un plaisir indicible, car le bruit, la musique, les tourbillons des danseurs et danseuses m'avaient beaucoup fatiguée. Cette fois personne ne nous dérangerait ; je ne voyais que lui, et lui que moi.

Suis-je capable de vous dire ce que je ressentis ? Non. Qu'il vous suffise d'apprendre que nous nous dîmes de vrais mots d'amour. Je ne puis vous dire ma joie de l'avoir pour moi toute seule. Quand il m'embrassait, ses yeux devenaient fixes et prenaient une expression sauvage de volupté ; mes yeux se troublaient aussi et nous retombions, ivres d'amour, poitrine à poitrine, en murmurant les paroles les plus folles, les plus dénuées de sens. A la fin, il s'était mis sur le côté ; j'étais presque endormie, il disait toujours des paroles d'amour, nos yeux étaient fermés, et nous restâmes une bonne demi-heure ensommeillés dans cette extase. Les cris qui venaient de la salle nous réveillèrent. Je réparai mon désordre à la hâte et il m'attacha lui-même mon masque, que j'avais oublié dans ma fièvre. Ferry prit son domino et nous entrâmes dans la salle. L'orgie atteignait son apogée. On ne voyait que des groupes voluptueux, dans toutes les poses imaginables, de deux, trois, quatre, cinq personnes.

Trois groupes étaient particulièrement compliqués. L'un était composé d'un monsieur et de six dames, qui chantaient des chansons montagnardes en se tenant par la main. Ils paraissaient extrêmement gais et se tenaient accroupis sur le sol, où l'on avait posé des flûtes de champagne qui pétillaient, et, entre chaque chant, les chanteurs sablaient un verre ou deux, ce qui ne devait pas tarder à les jeter dans l'ivresse la plus complète.

L'autre groupe se composait de Vénus, étendue près d'un monsieur qui jouait des castagnettes, tandis qu'un autre jouait du tambourin de façon continue. Dans les deux mains, elle tenait des clochettes et les secouait, tandis qu'une sorte de géant de Rhodes, appuyé sur deux chaises, roulait du tambour de la façon la plus bruyante, comme s'il avait dirigé la marche d'une armée.

En même temps, ils poussaient des hurlements de Zoulous. C'était le plus beau groupe.

Le troisième groupe se composait de deux dames et d'un monsieur. Une dame était couchée sur le dos, l'autre tenait au-dessus d'elle une grosse caisse sur laquelle la première cognait de toutes ses forces en criant et en faisant des grimaces. Le monsieur, taillé en hercule, dominait en jouant de l'harmonica, dont le son harmonieux et cristallin parvenait à n'être pas étouffé par les chants montagnards du premier groupe ni par les hurlements, les castagnettes, les tambourins, la grosse caisse. C'était vraiment de la folie, et de la folie musicale, qui plus est, et je me crus un instant dans un asile d'aliénés.

Tous les messieurs et toutes les dames avaient participé à ce concert, avec une activité plus ou moins vive, selon les tempéraments. Personne ne s'était dérobé à l'obligation de s'amuser. Ferry, parmi les hommes, et moi, parmi les femmes, nous étions encore les plus raisonnables.

Vénus, moi et la comtesse Bella étions les seules femmes qui ne se fussent point démasquées.

J'appris plus tard qui était Vénus. C'était une femme célèbre par ses aventures galantes. Elle se serait gardée pourtant d'enlever son masque, tandis que la comtesse Bella était une véritable furie, un démon féminin. Elle criait à haut voix : « Viens ici ! Allons, ne sais-tu pas que je suis une putain, une vraie putain ? » Elle fit le tour de toutes les pensionnaires de la maison ; elle leur distribuait des bonbons, des fruits ou du champagne. A table, elle but un plein verre d'eau-de-vie qu'un monsieur lui avait rempli. Elle était ivre morte, se roulait sous la table. Rési Luft dut l'emporter dans un cabinet et la mettre au lit. Elle l'enferma à clé. Bella essaya d'enfoncer la porte, enfin elle tomba par terre et s'endormit. Un peu plus tard, deux pensionnaires montèrent voir si elle dormait. Elles la trouvèrent se vidant par toutes les ouvertures, comme un tonneau défoncé, et la mirent au lit. Elle dormit jusqu'à quatre heures de l'après-midi.

Le souper fut en tous points digne de l'orgie. Plusieurs personnes s'endormirent sur la table. Il n'y avait plus que Ferry et encore deux ou trois autres messieurs capables de se tenir décemment. Les autres laissaient tristement prendre la tête. Puis on distribua les prix. Ferry fut proclamé roi ; puis vint le monsieur qui avait joué si bien de l'harmonica ; puis un autre, qui avait distribué beaucoup de bonbons. Ma rivale, la princesse O..., que j'avais trouvée en compagnie de Ferry, l'avait bel et bien perdu. Je voulus le convaincre de boire jusqu'à être ivre, mais il refusa. Pourtant je réussis à le faire boire de l'eau-de-vie. L'orgie se termina à quatre heures du matin.

Ferry et moi, Vénus et quelques autres dames rentrâmes à la maison ; les autres étaient ivres et passèrent la nuit chez Rési Luft.

En général, j'avais remarqué que les pensionnaires de notre hôtesse s'étaient le mieux conduites. Elles se faisaient prier par les messieurs avant de prendre part à ce qui se faisait. Léonie seule y faisait exception ; mais on racontait d'elle qu'elle appartenait à la noblesse, qu'elle était d'une vieille famille viennoise, qu'elle avait quitté ses parents pour se vouer à cet infâme métier et qu'elle était venue directement chez Rési Luft.

Ferry m'accompagna chez moi. Rose était encore debout, elle n'alla se coucher que quand je lui eus dit. Ai-je besoin de vous dire que pour Ferry et moi la guerre d'amour n'était pas encore terminée ?

Édition clandestine

ORGIE

Le 23 janvier, à 7 heures du soir, nous nous fîmes conduire, Anna et moi, rue des Brodeurs. Par-dessus mon déguisement, je portais un chaud manteau de fourrure ; Anna me quitta dans le vestibule, où je remis ma carte d'entrée. Rési Luft elle-même la prit de mes mains. Il y avait déjà beaucoup de dames et de messieurs, et j'entendis les sons d'un orchestre. Les premiers messieurs que j'aperçus furent le gouverneur T... et le baron G..., sans masque et entièrement nus. Mon apparition dans la salle fit sensation; j'entendis des dames chuchoter, l'une à l'autre : « Elle va nous éclipser! Ah! comme elle est belle! Un vrai sucre, on voudrait y mordre! » etc.

Les messieurs étaient plus ravis encore. Les parties les plus belles de mon corps, mes seins, mes bras et mollets, mon derrière et ma conque étaient nues, ou voilées d'un tissu transparent; on les voyait fort bien. Je jetai un coup d'œil à la ronde, pour découvrir Ferry parmi les hommes. Il se tenait aux côtés d'une dame vêtue d'un costume de tulle blanc : l'ornement, lis et roseaux, la désignait comme nymphe. Une autre dame, portant pour tout vêtement une ceinture d'or rehaussée de diamants et, dans sa chevelure noir de corbeau, un diadème de diamants, représentait Vénus; le bras au cou de Ferry, elle tenait en main son sceptre d'amour, qui se cabrait sous ses doigts; le gland, dénudé, brillait comme s'il eût été imbibé d'huile; il était d'un rouge sombre, et d'une taille inusitée. Jamais encore je n'avais vu lance aussi longue et belle. Ferry était complètement nu, les pieds chaussés de sandales de maroquin rouge cerise. Ni l'Apollon du Belvédère ni Antinoüs n'étaient aussi bien proportionnés, aussi beaux que lui. Son corps était d'une blancheur éblouissante, et comme ceint d'un reflet rose. A sa vue, je tremblai de tout le corps, je le dévorai des yeux et, sans le vouloir, m'arrêtai devant ce groupe. Vénus avait le corps beau et blanc, mais les seins un peu avachis; sa conque semblait trop béante et les lèvres qui la protègent tiraient sur le violet; on voyait bien qu'elle témoignait d'un zèle extrême envers la déesse qu'elle figurait.

Les yeux de Ferry se fixèrent sur moi, ses lèvres esquissèrent un sourire et il dit : « Voilà la meilleure façon de prendre l'initiative! » Puis il se retourna vers les deux dames, s'inclina et, les ayant quittées, vint droit sur moi. Il murmura mon nom à mon oreille. Sous mon déguisement, je rougis.

L'orchestre attaqua une valse; il était invisible, séparé des acteurs de cette bacchanale par un paravent. Ferry me prit par la taille et nous nous éloignâmes en tourbillonnant parmi les innombrables danseurs et danseuses. Je me trouvai comme étourdie par le frôlement de tant de corps chauds, lisses et nus, de femmes et d'hommes, au gré de la valse qui les entremêlait dans une sorte de vertige, par la vue de tant de verges mâles gonflées qui pointaient, pendant la danse, vers un but précis, par les baisers qui résonnaient et par l'odeur voluptueuse de tous ces hommes et femmes en rut. La flèche de Ferry frôla, de sa pointe, ma grotte et parfois son sommet; je la tendis, entrouverte, à sa rencontre, pour qu'il se dirigeât vers le bas, mais il se borna à me demander :

– N'es-tu pas jalouse?

– Non, répondis-je, j'aurais voulu te voir en Mars auprès de Vénus.

Il me quitta et reprit, des bras d'un danseur, la dame qui représentait Vénus.

Quelques filles du *pensionnat* de notre hôtesse apportèrent un tabouret rouge, qu'elles placèrent au milieu de la salle ; Vénus s'y appuya des deux mains et Ferry l'entreprit par-derrière. Wladislawa et Léonie s'assirent aux pieds des deux partenaires, la première, de ses doigts, écarta les grandes lèvres de la déesse et y joua avec sa langue, tandis que Léonie chatouillait les testicules de Ferry et lui insérait dans la fente arrière sa propre langue. Ferry s'en prit, à plusieurs reprises, si vigoureusement au corps de Vénus qu'elle ne gémit. Quant à moi, je me débarrassai du peu de vêtements que je portais et me plaçai toute nue devant lui.

— Enlèverai-je aussi le masque ? demandai-je.

— Garde-le sur ton visage, répondit-il et, ressortant sa verge de la conque de sa déesse, il lui claqua de la main sur les fesses, pour qu'elle me cède la place. Mes genoux fléchirent lorsque je me substituai à elle. Ferry se mit à genoux derrière moi, pénétrant de la langue par-derrière, puis par-devant, m'excitant au point que j'attendais d'un instant à l'autre que ma fontaine giclât. En baissant les yeux, je vis le splendide gland rouge de sa lance semblable à un rubis au sommet d'un sceptre royal.

C'en était trop pour moi ! Vénus, secondée par une autre dame, me suçait les seins, une troisième m'embrassait, faufilant sa langue entre mes lèvres, qu'elle buvait et mordait. Léonie, accroupie entre mes jambes, chatouillait ma fente à me faire perdre les sens ; les souffle presque coupé, je me sentais parcourue de frissons, au diaphragme, dans les hanches, les cuisses, les bras et les fesses. Le moment critique approchait ; le suc laiteux jaillit, comme de la crème fouettée, de ma grotte et remplit la bouche de Ferry, que j'entendis l'aspirer jusqu'à la dernière goutte. Là-dessus, il s'élança et m'enfonça son sceptre, brûlant et noueux, jusqu'à la racine, ce qui m'arracha un cri aigu de volupté. Mes nerfs, encore détendus peu d'instants auparavant, se crispèrent, mon temple de volupté était comme embrasé ; son dard, dur comme la pierre, me fit l'effet d'un acier surchauffé. Oh ! comme il s'entendait merveilleusement au jeu de l'amour !

Tantôt il retirait son boute-joie dont le gland caressait mes lèvres dans son va-et-vient, tantôt, d'un vigoureux élan, il le rentrait. Je sentais l'étroit orifice de mon hymen qui tentait d'attirer et de retenir son gland avant de le relâcher. Il recommença plusieurs fois, ses mouvements devenant plus vifs et plus rapides, tandis que sa verge s'enflait toujours davantage. Lui non plus n'était plus maître de ses feux ; il se pencha vers moi et, incrustant ses doigts dans mes hanches, il mordit jusqu'au sang mon épaule ; sa langue et ses lèvres s'en repaissaient. Le spasme survint alors, et le jet fut si fort qu'il remplit ma grotte. Je craignais déjà que ce ne fût passé et que je dusse perdre Ferry, mais il ne desserra pas son étreinte et son boute-joie resta mon prisonnier, s'ébattant dans le carcan qui se refermait sur lui.

Malgré la forte décharge, mon intérieur se trouva sec en moins d'une minute, tant la chaleur absorbait la sève. Je sentis alors son sceptre se durcir à nouveau et me bouter des coups auxquels je répondis sans délai. Aux applaudissements de l'assistance, nous reprîmes la joute amoureuse, cette fois avec plus de réflexion, en mesurant et espaçant nos efforts. Aussi la décharge fut-elle simultanée et je sentis une secousse électrique me transpercer, s'implanter en mon cœur. Sans sa présence d'esprit et sa maîtrise, qui surent contrôler ses nerfs, je me serais, à cet instant, trouvée enceinte, mais, après ce jet, un autre, bien plus prolongé et chaud, lui succéda, paralysant l'effet du premier.

Même après cet exploit, il ne mit pas fin à cette démonstration de son amour et de sa vigueur virile. Les spectateurs applaudirent lorsqu'ils le virent reprendre pour la troisième fois le tournoi, sans avoir dégagé sa flèche de mon carquois. Et tous de s'écrier : « Toutes les bonnes choses sont trois ! » Bien que, cette fois, le jeu eût duré plus d'un quart d'heure, pas question pour eux de s'éloigner ! Je sais même que des paris s'engagèrent : Ferry aboutirait-il ou serait-il, d'épuisement, contraint à battre en retraite ? Il n'en fut pas question ! Ferry paraissait inépuisable ; le dénouement, longtemps attendu – ce qui accrut son plaisir comme le mien – survint enfin, m'inondant toute de sa sève. Mais aussi, cette sorte de voluptueuse prostration qui succède à la décharge dura, cette fois, bien plus longtemps qu'après le second acte de notre splendide drame d'amour. Je ne tenais plus sur mes pieds ; plusieurs pensionnaires de notre hôtesse m'enlaçaient les jambes. Sous mes pieds, à mes flancs, devant moi, je ne sentais que des chairs nues. Les dames m'abreuvaient de baisers, suçant les boutons de mes seins, tandis que Ferry, debout derrière moi, me serrait contre lui.

Je sentis enfin son dard, toujours dans ma grotte, perdre peu à peu de sa rigidité, et s'échapper de la cage à laquelle il avait procuré une indicible volupté, tout en s'y trouvant lui aussi fort à son aise. Enfin, chacun finit par nous laisser tranquilles. Ferry m'embrassa, me tenant longtemps encore entre ses bras. Puis, il me prit par le bras et fit mine de m'emmener. « Sur le trône ! » s'écrièrent alors plusieurs voix d'hommes et de femmes.

Au fond de la salle, on avait édifié une sorte de tribune, avec un divan recouvert de velours rouge. C'est là qu'on projetait de nous mener pour signifier que nous méritions le premier rang parmi les vainqueurs des tournois amoureux. Ferry récusa cet honneur, en son nom comme de ma part ; il fit savoir qu'il préférait, si on voulait bien l'y autoriser, se désaltérer de quelque boisson rafraîchie. Sur quoi la dame costumée en Vénus nous mena vers le buffet. Le couvert n'était pas encore mis, il était trop tôt encore pour le souper, mais nous trouvâmes au buffet tout ce que pour l'instant nous désirions.

– Aurais-tu donc encore envie ?... lui demandai-je en l'étouffant de baisers.

– Pourquoi pas ? répondit-il en souriant. Mais je voudrais fermer la porte au verrou. Et toi, enlève ton masque, que je puisse lire la volupté sur ton visage. Serais-tu par hasard encore capable de me refuser cela ?

Il n'avait rien de ce despote, de ce sultan dont il avait voulu affecter le rôle ; c'était plutôt un berger, le plus doux et tendre que j'aie pu souhaiter. Je me levai, allai pousser le verrou de la porte et m'allongeai sur un doux lit de plume. Seule, une lampe d'albâtre, au plafond, éclairait la chambre ; sa lumière se concentrait sur le lit. J'écartai les cuisses de mon mieux, m'appuyai sur les coudes, et attendis mon chevalier servant qui, sans perdre un instant, m'enfila de sa lance. Cette fois, rien ne nous distrayait de nous-mêmes ; je ne voyais que lui, et lui, que moi.

Saurais-je décrire ce que je ressentis alors ? Je ne peux dire qu'une chose : les trois libations que nous avions savourées grâce aux dieux de l'amour ne furent rien en comparaison de la volupté que j'éprouvai, cette fois, pour moi toute seule. Lorsque le moment critique approcha enfin, il me fixa du regard et ses yeux prirent une expression de sauvage volupté, ses lèvres s'entrouvrirent comme pour reprendre souffle, mes yeux aussi chavirèrent et nous sombrâmes dans l'ivresse du plaisir, poitrine contre poitrine, ventre contre ventre, nos jambes et nos bras entrelacés comme un couple de serpents...

Nous restâmes ainsi allongés une demi-heure ; il s'était à demi tourné vers le mur, si bien que je reposai sur lui. Il n'avait pas dégagé son sceptre de ma gaine et, les yeux clos, nous restâmes dans un demi-sommeil, jusqu'à ce que des cris, des exclamations d'allégresse, venant de la salle, nous eussent tirés de cette extase. Il se mit en quête de mon masque que, dans ma distraction, j'eusse peut-être oublié, et m'aida à le fixer ; mes vêtements étaient posés sur une chaise ; je n'avais même pas remarqué qu'on me les avait apportés. Je me vêtis, Ferry reprit son domino qu'il enfila rapidement, et nous revînmes dans la salle.

Ici, l'orgie atteignait à son apogée. On ne voyait que des groupes dans des poses voluptueuses, à deux, à trois, et même quelques-uns composés de plusieurs personnes.

Trois de ces groupes étaient plus compliqués que les autres. L'un comportait un homme entouré de six femmes. Couché sur le dos, sur une planche soutenue par deux chaises, il avait, de sa lance, enfilé l'une des femmes ; sa langue jouait dans la grotte de volupté d'une seconde, assise sur sa poitrine ; de ses deux mains, il chatouillait la conque de deux autres ; les deux dernières étaient sans doute moins bien partagées, et servaient surtout à compléter le groupe, encore qu'elles fissent semblant de jouir aussi.

Le deuxième groupe avait pour centre Vénus ; elle était étendue sur un homme qui l'avait embrochée tandis qu'un autre l'entreprenait par-derrière et venait d'introduire sa verge dans l'autre orifice, beaucoup plus étroit. Dans chaque main, elle tenait la flèche d'un homme ; le cinquième mâle, un véritable colosse de Rhodes, installé sur deux chaises basses, les jambes écartées, se faisait sucer par le premier. Chez ces cinq mâles et chez Vénus, la jouissance survint au même moment. C'était le plus beau des trois groupes.

Le troisième se composait d'un homme et de deux femmes. L'une d'elles était à moitié couchée et à moitié assise sur un divan ; la seconde, allongée sur elle, lui enserrait les hanches de ses jambes ; tendrement enlacées, elles s'embrassaient et jouaient de la langue. La seconde s'arquait assez pour relever le croupion. L'homme, taillé en hercule, enfonçait tour à tour son dard dans la grotte de volupté de l'une et l'autre des deux femmes superposées. Je me demandais ce qu'il ferait au moment critique. Il était, dans son jeu, parfaitement réfléchi et équitable ; aucune des deux n'avait droit à plus de coups que l'autre. Finalement, à son souffle plus rauque, je vis que l'instant décisif approchait, mais, même alors, il ne perdit pas son sang-froid et donna à l'une autant de son *nectar* qu'à l'autre ; le premier jet, le plus bref, était allé dans la conque de la partenaire du dessus.

Ainsi, de tous les participants, hommes ou femmes, à ce concert d'amour, personne n'était resté à jeun, bien que certains fussent arrivés au but avant les autres ; chacun, en outre, avait eu double jouissance. Ferry et moi étions, parmi eux tous, ceux qui nous sentions encore les plus en forme.

Parmi les femmes, seules Vénus, la comtesse Bella et moi n'avions pas quitté nos masques.

Je sus plus tard qui avait joué le rôle de la déesse Vénus. C'était une femme du monde, célèbre par ses aventures galantes ; mais quitter son masque lui eût pourtant paru gênant. Bella était d'une insolence démoniaque. Elle criait à voix haute : « Venez donc, baisez-moi ! Ne voyez-vous pas que je suis une putain, une putain que n'importe qui baise ! » Elle abordait, l'une après l'autre, toutes les pensionnaires de notre hôtesse, caressait leur conque de sa langue, ou leur demandait d'uriner dans sa bouche. Au cours du souper, elle but un plein verre qu'un des assistants avait pour elle rempli d'urine. Elle fut bientôt ivre morte et se roula convulsivement sur le sol. Rési Luft dut, finalement, la faire transporter dans une petite chambre et mettre au lit, pour y dormir tout son saoul. Rési avait refermé la porte, mais Bella vint encore y tambouriner longtemps de ses deux poings, avant de s'effondrer sur le sol et de s'endormir. Plus tard, on envoya des pensionnaires voir ce qui se passait ; elles trouvèrent Bella, qui s'était vidée par toutes les issues, au milieu d'une véritable flaque, et la mirent au lit où elle dormit jusqu'à quatre heures de l'après-midi.

L'orgie prit fin à quatre heures du matin.

Je rentrai chez moi, accompagnée de Ferry. Rosa était encore fort en train et n'alla se coucher que lorsque je la congédiai. Faut-il encore vous dire que, pour nous deux, Ferry et moi, le tournoi d'amour n'était point encore à son terme ?

ANONYME

Histoires d'hommes et de dames

1913

Après la contrepèterie et la chanson de salle de garde, voici l'histoire « salée » livrée à son tour aux imprimeurs. *Histoires d'hommes et de dames* est un petit volume de 142 pages, tiré à 600 exemplaires. Nous en donnons les onze premières pages, et aussi l'histoire intitulée *Les Deux Manières*, page 36, témoignage intéressant de la permanence des thèmes dans la plaisanterie sexuelle[1]. *Les Deux Manières* ne sont en effet qu'une des innombrables versions de la même plaisanterie, l'une de ces versions étant l'historiette *L'Époux complaisant*, que Sade rédigea à la Bastille en 1787 ou 1788.

Manifestement, Sade n'avait déjà fait que coucher sur le papier un récit oral dont l'origine se perd dans la nuit des temps gaulois.

On reconnaîtra également dans «Le souci de la vérité» un conte en vers de Beaufort d-Auterval.

L'édition était clandestine, imprimée « pour un groupe de bibliophiles ».

1. Il faut lire à ce sujet le volume, énorme mais passionnant, où Gershton Legman a livré le fruit du travail de toute une vie : *Psychanalyse de l'Humour érotique*, 744 pages in-8°, Paris, 1971.

ÇA SUFFIT.

APRÈS UN VOYAGE de quelques semaines, un mari n'avait qu'une hâte : rentrer chez lui, retrouver sa femme et lui prouver qu'il l'aimait de plus en plus.

– Vite, vite, dit-il à sa moitié, sitôt le seuil conjugal franchi, viens vite dans la chambre.

– Hélas! répond la jeune femme, tu tombes mal, mon chéri, j'ai mes affaires.

Un instant le mari semble contrarié, puis, se ressaisissant :

– Tant pis, viens vite, nous ferons ça par-derrière.

– Hélas! soupire la jeune femme, j'ai des hémorroïdes.

– N... de D...! s'écrie le mari en la menaçant de sa main droite, si maintenant tu me déclares que tu as mal aux dents, je te fous une claque.

RÉVÉLATION.

Le fameux G..., artiste en cheveux, en musique, et directeur de théâtre, a, chacun le sait, la manie de se vanter d'être l'amant de toutes les jolies femmes.

Se promenant un jour dans une rue de Biarritz, il fit à un ami cette confidence :

— Vous voyez cette charmante personne dans cette calèche, eh bien j'ai couché avec elle hier soir.

— Pas possible ! s'étonna l'ami, mais c'est la Reine d'Espagne.

— Tiens, fit tranquillement G..., elle ne me l'a pas dit.

L'ESPRIT DE BÉBÉ.

Après dîner, au salon, tandis que les invités devisent en savourant leur café, Bébé éprouve le besoin de signaler sa présence.

— Je veux poser une devinette, déclare-t-il.

— Il nous embête, ce gosse-là ! fait le papa ; il y a deux heures que nous aurions dû le mettre au lit.

— Allons, réplique la maman toujours indulgente, laisse-lui poser sa devinette ; après, j'irai le coucher.

— Eh bien, dit Bébé en s'adressant aux personnes présentes : « C'est ovale, c'est humide, ça a des poils autour. »

— Infâme crapaud ! s'écrie le papa, veux-tu bien nous foutre le camp !

— Eh bien quoi, rétorque naïvement Bébé, c'est un œil.

— Ah ! qu'il est gentil ! qu'il est drôle ! répètent les invités.

Et tout le monde rit de bon cœur.

Fier de son succès, Bébé manifeste une nouvelle exigence :

— Je veux poser une devinette, moi, na.

— Soit, mais ce sera la dernière, concède le papa.

— Voilà, reprend alors Bébé : « C'est ovale, c'est humide, ça a des poils autour » ...

— Oui, c'est entendu, mon enfant, c'est un œil, répond une vieille dame austère.

— Eh bien non, réplique Bébé, c'est justement ce à quoi vous pensiez tout à l'heure.

L'ENFANT QUI A VU VIOLER SA SŒUR.

Popo a assisté à cet odieux attentat, durant lequel ce monsieur, en qui la famille avait toute confiance, a violé sa sœur.

A ce titre il est cité comme témoin chez le juge d'instruction. Mais la gravité du cabinet et le visage sévère du juge lui ôtent d'abord l'usage de la parole.

— Voyons, mon petit ami, lui dit doucement le juge, n'aie pas peur, raconte-moi ce que tu as vu.

Popo, tout en tremblant, commence sa déposition :

— J'ai vu le monsieur qui entrait dans la chambre de ma sœur.

— Et après? Ce n'est pas tout ce que tu as vu?

— Non, monsieur.

— Allons parle, mon enfant.

— J'ai vu le monsieur qui embrassait ma sœur.

— Et après?

— J'ai vu le monsieur qui poussait ma sœur vers le lit.

— Et après? Voyons dépêche-toi, mon enfant.

— Après? après?

— Après, j'ai vu le monsieur qui se couchait sur ma sœur.

— Et après, mon enfant? Est-ce tout ce que tu as vu?

— Après, monsieur, comme le monsieur me faisait signe avec son derrière de m'en aller, je suis parti.

LE SOUCI DE LA VÉRITÉ.

Une Auvergnate, ayant invité son neveu à venir passer quelques jours chez elle, fut obligée, n'ayant qu'un lit, de le partager avec le jeune homme. Celui-ci n'y voyait d'ailleurs aucun inconvénient. Mais au milieu de la nuit, il lui arriva une chose à laquelle il ne s'attendait pas et, ma foi, plutôt que d'en souffrir, il préféra oublier, pour le moment, que sa camarade de lit était sa tante.

— Eh! Pierre, s'écria celle-ci en se réveillant, je crois que tu me le mets!

— Mais non, ma tante, répondit hypocritement le jeune homme.

La dame avait des principes.

— Je ne te gronde pas parce que tu me le mets, reprit-elle, mais je ne veux pas que tu me mentes!

UNE DÉCLARATION INATTENDUE.

Faisant passer une visite sanitaire, un major, pour bien s'assurer que tout était en bon état, fit exécuter à un nouveau soldat les exercices habituels à ce genre d'examen.

— Décalottez, recalottez, décalottez, recalottez.

Le soldat obéit, puis visiblement émotionné, se laissa aller à cette déclaration assez inattendue :

— Monsieur le major… je… vous… aime.

Un voyageur, qui roulait vers le Midi, partageait son compartiment avec une femme élégante, mais qui ne lui était que très peu sympathique. Aussi, plutôt que de tenter un essai de conversation, préférait-il se plonger dans la lecture de ses journaux et de ses livres.

Bientôt, il lui fut difficile de goûter sa lecture, car la dame s'était mise à pousser des vocalises sur tous les tons majeurs et mineurs.

— Ah! ah! ah! ah! ah! ah! ah! ah!

— Pardon, madame, se décide enfin à demander le voyageur, mais pourquoi faites-vous des roulades qui n'en finissent plus?

— Monsieur, expliqua l'interrogée d'un ton assez revêche, je suis grande chanteuse. Je débute demain au théâtre de Toulouse, et je repasse mon morceau.

Le voyageur n'insista pas, mais comme la dame continuait ses exercices, quelques minutes plus tard il déboutonnait son pantalon et se tendait une main amie.

— Cochon! Saligaud! s'écria la dame au comble de l'indignation.

— Madame, fit le voyageur, je me marie demain; moi aussi je repasse mon morceau.

LES PRISONNIERS CAUSENT.

— J'en mène une existence! soliloquait le pied. Toujours enfermé dans une boîte de cuir. Quand on me sort, c'est pour me plonger dans l'eau, après quoi l'on me refourre dans ma boîte.

— Et moi, lui répondit la q..., crois-tu donc que je m'amuse? Moi aussi je suis toujours enfermée. Quand on me sort, c'est pour me plonger aussitôt dans un endroit humide. C'est laid, ça sent mauvais, on me remue, ça me fait vomir. Ah! que mon sort est donc amer!

UNE BELLE OPÉRATION.

Après la bataille de l'Alma, parmi les blessés que l'on transportait à l'ambulance française, se trouvait un sergent affreusement mutilé. Un boulet de canon lui avait enlevé les lèvres et le menton.

Le major était perplexe devant de telles blessures, lorsque des infirmières lui apportèrent le corps, encore chaud, d'une cantinière. Une idée germa soudain dans le cerveau du médecin. Pourquoi ne pas faire un essai de greffe humaine et, avec certaine partie barbue de la cantinière, remplacer ce que le boulet avait enlevé au brave soldat?

Sitôt pensé, sitôt exécuté. L'opération réussit à merveille, la convalescence du soldat fut rapide, la guerre prit fin, les années passèrent et le major ne songeait plus à ces divers incidents quand, un après-midi, en se promenant sur les boulevards, à Paris, il fut abordé par un inconnu à visage de vieux militaire.

— Bonjour, monsieur le major.

— Mais, fit le major, je n'ai pas l'honneur de vous connaître.

— Comment, s'écria l'homme, mon visage ne vous dit rien? Je suis votre opéré de l'Alma, celui à qui vous avez fait des lèvres et un menton artificiels.

— Ah! dit le major ravi, je suis bien aise de vous retrouver. Eh bien, quelles ont été les suites de cette opération? Êtes-vous content?

— Oh! très content, monsieur le major; seulement il m'est resté deux petits inconvénients 1° je saigne des dents tous les mois; 2° je ne peux plus me regarder la q... sans bâiller.

L'ÉCHARDE.

Un matin, en faisant sa toilette, M. Y... fut assez surpris de se trouver une écharde quelque part.

— Que veut dire cela? s'écria-t-il.

Il rassembla ses souvenirs et, tout à coup, se rappela que, la veille au soir, il s'était fait tailler une plume par une femme qui avait la gueule de bois.

LA FABRIQUE DE FEMMES.

Dans une ville de province, la maison des C... avait l'agrément (ou le désagrément) d'avoir comme voisinage immédiat une demeure hospitalière, réprouvée par la morale, tolérée par la police, et dont la lanterne rouge jetait des lueurs diaboliques sur les murs environnants. Les allées et venues, les entrées mystérieuses, les sorties rapides des visiteurs n'étaient pas sans intriguer le jeune Georget C... qui, âgé de dix ans, était d'une curiosité incomparable.

— Dis, pa, qu'est-ce qui se passe donc dans la maison d'à côté? Y a quelque fois plein de dames derrière les rideaux.

— C'est une fabrique de femmes, dit le papa qui, ne sachant quoi répondre, ne trouvait que cette explication au commerce bizarre et clandestin de ses voisins.

« Une fabrique de femmes... » songea Georget, qui, dès ce moment, n'eut d'autre ambition que d'être initié aux secrets de cette remarquable industrie.

Des mois passèrent. Monsieur C... ne pensait plus à tout cela quand, un après-midi, quelle ne fut pas sa fureur en voyant le jeune Georget sortir de la maison hospitalière!

— Petit misérable, d'où viens-tu?

— De la fabrique de femmes, répondit tranquillement Georget.

— De la fabrique de femmes! vociféra le père indigné. Et qu'y as-tu vu, dans la fabrique de femmes?

— Oh? pas grand-chose, fit Georget. Je suis rentré dans une chambre. Il y avait bien un monsieur qui fabriquait une femme, seulement elle était presque finie, il n'avait plus qu'à lui faire le trou du c . l.

L'ARGUMENT.

— Peut-on entrer, princesse? demandait un matin après avoir frappé à la porte de la chambre de la princesse M..., le beau chambellan qui, depuis quelque temps, avait les faveurs de la grande dame.

— Certes non, ce n'est pas l'heure d'être reçu.

— Oh! fit le chambellan, si vous saviez, princesse, avec quoi je frappe!

ENFANTILLAGE.

La nuit de son mariage, jugez de la stupéfaction d'un jeune marié qui vit sa jeune femme disparaître dans les draps pour se livrer sur sa personne à quelques caresses aussi savantes que défendues. Comme pris entre l'indignation et la volupté, il se laissait aller, la jeune femme arrêta une seconde ses bons offices, montra son joli minois, et, gentiment, dit à son mari :

— Tu dois me trouver bien enfant, mon amour.

LES DEUX MANIÈRES.

Mariée une première fois à un individu perverti, Mme M... avait reçu l'amour par la porte défendue. Ignorant qu'il existât une autre entrée, elle ne se plaignait pas de son sort, et même, par l'entraînement, savourait de bons quarts d'heure.

M. M... vint à mourir, et la jeune veuve ne tarda pas à lui donner un remplaçant.

Le nouveau venu n'avait pas les habitudes du défunt, et, le soir du mariage, il commençait à s'acquitter de son devoir selon sa conscience, quand sa femme, subitement indignée, le rappela aux convenances :

— Ah! non, monsieur, je vous en prie, pas de cochonneries!

PAUL REBOUX

1877-1963

CHARLES MULLER

1877-1914

A la manière de Kipling[1]

1913

Pas très loin de la contrepèterie et de la chanson de salle de garde, le pastiche à double sens enchante un peu les mêmes amateurs. J'avoue avoir toujours trouvé celui-ci assez réussi. Il est d'ailleurs fondé sur une célèbre chanson de salle de garde.

1. Extrait de *A la manière de …*

La plus belle chanson de la jungle

TOUT CE QUE nous allons dire arriva dans la Jungle, là où les êtres sont soumis à la loi de la Jungle, qui n'ordonne rien sans raison et qui est de beaucoup la plus vieille des lois du monde.

L'atelier de Manè-Kèn se trouvait sur la plus haute branche d'un banyan-tree. Tout le jour, Manè-Kèn faisait aller sans relâche sa petite navette pour fabriquer des toiles de chasse où les petits de Bzoum, la mouche, et de Zizz, le moustique, venaient se prendre. Il vivait avec sa fille, Jakarda, une jeune araignée bon enfant qui était toute velue. Le soir, pleine d'espoir, à l'heure où Manè-Kèn tisse avec le plus d'ardeur, elle s'en allait rôder autour du temple de Kali et près des bungalows où habite l'homme. Là, elle recueillait des parcelles de bracelets en cristal brisé par les danseuses sacrées, ou des fragments de bouteilles ayant contenu du schweps-soda-water. Elle revendait facilement ce verre pilé au peuple des Shoshars, les vieux singes à favoris blancs de l'Himalaya, qui sont des collectionneurs infatigables, sans cesse dévorés de vermine et de curiosité, et si naïfs que tout leur est bon. Munie de ce qu'elle gagnait de la sorte, Jakarda allait chez l'oiseau cordonnier, qui cogne sans cesse contre des semelles, et lui achetait des petits souliers qui lui permettaient de courir facilement au cœur de la Jungle, dans les endroits obscurs où ne sèche jamais l'eau qui s'égoutte sans fin des feuilles moites.

Or, il arriva qu'à la lune décroissante, Gris-Gris, le pou, rencontra Jakarda. Il lui dit : « Nous sommes du même sang, toi et moi », et, pour la séduire, il la conduisit chez Pickett, la grenouille rouge qui vend le vin tiré des palmiers. La pauvre enfant ne se doutait pas de ce que le pou voulait lui faire. Il lui offrit une prise qu'il venait d'effectuer sur le territoire de chasse, car il avait tué la nuit précédente. Jakarda s'empressa de la ranger dans la cachette où elle serrait ses pièges à mouches. Elle aurait dû montrer plus de prudence, mais l'araignée n'en avait pas. Et l'on a vu tous ses appâts. Ensuite, Gris-Gris, franchement canaille, lui proposa une roupie et cinq annas pour obtenir d'elle un entretien secret.

– *Plugh !* Une roupie ! – fit Jakarda.

– Par la moustache brûlée de Shere-Khan, tu n'es qu'un rien qui vaille ! Donne-moi cinq annas de plus et tu ne le regretteras pas. J'ai préparé non loin d'ici une trappe où les bêtes restent prisonnières, et qu'on nomme, en langue de Jungle, un leuk'hû. Sauf Child le Vautour qui voit tout, personne ne sait où je l'ai creusée. Eh bien, pour cinq annas, je te ferai voir le trou de mon leuk'hû ! Sommes-nous d'accord ?

Ils le furent, et tellement que, quelques lunes plus tard, l'infortunée Jakarda, toute rougissante, fut bien obligée de parler à son père de baby, de nurse, et d'une foule d'autres choses du même genre.

Alors, le vieux Manè-Kèn, qui avait instruit très consciencieusement sa fille de tout ce qu'elle devait respecter, fut pris d'une colère violente. Il remua ses grands bras poilus en criant :

– Tu devais devenir l'épouse de Ticoticotic, l'oiseau-piqueur-à-la-machine ! Que peut-il penser de toi, présentement ? Tu m'as déshonoré ! Nous ne sommes plus du même sang, toi et moi ! Je souhaite que tu dépérisses, que tu deviennes plus plate qu'une grenouille morte en été ! *Wouah !* Retire-toi de ma vue !

L'araignée, de désespoir, alla voler l'instrument du perroquet Koko, l'oiseau-raseur, et s'en porta quatre coups dont elle trépassa vite, après une affreuse agonie.

Gris-Gris, le remords dans l'âme, alla chercher un asile tour à tour dans le vieux pelage roussi de l'ours Baloo, entre les poils noirs de la panthère Bagheera, parmi la fourrure veloutée de Sahi, le porc-épic ; même il planta sa lente dans la toison de l'Homme, et habita deux mois la barbe d'un brahmine de naissance Rajpoute. Mais il ne retrouvait pas la paix du cœur. Alors, ayant décidé de se donner la mort, il se rendit près de leuk'hû, le piège dont la pauvre Jakarda lui avait révélé jadis l'existence.

Il s'approcha de l'excavation traîtresse, introduisit bravement les quatre doigts et le pouce dans le leuk'hû, et attendit.

Cependant, la vie de la Jungle continuait. Les mouches étincelantes volaient dans les rayons de soleil qui perçaient les ténèbres vertes. Les Shoshars collectionneurs poursuivaient leurs recherches de branche en branche, avec des cris de joie. Le serpent Nag allait insidieusement traire le lait des poules faisanes engourdies par la torpeur des sous-bois étouffants. Et cela dura des jours et puis des jours encore, jusqu'à ce qu'enfin Gris-Gris, prisonnier du trou mortel, eût exhalé sa petite âme.

Chant funéraire

DE GRIS-GRIS LE POU ET DE JAKARDA L'ARAIGNÉE

Un jour un pou, dans la Jungle,
Rencontra chemin faisant
– Tardivô alala! –
Une araignée bon enfant.
Elle était toute…

A quoi bon continuer? Cet émouvant poème est trop connu pour qu'il soit utile d'en citer davantage.

ALFRED MACHARD

1887-1962

Titine

1913

« *Naturalisme pas mort, lettre suit.* » Expédié en 1890, le télégramme célèbre de Paul Alexis n'a pas perdu, vingt ans plus tard, toute son actualité. Mirbeau mène encore un petit bataillon où prend tout naturellement sa place Alfred Machard « le Poulbot de la littérature » (*L'Épopée au faubourg, Trique, Nénesse et Souris l'arpète...*), dont les gamins sous-alimentés sont exposés tôt ou tard à découvrir la sexualité dans des conditions difficiles.

SUR UN OREILLER de papier de soie, la poupée dormait. Titine s'extasia :

– Qu'elle est belle ! Elle a une robe rose !... Et pis elle dort, ses petits yeux sont fermés !... Qu'elle est belle !

– Elle dort, mais elle va se réveiller, regarde bien, Titine !

Le général retira la poupée de la boîte, et, après lui avoir dressé les bras en un geste d'accueil, il la tint, debout, sur la table.

– Oh ! cria Titine, elle ouvre ses yeux, ell'me r'garde ! Oh ! que j'suis contente ! que j'suis contente ! que j'suis contente !

Et elle sautait sur un pied en tournoyant, battait des mains, riait comme une petite folle, les cheveux ébouriffés, les yeux humides, le sang aux joues.

– Voyons, Titine ! j'aime pas ces manières de toquée ! Reste tranquille ou j'dis au général de remporter la poupée !

Titine s'arrêta, sur un pied.

– Laissez-la donc sauter, cette enfant, si ça l'amuse ! dit le général. Écoute maintenant, Titine...

Le général appuya un doigt sur un bouton, dans le dos de la poupée.

La poupée cria : « Papa ! »

– Elle dit « papa », s'étonna Titine, on dirait qu'elle parle pour de vrai !

Certes, elle avait l'air de parler « pour de vrai », cette poupée. Sa voix sortait, claire, d'une bouche mignonne entr'ouverte en un perpétuel sourire qui montrait des dents toutes petites, très blanches et écartées.

La poupée cria : « Maman ! »

– Oh ! dit Titine, simplement. Son menton trembla. Ses yeux s'emplirent de larmes.

« Maman ! » « Maman ! » criait la poupée, les bras tendus.

Titine, éperdue, la regardait.

Une grande tendresse descendait sur son cœur.

« Maman ! » « Maman ! »

— C'est ma fille, dit alors Titine, et elle la saisit contre elle, farouchement.

— C'est bien péché, remarqua la Cerveau, de donner un jouet comme ça à une grande fillasse de cet âge-là… enfin… c'est vous qui payez, ça vous regarde.

Titine tira le général par la manche.

— Dis, on va la baptiser tout de suite ?

— Tout de suite ?

— Oui… tout de suite… je l'veux !

— Quoi t'est-ce encore que cette idée-là ? gronda Mme Cerveau, fiche-nous la paix avec ta poupée ! Sans ça je te la prends et je l'enferme dans le placard !

— Ho !… ho !… ho !… j'veux qu'on la baptise… hi… hi… pleurnichait Titine en faisant la moue, j'veux qu'on la baptise tout de suite.

Et, se tournant vers le général, elle implora, en fermant à demi ses yeux câlins :

— Oh, dis, s'pas qu'tu veux bien qu'on la baptise tout de suite ?

— Ce sera long ? demanda le général, inquiet.

— Non, répondit Titine, toi tu feras le curé, et pis moman f'ra la marraine… Moi, j'suis la mère…

— Vaut mieux lui céder, dit alors tout bas Mme Cerveau en se penchant vers le général, sans ça, elle va s'entêter, s'énerver… y aura rien moyen d'en faire tout à l'heure.

Le général poussa un long soupir, marmonna : « Allons-y ! », se fabriqua une mitre d'évêque avec un journal ingénieusement plié et se couvrit les épaules d'une serviette de table en manière de chasuble.

Titine radieuse promenait sa poupée :

— Faudra être sage… faudra surtout pas pleurer dans l'église… et pis i faudra pas cracher l'petit grain d'sel qu'on te mettra dans la bouche, ma jolie…

— Ça va-t-il bientôt finir, c'te comédie ! grogna Mme Cerveau d'un ton rogue.

— Oh ! moman, allons dans la cuisine et pis on entrera dans la chambre.

— Quel aria ! quel aria ! marmonnait Mme Cerveau en dressant vers le plafond deux bras frénétiques.

— Moman, marche derrière moi !

— J'y marche !… dépêche-toi !

Titine fit un beau salut.

— Monsieur le curé, voulez-vous baptiser ma fille ?

— Oui, Madame, comment l'appelez-vous ?

— Titine… c'est aussi mon nom, m'sieu le curé… v'là la marraine.

– Ah! voilà la marraine, approchez, la marraine.

La marraine obéit.

– *Dominus vobiscum*, la marraine, penchez-vous, *spiritu tuo*... j'ai un mot à vous dire, la marraine...

La marraine tendit l'oreille. M. le Curé, les mains en cornet, souffla :

– Tout à l'heure, quand je clignerai un œil, vous filerez dans la cuisine et vous fermerez la porte... C'est entendu?

– Oui, répondit la marraine en un signe de tête.

– Qu'est-ce que tu lui racontes, à moman? interrogea Titine. C'est pu du jeu de parler tout bas.

– Mais si, c'est le jeu, ma belle... Je lui fais des recommandations... c'est toujours comme ça dans les baptêmes... Allons, présente-moi ta fille, que je la baptise... c'est Titine que tu l'appelles?

– Oui, m'sieu l'curé.

– Bien.

Le général trempa un doigt dans la carafe et fit une croix humide au front de la poupée :

– Je te baptise au Nom du Père, du Fils et du Saint-Esprit... *Dominus omnibus clama via te domine, omelettorum Regina, Amen.*

– *Amen*, répondit Titine en pouffant de rire.

– Maintenant, reprit le général en se dépouillant des ornements sacerdotaux, ma belle, il faut coucher ta fille.

– Déjà?

– Il est l'heure... remets-la dans sa boîte.

Titine alors embrassa sa fille, longuement, longuement et la posa avec mille précautions dans son étroit berceau de carton.

– Elle ferme ses yeux, dit-elle en souriant tendrement.

– Moi aussi, mâme Cerveau, j'en ferme un, ajouta, énigmatique, le général.

Comme Titine se penchait pour embrasser encore une fois le frais visage de biscuit, elle sentit s'écraser sur sa nuque la chaleur d'un souffle.

Elle tourna la tête.

Le visage du général touchait presque le sien.

– Hou! cria-t-elle en se reculant.

Les yeux du général, injectés de sang, brillaient sous la broussaille des sourcils.

Sa face était cramoisie. Au front, près des tempes, de grosses veines saillaient sous la peau. Il bégayait :

– Petite Titine... petite Titine... n'aie pas peur... petite Titine...

Brusquement il porta les mains sur elle, la saisit, l'enleva dans ses bras et courut vers le lit.

« Moman! » appela Titine épouvantée.

TITINE

Mme Cerveau avait quitté la chambre, on l'entendit derrière la porte, sur le palier, qui criait :

– Ne vous tourmentez pas… je descends !

Mme Cerveau descendit un étage et s'assit sur une marche.

Elle était un peu saoule. Ses jambes s'appesantissaient sous le poids de son corps. Accotée au mur et dodelinant de la tête, elle écouta.

La maison dormait.

Dix heures sonnèrent, dehors, à un clocher, sur la ville. La trompe d'un tramway lointain glapit deux fois.

Puis ce fut de nouveau le silence. Mme Cerveau marmonna, la voix pâteuse :

– Moi… vrai… vrai… c'est cochon… seulement pas l'temps de tourner un œil… ça y était !… Hein !

Il lui sembla qu'une petite voix – celle de Titine sans doute – avait crié : Maman !

Elle prêta l'oreille, le cou tendu.

Rien que le silence.

Une marche craqua.

– Mais si !… ça va !… ça va !… murmura-t-elle soudain, car elle entendit alors, venant de son logement clos, comme un piétinement de lutte et des exclamations assourdies.

Dans la nuit, sa vaste bouche se fendit en un rictus silencieux. Elle avança le menton, rentra la lèvre supérieure et souffla sur son visage une haleine qui sentait le vin.

Là-haut, une chaise fut renversée et rebondit.

– Ce sacré général !

Un cri d'épouvante et de douleur déchira tout à coup le silence, un cri aigu, mais bref, comme étouffé brutalement sous la paume d'une main.

– Ça y est ! ça y est ! ricana la Cerveau en agitant nerveusement son corps lubrique. Puis elle se leva et descendit l'escalier, cramponnée à la rampe, lentement, à reculons, afin de ne point se rompre le cou dans cette obscurité.

Personne ne bougea dans la maison, tant les querelles conjugales y sont fréquentes.

Maintenant, quelqu'un marchait précipitamment dans la chambre. Une bouteille chut sur le carreau et se brisa. Une porte s'ouvrit. Celui qui sortait ne la referma point. Des pas sonnèrent dans le couloir. Sur le palier, une allumette piqua la nuit d'une lueur phosphorescente. Un visage d'homme, les yeux hagards, apparut une seconde.

L'allumette s'éteignit.

– Merde ! dit la voix rauque de l'homme.

Il descendait à tâtons, dans la nuit, une main sur la rampe qui vibrait.

Sur chaque palier il s'arrêtait un instant, soufflait bruyamment et, d'un pied raclant le sol, cherchait le rebord de la première marche.

Quand il fut en bas, dans le couloir, il releva le col de son pardessus, car une lampe brûlait encore dans la loge de sa concierge.

Puis il baissa son chapeau sur ses yeux et passa...

Alors, le silence emplit de nouveau l'escalier ténébreux.

Dehors, la pluie se mit à tomber et jeta des poignées d'épingles sur la vitre de la fenêtre à tabatière qui s'ouvrait dans le toit, au-dessus de l'escalier.

Une rafale balaya le faubourg. Puis des courants d'air, en nappes, glissèrent sur les marches.

La porte du logement de Mme Cerveau, qui était ouverte, se ferma lentement, lentement, toute seule, en gémissant...

PAUL GÉRALDY

1 8 8 4

Toi et Moi

1 9 1 3

On connaît l'aventure de Paul Géraldy : poète aimable et sans renommée, habitué de revues estimables où il voisinait parfois avec de grands noms, il publia un jour un mince recueil dont le succès dure encore, et constitue un record du genre avec plusieurs centaines de milliers d'exemplaires vendus. On en trouve sur les quais de Paris des exemplaires annotés, cochés, enrichis d'envois enflammés, quelquefois amputés de pages qui durent tenir lieu de correspondance amoureuse. Est-ce une lecture érotique ? Il semble bien que oui : on m'assure que quelques poèmes comme celui que je cite ont pu être assez troublants. C'est sans doute un cas extrême, mais je le crois certain.

Explications

Non, ne commençons pas ! Écoute :
tu veux que nous nous expliquions ?
Tu le veux, coûte que coûte ?
Faisons bien attention.
Qu'allons-nous dire encore de triste et de sauvage ?
Qu'allons-nous dire, mon Dieu !...
Tais-toi, tiens ! Laisse-moi dégrafer ton corsage :
cela vaudra beaucoup mieux.
Les choses que tu veux me dire, ma petite,
je les sais d'avance. Allons, viens !
Déshabille-toi. Viens vite.
Prenons-nous. Le meilleur moyen de
s'expliquer sans être dupe,
c'est de s'étreindre, corps à corps.
Ne boude pas. Défais ta jupe.
Nos corps, eux, seront d'accord.
Viens, et ne fais pas la tête !
La querelle déjà prête,
tu sais bien qu'on l'oubliera dès que tu seras venue.
Vite, allons ! viens dans mes bras, toute nue...

VALENTINE DE SAINT-POINT

Anna, Jeanne, Valentine Vercell Deglans de Cessiat

1875-1953

Manifeste de la luxure

1913

On doit à Claudine Brécourt-Villars (*Écrire d'amour*) à peu près tout ce qu'on sait aujourd'hui de Valentine de Saint-Point, arrière-petite-nièce de Lamartine enterrée à Saint-Point, petit village des environs de Mâcon - d'où le pseudonyme bien sûr.

« *Femme quasi mythique et aussi passion-nante qu'extravagante*, dit C. Brécourt-Villars, *Valentine de Saint-Point a déployé une telle activité littéraire et artistique que certains exégètes n'hésitent pas à voir en elle une véritable "annonciatrice" ou l'un des chefs de file d'une certaine avant-garde entre 1905 et 1914. Mais Valentine de Saint-Point fut et reste très controversée; d'aucuns la considèrent encore comme un subtil caméléon ayant eu surtout l'intelligence d'amalgamer les grands courants du moment. L'une de ses consœurs, l'écrivain et journaliste Henriette Charasson, en fait une figure de proue de l'"immoralisme" en marche des années 20; "C'est à la suite de Marie Dauguet qu'il faudrait la nommer, dit-elle, car elle appartient à l'école du Tout-Pan ou Tutu-Pan-Pan et l'on n'a pas oublié ses conférences en l'honneur de la luxure!" Ce persiflage de fait est suscité, en réalité, par la confusion entre le renom d'une œuvre mal connue, mal comprise et la réputation de son auteur qui se complaisait à entretenir l'image d'une femme provocatrice et irréductiblement anticonformiste.*

« *On prêta d'ailleurs à Valentine de Saint-Point plus de passions et d'aventures qu'elle n'en eut : ses liaisons avec Mucha et Rodin à qui elle servit de modèle furent-elles inventées ?*

On l'envia, en tout cas, beaucoup. Brillante, très productive – elle écrivait mais peignait également et sculptait des gravures sur bois –, cette mondaine très ambitieuse, arriviste a-t-on dit aussi, fit partie de l'intelligentsia française des années 1910-1920 avec son ami Canudo, cet écrivain prolifique, spécialiste entre autres du cinéma et fondateur de la revue Montjoie, « *Organe de l'impérialisme artistique français », qui parut de 1913 à 1914.*

« *Dans leurs réunions hebdomadaires on pouvait en effet rencontrer les plus grands écrivains, peintres et musiciens : Stravinski, qui dédia à Valentine de Saint-Point une page musicale du* Sacre du printemps, *Varèse, Manuel de Falla, Loïe Fuller, Bakst, Jacques Villon, Marcel Duchamp, Fernand Léger, Chagall, Raoul Dufy, de Segonzac, Delaunay, André Lhote, Picabia...*

« *Si Canudo influença Valentine de Saint-Point sur le plan philosophique et esthétique, c'est à Vivian Postel-Dumas qu'elle doit son inspiration initiale et son approche de la synarchie d'empire. Bien que cet aspect de l'œuvre de l'auteur soit fondamental, il est difficile d'en parler dans une notice nécessairement partielle.*

« *Quand on aborde la vie et l'œuvre de Valentine de Saint-Point, on navigue entre chien et loup. La recherche est d'autant plus malaisée que ses vétérans et "amants posthumes" gardent jalousement leurs découvertes ou leurs intuitions et que les musulmans intégristes qui, aujourd'hui encore, lui vouent un véritable culte, s'enferment dans un total silence. Toutefois, une étude plus précise de sa relation avec l'occultisme et la théosophie permettrait une approche plus sérieuse de l'œuvre* et une compréhension plus évidente de l'étonnant itinéraire qui la mena à une conversion à l'islam et à une installation définitive au Caire en 1924 où elle milita en faveur du nationalisme arabe et prit pour nom Rawheya Nour el-Dine.

« Quand on parle des aspects érotiques de l'œuvre de Valentine de Saint-Point, on se limite généralement trop souvent au seul Manifeste de la luxure (1913). Or cette profession de foi outrée et paradoxale, voire opportuniste, gagnerait à être analysée par rapport à la philosophie développée dans la somme romanesque introuvable de nos jours et peu connue : La Trilogie de l'amour et de la mort ; le premier tome, Un amour, fut édité en 1906 ; le second, Un inceste, l'année suivante, le dernier volet, enfin, édité en 1911, avait d'abord paru en feuilleton dans La Nouvelle Revue du 15 décembre 1909 à mars-avril 1910. Il n'est pas sans intérêt de noter à ce sujet que cette revue était dirigée par Juliette Adam, cette fervente de la religion bla-vatskienne, qui envisageait le roman comme médiateur entre les "sciences magiques" et les "sciences modernes".

« Posant dans sa trilogie le principe de la recherche effrénée du "Vertige suprême", Valentine de Saint-Point considère l'amour comme "la faculté de jouir mais aussi la faculté de souffrir". Par lui, dit-elle, tout au long de ses trois volumes, "toute sensation est poussée au plus haut degré, à la dernière limite" et la mort, envisagée comme le "paroxysme de l'amour". Cependant, si cette quête de la "possibilité de l'impossible" peut s'apparenter à l' "expérience des limites" de Laure ou de Georges Bataille, l'érotisme de Valentine de Saint-Point est posé dans l'ordre du cosmique. Influencée par Nietzsche et Schopenhauer, l'auteur présente ainsi une "Surfemme", un "Surhomme" et un "Surcouple" – la mère et le fils – comme la "promesse d'une surhumanité" dont il y aurait cependant bien à dire. »

C'est sûr…

L A LUXURE, conçue en dehors de tout concept moral et comme élément du dynamisme de la vie, est une force.

Pour la race forte, pas plus que l'orgueil, la luxure n'est un péché capital. Comme l'orgueil, la luxure est une vertu incitatrice, un foyer où s'alimentent les énergies.

La luxure, c'est l'expression d'un être projeté au-delà de lui-même : c'est la joie douloureuse d'une chair accomplie, la douleur joyeuse d'une éclosion : c'est l'union charnelle, quels que soient les secrets qui unifient les êtres : c'est la synthèse sensorielle et sensuelle d'un être pour la plus grande libération de son esprit : c'est la communion d'une parcelle de l'humanité avec toute la sensualité de la terre : c'est le frisson panique d'une parcelle de la terre.

La Luxure, c'est la recherche charnelle de l'Inconnu, comme la Cérébralité en est la recherche spirituelle. La Luxure, c'est le geste de créer et c'est la création.

La chair crée comme l'esprit crée. Leur création, en face de l'Univers, est égale. L'une n'est pas supérieure à l'autre. Et la création spirituelle dépend de la création charnelle.

Nous avons un corps et un esprit. Restreindre l'un pour multiplier l'autre est une preuve de faiblesse et une erreur. Un être fort doit réaliser toutes ses possibilités charnelles et spirituelles. La luxure est pour les conquérants un tribut qui leur est dû. Après une bataille où des hommes sont morts, il est normal que les vic-

torieux, sélectionnés par la guerre, aillent, en pays conquis, jusqu'au viol pour recréer de la vie.

Après les batailles, les soldats aiment les voluptés où se détendent, pour se renouveler, leurs énergies sans cesse à l'assaut. Le héros moderne, héros de n'importe quel domaine, a le même désir et le même plaisir. L'artiste, ce grand médium universel, a le même besoin. Même l'exaltation des illuminés de religions assez neuves pour que leur inconnu soit tentant, n'est qu'une sensualité détournée, spirituellement, vers une image féminine sacrée.

L'Art et la Guerre sont les grandes manifestations de la sensualité; la luxure est leur fleur. Un peuple exclusivement spirituel ou un peuple exclusivement luxurieux connaîtraient la même déchéance : la stérilité.

La Luxure incite les Énergies et déchaîne les Forces. Elle poussait impitoyablement les hommes primitifs à la victoire pour l'orgueil de rapporter à la femme les trophées des vaincus. Elle pousse aujourd'hui les grands hommes d'affaires qui dirigent la banque, la presse, les trafics internationaux, à multiplier l'or, créant des centres, utilisant des énergies, exaltant des foules, pour parer, augmenter, magnifier l'objet de leur luxure. Ces hommes surmenés mais forts, trouvent leur temps pour la luxure, moteur principal de leurs actions et des réactions de celles-ci, répercutées sur des multitudes et des mondes.

Même chez les peuples neufs, dont la luxure n'est pas encore déchaînée ou avouée, qui ne sont pas les brutes primitives ni non plus les raffinés des vieilles civilisations, la femme est le grand principe galvanisateur auquel tout est offert. Le culte réservé que l'homme a pour elle n'est que la poussée encore inconsciente d'une luxure sommeillante. Chez ces peuples, comme chez les peuples nordiques, pour des raisons différentes, la luxure est presque exclusivement procréation. Mais la luxure, quels que soient ses aspects, dits normaux ou anormaux, sous lesquels elle se manifeste, est toujours la suprême stimulatrice.

La vie brutale, la vie énergique, la vie spirituelle, à certaines heures exigent la trêve. Et l'effort pour l'effort appelle fatalement l'effort pour le plaisir. Sans se nuire, ils réalisent pleinement l'être complet.

La luxure est pour les héros, les créateurs spirituels, pour tous les dominateurs, l'exaltation magnifique de leur force : elle est pour tout être un motif à se dépasser, dans le simple but de se sélectionner, d'être remarqué, d'être choisi, d'être élu.

La morale chrétienne, seule, succédant à la morale païenne, fut fatalement portée à considérer la luxure comme une faiblesse. De cette joie saine qu'est l'épanouissement d'une chair puissante, elle a fait une honte à cacher, un vice à renier. Elle l'a couverte d'hypocrisie : c'est cela qui en fit un péché.

Qu'on cesse de bafouer le Désir, cette attirance à la fois subtile et brutale de deux chairs quels que soient leurs sexes, de deux chairs qui se veulent, tendant vers l'unité. Qu'on cesse de bafouer le Désir, en le déguisant sous la défroque lamentable et pitoyable des vieilles et stériles sentimentalités. Ce n'est pas la luxure qui désagrège et dissout et annihile, ce sont les hypnotisantes complications de la sentimentalité, les jalousies artificielles, les mots qui grisent et trompent, le pathétique des séparations et des fidélités éternelles, les nostalgies littéraires : tout le cabotinage de l'amour.

Détruisons les sinistres guenilles romantiques, marguerites effeuillées, duos sous la lune, fausses pudeurs hypocrites ! Que les êtres rapprochés par une attirance physique, au lieu de parler exclusivement des fragilités de leur cœur, osent exprimer leurs désirs, les préférences de leur corps, pressentir les possibilités de joie ou de déception de leur future union charnelle.

La pudeur physique, essentiellement variable selon les temps et les pays, n'a que la valeur éphémère d'une vertu sociale.

Il faut être conscient devant la luxure. Il faut faire de la luxure ce qu'un être intelligent et raffiné fait de lui-même et de sa vie : *Il faut faire de la luxure une œuvre d'art.* Jouer l'inconscience, l'affolement, pour expliquer un geste d'amour, c'est de l'hypocrisie, de la faiblesse ou de la sottise. Il faut vouloir consciemment une chair comme toutes choses.

Au lieu de se donner et de prendre (par coup de foudre, délire ou inconscience) des êtres forcément multipliés par les désillusions inévitables des lendemains imprévus, il faut choisir savamment. Il faut, guidé par l'intuition et la volonté, évaluer les sensibilités et les sensualités, et n'accoupler et n'accomplir que celles qui peuvent se compléter et s'exalter.

Avec la même conscience et la même volonté directrice, il faut porter les joies de cet accouplement à leur paroxysme, développer toutes les possibilités et éclore toutes les fleurs des germes des chairs unies. Il faut faire de la luxure une œuvre d'art, faite, comme toute œuvre d'art, d'instinct et de conscience.

Il faut dépouiller la luxure de tous les voiles sentimentaux qui la déforment. Ce n'est que par lâcheté qu'on a jeté sur elle tous ces voiles car la sentimentalité statique est satisfaisante. On s'y repose, donc on s'y amoindrit.

Chez un être sain et jeune, chaque fois que la luxure est en opposition avec la sentimentalité, c'est la luxure qui l'emporte. La sentimentalité suit les modes, la luxure est éternelle. La luxure triomphe, parce qu'elle est l'exaltation joyeuse qui pousse l'être au-delà de lui-même, la joie de la possession et de la domination, la perpétuelle victoire d'où renaît la perpétuelle bataille, l'ivresse de conquête la plus enivrante et la plus certaine. Et cette conquête certaine est temporaire, donc sans cesse à recommencer.

La luxure est une force, parce qu'elle affine l'esprit en flambant le trouble de la chair. D'une chair saine et forte purifiée par la caresse, l'esprit jaillit lucide et clair. Seuls les faibles et les malades s'y enlisent ou s'y amoindrissent.

La luxure est une force, puisqu'elle tue les faibles et exalte les forts, aidant à la sélection.

La luxure est une force, enfin, parce que jamais elle ne conduit i l'affadissement du définitif et de la sécurité que dispense l'apaisante sentimentalité. La luxure, c'est la perpétuelle bataille jamais gagnée. Après le passager triomphe, dans l'éphémère triomphe même, c'est l'insatisfaction renaissante qui pousse, dans une orgiaque volonté, l'être à s'épanouir, à se surpasser.

La luxure est au corps ce que le but idéal est l'esprit : la Chimère magnifique, sans cesse étreinte, jamais capturée, et que les êtres jeunes et les êtres avides, enivrés d'elle, poursuivent sans répit.

La luxure est une force.

VALENTINE DE SAINT-POINT

Paris, 11 janvier 1913.

L'Œuvre poétique

1917

Je ne peux vraiment être tout à fait d'accord sur Apollinaire ni avec Pascal Pia, ni avec Michel Décaudin. Pascal Pia a publié dans la collection « Écrivains de toujours » un *Apollinaire* qui reste pour moi le meilleur de tous, malgré les réserves que je vais faire. Michel Décaudin est entre autres l'éditeur d'Apollinaire dans la Bibliothèque de la Pléiade, et le préfacier chez moi des *Onze Mille Verges*, des *Exploits d'un jeune don Juan*, et des *Poésies libres*. Il est responsable de l'édition des *Diables amoureux*. L'un comme l'autre s'efforcent autant de gommer les activités d'Apollinaire dans le domaine de la librairie « libre », qu'ils paraissent insensibles à l'importance de son œuvre érotique.

Comment suivre Pascal Pia quand il expédie *Les Onze Mille Verges* comme un « petit roman érotique » ? Pour moi – je ne suis pas le seul –, *Les Onze Mille Verges*, *Alcools* et *Calligrammes* suffiraient à la gloire d'Apollinaire. Je ne pense pas du tout non plus, comme Michel Décaudin, que « *cette liberté d'allures et son expression la plus fréquente, la "franche gaîté gauloise" qu'il loue à la fin de sa brève introduction à* L'Œuvre *libertine des poètes du* XIXᵉ *siècle* », soient seulement « *ce que son esprit gourmand poursuit dans les piquantes et audacieuses peintures de mœurs qu'il s'est plu à éditer*[1] ».

Il me semble que l'Éros qu'Apollinaire oppose à ce « *petit dieu malade, à l'arc nu et débandé... honteux objet de curiosité, ... sujet d'observations médicales et rétrospectives* » n'est pas le petit dieu rigolard, grivois,

gaulois, paillard, que voit Michel Décaudin. Je n'ai pas besoin de me référer au vers qu'il cite immédiatement après, dans un louable souci d'objectivité : « *L'amour dont je souffre est une maladie honteuse* », pour sentir mes doutes justifiés, ni même de me reporter à ce que l'on sait de la vie amoureuse d'Apollinaire, pas plus qu'aux poèmes de l'œuvre de poétique officielle. Si l'amour de Guillaume était une maladie honteuse, c'est parce qu'il n'était pas payé de retour, et non pas parce qu'il admirait chez Lou

« *... tes sauts de carpe aussi la croupe en l'air*
Quand sous la schlague tu dansais une sorte
        [de kolo
Cette danse nationale de la Serbie ».

Jamais Apollinaire n'a assimilé ce que

---

1. Préface aux *Diables amoureux*, Paris, 1964. Voici le texte de M. Décaudin et sa citation : « *Cet amoureux de la vie, qui s'est lui-même dépeint "comme ces marins qui dans les ports passent leur temps au bord de la mer, qui amène tant de choses imprévues, où les spectacles sont toujours neufs et ne lassent point", a en effet horreur de ce qu'il appelle le "malsain". C'est pourquoi il se tourne volontiers vers les époques qui, comme celle de Nerciat, lui paraissent avoir favorisé l'épanouissement de la liberté, et en premier lieu dans les choses de l'amour, généralement marquées par les interdits les plus impérieux :*

« *L'amour, l'amour physique apparaissait partout. Les philosophes, les savants, les gens de lettres, tous les hommes, toutes les femmes s'en souciaient. Il n'était pas comme maintenant une statue de petit dieu nu et malade, à l'arc débandé, un honteux objet de curiosité, un sujet d'observations médicales et rétrospectives. Il volait librement dans les parcs ombreux où le dieu des jardins prenait ses aises.* »

certaines de ses amies appelaient « le vice » à aucune sorte de honte[2]. Mais, pour savoir ce qu'il cherchait exactement dans les textes qu'il publiait, je trouve qu'on ne se reporte pas assez à ce qu'il en a écrit, car tout de même c'est encore là qu'on peut s'attendre à trouver la vérité d'un écrivain, peut-être. Et je voudrais citer ici quelques passages de la dernière introduction qu'il écrivit pour « Les Maîtres de l'Amour », son introduction à *L'Œuvre poétique de Charles Baudelaire*, en 1917. Peut-être à tort, je crois que ces quatre pages font beaucoup plus que « *jeter une curieuse lumière sur la pensée de leur auteur* » (M. Décaudin) et qu'elles sont un des textes essentiels de leur auteur :

« *Des mesures angulaires calculées par Laclos naquit l'esprit littéraire moderne; c'est là qu'en découvrit les premiers éléments Baudelaire...* »

« *Laclos, fils intellectuel de Richardson et de Rousseau, eut comme continuateurs les plus remarquables : Sade, Restif, Nerciat et tous les conteurs philosophiques de la fin du XVIIIe siècle.*
« *La plupart d'entre eux, en effet, contiennent en germe l'esprit moderne qui s'apprête à triompher, créant pour les arts et les lettres une ère nouvelle...* »

« *Dans les romanciers de la révolution il* [Baudelaire] *avait découvert l'importance de la question sexuelle* »...

« *La Nouveauté prit avant tout la face de Baudelaire, qui a été le premier à souffler l'esprit moderne en Europe, mais son cerveau prophétique n'a pas su prophétiser, et Baudelaire n'a pas pénétré cet esprit nouveau dont il était lui-même pénétré, et dont il découvrit les germes en quelques autres venus avant lui.* »

2. Voir par exemple « *Parce que tu m'as parlé de vice...* » dans les *Poèmes à Lou*.

3. Apollinaire attribuait cette anthologie à un certain Germain Amplecas, décédé.

4. André Salmon, *Souvenirs sans fin II*, Paris, 1956.

Peut-on être aussi loin de « *la franche gaîté gauloise* »? Je sais bien que Michel Décaudin relève à l'appui de sa thèse le passage suivant :

« *Baudelaire regardait la vie avec une passion dégoûtée qui visait à transformer arbres, fleurs, femmes, l'univers tout entier et l'art même, en quelque chose de pernicieux.*
« *C'était sa marotte et non la saine réalité.* »

Mais il est pour moi évident que la saine réalité dont parle Apollinaire n'est nullement un univers de franche gaîté gauloise : plutôt une sorte de surréalité poétique où, dans le domaine ténébreux de l'amour, il s'engageait beaucoup plus avec le flambeau de Sade qu'avec celui de Rabelais. Si un texte me paraît une simple curiosité sans importance, c'est justement l'introduction à *L'Œuvre libertine des poètes du XIXe siècle* (1910), « Anthologie satyrique et gaillarde », et publication alimentaire, là, oui, à laquelle Apollinaire s'est probablement bien amusé sans que soit en cause chez lui quelque chose de profond. Le ton badin de ces quelques lignes non signées[3] ne témoigne en tout cas pas d'une bien grande nécessité intérieure.

Je sais bien que la plupart de ceux qui connurent Apollinaire, et se comptèrent même au nombre des intimes compagnons de toute sa vie d'homme, comme André Salmon, le montrent volontiers « *réduit à de telles besognes pour la conquête du pain, du bifteck et du charbon[4]* ». J'accorde que beaucoup de travaux apollinariens des « Maîtres de l'Amour » ou du « Coffret du Bibliophile » ont été faits sans véritable goût (quelquefois cela se sent), et manifestement comme une corvée. Cela prouve simplement qu'il était, comme on dit, payé aux pièces. Moi qui ai bien connu André Salmon, je lui en ai parlé quelquefois. Il m'apparaît seulement maintenant que j'aurais dû lui poser la question sous cette forme : « Crois-tu vraiment que, s'il avait été riche comme Larbaud, Apollinaire n'aurait jamais écrit

Les Onze Mille Verges, et jamais publié Sade, Nerciat ou Baffo ? » Pour moi la réponse est claire.

Il y a aussi là-dessus une autre remarque à faire. Peut-on croire vraiment qu'un écrivain pour qui l'expression écrite de l'érotisme est précisément tout autre chose qu'un gagne-pain puisse vraiment s'en ouvrir facilement autour de lui ? Le cher André Salmon, excellent poète méconnu, mais rapide à traiter de maniaques, comme il le fait dans ses mémoires, les acheteurs des livres de son ami Mac Orlan, n'était peut-être pas le confident rêvé.

Et qui donc, qui au monde, peut être en cette affaire le confident rêvé ? Contrairement à ce qu'on pense dans certains milieux, l'érotisme n'est pas un Rotary-Club, une confrérie de chevaliers genre Tastevin, ni même une société secrète. « *Quel homme préoccupé de l'infini, dans le temps et l'espace, n'a pas construit cette "érotique", dans le secret de son âme ? quel homme soucieux de poésie, inquiet des mystères contingents ou éloignés, n'aime pas à se retirer dans cette retraite spirituelle où l'amour est à la fois pur et licencieux dans l'absolu ?... L'éro*tique est une science individuelle. *Chacun en résout à sa mesure les questions secondaires et n'est d'accord avec ses pareils que pour constater l'indissolubilité des questions éternelles dont nous ne nous lasserons pas de proclamer l'existence*[5]. » On cite souvent, et ce serait bien ici le lieu de le faire, André Breton : « *De nos jours le monde sexuel, en dépit des sondages entre tous mémorables que, dans l'époque moderne, y auront opérés Sade et Freud, n'a pas, que je sache, cessé d'opposer à notre volonté de pénétration son infracassable noyau de nuit*[6]. » Il faut bien redire que le monde en question n'a pas plus (ni moins d'ailleurs) de rapports avec celui de Masters et Johnson et du Docteur Kinsey[7] que *Le Songe d'une nuit d'été* n'en a avec le magasin d'accessoires de l'Old Vic Theater. C'est à la fin d'un long et merveilleux texte sur Arnim et ses amours tourmentées avec Bettina que Breton écrit cette phrase, tout de suite après une série de citations de lettres de

Bettina au vieux Goethe, dont voici la dernière (« *A l'homme de soixante-quatorze ans* », note Breton) :

« *A l'heure de minuit, entourée des souvenirs de ma jeunesse, ayant derrière moi tous les péchés dont tu veux m'accuser et que j'avoue complètement, devant moi le ciel de la réconciliation, je saisis la coupe du breuvage nocturne et je la vide à ton bien-être, et en voyant la couleur sombre du vin sur le bord du cristal, je pense à tes yeux si beaux.* »

Auparavant, Breton, relevant les relations privilégiées d'Arnim avec Fichte et Ritter, cite Ritter se refusant à publier certains des textes qu'il avait obtenus par l'action combinée du sommeil et de « *l'activité automatique dans la région où le corps organique se comporte de nouveau comme un être inorganique, et ainsi nous révèle les secrets de deux mondes à la fois* ». Ritter déclare : « *Plusieurs de ces fragments je n'ai pu les publier, parce que sous leur forme primitive ils paraîtraient trop osés et trop scabreux, — particulièrement l'un d'eux composé peu de semaines avant le mariage de l'auteur, et qui est de telle nature qu'il semblerait impossible qu'avec de telles idées un homme songe jamais à se marier.* » « *Il s'agissait paraît-il*, commente Breton, *d'une histoire des rapports sexuels à travers les âges, avec, pour finir, une description de l'état idéal de ces rapports — description faite en des termes tels*, observe l'auteur, *que ce fragment n'aurait pas trouvé grâce même auprès des juges les plus libéraux, malgré la rigueur de la démonstration.* » Sans doute. On peut se demander aussi dans quelle mesure Ritter, autant que des juges, n'a pas eu peur tout à

5. Robert Desnos, *De l'érotisme considéré dans ses manifestations écrites, et du point de vue de l'esprit moderne*. C'est moi qui souligne.

6. Introduction aux *Contes bizarres* d'Arnim, 1933.

7. Sexologues connus par leurs rapports cliniques et statiques statistiques sur la fonction sexuelle dans les années 60/70.

coup de ce que cette pêche des profondeurs venait de ramener à la surface de lui-même, écartelé à son tour, après comme avant bien d'autres, entre la terreur et la nécessité d'une divulgation qui, plus que toute autre, engage celui qui s'y livre.

Apollinaire, revenons à lui, aurait naturellement pu trouver avec les femmes, avec une femme, cette communication de l'érotique. J'estime que tout ce qu'on sait de sa vie, tout ce qu'on a pu lire de sa correspondance amoureuse, montre à l'évidence qu'il a cherché toute sa vie cette communication et qu'elle lui a été refusée, tout au moins jusqu'en 1917.

Objectivement, je ne peux pas esquiver la question qui se pose maintenant. Si, dans le même texte, Apollinaire a écrit : « *Exprimer avec liberté ce qui est du domaine des mœurs, on ne connaît pas de courage plus grand chez un écrivain* », pourquoi n'a-t-il pas laissé d'autres livres de l'encre des *Onze Mille Verges* ?

Comme dit Aragon : « *Déjà Guillaume Apollinaire appartient à la nuit des lampions de bicyclette. Il faut pour le comprendre le situer dans son temps, avec ses mœurs aujourd'hui insaisissables, ses critères, son moyen âge en un mot. Si on commence ce petit numéro de trapèze volant, il n'y a plus mèche de faire un seul reproche à l'auteur des* Mamelles de Tirésias. » L'affaire du vol de la *Joconde* avait laissé, à juste titre, des marques profondes dans l'esprit d'Apollinaire, sur lequel avait été constitué un dossier de police. Il avait même failli perdre sa carte de lecteur de la Bibliothèque nationale, et la perpétuelle insécurité qui l'habitait n'est peut-être pas étrangère à son engagement dans l'armée française. Léautaud parle plusieurs fois

dans son journal[8], comme beaucoup d'autres contemporains, de l'incroyable climat policier qui régnait dans Paris pendant la guerre. J'ai aussi fait une constatation curieuse au cours de mon travail. Alors que depuis le début du siècle il régnait une liberté à peu près totale dans le domaine du livre, dix mois *avant* la guerre, tout à coup, la cour d'assises de la Seine prononce *quatre-vingt-quatre* condamnations de livres, 26 livres en français, 58 livres en anglais, publiés en France. C'était le 11 octobre 1913. Les 21 et 23 décembre 1914, nouvelles charrettes : 118 condamnations en deux sessions. Il y aurait certainement des recherches intéressantes à faire sur les coïncidences entre les guerres et la répression dans le domaine des mœurs, qui souvent, mystérieusement, *les précèdent*. Toujours est-il que, pour un apatride fiché à la Préfecture, le moment est malvenu pour « *exprimer avec la liberté ce qui est du domaine des mœurs* ». A quel point cette contrainte pouvait être pénible à Guillaume Apollinaire en 1917, je voudrais pour le faire sentir citer la fin de son introduction :

« *Toutefois, il ne faut point cesser d'admirer le courage qu'eut Baudelaire de ne point voiler les contours de la vie.*

« *Aujourd'hui, ce courage serait le même.*

« *Les préjugés vis-à-vis de l'art n'ont cessé de grandir, et ceux qui oseraient s'exprimer avec autant de liberté que le fit Baudelaire dans* Les Fleurs du Mal *trouveraient contre eux, sinon l'autorité judiciaire, du moins la désapprobation de leurs pairs[9] et l'hypocrisie du public.*

« *Le retour vers l'esclavage, que l'on décore de nos jours du nom de liberté, a déjà eu pour premier résultat, en ce qui touche les lettres (tout particulièrement en horreur à l'état de choses qui se décide), de supprimer l'élite indépendante, ainsi que presque toute critique digne de ce nom, et le peu qu'il en reste n'oserait pas parler aujourd'hui des* Fleurs du Mal.

« *S'il ne participe plus guère à cet esprit moderne qui procède de lui, Baudelaire nous*

---

8. Par exemple, le 26 juillet 1918 : « *Descaves vitupère... chaleureusement les jours actuels, où l'on n'a aucune liberté, où les journaux ne sont plus que des feuilles officielles, où la dénonciation est partout, où l'on ne sait jamais si la personne à laquelle on parle n'est pas de la police.* »

9. C'est moi qui souligne.

sert d'exemple pour revendiquer une liberté qu'on accorde de plus en plus aux philosophes, aux savants, aux artistes de tous les arts, pour la restreindre de plus en plus en ce qui concerne les lettres et la vie sociale.

« L'usage social de la liberté littéraire deviendra de plus en plus rare et précieux. Les grandes démocraties de l'avenir seront peu libérales pour les écrivains ; il est bon de planter très haut des poètes drapeaux comme Baudelaire.

« On pourra les agiter de temps en temps, afin d'ameuter le petit nombre des esclaves encore frémissants. »

Je ne vois pas de commune mesure, cher Michel Décaudin, entre ces accents et ceux de l'introduction à *L'Œuvre libertine des poètes du XIXᵉ siècle*. Encore une fois, c'est peut-être moi qui m'égare.

Et remarquons tout de même que parlant du *Poète assassiné*, publié en 1917, et que nous aurions pu citer longuement, André Breton dira : « *L'érotisme y projette d'immenses lueurs* » (*Les Pas perdus*).

Maintenant, pourquoi Baudelaire ici ? Pas seulement à cause d'Apollinaire. Il se trouve aussi que c'est à partir de 1917 qu'on va enfin *lire* Baudelaire, celui que, dit Apollinaire, « *dès cette année 1917*, où son œuvre tombe dans le domaine public [10] *on peut mettre au rang non seulement des grands poètes français, mais que l'on peut encore placer à côté des plus grands poètes universels* ». A partir de 1917, tout le monde peut imprimer Baudelaire librement, et la lecture que l'on fera dès lors des *Fleurs du Mal*, précédées de leur réputation de livre condamné, sera très souvent une lecture érotique, assez conforme en somme à celle qu'Apollinaire suscitait en plaçant Baudelaire dans les « Maîtres de l'Amour », en compagnie de Sade, de Nerciat, de Baffo et de l'Arétin.

Nous donnons donc ici une pièce condamnée, une de celles qui avaient le plus indigné les bons esprits de 1857 et qui en choquèrent encore beaucoup soixante ans plus tard.

10. C'est moi qui souligne.

Femmes damnées

A la pâle clarté des lampes languissantes,
Sur de profonds coussins tout imprégnés d'odeur,
Hippolyte rêvait aux caresses puissantes
Qui levaient le rideau de sa jeune candeur.

Elle cherchait d'un œil troublé par la tempête
De sa naïveté le ciel déjà lointain,
Ainsi qu'un voyageur qui retourne la tête
Vers les horizons bleus dépassés le matin.

De ses yeux amortis, les paresseuses larmes,
L'air brisé, la stupeur, la morne volupté,
Ses bras vaincus, jetés comme de vaines armes,
Tout servait, tout parait sa fragile beauté.

Étendue à ses pieds, calme et pleine de joie,
Delphine la couvait avec des yeux ardents,
Comme un animal fort qui surveille une proie
Après l'avoir d'abord marquée avec les dents.

Beauté forte à genoux devant la beauté frêle,
Superbe, elle humait voluptueusement
Le vin de son triomphe et s'allongeait vers elle
Comme pour recueillir un doux remerciement.

Elle cherchait dans l'œil de sa pâle victime
Le cantique muet que chante le plaisir,
Et cette gratitude infinie et sublime
Qui sort de la paupière ainsi qu'un long soupir :

– « Hippolyte, cher cœur, que dis-tu de ces choses ?
Comprends-tu maintenant qu'il ne faut pas offrir ?
L'holocauste sacré de tes premières roses
Aux souffles violents qui pourraient les flétrir ?

Mes baisers sont légers comme ces éphémères
Qui caressent le soir les grands lacs transparents,
Et ceux de ton amant creuseront leurs ornières
Comme des chariots ou des socs déchirants ;

Ils passeront sur toi comme un lourd attelage
De chevaux et de bœufs aux sabots sans pitié…
Hippolyte, ô ma sœur ! tourne donc ton visage,
Toi mon âme et mon cœur, mon tout et ma moitié,

Tourne vers moi tes yeux pleins d'azur et d'étoiles !
Pour un de ces regards charmants, baume divin,
Des plaisirs plus obscurs je lèverai les voiles
Et je t'endormirai dans un rêve sans fin ! »

Mais Hippolyte alors, levant sa jeune tête :
– « Je ne suis point ingrate et ne me repens pas ;
Ma Delphine, je souffre et je suis inquiète
Comme après un nocturne et terrible repas.

Je sens fondre sur moi de lourdes épouvantes
Et de noirs bataillons de fantômes épars
Qui veulent me conduire en des routes mouvantes
Qu'un horizon sanglant ferme de toutes parts.

Avons-nous donc commis une action étrange?
Explique si tu peux mon trouble et mon effroi :
Je frissonne de peur quand tu me dis : Mon ange!
Et cependant je sens ma bouche aller vers toi.

Ne me regarde pas ainsi, toi, ma pensée,
Toi que j'aime à jamais, ma sœur d'élection,
Quand même tu serais une embûche dressée
Et le commencement de ma perdition! »

Delphine, secouant sa crinière tragique,
Et comme trépignant sur le trépied de fer,
L'œil fatal, répondit d'une voix despotique :
– « Qui donc devant l'amour ose parler d'enfer?

Maudit soit à jamais le rêveur inutile
Qui voulut le premier, dans sa stupidité,
S'éprenant d'un problème insoluble et stérile,
Aux choses de l'amour mêler l'honnêteté!

Celui qui veut unir dans un accord mystique
L'ombre avec la chaleur, la nuit avec le jour
Ne chauffera jamais son corps paralytique
A ce rouge soleil que l'on nomme l'amour!

Va, si tu veux, chercher un fiancé stupide;
Cours offrir un cœur vierge à ses cruels baisers;
Et pleine de remords et d'horreur, et livide,
Tu me rapporteras tes seins stigmatisés;

On ne peut ici-bas contenter qu'un seul maître! »
Mais l'enfant, épanchant une immense douleur,
Cria soudain : – « Je sens s'élargir dans mon être
Un abîme béant; cet abîme est mon cœur,

Brûlant comme un volcan, profond comme le vide ;
Rien ne rassasiera ce monstre gémissant,
Et ne rafraîchira la soif de l'Euménide,
Qui, la torche à la main, le brûle jusqu'au sang.

Que nos rideaux fermés nous séparent du monde,
Et que la lassitude amène le repos !
Je veux m'anéantir dans ta gorge profonde,
Et trouver sur ton sein la fraîcheur des tombeaux. »

Descendez, descendez, lamentables victimes,
Descendez le chemin de l'enfer éternel ;
Plongez au plus profond du gouffre où tous les crimes,
Flagellés par un vent qui ne vient pas du ciel,

Bouillonnent pêle-mêle avec un bruit d'orage ;
Ombres folles, courez au but de vos désirs ;
Jamais vous ne pourrez assouvir votre rage,
Et votre châtiment naîtra de vos plaisirs.

Jamais un rayon frais n'éclaira vos cavernes ;
Par les fentes des murs des miasmes fiévreux
Filent en s'enflammant ainsi que des lanternes
Et pénètrent vos corps de leurs parfums affreux.

L'âpre stérilité de votre jouissance
Altère votre soif et raidit votre peau,
Et le vent furibond de la concupiscence
Fait claquer votre chair ainsi qu'un vieux drapeau.

Loin des peuples vivants, errantes, condamnées,
A travers les déserts courez comme les loups ;
Faites votre destin, âmes désordonnées,
Et fuyez l'infini que vous portez en vous !

DOCTEUR CHARLES-HENRY FISHER

Auteur non identifié

La Vie érotique pendant la guerre

vers 1935

Le livre du docteur Fisher, « médecin militaire américain », est une des nombreuses publications où la part du racolage et celle de la volonté d'information sont difficiles à faire. C'est le cas des livres de Magnus Hirschfeld sur les perversions sexuelles. On doit d'ailleurs à Magnus Hirschfeld, associé à André Gaspar, une *Histoire des mœurs de la Grande Guerre*. Dans tous ces ouvrages, on trouve souvent une documentation intéressante, mêlée d'anecdotes et parfois d'illustrations qui ne sont là que pour appâter le chaland.

La Vie érotique pendant la guerre ne se distingue des productions similaires que par sa rareté. C'est un petit in-quarto de 500 pages environ qui se rencontre peu souvent chez les bouquinistes. Plutôt que d'en citer un passage, nous avons préféré donner la table des matières tout entière. Voici toutefois quelques lignes de l'intro-duction qui corroborent ce que nous avancions au début de ce volume :

> « *La morale au carrefour*
>
> « *Si pour l'observateur superficiel la guerre marque un brusque tournant dans les mœurs, une sorte de révolution dans la morale, pour quiconque ne s'en tient pas aux apparences, mais veut connaître le pourquoi et le comment des choses, le déclenchement de la guerre n'a fait qu'accélérer singulièrement une évolution dont le point de départ remonte à bien avant 1914.*
>
> « *Toutes les manifestations, si nouvelles et si déconcertantes, de la sexualité effrénée des années de guerre se trouvent déjà en germe sous le règne tout-puissant de la "morale bourgeoise". Cela est surtout vrai pour l'émancipation de la femme, la liberté des sexes, le relâchement du lien conjugal et cette forme de luxure particulière à l'époque contemporaine, éléments qui existaient virtuellement en puissance dans tous les pays d'Europe depuis plusieurs décades.* »

Table des matières

LA MORALE AU CARREFOUR

– La glissade en musique vers la coucherie. – Les aventures galantes de la demi-vierge. – Les grandes affranchies sexuelles. – Les égarements érotiques des nihilistes. – Le nudisme avant la lettre dans la Russie tzariste. – Les excursions galantes des souverains dans les maisons spéciales parisiennes. – Les boulevards et leurs cocottes. – La Belle Otéro, Cléo de Mérode, Émilienne d'Alençon, Liane de Pougy. – Les bonnes manières s'en vont… – Juillet 1914.

LA GUERRE ET L'ÉROTISME

L'alliance ancestrale de la guerre et de l'amour. – Le bellicisme des femmes et ses raisons. – La femme récompense du guerrier. – Les cuisses nues, moyen de propagande. – Massacre et volupté. – La guerre a-t-elle refoulé au début les instincts sexuels ? – L'influence aphrodisiaque de la guerre. – Les ardeurs exigeantes des femmes sous les obus. – Hostilité et nymphomanie. – Le culte de la force virile. – Mars et Vénus. – Le prestige de l'uniforme. – Les aventures galantes des faux soldats. – Le fond masochiste de l'admiration de la force. – Masturbation au rythme de la marche militaire. – Les femmes ont-elles envoyé leurs maris au carnage ? – Une enquête : la femme est-elle responsable de la guerre ? – Réforme sexuelle et pacifisme.

L'ENTHOUSIASME DES PREMIÈRES SEMAINES

La transformation de la Parisienne. – G. B. Shaw sur le bellicisme des femmes. – « Elles nous ont chassés ! ». – La propagande active et passive de la femme. – La femme présentée comme la récompense du guerrier. – Une anecdote sur la croix de guerre. – La révolte des Bruxelloises. – La Marseillaise au cabaret. – De la fièvre érotique à la prostitution.

MARIAGES DE GUERRE

Le besoin de la femme de se sacrifier à la patrie. – La confession d'une Allemande. – Mademoiselle veut être appelée Madame. – La honte du célibat. – Désir sexuel et sentiment patriotique. – L'homme avec lequel je n'ai pas dormi. – Du dévouement au masochisme. – Le mépris de la virginité. – La folie de la légalité. – Où la petite amie devient l'épouse légitime. – Papa et maman se marient. – Le caractère éphémère des mariages de guerre. – Sous l'uniforme, tous les hommes se ressemblent. – Nuit de noce et veillée d'armes.

MARRAINES ET INFIRMIÈRES

La guerre des hommes et la guerre des femmes. – La mobilisation de la Croix-Rouge. – L'héroïsme des infirmières. – La folie du mâle. – L'aveu d'une infirmière anglaise. – Les brandisseuses de drapeaux. – L'orgasme de la reconnaissance. – Comment on fait joujou avec les blessés. – L'ambulance, dernière planche de salut des vieilles filles. – Quand ces dames se font infirmières. – Où la chair n'a plus de secret. – Le bassin du Sénégalais. – Les flirts à l'hôpital. – L'amour devenu drogue. – Le vice solitaire sur un lit d'hôpital. – Les filleuls de guerre maris possibles. – Les dessous érotiques du marrainage.

LUXE ET LUXURE

La faim sexuelle de la femme seule. – Dépravation morale de la femme vertueuse. – La ruée vers le plaisir. – De l'amour libre à la prostitution. – La folie du luxe et ses conséquences. – Pénurie d'hommes. – Idylles ébauchées dans les rues ou dans le métro. – Comment deux actrices de la Comédie-Française s'arrachaient un amant. – Les demi-mondaines et leurs rivales. – Le rôle de la mode dans la chasse à l'homme. – Gretchen et Margot. – La guerre s'allonge, la jupe raccourcit. – Les combinaisons complices. – L'apogée des mollets. – Le grand paradoxe de la mode des temps de guerre. – Double tendance à la féminisation et la masculinisation. – Les bottines montantes et l'amour pervers. – Comment l'uniforme militaire influence la mode féminine. – Un costume coquet… pour veuves de guerre. – Ce qu'est devenue la fidélité conjugale.

UNE ALLIÉE DE L'AMOUR : LA COCO

Le rôle des drogues dans l'érotisme. – La morphine et la gueuse blanche. – Un stupéfiant moderne par excellence. – Le mystère des pieds d'une table de billard. – Les tabatières Louis XV redeviennent à la mode. – La maffia des trafiquants de coco. – Le spasme cocaïnique d'une riche Américaine. – Tango sur le dos. – Le martyre d'une danseuse. – Un trafiquant d'envergure. – De la cocaïnomanie au sadisme. – Une alliée perfide.

L'ÉROTISME ET LA LÉGALITÉ

La femme adultère au banc des accusés. – Le pardon ou le divorce. – La trêve morale provoquée par l'absence du mari. – On accepte le cocufiage discret. – Vengeance cruelle. – Un cocu punit sa femme en lui communiquant la vérole. – Recrudescence formidable des divorces. – Les mariés de guerre se séparent. – Madame ne veut pas d'enfants. – Les moyens préventifs et leur rôle dans l'adultère. – Les choux garnis sont trop chers. – La vogue des faiseuses d'anges. – Les infanticides. – Les débordements de la classe fortunée. – La chasse aux prostituées clandestines des grandes cités. – Une campagne pour l'épuration de la littérature. – Quelques interdictions de la censure.

LES AMANTS DE LA FEMME À L'ARRIÈRE

Le permissionnaire, amant de choix. – Le permissionnaire légitime et le permissionnaire de fortune. – L'apothéose de l'infirmité. – Passion inspirée par un estropié. – Les pansements et leur rôle dans l'amour. – La vogue des soldats étrangers. – La Parisienne étudie l'anglais. – Les succès faciles des Américains. – Comment les Français se rattrapent à l'étranger. – Histoire d'un officier français à Varsovie. – Les soldats australiens et leurs conquêtes anglaises. – Les Anglo-Saxonnes et leur soif de l'exotisme. – Une idylle au bord de la mer de Tibériade. – La puissance sexuelle des nègres. – Où les Parisiennes donnent le jour à des bébés café au lait. – L'amour avec les mineurs. – Les collégiens remplacent leurs frères aînés. – Une initiation en série où les dix amants de Mme la notairesse. – Comment les garçons de la classe 1900 ont perdu leur virginité. – La vogue inespérée du vieux monsieur. – Où certains réapprennent des gestes désappris. – Seconde adolescence. – La femme et le prisonnier de guerre. – L'ennemi de notre ennemi est notre ami. – La lutte des sexes et les amours coupables. – Comment on punissait les liaisons avec des prisonniers.

L'AMOUR ET L'ESPIONNAGE

Secrets d'États et secrets d'alcôve. – Les grandes amoureuses au service de la patrie. – Un double métier : espionne-courtisane. – Une carrière à l'usage des aventurières. – L'immunité amoureuse de Mme d'Arpajac. Quelques espionnes tombées dans leurs propres rets. – On ne roule pas l'Intelligence Service. – Une petite juive à la conquête du monde. – La carrière vertigineuse de Catherine Hajkievicz. – Le don Juan de Wierzbolovo. – Les amants du capitaine Lawrence. – Les attributs masculins de sœur Sainte-Innocence. – La vérité sur Mata-Hari. – La danseuse nue dans les maisons de rendez-vous. – Le bourreau est après tout un homme. – La vie mouvementée d'une espionne viennoise. – Une veuve de guerre consolée par un grand-duc. – Espionnage et spiritisme. – Les deux amants de la petite Solange. – Le suicide de l'espionne malgré elle. – La belle Flora dans les bras d'un professeur cacochyme. – Espionnage dans une cabine de cuirassé. – L'identité caméléonesque de la Beauté Turque. – Les amants insaisissables de la baronne de Bellevue. – Comment Gloria vola les documents au comte zoosadique. – Où Daisy eut raison de Von Papen. – Un nid d'espionnage au centre de Varsovie. – Les exploits de Marthe Richard. – La vie aventureuse de Fraulein Doktor.

L'amour est-il compatible avec la saleté des tranchées ? Idéalisme et obscénité. – Où le langage sert d'exutoire. – Les chansons et les dessins des troupiers. – La littérature des tranchées. – Les lettres de l'arrière stimulants érotiques. – Retour à l'onanisme. – Les « ersatz » de la femme. – Les érections et les pollutions nocturnes. – Les armées en marche. – Le sadisme des envahisseurs. – On se partage la fille. – La vérité sur les atrocités sexuelles des Allemands. – Les femmes au front. – Pourquoi les femmes s'engageaient sous les drapeaux. – Le bellicisme des femmes russes. – La vie valeureuse d'Olda Krassilnikoff. – Une princesse en uniforme de troupier. – Un bataillon de 250 femmes. – La « Ligue de la Mort » en Serbie. – Les soldats femmes en France. – « Women's Auxiliary Corps ». – Les Anglo-Saxonnes et leur ardeur au combat. – Le bellicisme féminin de l'autre côté de la grande mare. – Erna demande à s'appeler Ernst. – Les combattants féminins dans l'armée austro-hongroise. – Quand la femme soldat retire son uniforme. – Le viol des femmes prisonnières.

PROSTITUTION

La guerre a toujours favorisé l'essor de l'amour vénal. – Les filles à soldats. – Prostitution régulière et clandestine. – La campagne contre la prostitution. – Les trois arguments des ennemis des bordels. – Le système Ludendorff. – L'école du vice. – L'État, organisateur de la prostitution. – La prostitution officielle favorisera-t-elle ou empêchera-t-elle la recrudescence des maladies vénériennes ? – Comment on recrutait les pensionnaires des bordels militaires. – Les autorités ravitaillent les régiments en femmes. – Une circulaire de Clemenceau. – Agrandissements de locaux et augmentation de personnel. – Les roulottes de saltimbanques muées en bordels ambulants. – Les arrière-boutiques des estaminets. – Les transports érotiques des pensionnaires en fonction servent à attirer les clients. – Ce que gagnaient les prostituées militaires. – La misère des filles du front. – L'activité prodigieuse de filles à soldats. – Au suivant de ces Messieurs. – Bordels pour officiers. – Le raffinement pervers de messieurs les gradés. – Le chevalier devenu cheval. – Les indépendantes de l'amour. – Les bourgeoises prostituées. – L'estaminet « Aux Quatorze Fesses ». – Comment on ébauchait des idylles au caveau de Léonidas. – Les filles bruxelloises. – L'histoire d'une prostituée de douze ans. – L'apprentissage des futurs maquereaux. – L'amour pour une livre de pain. – « Ma sœur est bonne pour jouer avec… ». – Les bordels serbes et bulgares. – Comment les Tziganes offraient leur corps aux militaires.

FRANÇOIS BERNOUARD

1883-1940

Rose de B.

1938

Comme *La Vie érotique pendant la guerre*, *Rose de B.* a été publié longtemps après l'armistice. Nous l'avons néanmoins placé ici comme texte révélateur d'une sensibilité très « 14/18 », et plus particulièrement 14/15, ce qui n'est pas tout à fait la même chose, comme on le verra plus loin. François Bernouard a publié ce texte en 1938, sinon clandestinement, du moins fort discrètement, comme un « *texte recueilli et suivi d'un épilogue par François le François* ». Le livre est dédié à F. C. (François de Curel?), « *le plus grand poète dramatique de notre époque qui m'encouragea d'écrire ce livre pour me délivrer, ce qui me perdit* ». Bien que la seule firme indiquée soit la « Cie des Libraires à Paris », la typographie de François Bernouard est très reconnaissable. La dédicace de l'exemplaire que je possède, grâce à l'obligeance de Gustave-Arthur Dassonville, est d'ailleurs signée François Bernouard, comme beaucoup d'autres que j'ai pu voir.

L'histoire de Rose de B. finit assez mal. En 1915, comme on le faisait en 1815, elle se laisse refiancer par ses parents, quoique veuve de guerre, et remarier sans amour « *pour des questions de convenance* », tout en pensant : « *Plutôt que ce mariage, je voudrais rentrer en religion et terminer ma vie, le corps fidèle jusqu'à la mort.* » C'était hier.

PENDANT LES PREMIERS JOURS de février 1915, Lucien de B. et Vincent Roger se trouvaient au front de Picardie ; une bonne amitié liait les deux hommes depuis leur départ du dépôt.

Le 10 février, les deux camarades gardaient les parapets ; l'aube grise apparaissait. Lucien entendit un bruit dans les fils de fer barbelés ; il dépassa la tête ; à la même seconde, un Allemand d'en face, d'une seule balle, l'étendit ; presque aussitôt, il mourut, disant :

– Rose !

Vincent, très affecté, descendit, aidé par un ami, le corps de Lucien à l'arrière des lignes, dans une église à moitié démolie ; l'aumônier récita une prière rapidement ; ensuite, Vincent prit les bagues, les médailles bénies, un scapulaire, ainsi que le portefeuille ; puis ils enterrèrent le corps dans le cimetière de l'église.

Pendant la nuit, entre deux gardes, dans sa cagna, à la lueur d'un lumignon rougeâtre, Vincent inventoria le portefeuille de Lucien, non par curiosité, ce qui d'ailleurs le gênait, mais par devoir, pour supprimer, le cas échéant, les documents susceptibles de peiner inutilement la jeune veuve.

Toutes les lettres provenaient ou de sa femme, ou de sa famille. Vincent remarqua l'écriture de Mme de B., d'un joli dessin, haute et serrée, sans presque de déliés, chaque syllabe étroitement liée à l'autre. Vincent imagina que cette femme, quoique un peu froide, devait posséder assez d'énergie et l'esprit de continuité. Il trouva beaucoup de photographies, certaines représentaient une blonde, très fine et belle, juste en chair, élancée, les lèvres joliment dessinées semblaient légèrement fortes et sensuelles ; ses lettres toujours très sensibles dénotaient une certaine dignité, un peu hautaine, que le voussoiement exagérait peut-être.

Le lendemain, Vincent décida d'écrire à Mme de B. que son mari venait d'être blessé, que les infirmiers le transportèrent à l'hôpital et qu'il lui donnerait des nouvelles plus longues, le lendemain, dès qu'il pourrait aller le voir.

Le jour suivant, Vincent écrivit à Mme de B. que son mari venait de supporter une petite opération, mais que les majors n'envisageaient rien de grave. Pendant une dizaine de jours, il aggrava le cas de Lucien ; enfin, il annonça la fin, sans douleurs, de son ami, et qu'il possédait ses bagues, diverses reliques, son portefeuille, etc. Selon son désir, il expédierait le tout par la poste, moyen peu certain, ou qu'il les lui porterait, lors de sa prochaine permission, à Paris.

Mme de B. répondit à chacune des lettres de Vincent ; toutes décelaient un très haut sentiment du devoir ; en des termes un peu sentencieux, elle lui exprimait sa reconnaissance ; elle préférait recevoir les souvenirs de son mari de ses mains, plutôt que d'un anonyme ; elle lui demandait de lui permettre de continuer chaque semaine l'envoi de deux colis, ainsi qu'elle expédiait jadis à son mari, qu'il partagerait ce superflu avec les amis du défunt.

Vincent remercia Mme de B. D'ailleurs, depuis la mort de Lucien, l'escouade se partageait les paquets que l'on ne pouvait renvoyer.

Durant près de deux mois, Vincent, comme promis, recevait les colis et quelques lettres de Mme de B., toujours très tristes et très dignes ; enfin, le soldat lui écrivit que, dans quelques jours, il partait en permission et qu'il irait lui présenter ses hommages respectueux et douloureusement, lui remettre les reliques de son mari.

Depuis sept heures du matin, Vincent est à Paris, chez lui.

« Dois-je aller tout de suite chez Mme de B., visite pénible, ou attendrai-je le dernier jour ? »

Il sort de son bain, s'habille, et les reliques de Lucien pèsent dans sa poche. Il les pose sur un secrétaire ; il les regarde, toujours indécis.

« Il est dix heures, se dit-il ; si je prends un taxi, j'arriverai chez elle à dix heures et demie. »

Il reprend les menus objets et part exécuter sa funèbre corvée.

L'ascenseur dépose le soldat au quatrième étage ; maintenant qu'il se trouve devant la porte, son cœur bat, il hésite ; enfin, il sonne ; il entend vibrer le timbre de l'autre côté ; il se sent un peu libéré ; il prépare les phrases qu'il dira ; il entend déjà les pleurs de la jeune veuve, peut-être des sanglots. Une jolie soubrette ouvre :

— Je suis, dit-il, Vincent Roger ; je désire voir Mme de B. D'ailleurs, elle m'attend un de ces jours.

La bonne l'introduit dans un salon dont les fenêtres donnent sur le beau jardin du Luxembourg ; il regarde les meubles : un piano à queue sur lequel se trouve le portrait de son camarade avec sa femme, le jour de leurs noces, un beau canapé et des chaises style Louis XVI ; aux murs, des tableaux de Bouguereau, Bonnat, Detaille, puis un Christ genre rue Saint-Sulpice.

Soudain, Vincent entend un bruit de serrure ; il se détourne, la porte craque, s'ouvre ; une ravissante femme paraît, très pâle, vêtue d'un peignoir orange ; elle tend la main à son visiteur qui, très troublé, la baise. Lorsqu'il relève la tête, elle fixe ses regards dans les yeux du soldat ; elle sent, et ne comprend pas, son corps frissonner ; elle regrette d'avoir reçu le camarade de son mari en peignoir et, d'un geste inconscient, ramène son vêtement sur sa gorge... Rose offre un siège à son visiteur, en s'excusant de son négligé.

— Mais, dit-elle, je ne voulais pas que vous m'attendiez (en vérité, elle ne pensait pas trouver en ce soldat un homme du monde), puis aussi, dit Mme de B., votre nom m'a tellement émue.

D'un geste gracieux, d'un mouchoir de fine batiste, elle essuie des larmes qui perlent aux bords de ses beaux cils.

Maintenant, tous les deux sont extrêmement gênés, peinés ; les mots ne viennent plus ; pendant un long silence, les deux jeunes gens s'observent ; chacun rajuste ce qu'il supputait de l'autre, d'après leurs correspondances. Ils se jugent.

Pour le soldat, Mme de B. semble âgée de vingt-cinq ans, de taille plus élancée qu'il ne pensait, d'une parfaite éducation, par cela même déformée ; elle prend à témoin des êtres imaginaires (la galerie de ce qu'elle dit, ou de ses gestes).

Pour Mme de B., son visiteur lui paraît mieux que ce qu'elle supposait. Elle comprend davantage ses lettres, elle le trouve racé ; sa timidité ainsi que son air triste lui donnent un charme.

Pendant ce temps, lentement, Vincent sort de sa poche un petit paquet. D'abord, il défait le nœud d'une ficelle, puis il déplie un papier très blanc et remet à Mme de B. l'alliance où se trouvent gravées à l'intérieur les dates de leurs fiançailles, « juin 1912 », et celle de leur mariage, « février 1913 », puis sa chevalière, portant les armes de ses aïeux, diverses médailles de saintes et de saints, un scapulaire et son portefeuille bourré de lettres et de photographies.

Mme de B. d'abord soupire, puis pleure, et maintenant sanglote ; de temps en temps, elle essuie ses larmes. Vincent se trouve aussi très troublé; d'un geste machinal et sans raison, elle compte les médailles; lui se lève, cherchant un moyen de partir en respectant la douleur de la femme de son camarade; elle ne sait quelle contenance prendre; par courtoisie, elle lui montre la photographie de son mari; il se penche; il est très ému; puis il sent qu'il se virilise, son haleine chaude embrase la nuque de la jeune veuve dont les entrailles s'émeuvent. Il sent tout le parfum de la volupté de la belle femme qui monte vers lui, emprisonne sa pensée; il se sent prêt pour l'aimer; son esprit chavire; il veut fuir, mais son être devient fiévreux de désirs et le rend fébrile; ses regards ne peuvent se détacher de cette admirable nuque de blonde; tout, autour de lui, disparaît. Il ne voit qu'elle. Il oublie tout ce qu'il sait des convenances et sa main, brûlante de désirs amoureux, se pose sur cette nuque fraîche qu'il arde de sa passion.

Mme de B. d'abord ne comprend pas, cependant qu'elle éprouve une immense joie dans tout son être; cette main l'a troublée; elle veut reprendre ses esprits, se lève, veut être indignée; le portefeuille tombe à terre; dans sa main droite, elle serre les médailles; elle tourne son beau visage vers Vincent qui défaille; ses regards s'irritent, elle ne trouve pas un mot à prononcer, tant elle se conçoit insultée; puis elle trouve dans son inconscient une indulgence, voyant le visage de Vincent si douloureux, tant de honte dans ses regards qui semblent lui exprimer qu'il se sent malheureux, qu'il regrette son geste dont il se reconnaît très responsable. Soudain, Rose ne voit plus en lui qu'un héros et son charme l'enchaîne; elle baisse ses pâles paupières; enfin, ne se possédant plus, elle avance son menton vers le jeune homme; sa langue mouille ses belles lèvres qu'elle tend à Vincent, laissant tomber à terre les médailles bénies.

Le soldat s'empare presque brutalement de Mme de B.; il colle sa bouche sur ses lèvres; immédiatement sa main droite glisse le long de la nuque de Rose qui s'extasie, il la serre sur sa poitrine; elle se trouve heureuse, leurs langues maintenant émeuvent tous leurs sens; la paume de la main gauche passe sur son sein émouvant de douceur et ferme, maintenant descend sur son ventre, sa chemise se déchire, il touche un poil frisé si fin qu'il lui semble un duvet; il comprend que Rose se prête à ses caprices; les doigts du soldat se mouillent voluptueusement; à cette sensation, Mme de B. tressaille, elle va perdre l'équilibre; ses bras s'enroulent autour du cou du jeune homme; son souffle change de rythme; elle geint faiblement; sa main droite quitte le cou de son amant, descend; une chaleur lui brûle la main; doucereusement, elle se laisse défaillir sur le canapé. Vincent la suit, elle le guide; il sent une chaude moiteur. Est-ce le trop de désir, le manque d'habitude, leur chaleur réciproque? Déjà, il s'abandonne, la jeune femme laisse dolemment tomber sa tête à droite et chacun de ses bras d'un côté du canapé, brisée par une émotion qu'elle ne connaissait pas. Vincent continue à goûter ses joies; bientôt, sa raison le reprend; depuis qu'il caresse Rose, il ne l'a plus vue; il regarde la plus belle des femmes, pâmée; sa chemise déchirée lui permet de découvrir un corps admirable; sur ce peignoir orange, il détaille un sein ambré, beau comme une pomme, avec une petite pointe gracieuse qui semble une églantine à peine éclose; son visage ravissant se divinise; il sent maintenant que ses spasmes se terminent, que sa virilité, sans quitter sa maîtresse, décroît, cependant que, de temps en temps, par son fluide, Rose se rétracte, comme pour le remercier, et leurs deux corps sans cesse s'enamourent.

Aucun des deux amants ne savait ni ne pouvait rompre cette émouvante union. Rose n'osait ouvrir les yeux, de peur de le regarder, pourtant elle le désirait. Vincent, par contenance autant que par plaisir, baisait ses yeux, ses oreilles, son cou; les doigts de Rose erraient dans les cheveux de son amant. Soudain elle attire sa bouche sur la sienne; ils distillent des baisers nombreux; elle entr'ouvre ses belles petites dents blanches; leurs langues se conviennent, se caressent; il l'aspire et la boit; tout le corps de cet ange se révulse; il s'appesantit un peu sur elle.

Les sentiments et les chairs des deux amants se pâmaient; pourtant, chacun souffrait en son esprit; tous deux se sentaient coupables et jugeaient leur conduite indigne.

Vincent prend la jolie pointe du beau sein de sa divine maîtresse dans sa bouche; il sent qu'elle se durcit; il aspire, puis le caresse avec sa langue. A cette seconde, Rose sent qu'il se revirilise; tout en elle se contracte; tout son corps court à la rencontre de son amant et de nouveau le réchauffe; le rythme de son souffle change; ses bras entourent le cou de Vincent; sa bouche s'ouvre; sans qu'elle s'en rende compte, elle ose ouvrir les yeux et trouve son amant si beau qu'elle se sent défaillir et tout son corps transpirer; maintenant il danse langoureusement; elle l'accompagne; leur rythme devient celui de l'univers; la pureté de leur passion sanctifie leur bonheur. Vincent éclate comme un bourgeon au printemps. Rose ne peut prononcer que des sons, sans force; il choit doucement sur sa maîtresse, baisant son visage avec reconnaissance; elle lui rendait chacun de ses caprices avec félicité.

Dans ce salon austère, Vincent, seul, pense à ce qui vient de lui arriver. Mme de B. s'est enfuie, balbutiant des mots sans raison. Que va-t-il se passer? Il reconstitue la scène; il ne se comprend pas, ni la femme de son camarade. Il vint chez elle accomplir une corvée; il sait cette femme pratiquante, vertueuse; aucune pensée amoureuse ne prit place une seconde en son esprit, dans le sien à elle non plus.

« Le plus simple, songe Vincent, est de m'enfuir et ne jamais espérer la revoir... »

Pourtant, le beau visage de Rose et les parfums lascifs de sa volupté le charment; lentement le soldat se dirige vers la porte; il pense à son camarade et se méprise. Il ouvre la porte, trouve un couloir; au fond, il voit la porte d'entrée; très malheureux, il met la main sur la serrure.

Mme de B., toute nue, regarde sa chemise déchirée; elle se dirige vers sa commode, prend une autre chemise et la met; elle s'assied; pour la première fois de sa vie, elle sent tout son corps, son cœur, son esprit reposés, mais sa pensée lui reproche sa conduite. Comment a-t-elle pu s'abandonner ainsi, à ce séducteur? Quelle conduite va-t-elle observer? Elle doit chasser cet homme, ne plus jamais le revoir; à ce moment, elle entend une porte s'ouvrir; sa raison encore une fois s'absente d'elle; son corps se lève, court, trouve Vincent la main sur la serrure, hésitant, ses bras s'enlacent autour de sa tête; elle tend sa bouche. Ils s'embrassent. Heureuse, elle passe sa main sur le visage du soldat; à cet instant seulement, elle retrouve sa pensée.

De nouveau, les amants se retrouvent dans le salon. Rose serre son amant contre elle, puis devient colère de son impuissance; elle se laisse tomber sur la canapé; des larmes coulent de ses yeux; elle retrouve Vincent à genoux, lui baisant les mains; elle sent un pleur sur sa main; le cœur de Mme de B. s'arrête; le soldat lui dit :

— Pardonnez-moi, Madame, ce bel égarement.

Une émotion qu'elle ne connaissait pas de nouveau l'emprisonne, arrête ses pleurs; ses yeux se ferment; sa tête se penche. Vincent la prend par la taille pour la soutenir; à son étreinte, elle se reprend, frissonne d'aise, regarde le soldat, le retrouve encore plus beau et murmure :

— Qu'avez-vous fait?

Vincent baise sa belle main dont les doigts fuselés l'émeuvent, sans oser prononcer un mot.

Mme de B., le visage rayonnant de bonheur et le regard triste, continue :

— Je suis la plus malheureuse des femmes de ce qui vient de m'arriver; je sens que je ne peux pas vous en vouloir ni me délacer de votre étreinte.

De nouveau sa poitrine se gonfle; elle regarde le soldat; ses yeux se ferment. Rose sent en son cœur un battement inconnu dont toutes ses entrailles frissonnent, puis tout son être, impuissante, ses beaux yeux cherchent ceux de Vincent, un chaud baiser les réunit; en de longs soupirs ils se parlent de leur amour.

Les deux amants sont assis l'un près de l'autre, ils se tiennent les mains. Rose dit :

— Je ne sais comment juger ma conduite; et vous, que devez-vous penser de moi?

Après un long silence de Vincent, elle continue :

— Pourtant, la seule estime dont j'ai besoin pour vivre, c'est la vôtre.

Le soldat lui baise les mains. Rose ajoute :

– A part mon mari, et, n'est-ce pas, c'était mon devoir, je vous jure devant Dieu que jamais je n'ai pensé même un instant à un autre homme; je ne me comprends pas. Comment n'ai-je pu rester maîtresse de moi-même?

Puis, le regardant dans les yeux, effrayée, elle demanda :

– Êtes-vous un Don Juan?

Et le beau visage de Mme de B. roula sur l'épaule de Vincent qui, ne sachant que dire, haussa légèrement les épaules...

FRANCIS PICABIA

1879 - 1953

Poèmes de la fille née sans mère

1918

A peu près au moment où l'on peut imaginer que Rose de B. se remariait avec désespoir « *pour raisons de convenances* », Dada naissait à Zurich, le 8 février 1916. De 1916 à 1920, pratiquement toutes les publications Dada, ou celles qui simplement reflètent ce que P. A. Birot, avec Apollinaire, nomme « l'Esprit moderne » *(Cabaret Voltaire, Sic, 391, Dada, Nord-Sud)*, rendent d'une manière ou d'une autre hommage à Apollinaire, qui lui-même collabore « *aux plus hardies des jeunes revues poétiques* » (P. Pia), et se retrouve aux côtés de Breton, Aragon, Soupault, Cocteau, Tzara, Arp, Radiguet, Ribemont Dessaignes... Et Picabia, qui arrive d'Amérique, introduisant Marcel Duchamp. Dans le troisième numéro de *Dada (Manifeste Dada*, 1918), Picabia saluera ainsi Apollinaire, qui vient de mourir le 9 novembre, l'année où Picabia publie à Lausanne les *Poèmes de la fille née sans mère* :

« *Sa mort me semble encore impossible. Guillaume Apollinaire est un des rares qui ont*

suivi *toute l'évolution de l'art moderne et l'ont complètement comprise. Il l'a défendue vaillamment et honnêtement parce qu'il l'aimait, comme il aimait la vie, et toutes les formes nouvelles d'activité. Son esprit était riche, somptueux même, souple, sensible, orgueilleux et enfantin. Son œuvre est pleine de variété, d'esprit et d'invention.* »

André Breton dira : « *L'avoir connu passera pour un rare bienfait... Le grand Pan, l'amour, il a ressuscité ces dieux dont il déplorait la mort autrefois.* »

En 1917, à la frontière espagnole, les tableaux de Picabia intriguèrent la police. « *Un censeur très sensé s'y trompa, et crut reconnaître, parmi des tableaux qui figuraient diversement l'Amour, la Mort et la Pensée, quelque chose comme l'épure d'un frein à main à air comprimé, ou d'une machine à concasser les noyaux de pêche*[1]. »

Il faut, dans les *Poèmes de la fille née sans mère*, se livrer à la gymnastique inverse, et retrouver la chair des femmes derrière la mécanique.

1. *391*, n° 1, 25 janvier 1917.

Oiseau Réséda

Un soir, ses longs cheveux en arrière
la petite danseuse bizarre se faisait une ceinture
avec la fièvre des marais souvenir de promenade
animée elle pressait sur ma bouche un buisson.

Gâteaux de sucre rouge renflement en chignon
où l'église vieille boîte à musique
parée avec un collier de perles de petit chien
entra dans ma chambre magnifique.

La nuit mes bras tournoient sur l'herbe
son sourire scintillait par derrière immobile
dans la pièce particulièrement silencieuse
et toujours droite elle s'endormit.

Bouches

Azur ivoire ton corps
Amour à deux mains
Dors-tu
Mon amie bien-aimée
Chaque soir sur la poitrine
De notre amour.

Zoide

Entre les deux elle se lève et bande la main
souriant toujours.
Elle gouverne la science d'enchaîner
les degrés de l'eau.
Elle est le seuil des amitiés particulières
en nous assignant jusqu'aux larmes
les traces des faïences sous l'horizon.
Je suis le monarque fauvette variété
pudeur de passivité spermatozoïde.
Inesthétique le matelot pâle
près du lac sans soleil.

Chausson de visière

L'aurore de mon corps contenait tes bras noués
Loin de mon tombeau en œuf d'autruche
Je l'épouserai quelquefois en poussant des hurlements

Ne sois pas silencieuse si je meurs le premier
Paupières bleues rouillées
Dents lumineuses
Comme mon désir ramassé dans l'eau
Mes reins n'entendent plus nos hymnes
Sous les ombrages du linge fenêtre
A l'aube l'indifférence
de jet d'eau en collier
Dieu sourit.

Pharmacien câlin

Une femme grimace
Snobisme torture du lit
Au bord d'une allée
Sous l'affût d'une position nouvelle
Elle vivait soumise aux bras d'un passager
Malfaiteur dans l'étreinte des caresses
Amoureux marqués des empreintes
Sans suite
Dans les nuits leurs visages
S'amusaient dans le silence
A travailler quelque ouvrage violon
Unique sujet ce cri visible
De l'étrange pudeur d'amour.

Odorat

La victoire en sauvegardant la liberté dans ma poche
à cet égard j'estime par des vociférations mon chien
si le service militaire des déserteurs est accordé

Le scrutin de la pensée n'a cessé de croiser
au-dessus avec un chat organique d'esprit fraternel
animal terrible sous les grands molletons

Pourtant je m'excite dans l'eau épave
que des ennuis monotones pieds nus
les yeux dans les vieux regards amusent

Scepticisme strophe de bonheur illusion réalisée
quand on sait avec la peau des papillons vivre
on y enfonce comme les fleurs du miroir

C'est trop quelque chose de sensé dans la vie
sur mon orgueil phénomène de gazon champêtre
dressé sur l'oubli magique

Et maintenant s'écoule l'exercice sensuel
joies de l'amour qui fait souffrir l'inattendue
géométrie de forme oreille

Échoué

Devant moi la petite hauteur hasard
Galopait merveilleusement dans le lointain
Mais si changée dans la chambre
Où une douce lumière est prête à s'éteindre
Son petit visage que j'avais connu trésor m'apparut
Sur la corde fixée à des rochers opposés au gouffre
Et les oreilles bourdonnantes dans l'excès volonté
Je veux clouer la porte de la chambre silencieusement
Car toujours sur mon désir qui affole le monde
Je l'ai entendue dans la chambre cachée séparément
Dans le milieu derrière le buisson invisible de la petite hauteur
Je fourrage dans le sable avec mon visage livide
Gouttes de sueurs engagées sur ce sentier
Par la main du guide j'expliquerai cela
Sans appeler au secours car les buissons touchent ma poitrine
Avec une résignation de métal contenu
Attendre la mort comme pour la défense
Et enfoncer la porte opposée de la pièce
Voici le récit de ma fiancée dans la chambre bagatelle
A onze heures et demie du matin.

Petites Alliées

1919

On a vu comment l'activité des éditeurs clandestins s'était trouvée paralysée pendant la guerre. En cinq ans, de 1914 à 1918, Perceau ne relève que deux nouveautés et huit réimpressions. Encore les deux nouveautés sont-elles l'une un recueil de petits textes du XIXᵉ siècle, l'autre un portefeuille de dix eaux-fortes, avec une préface. On peut toutefois se demander si quelques nouveautés parues pendant la guerre n'ont pas été antidatées par prudence, et si des 65 nouveautés datées de 1911 par Perceau, par exemple (chiffre record), quelques-unes n'ont pas été publiées entre 1914 et 1918.

Tout de suite après l'armistice paraissent trois romans clandestins prenant la Grande Guerre pour décor. Voici comment les catalogues de l'époque annoncent les deux premiers :

« La Carrière amoureuse de Gisèle B... *infirmière de 1914 à 1918, par son amie et sa confidente la baronne d'As :*

« La jeunesse et la passion ne perdent jamais leurs droits, même pendant les horreurs de la guerre, et le bruit du canon s'harmonise avec les soupirs et les cris de volupté.

« Ce livre est le détail exact de ce que fut la vie passionnelle de cette Gisèle B... aussi brave qu'amoureuse, qui, au milieu des dangers, ne put mater ses désirs et s'y abandonna avec une fougue que les aventures les plus extravagantes ne purent maîtriser. Le bruit des canons et les dangers ne firent qu'aviver ses désirs qu'elle trouva du reste à satisfaire au milieu de l'armée des mâles dominant l'élément féminin.

«Cécile de Savigny, la Belle libertine, mœurs contemporaines des Parisiennes, par le baron de Maschera. Ce roman inédit nous dévoile les dessous de la vie contemporaine. Son trait captivant est d'autant plus sensuel qu'ils ont été vécus pendant la guerre. L'auteur nous fait assister aux amours des poilus au repos et ne craint pas de nous en faire connaître les détails typiques qu'il dépeint fidèlement avec toute leur lubricité et leur réalisme. »

Petites Alliées, roman vécu, par Miss Clary F..., est commenté en ces termes :

« Quatorze jeunes filles de nationalités différentes ont voulu se mêler à la Grande Guerre, cherchant dans ses dangers et ses horreurs des sensations nouvelles, en quelque sorte sadiques. Avec une admirable belle humeur qui ne se dément pas un instant, elles satisfont toutes leurs dépravations, toutes leurs perversions au milieu de scènes sanguinaires. L'une d'elles raconte ses troublantes aventures et sait, en des tableaux d'une luxuriante et luxurieuse poésie, évoquer les voluptés les plus inconcevables. »

*P*RISCA *et* ROLANDE se pâmèrent en même temps, roulant leurs corps l'un contre l'autre, mordillant les chairs, criant leur joie jusqu'au moment où, plus apaisées, elles se retrouvèrent enlacées, les yeux souriant d'une ivresse partagée....

— Comment t'es-tu rendu compte de ton double sexe ? interrogea un peu timidement Rolande.

Prisca, avant de satisfaire la curiosité de son amie, la regarda un peu surprise… Jamais elle n'avait eu à satisfaire cette curiosité dont Rolande n'était pas coutumière.

– D'où vient, répondit-elle enfin, que tu m'interroges sur cela aujourd'hui seulement?

– Je ne sais… Peut-être ai-je cru que cela te serait désagréable… Enfin, résultat : je n'ai pas osé…

– Tu as eu tort, mon amie, je t'eusse renseignée sans difficulté… Ce que je vais faire du reste.

Prisca se recueillit un court instant, comme si elle n'eût voulu rien omettre à son récit.

– J'ai, commença-t-elle enfin, j'ai eu la première intuition de mon anomalie alors que j'avais cinq ans. Mes parents qui, tu le sais, n'ont été riches qu'alors que j'atteignais mes treize ans, et par un miracle dont la vie est parfois coutumière, mes parents se souciaient peu des soins intimes à donner à ma personne : à ma naissance, mon sexe… mâle était tellement peu apparent qu'il était passé inaperçu. Il croissait avec moi et, à l'âge de cinq ans, il avait la longueur d'un dé à coudre ; des petites filles assez vicieuses qui faisaient partie de mes jeux, trituraient cet appendice et, m'en étant plainte à ma mère, cette dernière en conclut à une verrue mal placée… et il n'en fut plus question. La… verrue croissait avec l'âge, et je restais un peu effrayée de sa proéminence, mais, par pudeur fort compréhensible à mon âge, je taisais cette croissance étrange…

« Après notre coup de fortune, mes parents, voulant faire de moi une savante, me mirent en pension. J'étais depuis trois mois dans cet établissement de torture lorsque ma beauté, très caractéristique, frappa l'une de mes institutrices qui finit par m'attirer dans sa chambre : ce fut elle qui me révéla ma différence des autres jeunes filles et qui s'enivra des premiers avantages qu'offrait ce sexe double, et cela sans grande joie pour moi qui ne comprenais rien aux passionnelles tentatives de mon institutrice… Cependant, comme elle était très plaisante, que j'avais l'esprit romanesque, ses essais, ses leçons, me rendirent attentive d'abord, intéressée ensuite et, bientôt, des désirs me poussèrent à des actes et à des gestes qui, quoi qu'on en dise, viennent intuitivement et ne s'apprennent pas…

« Après ce furent mes études à Paris. La mort de mes parents me laissant riche, libre et indépendante, les aventures du quartier avec des Françaises curieuses et des Russes compliquées… et, enfin, notre rencontre à Berlin… où, de suite, je te devinai autre qu'une vulgaire Allemande et où je ne me trompais pas… Je me suis attachée à toi de toutes les fibres de mon être, je t'aime, moralement et physiquement, avec toi je commettrais les pires érotismes qui me répugneraient à commettre avec d'autres.

« Hier soir, leurs enlacements à toutes me laissaient froide ; je n'avais qu'une idée, te retrouver... Je t'aime ! acheva-t-elle en enlaçant à nouveau sa compagne. Je t'aime, au point d'oublier tout et me livrer avec toi à toutes les orgies des sens dont notre pauvre nature humaine est capable ; faible capacité, car nos désirs sont limités à des moyens toujours répétés et tellement au-dessous de nos aspirations que, sans le cerveau, la vie sensuelle n'existerait pas. »

Et, comme si elle eût voulu démentir ses paroles, Prisca se jeta furieusement sur Rolande, la transperçant sans préparatifs de son vit anormal mais suffisant, et la baisa de magistrale façon, puisque des cris de spasme répondirent à sa brutale attaque.

— Ma mienne ! Mon amant ! Mon tout ! Je t'adore ! Je suis tienne pour la vie ! Au-delà encore ! Jamais je ne t'aimerai assez ! Tiens ! prends mon corps ! mon âme ! Je t'idolâtre !

LOUIS STÉVENARD

Auteur non identifié

La Porte de l'Âne

1920

On ne sait si le roman érotique de guerre eut du succès, mais il cessa rapidement d'en paraître. Dès 1919 Pierre Mac Orlan avait repris son activité clandestine avec *Petites Cousines*, signé d'un nouveau pseudonyme, Sadinet. Roman d'amours juvéniles parfaitement intemporel : « *C'est le livre de l'érotisme dissimulé dans la famille. La physionomie des petites oies blanches qui n'ont point perdu la faculté de rougir à propos de tout et de rien cache parfois des pensées secrètes bien audacieuses* », etc. *La Porte de l'Âne* emmène ses lecteurs encore plus loin, dans la Rome antique[1] pour nous faire assister à la punition d'une femme adultère.

1. C'est aussi en 1920 que Pierre Mac Orlan publie chez Gallimard un très intéressant récit : *Le Nègre Léonard et Maître Jean Mullin*, dont quelques pages auraient fait fort bonne figure dans cette anthologie.

PRÈS DU PALAIS DÉSERT des Lateranus, édifié à droite de la route, il fallut s'arrêter. Une file de chariots traînés par des bœufs déambulait pesamment car avant la neuvième heure, l'accès de la vieille ville était interdit à ces lourds véhicules. Les sifflets des conducteurs saluèrent Antonia.

Le chemin suivi conduisait à la porte de l'Ane qui n'était pas une porte monumentale, mais une simple entrée de ville sur la route circulaire formant la limite de Rome. A peine eut-on franchi cette dernière enceinte que des cris imitant des braiements s'élevèrent à la vue d'une maisonnette isolée, au fond d'un pli de terrain où coulait un ruisseau.

Toute petite, cette construction carrée, couverte en tuiles, mesurait environ six pieds de long. Des squelettes de têtes d'ânes, accrochés aux angles, blanchissaient. Un énorme phallus décorait le pignon.

Afin de s'assurer une bonne place, les plus curieux s'emparèrent des quatre fenêtres ouvertes l'une en face de l'autre, sur deux côtés opposés. Antonia fut enlevée de sa monture. Les gardes tirèrent le verrou de l'étroite porte. Un peu plus de la moitié de la cellule était occupée par un grabat de maçonnerie de la hauteur d'un siège accoté au mur du fond. Une botte de paille y fut éparpillée.

La condamnée, tremblante, dut entrer à reculons. Sa confusion provoquait des huées. On lui disait que sa couche nuptiale était prête. Le sort allait indiquer à qui la prisonnière appartiendrait d'abord. Les jeux de dés s'organisèrent sous la surveillance des gardiens.

Les dimensions exiguës de cette cellule, peinte en rouge à l'intérieur, rappelaient une cage. La voûte en berceau commençait sous les fenêtres. Le sommet n'était pas à beaucoup plus de six pieds du sol.

Une grossière fresque, au-dessus du lit, montrait un âne labourant avec une verge démesurée le corps nu d'une femme échevelée.

La lumière, réfléchie sur les murs, colorait en rouge les faces ricanantes des spectateurs cramponnés aux barreaux.

Antonia avait peur. Ses yeux ne pouvaient quitter l'image de cet âne en rut et de cette femme meurtrie. Allait-elle subir pareil traitement? Pourquoi ces cris, ces bruits de dispute?

La porte s'ouvrit et livra passage au parfumeur Cosmus.

– Sauve-moi, Cosmus, ne laisse pas souiller une honnête femme!

Sans répondre, le galant parfumeur enlaça Antonia. Révoltée, elle essaya de se dégager.

– Quelle honte, Cosmus! Par Junon, éloigne-toi!

Cet effroi modérait la fringale de Cosmus. Les ricanements qui venaient des fenêtres dissipèrent ses hésitations.

Le trouble d'Antonia augmentait, elle eut une crise de larmes. Insidieusement, Cosmus en profita pour l'attirer contre le lit sur lequel elle trébucha. Avec des paroles d'apaisement et des manières câlines, il parvint à la découvrir jusqu'à la ceinture.

Antonia ignorait les pratiques épilatoires en honneur parmi les courtisanes et les élégantes. Un triangle de poils noirs, drus et bouclés, ombrageait le bas de son ventre.

En lui écartant les cuisses Cosmus se mit à loucher, comme il n'avait jamais louché devant une vulve chastement close par des lèvres semblables aux pétales vivants d'une rose.

Cette fente qui absorbe la substance génératrice et permet de goûter un plaisir si exquis, mais si bref, aiguillonnait Cosmus. Son dard se cabrait sous sa tunique, il la releva.

Au premier attouchement, Antonia fit un mouvement de retraite. Cette pudeur irritante plut au parfumeur, qui ne voulait rien précipiter.

Il se contenta de glisser ses mains sous les fesses d'Antonia, afin de la ramener doucement vers lui. Mais au cours de cet effort, une sensation chaude gonflait ses veines. La volupté le domina, un spasme parcourut son dard et un jet laiteux aspergea la toison d'Antonia. Un autre suivit immédiatement, plus faible, moins copieux. D'ultimes érections relevèrent encore le membre d'où bavaient quelques gouttes épaisses.

Des éclats de rire plus perçants que des flèches partirent au-dessus de la tête de Cosmus consterné :

– Tu as foutu dehors ! Maladroit ! Tu as perdu ton huile !

L'infortuné Cosmus, bredouillant et décontenancé, venait à peine de quitter la cellule, poursuivi par les quolibets, quand l'ouvrier de Rufus entra. Quel triomphe ! la belle Antonia, si dédaigneuse, convoitée depuis si longtemps, allait lui appartenir.

Le sort permettait même à Plancus d'être un des premiers. Quelle vengeance inespérée !

– Essaieras-tu encore de nous en imposer, comédienne ? Toi qui n'as jamais daigné me regarder, demain tu m'appelleras au coin des rues. Allons, fais ton métier, prostituée !

– Tiens, regarde, est-ce que tes amants ont un outil comme celui-là ? poursuivait l'ouvrier en exhibant complaisamment ses parties sexuelles.

La veille, un châtiment sévère eût puni pareille injure. L'humiliation n'en était que plus profonde. Antonia fixait anxieusement la verge menaçante que Plancus secouait avec des raffinements de tortionnaire. Le bourreau monta sur le lit, entre les jambes d'Antonia. Elle cherchait à rebaisser ses vêtements sur les souillures qui maculaient ses poils. Il repoussa ses mains.

Les témoins de cette scène devinaient une souffrance. Ils s'en délectaient, et leurs rires méchants soulignaient les gestes de l'ouvrier.

Plancus s'approcha. Son gland toucha le clitoris. Une friction lente, de bas en haut, imita le travail du pinceau.

– C'est ainsi, persiflait-il, qu'on chatouille les épouses insensibles.

Le frottement devint plus rapide. Malgré l'outrage, Antonia, vaincue par le plaisir, s'agitait. Sa poitrine se soulevait.

Alors Plancus, craignant la déconvenue de son prédécesseur, prit une intonation cruelle en prononçant :

– Sens-tu que je l'enfonce ?

Après quelques coups de reins, la voix rageuse, il ajouta : « Ah ! tu jouis avec moi, belle Antonia ! Tu mouilles ! »

Une étreinte impétueuse rassemblait les adversaires. Leurs ventres se heurtaient et palpitaient à l'unisson.

C'était une révélation. Jamais le mari d'Antonia, trop faible ou trop maladroit, n'avait su la griser ainsi.

– Bien ! Bien ! Ne la ménage pas. Elle lève les pieds !

Toutes ces plaisanteries entretenaient l'acharnement de Plancus. Il se rassasia, ensuite, il tourna la tête victorieusement du côté de ceux qui l'acclamaient et s'empressa d'aller recueillir les félicitations attendues.

De l'ouverture basse ajourant le haut de la porte, les gardes avaient tout vu.

Celui qui paraissait détenir le plus d'autorité exhala quelques mots, la bouche sèche :

– Je n'y tiens plus, disait-il.

Son compagnon, complétant sa pensée, répondit aussitôt :

– Un seul de nous deux maintiendra l'ordre aisément. Commence donc!

Le soldat trouva Antonia assise sur le grabat. Elle ne bougeait pas, sa pensée paraissait engourdie.

Lui, d'un geste sec rappelant l'exercice, déboucla son large ceinturon, le jeta par terre et baissa ses braies.

Une queue brune s'érigea comme un piquet.

Domitien venait d'augmenter la solde d'un tiers, mais le prix de l'existence progressait : quand d'aventure notre homme avait deux oboles à dépenser, il allait vite assouvir son rut sur une fille de Suburre. Sans plus d'égards, Antonia fut en même temps chavirée et enfilée sur le bord du lit. Elle poussa un cri, plainte vaine. Le soldat, solidement campé, se mit à pilonner.

Des fenêtres, on criait : « Hardi! Plus fort! » Encouragements superflus car la brute avait hâte de vider son sac.

Presque tout de suite il s'immobilisa, le bas du corps projeté en avant : il évacuait le trop-plein de ses réservoirs, la face hébétée par le soulagement. Pour une pénétration plus complète, il replia sur elle les cuisses d'Antonia. A chaque heurt, la pauvre femme butait des épaules contre le mur. Ainsi qu'un boulanger enfiévré au travail, le rustaud la pétrissait. On entendait des halètements.

En expulsant son reste, il s'affala lourdement sur Antonia. Cette fois, complètement délesté, le soldat dégaina et secoua sa queue. Préoccupé de ne pas faire attendre l'autre garde, il s'en alla sans un regard de remerciement.

A demi couchée sur la paille, la face enfouie entre ses bras, Antonia ne vit pas entrer le nouvel assaillant. Celui-là ne subissait pas le tourment d'une longue continence. En connaisseur, il contempla le renflement des hanches d'Antonia, caressa la nuque et n'oublia pas de s'assurer de la fermeté des seins : on eût dit un cavalier prêt à monter une bête de sang.

Comme s'il fût allé au combat, il releva sa tunique dans sa ceinture.

Ayant déplacé doucement le corps d'Antonia en travers du lit et lui laissant le visage toujours caché entre les bras, il la redressa sur pieds, la croupe haute. Puis d'un seul coup, il retroussa ses vêtements.

Quel spectacle! Vénus Callipyge en fût devenue jalouse. Des rondeurs pleines de promesses prolongeaient harmonieusement une échine souple. C'était la grâce. C'était surtout l'irrésistible empire de la chair!

Plus bas, dans une troublante pénombre, au milieu d'une touffe épaisse de poils noirs, encore humides d'écume, s'entrevoyait la voie désirée. Antonia demeurait passive. Pourquoi se défendre? Étourdie par les chocs précédents, elle ne savait même plus de qui elle était la chose.

Sans se presser, le soldat écarta avec ses pouces les lèvres de la vulve et glissa son dard en fléchissant un peu les jarrets.

Antonia se sentit agrippée aux épaules. Un soupir lui échappa; elle retourna la tête : elle appartenait à un autre.

Croyant à un encouragement, le soldat l'accola plus étroitement et se mit en action.

— Il la baise par derrière, disaient certains, accrochés aux barreaux, et qui regardaient de tous leurs yeux avides.

Antonia n'entendait plus rien ni les clochettes, ni les braiements de la populace satisfaite de savoir que là, tout près, on forniquait. Or le gaillard n'y manquait pas. Sa verge allait et venait vigoureusement. Voilà qu'elle semble grossir. Elle frémit. Une ondée jaillit. Antonia, au même instant, humecte le ventre de son heureux possesseur.

Sans reprendre haleine, les partenaires s'animent de plus belle. Le soldat tient sa compagne par le haut des cuisses et pousse à fond. Elle aussi, appuyée sur les mains, rend coup sur coup. Son adversaire faiblit. Il va payer un nouveau tribut, mais une voix jette le trouble :

— Dépêche-toi, avertit le garde resté de faction devant la porte, il y a un homme qui prétend que c'est son tour, et que notre service n'est pas de réjouir une adultère.

Au rappel d'une consigne peut-être violée, le soldat s'inquiète et prête l'oreille aux murmures qui vont grandissant.

Les choses pourraient se gâter.

Le garde lâcha prise si brusquement, qu'Antonia, toujours retroussée par-dessus les épaules, tendait encore les fesses quand Labéon fit irruption dans la cellule. Cette vue déchaîna une tempête d'injures.

— Louve en rut, attends-tu que je me serve de ton cul comme d'un pot de chambre?

A la voix de Labéon, Antonia fit volte-face et s'assit sur le lit.

Sans pitié, il continuait : « Je me doutais bien que tu n'étais qu'une poupée. »

Honteuse, Antonia baissait la tête, les mains sur sa poitrine.

Le foulon reprit : « Eh bien, puisque tu es une latrine publique qui ne coûte rien, tu vas me servir à propos! »

Déployant une violence calculée, il releva les vêtements de la malheureuse, lui écarta les jambes et la fit basculer.

Ayant dégagé sa verge, et la braquant sur la vulve baveuse, il lâcha un jet d'urine. Le liquide se brisa exactement entre les lèvres, éclaboussant ventre et cuisses.

Aux fenêtres, des rires accueillirent cet exploit.

Antonia était si stupéfaite qu'elle reçut toute la douche sans se dérober.

– Maintenant, te voilà lavée, conclut Labéon. Tu es aussi propre que le Grand Cloaque. Que les autres continuent à se torcher avec toi. Tu leur serviras d'éponge.

Antonia assistait, immobile, à sa déchéance.

Une grande émotion la sortit de cet anéantissement, elle se crut même le jouet d'une illusion en voyant entrer Lucius, le pêcheur. Il avait d'abord suivi de loin, puis il s'était mêlé à la foule. Un heureux coup de dés le rapprochait de celle dont il avait causé la perte.

Il la retrouvait ignominieusement livrée à la populace, dans un lupanar où elle gisait à moitié nue, les jambes écartées, une flaque d'urine moussant à ses pieds.

Son premier geste fut de recouvrir Antonia. Elle comprit, éprouvant une douleur si poignante qu'elle ferma les yeux et s'affaissa. Lucius voulut la retenir, ils tombèrent sur le lit.

Les baisers du pêcheur la ranimèrent.

Une félicité imprévue emplit ces deux êtres faits l'un pour l'autre. Après une longue séparation, c'était le retour du fiancé. Sans réfléchir aux circonstances qui les réunissaient, ils se tenaient étroitement serrés. Leurs bouches se joignaient ; leurs langues se touchaient. Un même souffle de passion les embrasait. Lucius cherchait une possession complète.

CLAUDE ANET

1867-1931

Ariane, jeune fille russe

1 9 2 0

Il peut paraître étrange au XXᵉ siècle, en France, qu'*Ariane, jeune fille russe* ait pu passer pour un roman immoral et scandaleux au tout début des Années folles. On peut simplement rappeler que dans un pays anglo-saxon un adulte fut condamné à de la prison ferme, dans les années 50, pour avoir détenu chez lui un exemplaire de la traduction anglaise du livre.

Ariane, jeune fille russe, reprend le thème archirebattu de la jeune fille égarée, « *une de ces détraquées d'aujourd'hui qui font l'amour comme elles soupent* », mais qui retrouve enfin dans les dernières pages du livre la bonne route, sous les espèces de l'homme de sa vie, amour unique. La trouvaille de Claude Anet, c'est que l'héroïne est vierge, et se donne vierge à son amant en lui faisant croire « *qu'elle ne l'a pas attendu* » puis continue à lui détailler d'imaginaires débauches. Tout s'arrange à la fin, de justesse.

Dans le film tiré d'*Ariane* par Billy Wilder, le sujet trop audacieux pour l'Amérique (à l'époque) était édulcoré, et les écarts d'Audrey Hepburn jusqu'à son enlèvement par Gary Cooper restaient fort sages.

L E   L E N D E M A I N   S O I R, à huit heures et demie, Ariane parut à la porte de sa maison, où Constantin Michel l'attendait. Elle avait un ravissant chapeau aux grandes ailes attachées par des rubans sous le menton. Le cou sortait nu de la longue houppelande noire.

Ils descendirent la Tverskaia. Il était étendu qu'« on allait se promener ». Pourtant, arrivés devant l'hôtel National, Constantin proposa d'entrer.

– Pourquoi pas ? fit-elle.

Et sous le lourd manteau, une épaule frêle se souleva et communiqua un léger mouvement à l'épaisse étoffe.

Dans le petit salon, Ariane quitta son manteau puis, passant dans la chambre à coucher, enleva son chapeau et arrangea ses cheveux devant la glace. Elle regarda autour d'elle, ne manifestant aucune gêne. Sur le lit, déjà préparés pour la nuit, les pyjamas de Constantin étaient étalés.

Ils burent du thé au salon. Constantin prit la jeune fille sur ses genoux et leurs bouches se joignirent. Il commença à la déshabiller. Ici Ariane opposa une résistance obstinée et ses ongles acérés jouèrent un rôle dans le combat. Il fallut moitié de gré, moitié de force, à coups de prières, à grand renfort d'ingéniosité et de ruse, conquérir l'une après l'autre chaque pièce du vêtement. La blouse légère tomba ; les jeunes seins fermes et ronds apparurent sur une poitrine maigre. L'enlèvement de la jupe exigea un temps infini. Constantin en eut raison enfin. Il tenait la jeune fille presque nue dans ses bras.

Il était au comble de l'énervement. La civilisation a appris aux femmes à n'opposer, en telles circonstances, qu'un simulacre de résistance à l'attaque de l'homme, juste assez pour qu'il puisse faire le geste de l'antique conquête. C'est une comédie charmante dont les scènes sont dès longtemps réglées. Mais voilà que, contrairement aux conventions tacitement passées avec Ariane, il était obligé de se battre et d'employer la force. Pourquoi se défendait-elle si âprement puisqu'elle était décidée à se donner ? Pourquoi depuis une heure luttait-elle sans répit ? Pendant une courte trêve, il ne put s'empêcher de lui dire assez brutalement :

— Mais enfin, vous savez pourquoi nous sommes ici. Vous êtes avertie. Ce n'est pas un début, après tout…

Ariane le regarda d'un air de déesse et articula sur un ton qui fit sentir à Constantin l'absurdité de la question posée :

— Vous n'imaginez pas que je vous aie attendu, tout de même ? …

L'épaule se souleva et sortit de la chemise qui glissa le long du bras, laissant nue la moitié du torse. Mais, comme Constantin voulait emporter la jeune fille dans la chambre à coucher, elle se cramponna au divan et d'une voix nette dit :

— Je pose mes conditions.

— Je les accepte à l'avance, répondit Constantin exaspéré.

— Il n'y aura pas de lumière et je ferai la morte.

Constantin Michel pensa : « Sur qui diable suis-je tombé ? Me voici lancé dans une aventure avec une de ces filles détraquées d'aujourd'hui qui font l'amour comme elles soupent, sans avoir ni sens ni appétit. Elles n'attachent pas plus d'importance à l'un qu'à l'autre… Pourvu que je n'aie pas à le regretter… »

Il avait dans ses bras le corps frais de la jeune fille et il répondit :

— Ces conditions sont absurdes… Mais ce n'est plus le moment de discuter…

Dans la nuit de la chambre, dans le tiédeur des draps où Ariane « faisait la morte », il s'aperçut à un signe évident bien qu'involontaire que tout au moins la première des deux suppositions qui venaient de se présenter à son esprit était mal fondée. Cependant la lutte continuait dans l'obscurité, la lutte contre le cadavre.

Irrité, il dit vivement :

— Il est un temps où il est bon de se battre ; il en est un où il faut savoir se donner.

— Mais je ne me bats pas, fit une voix à son oreille, une petite voix, humble, enfantine, où semblait passer un souffle de frayeur et dont le timbre nouveau le frappa.

Et, à l'instant même, il triompha d'elle.

Une heure plus tard, assise devant la toilette elle coiffait ses cheveux qu'elle avait longs et fournis. Ils tombaient jusqu'à la chute des reins et leurs vagues ondulantes cachaient le torse frêle.

Elle parlait d'une façon détachée et libre, racontant des histoires de naguère. Elle n'eut pas un mot, pas un regard qui pussent témoigner de la nouveauté des rapports qui venaient de s'établir entre eux. Tout en l'écoutant, Constantin remarqua une mince coupure sur un doigt de sa main droite : « Ce petit monstre m'a égratigné, pensa-t-il, ou peut-être est-ce une épingle ? »

Comme minuit sonnait, elle se leva. En vain voulut-il l'emmener souper.

— Mon amoureux m'attend à la maison, dit-elle. Il m'a fait une scène hier soir. Il semblait qu'il devinât d'où je venais. Ma tante l'a entendu. Seconde scène. Je veux éviter cela ; j'aime d'avoir la paix chez moi.

Ils rentrèrent à pied. Elle causait, avec un riche mouvement d'idées, des programmes du gymnase et de l'éducation des filles. Lorsqu'il la quitta à sa porte, elle parut étonnée d'entendre Constantin lui demander de la revoir le lendemain à la même heure. Elle accepta sans discuter.

Chez lui, comme il réparait le désordre du lit avant de se coucher, il vit sur le drap quelques gouttes de sang. « Elle m'a égratigné plus profondément que je ne croyais. Curieux petit animal !... Qu'ont été mes prédécesseurs ?... C'est une éducation à refaire. Mais en vaut-elle la peine ?... »

Il était fatigué et, sans réfléchir davantage, s'endormit.

Musée secret

1920

Peu connus sont les poèmes que les Éditions de la Sirène firent imprimer à part, et livrer aux souscripteurs d'*Escales*; poèmes de Cocteau accompagnant des dessins d'André Lhote en un volume tiré à petit nombre, plutôt commentaires poétiques des illustrations que les dessins de Lhote n'illustrent les poèmes :

Le manège à vapeur regarde s'en aller
interminablement le paquebot Touraine
il donnerait tout l'or de sa gloire foraine
pour défaire sur l'eau son voyage enroulé

Musée secret ne comportant que cinq poèmes, nous les donnons tous.

Alice quitte un peu la terre
entre les bras du militaire
malgré ce qu'elle avait promis
formellement à son ami

Carmen prompte au plaisir
qui longtemps la secoue
se cramponne au rebord du lit
cabrée à l'avant du roulis

comme une figure de proue

Le matelot sous sa chemise qu'il remet
cache aux yeux amoureux de Flora la négresse
son ventre tatoué où préside aux caresses
un Peau-Rouge accroupi fumant le calumet

Les sirènes d'un paquebot
Montent la nuit tristement
Céline lave en son hublot
L'orage du dernier amant

Silence

    oursin de nos narines
      dans le désordre
      écartelé

à ton odeur rose marine
tout le visage
est attelé

ALEXANDRE DE VÉRINEAU

Louis Perceau

1883-1942

Les Priapées

Louis Perceau, « journaliste politique, technicien du secrétariat de rédaction des grands quotidiens, chansonnier, conteur, poète et bibliophile[1] », est avec Pascal Pia et Fernand Fleuret un des piliers de l'édition clandestine de l'entre-deux-guerres. Il n'existe aucune étude complète sur lui et c'est dommage. Louis Perceau est né dans les Deux-Sèvres, à Coulon, où son père était « marchand-tailleur ». Il fut donc apprenti tailleur et découvrit la poésie en lisant Malherbe. On le retrouve ouvrier tailleur à Paris en 1901, délégué au Comité révolutionnaire central, emprisonné en 1906 pour avoir signé une affiche séditieuse. En 1909, il travaille au journal de Gustave Hervé. Vers 1911, il fait la connaissance de Fleuret et d'Apollinaire à la Bibliothèque nationale et signe avec eux en février 1913 la publication au Mercure de France de *L'Enfer de la Bibliothèque Nationale*, dont il donnera une édition revue en 1919 avec Fleuret, chez Briffaut. *« Il partage dès lors son temps entre l'agitation dans la rue et le silence des bibliothèques»*, dit Jean Cabanel, qui résume ainsi en 1932 son activité bibliographique :

« Sous son nom il a publié des éditions critiques, des poésies de Brantôme (1927), du Cabinet secret de Parnasse (1928-1932), des Œuvres complètes du marquis de La Fontaine *(1928-1932) et de* Léonore et Clémentine du marquis de Sade, *ainsi qu'une* Bibliographie de roman érotique au XIXe siècle *(1932). Sous le pseudonyme d'Alexandre de Vérineau il a publié* Les Priapées *(1920),* Douze Sonnets lascifs *pour* Les Délassements d'Éros, Au bord du lit, *recueil de stances. Sous le pseudonyme d'Helpey, bibliographe poitevin, il a donné des éditions critiques des grands textes érotiques du XVIIIe siècle et du XIXe siècle, ouvrages généralement publiés sous le manteau et tirés à petit nombre en édition de luxe. Enfin en collaboration il a publié un nombre considérable d'éditions savantes de Ronsard, de Mathurin Régnier, Pierre Motin, du Sieur de Sigogne, ainsi que de nombreuses études historiques. Il prépare actuellement une* Bibliographie des Poésies de Ronsard mises en musique, *une* Bibliographie du roman érotique au XVIIe et XVIIIe siècle *; une* Bibliographie des poésies publiées sous le manteau. »

Tiré à 430 exemplaires en tout, le recueil des *Priapées* de Louis Perceau fut publié clandestinement sous le pseudonyme d'Alexandre de Vérineau, *« suivi de notes curieuses par Helpey, bibliophile poitevin »*. Le volume s'ouvre par un dizain de Louvigné du Dézert.

A l'époque, l'imprimerie des livres avait retrouvé la liberté dont elle jouissait avant le 11 octobre 1913. Le climat de répression survenu avec l'approche de la guerre, aggravé par la guerre elle-même, n'avait pas résisté à l'explosion de joie de

---

1. Nous empruntons une partie de ces détails biographique à un article de Jean Cabanel paru dans la revue *Triptyque* (juin-juillet 1932), aimablement communiqué par Mme Josette Perceau, fille de Louis, qui a très obligeamment complété notre documentation.

vivre et de liberté provoquée par l'armistice. Dans un article du *Mercure de France* de 1931 (1er août), *Les Livres contraires aux bonnes mœurs*, Me Maurice Garçon signale qu'aucune condamnation n'a été prononcée depuis celles de 1913 et 1914. Le livre bénéficiait d'ailleurs encore de la loi de 1882, modifiée en 1898 et en 1908, qui édictait que le livre ne relevait que de la cour d'assises, contrairement à toutes les autres sortes d'imprimés, qui relevaient de la simple correctionnelle. « *Permettre que le tribunal correctionnel pût être chargé d'arbitrer toutes les atteintes à la moralité publique... pouvait constituer une atteinte à la liberté de penser* », souligne fort justement Maurice Garçon. Seules relevaient du tribunal correctionnel « la vente, la mise en vente ou l'annonce de livres précédemment condamnés », ce qui était logique.

Dans la pratique, tout ou presque pouvait donc être publié, à condition que ce soit fait dans des conditions bien étudiées. Un livre tiré à peu d'exemplaires ne courait pratiquement aucun danger de poursuites, à moins qu'il ne soit illustré. « *Lorsqu'un livre contient des images ou gravures obscènes, ce qui arrive fréquemment,* écrit Me Maurice Garçon, *les parquets poursuivent ces images qui sont de la compétence des tribunaux correctionnels... Le texte, fût-il infâme, ne fait l'objet d'aucune poursuite...* »

Il faut ajouter à l'énumération de ces dispositions légales françaises celle qui, contrairement à la législation de la plupart des pays occidentaux, permettait, et permet toujours, la libre détention au domicile privé d'ouvrages condamnés, en vertu du vieux principe de respect de la liberté individuelle tant qu'elle ne nuit pas à autrui.

Insistons sur le fait que cette liberté était dans l'imprimé la prérogative du livre. Comme on l'a vu pour Willy, les auteurs ou les éditeurs qui n'étaient pas poursuivis pour leurs livres l'étaient souvent pour leurs journaux ou leurs articles. Le début des années 20 connut ainsi les procès du *Courrier français*, de *Cupidon*, du *Grand-Guignol...*

Plutôt qu'un poème érotique de Perceau, dont nous donnons ailleurs un aperçu, nous avons préféré citer une de ses « notes curieuses », celle qui a trait au mot « godemiché », intéressante à la fois par son texte et par la clandestinité jugée obligatoire de sa publication.

Dissertation sur l'origine, l'histoire et l'orthographe du mot godemiché

L E GLOSSAIRE ÉROTIQUE DE LA LANGUE FRANÇAISE [1] est fort sobre sur cet article. Voici tout ce qu'il en dit :

GODEMICHET. — Mot grossier du latin *Gaude mihi*, signifiant un membre viril fait de cuir ou d'étoffe, employé par les femmes dans leurs débauches entre elles.

« L'une se trouva saisie et accommodée d'un gros godemichet entre les jambes, si gentiment attaché avec de petites bandelettes autour du corps qu'il sembloit un membre naturel. – Brantôme [2]. »

1. *Glossaire Érotique de la Langue française, depuis son origine jusqu'à nos jours, contenant l'explication de tous les mots consacrés à l'amour. Par Louis de Landes. Bruxelles. En vente chez tous les Libraires*, 1861, page 199.

2. Ce passage est inexactement reproduit. Voir plus loin.

« Il ne me reste plus du bien de mon partage
Qu'un seul godemichi, c'est tout mon héritage. – Théophile[1]. »

« Et feignant de prier en fermant son volet,
Pour un godemichet quitte son chapelet. – Piron[2]. »

Le *Dictionnaire Érotique Moderne*[3] est moins discret.

Voici son article :

GODEMICHET. – Phallus de cuir ou de velours, avec ou sans ressorts, que les femmes libertines ou pusillanimes substituent au véritable phallus de chair et d'os que la prévoyante nature a soudé au bas du ventre pour nous reproduire et surtout pour jouir.

« Cet engin aussi singulier qu'ingénieux. – le rival sérieux de l'homme, dont la vigueur est malheureusement limitée, – cet engin est en usage depuis que le monde est monde, – c'est-à-dire livré à la corruption. Les dames romaines s'en servaient bien avant les dames françaises, comme l'indique le chapitre CXXX-VIII du *Satyricon*, où l'on voit le pauvre Eucolpe-Polyœnos si étrangement arrangé par Œnotée, la vieille prêtresse : *Simulque profert Œnothea scorteum fascinum, quod, ut oleo et minuto pipere, atque urticæ trito circumdedit semine, paulatim cœpit inserere ano meo.*

« Une autre preuve, c'est le passage suivant de l'*Escole des filles*, où Suzanne la délurée dit à Fanchon à peine déniaisée par son ami Robinet : "J'ai leu dans un livre d'histoire d'une fille de Roy, qui se servoit d'une plaisante invention, au défaut du véritable masle. Elle avoit une statue d'homme de bronze, peinte en couleur de chair et fournie d'un puissant engin d'une matière moins dure que le reste. Cet engin estoit droit et creux, il avoit la teste rouge et un petit trou par le bout, avec deux pendants en forme de coüillons, le tout imité au naturel. Et quand la fille avoit l'imagination eschauffée de la présence de ce corps, elle s'approchoit de cet engin, qu'elle se fourroit dedans le con, elle empoignoit les fesses de ceste statue et les trémoussoit vers elle ; et quand ce venoit à descharger, elle tournoit un certain ressort qui luy sortoit derrière les fesses, et la statue jettoit incontinent par l'engin une certaine liqueur chaude et espaisse, blanche comme

---

1. Ces deux vers ne sont pas de Théophile de Viau. Ils sont tirés d'une satyre de Motin intitulée : *Testament d'une Courtisane.*

2. Ces deux vers ne sont pas davantage de Piron, sans doute, que les deux précédents ne sont de Théophile. Je les ai cherchés en vain, en tout cas, dans ses *Œuvres.*

3. *Dictionnaire Érotique Moderne. Par un Professeur de langue verte. Freetown, imprimerie de la Bibliomaniac Society.* 1864, Par Alfred Delvau. Page 161.

bouillie, dans le con de la fille, dont elle estoit arrosée et satisfaite pour le coup. »

Les anciens écrivains gaillards avaient donc raison d'écrire *gaudemichi* – qui se rapproche plus étymologiquement du *gaude mihi* que *godemichet*.

Alfred Delvau y joint une citation du *Parnasse Satyrique du XIXe siècle* [1].

Une seconde édition du *Dictionnaire Érotique Moderne* [2] ajoute les trois citations du *Glossaire Érotique*, et cette précision :

Ce mot vient du latin : *Gaude mihi*, fais-moi plaisir.

Brantôme, dans le Discours cité par le *Glossaire Érotique*, s'étend assez longuement sur le sujet, et je crois utile de donner tout le passage, d'autant que le *Glossaire* cite inexactement :

« Voici un autre poinct : c'est que ces amours démenines se traittent en deux façons, les unes par fricarelles, et par, comme dit ce poëte, *geminos committere cunnos*. Cette façon n'apporte point de dommage, ce disent aucuns, comme quand on s'ayde d'instruments façonnez de [3], mais qu'on a voulu appeler des godemichis.

« J'ay ouy conter qu'un grand prince, se doutant deux dames de sa cour qui s'en aydoient, leur fit faire le guet si bien qu'il les surprit, tellement que l'une se trouva saisie et accommodée d'un gros entre les jambes, gentiment attaché avec des petites bandelettes à l'entour du corps, qu'il sembloit un membre naturel. Elle en fut si surprise qu'elle n'eust loisir de l'oster; tellement que ce prince la contraignit de luy monstrer comment elles deux se le faisoyent.

« On dit que plusieurs femmes en sont mortes, pour engendrer en leurs matrices des apostumes faites par mouvements et frottements point naturels. J'en scay bien quelques-unes de ce nombre, dont ça esté grand dommage, car s'estoyent de très-belles et honnestes dames et damoiselles, qu'il eust bien mieux vallu qu'elles eussent eu compagnie de quelques honnestes gentilshommes, qui pour cela ne les font mourir, mais vivre et ressusciter, ainsi que j'espère le dire ailleurs; et mesmes, que, pour la guérison de tel mal, comme j'ay ouy conter à aucuns chirurgiens, qu'il n'y a rien plus propre que de les faire bien nettoyer là-dedans par ces membres naturels des hommes, qui sont meilleurs que des pessères qu'usent les médecins et chirurgiens avec des eaux à ce composées; et toutefois il y a plusieurs femmes, nonobstant les inconvénients qu'elles en voyent arriver souvent, si faut-il qu'elles en ayent de ces engins contrefaits.

1. Il s'agit d'un passage d'une pièce de Théophile Gautier, que nous reproduisons plus loin.

2. *Dictionnaire Éotique Moderne, par un Professeur de langue verte. Nouvelle édition revue, corrigée et considérablement augmentée par l'auteur et enrichie de nombreuses citations. Bâle. Imprimerie de K. Schmidt.* Page 208.

3. Le mot est en blanc.

« J'ay ouy faire un conte, moy estant lors à la cour, que la reine mère ayant fait commandement de visiter un jour les chambres et coffres de tous ceux qui estoyent logez dans le Louvre, sans espargner dames et filles, pour voir s'il n'y avoit point d'armes cachées et mesmes des pistolets, durant nos troubles, il y en eut une qui fut trouvée saisie dans son coffre par le capitaine des gardes, non point de pistolets, mais de quatre gros godemichis gentiment façonnez, qui donnèrent bien de la risée au monde, et à elle bien de l'estonnement. Je cognois la damoiselle : je croy qu'elle vit encores; mais elle n'eut jamais bon visage. Tels instruments enfin sont très-dangereux [1]. »

On a vu que le *Dictionnaire Érotique Moderne*, d'Alfred Delvau, nous indique l'étymologie du mot *Godemiché*. « Ce mot, dit-il, vient du latin : *Gaude mihi*, fais-moi plaisir. » On devrait traduire : réjouis-moi.

Au XVIe siècle, Ronsard orthographie *Godmichy*. Les Satyriques du début du XVIIe siècle écrivent tantôt *Gaude-Michy* (Sigogne) et tantôt *Gaudemichi* [D'Esternod [2] et *Délices Satyriques* [3]]. Fernand Fleuret, qui a situé le *Carquois du Sieur Louvigné du Dézert* entre Ronsard et Regnier, ou mieux de Ronsard à Regnier, emploie une orthographe mixte : *Godemichy*. Motin écrit *Godemichi*, comme écrivait Brantôme et comme écrivent ensuite Claude Le Petit et Roy. C'est l'abbé Du Laurens qui arrive le premier à l'orthographe que nous croyons

---

1. *Mémoires de Messire Pierre de Bourdeille, Seigneur de Brantôme, Contenans Les Vies des Dames Galantes de son temps. Tome I. A. Leyde, Chez Jean de la Tourterelle, M. DC. LXVI.* – Discours sur les Dames qui font l'amour et leurs maris cocus.

2. Claude d'Esternod, *L'Espadon Satyrique*, ouvrage cité plus haut : « L'ambition de certains courtisans nouveaux venus. Satyre I » :

> *... Qui fait que d'un vieil gant les dames de Paris*
> *Font des gaudemichis à faute de maris ;*

3. *Les Délices Satyriques*, ouvrage cité plus haut : « A Monsieur de Launay, Satyre. » Auteur inconnu :

> *... Ou bien, si de tel gain mon cœur est enrichy,*
> *Il me faudroit sousmettre à un gaudemichi,*
> *Qui, durant toute nuit, couché pres de ma hanche,*
> *Pourra me contenter, le prenant par le manche,*
> *Et puis, me seringuant ce qu'il aura de lait,*
> *J'auray quelque plaisir de ce beau flageolet.*
> *Mais ce n'est qu'une feinte à l'ardeur de ma flamme,*
> *Et la feinte jamais ne contente une femme*
> *Qui se sent amoureuse...*

Cette pièce et celle de D'Esternod sont beaucoup trop longues pour que nous les reproduisions plus loin, dans notre « Anthologie des Poésies sur le Godemiché ». Elles sont, d'ailleurs, sur des sujets fort différents et le gode-miché n'y intervient qu'incidemment.

la meilleure : *Godemiché* [1], mais son exemple n'est suivi que par Beaufort d'Auberval, dont les Contes [2] parurent en 1818. En 1789, un pamphlet intitulé *Le Godemiché Royal* nous renseigne sans doute exactement sur la prononciation populaire de l'époque, qui s'est d'ailleurs maintenue jusqu'à nos jours, avec sa fâcheuse tendante à l'élision des e muets à l'intérieur des mots. Cependant, au XIXᵉ siècle, nous voyons apparaître *Godemichet* (*Glossaire Érotique, Dictionnaire Érotique*, Glatigny, Théophile Gautier), sans bien comprendre pour quelle raison. Etymologie? Pourquoi pas alors *Godemichi*? Les romans licencieux de la même époque emploient régulièrement *Godmiché* (*Histoire d'un Godemiché*, Londres, 1886, et nombreux exemples dans les textes).

M. de Vérineau a adopté définitivement l'orthographe de Du Laurens et de Beaufort d'Auberval, la meilleure, croyons-nous, celle de Théophile Gautier étant essentiellement factice, et l'orthographe basée sur la langue populaire : *Godmiché* ne faisant que consacrer une défectuosité du langage parlé, l'apocope

---

1. *L'Arretin. Parve, nec invideo, sine me, liber, ibis in ignem. Première partie (et Seconde). A Rome, Aux dépens de la Congrégation de l'Index. MDCCLXIII.* Cet ouvrage est plus connu sous le titre *L'Arétin Moderne*, qui est celui de l'édition de 1772 et des suivantes. A la page 199 du Tome second (1ᵉ édition), commence le chapitre intitulé : *Histoire Merveilleuse et édifiante de Godemiché. Trouvée dans un ancien Manuscrit de la Bibliothèque de la Sacrée Congrégation des Rits.* Voici la fin du morceau :

« L'amour, ce vrai consolateur du monde, leur donna (aux religieuses) l'idée de faite une figure semblable à celle du Défunt. On la fit d'abord de chamois, quelque temps après de velours (dans une abbaye, en Champagne, un notaire un peu mouton, faisant l'inventaire des meubles d'une Abbesse, mit bêtement sur sa liste : *Item, un instrument de velours à l'usage de la défunte*), et les siècles perfectionnèrent tellement l'instrument qu'on introduisit dans son sein un petit réservoir de lait chaud qu'un piston artistement construit élance avec vigueur dans le séjour constant des plaisirs. Depuis ce temps l'image sert de réalité; la figure du mort a passé dans tous les couvens où il a pris le nom honnête de Breviaire du Diocese. »

2. *Contes en vers Érotico-Philosophiques, par Mr. D. B. D'Auberval,* auteur d'*Elle et Moi,* de *L'Enfant du tour du souffleur (romans philosophiques),* et du *Méfiant, comédie en trois actes et en vers. On conte mal; on court après l'esprit : comment conter? La Fontaine a tout dit.* Tome premier (et second), *Bruxelles, Imprimerie de Demanet, rue des Bogards, 1818.*

Voir le Conte intitulé : *La Jeune Pensionnaire, ou le Joujou de Religieuse.* Sa longueur (18 pages) nous interdit de le reproduire ici :

> *... enfin, ma fille, on nomme*
> *Ce joujou comme on veut, tantôt un instrument*
> *Propre à calmer notre tempérament ;*
> *Ou bien de Noël la bougie,*
> *Baguette de Jacob, ou de blanche magie,*
> *La béquille de Barnabas,*
> *Poupée à ressort, mort-aux-rats,*
> *Tantôt un goupillon pour asperger le diable,*
> *Tantôt un suppléant, tantôt un vraisemblable,*
> *Enfin, comme pour toi je n'ai rien de caché,*
> *Son vrai nom est godemiché!*
> *Ce meuble est fort utile et surtout fort aimable,*
> *Puisqu'avec lui l'on a du plaisir sans danger...*

de l'e muet. C'est le devoir des écrivains de réagir contre de pareils usages, qui aboutiraient, s'ils étaient consacrés par la littérature, à la décadence de la langue. Ce devoir est d'autant plus impérieux, en l'espèce, qu'il s'agit d'un mot banni de tous les dictionnaires par les puritains et livré ainsi à tous les caprices de la tradition orale.

Godmichy, Gaude-Michy, Gaudemichi, Godemiché, Godmiché, Godemichet. Qu'on examine les différentes orthographes, classées ici dans leur ordre chronologique, et l'on se convaincra aisément que c'est celle adoptée par M. de Vérineau qui est la bonne.

LOUIS DUMUR

1 8 6 0

Nach Paris

1 9 2 0

Avec *Nach Paris*, Louis Dumur, écrivain suisse mais pilier du monde littéraire parisien (*Pauline ou la liberté de l'Amour, Un coco de génie, Les Défaitistes...*), nous donne, dit-il, les souvenirs d'un officier allemand blessé, et même « assez détérioré », rencontré dans un camp d'internement à la fin de la guerre. « *Je me suis borné à prendre notes*, déclare Dumur, *après quoi, me substituant à mon Boche, je raconte à mon tour son histoire, à ma manière.* » Publié en 1919 dans le *Mercure de France*, *Nach Paris* souleva des protestations et Alfred Valette, directeur de la revue, reçut de nombreuses lettres de lecteurs indignés, relatives presque toutes aux pages que nous reproduisons. L'auteur se défendit en citant les rapports officiels anglais sur les atrocités allemandes, et publia des textes justificatifs à la fin du livre, quand le roman parut chez Payot. Ce fut un succès, et le roman passa bientôt chez Albin Michel, où il continua de se vendre fort bien.

DÉCIDÉMENT les Français avaient battu en retraite et personne n'y comprenait rien. Leurs arrière-gardes étaient signalées à je ne sais combien de kilomètres au diable, et il n'y avait plus qu'à reprendre la marche en avant sur le terrain qu'ils nous abandonnaient. Bien que nos effectifs eussent été fort éprouvés, ils étaient encore respectables, et je compris alors la haute sagesse du système des compagnies renforcées, qui permettait de perdre du monde en route pour se trouver néanmoins, au moment voulu et pour le grand coup décisif, en ordre de bataille avec des contingents normaux.

En attendant les nouveaux officiers que devait nous envoyer la division pour remplacer ceux que nous avions perdus, le premier-lieutenant Poppe prit le commandement de la section Koenig et le feldwebel Schlapps celui de la section von Bückling.

Le départ s'effectua en plusieurs colonnes. La nôtre se mit en marche à midi. Nous n'avions pas fait cinq kilomètres, quand nous arrivâmes en vue d'une petite ville d'aspect pittoresque, abritée par un débris de vieux rempart dans le coude boisé d'une rivière. Cette petite cité, dont je préfère ne pas me rappeler le nom, me fit songer à Goslar. Une tour, un donjon, une église romane, des peupliers, des ormes et des saules lui crayonnaient la même silhouette archaïque et feuillue. Un monticule, semblable au Rammelsberg, la mouvementait au sud. Il n'y manquait que le décor profond, rocheux et sauvage de la forêt.

Nous y entrâmes par un pont de pierre en dos d'âne, dont une seule arche avait été rompue, et que nos pontonniers, qui avaient déjà jeté les madriers suffisants pour le passage de l'infanterie, s'occupaient activement à consolider pour les poids lourds. Nous étions les premiers Allemands qui pénétraient dans le pays. Mais là on ne nous prenait pas pour des Anglais. Alarmée par la bataille de la veille, la population, dont une partie était déjà sur les routes, faisait ses préparatifs de départ en masse. Notre arrivée les interrompit brusquement. En un clin d'œil, l'hôtel de ville, la poste, la banque, les carrefours étaient occupés, des mitrailleuses postées au coin des rues, et les habitants recevaient l'injonction de réintégrer immédiatement leurs demeures. En même temps, tout ce qui était trouvé sur la voie publique, voitures, charrettes, chevaux, malles, colis, victuailles, bestiaux, était saisi. La ville n'avait cependant que peu souffert. Quelques maisons avaient subi quelques obus qui avaient défoncé quelques toits. Le clocher de l'église était par terre.

Faisceaux formés sur la place, le bataillon attendait des ordres, se demandant si cette riche proie qu'il tenait à sa portée allait lui échapper ou si la récompense bien due à ses fatigues allait enfin lui être accordée. Les officiers s'étaient rendus à l'hôtel de ville. Au bout d'un quart d'heure, nous vîmes revenir Kaiserkopf suant et triomphant :

— La ville est à nous!… Plusieurs heures d'arrêt… On attend l'artillerie et le convoi régimentaire… Ordre de vider la ville de tout ce qui peut servir au ravitaillement de l'armée… Meubles et objets de valeur seront dirigés sur l'Allemagne… Ah! *Donnerwetter!… Potzdonnerwetter!…*

Dans une explosion de joie, les troupes se débandaient et, sous la conduite des sous-officiers, envahissaient par escouades les maisons. Déjà on entendait des cris de terreur et l'on commençait à voir fuir des gens éperdus que cueillaient aussitôt les mitrailleuses.

Kaiserkopf nous fit signe à Schimmel et à moi :

— Venez.

Il nous emmena, avec Schlapps et une trentaine d'hommes, jusqu'à une maison de bonne apparence, sise à cinquante pas de là, et qui, sous l'enseigne de la Licorne, était le principal hôtel de la localité. Nous nous y engouffrâmes à grand bruit de bottes et de jurons. L'endroit était cossu, luxuriant de vaisselle, de linge, de cuivres et d'argenterie, foisonnant de provisions et de tonneaux. C'était une de ces vieilles hôtelleries de la province française, sanctuaires de la bonne chère et de la douceur de vivre. L'hôtelier, sa femme, son maître-queux et ses deux servantes nous attendaient tout tremblants :

— Ne nous tuez pas, messieurs… Tout ici est à votre service.

— Combien avez-vous de véhicules? interrogea Kaiserkopf en mauvais français.

— Un omnibus, un cabriolet, un char à bancs et une charrette à ridelles.

— Pas d'automobile?

— Non.

— Combien de chevaux?

— Trois chevaux.

— Rassemblez-moi tout ça dans la cour. Nous allons charger. — *Raumt mir hier alles fort, was gut zum mitnehmen ist,* ordonna-t-il à ses hommes.

Les soldats se répandirent tapageusement dans l'hôtel et bientôt ce fut un gros vacarme de meubles traînés, de portes défoncées, d'armoires volant en éclats, tandis qu'une sarabande d'objets hétéroclites, matelas, oreillers, couvertures, chaises, tables, lampes, pendules, dégringolaient les escaliers ou sautaient par les fenêtres.

— Et maintenant, à boire!... Tes meilleures bouteilles, bonhomme!...

Quelques coups de feu envoyés dans les glaces avaient changé l'hôte et ses gens en autant de gnomes alertes redoublant de bonds pour nous servir.

La grande table de la salle à manger ne tarda pas à se charger de tout ce que les caves de la Licorne recélaient de plus précieux en crus authentiques et en marques illustres. Jamais de ma vie je n'avais vu, ni n'ai revu depuis, un nombre aussi imposant de bouteilles, ni d'aussi vénérables. Il y avait là, empoussiérés et encrassés, blancs, jaunes ou rouges, dans leurs flacons divers obturés de leurs cachets multiformes, les bordeaux, les bourgognes, les champagnes, tous les grands vins de France, sous leurs étiquettes les plus nobles et leurs dates les plus impressionnantes. Schimmel, qui prétendait s'y connaître, en déchiffrait avec admiration les appellations somptueuses. C'étaient le Château-Margaux, le Château-Latour, le Château-Haut-Brion, le Léoville, le Laroze-Blaguerie, le Barsac, le Preignac, le Sauternes pour les bordeaux. La Bourgogne se présentait avec le Romanée-Conti, le Chambertin, le Clos-Vougeot, le Musigny, le Corton pour les rouges, le Montrachet, le Meursault pour les blancs. Quant aux champagnes, le Sillery et l'Ay, sous leurs cartes célèbres, affichaient brillamment leur renommée pétillante. Des Pommery 1900, des Château-Yquem 1893 et dix bouteilles de Château-Lafitte de 1870 formaient, au dire de Schimmel, le dessus du panier de cette cave bien conditionnée.

Comme on le pense, Kaiserkopf n'avait pas attendu l'achevé de cet inventaire pour en évaluer l'importance. Dès les premières lampées il était fixé, et les noms lui importaient peu.

— *Famos!... famos!...* claquait-il.

Schlapps, qui s'était chargé plus spécialement de régler le déménagement des liquides, commença par s'administrer d'un seul coup toute une bouteille de Corton. Plus raffiné, Schimmel débuta par un bordeaux blanc de Barsac, qu'il soutint de tartines de foie gras, pour continuer par un grand Romanée. Il m'engagea à me verser de ce dernier vin. Je le trouvai magnifique et j'en conçus une riche idée de la France.

Au bout de dix à douze verres, Kaiserkopf, très animé, se mit à héler par la fenêtre et jusqu'aux sous-officiers qui passaient, pour les faire participer à la fête. Il y eut bientôt là Biertümpel, Quarck, Schmauser, Helmuth, Wacht-am-Rhein, puis deux lieutenants de la compagnie Tintenfass, enfin le baron Hildebrand von Waldkatzenbach et son « khrr, khrr » satisfait. Le colonel von Steinitz nous fit même l'honneur de venir faire sauter avec nous quelques bouchons.

L'hôtelier de la Licorne et son personnel montaient toujours de nouvelles bouteilles.

— Combien en avez-vous ? lui demanda le colonel.

— En grands vins, Votre Excellence, environ cinq cents, répondit l'hôtelier flageolant et courbé jusqu'à terre.

— J'en prends quatre cents pour moi, que l'on emballera soigneusement dans des caisses. Je vous en laisse cent, dit-il à Kaiserkopf.

— Elles seront bues sans sortir d'ici, assura le capitaine.

— A votre santé, messieurs ! Nous en boirons d'autres à Paris.

Il nous laissa à notre orgie. Mais avant de quitter l'hôtel il prit à part le feldwebel Schlapps pour échanger avec lui quelques propos mystérieux.

Je ne sais si nos cent bouteilles y passèrent ou s'il en resta pour les soldats. Ce fut, en tout cas, pendant une heure, une kneipe étourdissante. Les bouquets des vieux vins français et les mousses de notre future Champagne produisaient dans nos cerveaux allemands une ébullition extraordinaire, d'une nature différente de nos ivresses nationales, à la fois plus légère et plus capiteuse. Mais, pour nous enivrer à la française, nous n'en restions pas moins des Allemands. Flamboyant, hyperbolique et déchaîné, Kaiserkopf perdait tout sens de la dignité :

— Arrive ici, Schlapps, éructait-il, montre-toi, grand salaud, et donne-nous le spectacle de ton ignominie !... Qu'as-tu promis, porc-épic immonde, à ce Turc de colonel ? Je parie, Schlapps, qu'il t'a demandé de lui procurer quelque beau garçon pour lui remplacer son mignon de von Bückling !... Ah ! ah !... von Bückling !... *Potzsacrament !...* En voilà un, bigre, qui a été définitivement emmanché par le diable !... C'est une belle mort !... Son dernier moment a dû être, *Donnerwetter !* un moment de haute satisfaction... de profonde jouissance, si j'ose, *meine Herren,* m'exprimer ainsi... Ah ! *Potztausend !* tous ne mourront pas de cette agréable façon, ici !... Mais nous ne donnons pas dans ce vice, nous autres... moi du moins... Ce qu'il nous faut, *Sacrament !* ce sont des femmes, des femmes et encore des femmes... des femmes de tout âge, de toute couleur, de tout poil... As-tu des femmes, Schlapps ?... As-tu songé à nous procurer des femmes ?... Je vous présente, messieurs, le plus grand marlou de l'Allemagne... *der grœsste Louis...* Sans lui que ferions-nous ? que deviendrait le monde? que deviendrait votre capitaine?... Allons, Schlapps, des femmes!... Distingue-toi!... fais valoir tes talents... Vive Schlapps!... *Hoch Schlapps, dreimal hoch!...*

Le feldwebel accueillait toutes ces divagations avec une joie bouffonne, des contorsions simiesques, des cabrioles de clown. Il mimait des attitudes obscènes et se donnait en spectacle dégradant à la galerie pâmée de gros rires.

– Alors, Schlapps, c'est tout ce que tu nous offres? continuait le capitaine en avisant les deux servantes de la Licorne qui, tout épouvantées, débouchaient des bouteilles à tour de bras. Eh bien, nous nous en contenterons, en attendant mieux... Allons, les filles, à poil!...

Schlapps et Wacht-am-Rhein se jetèrent sur les donzelles et se mirent à les dépouiller au milieu de leurs cris. Deux coups de revolver tirés dans le lustre les rendirent immédiatement souples comme des agnelles, et bientôt, entièrement nues et les cheveux défaits, elles passaient et repassaient entre une vingtaine de mains poisseuses, qui, dans un débordement de gaieté bestiale, les tripotaient, les malaxaient et les arrosaient de vin rouge.

– Et toi, la mère! hurla Kaiserkopf à l'hôtelière, qui considérait cette scène, étranglée de saisissement.

– Oh!... oh!... oh!... messieurs... je suis trop vieille!...

– Quel âge as-tu?

– Quarante-quatre ans.

– Ça ne fait rien. Nue aussi!

– Messieurs... messieurs...

– Nue, nom de Dieu!...

Cette fois, ce fut l'hôtelier qui, plus mort que vif, aida à la déshabiller.

On vit couler des seins, rouler des mèches grises, s'effondrer un ventre ridé sur des cuisses flétries. Un lieutenant avait pris place au piano où il martelait des valses de Lehar. Un bal ignoble s'engagea.

Des soldats s'étaient amassés aux portes et accompagnaient de rires bruyants ces ébats. Déjà des divans s'affaissaient et craquaient sous des appétits trop pressés, quand Kaiserkopf s'écria :

– Non, non... Schlapps nous doit mieux que ça... Pour moi, *Donnerwetter!* il me faut la plus belle fille de la ville... *das schœnste Weib!...* Tu entends, Schlapps?... Laissons cette viande aux soldats...

Là-dessus, un départ désordonné s'effectua, tandis que les soldats envahissaient à leur tour la salle de la Licorne, où ils se jetaient tumultueusement sur nos restes.

– J'ai votre affaire, capitaine! fit Schlapps.

Sous sa conduite, notre troupe titubante, zigzagante et charivarique, qui se grossit en route d'un quatrième lieutenant et de deux autres sous-officiers, fit à grand brouhaha quatre ou cinq cents mètres dans des rues déjà tout encombrées de pillage, où il nous fallait nous tenir les uns aux autres pour éviter les chutes. Pareil à un énorme Silène militaire, la tunique flottante, le casque de travers, Kaiserkopf bravadait, sacrait, déversait ses flots de propos orduriers, enluminé, bavant, chancelant, la gueule mugissante et le sabre gesticulant. On le vit trébucher sur un cadavre et, n'eût été l'épaule propice de Wacht-am-Rhein, il se fût écroulé comme un bœuf dans un cloaque de crottin et de sang.

Schlapps nous arrêta devant une grille d'une élégante demeure de style rococo entourée d'un jardin. Quelques coups de crosses en firent sauter le portail, tandis qu'un vieux domestique accourait effaré. Une balle de revolver mit bientôt fin à son zèle.

Je ne sais pourquoi cette jolie maison, ce jardin me firent penser à la villa de Goslar. Ce n'était pourtant ni le même goût, ni la même ordonnance et, au lieu de zinnias et de soleils, le boulingrin offrait des corbeilles d'œillets et de roses. Mais, dans mon trouble, mon ivresse, par le bizarre travail de transposition qu'effectuait l'ébriété dans mon cerveau tournoyant, je me trouvais transporté à Goslar invinciblement.

Et tout à coup Dorothéa apparut. C'était une jeune fille élancée, vêtue de blanc, merveilleusement belle, non pas blonde, mais de cheveux châtains noués en chignon et dont une partie retombait sur l'épaule, non pas grasse, mais fine, svelte, légère et gracieuse comme une Diane de la Renaissance. Cependant c'était bien Dorothéa, et du même âge qu'elle, peut-être un peu plus jeune, dix-huit à dix-neuf ans.

Elle s'était arrêtée, interdite, au seuil d'un vestibule qui traversait la maison et s'ouvrait par derrière non sur la forêt du Harz, mais sur un bout de parc que terminait une terrasse portant quelques ormes centenaires.

– La voilà!... la voilà! glapissait Schlapps. C'est elle!... Eh bien, qu'en dites-vous, monsieur le capitaine?...

– Un morceau d'empereur! aboya Kaiserkopf.

Comme une meute en délire, la troupe avinée se lança vers sa proie. Et, sans savoir ce que je faisais moi-même, je m'élançai avec eux.

La jeune fille s'était enfuie dans le parc en poussant un cri. Nous traversâmes en trombe la maison, renversant un lampadaire et brisant des potiches. On se jetait à ses trousses dans les rosiers, les glaïeuls. Cernée, rattrapée, saisie par six poignes forcenées, Diane, qui se débattait avec une énergie farouche, presque sans cris, concentrant toute sa force à échapper à l'étreinte de ses ravisseurs, fut entraînée, roulée, portée vers le capitaine Kaiserkopf. Sa chevelure s'était défaite et l'inondait. Ses beaux yeux semblaient grandis par l'effroi. Ses lèvres étaient convulsives et serrées. Une large déchirure dénudait déjà son épaule.

A ce moment, un grand vieillard sortit tout frémissant de la maison.

— Messieurs… messieurs… C'est ma fille!… Je suis le comte de Saint-Elme…

Il était suivi par une dame d'une cinquantaine d'années, aux traits bouleversés et qui se tordait les bras :

— Émilienne!… mon enfant!…

— Au diable! hurla Kaiserkopf.

Soudain, je vis le vieillard brandir un pistolet. Mais d'un bond Biertümpel et Schmauser s'étaient rués sur lui, l'avaient désarmé, tandis qu'un énorme coup de poinq que Wacht-am-Rhein lui assenait sur la mâchoire l'envoyait rouler sur le gravier.

— Attachez les vieux aux arbres! beuglait Kaiserkopf.

En quelques instants, ligotés, saucissonnés avec des courroies d'équipement, le vieillard et sa femme étaient liés chacun à un orme.

— Faut-il les bâillonner? demanda le vice-feldwebel.

— Non, répondit Kaiserkopf. Qu'on les laisse gueuler! Ce sera plus excitant.

Renversée sur une pente de gazon, la tête dans une bordure d'œillets, à vingt mètres de ses parents, la jeune Française était solidement prise aux quatre membres par les sergents Schmauser, Quarck, Buchholz et Schweinmetz.

— Elle doit être vierge, fit Schlapps… Tenez-la bien, nom de Dieu! cria-t-il, tandis qu'elle se convulsait brusquement dans une crise désespérée.

Puis, après une pause et se grattant le nez :

— Vous feriez peut-être bien, capitaine, de faire frayer la voie par un de ces jeunes gens?…

Il me sembla qu'il regardait de mon côté.

— On pourrait aussi l'ouvrir avec une baïonnette? proposa Wacht-am-Rhein.

— Vous f… vous de moi? se récria Kaiserkopf. Pour qui me prenez-vous? Je suis encore d'âge et de vigueur à déflorer une fille, tonnerre de Dieu! fût-elle étroite comme le fourreau de mon sabre!…

— Alors, allez-y, monsieur le capitaine! glapit joyeusement le feldwebel. Elle est soigneusement entravée. La pouliche ne ruera pas.

Campé sur ses fortes cuisses, monstrueux et taurin, le capitaine Kaiserkopf déboucla son ceinturon.

Un long hurlement farouche s'éleva de la corbeille d'œillets, tandis que d'autres hurlements, plus terribles encore, partaient des deux ormes, au milieu du crissement des liens qui se tendaient.

Il se releva congestionné et triomphant.

— *Ein Fressen!* claironna-t-il.

La victime se tordait à terre, dans l'étau des sergents. Des taches de sang frais rougissaient la chair et le linge.

— A vous, messieurs! fit Kaiserkopf, qui se rebouclait.

Schimmel déclina d'un geste cette invitation. Il eût sans doute étrenné cette virginité de choix. Mais passer en second, fût-ce après son capitaine, ne lui convenait guère. Le spectacle seul, ici, agréait à son dilettantisme cruel.

Moins difficiles, les trois autres lieutenants se faisaient des politesses :

— Après vous, monsieur.

— Non, monsieur, après vous.

— Je n'en ferai rien, monsieur ; passez devant, s'il vous plaît.

Ils se mirent enfin d'accord, et tous trois, l'un après l'autre, chacun selon son rythme et son temps personnel, assaillirent le corps de mademoiselle de Saint-Elme. Au troisième, la jeune fille ne réagissait plus que convulsivement. Deux des sergents l'avaient déjà lâchée. Et quand, hiérarchiquement, fut venu le tour du feldwebel Schlapps, il ne restait plus que Schweinmetz à surveiller encore l'attitude de plus en plus inerte de la malheureuse.

Le vice-feldwebel Biertümpel succéda à Schlapps.

La violée était maintenant comme morte. Sa tête décolorée gisait, les yeux mi-clos et la bouche entr'ouverte, sur la couche des œillets jaune d'or ocellés de belles macules pourpre velouté.

Aucun cri, aucun gémissement ne sortait plus des fleurs. Par contre, les ormes hurlaient toujours. Il en émanait deux cris parallèles et continus : l'un aigu et ondé comme une sirène, l'autre rauque et coupé d'horribles sanglots. Nos vociférations écumantes et nos clameurs de stupre réussissaient à peine à les couvrir.

Mais, comme l'avait voulu Kaiserkopf, il semblait que nous en fussions excités davantage. A mesure que le supplice se prolongeait, l'ivresse et la luxure redoublaient en nous leur vésanie. Nous étions autour de ce corps ravagé et souillé, comme une harde de loups en rut affamés à la fois de sang, de chair et d'accouplement.

Kaiserkopf éclatait d'énorme joie et d'immondice.

Sans se départir de leur politesse, à laquelle ils savaient allier la plus invraisemblable grossièreté, les lieutenants lui tenaient tête sur le même ton. Les yeux fauves de Schimmel étincelaient ; un rictus de tigre relevait par moment sa lippe et plissait ses balafres. Quant aux sous-officiers, le groin frémissant et le rein bandé, ils n'attendaient que le signal de leur ruée successive.

Les quatre sergents donnèrent : Schmauser d'abord, puis Quarck, puis Buchholz, puis Schweinmetz. Le corps se marbrait de meurtrissures bleues.

Ce fut ensuite le tour des aspirants. En raison de sa noblesse, le baron Hildebrand von Waldkatzenbach prit le pas. Malgré le deuil récent où il était de von Bückling, il n'hésita pas à fournir sa monte, et son « khrr, khrr » violent s'évertua sans défaillance sur la martyre. Max Helmuth s'empressa de s'enfoncer avec volupté sur sa trace.

Quand sa fornication se fut faite, la voie de ruffian de Kaiserkopf retentit :

— A vous, Hering!... *Den... heraus und los zur Attacke!*

La mariée ne donnait plus signe de vie.

— Allez-y, monsieur l'aspirant! me cria horriblement Wacht-am-Rhein, fusil en main et baïonnette au canon. Je vais vous la réveiller!...

Mes tempes tournoyaient. Un vertige me poussait à l'abîme. Je me jetai comme un somnambule dans l'égout de ce ventre.

Et ce ventre se mit soudain à palpiter monstrueusement. La baïonnette de Wacht-am-Rhein le fouillait en même temps que ma virilité, et je me trouvai inondé d'un flot chaud, tandis que s'achevait dans un spasme d'agonie la vie de la vierge française.

Je me retirai couvert de sang et de bave.

Un sous-officier se précipitait après moi sur le cadavre.

Pendant ce temps, les officiers avaient organisé un tir au revolver d'ordonnance sur le couple des parents. Postés à vingt-cinq pas, ils avaient déjà placé quelques balles. A chaque coup, Schlapps courait lever le résultat et annonçait le carton. Déjà, la mère, la plus avancée, avait cessé de crier. Sa tête pendait flasque sur sa poitrine garrottée. Une balle de Schimmel l'acheva.

J'entendis Kaiserkopf qui m'interpellait :

— Vous avez eu des prix de tir, Hering?... Avez-vous déjà matché au pistolet?

— Très peu.

— Venez essayer votre adresse, mon brave. Vous allez tâcher de me couper le sifflet au vieux. Tenez, me dit-il en me tendant son arme : vous avez cinq balles.

Je mis le pied sur la ligne de tir et visai soigneusement. Mon premier coup partit.

— Balle perdue, annonça Schlapps. Trop haut.

Je rectifiai et affermis mon bras... Pan!...

— La clavicule gauche! fit Schlapps.

— L'œil droit!... Pif!...

Le cri du vieillard devint déchirant. J'envoyai ma quatrième balle. Le cri s'arrêta net et se changea en un sifflement d'air qui n'avait plus de son.

— Dans la gueule! glapit le feldwebel.

Kaiserkopf me félicita :

— Pour un début, *Sacrament*, voilà qui est *famos*!

Je me sentais dans un état étrange et nouveau. Les fumées du vin s'étaient en partie dissipées, mais d'autres, plus puissantes, soûlaient mon cerveau et brûlaient mes artères : la soif de violence et de meurtre, le besoin de détruire, de tuer, de torturer, l'ivresse du massacre, la terrible *Berserker-Wut* qui, à certains moments, change tous les Allemands, même les plus doux, en autant d'hyènes buveuses de sang et de vautours déchireurs de chairs.

RENÉ MARAN

1887-1960

Batouala, véritable roman nègre

1921

En 1921, le Nègre est à la mode. Les journaux ont popularisé pendant la guerre l'image irréaliste de la charmante Parisienne réunie à son Sénégalais par une romantique idylle. Après l'armistice, l'homme noir assure sa revanche de manière inattendue : par la musique. Dans les dancings, lieux de perdition, les orchestres noirs déchaînent « *une musique d'enfer* », le jazz-band, et assourdissent nos oreilles mélomanes de « *leur musique hystérique et dissonante* ».

René Maran, romancier noir de peau, se penche avec *Batouala, véritable roman nègre*, sur l'Afrique. Ses « *nègres lubriques* » (critique de l'époque) eurent un vif succès, et se virent couronnés du Prix Goncourt.

*L*ES BALAFONS, les li'nghas et les koundés tonnaient comme un orage. Il fallait essayer d'étouffer les cris possibles. C'est à quoi ils s'appliquaient.

La cérémonie commençait.

Soigneusement, les deux vieillards affûtèrent leur couteau à un caillou plat, sur lequel ils avaient craché au préalable.

Déjà, bâtons levés, les assistants se ruaient sur le patient, qui titubait. Si un rien de souffrance suffisait à l'abattre, celui-là, c'est qu'indigne d'être un homme, il devait mourir assommé, pour obéir à la coutume.

Mais, décevant leur espoir de meurtre, le nouveau ga'nza s'incorpora à leur horde. Le sang, découlant de la plaie sur ses jambes, éclaboussait ses voisins, à chacune de ses saltations. Il lui fallait néanmoins feindre d'ignorer la douleur. C'est pourquoi il chantait et dansait.

> *Ga'nza... ga'nza... ga'nza... ga'nza !...*
> *On ne l'est qu'une fois en sa vie...*

Indifférents au bruit, les deux vieillards poursuivaient leur office. Ils n'entendaient rien, ne voyaient rien autour d'eux, agissaient machinalement, à la manière des moissonneurs qui, armés de n'gapous, s'avancent parmi les plantations, à la saison des récoltes.

Des jeunes filles, certaines très pâles, dansaient en girant. Malgré tout, la frayeur les agitait d'un tremblement contre quoi elles ne pouvaient rien.

La vieille arrivait, interpellait l'une des danseuses, lui écartait rudement les cuisses, saisissait à pleins doigts ce qu'il fallait saisir, l'étirait à la manière d'une liane à caoutchouc et, d'un seul coup – raou ! – le tranchait, puis, sans même retourner la tête, jetait derrière elle, à la volée, ces morceaux de chair chaude et sanglante, qui parfois atteignaient quelqu'un au visage.

Quelle importance ces chairs pouvaient-elles avoir ? A peine tombées à terre, les chiens se les disputaient, en rognonnant.

> *Ga'nza... ga'nza... ga'nza... ga'nza !...*
> *On ne l'est qu'une fois en sa vie...*
> *A nous, femmes !... A nous, hommes !*
> *A présent, vous êtes ga'nzas.*
> *Ga'nza... ga'nza... ga'nza... ga'nza !...*

Les opérateurs essuyèrent chacun son couteau, excisée la dernière femme, circoncis le dernier homme. Le tumulte atteignit alors son comble. Tout ce qui avait précédé n'était rien. Toutes ces clameurs, toutes ces danses confuses n'avaient fait que préparer ce qu'ils attendaient tous : la danse de l'amour, celle qu'on ne danse guère que ce soir-là, parce qu'on y tolère la débauche et le crime.

Les li'nghas, les balafons et les koundés luttèrent de frénésie. Les toucans ricanaient sinistrement, et les rapaces nocturnes s'affairaient, effarés, au-dessus de la yangba, qui noyait leurs hululements de l'explosion de sa démence.

Deux femmes, juste à ce moment-là, firent leur apparition. La plus belle des deux, c'était Yassigui'ndja, la femme de Batouala, le mokoundji. La seconde ne connaissait encore rien de l'homme.

Nues toutes deux, épilées, elles avaient le cou paré de colliers en verroterie, un anneau pendait à leur nez et à chacune de leurs oreilles. Des bracelets cliquetaient à leurs poignets et à leurs chevilles. Leur corps était passé à un gras enduit rouge sombre.

Yassigui'ndja portait, en plus de ces bijoux, un énorme phallus en bois peint.

Retenu par des liens à la ceinture bouclant sa taille, le simulacre viril qui pendait à son bas-ventre signifiait le rôle qu'elle allait jouer dans la danse.

Tout d'abord, elle ne dansa que des hanches et des reins. Ses pieds ne bougeaient pour ainsi dire point, bien que sautelât le sexe de bois à chacun de ses déhanchements.

Ensuite, lentement, plus qu'elle ne marcha elle glissa vers sa partenaire, qui se recula. Elle ne voulait point, cette femme, céder au désir du mâle ! Sa mimique et ses bonds exprimaient sa frayeur.

Déçu, le mâle revint sur ses pas et renouvela sa tentative, piétinant le sol avec violence.

Cependant, remise de sa peur irraisonnée, sa compagne s'offrait de loin, à présent. Il voulut alors l'embrasser. Elle n'opposait plus qu'une faible résistance. Elle s'abandonnait, fondait à son ardeur comme la brume au soleil levant, cachant des mains tantôt ses yeux, tantôt ses parties sexuelles.

Elle n'était plus qu'un gibier forcé qui, brusquement, céda.

Un instant encore, elle attisa le désir du mâle en retardant de le satisfaire. Mais quand ce dernier, la prenant à bras-le-corps, eut brutalement marqué qu'il ne pouvait plus attendre – elle ne résista plus.

Lorsque l'accélération du rythme de la danse eut enfin abouti à la convulsion haletante qui évacue le désir – le corps parcouru de courts frissons, ils se tinrent immobiles, heureux, comme extasiés.

Une étrange folie s'empara d'un seul coup du désordre humain qui environnait les danseuses. Les hommes se débarrassèrent de la pièce d'étoffe leur servant de cache-sexe, les femmes, celles qui en avaient, de leurs pagnes bariolés.

Des seins brimbalaient. Les enfants imitaient les mouvements de leurs aînés. Une odeur lourde de sexes, d'urine, de sueur, d'alcool s'étalait, plus âcre que la fumée. Des couples s'appariaient. Ils dansaient, comme avaient dansé Yassigui'ndja et son amie. Il y eut des luttes, des rauquements. Des corps s'aplatissaient au hasard sur le sol, où se réalisaient tous les gestes dansés.

Ivresse sexuelle, doublée d'ivresse alcoolique. Immense joie de brutes, exonérée de tout contrôle. Des injures retentirent. Du sang jaillit. Vainement. Le seul désir était maître.

Plus de tam-tam. On ne jouait plus ni koundé ni balafon. Les exécutants avaient voulu profiter de cette joie qu'ils avaient provoquée, soutenue, élargie, et, perdus dans la foule, dansaient à leur tour la danse de l'amour, la première des danses, celle de qui toutes les autres dérivent, sans l'égaler jamais.

Ils dansaient.

De cette multitude, une buée chaude s'exhalait, semblable à ces brouillards qui s'élèvent des terres après la pluie.

Un couple de plus venait de s'abattre sur le sol.

Soudain, les doigts crispés sur un couteau, Batouala, le mokoundji, se rua sur ce couple.

Il écumait.

Son poing se leva pour frapper.

Plus vifs que Ngouhille, le singe à manteau blanc, Bissibi'ngui et Yassigui'ndja s'étaient déjà mis hors de portée.

Il les poursuivit.

Ah! ces fils de chien poussaient l'impudence jusqu'à se vouloir devant lui! Il aurait la peau de cette pute, de cette enfant de charogne! Quant à Bissibi'ngui, il l'émasculerait! Toutes les femmes le moqueraient, une fois qu'il l'aurait châtré!

Quoi! Yassigui'ndja! Ne l'avait-il pas payée de sept pagnes, d'une caisse de sel, de trois colliers de cuivre, d'une chienne, de quatre marmites, d'une trentaine de poules, de dix cabris femelles, de vingt-quatre grands paniers pleins de mil et d'une jeune esclave!

Son compte était bon. Il lui ferait absorber le poison d'épreuve. Et puis...

Aux clameurs et à la bousculade indicibles, succéda une stupeur formidable et brusque.

Puis, dans le silence, tout à coup, un cri monta :

– Le commandant!... Le commandant!...

Ce fut un sauve-qui-peut général vers les villages.

FRANZ TOUSSAINT

1881-1955

Le Jardin des Caresses

1911 et 1921

Les guerres coloniales, les *Mille et Une Nuits* dans la traduction du docteur Mardrus (de 1899 à 1904), les premières éditions du *Jardin parfumé*, du *Kama Soutra*, marquent la mode de l'amour à l'orientale, à la manière du Cantique des cantiques. Orient assez vague, qui s'étend à vrai dire de l'Afrique toute proche à la Chine encore hostile et mystérieuse. Franz Toussaint est un aimable exemple de cette largeur d'esprit ; il tirait ses langoureuses adaptations tantôt du Japon, tantôt des Indes, tantôt de la Perse, tantôt de l'Afrique. Elles furent très goûtées de 1910 à 1950 environ, et il en fut fait de nombreuses éditions, généralement enluminées.

Les seins, les yeux et la chevelure

PLUS BLANCS ET PLUS GONFLÉS de trésors que les tentes d'un émir, tes seins, ô ma bien-aimée, sont les tentes de mon amour.

Lorsque je cache, à midi, mon visage dans ta chevelure et que je cherche ton regard, tes yeux sont les deux étoiles qui illuminent la nuit embaumée où je défaille.

Si, un jour, ô ma bien-aimée, j'apprends qu'un autre a dormi dans ta chevelure et que tes yeux ont éclairé le visage de ce Maudit, je ne saisirai pas mon poignard, je n'achèterai pas du poison, mais je sifflerai mes lévriers et j'irai sur la route de Grenade, à l'endroit de notre premier rendez-vous.

Là, j'enterrerai, pour l'éternité, le mouchoir de soie qui aura essuyé mes larmes.

Défi

J'ai poli ton corps de tant de caresses, qu'il ressemble maintenant à la pierre sacrée d'El Djoùf, que tant de lèvres ont usée.

Le soleil peut s'éteindre et la lune tomber, il m'éclairera d'une lumière éblouissante.

La bataille

Nous avions épuisé les paroles d'amour.

De même que le silence s'établit dans les rangs de deux armées qui vont se livrer bataille, le silence s'était fait entre nous.

J'ai livré la bataille d'amour. Le bruit des sabres était nos baisers, les soupirs des blessés étaient nos halètements, le fracas des chars était dans nos artères.

Et je t'ai rejetée loin de moi, comme un étendard déchiré.

LOUIS DE GONZAGUE FRICK

1883-1958

Le Calamiste alizé

1921

Il est juste de mettre à côté de Louis Perceau Gonzague Frick, disciple de Max Jacob (le seul, dit Henri Clouard), ami d'Apollinaire et d'André Salmon, dans les *Souvenirs sans fin* duquel on le voit recommander le jeune Desnos, qui arrivait portant sa *Putain océane* sous le bras avant d'aller faire de l'occupation en Allemagne.

Le Calamiste alizé est une petite plaquette clandestine à tirage limité (26 pages, 150 exemplaires), éditée par Simon Kra.

Trou du cul de la Bien-Aimée
Te donnerai-je un nom de fleur
Lorsque ta matière embaumée
Se répand dans ma bouche en cœur.

C'est toi, petit, que je préfère,
Mais j'aime aussi que ton voisin
Jute, jute comme un raisin
Afin que je me désaltère.

Ce sont là mes plus chers mignons,
Je leur donne ce qu'ils demandent
Des fruits fourrés et qu'ils me rendent
Tout imprégnés d'exhalaisons,
Gloire à ces deux trous brun et blond.

PIERRE-ALBERT BIROT

1879-1967

Grabinoulor

1921

Il y avait cinq ans que Pierre-Albert Birot tentait de dynamiter le vieux monde avec sa revue *Sic*, quand parut le premier livre de *Grabinoulor*, en 1921 ; le deuxième ne devait paraître que douze ans plus tard, réuni au premier en un épais volume de 277 pages, où l'absence de ponctuation se remarquait d'autant plus. « *Cela*, dirent sévèrement "les Treize", dans *L'Intransigeant*, ne suffirait pas à constituer à *M. P. A. Birot une originalité* », mais ils ajoutent : « *il serait injuste pourtant de ne pas reconnaître une réelle puissance d'expression, une invention curieuse dans l'extravagance même, et, tout compte fait, la présence d'un poète.* » Max Jacob aimait beaucoup *Grabinoulor*.

COMME GRABINOULOR était dessous un chêne un gland lui tomba sur la tête et il réfléchit à plusieurs choses d'abord qu'il avait lui aussi un gland et par suite qu'il avait des liens de parenté avec le chêne ensuite que si l'homme est gland il ne peut être cochon et que par suite on est dans l'erreur la plus complète quand on lui donne ce nom-là erreur qui ne peut être ni agréable ni profitable ni à l'homme ni au cochon et ensuite qu'il n'y a que deux lignes la courbe qui appartient à Dieu et la droite qui appartient à l'homme mais l'homme emprunte souvent à Dieu jamais Dieu n'emprunte à l'homme et juste à ce moment Grabinoulor fut transporté sur une courbe peut-être divine peut-être humaine mais en toute certitude incomparablement plus audacieuse que toutes celles de nos ingénieurs derrière la guerre où il vit des vestons avec une manche vide qui se balançait des jambes de pantalon inutiles épinglées à la naissance de la cuisse parce qu'une armée est une forêt qui marche dont la guerre coupe bien des branches et bien des racines mais comme elle n'a pas tout coupé la forêt est toujours la forêt qui marche et qui reverdit et Grabinoulor trouva que la Terre est une belle salle de danse et il entendit des chants qui venaient du Passé et des chants qui venaient de l'Avenir il se dirigea vers ces chants car Grabinoulor naturellement va en même temps dans le Passé et dans l'Avenir et d'ailleurs il prétend que c'est la même chose.

Grabinoulor fut un peu surpris car il ne vit point ceux qui chantaient ni le lieu où ils pouvaient être et les chants se mélangeaient avec les cantiques des catholiques les psaumes des protestants les versets des juifs les sifflets des locomotives le cornage des autos les cris des marchands les fusillades des pacifistes le lyrisme des commères le roulement des voitures les aboiements des chiens les orchestres des bals les désirs des pauvres les bâillements des riches les rires des imbéciles et cela surtout faisait un très grand bruit qui parfois était plus grand que tout le reste et tandis que Grabinoulor cherchait à isoler les chants des chanteurs invisibles il enjamba un jour de fête sans s'en apercevoir et bientôt les chants lui devinrent familiers ils chantaient l'accouplement le mâle au beau plantoir la femelle au noir triangle et Grabinoulor fut heureux comme un homme qui se lève de grand matin un jour de juin de France en écoutant ces poèmes de vie et au moyen d'un isolateur de son invention commandé par le seul rayonnement de sa volonté il les enregistra sur un disque de phonographe grand comme une plaque tournante de chemin de fer puis il édifia une tour dont un tiers était d'acier et le reste de cristal et dans cette tour il plaça le phonographe et la tour tournait en parfait accord avec le Terre afin que l'orifice du haut parleur se trouvât toujours face au soleil et voici comment étaient les choses à l'intérieur de la tour et quelles choses y étaient.

Au centre comme un canon de marine pointé pour un tir à longue portée un gigantesque phallus en bronze naturel poli comme un miroir sur lequel toutes les lumières éclataient se dressait son sommet touchant presque la coupole et sa base qui semblait sortir de terre était calée par ses deux testicules bien gonflés et sur les parois d'acier tout à l'entour des phallus avec des ailes comme des oiseaux des triangles noirs des seins des ventres figures géométriques animées chantaient et gravés dans l'acier tous les chants et poèmes du phonographe étaient écrits et la Tour était beaucoup plus grande que tous les Saint-Pierre de la prière et au jour de la fête des sexes tous les hommes de la terre chantaient et récitaient à l'unisson avec le phonographe et voici quelques-unes des choses qui étaient gravées

Poèmes à la chair

Le poète dira au compas la joie des courbes de l'amour qui sont des lumières que l'on touche et les deux portes sont fermées et il y a de l'ombre sur les pieds et sur les têtes

Mais les désirs vont en ligne droite et pourtant le fauteuil insipide reste toujours dans la même attitude la glace imbécile prend inlassablement le mâle et la femelle mais ne se souviendra de rien

Et eux non plus n'ont pas de souvenirs parce qu'ils dévorent le présent qui marche sur leurs quatre jambes et flambe entre leurs mains

La cheminée est en marbre blanc les mains sont carnivores les bouts des seins sont roses et les mains sont des yeux qui ne mentent jamais les mains sont des yeux des dieux vivants au service des hommes

Le mâle arc-bouté supporte la femelle arquée et le mâle prend et la femelle donne et la lampe est sur la table comme un soleil apprivoisé

Et cependant le mâle et la femelle s'évadent sur le poème à deux voix que chante la main de l'homme

Mon oiseau veut ton nid
　　Marie

　　　　Prends garde Lucas
　　　　Mon chat
　　　　Mangera ton oiseau

　　　　Jeanne ma bien-aimée
　　　　Bâton d'amour est baguette de fée

　　　　Le yoni de ma Rose

　　　　A bagué mon linga
　　Bouche intérieur de l'être oublié dehors
　Bouche qui prends si bien la forme de la bouche
　　Bouche fleur de chair qui veut la chair

Je voudrais que nous soyons unis
　　　Comme croûte et mie

　　　　Viens demain
　Mettre ton bijou dans mon écrin

　　　Un gros Bonheur-des-dames
　Demande un petit Bonheur-des-hommes

　　　Jeannette aimons-nous veux-tu
　　　Je mettrai
　　　Une queue à ta rose

LE POÈTE SALUE LE DIVIN ÉJACULATEUR AU GESTE MAGNIFIQUE SCEPTRE BIEN EN MAIN QUE TU ES BEAU DANS TA DRESSÉE SUPERBE SOLEIL DE VOULOIR AMOU-REUX DE ZÉNITH QUE TU ES BEAU DANS TA FORME ARQUÉE ET BRAQUÉE VERS

L'AVENIR QUE TU ES BEAU DANS TA MATIÈRE POLIE ET DURE TU ES PLUS BEAU
QUE CE QUE TU ADMIRES TU ES PLUS BEAU QUE TOUT CE QUI EST BEAU DIEU
VISIBLE DONNÉ PAR DIEU À CHAQUE HOMME LE POÈTE VEUT TE REBÂTIR UN
TEMPLE LUMINEUX ENGUIRLANDÉ DE POÉSIE OU L'ON POURRA VENIR ADMIRER
TON IMAGE D'OR AUSSI HAUTE QUE LE TEMPLE ET TE FÊTER TOI QUE DEPUIS
DEUX MILLE ANS NOUS AVONS RENIÉ TOI LE CENTRAL TOI L'AFFIRMATIF

VENITE ADOREMUS

TOUT DISPARAÎT QUANT PARAÎT LE TRIANGLE NOIR LE TRIANGLE LYRIQUE
LE TRIANGLE CENTRAL CHANTE ÉPERDUMENT LA DRESSÉE DU MAÎTRE ET LE
TRIANGLE NOIR AVEUGLE LE DÉSIR QUI LE REGARDE LE DÉSIR CENTRIPÈTE AUX
MAINS SOUPLES MAIS LE TRIANGLE NOIR EST UN DÉSIR SANS MAINS ET LE MÂLE
ASSERVIT CE DIEU FRISÉ ET LE TRIANGLE NOIR EST DANS LA MAIN DE L'HOMME
ET C'EST À CHAQUE INSTANT LA FIN D'UN MONDE EXPLOSANT DANS LES ESPACES

Corps de l'homme et corps de la femme
Vous vous rappelez les temps où vous n'étiez qu'un corps

Le corps va au corps
La chair à la chair
Vous ne vous êtes point encore oubliés
Vous désirez tant vous réunir
La saillie va au creux
Corps monde qui contient l'autre
Dont le poète dévot voudrait faire le tour
O mâle ô femelle
Aimez votre beauté

Peau à peau
Sans chapeau
Ni drapeaux
Qu'ils sont beaux
Peau à peau

Seins riches seins printaniers
Rudes seins de femme

Portemanteaux à deux têtes
Qui allez toujours tout seuls devant
Les hommes ont eu la première idée du droit en vous regardant
Mais depuis longtemps les hommes d'Europe ont peur de vous

Ô seins
Précurseurs
Droituriers
Nous vous rendons la liberté
Nous les hommes d'aujourd'hui
Ô seins pleins d'honnêteté

Sains
Seins
Ô coussins
Ô mes saints

LÉON DAUDET

1868-1942

L'Entremetteuse

1921

L'Entremetteuse inaugure la série des grands scandales de librairie de l'après-guerre. *Ariane, jeune fille russe*, de Claude Anet, avait certes paru osé, mais le roman de Léon Daudet déchaîne les passions, d'autant plus que les murs de Paris se voient couverts d'affiches reproduisant des passages du livre, choisis parmi les plus audacieux[1]. La politique s'en mêle, Léon Daudet, vigoureux polémiste de l'Action française, s'étant fait un certain nombre d'ennemis. Voici comment deux ans après un de ses contemporains présente l'affaire :

« *On se souvient de tout le bruit fait autour de ce roman, des attaques violentes des ennemis de M. Daudet, des représentations de Mgr l'archevêque de Paris et finalement le retrait du livre de la circulation à la requête même de l'auteur.*

« *Si M. Daudet s'avère dans la polémique comme un romancier imaginatif et verveux, il manifeste dans le roman littéraire une pauvreté évidente. Cette* Entremetteuse *est encore au-dessous de sa propre moyenne qui voisine celle de Montépin, de Jules Mary et de Pierre de Courcelles.*

« *Par le style banal, l'affabulation indigente,*

la philosophie de roman-cinéma où dominent les idées primaires de péché originel, de Providence justicière et de rédemption par le jeûne et la prière,* L'Entremetteuse *pourrait faire un excellent feuilleton dans* L'Écho de l'Escalier. *Mais M. Daudet est un morbide. Hanté par la perversion sexuelle, il saupoudre d'un érotisme de gâteux sa morale simpliste.*

« *C'est un livre, dirait-on, écrit par un vicieux qui, incapable de virilité audacieuse et puissante, n'érecte qu'au contact des choses faisandées. On comprend fort bien que* L'Entremetteuse *fasse les délices des vieilles filles solitaires et des bigots impuissants et libidineux[2].* »

Il est vrai que si Kléber Haedens, dans *Une histoire de la littérature française*, juge Léon Daudet comme « *un des meilleurs écrivains de notre temps* », il reconnaît que « *la part la plus inégale dans son œuvre est celle du romancier* ». Notre propos, quant à nous, n'est pas en principe de porter des jugements de valeur.

L'inconfortable situation de Léon Daudet, prophète de l'ordre et pornographe, ne pouvait manquer d'être relevée en détail. André Gaucher, toujours lui, s'en chargea en publiant en 1925 un livre hypocrite et intéressant, *L'Obsédé*.

Retiré de la vente par son auteur, comme il est dit plus haut, *L'Entremetteuse* se trouve néanmoins assez facilement dans les boîtes des bouquinistes.

1. C'était l'œuvre d'un ennemi de Daudet, André Gaucher.

2. Lionel d'Autrec, *L'Outrage aux mœurs*, Paris, 1923, préface de Han Ryner.

IL ÉTAIT quatre heures moins vingt. La chaleur d'août était encore étouffante, bien que ce fût la fin du mois. Peu de passants dans les rues, à cause des départs pour les bains de mer. Le Luxembourg, à travers les grilles, semblait vide. Émilienne descendit la rue de Tournon et, une fois boulevard Saint-Germain, fit signe à un taxi, auquel elle donna l'adresse, rue Raynouard. Pendant le trajet, elle se sentait légère et suspendue dans l'espace franchi, à la façon d'un papillon. Sa curiosité avait disparu, ainsi que toute propension sentimentale, cédant à une sorte de crainte. Les fenêtres du petit hôtel de la Sauveterre, quand elle arriva, étaient fermées, ainsi que les persiennes, et la maison semblait inhabitée. Elle sonna. Madeleine Ibat vint ouvrir, pareille à une figurine de Tanagra, qui aurait un tablier de soubrette. Brune comme la nuit, elle regarda avec attention cette blonde, qui venait jouer avec un ogre. Elle fit entrer la visiteuse dans le salon du bas, conformément aux ordres qu'elle avait reçus.

– Bonjour, petite chérie !

C'était Mariette, pimpante, svelte et gaie, avec ses yeux aigus. Mariette, le torse nu dans un corsage de dentelle. Elle serra la jeune fille dans ses bras frais.

– Bonjour madame.

– Oh non, pas madame. Bonjour, Mariette.

– Soit. Bonjour, Mariette, je suis heureuse de vous revoir.

– Et moi donc ! Le temps m'a semblé long. Je sais… Vous n'êtes pas libre… Moi non plus… Oh la charmante robe claire, une robe d'ange ! Vous êtes un ange, Émilienne ; je n'ai jamais rien vu d'aussi délicat, d'aussi aérien que votre parfaite petite beauté.

Puis, après un moment d'admiration muette et contemplative : « Nous n'allons pas demeurer ici. Vous allez monter dans ma chambre. » La jeune fille suivit docilement. Le mélange du style Anglais et d'Orient lui parut merveilleux et digne des *Mille et Une Nuits*. Le lit laqué était couvert d'une somptueuse couverture de satin rouge, tissé d'argent. Il flottait un parfum chaud et sombre, entêtant, grisant, dont on ne démêlait point l'essence. La lumière filtrait entre les volets, sous la forme de trois pinceaux d'or, qui jouaient sur les cuivres et les miroirs.

– C'est ici que je passe mes journées. Et voilà ma bibliothèque.

Émilienne regarda machinalement les titres des volumes rares, poètes et philosophes, compagnons de chevet de sa nouvelle amie. Un malaise et un bien-être indéfinissables, comme rejoints et nattés, s'étaient emparés d'elle et lui retiraient jusqu'à l'énergie de parler à voix haute. Elle répondait bas, comme pour un secret, ce qui fait que son interlocutrice, riant, lui dit : « Mais nous ne sommes pas à confesse. Vous pouvez prendre le ton normal… Alors, les parents ont-ils été contents, le calme est-il revenu dans la maison ?… »

Moins effarouchée, la jeune fille raconta avec aisance ce qui s'était passé chez elle, depuis la bonne nouvelle et la note parue dans les journaux. La Sauveterre l'avait fait asseoir, et lui tenait la main. Puis, doucement : « Vous n'avez pas soif ?

— Ma foi, si.

— Un peu de champagne glacé ?

— Oh ! mais cela va me tourner la tête.

— Nullement. C'est ma boisson ordinaire et je n'aime pas le vin. Goûtez-le. Il est naturel ; on dirait un sirop. »

La carafe était là, dans sa buée. La jeune femme versa deux coupes : « Nous boirons ensemble, cela scelle l'amitié... Et alors que dit votre amoureux ?

— Mais il n'y a pas d'amoureux.

— Ma petite, fit Mariette d'un ton grave, le visage soudain sévère, il ne faut pas me mentir. Je suis celle à qui on ne ment pas. Rappelez-vous vos confidences de l'autre fois. »

Le changement de ton étonna Émilienne. Elle était assise, la figure inclinée, vers sa coupe de champagne. Elle la releva et aperçut l'ovale, gris et eau, fascinant, encerclé de noir, des yeux dévorants de Mariette. Elle en demeura figée d'émoi, comme si elle venait de recevoir une flèche. Deux mains, en même temps, prenaient les siennes et les repoussant vers les épaules : « Allons, résistez, — disait une voix pleine d'ombre — raidissez-vous tant que vous pourrez... » Or, elle ne pouvait pas résister et le sens de cet exercice, — futilité ou épreuve, — lui échappait. Mais elle en chérissait davantage la lutteuse imprévue, qui la ploya sur le dossier du fauteuil : « Vous voyez, gentille demoiselle, que je suis plus forte que vous. Oh ! votre épingle va tomber ! » De ses doigts longs, la Sauveterre l'enleva, ainsi que sa voisine, que le peigne de soutien, et des ondes de cheveux dorés tombèrent aussitôt, en cascades, avec le frémissement d'une eau soyeuse, sur les rondes épaules de la petite Viorne. Au même moment, et comme elle riait, sans défense devant cette tendresse bousculante et décoiffante, pareille à celle d'un enfant ou d'une chatte, la porte s'ouvrit et un homme trapu, solide, au visage oriental, avec des yeux ardents, apparut. C'était Gantois.

— Vous arrivez bien, Olivier, nous jouions à nous dépeigner... Mlle Émilienne Viorne, M. Olivier Gantois... mais je suis bête, vous vous connaissez déjà. Émilienne, monsieur est celui qui vient de sauver la banque de votre oncle, parce qu'il admire votre père, et aussi peut-être parce qu'il vous admire. Mon rôle cesse. Je me retire, et vous laisse à vos effusions et confidences.

Émilienne, effarée, s'élançait pour la suivre ; mais le banquier la rattrapa au vol, comme l'oiseleur saisit l'oiseau et le met en cage. Déjà il était à ses genoux la serrant fortement contre lui, lui jurant que c'était par une passion irrésistible pour elle qu'il avait fait ce qu'il avait fait, qu'il jetait sa fortune à ses jolis pieds, qu'il rêvait d'elle chaque nuit et à toute heure du jour, depuis qu'il l'avait rencontrée chez sa nièce. Il parlait avec éloquence et rudesse, appuyant, contre son torse de bronze, ce corps jeune, palpitant et tiède, qui se tordait et ondulait faiblement. Une langueur bizarre, due à la demi-obscurité, au parfum, à la coupe de champagne aphrodisiaque, aux circonstances, et surtout à l'aimant de Mariette, s'était emparée de la vierge menacée. Elle comprenait qu'il s'agissait d'un traquenard, mais à travers une sorte de demi-condescendance physique, qui empiétait sur le moral. Elle balbutiait des mots indistincts, des prières, des supplications, qui n'empêchaient nullement Gantois, fort comme un chimpanzé, habile comme une lingère, de remonter le long de son buste, de faire sauter les agrafes de son corsage et de dégager, avec ses épaules menues, les deux fruits brûlants de son corset éclaté.

A partir de là, ça alla tout seul. Il la souleva dans ses bras, comme une plume, et la jeta demi-nue sur le lit étroit. Elle se rappela ensuite avec étonnement que, si les gestes étaient brusques et d'une audace défiant toute mesure, elle n'aurait osé cependant ni le battre, ni l'égratigner, ni le mordre, ni lui faire mal. Elle ne criait point, pour garder sa force. Il fourrageait plutôt comme un chirurgien, qui sait ce qu'il veut et où il va, que comme un soudard, soufflant une haleine assez rude, mêlée à une odeur de musc, essayant de joindre au coup de force quelques caresses et précautions. Elle eut, cessant d'implorer, de se révolter, même de gémir, – tant l'étau était devenu irrésistible, – la sensation d'un poignard enflammé qui l'atteignait, puis, dans une onde double, et assez lente, de douleur et le volupté, se retirait. A partir de là, l'étreinte cessa, se relâcha, ainsi qu'un nœud tranché dans son centre, et, derrière la bête, reparut l'homme, confus de ce crime consommé. Il faisait l'effet à sa victime, dont il avait meurtri les lèvres sous ses baisers fous, d'un voyageur levantin, à l'aube, en wagon, empêtré du désordre de sa toilette. Il était rouge et haletant.

– C'est infâme ce que vous avez fait là, – dit Émilienne, en s'essuyant la bouche avec les lambeaux de sa malheureuse petite chemise déchirée.

Il la dégoûtait profondément et en même temps, chose horrible, elle sentait qu'il pouvait devenir son maître.

– Je t'aime…, répondit-il d'un air faux, oblique et inquiet. Je n'aurais pas pu t'avoir autrement.

– Si j'allais, en sortant d'ici, au commissariat de police, que diriez-vous, monsieur Gantois?

– Vous vous perdriez, en me perdant. Vous déshonoreriez votre famille. D'ailleurs, – ajouta-t-il avec une contrition qui semblait sincère, – je suis prêt à vous épouser.

Émilienne, qui restait dévêtue, les cheveux épars, assise sur le lit, à contre-jour, comme après une tentative de meurtre, regarda avec stupeur ce personnage évidemment détraqué. Comment n'y avait-elle pas songé plus tôt, elle fille de médecin?

– Singulière façon, vous l'avouerez, de demander la main d'une jeune fille. C'est le procédé allemand, n'est-il pas vrai?

— Croyez-vous que j'aurais mis tout mon argent dans une banque, si ce n'avait pas été pour vous posséder?

Elle ne répondit pas. Elle songeait qu'elle aurait dû le tuer. Elle n'en avait ni la force, ni le désir. C'était une brute, mais, pour risquer une pareille aventure, une brute d'une imagination particulière. L'idée qu'elle était déshonorée à jamais n'était pas celle qui la dominait. Elle songeait, avec plus d'épouvante, à la complicité manifeste de Mariette. C'était elle, la charmeuse scélérate, qui l'avait livrée à ce fauve en veston. Pourquoi?

Après un silence, toujours sans même relever les débris froissés de son corsage : « Vous avez combiné cela tous les deux, n'est-ce pas, Mariette et vous? »

Ce fut à lui de se taire, debout au pied du lit, sa face de bourreau gras vers le sol. Il songeait, à ce moment-là, qu'il eût été plus simple, en effet, et moins atroce, au lieu de forcer cette créature délicate et frêle, de la prendre comme compagne de vie. Mais il savait aussi qu'au bout de trois mois, son désir étant tombé, il l'aurait quittée pour une autre et qu'après tout ces façons sauvages laissaient parfois d'âpres souvenirs. Enfin il calculait que, sans nul notaire, cette chaude journée allait lui revenir à soixante mille francs, payables, dans les vingt-quatre heures, à la belle procureuse. Quant aux cinq millions, il les rattraperait, et même les ferait fructifier.

— Et si je deviens enceinte?... fit Émilienne, en commençant à se rhabiller. Car elle était fille de médecin et renseignée.

— Cela m'étonnerait. Nous nous marierions, voilà tout... Voulez-vous que j'appelle la femme de chambre, pour qu'elle fasse un point à votre corsage? J'ai peur de l'avoir abîmé... Pardon!

CHEVALIER NAJA

Maurice Dekobra

1885-1973

Strophes libertines

1920 ou 1921

Les poèmes que voici sont attribués à Maurice Dekobra (1885-1973). Pour *Les Livres de l'Enfer* cette paternité est certaine. Il est alors intéressant de comparer ces textes avec *La Madone des sleepings, Mon cœur au ralenti*, ou ces *Flammes de velours* que nous citons plus loin.

Bacchanale

Yeux cernés et tignasse teinte,
Ivre de chartreuse et d'absinthe,
La pierreuse rit sans raison.
Elle branle, hoquette et titube,
Ainsi qu'un horrible succube,
En son ultime pâmoison.

Assise au milieu des bouteilles,
Cheveux défaits sur les oreilles,
Elle écarte son pantalon
Et fait voir avec insistance
Le bas de son ventre en démence,
Aussi chevelu qu'Absalon.

Sur son sexe sans auréole
Qui voit l'immonde farandole
Des Phallus dressés vers le ciel,
Elle met, d'un geste cynique,
Ses deux mains en cornet lubrique
Pour recevoir Pantagruel.

Elle aimerait qu'un acrobate,
Aux fesses ceintes d'écarlate,

Râblé comme un orang-outang,
La prît dans la pose incongrue,
qu'imagine souvent la grue,
En ses rêves exorbitants.

Mais non ! C'est l'alcool qui l'attire.
Il faut mouiller sa tire-lire,
Tremper de mousse ses deux seins.
Alors dans un râle sordide,
Elle s'effondrera, stupide,
Les bras en croix sur les coussins.

Car cette nuit, elle est trop saoule
Et son désir a la cagoule
Que l'ivresse a mis sur ses nerfs,
Et l'on devrait coudre sa fente,
Dont l'ellipse rouge et béante
Sourit à présent de travers.

PIERRE BONARDI

1887-1964

Le Rituel de la volupté

1922

Ce petit livre publié d'abord par les éditions de la Sirène eut plusieurs rééditions entre les deux guerres. Il fut paraît-il mis à l'index. Il est curieux par ses revendications en faveur de la volupté féminine, opposée à « l'ivrognerie sensuelle » de la majorité des mâles, sa notion d'une volupté nouvelle en accord avec l'esprit nouveau, et son refus raisonné de la sexologie limitée à elle-même : « *Jusqu'ici les sots ont cru qu'ils apprenaient à faire l'amour en disant de quelles différentes façons les deux bêtes pouvaient se placer. C'est exactement la seule chose qu'il ne soit pas nécessaire d'apprendre.* »

Ces excellentes dispositions sont malheureusement gâtées par une acceptation un peu rapide du risque de maternité : « *Fais-en ton deuil, il est écrit au livre de la Vie : Si tu triches, tu gâches !* »

TU VEUX SAVOIR comment tu connaîtras ta maîtresse parmi toutes celles qui passeront par tes bras ?
C'est bien simple.

Le geste doit tendre au résultat subjectif. Ce n'est pas ton plaisir que tu dois chercher. Il s'éloignerait trop de la volupté dont tu veux être le prêtre.

Ton plaisir, c'est d'abord l'émotion ou les émotions que tu causes. Réciproquement le plaisir de ta maîtresse est d'abord dans l'émotion qu'elle te cause. La volupté est au sommet de la courbe où l'intervention apaisante des liqueurs soude ces deux émotions.

Le spasme, ébranlement profond de tout l'être physique, est le cadeau que te fait la nature. Ce n'est pas là un privilège humain, mais un don naturel commun à tout ce qui respire. Ce qui est humain et peut devenir sublime, c'est que tu puisses dédier ce spasme à celle dont l'étreinte fervente en est la cause, et mêmement que tu saches accueillir le spasme de ta compagne avec une ferveur égale.

Il est entendu que c'est toi-même que la secousse sensorielle fait frémir ainsi que l'eau de la vasque sous la tempête. Il est entendu que le frisson de ta maîtresse part de ses fibres à elle et inonde son épiderme à elle. Mais n'est-ce pas toi qui causes ses frissons et elle qui cause tes frémissements ? Il est donc normal que l'un dédie son plaisir à l'autre et c'est ce don réciproque qui crée la volupté.

Chaque amant porte en soi son plaisir, mais surtout la volupté de l'autre. En effet ne sais-tu pas (et je suis bien sûr que tu le sais) combien cela est triste sans l'étreinte?

Et répugnant!...

Les égoïstes feront toujours l'amour comme les bêtes.

Je ne suis pas sûr en disant cela que je ne suis pas injuste et méchant... envers les bêtes.

Vos plaisirs ce sont des courses au sens le plus précis du mot, comme en témoignent les efforts et le jeu de vos muscles. Cette course vous mène vers la volupté. Vous êtes des ombres qui tendez vers la clarté. Vous êtes deux, il y faut donc un rythme commun, un synchronisme dont il appartient à toi d'assurer la perfection. C'est ton devoir d'homme.

Sitôt que la lumière vous baignera, toute progression cesse et toute crispation, car la volupté est une contemplation et une détente.

Vous êtes au sommet de votre courbe. Rends-toi bien compte que votre étreinte est bancale si vous n'y parvenez pas ensemble, elle et toi. Il faut que tu t'en rendes consciencieusement compte, car l'adultère a d'abord pour raison l'inaptitude de l'homme à créer le rythme et à maintenir le synchronisme.

La femme cherche ailleurs..., ce qui ne veut pas dire qu'elle trouvera...

Il n'y a donc de lumière pour les deux êtres qui montent vers la volupté que s'ils arrivent au même instant dans la zone lumineuse... et l'un sachant la présence de l'autre et y puisant toute sa joie et tout son orgueil.

C'est là le sentiment de perfection de l'amour. C'est là la révélation du divin que l'homme porte en soi. Ce n'est rien que d'être parvenu au sommet de son exaltation, mais il est magnifique d'y avoir victorieusement entraîné l'être qu'on aime.

Donc, dis à ta maîtresse après ton grand spasme et le sien :

A quel moment me suis-je donné?

Si elle le sait et qu'elle t'en parle avec volupté et reconnaissance, loue les dieux et garde ta Femme. Tu l'as rencontrée, c'est Elle.

Et mon devoir est de te rappeler qu'il n'en traîne pas à chaque coin de rue ni dans tous les salons que tu honores de ta présence.

Si elle ouvre de grands yeux étonnés, explique-lui ce que tu veux savoir, pourquoi il importe que tu le saches. La plupart du temps, hélas! toutes ces explications sont nécessaires.

Si elle comprend, si elle veut comprendre, prends patience et éduque-la comme tu l'entends. Tu arriveras à la mener sur ta route, tu seras étonné de ses progrès et tu l'aimeras plus que toute autre, puisqu'elle sera l'enfant de ton esprit.

Si elle discute, ergote, fait l'esprit fort et ne veut rien comprendre, va-t'en! Elle fera peut-être avec toi de l'hystérie si tu as du ressort et du souffle; si tu es agréable à respirer, si tu es tendre ou brutal selon son goût, elle fera sûrement avec toi de l'hystérie et s'attachera passionnément à toi; mais toi, tu ne feras jamais convenablement l'amour et la volupté te sera interdite.

Sois sérieux et logique une minute, veux-tu?

Si ce n'est pas le don de toi que ta maîtresse attend de votre geste; si ce n'est pas vers cette conjonction et cet apaisement qu'elle va; si son plaisir n'est que dans cette course qui n'a ni rythme, ni synchronisme, ni but... voyons... réflé-chis... et avoue qu'un eunuque aux érections faciles ou un appareil spécial ferait infiniment mieux, plus régulièrement et plus solidement que toi!

L'amour humain ne connaît pas d'être plus malheureux qu'Onan qui sacca-geait son geste d'amour. Et ne te laisse pas conter que sa femme en pouvait être heureuse.

Physiquement une seule chose est complète : la conjonction des liqueurs; et psychiquement, la certitude du don réciproque. Cette certitude est accessible, mais à ceux qui la veulent atteindre seulement.

Dans la course à la volupté il y a, que tu le reconnaisses de bon gré ou non, un mâle et une femelle et dont l'accouplement est le seul moyen de conserva-tion de l'espèce. Si tu l'oublies volontairement, tu pourras certes connaître une euphorie à fleur de peau, une contraction nerveuse, mais qui ne comportera ni apaisement ni sérénité.

Tu pourras imputer ta lassitude à jouissance; tu pourras te croire heu-reux parce que tu te sentiras brisé; tu ne connaîtras pas la volupté totale, la volupté profonde, la volupté calme ainsi que Baudelaire nous paraît l'avoir définitivement qualifiée dans « la Vie antérieure » et dans « l'Invitation au voyage » :

> C'est là que j'ai vécu dans des voluptés calmes
> [...]
> Là, tout n'est qu'ordre et beauté,
> Luxe, calme et volupté.

Onan a été le plus malheureux des hommes. Il pouvait pourtant prétendre à une excitation que tu peux rechercher si elle t'agrée. Elle t'abattra dans un spasme qui te laissera insatisfait, les mains vides, les yeux caves et la tête ballante.

Tu auras des recherches où se mêlera peut-être un dilettantisme qui aura de l'élégance et du charme… mais pervers… et incomplet.

Tu te plongeras, en aveugle, dans des plaisirs que tu baptiseras comme tu l'entendras pour que leur nom soit aussi beau que tes désirs. Tu seras le Gorenflot de l'amour. Poulet, je te baptise carpe !

Tes désirs ne seront que les fleurs du vase. La terre leur manque et ses sucs. Stérilité et mort ! La beauté de la porcelaine chinoise ou la finesse du verre de Venise peuvent offrir aux plantes un cercueil somptueux : c'est un cercueil.

Ainsi les plaisirs que la volupté n'accueille pas dans les régions sereines. Tous les artifices, toutes les somptuosités sont funéraires.

Tu crois aller vers les joies… des joies… et tu vas vers je sais bien quelle déchéance où ta maîtresse atteindra, d'ailleurs, plus vite que toi.

Bon voyage !

R O G E R   P I L L E T

Les Oraisons amoureuses
de Jeanne-Aurélie Grivolin, Lyonnaise

1 9 2 2

Autre curieux petit livre, invocation à la femme dans le style du Cantique des cantiques, et même préoccupation du plaisir féminin que dans *Le Rituel de la volupté*, *Les Oraisons amoureuses* ont connu aussi plusieurs rééditions, généralement agrémentées de gravures légères. La première édition présente la particularité d'être suivie d'un court récit, *Un pauvre amour*, idylle impossible entre le narrateur et une receveuse de tramway, qui n'est pas non plus sans charme, et qu'on a réédité beaucoup moins souvent.

Il faut dire aussi un mot du premier éditeur de ce livre, René-Louis Doyon, petit libraire-éditeur au 9 de la galerie de la Madeleine, à l'enseigne de *La Connaissance*. René-Louis Doyon a laissé des souvenirs, *Mémoire d'homme*, dans lesquels on peut glaner beaucoup de détails intéressants. C'est chez Doyon qu'André Malraux avait fait, en 1920, à dix-neuf ans, ses débuts d'auteur-éditeur. En 1922, Malraux travaille avec d'autres maisons, plus importantes, Kahnweiler, le marchand de tableaux, ou Kra. Il est devenu un personnage assez important de l'édition érotique clandestine, établissant pour Kra les maquettes de volumes illustrés à petit tirage[1].

1. Sur les activités clandestines de Malraux, qui dureront plusieurs années, voir en particulier les souvenirs de Clara Malraux, *Le Bruit de nos pas*, Paris, 1963, 1966, 1969, 1973, 1976; Jacques Bonhomme, *André Malraux ou le conformiste*, Paris, 1977; Pascal Pia, *Les Livres de l'Enfer*, Paris, 1978.

Fête

DEPUIS LA RENCONTRE de mon ami, ma vie est une fête, une fête heureuse.

Ce n'est pas une fête de danses, de cris, de tambourins et de folies! c'est une fête où l'allégresse s'augmente d'être contenue, où le bonheur s'accroît d'être secret et dérobé au fond de l'âme.

C'est une belle fête et je marche processionnellement dans ma vie.

Mais la belle ivresse des soirs.

31 mai.

Sagesse

Nous sommes allés nous promener dans la campagne avec quelques amis.

Le soir, en revenant, nous avons eu un spectacle magnifique. Le soleil finissait le jour dans un crépuscule de sang et d'incendie et les montagnes se profilaient en noir intense sur les ocres du ciel. Au contraire, la nuit qui s'avançait apportait le calme, la sérénité, l'apaisement.

Geneviève disait : « Que c'est beau ! que c'est majestueux ! Rien n'est aussi beau que les spectacles de la nature. »

Amis et amies enchérissaient. L'on me demanda mon avis. Je crois que je répondis à peu près : « Peut-être d'autres choses que nous ne soupçonnons pas sont-elles aussi belles – mais ce soir est bien beau. Vous ne regardez, mes amis, que le soleil qui se couche, mais voyez la nuit qui s'avance ! Que de grâce, que de paix, que de promesses ! Après le tumulte et l'orgueil et la douleur du jour, voici venir à nous l'humilité et la douceur qui donnent seules la Joie. Voici l'heure de ceux qui ont l'âme discrète, délicate et nostalgique. »

Les jeunes gens m'approuvèrent bruyamment. Je vis Charles qui souriait, avec quelque ironie, sur sa douceur. Alors je dis :

– Mais vous, M. Dumesnil, vous qui souriez, que pensez-vous des spectacles de la nature ?

Il sourit et rougit tout à la fois.

– Le spectacle de ce soir est fort beau, mais qu'importe ! Il n'est beau que des allégories que vous y voyez et des promesses qu'il fait deviner. Il ne peut rien que de fugitif et de vain pour nos âmes. Et si nous étions ici solitaires et non de compagnie, une grande tristesse, une grande amertume nous envahirait le cœur. De tels spectacles ne sont que les décors de nos sentiments. Et nous pouvons nous en passer. Ne nous y attachons pas. Ce soir ne marquera sa trace dans notre mémoire que s'il nous est permis de serrer furtivement ou longuement la main ou la taille de celle que nous aimons. La beauté du corps humain, la grâce émouvante des jeunes filles, les gestes adorables, les douces paroles, les sentiments tendres, et celui qu'on ne nomme pas sans hésitation : l'amour, voilà seulement ce qui doit faire bondir notre cœur d'adoration.

Alors les jeunes gens furent jaloux de ces paroles et moi de même, car malgré la joie qu'elles m'apportent je lui savais mauvais gré de révéler ainsi nos idées et de faire briller d'intérêt, et peut-être aussi de désir, les yeux de mes compagnes.

2 juin.

Dans la nuit

Je me suis éveillée cette nuit...

Mon ami dormait ; j'ai remué, il ne s'est pas éveillé, mais il s'est rapproché de moi et sa main s'est posée sur mon ventre.

Geste instinctif d'amour et de possession, geste qui me fut doux. Je me suis endormie aussitôt...

Adoration

Toute tiède encore de ses caresses, je me suis levée ce matin après lui. Et j'ai fait tomber ma chemise. Mon bien-aimé s'est agenouillé devant moi. Il m'a dit à mi-voix :

« Aurette, Aurette, tu es belle, ô ! que tu es belle ! »

Il m'a embrassée avec ferveur par toute ma chair et je ressentais ses baisers jusqu'au secret de mon âme et je frémissais de joie, d'orgueil et d'amour.

« Aurette, tu es divinement belle et je t'adore comme ma déesse d'amour et de beauté.

« Je ne peux pas dire comme tu es belle, je ne peux pas dire la splendeur de ton corps. »

... Il a embrassé tout mon corps, il l'a embrassé avec piété, et, retombé à genoux, ses bras enlaçant mes hanches que l'amour fait plus larges, il est resté longtemps silencieux, les yeux clos, la joue contre la courbe de mon ventre, ses lèvres appuyées à ma peau.

Heureuse, transportée, je joignais mes mains dans la douce chevelure de mon amant.

5 juin.

Sur le lexique

Mon ami me dit : « C'est une étrange chose que certaines parties du corps soient interdites aux poètes.

« Mais oui ! répondit-il à mon regard qui l'interrogeait, les poètes ont le droit de chanter les seins, la gorge, la taille, la poitrine, les hanches ; on accepte qu'ils parlent des cuisses, on tolère qu'ils évoquent le ventre sous le nom de flancs, mais ils ne doivent pas nommer les fesses.

— N'ont-ils jamais osé caresser ou regarder les fesses de leur amie ?

— J'espère qu'ils l'ont fait, mais le mot n'est pas noble, voilà tout.

— Pourtant Aphrodite était louée d'être callipyge.

— Et les Grecs avaient bien raison de la louer. Je plains une femme qui n'aurait pas de belles fesses.

— Je plains encore plus son amant.

— Le malheureux! C'est un si bel endroit pour poser les mains; ce sont de si royales courbes, dont le moindre mouvement, la seule vue, que dis-je, le moindre soupçon, au travers des étoffes, suffit à faire naître le désir. »

Il disait ainsi et sa main suivait sa pensée.

8 juin.

Le cheval blanc

Je repris la conversation d'hier.

— Quand tu parlais des poètes, tu ne pensais pas aux anciens, je pense, car toi-même, tu m'as lu un passage où Ovide parle de la croupe et de ses richesses.

— Certes! les poètes antiques étaient plus libres que les nôtres. Le passage d'Ovide est très audacieux. Ce qu'il décrit était, je crois, nommé le « Cheval Blanc » par les Grecs; du moins c'est Aristophane qui le dit.

— Le Cheval Blanc?

— Mais oui! puisque l'amante agenouillée, plutôt à quatre pattes...

— Oh! j'ai compris.

Mais déjà sa bouche écrasait mon rire.

9 juin.

La danse

Et moi aussi, je danse.

Mon ami me parlait des danses antiques. Il en parlait si éloquemment et avec tant d'amour que je voyais ce qu'il me décrivait, mais aussi que j'éprouvais comme une jalousie pour ces femmes...

Alors, inspirée, je me suis levée, j'ai rejeté mes habits et j'ai dansé.

Il est beau mon doux ami, son visage a de la grâce et son âme l'embellit. Parfois, je plonge mes mains dans ses cheveux, je le contemple un moment, et je finis par me voir dans ses yeux bruns, toute petite; et je souris à mon image en même temps qu'à son regard.

Il est beau et fort. Son corps semble délicat, mais il vibre d'une force insoupçonnée. Sa peau est douce, plus douce que la mienne. Quel doux bruit font mes mains sur sa chair caressée : frôlement de taffetas, affaissement de satins.

Ses cheveux sont noirs, mes cheveux sont d'or aux boucles noires. Mais j'aime plus encore épandre largement mes longs cheveux sur sa chair brune.

22 août.

Tendresse

Mon Dieu! que mon ami est charmant! Il est venu hier soir. J'étais un peu souffrante et je lui ai dit : « Je ne peux pas être, ce soir, ta maîtresse qui s'abandonne. » Il m'a dit : « Tu seras ma petite fille malade que je berce. »

C'est lui qui m'a déshabillée, qui m'a natté mes cheveux et qui m'a portée au lit. Il m'a rejointe, il m'a prise dans ses bras et j'ai niché ma tête lasse dans son cou. Alors, tout en baisant mes cheveux, il m'a dit de douces paroles. C'était comme une chanson où mon nom d'amour revenait toujours : c'étaient mes litanies.

Dans le berceau musical de son murmure, j'ai oublié mon mal et glissé insensiblement, délicieusement, au sommeil.

25 août.

Victoire

J'en avais assez de cette Arrigoni et de ses manœuvres insinuantes. Parce que les hommes qui n'ont pas assez de bon goût, ou qui ont trop d'ironie, lui adressent des compliments qu'elle recherche, cette grande perche italienne se figure vraiment qu'elle les mérite. Le diable veut qu'elle ait de la ruse, les yeux assez beaux et surtout habiles et des façons de jouer la passion qui peuvent, après tout, être un piège pour un homme.

Il y avait trop longtemps qu'elle espérait un moment de faiblesse de mon amant. En la reconduisant je lui ai dit, à lèvres souriantes : « Venez donc passer un moment avec moi, demain soir. »

Elle est venue, Charles est venu aussi, à son heure. Elle s'est troublée. Je suis allée à lui, et, m'appuyant à son épaule, j'ai dit : « Voici celui que j'aime et qui m'aime. Il est à moi et je suis à lui. Je comprends que vous le désiriez, car il est beau de corps et d'âme. Mais outre que vous n'êtes pas libre, car enfin vous avez un mari, et qui sait prendre ses droits, même dans les bois, outre que vous n'êtes pas libre, il faut être belle pour être digne de lui. »

Jusque-là agitée de sentiments confus et violents, elle avait haussé le menton à ces derniers mots, comme si elle avait relevé le défi. « Il n'y a pas de belle que vous, ma petite ! »

– Petite ! tenez-vous donc à rappeler votre âge ?

Mon ami me disait tout bas : « Aurette ! Aurette !...

– Non ! non ! lui dis-je, je sais ce qu'il en est et je suis sûre de ton cœur, mais il faut craindre les surprises d'une habile Italienne. Les yeux de Madame sont adroits et promettent beaucoup..., beaucoup plus que son corps ne pourrait tenir.

– Qu'en savez-vous ?

– Eh bien, prouvez-le ! »

Et, d'un tour de main, je fis tomber ma robe et ma chemise, et je me dressai, nue. Elle eut une hésitation, mais comme mon amant baisait mon épaule, son regard s'enflamma et, se levant, elle commença de se dévêtir.

Appuyée à l'épaule de mon amant, je la regardais. Par gestes secs et décidés, elle fit sauter les agrafes et les épingles de ses robes, elle dégrafa son corset et le jeta sur le tapis. Ses yeux flambaient et la rendaient belle. J'en éprouvai quelque crainte, mais un coup d'œil au corset me révéla les suppléments qu'il fallait à son buste. Lentement, pour donner aux plis du corset le temps de s'effacer un peu, elle fit glisser les épaulettes de sa chemise. Elle fut nue.

Ah ! quelle joie coulait en moi, quelle délectation, quelle chaleur de triomphe ! Mon sang roulait de bonheur dans mes artères, ma poitrine se soulevait, mes orteils griffaient le tapis et ma chair secrète se contractait comme à l'approche de la volupté. Et quelle volupté que le triomphe sur la rivale !

Oh ! le regard respectueux et pitoyable de mon amant !

Pitié et respect ! respect ! quelle horreur ! Etre respectée quand on est nue devant un jeune homme qu'on désire ! Etre respectée quand on voudrait être saisie, soulevée, renversée, quand on voudrait l'écrasement des lèvres sous les lèvres et le froissement de sa chair sous l'effort du vainqueur !

Ah ! Ah ! Isabella, Bella, Arrigoni, que n'avez-vous gardé pour votre bon mari la révélation de vos charmes ! Vous ! m'enlever mon amant ! non ! chère ! il aime les chairs fraîches, il lui faut un corps jeune et gras. C'est un ogre, ma belle ! et il ne saurait se rassasier de vos tendons et des plis jaunes de votre peau. Mais, ma pauvre, vos seins tombent, vos os se dessinent et vos cuisses sont trop maigres pour dissimuler noblement ce que vous brûliez d'offrir. Vous n'avez même pas de jolis poils !

Elle comprit ! Mon ami avait trop de bonté pour laisser s'exprimer son sentiment, mais ses lèvres serrées et son regard froid et doux étaient plus cruels encore qu'une remarque injurieuse.

Alors, en la fixant, j'ai fait glisser mes mains sur mes cuisses, sur mon ventre et jusqu'à mes seins, que je n'ai pas soulevés – ils n'en ont pas besoin – mais dont j'ai épousé la courbe, l'index aux pointes rouges.

Dans la haute glace, elle a pu comparer nos corps.

Pauvre Arrigoni! Ses yeux ont faibli, ses lèvres ont voulu parler, elle a pâli, et, humiliée, vaincue – oh! moi j'aurais voulu mourir, et elle le voulait peut-être – elle s'est jetée sur le divan, a enfoui sa figure dans un coussin et a pleuré sa désillusion et sa défaite.

Hélas! elle ne faisait que révéler davantage ce qui lui manquait.

Nous sommes sorties. Je me suis vêtue, et, quand j'ai pensé qu'elle en était au corset compensateur, je suis revenue. Charles m'avait seulement dit : « Sois bonne. » Sans mot dire, je lui ai servi de femme de chambre. Elle avait les yeux rouges et les lèvres douloureuses. Je lui ai tendu la serviette humide et la boîte de poudre. Elle a refait sa figure. J'ai posé son châle sur ses épaules. Elle s'est drapée. Mon ami a cogné à la porte.

« Puis-je dire d'entrer? »

Elle a incliné la tête. Il est entré. Elle a pâli, mais s'est dominée aussitôt. Les yeux baissés, elle a dit :

– J'ai beaucoup souffert, je n'ai pas à le cacher; je vous aimais. J'ai compris que c'était en vain.

Sa voix se brisa. Elle fit un effort et nous regarda tous deux.

– Il vaut mieux ne pas changer en haine ce qui était de l'affection chez moi, de la jalousie chez vous, et qui n'est plus. Et puis, n'est-ce pas, le silence absolu sur tout ceci.

– Je pense ainsi, lui dis-je, et je vous remercie de l'avoir dit.

Je l'ai reconduite.

....

Je suis remontée en courant. Charles m'a tendu les bras. Je m'y suis jetée et j'ai pu, cette fois, rire, trépigner, chanter mon triomphe. Il me disait : « Aurette, Aurette! », comme à une petite fille, en riant aussi. Et puis, j'ai rejeté mes vêtements. Il y avait trop de volupté triomphante en moi qui demandait à être partagée.

28 août.

BOB SLAVY

Auteur non identifié

Mrs. Goodwhip et son esclave

date inconnue

Ce roman a certainement été écrit, et probablement publié avant la Grande Guerre. Je n'en ai toutefois jamais rencontré d'édition antérieure à celle des « Orties Blanches », collection de flagellation la plus célèbre du genre dans laquelle Jean Fort réimprima à partir des années 20, tout à fait officiellement, un certain nombre d'ouvrages de flagellation d'avant 14, en compagnie de nouveautés du même genre. *Mrs. Goodwhip* fut donc certainement aussi une lecture érotique de l'après-guerre, même si ce n'est pas exactement de l'année où nous l'avons placée.

Il y avait de toute façon au même moment un certain nombre de productions comparables, mais *Mrs. Goodwhip* se distingue de la plupart des autres romans de la collection par une imagination ingénieuse et obstinée jusqu'à l'irrationnel, qui n'est pas sans rappeler parfois Sade.

C'EST À PARTIR de ce mois de mars que commença une vraie vie d'enfer pour moi. Dès le premier jour, mes deux gardiens-bourreaux, qui s'étaient chargés de mon dressage, me firent lever à l'heure indiquée. Puis, vêtu du corset toujours bien serré, les pieds et les mains bandelettés, le sexe engainé et les cheveux tressés à la chinoise, ma première leçon commença. Sous la menace constante du fouet, – ils avaient en main les mêmes courtes lanières de cuir que leur patron, – ils m'enseignèrent d'abord le *Kotao*, le fameux salut servile chinois, qui consiste à se jeter à plat ventre à terre et à toucher de son front la poussière. Ils me forcèrent même à leur embrasser les pieds. Cinglé férocement, je m'y résignai.

Ensuite je dus, sur un tapis épais, me plier aux exercices d'assouplissement préparatoires. Mouvements divers des bras et des jambes; grenouille, – qui consiste à marcher en sautant sur les mains, les pieds croisés derrière la nuque; – érection alternative des jambes contre le mur, – qui est une préparation pour la danse et le petit et grand écart. Enfin la marche sur les mains, avec repos sur les avant-bras, fesses hautes, cuisses jointes ou écartées, reins cambrés, et les pieds posés à plat sur la tête ou sur les joues, à la japonaise.

J'avais une peine énorme à faire tous ces exercices à cause de mon corset si serré. Mais, sous les rudes fouettées que je subissais presque continuellement, je surmontais ma lassitude, pour faire de mon mieux. Selon la recommandation de

Kin-fo, on ne me donnait des coups que sur les fesses, les hanches et les cuisses, – pour les faire enfler, disait-il. Lorsqu'un membre ne voulait pas se plier à la position voulue, on l'y forçait en le maintenant dans l'attitude nécessaire, au moyen d'un jeu de poulies à câbles de caoutchouc. On le massait à l'huile, et on le faisait recommencer. Aussi, durant ces deux heures, la salle retentissait de mes cris de supplicié. L'exercice qui me valut le plus de coups fut la danse mimique sur les mains. C'était, à ce qu'il paraît, une des exhibitions les plus goûtées dans les bordels de Hao-Dah-Toungtsé. Au début, j'eus beaucoup de difficultés à me tenir en équilibre, mes bras n'étant pas assez forts pour porter le poids de mon corps, et pour marcher sur les mains en faisant une mimique infâme avec les jambes. Cette pose devait faire valoir mon vagin anal dans tout son épanouissement provocant. Grâce à la fréquence de mes exercices, je réussis finalement à faire tout cela ; mes bras se fortifiant, petit à petit, par leur travail assidu. Et puis il y avait le fouet stimulateur, remède suprême à toutes mes lassitudes et incompréhensions. Plus tard, je réussis même les bonds sur une ou deux mains, ainsi que le tournoiement sur une main.

Tous les jours je faisais ma sieste fourbu de fatigue et d'essoufflement. Heureusement que ma nourriture mi-hachée et mi-liquide était très substantielle, sans quoi je n'aurais pu résister à toutes ces épreuves. Grâce à ma jeunesse et ma constitution robuste, qui m'avaient aidé à résister victorieusement à toutes les opérations, je m'habituai petit à petit au travail qu'on m'imposait si sévèrement. L'assouplissement de mes membres, dû à la drogue, m'aidait beaucoup à réussir toutes les dislocations. La nuit, le derrière toujours encastré dans le trou du lit, je dormais bien tout de même. La fatigue de la journée apaisait maintenant mes désirs. Mais, au cours de mes exercices, mon excitation ne faisait que croître avec les frottements qui, nécessairement, se produisaient. Mes parties sexuelles, pendant mes trémoussements, devenaient de plus en plus irritables et sensibles ; mon vagin artificiel, surtout, enflait et s'affermissait, – au grand contentement de King-fo. Il m'arrivait d'avoir des pollutions involontaires. Le docteur, informé du fait, se contentait de sourire en me tapotant les fesses !

Dès lors, c'est avec un peu de plaisir que je pris mes leçons ; si seulement on ne m'avait pas tant fouetté. Mais les deux bourreaux-eunuques, probablement jaloux de ma virilité, pour se venger, continuaient à me martyriser de toutes façons.

Ils en eurent, du reste, encore davantage l'occasion lorsque, aux exercices acrobatiques du matin, furent ajoutées les leçons de danse de l'après-midi ; ce qui eut lieu à partir du mois d'avril. En même temps, Kin-fo résolut d'appliquer un régime spécial à mes seins qui, à son avis, avaient été trop négligés jusqu'alors. On se rappelle que, lors des opérations, il avait greffé des coussins de graisse vivante sous mes tétons. Ces coussins s'appliquaient exactement sur le rebord supérieur du corset d'acier; ils haussaient donc mes boutons de jeune homme. Mes seins, ainsi, étaient haut placés et, par un raccordement, également opératif, se rattachaient directement au grand muscle antérieur de l'épaule. Mais il paraît, tout de même, qu'ils n'avaient pas encore acquis une forme suffisamment féminine…

Un matin d'avril, Kin-fo introduisit deux jeunes Japonaises dans la salle, et me les présenta comme mes futures dresseuses au travail amoureux. Mitsou et Moutsi étaient des petites mousmées au service personnel du médecin-bourreau. Très petites de taille, – elles ne m'allaient qu'à l'épaule, – elles étaient gracieuses et avaient l'air éveillées et effrontées. Debout, devant elles, dans mon accoutrement indécent, je baissais la tête, gêné, tandis qu'elles riaient, et faisaient des remarques, entre elles, en japonais. Tout à coup je sursautai à la voix du maître : « Allons, espèce de malappris, fais le *Kotao* à ces demoiselles », cria-t-il, en m'allongeant un coup de pied sur les fesses. Et rouge de honte, je dus obéir.

Entre-temps les aides avaient fixé à des crochets du plafond un support plat, en toile, percé de deux trous. Ils m'y étendirent sur le ventre et la poitrine, en m'introduisant les seins dans les deux trous préparés. Mes jambes pendaient en arrière, à partir du bas-ventre. Pour obtenir un arrondissement suffisant des cuisses, on m'attacha les semelles l'une contre l'autre; pour faire bomber les seins, on me lia les bras sur le dos, en équerre. Ma tête pendait librement, de l'autre côté de la toile. L'une des petites dresseuses, après avoir ôté son kimono, s'assit nue sur ma nuque, face à mon derrière, et se croisa les jambes sur mon dos corseté. L'autre prit place sur un tabouret placé sous ma figure.

La surcharge, provoquée du côté de ma tête par le poids de la donzelle, eut l'effet immédiat de soulever tout mon train d'arrière presque à la hauteur de sa figure, tandis que mes seins étaient pressés avec force à travers les trous. Aussitôt la fille assise en dessous se mit à les tirer à elle de toutes ses forces, ce qui me fit gémir de douleur. Alors, sur le rythme d'un chant qu'entonnèrent les deux femmes, l'une commença, avec ses mains enduites d'une graisse spéciale, à me traire les tétons comme à une vache. L'autre, sur mon dos, de son médius ganté de caoutchouc, graissé également, poussait du même rythme dans mon fondement. Alors la voix de Kin-fo s'éleva, m'ordonnant de serrer et de desserrer mon anus selon les intonations de la mélopée. Quand je ne serrais pas assez fort, ou si je manquais la mesure, la Japonaise me cinglait les fesses et les cuisses avec la courte lanière que je connaissais si bien. La trayeuse, elle, ne se gênait pas pour me gifler. C'est, du reste, elle qui me faisait le plus souffrir. Par de savantes tractions elle m'allongeait mes tétons de plus en plus en sens oblique, vers la figure, car il s'agissait de me confectionner des nichons pointant vers en haut. A la fin de cette procédure, qui durait au moins une demi-heure, épuisé et énervé au possible, je haletais d'excitation. Et ce martyre se renouvelait toutes les après-midi!

Après, c'étaient les deux bourreaux-eunuques qui s'emparaient de mon pauvre corps dolent pour m'enseigner un nouveau tour d'acrobatie : la flexion du torse en arrière, la tête frôlant le plancher. Puis lorsque mon corps torturé eut atteint la flexibilité nécessaire, suivirent les sauts en avant et en arrière, jusqu'à en perdre haleine.

En même temps, on commença à m'enseigner les trois danses que tout *Sian-Kon* devait connaître à Hao-Dah-Toungtsé. C'étaient : la *bibasis* grecque, le *can-can* français et le fameux *piss-dance*, d'invention chinoise, en vogue dans tous les bordels pédérastes de la caverne. Pour ces danses, – la première fois depuis ma captivité, – on m'habilla ; si ce qu'on me mit peut s'appeler un habillement. On attacha à l'extrémité inférieure de mon corset métallique, au moyen d'agrafes fixées dans ces trous préparés à cet effet, une petite jupe en oripeaux de couleurs diverses, qui ne m'allait qu'à mi-cuisse. Et Kin-fo de dire, tandis que ricanaient ses aides et les Japonaises : « Regarde-toi, jeune présomptueux ! N'as-tu pas l'air d'une fille, comme ça ? Soumise s'entend ! Je veux le croire dans l'intérêt de tes intéressantes fesses ! Ce n'est d'ailleurs pas pour ménager ta pudeur qu'on t'a mis ce jupon, mais pour te rappeler constamment ta modeste condition. Il te permettra, en outre, de faire valoir tes grâces provocantes ! » Frémissant d'indignation, je me cachai le visage dans les mains, pleurant de honte et de rage sous cet accoutrement plus indécent que la nudité complète.

Qu'on se figure l'aspect tout à la fois grotesque et humiliant que j'avais : deux globes, entourés de bandelettes, sortant de la poitrine ; un corset métallique amincissant ma taille de façon outrée ; en dessous, mon sexe masculin étrangement haussé entre les cuisses avec, au milieu, son petit tube de métal brillant. Aux mains et aux pieds les bandelettes de cuir, auxquelles j'avais fini par m'habituer un peu pendant les tours d'acrobatie, mais qui, pour la danse, allaient de nouveau me faire souffrir. Mes cheveux étaient coiffés de manière à me donner l'air d'une fille de bordel. Durant ces deux derniers mois ils avaient poussé d'autant plus vigoureusement que toute pilosité de mon corps avait été irrémé-diablement détruite par l'onguent déjà mentionné, – à l'exception des brous-sailles du pubis. Ma chevelure me tombait, dénouée, presque aux épaules. Soigneusement peignée et lissée par les Japonaises, elle était nouée au sommet de la tête en un gros nœud, à partir duquel la touffe flottait en queue de cheval. Sur le front, on m'avait fait une rangée de frisons dits « à la chien », pour accen-tuer encore mon air équivoque. Mes bras, mon buste, mes cuisses, mes jambes, – tout mon corps, – étaient d'une blancheur mate, due autant au manque de lumière solaire qu'aux pommades et onguents divers dont on m'enduisait jour-nellement. J'avais donc, extérieurement, tout à fait l'aspect d'une fille, ce qui me vexait d'autant plus que mes paupières inférieures, cernées de bleu par les tortures et les fatigues journalières, renforçaient cet aspect, en me donnant l'air d'avoir eu mes règles.

C'est dans cet attifement qu'on me fit, dès lors, gigoter éperdument sous les cinglées, un tambourin à la main. Le son aigre d'une flûte chinoise donnait le rythme, que je devais marquer au moyen du tambourin ou des castagnettes. Pour accompagner mes mouvements chorégraphiques on m'enseignait aussi des chansons chinoises au texte ignoble, avec les gestes obscènes de rigueur dans les bordels de Hao-Dah-Toungtsé. Mais je ne pouvais danser longtemps sans tomber à terre, complètement hors d'haleine ; surtout dans la *bibasis*, où le danseur nu doit se frapper les fesses par derrière, avec les talons, et cela sans manquer la mesure accélérée. Le *cancan*, également, avec le lancement vertical en avant des jambes et des cuisses m'épuisait rapidement. Il n'y a que le *piss-dance* qui me donnait un peu de répit. Pour cette abominable exhibition on me faisait boire, avant la leçon, un thé spécial, activant l'urination. La danse elle-même consistait en une série de gestes obscènes, qu'on m'obligeait à faire, une tasse à la main. Sur les modulations de la flûte, et en m'accompagnant d'un chant éhonté, je devais, avec des gestes gracieux, mais canailles, soulever ma jupette et pisser à petits jets rythmiques dans le récipient, tout en montrant, par moments, mon vagin anal de façon provocante.

Les premières leçons, vu ma gêne instinctive, surtout devant les deux femmes, me valurent des raclées soignées. Mais bientôt la peur atroce que j'avais de mes bourreaux qui me mettaient les fesses à sang me fit exécuter à souhait cette chorégraphie d'un nouveau genre. Je vis que le meilleur était encore de me montrer aussi gracieux que possible car, quoique eunuques, les deux sacripants n'étaient pas insensibles aux charmes féminins. Je m'ingéniais donc à leur sourire, à leur lancer des baisers, des regards fripons ou langoureux, les yeux en coulisse. Était-ce possible ? Moi qui naguère méprisais les grâces des histrions ! Mais ceux qui déjà ont tordu leurs reins sous l'impitoyable fouet me comprendront.

Comme ces leçons avaient lieu régulièrement l'après-midi, après la manipulation de mes seins, j'y étais préparé par une très vive excitation des sens. Mais, avant tout, c'étaient les coups de lanière et de cravache qui me stimulaient le mieux. Mes cuisses, fesses et hanches ne dérougissaient et ne désenflaient pour ainsi dire plus. C'était ce que voulait Kin-fo, car pour pouvoir me placer plus tard, avantageusement, il fallait, disait-il, que j'eusse tout à fait l'aspect d'une femme à hanches proéminentes, grosses cuisses et derrière pointu, mais bien fourni.

Durant les mois d'avril et de mai, tous les jours, invariablement, je dus faire de l'acrobatie et me trémousser comme danseur. On avait, pour empêcher le glissement du corset d'acier, mis sur mes épaules des attaches, — bandes de cuir se refermant par une boucle. Mais, en réalité, ce n'eût pas été nécessaire, car ma taille était déjà si amincie que mes hanches saillantes s'opposaient au glissement de l'instrument de torture. Je sentais bien, maintenant, que mes organes intérieurs : estomac, intestins, foie et poumons, commençaient à diminuer par l'effet de mon régime et de la pression continuelle de ma cuirasse métallique. Une autre particularité me frappa. Lors de ma capture, j'étais encore en pleine croissance. Mais depuis que j'étais enfermé dans cette caverne je n'avais plus grandi d'un centimètre. Kin-fo, que je pris le courage de consulter un jour, à ce sujet, me confia que cet arrêt était dû à la drogue qu'on me faisait prendre pour mon assouplissement général. Il ajouta que je ferais bien de m'accoutumer à l'idée de ne plus grandir du tout, l'effet de la potion étant définitif et inchangeable. Que, du reste, ce n'était pas la coutume de fabriquer des *Sian-Kon* géants, et que la taille d'un mètre soixante-cinq centimètres que j'avais à mon arrivée était très suffisante.

En réfléchissant, pendant mes heures de repos, à mon affreuse position, je constatais à quel point je me trouvais à présent abâtardi et efféminé, moi, jeune homme autrefois fier, vigoureux et avancé pour son âge. Mon caractère aussi avait changé ; j'étais devenu timide, renfermé et peureux, comme un pauvre animal battu. Car tout manque de respect et tout manque d'application étaient aussitôt châtiés sévèrement par mes maîtres et maîtresses jaunes.

Ainsi que me l'avait annoncé Kin-fo, après ses opérations, mes désirs sexuels commençaient maintenant à changer de cours. Probablement à cause de mon nouveau sexe anal, – car la chose avait tout à fait l'apparence d'un véritable sexe, – j'éprouvais des sensations, et j'avais des idées étranges inconnues de moi jusqu'alors. Le vagin greffé s'était maintenant entièrement adapté à mon corps, non seulement physiquement, mais aussi psychiquement. J'avais continuellement des démangeaisons à mes parties anales, comme celles qu'on éprouve après une crise hémorroïdale aiguë ; sensations érotiques et douces qui s'accroissaient lorsque je caressais ces parties d'un frôlement léger. Bref, je commençais à avoir l'impression, confuse encore, d'être femme. A cela contribuait probablement l'amenuisement progressif de mon propre sexe qui n'avait plus, déjà, que la dimension de celui d'un garçonnet de dix ans. La cuirasse métallique, rétrécie de temps en temps, l'entourait de plus en plus étroitement. Les testicules, haut placés entre les cuisses, me semblaient moins volumineux. Kin-fo les avait-il réduits aussi, ou était-ce encore un effet de la drogue ? Mais, malgré cela, leur élévation me gênait un peu, en marchant, et j'avais dû adopter une démarche spéciale, pour ne pas les frôler. J'écartais les cuisses en soulevant mon derrière et en rentrant mon ventre ce qui, à la grande joie de mes tourmenteurs, me donnait une démarche et un dandinement féminins.

Mes facultés amoureuses n'avaient diminué en rien, et je comprenais maintenant pourquoi le docteur ne m'avait pas castré. Mon érotisme masculin se muait lentement en érotisme féminin. Les Japonaises s'y appliquaient, du reste, par toutes sortes de pratiques sur mes sens. Souvent, après mon trayage, elles s'isolaient avec moi dans la chambre où se trouvaient leurs couchettes. Sous les coups de leurs lanières, et la menace de me faire fustiger encore par les aides-bourreaux, elles m'apprirent à les caresser de toutes les façons. Elles me dressèrent et me harcelèrent si bien qu'à la fin je ne fus plus qu'un humble chien, soumis à leurs désirs les plus extravagants. Chose étrange, je prenais goût à leurs turpitudes, que je trouvais tout de même plus agréables que les mauvais traitements de mes dresseurs chinois. Ma mentalité devenait celle d'une fille de joie. Certaines particularités me faisaient, en outre, ressembler à une fillette peureuse. Par exemple, celle d'uriner de peur nerveuse ; ce qui m'arrivait parfois durant mes exercices. C'était, naturellement, un prétexte qu'exploitaient mes tortionnaires pour me tanner la peau des fesses, à tour de rôle. Alors mes cris aigus de fille et mes supplications retentissaient, accompagnés de leurs rires de brutes.

Par suite de ces ignobles fouettées, mon postérieur enflait à vue d'œil. Les cellules, gonflées par l'incessant afflux de sang, se développaient énormément. Ma croupe avait déjà la forme d'un derrière pointu, et mes cuisses prenaient des rotondités de jeune fille bien en chair. Mon ventre, par l'effet du régime nutritif, demeurait plat. Le corset était maintenant à son avant-dernier cran, je m'en apercevais bien à mon essoufflement durant le travail. Au repos, j'étais déjà tellement habitué à avoir la taille serrée que je n'en souffrais presque plus, du fait de l'adaptation de mes poumons et autres organes intérieurs. Mes seins, par suite de leur massage journalier et de leur bandage, étaient saillants. Longs d'environ six centimètres, ils s'incurvaient légèrement vers en haut, ce qui prouvait l'habileté de mes masseuses japonaises. Mes extrémités, serrées toujours plus étroitement dans leurs bandelettes, avaient diminué considérablement. Bref, ma métamorphose faisait de grands progrès, à la joie non dissimulée de mon maître.

Après trois mois d'exercices journaliers, je commençais, vers la mi-juin, à savoir passablement les tours et danses qu'on m'enseignait de façon si barbare. Kin-fo résolut alors d'ajouter à mon rude travail quotidien un nouveau dressage, d'un genre tout à fait spécial, en vue de ma future condition. Il s'agissait, mon érotisme féminin ayant fait de notables progrès, de m'inculquer les notions amoureuses que tout *Sian-Kon* doit posséder à fond, c'est-à-dire le glottisme et la pédérastie.

A cet effet, l'abominable Chinois s'était procuré un jeune porc mâle, qui fut soigneusement lavé et pansé. Puis on l'attacha, les quatre pattes écartées, et le dos sur un divan bas. Ce jour-là, on me conduisit « au mâle », comme dirent les aides-bourreaux, en riant : « Ton premier client », ajouta Kin-fo. Les mousmées, présentes aussi, semblaient se réjouir prodigieusement du spectacle en vue.

Rouge de honte, en entendant les ordres précis, mais dégoûtants, que me donnait le bourreau-chef, j'essayai timidement de faire une protestation suppliante. Mais mal m'en prit, car, immédiatement, Ling m'enserra la taille entre ses cuisses et m'administra une sévère fouettée sur les fesses et sur le vagin « pour me rendre plus amoureux », dit Kin-fo avec mépris. Le derrière cramoisi, et pleurant de douleur, je commençai alors, gauchement, à faire les caresses que m'avaient enseignées les Japonaises. Lorsque je ne m'appliquais pas suffisamment à la besogne, ou bien quand je semblais hésiter un peu, aussitôt une nouvelle cinglée me faisait crier de douleur et il me fallait recommencer, malgré la fatigue de ma langue. Tous les jours suivants, à la même heure, je dus prendre ma leçon, et bientôt je sus besogner de façon satisfaisante. En même temps, on m'enseignait les mots d'amour chinois que je balbutiais en sanglotant, le derrière en feu.

Quelque temps plus tard, Kin-fo jugea le moment venu de me faire faire un premier essai de mon sexe artificiel. Je fus étendu, cuisses bien relevées, « comme une femme amoureuse » devant le porc. On avait attaché la gueule de la bête, et ses quatre pattes étaient tenues chacune par un aide, ou une Japonaise. Je dus subir son assaut, son grouin en face de mes lèvres. Comme j'hésitais à commencer cette bestialité révoltante, des coups de cravache me cinglèrent la figure et je me résignai à obéir.

Kin-fo s'exclama alors, triomphant : « Ah, mon gaillard, je te tiens maintenant, te voilà bien devenu fille ! Une pucelle violée n'agirait pas autrement que toi ! » Je restai longtemps couché, sans force, et on dut me ranimer avec un cordial.

Après cette première séance, je fus pris d'abord d'un immense dégoût de moi-même. Mais, rapidement, cette honte pudique disparut et je finis par prendre goût à l'horrible chose.

A la fin du mois de juin, mon terrible tourmenteur me dit inopinément : « Mon petit mignon, comme te voilà devenu une parfaite amoureuse, et comme ton corps me paraît suffisamment préparé et entraîné, il nous faudra maintenant songer à ton placement. Il ne nous reste plus que quelques jours avant le 1er juillet, date à laquelle a lieu un important marché d'esclaves dans notre caverne. Je compte t'y conduire, et nous allons profiter de ces quelques jours pour parachever ton dressage afin de pouvoir te présenter dignement aux acheteurs et amateurs. »

Une dernière fois, j'essayai d'attendrir le monstre et le priai, bien humblement, de me rendre la liberté. Mais il me rit au nez et se moqua de moi, en ces termes :

« Crois-tu, nigaud, que j'aie dépensé toute cette peine, opérations, dressage et le reste sans l'espoir d'un profit pour moi ? Es-tu bête, de me demander pareille chose! Je veux, au contraire, te vendre le plus cher possible. Peut-être qu'un patron de bordel chic y mettra le prix. Mais, entre nous, je préférerais qu'un amateur riche tombât amoureux de tes charmes. Cela me rapporterait plus et toi, petit coquin, tu n'aurais pas à t'en plaindre non plus. Nous avons ici de riches mandarins et négociants qui entretiennent princièrement leurs maîtresses *Sian-Kon*, lorsqu'elles savent bien les enjôler...

GERMAIN NOUVEAU

1852-1920

Valentines

1922

Que pouvait-on exactement imprimer en 1922 ? Nous l'avons vu, l'édition de luxe, le tirage limité, même clandestin, n'avait pratiquement rien à craindre de la Cour d'assises. Il y avait évidemment la police, qui pouvait toujours perquisitionner, saisir en attendant d'éventuelles poursuites, questionner, bref causer du désagrément. Sans compter que les éditions clandestines, poursuivies ou pas, se retrouvaient parfois après saisie chez des revendeurs mystérieusement approvisionnés ; il était bien difficile, et surtout bien inutile, de protester. Mais en fait un livre à tirage limité, non illustré, pouvait contenir à peu près n'importe quoi.

Dans la librairie courante, les romans, les descriptions, pouvaient être de plus en plus « audacieux ». Jusqu'où ? Assez loin, semble-t-il. La frontière, le tabou, restait encore, et restera un certain temps, le mot « cru ».

Cela dit, ce que l'on pouvait publier est une chose, ce que l'on *voulait* publier en est une autre. Cette remarque que nous avons faite à propos d'un des problèmes de fond que pose la littérature érotique, on peut la faire à propos de la publication des *Valentines* de Nouveau chez Messein en 1922. Le tirage fut de 1 000 exemplaires environ, qui mirent de longues années à s'écouler. Le texte était établi et présenté par Ernest Delahaye.

De toute manière *Valentines*, où se trouvent quelques-uns des plus beaux poèmes amoureux de la langue française, figurerait ici. Mais voulez-vous savoir comment furent traités les textes de Germain Nouveau en 1922 ? Je laisse la parole à Jules

Mouquet, qui donna une nouvelle édition des *Valentines* chez Gallimard en 1955 :

« *L'éditeur de 1922 avait omis un certain nombre de vers. Il s'en explique dans deux lettres. La première du 8 novembre 1921 :* "Pour ce qui est des coupures à faire dans les *Valentines*, voici ce à quoi nous nous sommes arrêtés.

«"Dès le début, *Avant-propos*, nous remplaçons le mot fout par le mot met qui dans cette pièce d'ouverture et de belle tenue détonne par trop : le lecteur ainsi ne sera pas trop effrayé dès le début. A la pièce *Gâté*, nous remplaçons par une ligne de points le vers je n'en pleure ni ne m'en gausse qui étant un peu jean-fichiste ne répondait certainement pas à la pensée du poète, et supprimons à partir de C'était une enfant de Pourrières jusqu'à Tiens, qu'entends-je ? la dernière strophe de la pièce, etc. etc... A la pièce le *Baiser...* nous supprimons le dernier quatrain etc..."

« *L'éditeur de 1922 avait aussi changé quelques mots et, par suite, supprimé quelques rimes. Dans* la Fée *"et puis merde !" était devenu "et puis flûte !" ... Dans* Ignorants *"si j'ai six couilles" était devenu "si j'ai six têtes". Dans* Chanson *"leurs bougres de cons" était devenu "leurs bougres de têtes", "tes couilles", "tes jambes" Les deux derniers vers : "Aime bien ta blonde et ta brune et fais-leur... beaucoup de catins" étaient devenus "Aime bien ta blonde et ta brune, et fais-leur... beaucoup de soldats ". »

Mais c'est curieux, tout de même, n'est-ce pas, Aragon, que nous soyons si peu aujourd'hui comme hier à lire Germain Nouveau?

Le Baiser

« Tout fait l'amour. » Et moi, j'ajoute,
Lorsque tu dis : « Tout fait l'amour » :
Même le pas avec la route,
La baguette avec le tambour.

Même le doigt avec la bague,
Même la rime et la raison,
Même le vent avec la vague,
Le regard avec l'horizon.

Même le rire avec la bouche,
Même l'osier et le couteau,
Même le corps avec la couche,
Et l'enclume sous le marteau.

Même le fil avec la toile,
Même la terre avec le ver,
Le bâtiment avec l'étoile,
Et le soleil avec la mer.

Comme la fleur et comme l'arbre,
Même la cédille et le ç,
Même l'épitaphe et le marbre,
La mémoire avec le passé.

La molécule avec l'atome,
La chaleur et le mouvement,
L'un des deux avec l'autre tome,
Fût-il détruit complètement.

Un anneau même avec sa chaîne,
Quand il en serait détaché,
Tout enfin, excepté la Haine,
Et le cœur qu'Elle a débauché.

Oui, tout fait l'amour sous les ailes
De l'Amour, comme en son Palais,
Même les tours des citadelles
Avec la grêle des boulets.

Même les cordes de la harpe
Avec la phalange du doigt,
Même le bras avec l'écharpe,
Et la colonne avec le toit.

Le coup d'ongle ou le coup de griffe,
Tout, enfin tout dans l'univers,
Excepté la joue et la gifle,
Car... dans ce cas l'est à l'envers.

Et (dirait le latin honnête
Parlant des choses de Vénus)
Comme la queue avec la tête,
Comme le membre avec l'anus.

L'Agonisant

Ce doit être bon de mourir,
D'expirer, oui, de rendre l'âme,
De voir enfin les cieux s'ouvrir ;
Oui, bon de rejeter sa flamme
Hors d'un corps las qui va pourrir ;
Oui, ce doit être bon, Madame,
Ce doit être bon de mourir !

Bon, comme de faire l'amour,
L'amour avec vous, ma Mignonne,
Oui, la nuit, au lever du jour,
Avec ton âme qui rayonne,
Ton corps royal comme une cour ;
Ce doit être bon, ma Mignonne,
Oui, comme de faire l'amour ;

Bon, comme alors que bat mon cœur,
Pareil au tambour qui défile,
Un tambour qui revient vainqueur,
D'arracher le voile inutile
Que retenait ton doigt moqueur,
De t'emporter comme une ville
Sous le feu roulant de mon cœur ;

De faire s'étendre ton corps,
Dont le soupirail s'entrebâille,
Dans de délicieux efforts,
Ainsi qu'une rose défaille
Et va se fondre en parfums forts,
Et doux, comme un beau feu de paille ;

De faire s'étendre ton corps ;
De faire ton âme jouir,
Ton âme aussi belle à connaître,
Que tout ton corps à découvrir ;
De regarder par la fenêtre
De tes yeux ton amour fleurir,
Fleurir dans le fond de ton être
De faire ton âme jouir ;

D'être à deux une seule fleur,
Fleur hermaphrodite, homme et femme,
De sentir le pistil en pleur,
Sous l'étamine tout en flamme ;
Oui d'être à deux comme une fleur,
Une grande fleur qui se pâme,
Qui se pâme dans la chaleur.

Oui, bon, comme de voir tes yeux
Humides des pleurs de l'ivresse,
Quand le double jeu sérieux
Des langues que la bouche presse,
Fait se révulser jusqu'aux cieux,
Dans l'appétit de la caresse,
Les deux prunelles de tes yeux ;

De jouir des mots que ta voix
Me lance, comme des flammèches,
Qui, me brûlant comme tes doigts,
M'entrent au cœur comme des flèches,
Tandis que tu mêles ta voix,
Dans mon oreille que tu lèches,
A ton souffle chaud que je bois;

Comme de mordre tes cheveux,
Ta toison brune qui ruisselle,
Où s'étalent tes flancs nerveux,
Et d'empoigner les poils de celle
La plus secrète que je veux,
Avec les poils de ton aisselle,
Mordiller comme tes cheveux;

D'étreindre délicatement
Tes flancs nus comme pour des luttes,
D'entendre ton gémissement
Rieur comme ce chant des flûtes,
Auquel un léger grincement
Des dents se mêle par minutes;
D'étreindre délicatement,

De presser ta croupe en fureur
Sous le désir qui la cravache
Comme une jument d'empereur,
Tes seins où ma tête se cache
Dans la délicieuse horreur
Des cris que je... que je t'arrache
Du fond de ta gorge en fureur;

Ce doit être bon de mourir,
Puisque faire ce que l'on nomme
L'amour, impérieux plaisir
De la femme mêlée à l'homme,
C'est doux à l'instant de jouir,
C'est bon, dis-tu, c'est bon... oui... comme,
Comme si l'on allait mourir?

Sur le fleuve Amour

1922

« *Toute l'armée Séménoff grouillait sur les quais de Nicolaïevsk...* » *Sur le fleuve Amour* commence, et par moments se poursuit, comme quelques années plus tard les romans de celui qui n'est encore qu'un jeune pornographe et l'auteur de *Lunes en papier*, André Malraux. Malraux a certainement lu Delteil. Et comment, ambitieux comme on le décrit à cet âge, n'aurait-il pas été sensible aussi à la publicité considérable que le débutant Joseph Delteil (il n'a publié jusque-là que deux recueils de poèmes, *Le Cœur grec* et *Le Cygne androgyne*) se voit offrir par son éditeur, la Renaissance du Livre ? Tous les journaux impriment ce placard :

« *Toutes les femmes lisent* Sur le fleuve Amour *et font un inoubliable succès à l'étrange et si troublant roman de Joseph Delteil car toutes, elles reconnaissent dans Ludmilla la fascinatrice le symbole suprême de l'amour en 1922.* »

Plusieurs fois lancée à grands frais par des éditeurs différents, la fusée Delteil ne trouvera pourtant jamais son orbite.

Chapitre IX

HORTICULTURE ET SENSUALITÉ

*T*IENS ! voilà le petit télégraphiste bleu ! Il a pris de l'embonpoint, un embonpoint pâle et suspect, depuis le jour où sur le quai de Nicolaievsk Semenoff respira dans sa nuque une odeur de chair fraîche. Il porte le même costume un peu étroit mais si sentimental des télégraphistes. Sa face bouffie et blanche décèle des stigmates de tuberculose. Voici l'histoire, peut-être incomplète, qu'il nous conte (entre parenthèses, je parierais la huitième merveille du monde que ce tendre drôle a couché avec Ludmilla Androff) :

« Semenoff fut de tout temps un homme de peu de vertu. Mais après sa défaite il devint ignoble. Au cours de la traversée de Nicolaievsk à Changhaï, il parqua dans les entreponts et les cales les troupes glaciales et les soldats néo-russes, et il fit du pont de l'*Arthur-VI* un séduisant lieu d'orgie. Toujours entouré de ses Mongols, il passait son temps à boire des liqueurs anglaises, ou bien, assis dans un fauteuil devant l'Océan, à jeter de ses propres mains des petits enfants aux requins. Non dépourvu de lettres d'ailleurs, beau et imaginaire, il imprimait à toutes ses actions un incontestable cachet d'originalité. Un romancier s'éprendrait facilement de lui. La réciproque serait d'ailleurs vraie.

« Mon tour arriva d'aller jouer avec les requins (ici le télégraphiste toussa). Ce fut Ludmilla Androff qui me sauva. Elle parcourait parfois le pont d'un air triste, le front chargé de souvenirs. Elle me prit ostensiblement la main, et dit à Semenoff : il est à moi ! Je la suivis, et j'entrai à son service.

« Elle a voulu que je garde mon habit protocolaire. Je suis heureux dans sa maison. Je lui prépare les fards et je lui manipule les linges. J'achète les gâteaux de pistache, le thé et les fleurs. Voilà mon rôle. »

Il toussa encore.

Ils étaient réunis, Ludmilla, le télégraphiste bleu, Boris et Nicolas, devant le Palais d'Onyx. A Changhaï, tous les bordels s'appellent des Palais. Le Chinois a deux fortes passions : l'horticulture et la sensualité. Il cultive à Sungam des roses plus belles que celles d'Ispahan, et a des tulipes plus larges qu'en Hollande (le Collège Horticole de Fan-Tan-Gu abrite 40 000 élèves : 40 000 chinoisons délicats et tangents, qui étudient la chimie, la botanique et la science du cœur, et se lavent les mains douze fois par jour pour les rendre aptes à la manipulation des pistils). Et, à Changhaï, il y a des bordels solennels et chics, bâtis par des architectes suaves oints de myrrhe et d'imagination. Ce sont des constructions modernes – acier, verre, stuc, dissolution de dorure – de style à peu près comparable à celui des monuments occidentaux consacrés à l'exposition de la peinture et de la gloire : Petit Palais ou Panthéon. Changhaï en somme a poussé jusqu'au grandiose le perfectionnement des curiosités et des indécences qui sont en miniature l'apanage des maisons spéciales de Paris et de Moscou. L'érotisme est devenu un art. Un Européen en voyage qui commettrait de visiter un des grands bordels de Changhaï commettrait envers la Chine une offense aussi grave que celle d'un Yankee qui oublierait de remonter les Champs-Élysées à Paris. Ce manque de tact, point ne l'aurai-je. Et j'emmène, incontinent, mes personnages au Palais d'Onyx.

On gravissait douze marches en onyx peintes des douze mois et on entrait dans une antichambre jaune éclairée par des rosaces à vitraux impudiques.

Le gérant s'empressa. C'était un homme bouffi et savant, débordant de carnation et de politesse, les mains élégantes, l'air mondain, mi-académicien, mi-évêque. Des gestes de la plus pure distinction sortaient sans cesse hors de ses grandes manches insolites. Il bénissait les clients avec un sourire de trois mille ans. Homme de goût, habit sobre, épaules souples, œil nuancé. Il mit à la disposition des visiteurs un cicerone tendre, nourri de riz.

On avança. Dans une petite salle ronde, pareille à un œil, se tenait le modeleur de cires. Il pétrissait languissamment les cires blanches, rouges, crèmes, vertes, indigo. Et de ses doigts ingénieux sortaient des figurines malsaines mais esthétiques. Les unes représentaient des femmes à lourdes hanches accouplées avec des étalons qui les chevauchaient par-derrière. D'autres des chèvres saillies par de maigres Annamites surchargés d'impostures. Il y avait des courtisanes aux seins terminés par des phallus en érection ; des filles de bonzes ensevelissant dans une mare de plaisir leurs ventres pleins de dieux ; des Japonaises accroupies en de légendaires fonctions...

Le modeleur, assis sur un tabouret de bois rose, vanta ses statuettes physiques en remuant sa barbiche de bouc. Et, parfois, de son ongle noir taillé en biseau, il redressait une posture en défaillance, ou polissait un épiderme de gros grains.

Le télégraphiste bleu toussa encore. C'était peut-être par pudeur. Ses joues devinrent luisantes et vernies. Ludmilla se pencha sur lui d'un air grave, et lui caressa la poitrine corrompue. L'aimait-elle encore, et de pitié ou d'amour ? ...

Elle marchait à côté de Boris. Nicolas suivait, seul. Parfois, elle se retournait et lui composait un sourire.

Ils arrivèrent dans une salle carrée à étroites fenêtres ogivales, munies de vitres noires et violettes. Il y dormait une obscurité vaguement sacrée, une obscurité d'améthyste. Dans des pots de grès emplis de suif de mouton flambaient rougeâtrement des mèches fumeuses qui projetaient sur les murs vides des clartés délétères. Quatre malingres torches d'encens brûlaient sans force dans les quatre coins.

Adossés aux murs, on voyait des lits bas en laque fade, garnis de draps de soie jaune à cigognes noires. Sur chacun de ces lits était étendu sur le dos un nègre de l'Afrique Équatoriale, beau et nu. Les muscles pectoraux se gonflaient au rythme de la respiration en forme de rotondes. Le ventre, d'un noir rose, conservait une molle immobilité. Les mains lourdes et les pieds parfaits étaient liés aux quatre angles du lit par d'infinies cordelettes de soie.

Debout devant chaque lit se tenait un Céleste très jaune en robe d'or, épilé et castré, un martinet de cuir dans les mains.

Sur un signe du cicerone, les petits bourreaux d'or flagellèrent en mesure les purs nègres. Un enfant nu allait de l'un à l'autre, leur piquant les poignets et leur injectant une liqueur de pavots. On voyait, sous la calme flagellation, les mâles magnifiques, zébrés de lignes livides, entrer déjà en érection. Peu à peu, leurs membres virils, très perpendiculaires, grandissaient au-delà des proportions de l'humanité. Et Ludmilla, les yeux mi-clos, voyait en imagination des femmes de Londres et de Sarragosse, ivres du spectacle, chanceler en d'étranges pâmoisons, et se jeter à pleins ventres sur les nègres monstrueux...

Le cicerone expliquait négligemment les mérites de la flagellation considérée comme l'un des Beaux-Arts et les variantes des rapports existant entre la souffrance et la volupté dans les quatre races. C'était un petit homme chagrin et rebondi, très orné, nourri de lait et de riz, qui lui faisaient un sang blanc et une chair blême. L'âme débonnaire et le pas timide, il parlait avec une suave onction.

Son visage réussissait à la perfection cette contraction des traits propre à la race jaune, et qui ressemble à une harmonieuse grimace. Il avait à la main une courte baguette de bambou à l'aide de laquelle il accomplissait ses fonctions. Il n'avait pas de natte, et, accoutré dans un mince complet de flanelle blonde coupé à l'intention des garçonnets de Glasgow, il donnait assez l'impression d'une abeille qu'un canonnier hilare utiliserait comme obus dans une batterie de 105.

On arriva dans la salle des Bougies. C'était une longue pièce rectangulaire à deux rangs de hautes fenêtres égales. L'odeur de la cire fit tousser davantage le petit télégraphiste bleu. Boris éprouva le besoin d'allumer un massif cigare de Manille orné d'inscriptions et de bagues. Ludmilla s'arrêta.

La salle était éclairée tout entière aux bougies. Des statues d'ambre apposées contre les angles en portaient des pleines mains. Elles pendaient en grappes aux dossiers des fauteuils et aux cadres des glaces. Un candélabre central en soutenait trois cents. Les armoires ouvertes en étaient pleines comme des ventres. Il y en avait sur des consoles de marbre en forme de cœurs ou de seins, sur de hauts trépieds de bronze de la dynastie des Ming, sur des tables de bois, de jaspe, de carton, d'onyx, de cuir, de bambou et d'aluminium. Et, au milieu, plantés dans les anus et dans les vulves des quatre femmes nues à la renverse, huit sonores cierges verts brûlaient solennellement...

A ce moment, Ludmilla laissa Boris, et prit le bras de Nicolas. Peut-être fut-ce inconsciemment; ou par contenance, parce que le spectacle la troublait; ou par une subtile attirance, en un instant exaltant, vers un cœur plus fragile. Mais Boris, resté seul en arrière, voulut y voir une désignation, un choix. Depuis leur désertion, ni lui ni Nicolas n'avaient envisagé cette échéance : l'instant où Ludmilla choisirait. Les habitudes de vie commune, peut-être illicite, qui leur étaient chères, la communauté de femme où ils s'étaient complu, les avaient éloignés de ce souci. Avaient-ils cru n'éprouver pour Ludmilla qu'un double désir physique rassasiable par portions égales? Le souvenir anormal d'Héléna compliqua-t-il leur psychologie? Et ne savaient-ils donc pas que si la chair admet le partage, l'amour le conteste formellement, qui est comme la République Française un et indivisible?...

Ils entrèrent dans la salle de l'Eau. Une grande piscine régnait. Autour courait une sorte de balcon protégé par une rampe de bambou. Des outres de peau de chat et des vessies de porc flottaient sur l'eau verte. D'autres étaient suspendues à des traverses nickelées franchissant la piscine en arc de pont.

Ludmilla, épuisée d'excitation, désira pour sa peau brûlante l'eau plus verte et plus métallique que les yeux des lézards. Elle se dévêtit brutalement et entra toute nue dans la piscine. Elle nageait à grands coups. Elle saisissait les vessies à pleines mains, les vessies pareilles à des hanches d'homme. Il y en avait en grand nombre, à la disposition des apprentis nageurs. Ludmilla en formait des ceintures de ballons roses ou pâles qu'elle se nouait autour du ventre comme des frissons charnels. Et elle-même semblait une vessie-mère entourée de ses enfants.

Boris et Nicolas se déshabillèrent et entrèrent aussi dans l'eau. Les caleçons de soie cramoisie du cicerone écorchaient leurs cuisses sanglantes. Le télégraphiste pulmonique, appuyé à la fragile rampe de bambou, regardait douloureusement.

Boris et Nicolas jouaient autour de Ludmilla comme deux jeunes phoques. Elle leur jetait des outres au visage en riant avec abondance. Ses yeux que l'eau bleuissait encore luisaient avec des teintes électriques. Puis, tout à coup, elle s'abandonnait mi-pâmée, toute pâlissante. Alors elle s'approchait de Nicolas et lui tendait ostensiblement ses lèvres.

Boris, mordu par la jalousie, s'éloigna dans un coin, et se mit à causer avec le télégraphiste. Des hauts vasistas tombaient des clartés incolores qui se dissolvaient dans l'eau ou s'emmagasinaient dans les outres livides et roses. Le cicerone de riz mettait en mouvement une robinetterie compliquée qui grinçait avec un bruit d'huile et de cuivre jaune. L'eau bouillonnait, comme si le corps brûlant de Ludmilla l'eût mise en ébullition.

Puis, tout rentrait dans le calme. Ludmilla s'alanguissait dans les bras de Nicolas, qui, pressant ce corps nu sur sa poitrine nue, lui murmurait des paroles peu opportunes mais pleines de sens. Décor insolite pour une scène d'aveux. Les ombres des héroïnes classiques se voilent quelque part la face. Tous les romanciers mondains salivent de dégoût. Toutes les vessies regardent avec des clignements d'yeux minuscules et cochons. Le télégraphiste tousse, et, peut-être à cause du tremblement de l'eau, son reflet incolore grelotte dans la piscine. Boris se cure superbement les ongles.

Ludmilla parlait en ces termes :

– Je suis née aux bords de l'Amour. Désormais c'est là seulement que je pourrai, que je saurai aimer. Mon cœur aspire à retourner sur les rives du Fleuve, qui le lavera et le rénovera. Ma vie est plus triste qu'une vie d'outre. Emmenez-moi, emmenez-moi sur le Fleuve Amour !

SYLVAIN BONMARIAGE

1886-1966

La Femme crucifiée

1922

« *Le symbole suprême de l'amour en 1922* », à quoi est-ce que ça pourrait bien ressembler ? Ils sont beaucoup d'auteurs à se le demander, semble-t-il, et à tenter des explorations vers l'un ou l'autre sexe, ou encore ce qu'on appelle alors « le troisième sexe». Sylvain Bonmariage, ami de Willy, ex-ami de Colette [1], étudie le quatrième aux Éditions du Monde Nouveau.

1. Sur laquelle il publiera un livre assez atroce en 1954, *Willy, Colette et moi*. (Colette venait de mourir.)

JE VENAIS D'AVOIR quinze ans, j'étais encore au couvent. Dans la salle d'étude, ma voisine de droite se nommait Yvonne. C'était une grande blonde au teint frais, aux belles chairs, qui, avec ses yeux bleus et la couronne formée par la natte de ses cheveux d'or arrondie sur son front, avait l'air le plus chaste et le plus inspiré. Immédiatement à ma gauche se trouvait une toute jeune fille, d'origine italienne, qui s'appelait Sylvie. C'était un petit être nerveux et remuant, vif, malicieux, extrêmement brun, avec des yeux dorés. Je me souviens de ce que le fin duvet qui recouvrait ses joues donnait à sa physionomie un caractère imprévu d'étrange beauté.

Un jour, j'étais en pleine étude, le front dans la main, le corps penché sur mon pupitre lorsque je remarquai chez Yvonne des mouvements qui me parurent extraordinaires. Elle s'agitait singulièrement sur son siège, depuis quelques minutes. Sa gorge se soulevait et s'abaissait, son visage était rouge jusqu'à la racine des cheveux. La respiration était haletante, et, avec une persistance singulière, elle tenait les yeux fixés à terre entre ses deux pieds.

Ce qui me surprit le plus, c'est que la plupart de nos compagnes semblaient s'apercevoir de l'émotion d'Yvonne et qu'aucune, cependant, ne faisait quoi que ce fût qui pût attirer l'attention sur elle... Fatiguée, je laissai tomber mon mouchoir pour le ramasser... et pour regarder ce qui se passait. Ce que je vis alors me causa une telle stupeur que je me mis moi-même à trembler, bien que, tant à cause de l'obscurité régnant sous les tables de travail que de mon trouble, il me fût d'abord impossible d'y rien comprendre.

J'aperçus Sylvie, encore plus nerveuse que « la Muse », assise à terre, entre les jambes de celle-ci. Je ne sais quel précoce instinct de femme me fit deviner ce que toutes deux faisaient.

La surveillante, les yeux au plafond, égrenait son rosaire.

Je n'eus pas le temps de dominer mon émotion. Tous mes sens s'éveillèrent comme par magie sous l'empire de je ne sais quelle contagion malsaine.

Pendant ce temps, Yvonne avait repoussé Sylvie qui regagna sa place en rampant.

Je passai une nuit orageuse, toute d'insomnie et de cauchemars.

J'avais vite pu comprendre que je ne fus pas la seule, la veille, à assister à cette scène de débauche enfantine, dont le spectacle m'avait à ce point remuée. Au réveil, plusieurs de nos compagnes repoussèrent Sylvie en riant : « Petite sale, petite vicieuse ! », lui disaient-elles. Mais il me parut y avoir, dans cette exclamation, plus de jalousie que de réprimande. Sylvie haussait les épaules et tirait la langue. La moitié du couvent avait passé par ses mains corruptrices.

Le soir même, à l'étude, posant la plume avec laquelle elle écrivait auprès de moi, Sylvie me prit doucement par la taille, et se penchant à mon oreille, m'offrit de me prodiguer ses caresses. A ces seuls mots, tout mon sang se glaça. J'hésitai, je tremblai, je pleurai presque. Il me sembla, soudain, que j'espérais, malgré moi, depuis la veille, pareille proposition. La voix de ma compagne était douce. Ses gestes étaient ailés. Malgré la peur instinctive, la curiosité me poussait. Tout à coup, je n'hésitai plus. La première leçon de volupté que j'avais reçue avait développé en moi des appétits.

Déjà Sylvie, avec la grâce prestigieuse d'une fouine, s'était enfoncée sous la table. Je voulus résister, mais en vain. Elle me maîtrisa. Je me sentis perdue… Toutes mes compagnes me regardaient…

C'est ainsi que le vice me prit la fleur de mon innocence et que le tranquille tempérament que j'avais reçu de la nature en venant au monde me révéla, pour la première fois, les mystères de ma condition de femme. Du coup, toutes les passions s'éveillèrent en moi. Une telle intimité m'unit à Sylvie qu'il fut désormais impossible de me séparer d'elle. Je succombai souvent encore, moitié par paresse, moitié par inclination. Le couvent des Oiseaux, situé dans les jardins d'Auteuil, offrait un cadre merveilleusement choisi pour l'éclosion des passions malsaines ; le vice y existait et s'y prélassait comme dans son royaume. Tout au fond du jardin, sur une butte formée de rochers artificiels, on avait installé un chemin de croix surmonté d'un calvaire. En arrière, sur des bancs, par les beaux soirs d'été, les élèves pouvaient, en toute sécurité, se livrer à leurs funestes habitudes.

[…]

A dix-sept ans, je ne pouvais regarder une femme sans me l'imaginer dans sa nudité. J'aimais encore Sylvie plus que tout au monde, mais nous ne nous

LA FEMME CRUCIFIÉE

voyions que rarement et ma curiosité vagabondait un peu partout où ma chair impérieuse lui ordonnait de le faire.

Ma mère avait à cette époque une femme de chambre anglaise, fort mignonne et qu'elle avait mise à mon service. Depuis longtemps, je la regardais, tantôt avec langueur, tantôt avec des sourires pleins de malice. Un après-midi que j'étais étendue et que je lisais un livre sans grand intérêt, elle pénétra dans ma chambre sous un prétexte quelconque. Je l'attirai doucement à moi, mue par l'un de ces invincibles désirs qui ne naissent qu'au cours du désœuvrement. Mais je fus surprise de la trouver particulièrement experte, et, si notre duo fut plein de fougue, il n'eut rien d'une initiation. Le baiser de Maggy pénétra jusqu'au tréfond de mon être, et notre étreinte se prolongea dans un long délice.

Mon corps, éperdument livré au feu de ses lèvres et de ses doigts, sombrait dans un abîme de caresses sans fin, et, lorsque les derniers accords de cette symphonie sexuelle se furent envolés, lorsque les dernières notes de cette musique nouvelle se furent évanouies dans le silence, la soubrette se détacha de moi, lestement, et me laissa au repos, lasse mais non rassasiée. Ce nouveau voyage dans le pays de l'amour me permit d'y découvrir des horizons inconnus. Ce n'était plus un ciel pastellisé qui se détachait sur la verdure fleurie des campagnes, c'était la voûte ardente du firmament se réfléchissant tout entière dans l'azur phosphorescent d'une mer profonde aux flots mystérieux.

Je compris que tout ce que m'avait enseigné ma Sylvie bien-aimée n'était que jeux de petits enfants. Je devins jalouse de cette supériorité d'initiatrice par laquelle elle dominait mes sens et conçus le désir violent de la jeter à mon tour dans le gouffre délicieux des voluptés qui lui étaient encore étrangères. Un jour, l'occasion s'en offrit. C'était par l'un de ces dimanches d'octobre, tout saturé de l'odeur des premières pourritures de l'automne. Les traînées du parfum de l'humus mêlées à celui des feuilles mortes ont toujours excité en moi les sensualités les plus intenses. Ma chambre était remplie de la triste pénombre des crépuscules d'automne. J'attirai doucement ma petite amie dans mes bras. Je parcourus pour la millième fois le dédale infini des beautés garçonnières de son corps de brunette. Sa poitrine évoquait celle d'un jeune berger. Ses jambes nerveuses et très discrètement velues exerçaient sur mes sens une attraction bizarre.

Je les caressais avec une douceur extrême, lorsque j'entendis, derrière la porte fermée, le pas de Maggy, qui, sans doute, pour son service, passait par là. Il n'en fallut pas davantage pour que le désir subit me prît de livrer Sylvie aux caresses de la soubrette. Je me levai, fis signe à Maggy d'entrer. Elle sourit, comprenant ce que je voulais, et, tandis que ma main gauche tenait dans sa paume la frondaison humide qui recouvrait le sexe de Sylvie, la droite troussa Maggy, lui prodiguant les mêmes caresses.

Je les avais toutes les deux devant moi, dociles et tremblantes. Leurs sens, leurs êtres jumeaux, étaient suspendus à mes doigts inlassables. Le plaisir leur vint en même temps, et je me sentis tellement grisée par leurs voluptés égales qu'il me surprit moi-même, sans que je n'eusse fait pour cela autre chose que regarder la double satisfaction de mes petites amies. Successivement, Sylvie et moi, nous nous abandonnâmes ensuite aux baisers de Maggy, tandis que nos lèvres et nos mains nous révélaient l'une à l'autre la volupté dont se gonflaient nos seins et dont nos âmes étaient ivres.

....

Tout cela, je ne l'ai pas murmuré à Jessamonde mais je l'ai pensé, et mes regards le lui ont dit dans leur langue muette et pénétrante. Je suis toujours assise à ses pieds sur des coussins. Les jolies jambes, dans de beaux bas de soie mordorés, je les admire à loisir, car elles aiment le feu, et les jupes relevées les découvrent un peu plus encore que la mode ne le permet. Je les ai prises dans la paume de mes mains, je les caresse lentement, voluptueusement, comme on caresserait un jeune chien, et je lis dans ses yeux que mon geste indéfini est bien loin de lui déplaire. Enfin, je me rapproche d'elle, je pose mon front un long instant sur la tiédeur de ses genoux. Mes mains subtiles s'insinuent des bas soyeux jusqu'à la nudité des cuisses fraîches... Un long frisson secoue la jeune femme, elle s'affaisse davantage dans sa bergère, ses jambes s'avancent et s'écartent. Mon baiser peut enfin pénétrer au plus profond, plus intime d'elle-même. Il se prolonge une minute environ. Soudain, ses dents crissent deux ou trois fois, une longue secousse nerveuse l'agite... elle lève vers le plafond d'horribles yeux blancs sans regards.

Je la calme de quelques caresses et d'un verre de Frontignan. « Oh! ma chérie! me dit-elle, comme je vous aime... » Elle m'enlace de ses jolis bras, me met un long baiser sur les lèvres, me supplie de venir la voir dès demain.

Plus je la regarde, plus j'ai la conviction de ne rien lui avoir appris du tout.

CHARLES ÉTIENNE

Notre-Dame de Lesbos

1 9 2 2

C'est à la Librairie des Lettres que Charles Étienne, lui, « *flagelle avec une vigueur remarquable les vices de la Sodome* *moderne* », dans un roman au titre à première vue inadapté.

SUR LES MARCHES de l'escalier, qui après tout un dédale de couloirs conduisait du vestiaire à la grande salle du Bal, Julien Carel, au milieu d'un flot de gens, s'était arrêté. La chaleur était suffocante et, quoiqu'ayant conservé son masque, il avait rejeté sur ses épaules le capuchon de son domino. Près de lui, dans un impeccable smoking, fringant, fleuri et pomponné, Lucien Grégeois se tenait le visage découvert. Et comme son compagnon lui en faisait la remarque :

– Mais je ne crains rien, moi, cher Monsieur. D'ailleurs, – et il montrait un loup de velours noir qu'il tenait entre les doigts, – si je voulais éviter quelqu'un, crac ! en une seconde je disparaîtrais sous mon masque. N'entrons pas encore dans la grande salle ; restons ici, si vous le voulez bien. Nous sommes à merveille pour guetter les arrivants. Onze heures, c'est le bon moment. Les créatures de marque ne sauraient tarder. Ces dames fignolent leur entrée. Nous ne regretterons pas cette petite station. Voyez plutôt. Voilà une mignonne qui arrive.

Sanglé dans une robe de brocart jaune, le chef voilé d'une perruque rousse sur laquelle s'érigeait, tumultueuse, une aigrette de strass, la poitrine décolletée, le dos nu jusqu'à la ceinture, révélant une académie de lutteur, un homme au visage couvert d'un masque à barbes de dentelles gravissait l'escalier en tortillant la croupe et en relevant, avec des gestes minutieux, la longue traîne de sa jupe. Un murmure le suivait au passage ; des lazzis éclataient ; des petits cris étouffés et des gloussements de rire fusaient d'un groupe.

Arrivé à la hauteur de Grégeois, le singulier travesti fut obligé de faire halte dans son ascension. L'escalier était encombré. Lucien, se penchant vers Carel, lui souffla :

– C'est une célébrité de l'endroit : *La Didine.*

L'homme avait entendu. Sous le masque, ses yeux étincelèrent. Une voix grêle et perçante, qui surprenait dans une aussi plantureuse nature, strida, railleuse et pointue :

— ... Voui, ma chère, c'est elle-même! Au service de ton amant, tu sais, la gouine?

Et touchant Julien du bout de son éventail, *La Didine* ajoutait :

— Il est bien... Dieu de Dieu, nous savons toutes que *La Grégeoise* est fille de goût!

Brusquement, *elle* ouvrait son éventail, en faisant battre les branches avec affectation.

Sous l'apostrophe, le petit Grégeois restait décontenancé, regardant Julien qui grommelait, furieux :

— Si vous m'aviez averti d'une aussi fâcheuse popularité, je ne serais pas venu me fourrer dans une telle galère! Mettez votre masque, mon cher, ou je vous quitte!

Penaud, Grégeois s'exécutait.

La cohue se faisait de plus en plus dense. Une nourrice, une mariée et une Belle Otéro soulevaient des rumeurs. C'étaient trois grands gaillards, soigneusement rasés et fardés comme des filles publiques. Sous une avalanche de sarcasmes et de quolibets, la mariée grimpait l'escalier; des mains fourrageaient les seins en baudruche de la nourrice; rutilante de pierreries et exhibant une paire de vigoureux mollets, l'Otéro protestait en glapissant d'une voix de fausset contre les pinçons qu'elle recueillait complaisamment au passage. Quant à la Didine, parvenue au faîte de l'escalier, elle s'était engouffrée dans la salle de Bal.

Très gêné de l'incident dont il avait été l'objet, Grégeois toucha légèrement le bras de son compagnon dont la mauvaise humeur était manifeste.

— Je ne sais pas qui est la mariée, mais la belle Otéro, c'est Jacques Antel, l'antiquaire de la rue de Provence. Les bijoux qu'il promène sont loin d'être en toc. Il fait prendre l'air à sa joaillerie. Voyez vitrine!

Et le jeune homme s'efforçait de reprendre toute l'assurance de son habituelle gouaillerie.

— Quant à la nourrice, c'est Tarjel, le chanteur populaire de l'Eldorado. Vous ne l'avez pas reconnu? La danseuse à tutu rose qui arrive, là, tenez, celle qui ôte au vestiaire un manteau cramoisi, c'est Aurélien Gerbeuilles, l'éventailliste.

— Pas possible! Et cette petite communiante si cocasse, qui est-ce?

La bouderie de Julien s'évanouissait. Il prenait son parti de la situation; le mieux était d'en rire au lieu de maugréer. Le jeune Lucien faisait de sa personne l'usage que bon lui semblait, il fréquentait qui il voulait, cela ne le regardait pas et, du moment où ce Mentor d'un nouveau genre ne courait plus, une fois masqué, le risque d'être reconnu, il préférait profiter de ses indications croustilleuses.

La communiante obtenait un triomphe. Elle avait courageusement sacrifié à la laideur, à la hideur même. Juchée sur d'invraisemblables ripatons, avec une bouche fendue en tirelire, un nez de trognonnant poivrot et des pommettes outrageusement vermillonnées, elle était, sous une perruque filasse couronnée de petits oignons, la plus exhilarantes des vierges-monstres.

On acclamait cette ingénue de cauchemar. Les gardes municipaux, d'ordinaire impassibles, ne pouvaient réprimer leur hilarité. Grégeois, se sentant revenu en grâce, continuait son énumération.

Celui-ci, en seigneur Louis XIII, était le secrétaire de Villardot, le critique de la *Dernière Heure*. Celui-là, poudré à frimas, était André Fossard, ex-plongeur, promu depuis vingt ans par un caprice alcoolique de Flavius Sirot, le richissime homme de lettres, au grade d'entretenu sérieux. Flavius Sirot, en personne, suivait son « inséparable », grotesque et touchant, en berger Watteau zinzolin, avec sa bonne gueule de chien fidèle, son nez en trompette et ses babines poissées d'absinthe...

Ces trois-là – et Grégeois désignait un Mascarille bleu et or, un Romain de la Décadence à toge soufre et un clown de soie citron, – un peintre, un sculpteur et un architecte, trois associés, trois amis : *La Fontanges, la Sévigné* et *la Montespan*.

– Qu'est-ce que vous me chantez là ?

– Ces messieurs se donnent entre eux les surnoms les plus hypothétiques, les titres les plus abracadabrants et surtout les plus féminins. Tenez, ce hussard vert, c'est *La Duchesse de Bouillon*; ce dandy Louis-Philippe, c'est *L'Infante Eudoxie*; ce lutteur aux redoutables pectoraux, c'est *La Bille-en-quatre*; ce moujik, c'est *La Chauve-Souris Mauve*; ce ramoneur de soie noire aux épaules si hardiment nues, c'est *La Ténébreuse*. Voici *La Puce, La Brioche, La Fréda, L'Anglaise, Maria-la-Folle, La Muse, La Théière, La Louve, Sapho, Fernande de Roubaix, La Miska, Nana, La Derval, La Mélie, La Réséda, La Chat-Mouillé* et *Le Petit-Piano*; *La Tout-en-Chat, La Princesse des Marais, Marguerite de Bourgogne* et *La Duchesse d'Abranthès*.

– Non ?

– Si. C'est le grand arrivage, la dernière marée. Là-bas, au fond, en blanc, avec un plumet de marabout, admirez, je vous prie, *L'Archiduchesse Marie-Thérèse*. Derrière elle, cet Assyrien barbu, c'est *La Révérende Mère Armandine*.

– Et cette danseuse hindoue qui bavarde avec cette petite Claudine au nez futé ? On jurerait cependant deux femmes !

– C'est *La Marquise de Monaco* et *Victorine*. Ce petit marin bleu de ciel, c'est *La Sidnett*; ce zouave, c'est *La Tour Eiffel*; cette Fatma se surnomme *La Syracuse*; ce page *Emilienne de Bléré*. Cet abbé de cour, cette bouquetière et ce diable rose : *Branche-de-Lilas, La Croquignole* et *La Vasyvite*.

– C'est inouï, s'effarait Julien. Inouï, en vérité... Avant de pénétrer dans la fournaise, dites-moi, je vous prie, les sobriquets de cette bayadère et de ce pacha.

– *La Chatte-Merveilleuse* et *La Beaupréau*.

– Assez! N'en jetez plus.

– Examinez encore ceux qui arrivent. Reconnaissez-vous ce cardinal et ce bébé-jumeau?

– Comment voulez-vous? Mais... c'est Lavieuville!

– Lui-même, vous l'avez dit. Adolphe Lavieuville, votre spirituel confrère du *Celte*, Lavieuville, le délicieux poète. Savez-vous qui est avec lui? Claude Valan.

– Et quel guilledou! – en un pareil équipage! Il est à fesser, tout bonnement.

Adolphe Lavieuville était, en effet, travesti en bébé-jumeau.

A cinquante-sept ans, avec son crâne chauve, sa moustache grisonnante, son ventre rondouillard et les mille rides de son groin, l'auteur applaudi de *Ronsard* et de *La Mort du Titan*, le poète des *Rimes Athéniennes*, agitait, comme une petite folle, un hochet d'enfant gâteux.

Quant à Claude Valan, portant cagoule et drapé dans les plis rouges d'une robe de cardinal de l'Inquisition, il était méconnaissable.

– Entrons maintenant, insistait Grégeois qui, sentant soudain les yeux du tragédien fixés sur lui, semblait mal à l'aise.

Dans l'immense salle, au milieu de laquelle s'élevait la corbeille d'où les musiciens juchés déversaient un fracas assourdissant de cuivres, des couples s'écrasaient, passant et repassant avec des hurlements et des gambades.

Une odeur d'âcre poussière, de linge sale, de sueur humaine et de parfums rances prenait à la gorge. Toute une foule bariolée grouillait là aux sons des polkas et des valses. Beaucoup de femmes, midinettes ou domestiques, en corsage clair, un simple ruban au cou, s'en donnaient à cœur joie, aux bras des calicots et des larbins.

De l'avenue des Ternes au Parc Monceau, de la Muette à l'Étoile, toute la valetaille des arrondissements voisins était accourue à « Wagram ». C'était un peu le bal des gens de maison, mais les escarpes et leurs gonzesses étaient venus, eux aussi, du Point-du-Jour et de la Villette, en quête d'aubaine... Brochant sur la foule des dominos pisseux, des lamentables oripeaux de location, pierrots grisâtres, arlequins fripés, seigneurs « Louis XV » de percaline, mandarins de satinette et clowns de cotonnade, tristes figures de chienlit, ces *Messieurs-Dames* seuls donnaient une note d'élégance et de luxe.

Imperturbables, malgré les injures graveleuses des gigolettes, pâmées au cou de leurs hommes, la plupart dansaient entre eux. La mariée valsait avec un gaucho des pampas; la nourrice Tarjel s'alanguissait sur l'épaule d'un marlou; le *Zouave Tour-Eiffel* et *La Puce*; la *Muse* et la *Théière* tortillaient éperdument des hanches : le ramoneur *La Ténébreuse* enlaçait le dandy Louis-Philippe *Princesse Eudoxie*, et le petit marin *Sidnett* s'était accroché au hussard vert *Princesse de Bouillon*. Toutes ces figures frénétiques, démoniaques et fardées, tournoyaient en secouant au bruit des cuivres les grelots de leurs ricanements, les hoquets de leur joie, de leur stupre, de leur infâme et débordante ivresse...

Étroitement serrés, les yeux dans les yeux, jambes contre jambes, avec une audace visant à l'effet, maints couples du même sexe – du troisième ! – valsaient, attentifs à la grâce du rythme et à la cadence de la mesure, s'abandonnant au plaisir équivoque de danser entre hommes, publiquement... Frôlant Julien, l'Otéro de la rue de Provence lui saisit le bras en passant. C'était un appel. Avec un sursaut de dégoût, le filleul de Fanny se dégageait brusquement.

Jamais la laideur des mâles, atrocement soulignée par les oripeaux féminins, ne lui avait paru plus odieuse.

– Un homme en femme, s'il n'est pas grotesque, ne peut être que hideux, déclara-t-il soudain à Grégeois... Tous ces affublés du raccrochez-moi-ça m'écœurent, littéralement. Je vous jure que ce serait pour moi une satisfaction sans égale que de gifler la gueule à l'un d'entre eux.

De chaque côté du pourtour, des tables avaient été dressées. Il y avait le coin « chic » et le coin « peuple ». En face de Carel et de son compagnon était le clan des gens de la haute : femmes empanachées, dominos de soie, fracs, monocles, perles. Altérés, l'artiste et le romancier gagnaient une petite table parmi tant d'autres, encombrées de canettes, de bocks, de siphons. Désireux de bien voir et d'éviter la bousculade, des curieux étaient venus échouer là entre les larbins, les mouchards, les calicots et les protecteurs de ces dames, de ces messieurs aussi.

La fraîcheur glacée d'un verre de bière parut délicieuse à Julien. D'un trait, il avala le liquide en épongeant son front moite de sueur.

Silencieusement, Lucien buvotait sa limonade.

– Mon cher, continua Julien, tout ici m'indigne et me dégoûte. Restez, si bon vous semble. Quant à moi, dans cinq minutes, je file. Cette atmosphère de cauchemar et de vice m'est, je vous l'assure, infiniment pénible. Je ne comprends pas la parodie dans ces conditions. Non, mais examinez un peu ces hures : pas un de jeune, pas un de propre, de frais, pas un de beau ! ... Ces têtes de déments qui ricanent, coquettent et caquètent, tourbillonnent et s'enchevêtrent, c'est le rendez-vous de toutes les tares et de toutes les hystéries. C'est un Sabbat digne d'avoir pour décor l'amphithéâtre de l'Hôpital Saint-Louis. Ce sont des cadavres en pourriture ressuscités un soir de funèbre carnaval. Vous avez dit tout à l'heure : c'est *La Ceci*, c'est *La Cela*, en collant une étiquette sur chaque face plâtrée. Je vous réponds : admirez le cortège des Chancres, le défilé de la Tuberculose, l'entrée de ballet donnée par la Chlorose et la Folie, et la danse de l'Epilepsie couronnant le triomphe de la Cristalline épousée par la Syphilis !

– *Ah ! Syphilis... on désespère. Alors qu'on espère toujours !* répondait Grégeois, qui se souvenait d'avoir « travaillé » le sonnet d'Oronte au Conservatoire. Vous êtes tout de même injuste, mon cher. Je vous accorde qu'il y a, ici, des laideurs peu ordinaires. *Remettez-vous, Monsieur, d'une alarme aussi chaude* et rafraîchissez-vous la rétine sur le gibier de luxe qui s'installe devant nous, dans le coin « chic ». Nous avons là quelques femmes du grand monde venues avec leurs maris – ou leurs amants – et aussi toutes les gloires chevronnées du demi-monde. Regardez si Liane de Parme resplendit sous ses cheveux d'or pâle, si Rose Desbois flambe d'orgueil dans ses zibelines et si Suzanne Granval triomphe dans tout l'éclat de son carcan d'émeraudes! Ginette Valmy est assise à côté de la Marquise d'Autreman. Reconnaissez enfin cette taille d'invraisemblable guêpe qui appartient à l'unique Valérie Valère. Il est vrai que celles-là, depuis Liane de Parme jusqu'à Valérie, ne viennent ici que… par esprit de famille. Ce sont des *sœurs*. Les ébats de ces messieurs ne manquent pas, pour elles, d'une saveur spéciale. Elles iront, après, souper en chœur chez Baratte, ou ailleurs, coucher en chœur et sacrifier – toujours en chœur – au Dieu Ether ou à la Déesse Morphine. C'est le point-terminus, l'arrêt final : Lesbos! Tout le monde descend!… Voyez la poétesse Sylvane Grey, figée dans sa pose d'idole. Pense-t-elle à son livre *Les Nuages Dorés*? Erreur! Tenez pour assuré que cette femme à cheveux courts, qui bavarde près d'elle et n'est autre qu'Adolphine Brady – que vous avez applaudie vingt fois pour l'outrancière fantaisie avec laquelle elle incarne les belles-mères, – l'intéresse beaucoup plus que la poésie. Sylvane Grey, qui observe une attitude des plus hiératiques, se gondole intérieurement comme une petite folle des abominables salauderies qu'Adolphine lui susurre à l'oreille. Nous sommes à Sodome, ici, cher Monsieur, c'est vrai. Mais tout Lesbos est accouru pour débiner. En dépit du courant d'apparente sympathie établi entre deux vices, une femme, si peu « femme » qu'elle soit, reste toujours une femme, c'est-à-dire un être jaloux de ses prérogatives, fier de ses droits. Jugez de leur jubilation – et de quel œil impitoyable! – elles voient chavirer dans le ridicule un homme de génie comme Lavieuville, un peintre comme Gerbeuilles et un chanteur comme Tarjel.

— Pourquoi n'ajoutez-vous pas un grand artiste comme Claude Valent? insistait Julien avec intention.

— Parce que, ripostait crânement le jeune Grégeois, Claude se rend ici dans un costume de son sexe. Si répréhensible qu'il puisse être, il ne s'avilit pas à galvauder des cotillons de femme, à traîner des rubans de nourrice, une robe de fillette ou un tutu de danseuse. Valent reste un homme malgré tout. Vous avez eu raison tout à l'heure de flétrir le grotesque d'un mâle habillé en femme. Moi, aussi, – et le blondin s'animait étrangement, – j'ai le respect de mon sexe. Je sais très bien ce que vous pensez de moi depuis l'instant où ce goujat m'a appelé devant vous *La Grégeoise*. Vous imaginez que l'épithète est justifiée… Eh bien, si j'ai du vice, je suis fier de mon sexe et je trouve naturelle, légitime presque, l'admiration que j'éprouve, parfois, devant l'indéniable beauté d'un autre homme.

Julien s'était tu. Il sentait le jeune homme sincère dans cette déclaration aussi singulière que véhémente. Il le plaignait comme on plaint quelqu'un qu'on sait irrémédiablement perdu, atteint de quelque mal incurable et dont on dit : « Bigre ! Je ne voudrais pas être à sa place ! » Il se félicitait d'être un homme sain, normalement équilibré, et, très supérieur, il concluait : « Peut-on vraiment dégringoler plus bas ? »

....

Gagnant la sortie, sous l'empire d'une colère grandissante, Carel se mit à courir, abandonnant le bal et le petit Grégeois, les dames au haïck et l'Aiglon, Tout-Lesbos et Tout-Sodome. Il fuyait comme si le feu du ciel allait réduire en cendres Gomorrhe, Sédoïm et Adama. Il fuyait la fournaise, il fuyait Sabbat... Il ne se retrouva pas, ainsi qu'il eût pu croire, sur les rives de la mer Morte, mais sur le trottoir de l'avenue de Wagram. Un chauffeur lui ouvrait la portière d'un taxi. Il lui jeta son adresse et s'effondra sur la banquette.

Seul, bien seul, à l'abri, il arracha son masque et, violemment, dégrafa ce domino qui l'étouffait. Il lui parut que ses tempes allaient éclater. Il claquait des dents.

– Quelle boue ! balbutiait-il en grelottant, tout secoué d'une soudaine fièvre. Quelle honte et quelle abjection !

VICTOR MARGUERITTE

1866-1942

La Garçonne

1922

Charles Étienne, Gaston Picard, ni même Joseph Delteil, ne réussirent à soulever les foules. A défaut de présenter à leurs lecteurs le symbole suprême de l'amour en 1922, beaucoup de romanciers du temps essayaient de mettre au jour un des personnages types de leur époque, ce qui n'est jamais bien facile et se trouve quelquefois sans l'avoir cherché, comme Colette l'avait vu avec Claudine. Cela n'a pas que des avantages. Colette raconte dans *Mes apprentissages* ce que Catulle Mendès lui avait annoncé vers 1905 : « *Vous verrez ce que c'est que d'avoir, en littérature, créé un type. Vous ne vous rendez pas compte. Une force, certainement, oh! certainement! Mais aussi une sorte de châtiment, une faute qui vous suit, qui vous colle à la peau, une récompense insupportable, qu'on vomit... Vous n'y échapperez pas, vous avez créé un type.* »

Beaucoup de romanciers, sensibles aux lois du succès, tentaient donc ce que Claude Anet avait failli réussir avec *Ariane*, créer la jeune femme type de l'après-guerre. Malgré son succès, Claude Anet n'avait que partiellement réussi, Ariane était trop russe. Marcel Prévost essayait la Don Juane. Avec une certaine timidité, et en prenant soin de faire observer que « *les quatre aventures du roman prennent la Don Juane au moment où elle abdique précisément sa fonction de conquérante et veut avant tout être conquise* [1] ».

La garçonne aussi, à la fin du roman, la garçonne « *aux cheveux courts et au cœur vide* », qui s'est vautrée « *dans les lits des hommes et des femmes, dans les fumeries d'opium et dans les lupanars* » (articles de l'époque), trouvera dans les bras d'un mari la clé de *sa guérison*. Car « *la verdure ne repousse que mieux où l'incendie a passé* ». Seulement Victor Margueritte avait frappé tellement fort dans la peinture du « milieu pourri » qu'il accusait des errements de son héroïne, il l'avait emmenée tellement loin dans ses égarements, que le scandale et le succès furent également énormes. L'éditeur parla de 450 000 exemplaires, chiffre à l'époque fantastique, et l'on retira sa Légion d'honneur à Victor Margueritte. Les pouvoirs publics n'osèrent pas poursuivre le livre.

On ne lit plus beaucoup Victor Margueritte, et on a bien tort. Il faudrait le faire au moins pour se rendre compte que c'est un peu grâce aux combats qu'il a menés que certaines choses ont changé en France. La liberté de la conception (*Ton corps est à toi*), l'émancipation de la femme (*Le Compagnon*). Et puis, politique mise à part, ses romans sont tout de même meilleurs que ceux de Léon Daudet, même s'il n'est pas plus un artiste que le Mauriac de Sartre [2].

---

1. Interview de l'époque. Marcel Prévost, *Les Don Juanes*, Paris, 1922.

2. « *Dieu n'est pas un artiste, Monsieur Mauriac non plus* » (*Situations*).

ELLE REGAGNAIT, d'un pas traînant, son entresol, où – depuis Peer Rys, le député, l'ingénieur et le peintre, – aucun homme n'avait pénétré. La consultation du docteur Hilbour l'avait guérie des liaisons inutiles. Menant, comme elle l'avait dit à Mme Ambrat, la vie de garçon, – garçonnière comprise, – elle couchait, aux hasards de l'aventure. Le plus souvent dans les deux petites pièces qu'à double fin elle avait aménagées à Montmartre. Au sortir des music-halls et des boîtes de nuit, où de nouveau elle se montrait assidue, c'était commode, cette salle de bains et ce salon, meublé seulement d'un immense divan.

Tremplin propice au rêve toujours plus fréquent des fumeries, et parfois aux réalisations d'exercices sexuels. Elle avait pris, de ses interminables séances chez Anika, le besoin d'avoir, en véritable opiomane, sa propre installation, et, de ses fréquentations improvisées (généralement à trois ou à quatre), celui d'un champ de manœuvres suffisamment vaste...

Elle s'étira, désœuvrée. Puis, ayant fermé ses volets au grand jour, elle se réétendit sur son lit défait. Les yeux clos, elle chercha longtemps le sommeil. Elle songeait, avec un dégoût fait aussi d'un remords, à la rue bruyante, aux magasins où Claire et Angibault se multipliaient, au soleil dont la splendeur planait, sur la fourmillière de la ville, en pleine activité de labeur... Et, comme dans un coma, elle se sentit descendre, voluptueusement, à travers son néant.

Elle ne s'éveilla qu'au soir tombant, avec le sentiment d'une journée encore gâchée. Mais qu'est-ce que cela faisait ? Maintenant le jour pour elle ne commençait qu'avec la nuit... La nuit, où – l'ivresse du stupéfiant aidant et l'imprévu des rencontres mouvementant un peu son éternel *A quoi bon*, – elle se figurait vivre intensément.

Elle usait, aux rites mécaniques de la toilette, d'interminables instants, s'attardait à des choix et à des combinaisons de robes, elle jadis habillée, et si vite, d'un rien... Futilités qui la menaient à neuf heures où, généralement, elle dînait.

Il en était huit quand, entendant la sonnerie de la porte d'entrée, elle tint en suspens le doigt frotté de fard rose dont elle allait aviver ses pommettes... « Zabeth ! déjà... Zut, je suis en retard ! »

– Entre ! cria-t-elle, comme la femme de chambre annonçait Lady Springfield.

Avec une émotion fugitive, elle voyait dans son miroir, comme du fond soudain ressuscité de sa jeunesse, apparaître sa grande amie d'autrefois. Longue et flexible, – une liane brune, – Lady Springfield, en dépit d'une robe généreusement échancrée, avait si peu changé que Monique crut revoir Elisabeth Meere... Le visage mat gardait cette expression volontaire, mais aussi un peu énigmatique, qui faisait dire à tante Sylvestre : « Elisabeth, c'est une dalle sur un secret. »

Monique, sans se retourner, tendit le cou :

– Embrasse-moi, mais ne me mets pas de rouge !

Zabeth rit :

– Le mien est sec, il ne tache pas… Tu n'as pas honte ?… Encore en chemise !

Monique posa lentement la dernière touche, – une nuance de bleu, au coin de la paupière.

– Là. Je suis prête. J'ai mes bas.

Elle se leva, vêtue seulement d'une courte combinaison sous le kimono. Lady Springfield la contemplait, émerveillée :

– Comme tu es devenue belle !

Elle ajouta en rougissant :

– Tu l'étais déjà…

Son regard, posé sur les seins de Monique, évoquait le soir trouble où dans une atmosphère d'orage, poitrines nues, elles avaient comparé, comme la pomme et la poire, leurs rondeurs naissantes. Instinctivement l'Anglaise étendit la main, caressa, dans leur corbeille de dentelles, les beaux fruits qu'elle sentit frémir. En même temps Monique, – tandis que dans sa mémoire se réinstallait l'heure disparue, – voyait sous le corsage de Zabeth deux pointes surgir, tendant la soie légère… Alors, elle rougit à son tour, les joues empourprées du même feu que son amie.

Une vague honte la troublait. Cependant la sensation lui avait été agréable, et ce fut d'une voix douce qu'elle murmura, instinctivement, les mêmes mots qu'elle avait proférés jadis, mais avec une autre intonation : « Finis ! qu'est-ce qui te prend ?… » Zabeth sourit, si clairement que son volontaire visage n'eut cette fois plus rien d'énigmatique. Et Monique, amusée, déclara à son tour :

– Tu n'as pas honte ?

Lady Springfield secoua délibérément la tête. Non ! elle n'avait pas honte… Et pourquoi aurait-elle honte ? Son mari était trop occupé des affaires de l'État pour prendre souci de sentiments. Il lui avait fait deux enfants, comme il eût planté deux arbres. Leur éducation ? La *nursery* pour l'instant y pourvoyait ; ensuite ce serait le collège… Quant au spiritisme, voire théosophique, il suffisait sans doute aux curiosités de l'esprit. Lady Springfield ne détestait pas les joies qui achevaient de prendre corps. En quel corps plus plaisant que celui d'une jolie femme ? Entre toutes, celui de Monique, longtemps désiré, occupait dans ses souvenirs la première place. Place réservée, d'autant plus précieuse.

Gaiement, les deux amies dînaient seules, dans le petit restaurant indiqué à Ginette Hutier. Il était connu seulement de quelques initiés, pour sa cuisine exotique. Pimentée de curry et de poivres rouges, elle leur fit mieux apprécier le frappage d'un champagne sec. Coup de fouet, qui accéléra leur abandon…

Elles se laissaient aller aux fous rires qui les secouaient, comme deux gamines. Lady Springfield, reprise par sa marotte, tentait de convertir, à ses croyances d'au-delà, Monique rebelle. Mais celle-ci, entre deux bouchées, protestait :

— Non! non! Et non!... Tu as beau dire. Nous ne sommes qu'un agrégat de cellules, une matière qui, à la longue, après des millénaires de perfectionnement, a produit l'âme, comme la fleur produit le parfum... Mais l'âme et le parfum meurent tout entiers, quand la matière s'est désagrégée...

— Oh! c'est sacrilège!

— Non. C'est rationnel. Je ne crois pas à la survivance de l'esprit, — excepté dans les formes que l'art et la science des vivants ont pu créer... Survivance elle aussi éphémère!... Quant aux esprits!... Ah! non, s'ils en avaient seulement un tout petit peu, ils ne s'exposeraient pas à revenir faire un tour dans cette sale vie. Ils resteraient où ils sont!...

Elle montra une potée succulente que le garçon, un Cingalais au chignon tressé, apportait :

— Tiens! dans les choux. Mais il n'y a pas d'esprit. Il y a des forces inconnues sur lesquelles influe peut-être notre intelligence comme elles influencent notre sensibilité.

— Yes, des forces surnaturelles!

— Non! des forces naturelles. Nous ne les connaissons pas encore. On les analysera peut-être un jour. Nous commençons bien à pénétrer seulement le mystère de la chaleur et de l'électricité!

— Et la télépathie, voyons? Et les prémonitions? Et la prophétie d'événements impossibles à prévoir? Ce sont des réalités scientifiquement démontrées. Et les photographies de corps fluidiques? Comment expliques-tu tout cela, à moins d'une intervention spirituelle, à la fois humaine et divine?

Indignée, Lady Springfield frappait la table de son couteau, si vivement que le Cingalais accourut.

— Ah! l'esprit! railla Monique. La table a parlé.

Elle commanda, par contenance, une seconde bouteille de champagne : « Nous la boirons bien, va! »

— Yes, continua la spirite, en souriant. Et comme cela, ensuite, la table tournera toute seule!... Non, je ne suis pas naïve au point de tout croire. Mais je pense, véritablement, que nos âmes ne meurent pas en même temps que le corps. Leur essence astrale est éparse dans l'infini jusqu'à ce qu'elle se réincarne, sous d'autres formes. Ainsi il y a un rythme de vie universelle dont l'harmonie est conforme à la justice de Dieu. »

La conviction faisait trembler sa voix, et lui rendait, du coup, un léger accent.

— Dieu! s'écria Monique, qu'amusait cette phraséologie chez une matérialiste aussi déterminée… Quel dieu? Celui des armées, peut-être? Alors quelle peau jugera-t-il assez douce pour y enfermer… un Guillaume II, par exemple?… Tu me fais rire, avec ton immortalité et ta métempsychose!

Elle s'animait, à son tour. La vanité de vivre résonna, sourdement, sous le voile des mots :

— Autour et au-dessus de nous, avant et après tout, il y a la nuit de la matière! Nos étincelles d'une seconde y jettent, avant de disparaître, leurs éclairs de feux follets. Voilà tout. En attendant, mon nez luit.

Elle se poudra, vivement. Mais Lady Springfield, lasse de philosopher, avait tiré une cigarette d'Orient d'un large étui d'argent plat. Le Cingalais, attentif, présentait la flamme d'un briquet.

— Merci…

Elle regarda Monique, avec une attention tendre.

— Chérie, tu me fais de la peine… Sous ta gaieté, je sens qu'il y a plus de tristesse… oui?… J'étais sûre… Découragée, pourquoi? Ça, ce n'est pas rationnel.

Monique haussa les épaules, en tendant sa coupe :

— La vie!… Ne parlons pas de cela… Il y a des gens qui se noient dans un crachat. J'aime mieux le champagne.

Elle vida la rasade, d'un trait. Zabeth, avançant sa chaise, emprisonna entre ses genoux les jambes étendues.

Et d'une voix câline :

— Les hommes n'entendent rien au bonheur des femmes. Ils ne se sont jamais intéressés qu'au leur…

— Ça dépend! dit Monique. Hier Ginette me disait le contraire, en parlant de son mari.

L'Anglaise s'écria, sincère :

— Oh! celui-là, c'est un cochon!

La réputation de M. Hutier, — thème ordinaire de facéties, dans les journaux satiriques, — avait passé, avec les frontières de Maxim's et d'Irène, celles de la Manche. Lord Springfield, trompé par l'apparence chafouine du ministre, qu'il avait rencontré à la dernière conférence interalliée, n'y pouvait croire. Mais Mylady, mieux documentée, ne conservait aucun doute, ayant un jour été surprise, dans ses propres effusions avec Ginette, par M. Hutier. En guise de réparation, il avait exigé, pour sa satisfaction solitaire, qu'elles continuassent.

— Tu vas la voir, d'ailleurs! fit Monique… Elle vient nous chercher… Tiens, la voilà!

La ministresse montrait, dans l'entrebâillement de la porte, sa mine futée de brune hardie. Les deux amies lui faisaient signe. Imposante dans son manteau du soir, Ginette traversait avec autorité le restaurant. Il n'y avait plus, hors la patronne jouant aux cartes avec une amie à petit chien, que le Cingalais anachronique.

Sans que le moindre étonnement parût sur sa face de bronze, il reconnut, en Mme Hutier, la « demoiselle » qui, accompagnée d'une autre jeune fille et d'un monsieur élégant, l'avait autrefois, – un jour qu'il avait congé, – enlevé au Thé Daunou, où il servait. Le regard équivoque et le rire muet du Cingalais rappelèrent en même temps à Ginette la scène qui s'était passée, ensuite... Précisément dans l'atelier de Cecil Meere! Le grand diable noir sodomisant celui-ci, tandis qu'elle-même et Michelle d'Entraygues leur servaient de témoins, et d'aides...

Elle adressa, sans broncher, un clin d'œil objurgateur à l'homme et, rapidement, proposa de filer. Les autres attendaient, dans l'auto... Lady Springfield s'enquérait :

– Qui?

– Max de Laume et Michelle...

– Où va-t-on?

Ginette mit un doigt sur ses lèvres... « Tu verras bien! » Elle eut un sourire engageant. Elle évoquait, après une heure au music-hall, un groupement nouveau : Zabeth remplaçant son frère, et Max, le Cingalais. Elle n'allait pas jusqu'à la distribution des rôles, laissant une part d'autant plus large à l'imprévu qu'elle avait résolu – (d'accord avec son mari, sa propre liberté étant à ce prix) – d'inaugurer ce soir un nouveau théâtre d'exploits.

L'ex-ministre (car, depuis le souper chez Anika, le cabinet Pertout avait été renversé) assistait ou n'assistait pas à ces petites fêtes. Mais, dans ce dernier cas, il exigeait toujours un compte rendu fidèle. A défaut de l'excitation *de visu*, un récit détaillé lui était devenu nécessaire pour le mettre en état d'être ensuite flagellé avec fruit, chez cette bonne Irène. M. Hutier, – lumière du progressisme, – méritait ainsi sa réputation de cérébral...

– Dans le fond! ordonna Ginette, en poussant Lady Springfield, tandis que Max de Laume se levait, pour saluer... Rasseyez-vous, Max!... Michelle sur vos genoux... Et Monique sur ceux de Zabeth! Là, moi au milieu...

Elle jeta l'adresse. Et comme Lady Springfield observait :

– Et Anika qui nous attend!

Michelle déclara :

– Pensez-vous! Anika?... Pour elle il n'y a plus que la pipe qui compte...

– Et c'est dommage! fit Max de Laume. Elle avait du talent.

Il jugeait avec sévérité le laisser-aller qui de la grande artiste avait fait, petit à petit, un déchet humain. Le plaisir, à ses yeux de calculateur réglant sa vie méthodiquement, comme une machine à succès, n'excluait pas la volonté. A chaque heure son emploi. C'est ainsi qu'à trente ans il était président du Cercle de la Critique Littéraire, et désigné déjà, par le salon Jacquet, comme le benjamin futur de l'Académie.

Monique ne pensait à rien. Un bien-être l'engourdissait, dans lequel la griserie intervenait pour une part, et, pour l'autre, le tendre enlacement de Zabeth, contre laquelle elle se pelotonnait. Il y avait, dans son abandon, le réconfort d'une tendresse semblable à celle d'une grande sœur, mêlée à tous les souvenirs de l'adolescence, et aussi le ragoût d'une sensation nouvelle : comme une curiosité un peu incestueuse...

A l'Olympia, où l'entrée dans une avant-scène fit sensation, la bande fut vite lasse d'être le point de mire de la salle. Un moment distraits par l'apparition d'un phoque parleur, puis d'une chanteuse à voix, imitant Damia, tous se ralliaient à la proposition de Ginette : « Si on filait ? »

Lady Springfield fut bien, à la sortie, un peu surprise de se voir poussée dans un taxi, dont le chauffeur, sur billet supplémentaire glissé par Max de Laume, acceptait de les charger. Mais Ginette expliqua :

— J'ai renvoyé ma voiture en disant que madame d'Entraygues nous ramènerait... Tu ne voudrais pourtant pas que nos chauffeurs sachent que nous allons au bouic !

Zabeth répéta, sans comprendre : « Au ?... » Mais, avec un éclat de rire, Ginette, en lui coupant la parole, redoubla sa stupeur :

— Eh bien, oui, au clac !...

— Au clac ?

— Au bordel, enfin, puisque tu ne connais pas le français !...

— Oh ! s'écria Lady Springfield, avec un accent d'indignation si sincère que tous les quatre se tordirent.

— Eh bien quoi ? riposta Ginette. C'est le dernier salon où l'on s'amuse. Pas besoin de présentation, ni de chichis. Le naturel en liberté. Et puis, au moins, là on n'est pas trompé sur la marchandise !

Zabeth se tourna vers Monique. Et nettement :

— Rentrons !

Mais celle-ci murmura :

— Reste donc, bête !

A observer jusqu'à quel point le sens de la respectabilité et le culte de la théosophie s'allieraient, chez l'Anglaise, à sa dépravation soigneusement cachée sous l'hypocrisie religieuse et mondaine, Monique souriait, amusée.

Elle serra la main de son amie :

— Allons ! ce sera drôle.

Lady Springfield esquissa une dernière défense :

— Mais si on nous reconnaissait ?

— Impossible, trancha Max de Laume, qui depuis le matin avait été mis avec Michelle dans la conspiration... D'abord, là, personne ne peut nous reconnaître, puisque personne ne nous connaît. Ensuite personne ne nous verra... Et enfin (il eut un geste noble), il y a la discrétion professionnelle.

Zabeth prit son parti.

– J'espère au moins, fit-elle en menaçant Ginette, que ton mari…

– Sois tranquille! Il n'arrivera pas avant une heure. Il doit venir me prendre, en sortant du Banquet de l'Association de je ne sais plus quoi…

– Je serai partie!

– Bah! il n'est pas gênant!… On y est.

Le taxi s'était arrêté quelques numéros avant la lanterne rouge qui indiquait, avec une discrétion relative, la maison close. Max de Laume sonna, parlementa. La sous-maîtresse lança des ordres. On entendit une galopade dans l'escalier. Des portes battirent, en se fermant. Précédées par la grosse femme minaudante, les quatre amies montaient avec une petite gêne, à l'idée de ces murs qui avaient des yeux. Max, d'un air dégagé, formait l'arrière-garde.

Elles ne respirèrent sans arrière-pensée que lorsqu'elles furent installées dans la chambre turque, à défaut de la chambre de glaces, occupée. C'était une vaste pièce – style Constantinople-Place Clichy, – dont les lampes aux verres de couleur projetaient une lumière mystérieuse sur les tentures épaisses. Des amas de coussins prolongeaient l'immense divan, si profond qu'on s'y pouvait coucher plusieurs, côte à côte, dans la largeur.

La sous-maîtresse s'enquit – l'inévitable champagne commandé – du reste de la consommation : brunes? blondes? Elle offrit même, classiquement, la négresse. Mais, Max se récusant, Ginette opta, sur le conseil de la matrone, pour Irma, Flamande, et Michelle pour Carmen.

– Une Espagnole en vrai, et de Séville!

Zabeth et Monique, désintéressées du choix, s'étaient aussitôt étendues de tout leur long, les mains croisées derrière la nuque, en spectatrices. Lady Springfield, le coude enfoncé dans les coussins, et haussant le buste par dessus l'épaule de Monique, surveillait, sans en avoir l'air, chaque geste.

La grasse beauté d'Irma et l'élégance nerveuse de Carmen, – qui entraient en saluant, désinvoltes dans leurs peignoirs qui aussitôt tombèrent, – furent immédiatement sympathique, à son œil de connaisseuse. Nues, les filles dépouillaient toute la livrée des conditions sociales. Elles revenaient à la simplicité animale, à l'inconscience primitive.

Il n'y avait plus dans la chambre turque, – hors Zabeth et Monique, qui avaient gardé leurs robes, – que des bêtes blanches. En même temps que Carmen et Irma, Ginette, Michelle et le beau Max avaient envoyé promener, à travers la pièce, les vêtements superflus.

Zabeth, devant leurs jeux, s'enflammait.

Déjà, sous les baisers dont la Flamande lui parcourait le corps, Ginette, les bras devant les yeux, poussait son habituel roucoulement, tandis qu'à côté d'elles

Carmen et Michelle, lovées en cercle avec Max, nouaient étroitement, de bouche à sexe, une ondulante guirlande.

Toute l'ivresse de Monique s'était dissipée. Morne, elle contemplait Zabeth rivée au tressaillement de ces chairs... Émoi de novice! Que de fois, en des lieux pareils, à des heures de même égarement, Monique les avait-elle aussi caressées! Michelle, Ginette, une autre Carmen ou une autre Irma, formes familières, presque anonymes, de l'écœurement toujours étreint, de l'oubli jamais atteint...

L'étouffante chaleur de la pièce calfeutrée, un vertige de fatigue en même temps qu'une immense paresse la clouaient inerte, sur la couche de stupre, quand d'un sursaut elle eût voulu pouvoir se relever, fuir...

Mais un visage se penchait au-dessus d'elle. Elle vit luire, avec résignation, l'irrésistible désir aux yeux de Zabeth. Les lèvres goulues s'emparèrent des siennes. Leurs seins se touchaient. Un long corps, sous les étoffes froissées, s'enroula à ses membres las, comme une liane brûlante... Elle soupira, conquise.

Évanouissement où Monique éprouvait, avec son plaisir, la dégradante, l'abominable conscience qu'à cette minute achevait de vivre prostituée, jusque dans son souvenir, la dernière image d'elle-même qu'elle eût, jusque-là, conservée intacte.

La Monique d'Hyères... Toute la pureté, toute la blancheur encore immaculée de sa jeunesse.

DOCTEUR HENRI BOUQUET

Rosa-Josepha et la vie sexuelle des monstres

1 9 2 2

Le numéro 1 de *Littérature*, nouvelle série, le 1er mars 1922, celui qui contient *L'Esprit nouveau* d'André Breton, s'ouvrait sur cette Enquête :

« Fatiguée de la manière dont sont menées les enquêtes littéraires et déplorant que cet excellent mode d'information ne serve plus à renseigner que sur des points littéraires d'une importance dérisoire, Littérature, dont on n'a pas oublié l'enquête : "Pourquoi écrivez-vous ?", s'efforce, pour marquer les tendances de sa reparution, de s'introduire plus avant dans la conscience obscure de ses lecteurs et leur pose à tous cette simple question :
« QUE FAITES-VOUS LORSQUE VOUS ÊTES SEULS ?
« Les réponses devront être adressées à la rédaction, 37, avenue Duquesne, Paris (VIIe). Elles paraîtront par ordre de réception dans les prochains numéros de Littérature. »

C'était sans doute trop vouloir s'introduire dans les consciences obscures car jamais aucune réponse ne fut publiée, du moins par *Littérature*.

Dans le même numéro, la revue faisait un sort à un fait divers récent :

« Un faux médecin
« Louis Pieniri, âgé de 67 ans, sous-officier de gendarmerie retraité, habitant avenue Laumière, se présentait dans les magasins tenus par des femmes seules. En marchandant quelque objet, il affirmait à son interlocutrice qu'elle avait mauvaise mine et, se prétendant médecin de l'Assistance publique, il l'invitait à se dévêtir, afin qu'il pût l'examiner.

« Le faux médecin a été arrêté 31, rue de Montmorency, et envoyé au Dépôt. »

Faute d'avoir pu connaître les activités solitaires, *Littérature* s'en prenait, dans son numéro 2 (1er avril 1922), à d'autres problèmes :

« Des attitudes, nous en avons à revendre. Des poèmes, cela se défend encore et toujours. Ce qui se défend beaucoup moins, c'est la sorte de prédilection que nous portons à certaines des choses qui nous entourent. C'est dans ce domaine aussi que nous nous trouvons les plus étrangers les uns aux autres. Pourquoi choisissez-vous cette femme, cette marque de cigarettes ? On aurait tort de croire que cela n'engage à rien. En tout cas nous ne voyons pas de quel droit les détectives privés continueraient à se passer de ces éléments. »

Reproduire toute l'enquête qui suit cette déclaration mènerait trop loin. Parmi les 37 choix proposés (Jardin de Paris, Monarque, Objet usuel, Parfum, Fleur, Divinité, etc.), nous ne retiendrons que les deux derniers : 36, Excitant, 37, Manière de faire l'amour. Voici les réponses :

Louis Aragon : Miroir, Par-derrière. Jacques Baron : Décolleté, Pompier. André Breton : Jupes plissées, Soixante-neuf. Paul Eluard : Les aisselles, Assis, femme à cheval. Max Morise : Bretelle de soutien-gorge, Assis. G. Ribemont-Dessaignes : Les parfums, Sodomie. Jacques Rigaut : Monstres, Sodomiser. Philippe Soupault : Odor di femina, N°1. Roger Vitrac :

Nudité en travers des cheveux, Femme en jockey, les mains gantées de blanc sur les épaules de l'homme couché.

Théodore Fraenkel et Benjamin Péret ne répondent pas aux deux dernières questions.

Le numéro 3 (1er mai 1922) publie le sonnet de Verlaine et Rimbaud, « *Obscur et froncé comme un œillet violet...* », le début de *L'Année des chapeaux rouges* d'André Breton (« *Rosa-Josepha, les sœurs siamoises, il y a huit jours se levaient de table lorsqu'un papillon arborant mes couleurs vint décrire un huit autour de leurs têtes. Jusque-là le monstre, accouplé à un casseur d'assiettes, sem-* *blait avoir compris peu de choses au grand destin qui l'attendait* »), et *L'Auberge du « Cul volant »* de Benjamin Péret : « *L'homme à la couille sauvage descendit de l'arbre qu'il occupait depuis son premier mariage. Il tenait dans chaque main un sexe, d'où sortaient des millions de petites larves qui s'envolaient aussitôt et allaient se poser sur de grosses fleurs bleues. Au contact de ces larves, les fleurs jaillissaient comme si elles eussent été de caoutchouc. L'homme était un double mâle...* »

C'est dans le numéro 5 du 1er octobre 1922 que nous retrouvons Rosa-Josepha.

*L*A MORT DE *ROSA-JOSEPHA BLAZEK*, le monstre double qui vient de terminer à Chicago sa curieuse existence, a défrayé la chronique de tous les journaux. On a rappelé partout la vie des deux sœurs, on a donné des détails parfois assez contradictoires sur leur fin, on a surtout évoqué le souvenir de l'accouchement dont le produit est normal, bien vivant, âgé d'une douzaine d'années. Mais on a dû s'arrêter là, sans pouvoir, dans les quotidiens, détailler la structure anatomique du célèbre pygopage et en tirer quelque enseignement au point de vue de sa physiologie sexuelle. C'est cependant là un sujet très intéressant qu'il n'est pas inutile de traiter, ne serait-ce que superficiellement, pour des médecins.

Nous sommes, en réalité, assez mal renseignés sur la conformation de Rosa-Josepha, au moins de façon générale. Lorsque les journaux ont avancé, sur la foi d'une dépêche américaine, qu'il n'y avait qu'un seul estomac pour les deux sujets, ils ont bien probablement commis une erreur, car l'estomac n'a pas pour habitude de loger dans des régions aussi basses. D'autre part, des radiographies ont été faites, paraît-il, *post mortem*, qui auraient démontré qu'il y avait, en un certain point, fusion des deux rachis, mais nous n'en savons pas plus long. Par contre, l'accouchement de Rosa-Josepha nous a fourni, sur la sphère uro-génitale, des renseignements très précis et là nous pouvons faire quelques réflexions.

Nous savons, en effet, qu'elles possédaient deux utérus, mais un seul vagin, une seule vulve, une seule vessie, un seul urètre. Lors donc que l'on a paru regretter que l'on n'ait pas séparé ces deux sœurs, on n'a pas réfléchi à cette condition anatomique qui aurait obligé à un véritable tour de force chirurgical, à moins que l'on n'eût pris le parti, bien invraisemblable, de sacrifier délibérément l'une des deux. Cette structure nous démontre, en tout cas, que Rosa et Josepha furent toutes deux épouses du père de l'enfant en question. L'une seulement (c'était Rosa) conçut et conduisit à bien la grossesse. C'est, à n'en pas douter, la véritable mère. Puis, le jour de la délivrance venu, Rosa seule encore, connut les douleurs de la période de dilatation. Par contre, celles de l'expulsion leur furent communes et, véritablement, Josepha put à bon droit accuser le sort qui la faisait ainsi souffrir. Elle eut encore raison de se plaindre par la suite, puisqu'elle eut, comme sa sœur, du lait dans les seins. Marcel Baudouin a fait remarquer à ce propos que si le système nerveux est nettement double, ainsi qu'on le suppose, ce ne sont pas les fibres nerveuses qui peuvent être pour quelque chose dans l'établissement de la sécrétion lactée, mais bien le système circulatoire, car celui-ci, évidemment, chez des sujets ainsi conformés, devait être unique en quelques points.

Tout ceci est assez bizarre, on en conviendra, mais certainement moins que la mentalité du monsieur qui put revendiquer la paternité de l'enfant. Il est vraiment regrettable que l'on ne connaisse pas d'interview de lui, car sa psychologie devait être pleine d'originalité. On comprend mieux celle de la pauvre fille que le fait d'être soudée à sa sœur de cette anormale façon n'empêcha pas de succomber, comme tous les humains ou à peu près, à la passion. On ne voit pas bien pourquoi le cerveau des monstres de ce genre ne serait pas fait comme le nôtre et pourquoi ils ne ressentiraient pas les mêmes désirs, sinon les mêmes besoins. Il est même peu aisé de savoir si l'amour conçu pour le monsieur en question le fut par l'une des deux sœurs ou par les deux à la fois, ou même par celle-là seule qui, justement, n'a pas été mère. Tout cela est resté enveloppé d'un profond mystère et le demeurera désormais toujours. En tout cas il paraît certain qu'il a dû y avoir consentement double à l'acte sexuel, car on conçoit mal que celui-ci ait pu être perpétré dans des conditions différentes.

On a parlé, à ce propos, de mariage. J'ignore jusqu'à quel point ce mot est exact et j'ai toutes raisons de supposer qu'il ne l'est en aucune façon. Car enfin, voyez-vous les scrupules qui se présenteraient à l'esprit de l'officier d'état civil chargé de consacrer cette union légitime? Renseigné sur la conformation anatomique des deux sujets, il aurait dû faire légale une union qui donnait, en somme, deux femmes à un seul homme. Ignorant au contraire de cette conformation, il ne pouvait prendre une telle responsabilité, car il n'en restait pas moins assuré que toute approche conjugale aurait un témoin qui la rendrait attentatoire à la pudeur. Cruelle énigme, en vérité, qui a dû ne pas même se poser car le pygopage et son époux se sont passés sans doute de toute légitimation de ce genre.

Pas davantage, quoi qu'on en ait dit, les frères siamois ne durent se marier. Ils eurent cependant des femmes et des enfants. Xiphopages unis par un pont entre le sternum et l'ombilic, ils ne présentaient, par contre, aucune région génitale commune. Mais le cas le plus complexe est, à n'en pas douter, celui d'un monstre xiphodyme, connu sous le nom des frères Tocci. Soudés par leur partie inférieure jusqu'à la base du thorax, constituaient-ils un seul être à deux têtes ou deux êtres à un seul abdomen et à un seul bassin? Toujours est-il qu'ils ont épousé (?) deux femmes parfaitement distinctes et cette fois je vous laisse à réfléchir sur tout ce qui s'ensuit. Je vous donne seulement, d'après M. Baudouin, cette probabilité que, de leurs deux testicules, l'un appartenait à l'un des frères et le second à l'autre.

Tout ceci n'a pas que des conséquences physiologiques ou morales. Il peut en avoir aussi de judiciaires. Et les faits qui viennent de suivre la mort de Rosa-Josepha Blazek le démontrent péremptoirement. Une lutte semble s'être livrée autour de la fortune rondelette que leur avaient procurée leurs nombreuses exhibitions dans tant de cirques et de music-halls. Si l'on considère, en effet, que l'enfant actuellement vivant (et parfaitement conformé, comme ceux des frères siamois) n'a en elles deux qu'une seule mère, il hérite du million qu'elles laissent. Si l'on peut faire admettre que Rosa seule fut véritablement mère, le frère des deux défuntes peut légitimement réclamer la part de celle qui ne conçut point. Ne nous étonnons pas si c'est ce point de vue, pour nous bien secondaire, qui nous fournira peut-être les meilleurs renseignements sur l'anatomie du défunt pygopage. Jusqu'ici on n'a fait que des radiographies, qui ne pouvaient pas donner grand-chose. Il est probable que l'on a dû, depuis, procéder à une autopsie, qui sera beaucoup plus démonstrative et qui, au point de vue biologique pur, sera des plus intéressantes. Peut-être débrouillera-t-elle cet imbroglio, mot juste assez fort en l'espèce, puisque les dépêches dont j'ai parlé plus haut semblent vouloir démontrer que l'on s'est jadis trompé et que c'est non pas Rosa, mais Josepha qui aurait conçu. Ici la chose paraît difficile à admettre, car enfin, si les deux sœurs ont terminé l'accouchement, on doit savoir laquelle des deux l'avait commencé.

Le Diable au corps

1923

L'année 1923 eut elle aussi son grand succès et son scandale, réunis sur le même roman; ce fut *Le Diable au corps*, avec lequel les hommes mûrs de retour des tranchées se découvrirent un adversaire de plus : après la femme émancipée, l'adolescent sans vergogne.

Il n'y a pas de mots crus dans *Le Diable au corps*, ni de scènes « osées ». Comment n'y pas trouver, pourtant, surtout quand on a l'âge du héros, le climat et les situations qui suscitent les rêveries voluptueuses ?

LE JOUR DE L'ANNIVERSAIRE de mes seize ans, au mois de mars 1918, tout en me suppliant de ne pas me fâcher, elle me fit cadeau d'un peignoir, semblable au sien, qu'elle voulait me voir mettre chez elle. Dans ma joie, je faillis faire un calembour, moi qui n'en faisais jamais. Ma robe prétexte ! Car il me semblait que ce qui jusqu'ici avait entravé mes désirs, c'était la peur du ridicule, de me sentir habillé, lorsqu'elle ne l'était pas. D'abord je pensai à mettre cette robe le jour même. Puis je rougis, comprenant ce que son cadeau contenait de reproches.

Dès le début de notre amour, Marthe m'avait donné une clef de son appartement, afin que je n'eusse pas à l'attendre dans le jardin, si, par hasard, elle était en ville. Je pouvais me servir moins innocemment de cette clef. Nous étions un samedi. Je quittai Marthe en lui promettant de venir déjeuner le lendemain avec elle. Mais j'étais décidé à revenir le soir aussitôt que possible.

A dîner, j'annonçai à mes parents que j'entreprendrais le lendemain avec René une longue promenade dans la forêt de Sénart. Je devais pour cela partir à cinq heures du matin. Comme toute la maison dormirait encore, personne ne pourrait deviner l'heure à laquelle j'étais parti, et si j'avais découché.

A peine avais-je fait part de ce projet à ma mère qu'elle voulut préparer elle-même un panier rempli de provisions, pour la route. J'étais consterné, ce panier détruisait tout le romanesque et le sublime de mon acte. Moi qui goûtais d'avance l'effroi de Marthe quand j'entrerai dans sa chambre, je pensais maintenant à ses éclats de rire en voyant paraître ce Prince Charmant, un panier de ménagère à son bras. J'eus beau dire à ma mère que René s'était muni de tout, elle ne voulut rien entendre. Résister davantage, c'était éveiller les soupçons.

Ce qui fait le malheur des uns causerait le bonheur des autres. Tandis que ma mère emplissait ce panier qui me gâtait d'avance ma première nuit d'amour, je voyais les yeux pleins de convoitise de mes frères. Je pensai bien à le leur offrir en cachette, mais une fois tout mangé, au risque de se faire fouetter, et pour le plaisir de me perdre, ils eussent tout raconté.

Il fallait donc me résigner puisque nulle cachette ne me semblait assez sûre.

Je m'étais juré de ne pas partir avant minuit pour être sûr que mes parents dormissent. J'essayai de lire. Mais comme dix heures sonnaient à la mairie, et que mes parents étaient couchés depuis quelque temps déjà, je ne pus attendre. Ils habitaient au premier étage, moi au rez-de-chaussée. Je n'avais pas mis mes bottines afin d'escalader le mur le plus silencieusement possible. Les tenant d'une main, tenant de l'autre ce panier fragile à cause des bouteilles, j'ouvris avec précaution une petite porte d'office. Il pleuvait. Tant mieux! la pluie couvrirait le bruit. Apercevant que la lumière n'était pas encore éteinte dans la chambre de mes parents, je fus sur le point de me recoucher. Mais j'étais en route. Déjà la précaution des bottines était impossible; à cause de la pluie je dus les remettre. Ensuite il me fallait escalader le mur pour ne point ébranler la cloche de la grille. Je m'approchai du mur, contre lequel j'avais pris soin, après le dîner, de poser une chaise de jardin pour faciliter mon évasion. Ce mur était garni de tuiles à son faîte. La pluie les rendait glissantes. Comme je m'y suspendais, l'une d'elles tomba. Mon angoisse décupla le bruit de sa chute. Il fallait maintenant sauter dans la rue. Je tenais le panier avec mes dents; je tombai dans une flaque. Une longue minute, je restai debout, les yeux levés vers la fenêtre lumineuse de mes parents, pour voir s'ils bougeaient, s'étant aperçu de quelque chose. La fenêtre resta vide. J'étais sauf!

Pour me rendre jusque chez Marthe je suivis la Marne. Je comptais cacher mon panier dans un buisson et le reprendre le lendemain. La guerre rendait cette chose très dangereuse. En effet, au seul endroit où il y eût des buissons et où il était possible de cacher le panier se tenait une sentinelle, gardant le pont de J... J'hésitai longtemps, plus pâle qu'un homme qui pose une cartouche de dynamite. Je cachai tout de même mes victuailles.

La grille de Marthe était fermée. Je pris la clef qu'on laissait toujours dans la boîte aux lettres. Je traversai le petit jardin sur la pointe des pieds, puis montai les marches du perron. J'ôtai encore mes bottines avant de prendre l'escalier.

Marthe était si nerveuse! Peut-être s'évanouirait-elle en me voyant dans sa chambre. Je tremblai; je ne trouvai pas le trou de la serrure. Enfin je tournai la clef lentement, afin de ne réveiller personne. Je butai dans l'antichambre contre le porte-parapluies. Je craignais de prendre les sonnettes pour des commutateurs.

J'allai à tâtons jusqu'à la chambre. Je m'arrêtai avec, encore, l'envie de fuir. Peut-être Marthe ne me pardonnerait jamais. Ou bien si j'allais tout à coup apprendre qu'elle me trompe, et la trouver avec un homme !

J'ouvris. Je murmurai :

— Marthe ?

Elle répondit :

— Plutôt que de me faire une peur pareille, tu aurais bien pu ne venir que demain matin. Tu as donc ta permission huit jours plus tôt ?

Elle me prenait pour Jacques !

Or, si je voyais de quelle façon elle l'eût accueilli, j'apprenais du même coup qu'elle me cachait déjà quelque chose. Jacques devait donc venir dans huit jours !

J'allumai. Elle restait tournée contre le mur. Il était simple de dire : « C'est moi » et pourtant je ne le disais pas. Je l'embrassai dans le cou.

— Ta figure est toute mouillée. Essuie-toi donc.

Alors elle se retourna et poussa un cri.

D'une seconde à l'autre elle changea d'attitude et, sans prendre la peine de s'expliquer ma présence nocturne :

— Mais mon pauvre chéri, tu vas prendre mal ! Déshabille-toi vite.

Elle courut ranimer le feu dans le salon. A son retour dans la chambre, comme je ne bougeais pas, elle dit :

— Veux-tu que je t'aide ?

Moi qui redoutais par-dessus tout le moment où je devrais me déshabiller et qui en envisageais le ridicule, je bénissais la pluie grâce à quoi ce déshabillage prenait un sens maternel. Mais Marthe repartait, revenait, repartait dans la cuisine, pour voir si l'eau de mon grog était chaude. Enfin elle me trouva nu sur le lit, me cachant à moitié sous l'édredon. Elle me gronda : c'était fou de rester nu ; il fallait me frictionner à l'eau de Cologne.

Puis Marthe ouvrit une armoire et me jeta un costume de nuit. « Il devait être de ma taille. » Un costume de Jacques ! Et je pensais à l'arrivée, fort possible, de ce soldat, puisque Marthe y avait cru.

J'étais dans le lit. Marthe m'y rejoignit. Je lui demandai d'éteindre. Car, même en ses bras, je me méfiais de ma timidité. Les ténèbres me donneraient du courage. Marthe me répondit doucement :

— Non. Je veux te voir t'endormir.

A cette parole pleine de grâce, je sentis quelque gêne. J'y voyais la touchante douceur de cette femme qui risquait tout pour devenir ma maîtresse et, ne pouvant deviner ma timidité maladive, admettait que je m'endormisse auprès d'elle. Depuis quatre mois je disais l'aimer, et ne lui en donnais pas cette preuve dont les hommes sont si prodigues et qui souvent leur tient lieu d'amour. J'éteignis de force.

Je me retrouvai avec le trouble de tout à l'heure, avant d'entrer chez Marthe. Mais comme l'attente devant la porte, celle devant l'amour ne pouvait être bien longue. Du reste, mon imagination se promettait de telles voluptés qu'elle n'arrivait plus à les concevoir. Pour la première fois aussi je redoutai de ressembler au mari et de laisser à Marthe un mauvais souvenir de nos premiers moments d'amour.

Elle fut donc plus heureuse que moi. Mais la minute où nous nous désenlaçâmes, et ses yeux admirables, valaient bien mon malaise.

Son visage s'était transfiguré. Je m'étonnai même de ne pas pouvoir toucher l'auréole qui entourait vraiment sa figure, comme dans les tableaux religieux.

Soulagé de mes craintes, il m'en venait d'autres.

C'est que, comprenant enfin la puissance des gestes que ma timidité n'avait osés jusqu'alors, je tremblais que Marthe appartînt à son mari plus qu'elle ne voulait le prétendre.

Comme il m'est impossible de comprendre ce que je goûte la première fois, je devais connaître ces jouissances de l'amour chaque jour davantage.

En attendant, le faux plaisir m'apportait une vraie douleur d'homme : la jalousie.

J'en voulais à Marthe, parce que je comprenais, à son visage reconnaissant, tout ce que valent les liens de la chair. Je maudissais l'homme qui avait avant moi éveillé son corps. Je considérai ma sottise d'avoir vu en Marthe une vierge. A toute autre époque, souhaiter la mort de son mari, c'eût été chimère enfantine, mais ce vœu devenait presque aussi criminel que si j'eusse tué. Je devais à la guerre mon bonheur naissant; j'en attendais l'apothéose. J'espérais qu'elle servirait ma haine comme un anonyme commet le crime à notre place.

COLETTE

1873-1954

Le Blé en herbe

1923

La même année que *Le Diable au corps*, Colette poussait un peu plus les anciens combattants vers leur quarantaine, ou leur cinquantaine (exactement l'âge de l'auteur) avec un autre roman de la jeunesse. Plus peut-être que *Le Diable au corps*, un peu dépassé dans sa sensibilité et ses situations, *Le Blé en herbe* continue d'alimenter des rêveries voluptueuses, paraît-il, chez les lecteurs qui ont l'âge de ces héros. Moins puissant que les deux volumes de *Chéri* (Léa a l'âge de Colette), *Le Blé en herbe* reste une des grandes réussites de l'ex-Madame Willy.

Le Blé en herbe paraît chez Flammarion en juillet 1923 et recueille un joli succès de critique. Le livre a pourtant soulevé un scandale l'année précédente. Commencé de publier en feuilleton dans *Le Matin* (dirigé par le mari de Colette, Henry de Jouvenel) à partir du 29 juillet 1922, *Le Blé en herbe* a vite inquiété la direction et la régie publicitaire du journal. Phil, un des deux jeunes héros du roman, seize ans et demi, est devenu l'amant (au chapitre X) de « la Dame en blanc », qui en a trente ! On décide de couper la fin du chapitre XIV. Mais quand paraît le quinzième, où les lecteurs comprennent que Phil et Vinca (quinze ans et demi) vont bientôt faire l'amour, leurs protestations (lettres, coups de téléphone, visites au journal) se font tellement nombreuses que *Le Matin* interrompt la publication du feuilleton. Colette termine le roman en juin 1923, un mois avant la sortie en librairie qui se fait, pour la première fois, sous le nom de Colette seule, et non plus Colette Willy. C'est une époque terminée.

TU VAS TOMBER, Vinca, ton espadrille est défaite. Attends... Phil se baissa vivement, saisit les deux rubans de laine blanche et les croisa sur une cheville brune, frémissante, sèche, jambe de bête fine, faite pour la course et le saut. Un épiderme durci, des cicatrices nombreuses n'en masquaient pas la grâce. Presque pas de chair sur l'ossature légère, juste assez de muscle pour assurer le galbe ; la jambe de Vinca n'éveillait pas le désir, mais l'espèce d'exaltation que l'on voue à un style pur.

— Attends, je te dis ! Je ne peux pas rattacher tes cordons, si tu marches !

— Non, laisse !

Le pied nu, chaussé de toile, glissa entre les mains qui le tenaient et franchit, comme s'il s'envolait, la tête de Phil agenouillé. Il perçut l'odeur d'esprit de lavande, de linge repassé et d'algue marine qui composait le parfum de Vinca, et la vit à trois pas de lui. Elle le regardait de haut en bas et lui versait la lumière assombrie et troublée de ses yeux, dont le bleu refusait d'imiter les nuances changeantes de la mer.

– Qu'est-ce qui te prend? En voilà des caprices! Je sais rattacher une sandale, peut-être! Je t'assure, Vinca, tu deviens impossible!

La posture chevaleresque de Phil seyait mal à son visage offensé de dieu latin, doré, couronné de cheveux noirs, à peine menacé dans sa grâce par l'ombre – poil dru demain, duvet de velours aujourd'hui – de la moustache future.

Vinca ne se rapprochait pas de lui. Elle semblait étonnée, et essoufflée comme si Phil l'eût poursuivie.

– Qu'est-ce que tu as? Je t'ai fait mal? Tu as une épine?

Elle répondit « non » d'un signe, s'adoucit, tomba assise parmi la sauge et les renouées roses, tira l'ourlet de sa robe jusqu'à ses chevilles. Une célérité anguleuse et plaisante, un équilibre, exceptionnel comme un don chorégraphique, gouvernaient tous ses mouvements. Sa tendre et exclusive camaraderie avec Phil l'avait formée aux jeux garçonniers, à une rivalité sportive qui ne cédait pas encore devant l'amour, né cependant en même temps qu'elle. Malgré la force, chaque jour monstrueusement accrue, qui chassait hors d'eux peu à peu la confiance, la douceur, malgré l'amour qui changeait l'essence de leur tendresse comme l'eau colorée qu'elles boivent change la couleur des roses, ils oubliaient quelquefois leur amour.

Philippe ne soutint pas longtemps le regard de Vinca, dont l'azur assombri ne contenait aucun reproche. Elle paraissait seulement surprise, et respirait vite, comme la biche qu'un promeneur rencontre en forêt et qui balance, émue, au lieu de gagner le large. Elle interrogeait son propre instinct, plutôt que le jeune garçon agenouillé dont elle avait fui la main; elle savait qu'elle venait d'obéir à la défiance, à une espèce de répulsion, non à la pudeur. Il n'était pas question de pudeur aux côtés d'un si grand amour.

Mais la pureté vigilante de Vinca percevait, par des avertissements soudains, une présence féminine auprès de Philippe. Il arrivait qu'elle flairât l'air, autour de lui, comme s'il eût, en secret, fumé, ou mangé une friandise. Elle interrompait leurs causeries par un silence aussi impérieux qu'un bond, par un regard dont il sentait le choc et le poids. Elle délivrait sa main de la main amie, plus petite mais moins fine que la sienne, où sa main reposait pendant la promenade sur la route avant le dîner...

Sa troisième, sa quatrième visite à Mme Dalleray, Phil les avait sans peine cachées à Vinca. Mais que valaient la distance et les murailles contre l'antenne invisible qui d'une âme éprise s'élance, palpe, découvre la flétrissure et se replie?... Greffé sur leur grand secret, le petit secret parasite tarait Philippe, innocent en fait, d'une difformité morale. Vinca maintenant le trouvait doux lorsqu'il eût dû, confiant dans son despotisme d'amant fraternel, la traiter en esclave. Un peu de l'aménité des maris infidèles se glissait en lui et le rendait suspect.

Ayant morigéné l'étrange humeur de Vinca, Philippe garda cette fois son air rogue et reprit le chemin de la villa, en se retenant de courir. Goûterait-il dans une heure à *Ker-Anna*, comme Mme Dalleray l'en avait prié ? Prié... celle-là ne savait qu'ordonner, et conduire avec une dureté dissimulée celui qu'elle élevait au rang de mendiant et d'affamé. Mendiant rebelle à l'humilité et qui pouvait, loin d'elle, songer sans gratitude à la verseuse de boisson fraîche, à la peleuse de fruits dont les mains blanches servaient et soignaient le petit passant novice et bien tourné. Mais faut-il nommer novice l'adolescent que l'amour a, dès l'enfance, sacré homme et gardé pur ? Où elle eût trouvé une victime facile, enchantée de se soumettre, Mme Dalleray rencontrait un antagoniste ébloui et circonspect. La bouche altérée et les mains tendues, le mendiant ne prenait pas figure de vaincu.

« Il se défendra », conjecturait-elle. « Il se garde... » Elle n'en était pas encore au point de dire : « *Elle* le garde. »

Philippe put crier de la maison, à Vinca restée sur le pré sableux :

— Je vais chercher le second courrier ! Tu n'as pas de commissions ?

Un signe de refus tendit autour de la tête de Vinca ses cheveux égaux en roue ensoleillée et Philippe se jeta sur sa bicyclette.

Mme Dalleray ne semblait pas l'attendre et lisait. Mais l'ombre étudiée du salon, la table presque invisible d'où montaient les odeurs de la pêche tardive, du melon rouge de Chypre coupé en croissants d'astre et du café noir versé sur la glace pilée le renseignèrent.

Mme Dalleray laissa son livre et lui tendit une main sans se lever. Il voyait dans l'ombre la robe blanche, la main blanche : les yeux noirs, isolés dans leur halo de bistre, bougeaient avec une lenteur inaccoutumée.

— Peut-être que vous dormiez, dit Phil, en se forçant à une obligeance mondaine.

— Non... Certainement non. Il fait chaud ? Vous avez faim ?

— Je ne sais pas...

Il soupira, sincèrement indécis, pris, dès l'entrée à *Ker-Anna*, d'une sorte de soif, et d'une sensibilité aux odeurs comestibles qui eût ressemblé à l'appétit si une anxiété sans nom n'eût en même temps serré sa gorge. Son hôtesse le servit pourtant, et il huma, sur une petite pelle d'argent, la chair rouge du melon poudré de sucre, imprégnée d'un alcool léger, à goût d'anis.

— Vos parents vont bien, monsieur Phil ?

Il la regarda, surpris. Elle paraissait distraite et ne semblait pas avoir entendu sa propre voix. Du bord de sa manche, il accrocha une cuiller, qui tomba avec un son de clochette faible sur le tapis.

– Maladroit… Attendez…

D'une main elle lui saisit le poignet, de l'autre main elle releva, jusqu'au coude, la manche de Phil et garda fermement, dans sa main chaude, le bras nu.

– Laissez-moi! cria Phil très haut.

Il fit un violent mouvement du bras. Une soucoupe se brisa à ses pieds. Dans le bourdonnement de ses oreilles tintait l'écho du cri de Vinca : « Laisse!… » et il tourna vers Mme Dalleray un regard plein de couroux et de questions. Elle n'avait pas bougé et la main qu'il avait rejetée gisait ouverte sur ses genoux comme une conque creuse. Philippe mesura longuement cette immobilité significative. Il baissa la tête, vit passer devant lui deux ou trois images incohérentes, inéluctables, de vol comme l'on vole en songe, de chute comme l'on choit en plongeant, à l'instant où les plis de l'onde vont joindre le visage renversé – puis, sans élan, avec une lenteur réfléchie, avec un courage calculé, il remit son bras nu dans la main ouverte.

GASTON PICARD

1892-1962

Les Voluptés de Mauve

1923

Lionel d'Autrec, déjà cité, n'est pas tendre pour Les Voluptés de Mauve, publié en 1923 par les Éditions du Monde Nouveau, dont le catalogue, éclectique, compte dans la même collection Péladan, Gaston Picard et Ramuz : « [les pages suivantes] *appartiennent au domaine du mercantilisme pornographique. Les Voluptés de Mauve ne sont même pas voluptueuses. M. Gaston Picard, nourri au séminaire, s'est imaginé conquérir la gloire et la fortune en nous présentant un mélange écœurant de sperme et d'eau bénite. L'érotisme est un art et le sens de la volupté est un don. M. Picard ne possède ni cet art, ni ce don* »... Ainsi présenté, il n'était pas question que ce livre manque à notre anthologie. Je dois en prévenir les amateurs éventuels, il semble être devenu assez rare.

*L*A GAIETÉ RÉGNA, Philippe Carongel, le camarade, parlait peu, mais c'était un bavard que Honoré-Auguste Racine. Le comte recueillit d'abondance tous renseignements sur les branches grandes et petites de son arbre généalogique. Et le garçon accompagnait chacune de ses réponses d'un fleuve d'histoires et d'anecdotes de tous crus. Ce disant, il vidait avec aisance son verre, et dévorait la bonne chère.

René couvrait de notes ses calepins. Mauve appuyait des talons sur les bottes épaisses de Honoré-Auguste Racine, visiblement sensible aux attraits étincelants de sa voisine. Dans sa joie d'ajouter un chapitre à son ouvrage bien connu, René ne surprit pas que les bottes à leur tour se posaient sur le pied menu que le matin même il admirait en fervent, et que ce pied semblait satisfait de se sentir quasi brutalisé sous les grosses bottes. Est-ce que le propriétaire de celles-ci ne mettait pas maintenant toute son imagination surexcitée par le bouquet des vins et le parfum de Mauve au service de son nom? Il contait toujours plus, en dépit de l'ahurissement manifesté par Philippe son ami, et le comte ne se lassait pas de noter. Même, après une rasade de cognac, le garçon tapa du poing sur la table, et, dans le fracas causé par ce coup, il s'écria que feu Jean Racine c'était lui, par un prodige réincarné.

Le comte à cette boutade perdit de sa confiance. Il regretta la facilité avec laquelle il avait rempli ses calepins, et il parla de se lever de table.

– Une politesse en appelle une autre, rugit le gaillard, et vous ne quitterez pas Chevreuse sans boire chez moi un petit vin blanc qui est sucré comme un dessert!

Le comte s'excusait, prétextait la nécessité de prendre le premier train, lorsque Mauve déclara qu'elle ferait volontiers quelques pas au grand air. Elle désignait ses joues rouges et ses yeux las.

— Soit, dit René, malgré qu'il se résignât mal à marcher au sortir de table.

Mauve l'embrassa, et dans l'oreille lui murmura :

— Restez, mon ami. Vous classerez vos notes, et moi j'écarterai ce garçon qui, tout Racine qu'il s'appelle, a bu plus qu'à sa suffisance et commence à devenir gênant.

— Mais s'il vous manquait de respect ? s'inquiéta René.

— Impossible. Il ne pense qu'à son vin blanc. Tant que l'un de nous deux n'y aura pas goûté, il ne nous laissera pas la paix. D'ailleurs, son camarade sera là.

A quelque cent mètres, Philippe Carongel quittait Mauve et Honoré-Auguste Racine.

Le couple pressa le pas. Le garçon vantait à la jeune femme ses prouesses amoureuses, se donnait pour le coq de Chevreuse, et bombait sa poitrine.

— C'est encore loin, chez vous ? s'enquit Mauve.

— Voici ma maison.

Ils entrèrent dans une ferme propre et avenante. Des volailles piaillaient dans la cour. Un chat sommeillait sur la margelle du puits, pareil à un manchon oublié. Deux dogues cohabitaient en une niche au toit vert. Racine apaisa leur grondement. Il introduisit Mauve dans la salle à manger.

— Et les gens de votre famille ? demanda la courtisane.

— Ils sont aux champs, tous. Patientez une seconde, je vais prendre mon vin.

Mauve se souciait bien des délices de la cave ! Le mobile qui la conduisait ici, c'était l'amour. Elle voulait faire l'amour avec le garçon. Tout de suite elle avait senti monter en elle, mordre son cœur, mordre sa peau, les prémices de ce qu'on appelle le béguin. Elle décidait maintenant de tromper le comte René d'Ailly. Ce vieux fou réclamait un baiser devant un Racine peint ! Eh bien, elle embrasserait un Racine en chair et en os. Elle serait sa maîtresse. Oh ! rien qu'un instant, sans doute. Elle ne comptait pas remettre la clef de son appartement de Paris à ce garçon.

Il revenait, élevant une bouteille vers le soleil.

— Quel jus ! Vous n'avez jamais rien bu de meilleur.

Il vacillait un peu, sous l'action des vins du déjeuner. Mauve prit la bouteille, et la posant sur le buffet :

— Honoré-Auguste Racine, dit-elle, est-ce qu'il n'existe pas meilleur encore ? Est-ce qu'une jolie femme ne dépasse pas les mérites de ton vin blanc ?

Elle campait les poings sur ses hanches. Elle dévisageait le garçon, qui se troublait.

– Racine, reprit-elle, cher et aimable Racine, ta salle à manger a vu bien des ripailles. Mais en ce pays où les filles de ferme sont la majorité, ta chambre à coucher a-t-elle vu, dis, beaucoup d'amoureuses faites comme moi ?

– Sacré tonnerre ! jura le gaillard, ce serait trop de bonheur !

Elle chut habilement dans ses bras, qu'il avait soudain ouverts tout grands, pour ne rien perdre de cette femme merveilleuse. Il les referma si fort qu'elle se crut sur le point d'étouffer. Son désir augmenta en impatience.

Soulevée de terre, posée sur le lit de Racine, elle reçut avec ivresse l'assaut que le vainqueur radieux portait à tout son corps. Ah ! le garçon ne s'attardait pas à poser des lèvres adulatrices sur le pied de sa conquête. Même, il ne prenait pas la peine de dépouiller Mauve des artifices de sa toilette. Cependant que sa main gauche échancrait le corsage, rompait une attache, arrachait un bouton et s'ouvrait tout entière sur un sein épanoui, fripant la fleur de chair qui dardait, pourpre, sa main droite relevait la robe, le jupon, les dessous, tout cela à la fois, d'une poussée. Mauve gémissait de plaisir. Honoré-Auguste Racine, sa main droite redescendant, délivra sa virilité. Et sans apprêt, sans une parole, comme le couteau du charcutier entre dans les chairs roses du porc, il entra, tout de go, dans le savoureux corps de femme, à la chair pareillement rose. La pause succéda, rapide, à la vivacité de la pénétration. La semence de Honoré-Auguste Racine, cependant, ne se répandait point sur la fraîcheur des draps, mais s'insinuait, brûlante et grasse, dans l'intimité de Mauve Leshoullières. Il pressait contre lui la courtisane avec le lyrisme d'un qui a bu et qui jouit. Quant à elle, les mains en avant, elle écartait avec violence cet amoureux sans mesure. Elle cherchait à éviter l'insistance du membre qui, dégonflé, palpitait encore en elle, et elle fuyait le flux de la semence. Mais en vain. Le garçon affirmait par un nouvel assaut sa joie d'une telle possession. La virilité se reformait, plus caressante, plus dure aussi, et explorait une seconde fois la chair, irrésistiblement. Ce coup-là encore, Mauve subit la poussée d'une semence bondissante.

Elle put enfin reculer jusqu'à la tête du lit. Elle clamait :

– Vous n'êtes pas capable de vous arrêter, non ?

Il la regardait avec une figure ahurie : pourquoi cette explosion de colère, après les gentillesses de tout à l'heure ?

Mauve poursuivait, en trépignant, de furieuses imprécations, auxquelles elle mêlait des mots qui n'eussent été de mise que dans le secret de son cabinet de toilette.

Le garçon proposa de l'eau fraîche. Il courut à la cuisine, et reparut avec une terrine pleine de l'eau la plus naturelle.

– Qu'est-ce que je ferais de cette saleté ? s'écria la jeune femme.

Elle ajouta :

– Avez-vous une éponge, au moins?

Il repartit dans la cuisine, d'où il rapporta une grossière éponge. Mauve la lui arracha presque, la noya dans la terrine, et, avec dépit, elle frotta sa chair meurtrie.

ANONYME

Ma vie secrète

1 9 2 3

Il est longuement question de *Ma vie secrète* dans notre tome II à sa place historique, aux environs de 1890. Mais la publication de la première version française de ce formidable texte, trente et quelques années plus tard, devait aussi être marquée. Ne fût-ce que pour que l'on constate à quels navrants tripatouillages se livrèrent dès 1923, et jusqu'à la première version intégrale et fidèle (chez Stock, en 1994), les éditeurs et les « traducteurs » de ce chef-d'œuvre unique en son genre. Rien de comparable.

Les *tradittori* de 1923 sont connus, tout au moins le principal coupable. D'après P. Pia, qui commence par citer Perceau, la traduction « *avait préalablement été faite – pour les deux seuls tomes publiés –, avec des atténuations sensibles, par un professeur de lettres. L'éditeur demanda à un écrivain de revoir cette traduction faite au courant de la plume, et de la corser en rétablissant les mots qui avaient été remplacés par de termes plus décents* » (Perceau). « *Ce que Perceau ne dit pas*, ajoute Pia, *c'est que lui-même fut l'écrivain qui se chargea de la révision du texte français.* » Il faut bien dire que Louis Perceau, tout en rechargeant les pages en termes « corsés », réussit surtout à banaliser *Ma vie secrète*, et à le raboter de tout ce qui dépassait (et de loin) l'ordinaire des petits érotiques français clandestins de l'époque.

Il s'agissait de deux petits volumes in-16 jésus, en tout 360 pages, et naturellement clandestins. A la fin du tome II, une note : « *Nous pensons faire paraître la suite de cet ouvrage en 1924.* » Heureusement, la suite en question, certainement promise à une semblable catastrophe littéraire, ne paraîtra jamais.

J E DEVAIS AVOIR de cinq à huit ans lorsque se déroulèrent les premiers incidents érotiques dont je me souvienne. Ma nourrice était une jeune femme petite et grasse. Elle me touchait souvent la quéquette, et quand j'avais envie de pisser, elle la tenait toujours dans sa main. Un jour, elle essaya de ramener en arrière la peau de mon prépuce. D'abord, je me laissai faire, puis ses mouvements devenant plus saccadés, cela me fit mal et je me mis à crier. Un autre jour, elle m'embrassa, sortit ma petite pine et joua avec, puis elle prit une de mes mains et la plaça sous ses jupons. Elle me la faisait remuer avec force, tout en me tripotant la queue à me faire mal. Je me souviens que le petit bout rouge apparaissait à chaque mouvement de son poignet. Puis elle se mit sur le dos, releva ses jupes et écarta les jambes. Elle me plaça entre ses cuisses et me serra tellement que je pleurai. Elle me rejeta de côté sans s'occuper de mes cris et je vis qu'une de ses mains s'agitait violemment entre ses cuisses. Enfin, elle poussa quelques soupirs et ne bougea plus.

Je passe sur divers incidents sans importance : une invitée de ma mère, que je vis pisser avant de se mettre au lit ; une autre qui changea de chemise devant moi et dont je vis les poils noirs qui garnissaient sa motte, etc. A douze ans, en rôdant autour de l'écurie, je vis un jour un étalon en train de saillir une jument. L'énorme pine s'enfonçait dans le derrière de la jument et j'étais tout absorbé par ce spectacle, lorsque mon père survint et me fit déguerpir.

Vers le même âge, un de mes cousins me demanda de pisser avec lui le long d'une haie. Nous nous montrâmes mutuellement notre queue et nous l'examinâmes. Il me fit ramener son prépuce en arrière, mais n'en put faire autant avec moi. Alors, il se mit à rire et j'en fus très mortifié. Je note cet incident, car je crus longtemps que j'étais atteint d'une infirmité et cela me retint parfois dans mes tentatives amoureuses.

Mon cousin Fred, qui fut par la suite mon compagnon de débauche, m'initia à la théorie de la différence des sexes, bien qu'il ne fût guère savant en pareille matière. Il serait fastidieux de raconter ici toutes les tentatives que nous fîmes ensemble pour nous instruire sur ce sujet. Nous nous cachions dans l'espoir de surprendre des femmes en train de pisser et nous y réussîmes plusieurs fois. Un jour que nous étions cachés sous un massif, nous surprîmes ma tante dans cet exercice. Nous étions couchés à plat ventre et nous vîmes son gros derrière tout à loisir. Elle avait une grande touffe de poils tout frisés, d'où un gros jet d'urine s'échappait avec bruit.

Je me souviens d'une dispute entre Fred et moi, au sujet de la forme des cons. Il me soutenait qu'ils étaient fendus en long et je croyais, moi, que c'était un trou rond comme celui du derrière. Ce fut un camarade qui nous départagea en nous montrant une peinture érotique en couleurs où nous pûmes admirer cet objet à loisir. Cependant, je ne fus qu'à demi convaincu de mon erreur.

Une fois, en compagnie de Fred et d'autres gamins, nous pûmes assister aux ébats d'un chien et d'une chienne. Nous fîmes le cercle et nous assistâmes à l'opération jusqu'à la fin. Cela suscita de multiples questions des uns ou des autres. Les hommes et les femmes font-ils de même ? Restent-ils également collés un certain temps ? De l'avis unanime, on résolut ces deux questions par l'affirmative.

A treize ans, on me changea d'école, et j'appris de mes nouveaux camarades comment on pouvait se branler. Je les regardais faire, mais je n'essayais pas. A la même époque, un parent d'une quinzaine d'années, fils d'un clergyman, passa quelque temps chez nous et on le fit coucher avec moi. Un matin, en m'éveillant, je sentis son ventre contre mes fesses et sa pine entre mes cuisses. Il s'agitait et la faisait aller et venir. En même temps, il avait saisi la mienne et la secouait. Je ne voulus pas le laisser achever. Une autre nuit, en se déshabillant, il me montra sa queue toute raide. Elle était étonnamment longue, mais toute mince. Il s'assit nu sur une chaise et commença à se branler. Tout à coup, il allongea brusquement les jambes et se renversa en arrière en fermant les yeux et en respirant bruyamment. En même temps, quelque chose de blanc et de sirupeux giclait de sa pine et se répandait sur le tapis. Je le crus malade, mais il m'assura avec éloquence qu'il avait éprouvé un grand plaisir. Plusieurs fois, par la suite, je le branlai moi-même, mais ne le laissai essayer sur moi qu'une fois. Je n'eus aucune sensation de plaisir et je refusai de le laisser recommencer.

C'est quelque temps après seulement que j'eus mes premières érections. Du jour où je sentis ma pine se durcir, je fus attiré vers les femmes par tout autre chose que la curiosité qui m'avait mû jusqu'ici. Je me mis à tourner autour de nos servantes et il n'y en eut bientôt pas une que je n'eusse embrassée. Je pense qu'elles devaient en être flattées, car elles y mettaient de la complaisance et me laissaient les embrasser durant une bonne minute. Il y en avait même une, je m'en souviens, qui semblait y prendre grand plaisir et qui frottait ses lèvres sur les miennes jusqu'à me toucher les dents. Une autre, à qui je demandais un jour de voir ses nichons, me dit : « Attendez une minute. » Elle en sortit alors un et m'en présenta le bout. Je me jetai dessus et y enfouis mon visage. « Oh! lui dis-je, comme j'aime l'odeur de votre chair! » Elle était potelée et bien faite. Je sentais l'odeur de ses seins et celle de son aisselle. Je ne l'embrassai jamais, par la suite, sans qu'elle me fît mettre la figure entre ses tétons : cela me causait un énervement délicieux, mais je ne poussai pas les choses plus avant.

Ce sens délicat que je possédais de savourer le parfum de la femme, je le conservai toute ma vie. Il me causa par la suite de grands ravissements.

Deux de nos servantes étaient sœurs. L'une était très grosse et m'excitait beaucoup. Quand j'étais souffrant et qu'elle m'apportait à manger au lit, je l'attirais à moi et gardais mes lèvres sur les siennes. Elle se laissait faire et je crois qu'elle y trouvait du plaisir. J'embrassais aussi sa sœur, qui était fort jolie. Mais chacune me recommandait de n'en pas parler à l'autre. Quand la seconde faisait jouer mon jeune frère, je me couchais à même le tapis, sur un oreiller, faisant semblant de lire. Elle venait souvent tourner autour de moi. Parfois, elle se baissait brusquement et me recouvrait avec ses jupes. Un jour, j'étendis soudain la main en haut. Elle tomba sur le dos, les jambes en l'air, et y resta plusieurs secondes. « J'ai vu vos cuisses, lui dis-je. – Eh bien, après? » me répondit-elle. Un autre jour, elle me fit mettre la main dans son corsage. La plus grosse des deux sœurs s'appelait Betsy. Malgré sa grande taille et sa grosseur, elle avait une voix d'une douceur infinie. Elle avait vingt-deux ans au plus. J'en devins amoureux et l'embrassai régulièrement.

Un jour que j'étais avec elle dans le salon, je lui dis brusquement que je l'avais entendue pisser. Elle éclata de rire. J'étais sur un sofa et elle sur une chaise. Je lui demandai de s'approcher et elle m'obéit. Je la touchai à la cheville, près du mollet, sans qu'elle fît la moindre résistance. Alors, je fis remonter graduellement ma main jusqu'au-dessus de sa jarretière et je touchai sa chair nue. Mais elle mit ses deux mains entre ses cuisses en me disant :

— Voyons, Wattie, vous prenez trop de libertés !

— Oh ! dites, chérie, embrassez-moi, lui répliquai-je, et laissez-moi le toucher.

Se penchant alors, elle posa ses lèvres sur les miennes. Ses mains se relâchèrent bientôt. Elle se redressa et rit. Ma main toucha alors son ventre. Je ne pus qu'enrouler mes doigts autour de ses poils, qu'elle avait fort doux et fort longs.

Elle se remit à m'embrasser en disant :

— Oh ! quel gamin vous êtes ! quel gamin !

Mais elle avait les cuisses étroitement serrées et je ne touchais que ses poils.

Il me vint alors une sensation voluptueuse. C'était comme si j'avais défailli de plaisir. Ses lèvres pressèrent les miennes. Elle murmura :

— Oh ! quelle honte !

La chaleur de ses cuisses nues me monta à la tête en me causant une étrange sensation de moiteur. Et ce fut tout. Elle m'accorda plusieurs fois les mêmes privautés.

Un jour, je bandais en la lutinant. J'étais au lit.

— Écartez la lumière, lui dis-je, j'ai quelque chose à vous montrer.

Elle alla pousser la porte et éloigna la lumière, laissant mon lit dans l'ombre. Nous nous embrassâmes. De nouveau, je touchai ses cuisses, son ventre et ses poils. Je pris sa main, la glissai sous les draps et la mis en contact avec ma pine. Elle l'empoigna, puis, se baissant, elle m'embrassa en disant « Polisson ! Polisson ! » Mais elle ne lâchait pas ma queue et glissait la main tout autour. Puis, brusquement, elle s'en alla.

Quand j'allai mieux, elle ne me laissa plus la toucher. Mais je la surpris un soir qu'elle fermait les persiennes de la salle à manger. Je l'embrassai brusquement, puis, me baissant par-derrière, je ramassai ses jupes et les relevai jusqu'à la taille. Elle me montra ainsi ses fesses. Elles étaient grosses et blanches. Elle continua de fermer les volets et se contenta de dire doucement :

— Qu'est-ce que vous faites donc, Wattie ? Il ne faut pas !

Je dévorai son cul des yeux. J'y portai les mains que je fis glisser tout autour de ses cuisses, puis je collai mes lèvres sur la chair blanche des fesses. Les cotillons m'étaient retombés sur la tête. Elle se dégagea et jura qu'elle ne me parlerait plus jamais. Elle tint parole jusqu'au jour où elle nous quitta.

1867-1945

La Ceinture enchantée
(Contes pour les satyres)

1923

Colette, toujours, a parfaitement démonté et analysé le mécanisme de cette langue étrange dont on trouve encore un parfait échantillon dans les *Contes pour les satyres*, écriture « fin de siècle », « *qui fleurit sous la plume de Félix Fénéon, dépare Huysmans, complique de prétention la correspondance de Verlaine, et n'appartient en propre à personne, pas même à Alcanter de Brahm* ». Elle parlait à propos de Willy, contemporain de Georges Fourest, et qui comme lui survivait à son époque. « *Cette prose, qui fuyait la simplicité, même la clarté, cette phrase à volutes, jeux de syllabes, prétéritions, truffée de mots techniques, de calembours, qui fait parade d'étymologie, coquette avec le vieux français, l'argot, les langues étrangères mortes et vivantes, je crois qu'en trahissant une soif d'étonner, elle révèle le caractère de celui qui l'emploie. Si l'on tenait à forcer le secret de son maniérisme, ne devrait-on pas remonter jusqu'à une très vieille timidité, une mièvrerie de débutant, et le doute de soi* [1] ? »

Est-ce pour cette raison que le fils de Georges Fourest nous interdit au dernier moment, en 1979, de citer deux pages de ces *Contes pour les satyres* dont il estime que la prose n'est pas à la hauteur des vers de *La Négresse blonde* ou du *Géranium ovipare*? On le saura peut-être un jour. En attendant, nous avions dû couper, juste avant que les machines de l'imprimeur ne commencent à tourner, tout ce qui dépassait ce qu'autorise le strict droit de citation, d'où l'aspect un peu étrange de ces pages.

Il s'agit du chapitre IV du quatrième conte du recueil, *La Ceinture enchantée*. La duchesse de Xacarilla, désirée par le baron de Flambergeac, a posé comme condition, pour lui céder, qu'il mette une ceinture de chasteté à la baronne. La chose faite, nouvelle exigence : elle veut constater *de visu* le verrouillage de sa rivale, une roturière née Éléanore Gradevost. Les deux amants profitent du sommeil de leur victime pour s'en approcher.

1. *Mes apprentissages*, Paris, 1936.

IV

Homo homini lupus, femina feminae lupior.

(ADAGE ANTIQUE).

paix des juges de paix…
Cuirasse du mari contre la femme forte…
Obscène confesseur des dévotes mort-nées…
Manne des cœurs suppliciés.

Ainsi les gongoresques litanies du barde Tristan Corbière panégyrisent le sommeil : le *cœur supplicié* d'Eléonore Gradevost, baronne de Flambergeac, savourait nocturnement la « manne » léthéenne ou, sans tropologie ni périphrase, Mme de Flambergeac, née Gradevost, dormait, sommeillait, pionçait, roupillait, tapait de l'œil, ronflait comme cent mille tuyaux d'orgue lorsque son tyran et la complice d'icelui irruent en ce *bed-room*, théâtre hier d'une si tragique atellane.

On l'éveille, on la met nue :

Longuement la Xacarilla se gaudit au spectacle d'une rivale muselée : elle vérifie la serrure, s'attarde aux sous-cuisses incrustées déjà dans la chair excoriée des jarrets et des fesses, introduit un auriculaire obstinément scrutateur dans l'étroit pertuis ménagé pour d'innommables fonctions :

Satisfaite, la Xacarilla entreprend de récompenser son chevalier sur-le-champ et sur le lit conjugal, et sous les yeux de l'infortunée baronne :

Accoler un mari, à la vue de sa femme, pour la perverse Castillane, quel plus acute incitamment de jouissure ? par des craquements réitérés à peine jusqu'alors conjugal le sommier clame son allégresse de se sentir nuptial. Toute nue sous son pagne dérisoire, humiliée jusques au fond du cœur, troublée aussi, rebellée au tréfonds de son sexe la pauvre cadenassée se doit initier à d'inouïes amplectations, d'insoupçonnées blandices, des transports dont chacun et l'outrage et l'attise, allumant sur ses joues les feux de la pudeur, mais aussi, tu le sais, hypocrite nature, en un lieu plus abscons tous les feux du désir.

Peu après, l'espiègle Espagnole s'enfuit avec la clé de la ceinture. Mais tout finira bien.

ARTHUR RIMBAUD

1854 - 1891

Les Stupra

1923

On trouve aujourd'hui *Les Stupra* dans le Rimbaud de la Bibliothèque de la Pléiade. En 1923, ils furent publiés dans une édition clandestine à petit nombre, comme, de nouveau, en 1925, illustrés cette fois, et avec une préface que j'ai longtemps attribuée à un des surréalistes, avant que Pascal Pia ne m'apprenne que « Marcelle la Pompe » était en réalité Renée Dunan, journaliste et romancière, auteur officiel de *La Confession impudique*, de *Une heure de désir* (à l'Enfer, tout de même), et clandestin, sous le pseudonyme de Louise Dormienne des *Caprices du sexe*; Renée Dunan n'est pas un auteur négligeable. Le catalogue de l'Enfer de la Bibliothèque nationale attribue faussement cette préface à Pascal Pia. Nous la reproduisons aussi.

Et puisque nous parlons du groupe surréaliste, il faut peut-être signaler qu'en 1923, justement, Robert Desnos terminait pour le couturier Paul Poiret son rapport intitulé *De l'érotisme considéré dans ses manifestations écrites et du point de vue de l'esprit moderne*. Il ne sera édité qu'en 1953 et passera à peu près inaperçu. L'heure il est vrai sera au moins très sévère. Il s'agit pourtant à mon avis d'un texte important :

« *J'ai choisi en quelque sorte le* MARQUIS DE SADE *comme centre. J'ai étudié ce qui m'a paru le plus typique avant et après jusqu'à* SACHER MASOCH *et* GUILLAUME APOLLINAIRE. *J'ai cru bon de citer aussi les ouvrages capitaux en érotisme comme* Les Liaisons dangereuses *et de ne pas me borner aux œuvres obscènes très souvent médiocres.*

« *Je crois avoir réussi à faire un résumé de la littérature érotique plutôt qu'une histoire. Si j'ai réussi à vous satisfaire j'aurai une raison de plus de me féliciter de ce travail dont l'intérêt m'est apparu de plus en plus au cours de mes recherches. Je me permets de vous remercier de m'avoir incité à le faire et de m'avoir ouvert la porte de tant d'horizons nouveaux. Je crois en effet que ces œuvres maudites, considérées d'un point de vue élevé, participent de l'esprit moderne et des tendances actuelles...*

« *Cent ans d'esprit révolutionnaire succédant à cent ans de mœurs affranchies nous ont donné entre autres droits celui d'exercer à l'amour notre esprit autant que notre chair...*

« *La morale n'implique que la recherche de la connaissance de l'homme. Elle comporte donc en soi l'étude des facultés sexuelles, sans condamnation ni apologie autrement que dans l'application d'une éthique aux nécessités de la vie...*

« *Toute philosophie est incomplète dont la morale ne contient pas une* ÉROTIQUE...

« *L'érotisme appartient en propre à l'esprit moderne. Confondu jadis avec le libertinage, il ne s'est dégagé en France qu'aux approches de la révolution romantique dont il fut un des signes précurseurs. Il existait néanmoins auparavant, mais nul ne s'était avisé de le cultiver...*

« *Parler du rôle de Baudelaire dans l'amour moderne est quasi impossible après la préface d'*APOLLINAIRE *aux* Fleurs du Mal... »

Mouvements de Rimbaud

Chers corbeaux délicieux
A. R.

Dans le cœur de chêne de la nuit voici assez longtemps que les étoiles se perdent. Il ne reste rien dont on ne nous ait faits héritiers, aucune succession dont on ne nous tienne quittes, purs de souvenirs ou d'espoir. La légende de Rimbaud repenti, imaginée par un ambassadeur marchand d'agnus et de rubans bénits pour les femmes enceintes, ne saurait passer pour l'explication d'un cas autrement émouvant que les soucis diplomatiques. Il est des secrets qu'on ne confie ni aux valises, ni à la N. R. F., ni à un portier consulaire.

La nuit, les saulaies des Ardennes que le vent d'octobre fait bouger – il y a un frémissement léger comme une rougeur de fille fraîche – le fil d'araignée qui mène en laisse les étoiles, un frémissement sur toute la frontière de la Meuse aux Vosges. Ça doit être Rimbaud qui vient à grands pas sur la route de terre battue, la verge humide, une pipe Gambier au coin de la bouche, et de temps en temps il tient sa pipe dans la main et il dit : nom de Dieu.

C'est peut-être un soir pareil à la nuit que Rimbaud m'a possédée en rêve, – un lit en X où nous étions trois femmes et lui et des feuilles de rose!!! tu n'as pas idée de ça, il m'était entré jusqu'ici – qu'il écrivit les vers qu'on a appelés Les Stupra. *Le troisième sonnet est né, dit-on, de la collaboration (vive Sodome!) de Rimbaud et de Verlaine. De la quatrième pièce* La Serveuse *une copie a circulé signée Rimbaud. Et sans doute tout cela est douteux, mais rien ici qui rappelle la saleté d'identifier à un moribond peureux le plus pur poète du désespoir.*

MARCELLE LA POMPE

I

Les anciens animaux saillissaient, même en course,
Avec des glands bardés de sang et d'excrément.
Nos pères étalaient leur membre fièrement
Par le pli de la gaine et le grain de la bourse.

Au moyen-âge pour la femelle, ange ou pource,
Il fallait un gaillard de solide grément ;
Même un Kleber, d'après la culotte qui ment
Peut-être un peu, n'a pas dû manquer de ressource.

D'ailleurs l'homme au plus fier mammifère est égal ;
L'énormité de leur membre à tort nous étonne ;

Mais une heure stérile a sonné : le cheval
Et le bœuf ont bridé leurs ardeurs et personne
N'osera plus dresser son orgueil génital
Dans les bosquets où grouille une enfance bouffonne.

II

Nos fesses ne sont pas les leurs. Souvent j'ai vu
Des gens déboutonnés derrière quelque haie,
Et dans ces bains sans gêne où l'enfance s'égaie,
J'observais le plan et l'effet de notre cul.

Plus ferme, blême en bien des cas, il est pourvu
De méplats évidents que tapisse la claie
Des poils ; pour elles c'est seulement dans la raie
Charmante que fleurit le long satin touffu.

Une ingéniosité touchante et merveilleuse
Comme l'on ne voit qu'aux anges des saints tableaux
Imite la joue où le sourire se creuse

Oh ! De même être nus, chercher joie et repos
Le front tourné vers sa portion glorieuse
Et libres tous les deux murmurer des sanglots ?

III

Obscur et froncé comme un œillet violet,
Il respire, humblement tapi parmi la mousse
Humide encor d'amour qui suit la rampe douce
Des fesses blanches jusqu'au bord de son ourlet.

Des filaments pareils à des larmes de lait
Ont pleuré sous l'autan cruel qui les repousse
A travers de petits caillots de marne rousse,
Pour s'aller perdre où la pente les appelait.

Mon rêve s'aboucha souvent à sa ventouse,
Mon âme du coït matériel jalouse
En fit son larmier fauve et son nid de sanglots.

C'est l'olive pâmée et la flûte câline,
Le tube d'où descend la céleste praline,
Chanaan féminin dans les moiteurs enclos.

GABRIEL SOULAGES

1876-1930

Le Malheureux Petit Voyage

1924

Le Malheureux Petit Voyage est un conte léger à la manière d'Anatole France, qui meurt cette année-là, couvert d'injures par le groupe surréaliste : « *Je tiens tout admirateur d'Anatole France pour un être dégradé. Il me plaît que le littérateur que saluent à la fois aujourd'hui le tapir Maurras et Moscou la gâteuse, et par une incroyable duperie Paul Painlevé lui-même, ait écrit pour battre monnaie d'un instinct tout abject, la plus déshonorante des préfaces à un conte de Sade* [1]. » (Louis Aragon, *Un cadavre : avez-vous déjà giflé un mort ?*)

[1]. *Dorci, ou la bizarrerie du sort*, Paris, 1881. Anatole France écrivait à la fin de sa préface : « *Après tout, il n'est pas nécessaire de traiter un texte du Marquis de Sade comme un texte de Pascal.* »

Chapitre quatrième

OU DES BRIGANDS

BIEN QU'IL VOUS AIT L'AIR d'un petit ruisseau de province, nous jugeâmes que le fleuve de Loire était de fort belle apparence. L'eau qu'on y peut découvrir s'étend sous maint bosquet d'arbres verts, aussi brillante qu'un miroir et tranquille comme un pot de lait. Nous en suivîmes le rivage durant le chemin que nous fîmes de la Charité jusqu'à Nevers. Il n'est point de jardin sur la terre qui soit plus plaisant que cette grand-route, et nous eussions pris vivement plaisir au chant qu'y sifflaient les oiseaux, à la beauté du feuillage et aux fleurs qui parfumaient l'air, si la chaleur de la saison, le mouvement de la chaise et la nature des coussins ne s'étaient point mis à nous accabler de l'espèce de maladie que l'on nomme mal au derrière. Nous en étions assez abattues et pleines de mélancolie lorsque nous vînmes à découvrir que, le ciel ayant, par hasard, placé une belle rivière sur le côté du chemin, c'était, entre mille raisons, afin que les dames qui vont en carrosse et ont, d'habitude, la peau des plus fines, s'y pussent baigner en passant et que l'endroit de leur personne pour lequel, malheureusement, les chaos des routes du roi ont moins de caresses que le roi lui-même, y eût tout loisir de faire la trempette. Ce fut dans cette pensée qu'étant descendues de voiture et ayant dit aux valets d'aller boire dans quelque auberge voisine nous rendîmes grâces à Dieu du remède qu'il nous offrait et enlevâmes notre robe, notre corps et notre chemise.

Sitôt que nous fûmes dedans la rivière, nous jugeâmes que les naïades, s'il est exact qu'on en découvre encore, sont les demoiselles les plus fortunées qui se puissent rencontrer dans l'univers, tant il est vrai que rien n'est si plaisant que de se promener sur la mousse, au milieu d'une eau bien tranquille, avec, comme seuls falbalas, la chevelure dénouée. Pour ma part, ne connaissant rien qui fût plus seyant pour une jeune princesse que ce simple et modeste appareil, je bénissais le hasard qui me donnait de contempler, ainsi, madame la maréchale, entourée de ce beau paysage et dans cette tenue d'été. Cependant, tout en admirant cette taille si divinement tournée, ce beau sein roide, ces jambes fines et rondes et maintes autres choses en plus, je songeais en retenant mes larmes combien c'était un sort cruel pour tant d'illustres merveilles d'en être réduites, par la cause d'un époux guerrier, à se consumer ainsi dessous les guimpes, les cotillons de soie et les bas à jours, et à demeurer, durant six semaines, en pénitence et au pain sec.

Après que je lui eus fait part de l'objet de ma réflexion, ma bonne maîtresse se mit à parler.

– Petite Toinon, me dit-elle, pourquoi monsieur le maréchal, au lieu de conduire ces grands sièges où il pourrait mourir de quelque boulet de canon, ne vient-il pas pousser l'assaut devant un petit endroit que je sais, lequel tremblerait de lui faire du mal et meurt de l'envie de se rendre !

Dans le même instant, un affreux tumulte éclata du côté de la rive et nous entendîmes force juriments avec des coups de pistolet.

Quand cette fumée qui provient de la poudre se fut un peu dissipée, nous aperçûmes quatre cavaliers, vêtus de pourpoints de velours et coiffés fort magnifiquement, qui sautèrent de cheval et s'assirent sur le bord de l'eau de manière à nous bien admirer.

Nous ne fûmes point, comme l'on devine, sans pousser les plus grands cris du monde et sans arranger nos petites mains devant nos beautés principales afin d'en cacher à ces gentilshommes à tout le moins l'essentiel. Mais quand nous eûmes l'assurance que le nombre et la dimension de nos trésors les plus doux étaient tels que nos dix doigts ne les pouvaient dissimuler, nous perdîmes notre courage et nous contentâmes de baisser les yeux.

– Que ne sommes-nous, soupira la princesse, comme Sainte Marie d'Égypte qui, allant en Terre Sainte et étant dans l'extrémité de céder à un batelier, fut couverte, par tout le corps, d'une si abondante toison qu'elle put, à ce que nous apprend l'Écriture, goûter la volupté la plus vive sans manquer à la modestie ! Le siècle, malheureusement, n'est plus si fertile en miracles et je tremble que, pour cette fois, le Ciel veuille que nous demeurions avec seulement comme voiles cette petite touffe blonde que nous avons à l'habitude, laquelle est semblable aux fines moustaches qui font paraître plus plaisantes les lèvres qu'elles ombragent.

— Madame, répondis-je, je crains à la vérité force événements imprévus qui, bien que des plus flatteurs pour la perfection de notre personne, n'en seront pas moins un peu étrangers aux règles de la continence.

Nous en étions là de notre entretien lorsque l'un de ces messieurs, ayant tiré ses bottes, descendit dans la rivière et s'en vint au-devant de nous.

Aussitôt qu'il fut à quelques pas, nous distinguâmes qu'il était vêtu d'un justaucorps brodé, de chausses à bouffants de dentelle, et portait, sur cet habillement, le cordon du Saint-Esprit.

A l'instant que je lui eus fait une profonde révérence et que je l'eus appelé « Monseigneur », comme c'est coutume pour ceux qui ont l'ordre royal, il enleva son chapeau et nous salua fort galamment.

— Mesdames, commença-t-il, mon naturel étant d'aimer les belles et de les priser d'autant plus qu'elles ont moins de vêtements, je ne cacherai point la flamme dont je suis dévoré à l'égard de vos personnes. En outre, malgré que, pour l'heure, vous me trouviez arrangé ainsi qu'un prince du sang de France, et muni de ce ruban bleu dont je m'emparai l'autre jour, je dois à l'honneur de vous confesser que j'ai pour profession de pratiquer le brigandage, laquelle comporte, entre maint autre objet, de dépouiller les carrosses, d'occire la maréchaussée et de trousser les voyageuses. Ces messieurs que vous voyez là-bas sont tous trois de ma compagnie et vous supplient de les vouloir compter au nombre de vos admirateurs.

Ce disant, il nous prit par la main et nous mena jusqu'à la rive, malgré les sanglots et tout le tapage que nous fîmes dans cette occasion.

Chaque fois que l'un de nos charmes, à cause que l'eau devenait moins profonde à mesure que nous marchions, paraissait au-dessus du flot, ces messieurs, du bord du fleuve, louangeaient en termes magnifiques les perfections de notre beauté, tellement que, si c'est un cas fort cuisant, pour des personnes vertueuses, de se trouver dans le hasard d'être violées par quatre brigands, il n'est rien qui puisse satisfaire plus complètement l'amour-propre.

Quand nous fûmes dessus le rivage, celui qui était capitaine s'avança à nos devants et, nous ayant baisé la main, nous éclaira sans retard sur l'objet de ses intentions.

A peine eut-il achevé que nous tombâmes à genoux et fîmes entendre les plus grands soupirs.

— Monsieur le brigand, lui dit la princesse, seriez-vous donc de mauvaise famille que vous demeuriez ainsi sans pitié devant deux malheureuses femmes qui n'ont même pas sous la main une modeste feuille de vigne pour en protéger leur vertu !

— Au surplus, m'écriai-je à mon tour, apprenez enfin que l'époux de Madame est des plus experts dans l'art de diriger les guerres et qu'il vous saura tailler en morceaux, si, par l'effet de la concupiscence et de vos ardeurs naturelles, vous nous causez le moindre dommage.

A ces mots, M. le capitaine releva ma bonne maîtresse, lui mit un baiser sur le front et, l'ayant prise par la taille, la conduisit vers un bosquet voisin, afin d'achever cette causerie dans un lieu où l'herbe fût plus tendre. Pour moi, toute seule entre les trois autres, je me contentai de fermer les yeux et d'attendre, la honte au front, qu'ils eussent enlevé leurs vestes et tiré à la courte paille.

Chapitre cinquième

OU D'UNE CONFESSION QUI SE FIT À UN CURÉ DE CAMPAGNE

Tout cela nous tint, comme on pense, près d'une grosse heure et nous venions à peine de nous rhabiller et de rafistoler nos frisettes quand nos gens arrivèrent, cahin-caha, de leur auberge. A cette vue, messieurs les brigands montèrent sur leurs chevaux, nous dirent adieu et s'en furent à bride abattue.

Une fois dedans le carrosse, nous commençâmes à pleurer. La princesse me prit dans ses bras et, me tenant contre sa poitrine :

— Ma petite Toinon, dit-elle, si je fus des plus outragées et énormément mise à mal par le fait de ce mauvais capitaine, que devons-nous donc penser de ce qui vous put advenir au milieu de tant de cavaliers !

— Hélas ! … madame, répondis-je, j'ai cessé d'être vertueuse et je tremble que l'on me compare aux plus fameuses libertines, depuis que l'un de ces gaillards, par manière de gentil badinage, a cru plaisant de m'arranger à la mode de Venise.

— Voilà, déclara ma maîtresse, une forte méchante chose et dont on dit le plus grand mal.

— Il se trouve, lui répliquai-je, qu'à l'encontre de ce que l'on croit et à cause soit de la nouveauté soit de quelque frénésie passagère, j'en eus mainte satisfaction ; de telle sorte que, présentement, je suis dans le cas d'aller à l'enfer, car, si c'est un péché des plus graves de céder à la lascivité, c'en est un plus terrible encore de n'y point trouver de désagrément.

— S'il est vrai, ajouta la princesse, que ce soit là une aussi grande faute et capable de nous entraîner jusqu'à la flamme éternelle, il convient que nous nous dépêchions de gagner la première église où un bon abbé nous confessera.

Ce disant, elle donna ordre au postillon de se hâter et nous fûmes en un instant devant une pauvre chapelle où nous mîmes pied à terre…

C A M I

1 8 8 4 - 1 9 5 8

Vierge quand même

1 9 2 4

Sans doute inspiré par l'air du temps, Cami, « *le plus grand humoriste in the world* » (Chaplin), brode à son tour et à sa manière sur le thème de la jeune fille moderne.

Chapitre premier

PÈRE ET FILLE

MINUIT ne venait pas de sonner. Il était exactement dix heures sept. Dans le salon de sa villa de Bois-Colombes, le docteur Squelette dégustait son café à petites gorgées. C'était un long vieillard chauve, aux yeux enfoncés et aux pommettes acérées. Sa tête ressemblait à une tête de mort qui aurait porté la barbe en éventail. Ses côtes pouvaient se dénombrer à travers le tissu sombre de sa redingote et ses pantalons portaient de larges rondelles de cuir à l'endroit des genoux, pour empêcher ces derniers de percer l'étoffe. Cette maigreur fantastique l'avait fait surnommer dans le pays « Le Docteur Squelette ». Il vivait mystérieusement dans sa villa avec sa fille, la ravissante Angèle, âgée de dix-huit ans, et une vieille bonne dévouée. Au milieu du parc qui entourait la villa était bâti le laboratoire du docteur Squelette. A quels travaux se livrait-il? A quelles recherches? Mystère! Personne n'était admis dans le mystérieux laboratoire. Personne, à part lui, n'en avait franchi le seuil. Le Docteur n'y travaillait d'ailleurs que la nuit. Tous les soirs vers onze heures, après avoir embrassé sa fille chérie, le vieux savant traversait le parc et se dirigeait vers son laboratoire. Donc, le soir où commence ce récit, après avoir achevé sa tasse de café, le docteur Squelette appela sa fille.

— Viens, ma chère enfant, viens m'embrasser avant que je regagne mon laboratoire.

La jeune fille se précipita et déposa deux gros baisers sur le front paternel.

— Tu travailleras donc toujours, père chéri, dit câlinement la jeune fille. Mais quand me dévoileras-tu le but de tes expériences secrètes? Oh! cela me ferait bien plaisir!

— Bientôt, peut-être, chère Angèle, je touche au but... et alors tu apprendras… Mais parlons un peu de toi chère enfant : tu attends un amant cette nuit, fillette ?

— Oui, père, il ne saurait tarder à venir.

— Parfait ! Amuse-toi bien, mignonne. Mais ne te fatigue pas trop.

— Soyez tranquille, père, je suis raisonnable. Oh ! comme vous êtes bon, cher papa, et combien peu de pères auraient, comme vous, souci du bonheur de leur enfant.

— C'est vrai, mignonne. Voilà déjà sept mois que je t'ai fait subir une petite opération qui te permet de satisfaire tous tes désirs amoureux tout en te conservant pure et sans tache jusqu'au jour où je te trouverai un mari, un bon mari.

« Grâce au miracle de la greffe humaine, j'ai réussi à t'enlever l'organe le plus délicat et le plus précieux de ton corps virginal et à te greffer à la place un organe semblable, mais combien peu virginal, celui-là ! prélevé sur le corps d'une jeune fille de joie.

« L'opération terminée, j'ai déposé ton bijou virginal maintenu à zéro degré dans un coffret-glacière rempli d'un sérum spécial où il se conservera intact et vivant jusqu'au jour de ton mariage. A cette époque, je te regrefferai ta fleur virginale (si j'ose m'exprimer ainsi), afin que ton mari puisse la cueillir selon l'usage. En attendant, grâce à cette greffe, tu pourras profiter de l'existence et goûter dans les bras de multiples amants les plaisirs les plus coupables sans pour cela cesser d'être vierge.

— Oui, bon père, grâce à votre greffe, j'ai pu mener la vie de garçonne et m'en donner à cœur joie depuis sept mois. Mais aujourd'hui, je vais vous faire un aveu. J'aime d'amour un de mes derniers amants.

— Un de tes derniers amants ? Serait-ce le chasseur d'Afrique ?

— Non, père.

— Le porteur aux Halles, peut-être ?

— Non, père.

— Alors, le boxeur nègre ?

— Non, père, celui que j'aime est acteur, c'est un jeune premier de beaucoup d'avenir. Il est beau et s'appelle Jules Clotilde. Oh ! père, je voudrais qu'il m'épouse légitimement pour pouvoir lui faire l'offrande de ma virginité !

Le docteur Squelette fronça les sourcils.

— Jamais ! s'écria-t-il, jamais tu n'épouseras ce Jules Clotilde ! Je ne veux pas de cabotin dans ma famille ! Tu connais mes principes ! Couche tant que tu voudras avec Jules Clotilde, mais quant à l'accepter pour gendre, jamais ! Allons, ne pleure pas, mignonne, et amuse-toi bien ! Puis, ayant embrassé tendrement sa fille chérie, le docteur Squelette sortit du salon et descendit dans le parc pour regagner son laboratoire.

– Pauvre Angèle, murmura le docteur en s'éloignant, elle a du chagrin ! Mais bah ! cela passera ! De toute façon, je n'ai aucune crainte à avoir, puisque son honneur est enfermé dans le coffret-glacière qui se trouve dans mon laboratoire !

A ce moment un ricanement silencieux se fit entendre derrière un buisson. Mais le docteur Squelette n'avait rien entendu. Il était arrivé devant la porte du laboratoire.

Il ouvrit la porte et entra.

Chapitre II

L'AMANT DE LA VIERGE

Dès que son père fut sorti, Angèle donna libre cours à sa douleur. Elle sanglotait désespérément lorsque la porte s'ouvrit. Un jeune homme s'élança vers elle. C'était Jules Clotilde, son amant.

– Pourquoi pleures-tu, cher amour, s'écria-t-il. Ah ! je devine, ton père refuse son consentement ?

– Oui, cher Jules Clotilde, mon père refuse !

Et la pauvre enfant se mit à sangloter de nouveau.

– Oh ! douleur amère ! gémit à son tour le jeune amant : après avoir goûté dans tes bras les plus abracadabrantes voluptés, il me sera donc interdit de te posséder dans ta virginale chasteté !

– Hélas ! cher amant, mon père est inflexible et c'est lui, tu le sais, qui garde dans son laboratoire l'objet qui cause nos tourments.

– Ainsi donc, sanglota le pauvre Jules Clotilde, je ne serai guère plus privilégié que les autres amants, le chasseur d'Afrique, le boxeur et le fort de la Halle ! Comme eux, je peux te posséder à ma guise et me gorger de voluptés, mais le mariage qui te donnerait à moi vierge et pure m'est impitoyablement refusé ! …

– Patientons, cher Jules Clotilde. Patientons ! Qui sait ? Peut-être un jour mon père se laissera-t-il fléchir. Le cher homme rêve pour moi un brillant mariage. Il m'a déjà refusée à son ancien préparateur de laboratoire qui avait eu l'audace de lui demander ma main.

– Est-ce possible ?

– Oui, et ce misérable qui porte le nom sinistre de Macalœil insista avec une telle impudence que mon père le mit à la porte sur-le-champ. Le préparateur de laboratoire sortit en jurant de se venger.

– L'infâme !

– Oh ! oui, bien infâme ! Jusqu'à présent je vous l'avais caché, cher Jules, mais aujourd'hui je peux vous l'avouer. L'infâme Macalœil m'adresse tous les jours des lettres de menaces.

— Vite, son adresse, que j'aille châtier ce drôle !

— Je ne la connais pas. Le misérable en profite pour me terroriser. Mais chassons toutes ces idées noires, cher amant, et dans les plaisirs de l'alcôve, oublions les soucis de l'existence.

— Oh ! chère Angèle ta voix attise mes désirs et affole mes sens. Ah ! quand je pense qu'un jour tu seras vierge et que peut-être un autre homme…

A ce moment, un cri terrifiant se fit entendre.

— Avez-vous entendu, Angèle ? murmura Jules Clotilde, dont le visage était aussi pâle qu'un blanc d'œuf.

— J'ai peur ! J'ai peur, Jules ! On dirait la voix de mon père ! Le cri vient du laboratoire ! On tue papa ! Courons ! Il faut aller à son secours !

— Oui, courons, Angèle, s'écria Jules Clotilde, votre père est en danger, j'en ai le pressentiment ! Ma lampe électrique de poche nous éclairera pour traverser le parc. Courons !

Et les deux amants s'élancèrent courageusement vers le laboratoire mystérieux. Un deuxième cri plus terrifiant, mais plus bref que le précédent, déchira l'air. Puis ce fut le silence ! Dans le parc, Angèle et Jules Clotilde couraient. Dans sa niche, le chien hurlait à la mort. Minuit ne sonnait nulle part.

Le terrible Macalœil a réussi à voler le bijou virginal d'Angèle. Mais tout est entré dans l'ordre au dernier chapitre, et nous en sommes maintenant à l'

Épilogue

Un mois après les terribles événements que nous venons de conter, par une superbe matinée d'avril, un cortège nuptial sortait joyeusement de la petite église de Bois-Colombes. Nos lecteurs ont déjà deviné que le mariage qui venait de se célébrer était celui du sympathique Jules Clotilde et de la ravissante Angèle. Huit jours avant la noce, le brave docteur Squelette avait regreffé à sa chère enfant la fleur virginale conservée dans le coffret-glacière.

La veille de l'opération qui devait la rendre vierge, Angèle avait enterré joyeusement sa vie de jeune garçonne. Sa blanche couchette avait abrité une dernière fois ses trois bons amis : le fort de la Halle, le chasseur d'Afrique et le boxeur nègre. Toute la nuit, les joyeux refrains, le vin, l'amour et le tabac s'étaient succédé dans la mignonne chambrette. Mais le lendemain, dès que son père lui eut regreffé sa virginité, Angèle réunit ses trois bons amis et leur dit :

— A présent, bons amis, tout est fini, vous le savez. Je vous remercie du fond du cœur des douces heures d'amour et de folles voluptés que vous me fîtes passer lorsque je n'étais pas encore vierge. Mais à présent que je suis redevenue, grâce à la greffe, vierge et pure, je jure fidélité éternelle à celui qui bientôt sera mon mari, à Jules Clotilde.

— Cher petit lis! avaient murmuré en chœur les trois amants.

— Mais, avait ajouté Angèle, je veux que, le jour de mon mariage avec Jules Clotilde, je veux que vous soyez là tous les trois, chers bons amis.

— Nous serons là! avaient répondu, toujours en chœur, le fort de la Halle, le chasseur d'Afrique et le boxeur nègre, en essuyant furtivement trois larmes d'attendrissement.

Voilà pourquoi, en ce beau jour d'hyménée, on remarquait, parmi les nombreux invités, le fort de la Halle qui, pour la circonstance, avait endossé une superbe redingote, le chasseur d'Afrique en grande tenue et le boxeur nègre de blanc tout habillé.

Le grand détective Loufock-Holmès avait été également invité par Jules Clotilde reconnaissant. N'était-ce pas à la providentielle intervention du célèbre policier amateur qu'il devait de n'avoir pas été transformé en femme par Macalœil? N'était-ce pas grâce à Loufock-Holmès que le coffret-glacière avait été retrouvé? Aussi le soir, après le repas de noces, un toast d'honneur fut-il porté en l'honneur du grand détective.

La soirée fut charmante. Le chasseur d'Afrique entonna sa chanson favorite : *Sur la Bérésina*, que tous les invités reprirent en chœur au refrain. Le fort de la Halle fit des tours de force avec des chaises, et obtint un énorme succès lorsqu'il souleva à bras tendu un plateau à liqueurs sur lequel étaient assis Angèle et Jules Clotilde, tendrement enlacés. Quant au boxeur nègre, sa démonstration de boxe sur le visage d'un invité complaisant fit trépigner de joie l'assistance enthousiasmée. Bref, tout se passa le mieux du monde. Ce fut charmant.

Les jeunes époux se retirèrent de bonne heure dans leur chambre nuptiale.

— Chère femme, dit Jules Clotilde en serrant Angèle dans ses bras, enfin, après tant de tragiques aventures, je vais pouvoir cueillir la fleur virginale, la fleur d'amour.

Et toute rougissante, dans le grand lit nuptial, la jeune vierge lui répondit simplement :

— Cueille, cher époux!

ANNA DE NOAILLES

1876 - 1933

Le Poème de l'Amour

1 9 2 4

Les poèmes d'Anna de Noailles (1862-1923). Il n'était sûrement pas le troublaient beaucoup Maurice Barrès seul.

CXLVIII

Parfois, quand j'aperçois mon flamboyant visage,
Lorsqu'il vient d'échapper à ta bouche et tes doigts,
Je ne reconnais pas cette exultante image,
Et je contemple avec un déférent effroi
     Cette beauté que je te dois!

Comme des bleus raisins mes noirs cheveux oscillent,
Ma joue est écarlate et mon œil qui jubile
Mêle à sa calme joie un triomphant maintien;
Je n'ai vu ce regard florissant et païen
     Que chez les chèvres de Sicile!

Moment fier et sacré où, sevré de désir,
Mon cœur méditatif dans l'espace contemple
La seule vérité, dont nous sommes le temple;
Car que peut-il rester dans le monde à saisir
Pour ceux qui, possédant leur univers ensemble,
     Ont mis l'honneur dans le plaisir?...

LAURENT TAILHADE

1854-1919

Poésies érotiques

1924

Les *Poésies érotiques* de Laurent Tailhade, que publie un peu précipitamment sa veuve en 1924, sont d'un ton assez différent de celui qu'emploie la comtesse de Noailles.

Leur éditeur n'est pas Arthème Fayard mais Simon Kra, qui d'ailleurs a négligé de mettre son nom sur la couverture, où on lit seulement : « *Genève, aux dépens de quelques amateurs* ».

Il est doux d'aller le soir
Vadrouiller dans un pissoir.
Là, le pédéraste habite,
Il vous chatouille la bite,
Et pour un petit écu
Se la fourre dans le cul.
Oui, mais l'exposition
Change sa position,
Et pour qu'on le cunilingue
Faudra des livres *sterlingue.*

Commandements du parfait académicien

Sois philhellène,
Bois du coco,
Admire Hélène
Vacaresco,
Car cette pute
Ne veut pas qu'on
Qu'on lui dispute
L'art d'être con.

*

Si j'étais boucher
J'm'f'rais déboucher
Et même emmancher
Sans le moindre faste ;
Si j'étais cocu,
Pour un petit écu
Je pelot'rais le cul
D'un jeun'pédéraste

*

Empapahuter = sodomiser,
Alias : empapahouter.

Une grosse affaire
N'est pas sans beauté,
Je voudrais me faire
        Empapahouter.

*

Quand, après avoir bu chopine
Aux théières, je vais pisser,
Une offre m'y délecte : *Pine*
De télégraphiste à sucer.

*

Ton valet
 à mal à la pine,
Ton anus est en désarroi ;
Sans être devin, j'imagine
Ce qu'il a *pu faire* avec toi.

CLAUDINET

1888-1977

Les Vits imaginaires

1924

Toujours la même année, toujours à petit nombre (250 exemplaires), et illustré de deux gravures sans signature, non plus « à Genève », mais « 69, place des Érections », voici *Les Vits imaginaires*. Claudinet cachait Claude-Roger Marx, et les gravures étaient de Dunoyer de Segonzac.

L'homme libre

Aucun bonheur n'a su calmer
Cette tristesse inguérissable.
Baisons – si j'ose m'exprimer
Ainsi. Donc, Mesdames, à table.

La table, c'est le lit candide
Sur lequel vous mangez nos corps.
Allons, je veux que l'on me vide ;
Vite, que nous scellions l'accord.

Saute, bouchon ! Vive la mousse !
Le goulot est dur et puissant.
Buvez, buvez à pleine bouche
Et nourrissez-vous : c'est du sang.

Pas de repos. Si l'une est ivre,
Que l'autre s'acharne aussitôt,
Et qu'entre vos doigts le goulot
Paresseux recommence à vivre.

Que saigne pour votre plaisir
Une blessure toujours neuve,
Et que les larmes du désir
S'épanchent en vous, comme un fleuve.

Pompez, pompez! Que vos flancs larges
Épuisent mon cœur insensé,
Et que ma tête se décharge
De tous les rêves amassés,

Afin que léger, calme et vide,
Sans cœur, sans sexe et sans cerveau,
Je promène un regard candide
A travers un monde nouveau.

PASCAL PIA

né en 1 9 0 1

Complément au bouquet d'orties

1 9 2 4

Et puisque l'année 1924 est celle de la poésie, voici une plaquette de 14 pages, « Poésies de Pascal Pia dérobées à l'auteur », et tirée à 30 exemplaires, à « Bruxelles, Librairie Particulière ». Pascal Pia n'attache pas une grande importance à ces jolis petits textes qui en valent pourtant bien d'autres. C'est du moins une occasion de saluer l'érudit incomparable et le remarquable critique qu'est Pascal Pia.

La muse en rut

I

Ondine encor toute trempée
Puissé-je te montrer un jour
Les coquilles de mon épée
Rompue aux fentes de l'amour.

Amour, ô dangereuse escrime
Où Priape est passé prévôt,
Je me consacre à tes travaux
Sous l'enseigne *Aux Amis du crime...*

Les filles étaient sans-culottes
Aux sombres jours de la terreur;
Je veux qu'ouvrant la bouche en cœur
Ce soit toi qui me décalottes!

VII

Toi que consume un feu nocturne,
Ne penses-tu pas que l'amour
Puisse éclairer au point du jour
Ton doux visage taciturne?

Une attendrissante gougnotte
Rêve au dortoir, à la chienlit
Où deux fillettes dans un lit
Jouaient au garçon, motte à motte…

Voici l'image libertine
Que renvoie un miroir terni :
Mademoiselle Gamiani
Suçant la fraise de ma pine !

ANONYME

Le Keepsake galant,
ou les délassements du foutoir

1 9 2 4

Ce sera la citation la plus courte de cette anthologie.

Il n'y aurait rien à prendre pour nous dans ce volume, publié clandestinement par Louis Perceau, partie almanach, partie anthologie, et qui reprend donc des textes déjà publiés, si l'on n'y pouvait relever une devinette érotique, genre assez rarement imprimé jusqu'à présent.

– Quel est le comble de la vitesse?
– C'est de tourner autour d'une table assez vite pour s'enculer.

La Courtisane passionnée

1924

La question la plus consternante qui ait pu m'être posée au cours des débats ou conférences qui font partie du métier d'éditeur, et elle m'a été posée beaucoup plus souvent par des étudiants en lettres que par des facteurs ruraux, est : « *Que faut-il lire ?* » Il n'y a qu'une réponse : « *Tout* », assortie du commentaire : « *Ceux qui ne savent pas quoi lire ne méritent pas de lire.* »

Contrairement à l'opinion propagée par les marchands de papier, la France est le pays au monde où on lit le plus, en tout cas le mieux. Je ne dis pas que c'est une qualité ; je le constate. Sachant que la véritable lecture concerne, dans un pays de soixante millions d'habitants, environ de mille à quinze cents personnes, on doit mesurer la vitalité lectorale d'une nation non pas au mètre cube de papier imprimé chaque année, comme on le fait toujours, mais plutôt au nombre de bouquinistes, de petites librairies où se retrouvent ceux qui cherchent vraiment des livres, et ne demandent qu'à ceux qu'ils découvrent de leur en indiquer d'autres. De ce point de vue, on ne peut qu'être émerveillé du nombre de points de vente de ce genre en France, et de l'âge de plus en plus tendre de ceux qui les tiennent. J'ai beaucoup étonné il y a quelques années une de nos brillantes journalistes littéraires en lui signalant tous les endroits où elle pouvait trouver pour un franc ou deux le volume, cinq à la rigueur, des tonnes impressionnantes d'excellentes lectures ; ils existent toujours.

Dans la lecture, il y a des modes. On a vu dans les années 1980 des centaines d'amateurs fouiller les boîtes des quais de Paris à la recherche de symbolistes, célèbres ou « petits ». Les prix montaient. Verra-t-on un jour les lecteurs se disputer chez les bouquinistes les romans des frères Rosny ?

La Courtisane passionnée est le plus grand succès de librairie de J.-H. Rosny jeune, de l'Académie Goncourt. En 1930, son éditeur annonçait 110 000 exemplaires. Il convient quelquefois de diviser par deux les chiffres publiés par les éditeurs de l'époque, mais tout de même. Je prends quant à moi beaucoup de plaisir à lire Rosny, d'ailleurs pour Thibaudet « *la plus opulente nature romancière* », et je regrette qu'il n'y ait pas plus de curieux à collectionner ses livres plutôt que de faire le succès, pour quarante fois plus cher le kilo, du *Grec*, ou de *Love Story*[1].

---

1. « Best-sellers », des années 70, parfaitement oubliés depuis.

J E SUIS CONTENTE, dit Rubis, que tu sois bien élevée… Il me reste quelque chose à apprendre : tu m'aideras… Seras-tu heureuse de rester avec moi ?…
— Ô madame !… Mais je ne suis pas seule… J'ai mes deux petites sœurs, Céline et Marguerite.

— Quel âge ont-elles?

— Elles vont en classe… Céline a six ans, Marguerite huit…

— On pourrait les mettre en pension?

— C'est mon rêve, murmura Thérèse… J'ai été élevée rue d'Assas, chez les mères du Cœur de Marie… Elles sont si bonnes, j'ai été si heureuse!

— Eh bien! voilà ce qu'il faut.

— Mais c'est payant, madame… Et même c'est cher. Pensez qu'on apprend tout: la musique, la peinture!… Il y a un beau jardin pour les récréations, et, presque chaque semaine, on va à Sceaux où se trouve la maison mère, courir et jouer dans un grand parc…

— Nous paierons, nous paierons, dit Rubis… Combien? Cinq mille? Six mille?…

— Oh! je ne crois pas que ce soit autant! Vraiment, vous feriez cela pour mes petites? Je les donnerais à la mère Conception qui a été ma grande amie…

— Le plus tôt sera le mieux, Thérèse… Mais il ne faut plus m'appeler madame… Embrassez-moi, appelle-moi Rubis, et tutoie-moi…

— Oh! Rubis, Rubis, que tu es gentille!

Et elle serra dans ses bras la petite idole qui trouvait là un plaisir inexplicable, fait de la joie des initiatrices et du contentement d'avoir trouvé ce qu'elle désirait avec tant d'avidité.

— Écoute, ma Thérèse, nous allons en finir tout de suite avec tes sœurs… Il faudra d'abord voir les bonnes mères; si elles n'ont pas de place, nous chercherons autre chose. C'est une visite pour laquelle il faut des tailleurs noirs; j'en ai de très chics qui t'iront comme un gant.

Les femmes de chambre apportèrent tout de suite les robes, firent quelques points à celle de Thérèse, et les deux nouvelles amies remontèrent dans la Rolls-Royce qui les mena en un quart d'heure chez les mères de la rue d'Assas, où elles reçurent l'assurance que les deux orphelines trouveraient un asile parfait.

— Oh! comme je vais t'aimer, Rubis! s'écria Thérèse, qui fit le trajet jusqu'à Ménilmontant avec sa tête sur l'épaule de la courtisane.

Celle-ci, mise en présence de Céline et de Marguerite, les trouva délicieuses.

Ces pauvres petites, leurs beaux yeux ouverts par la faim et la fièvre, adoraient la grande sœur, mais se rendaient compte avec précocité de son martyre. Les vilains hommes qui l'accostaient dans la rue avec des mots affreux, la concierge mal embouchée, la barricade des meubles devant la porte tandis que le fauve Charlot rôdait dans le corridor, ces heures terribles leur avaient fait une petite âme bien pratique, bien résignée. Quand Rubis vint les prendre avec Thérèse en automobile, elles furent très sages, acceptèrent sans larmes ni reproches d'entrer chez les bonnes religieuses. Ce qui les décida fut que Thérèse y avait été avant elles...

— Tu viendras souvent? demanda Céline...

— Tous les jeudis, tous les dimanches... Apprenez bien... Remerciez madame Abramovitch qui s'occupe de vous. Aimez de tout votre cœur les bonnes mères qui vont vous dorloter...

Marguerite ne disait rien. Elle regardait le beau parloir, la vierge entourée de ses anges... Du moment que Thérèse le voulait, c'est qu'elles allaient être bien heureuses... Et puis, Céline, quelque peu gourmande, songeait au goûter, aux petites filles aimables...

Ce fut pour Thérèse un doux moment, celui où ses sœurs furent réunies aux autres enfants. Si elle pleura un peu sur le sein de la mère Conception, c'est que son cœur trop plein se rappelait sa belle enfance, sa mère, son père, la joie si pure des distributions de prix.

Rubis trouva un singulier divertissement à être accueillie comme une bienfaitrice par les bonnes mères, grâce à deux billets de cent francs qu'elle donna à la supérieure pour les œuvres orientales de la communauté.

— Oh! Rubis, je t'aime, je t'aime, sanglotait la pauvre Thérèse, que Rubis reprenait contre elle dans l'auto les ramenant rue de la Faisanderie...

Elle se sentait légère, comprenant enfin que Rubis n'était pas une gourgandine et qu'elle ne serait pas livrée comme une marchandise. Toutefois, elle se jugeait liée par le bienfait, obligée de devenir cocotte!...

Pendant qu'elles dînaient, Rubis lui expliqua que rien ne pressait.

— Plus longtemps je te garderai, ma Thérèse, plus je serai heureuse...

— Oh! toujours, alors, s'écria Thérèse...

— Mais non, mais non, seulement ne te jette pas à la tête du premier venu. Si tu es difficile, tu n'en seras que mieux aimée... D'ailleurs, n'oublie pas ceci, même si tu ne voulais plus être courtisane, je te ferais un sort, ne l'oublie pas... Mais tu me parais digne d'un prince et je m'efforcerai de t'en découvrir un.

Là-dessus, Thérèse devint folle de joie. Qui a terme ne doit rien.

— Tu es un ange, Rubis!

— Non, dit Rubis, tu t'en apercevras bien; mais je ne veux rien t'imposer... Si cela te plaît d'être mon amie, de vivre de ma vie, de prendre un amant de ma main et de mener une existence princière, je serai heureuse de t'aider.

Thérèse entendit le bruissement de son sang par ses artères... Elle avait mangé des choses généreuses et exquises, elle avait bu tout le long du repas un champagne merveilleux...

Quand elle fut dans les bras de Rubis, couchée avec elle sur le divan profond d'un boudoir où nul ne devait les déranger, elle sentit sa vie se détendre dans une grâce soudaine. Il lui parut si doux d'échapper à l'affreux sort qui l'avait menacée qu'elle s'abandonna à Rubis comme à un amant, livrant un peu de son corps avec toute son âme.

Rubis, heureusement, n'était pas vicieuse. Elle accepta pourtant le don instinctif et quasi filial, à cause des attitudes délicieuses de Thérèse, de ce visage extasié, endormi dans sa beauté, de ces reins cambrés, de ces petits seins érigés, de toute cette candeur qui s'alanguissait... Puis elle eut la curiosité toute païenne de voir ce joli corps de blonde.

Thérèse avait des sens vifs... La douceur des caresses de Rubis éveilla en elle le démon de la volupté, mais de profondes pudeurs l'immobilisaient. Elle resta d'abord presque pâmée, tandis que Rubis la déshabillait. Tout à coup, elle se raidit... La douce voix de l'Orientale susurrait à son oreille :

— Il faut apprendre la nudité, Thérèse... Ne crois pas que ce soit facile d'être nue... La plupart des femmes n'y comprennent rien...

— Mais, murmurait Thérèse, ce n'est pas bien...

Sans répondre, Rubis laissa tomber ses propres robes et apparut charmante, ses jambes pures, son ventre doucement tiré vers les flancs, ses petits seins bruns attachés haut et qui arrondissaient encore la ligne suave des épaules.

— Comme tu es belle! murmurait Thérèse affolée...

— Tu vois, reprit Rubis, heureuse de cette exclamation, tu vois qu'il n'y a rien là de vilain...

Et elle profita de cette minute pour achever de dévêtir Thérèse, qui prenait inconsciemment la pose de la Vénus de Médicis, tandis que Rubis l'entraînait vers un miroir.

— Toi aussi, tu es belle, Thérèse... La ligne de ta jambe et de ta croupe est un peu lourde ; mais cela vient de ce que tu restais trop longtemps assise. Nous allons corriger cela... Il faut que tu danses beaucoup... Aimes-tu danser?

— Oh! oui, dit Thérèse, quelle est la femme qui n'aime pas danser?...

— Ce que tu as de très joli, reprit la petite Orientale, saisissant dans ses doigts les seins de Thérèse, c'est ta poitrine... Elle est délicieuse!

On eût dit un sculpteur analysant une statue, mais, tandis qu'elle restait froide et abîmée dans sa préoccupation, Thérèse s'enflammait sous cette main délicate... Et, si près d'elle, une beauté parfaite!... Toute l'hérédité d'amour et de conquête gonflait d'un sang plus chaud la Normande... Quand elle pressa contre elle la petite idole, elle rougit sous la violence d'un sentiment qu'elle n'attendait pas, et chercha avec une ardeur un peu sauvage les yeux bruns de Rubis, dans une sorte d'interrogation pressante :

— Rubis! Rubis! murmurait-elle...

Tandis que sa bouche s'attardait au coin des lèvres de son amie...

— Petite folle, dit Rubis en riant... On dirait un homme, vraiment!

Et, par jeu, elle se laissa aller toute dans les bras de Thérèse et roula avec elle sur le divan... Même pendant cette minute passionnée, elle ne perdit pas la notion de ce qui était sa vie, et elle regardait dans la glace ces deux corps enlacés, sa peau brune aux reflets de bronze tranchant sur le lait, les lys et les roses blanches de Thérèse...

Un moment, elles demeurèrent ainsi rapprochées, puis une gêne vint à Thérèse qui se cacha la figure dans la poitrine de Cléopâtre...

— Tu sais, fit Rubis, il faudra veiller là-dessus, Thérèse... Tu es une passionnée : tu te perdras.

— Je ne sais pas ce qui m'a prise, balbutia Thérèse...

Une sorte d'ivresse alourdissait son front, et elle retomba sur l'épaule de Rubis pour s'y endormir.

Dans ces jeux, la chevelure blonde de Thérèse s'était dénouée, elle coulait comme un fleuve sur cette chair si chaude de Rubis demeurée immobile pour ne pas perdre dans la glace l'image du groupe qu'elles formaient...

Sans déranger Thérèse de son sommeil, elle défit d'une main experte sa propre chevelure, légèrement crêpée, et l'onde noire, brillante, se mit à courir parmi le flot blond, si bien qu'on n'apercevait plus que des îlots de chair blanche et de chair brune, de membres de bronze et de membres de marbre... Un rayon bleu venu à travers le satin d'une lampe tombait sur le visage extasié de Thérèse, tandis qu'un rayon pourpre, tamisé par l'autre lampe, allumait dans une buée lumineuse le milieu de leurs corps de jeunes nymphes où l'or se mêlait à l'ébène comme d'une offrande à Apollon...

ANDRÉ GIDE

1869-1951

Si le grain ne meurt

1924

« *Auprès de leur art de feindre, tout semble imparfait* », disait Colette des homosexuels masculins (*Ces plaisirs...* 1931), « *Feindre sans défaillance, longuement, par silences, par sourires, — devenir en apparence une autre personne...* » En France, terre de liberté individuelle, la nécessité de feindre, de se contraindre à être un autre, n'était pas comme dans les pays de forte homosexualité, l'Allemagne, et surtout l'Angleterre, une question pour ainsi dire de vie ou de mort. La loi française, malgré M. Georges-Anquetil[1] et d'autres, ne réprimait ni l'homosexualité, ni l'inceste, sauf dans le cas d'outrage public à la pudeur, ou de participation de mineurs de dix-huit ans. Le risque, qu'il ne faut pas mésestimer, était la raillerie, et une sorte de pilori moral constant, lourd et pénible à vivre si l'on avait un rôle social à jouer. Deux écrivains, Proust et Gide, allaient beaucoup faire pour que les choses changent.

Les années 24, 25, 26 sont pour André Gide les années du grand tournant. En rendant publics la même année *Corydon* et *Si le grain ne meurt* dont on imagine mal aujourd'hui le retentissement, il rompt avec les honneurs officiels qu'il ne retrouvera que beaucoup plus tard. Si l'on se reporte à l'époque, on ne peut pas sous-estimer le courage qu'il fallut à Gide pour affronter les réactions qui accueillirent ces livres.

L'édition publique des deux ouvrages avait été précédée d'éditions privées à très petit tirage. Pour *Corydon* douze exemplaires en 1911, puis vingt-cinq en 1920 pour une version augmentée. Les deux premières parties de *Si le grain ne meurt* avaient été imprimées de la même manière en 1920 et 1921.

Perseverare diabolicum. Comme disait Henri Massis (*Jugements*, 1924) : « *Il n'y a qu'un mot pour définir un tel homme, mot réservé et dont l'usage est rare, car la conscience dans le mal, la volonté de perdition ne sont pas si communes : c'est celui de démoniaque.* »

En 1950 encore, préfaçant une traduction anglaise de *Corydon* à New York, Gide écrira : « *Que* Corydon *soit le plus important de mes livres, c'est ce dont je reste convaincu, et convaincu de même qu'un jour viendra où l'on s'apercevra de son importance. Je compte un peu sur l'Amérique pour le sortir de dessous le boisseau où on l'a maintenu en France ; où je l'avais moi-même placé précautionneusement et par crainte d'un scandale inutile.* »

Il y avait eu pourtant un scandale *Corydon*, et plus encore avec *Si le grain...* En 1921, à Gide qui lui apportait *Corydon*, Proust avait conseillé : « *Vous pouvez tout dire, à condition de ne jamais dire : je.* » Mais Gide voulait aller jusqu'au bout. La publication de ses souvenirs lui fut très violemment reprochée, et cette fois aussi bien par ses amis que par la presse. Il s'en justifiait encore en 1927 dans une lettre à Edmund Gosse : « *Pourquoi j'ai écrit ce livre ? — Parce que j'ai cru que je devais l'écrire. Ce que j'en attends ? — Rien que de très fâcheux pour moi (et pas seulement pour moi, hélas !) ... Je sentais que je ne pourrais mourir satisfait si j'avais gardé tout cela sur le cœur.* »

1. Voir plus loin *Satan conduit le bal*.

PAUL, À CERTAINES HEURES, me quittait pour s'en aller peindre ; mais je n'étais pas si dolent que je ne pusse parfois le rejoindre. Du reste, durant tout le temps de ma maladie, je ne gardai le lit, ni même la chambre, un seul jour. Je ne sortais jamais sans emporter manteau et châle : sitôt dehors, quelque enfant se proposait à me les porter. Celui qui m'accompagna ce jour-là était un tout jeune Arabe à peau brune, que déjà les jours précédents j'avais remarqué parmi la bande de vauriens qui fainéantisait aux abords de l'hôtel. Il était coiffé de la chéchia, comme les autres, et portait directement sur la peau une veste de grosse toile et de bouffantes culottes tunisiennes qui faisaient paraître plus fines encore ses jambes nues. Il se montrait plus réservé que ses camarades, ou plus craintif, de sorte que ceux-ci, d'ordinaire, le devançaient ; mais, ce jour-là, j'étais sorti, je ne sais comment, sans être vu par leur bande, et, lui, tout à coup, au coin de l'hôtel m'avait rejoint.

L'hôtel était situé hors la ville, dont les abords, de ce côté, sont sablonneux. C'était pitié de voir les oliviers, si beaux dans la campagne environnante, à demi submergés par la dune mouvante. Un peu plus loin, on était tout surpris de rencontrer une rivière, un maigre cours d'eau, surgi du sable juste à temps pour refléter un peu de ciel avant de rallier la mer. Une assemblée de négresses lavandières, accroupies près de ce peu d'eau douce, tel était le motif devant lequel venait s'installer Paul. J'avais promis de le rejoindre ; mais, si fatigante que fût la marche dans le sable, je me laissai entraîner dans la dune par Ali – c'était le nom de mon jeune porteur ; nous atteignîmes bientôt une sorte d'entonnoir ou de cratère, dont les bords dominaient un peu la contrée, et d'où l'on pouvait voir venir. Sitôt arrivé là, sur le sable en pente, Ali jette châle et manteau ; il s'y jette lui-même et, tout étendu sur le dos, les bras en croix, commence à me regarder en riant. Je n'étais pas niais au point de ne comprendre pas son invite ; toutefois je n'y répondis pas aussitôt. Je m'assis, non loin de lui, mais pas trop près pourtant, et, le regardant fixement à mon tour, j'attendis, fort curieux de ce qu'il allait faire.

J'attendis ! J'admire aujourd'hui ma constance... Mais était-ce bien la curiosité qui me retenait ? Je ne sais plus. Le motif secret de nos actes, et j'entends : des plus décisifs, nous échappe ; et non seulement dans le souvenir que nous en gardons, mais bien au moment même. Sur le seuil de ce que l'on appelle : péché, hésitais-je encore ? Non ; j'eusse été trop déçu si l'aventure eût dû se terminer par le triomphe de ma vertu – que déjà j'avais prise en dédain, en horreur. Non ; c'est bien la curiosité qui me faisait attendre... Et je vis son rire lentement se faner, ses lèvres se refermer sur ses dents blanches ; une expression de déconvenue, de tristesse assombrit son visage charmant. Enfin il se leva :

– Alors, adieu, dit-il.

Mais, saisissant la main qu'il me tendait, je le fis rouler à terre. Son rire aussitôt reparut. Il ne s'impatienta pas longtemps aux nœuds compliqués des lacets qui lui tenaient lieu de ceinture; sortant de sa poche un petit poignard, il en trancha d'un coup l'embrouillement. Le vêtement tomba; il rejeta au loin sa veste, et se dressa nu comme un dieu. Un instant il tendit vers le ciel ses bras grêles, puis, en riant, se laissa tomber contre moi. Son corps était peut-être brûlant, mais parut à mes mains aussi rafraîchissant que l'ombre. Que le sable était beau! Dans la splendeur adorable du soir, de quels rayons se vêtait ma joie!...

Cependant il se faisait tard; il fallait rejoindre Paul. Sans doute mon aspect portait-il la marque de mon délire, et je crois bien qu'il se douta de quelque chose; mais, comme, par discrétion peut-être, il ne me questionnait pas, je n'osai lui raconter rien.

[...]

Le troupeau des Oulad Naïl est parqué dans une ou deux rues, qu'on appelle là-bas les *rues Saintes*. Par antiphrase? Je ne crois pas : on voit les Oulad figurer dans maintes cérémonies mi-profanes, mi-religieuses; des marabouts très vénérés se montrent en leur compagnie; et je ne veux pas trop m'avancer, mais il ne me paraît pas que la religion musulmane les regarde d'un mauvais œil. Les rues Saintes sont également les rues des cafés; elles s'animent le soir, et tout le peuple de la vieille oasis y circule. Par groupes de deux ou trois, s'offrant aux désirs du passant, les Oulad se tiennent assises au pied de petits escaliers qui mènent à leurs chambres et donnent tout droit sur la rue; immobiles, somptueusement vêtues et parées, avec leurs colliers de pièces d'or, leur haute coiffure, elles semblent des idoles dans leur niche.

Je me souviens de m'être promené dans ces rues, quelques années plus tard, avec le docteur Bourget, de Lausanne :

– Je voudrais pouvoir amener ici les jeunes gens pour leur donner l'horreur de la débauche, me dit soudain, gonflé de dégoût, l'excellent homme (tout Suisse porte en soi ses glaciers). Ah! qu'il connaissait mal le cœur humain! le mien du moins... Je ne puis mieux comparer l'exotisme qu'à la reine de Saba qui vint auprès de Salomon « pour lui proposer des énigmes ». Rien à faire à cela : il est des êtres qui s'éprennent de ce qui leur ressemble; d'autres de ce qui diffère d'eux. Je suis de ces derniers : l'étrange me sollicite, autant que me rebute le coutumier. Disons encore et plus précisément que je suis attiré par ce qui reste de soleil sur les peaux brunes; c'est pour moi que Virgile écrivait :

Quid tunc si fuscus Amyntas?

Paul revint certain jour, très exalté : au retour d'une promenade, il avait rencontré le troupeau des Oulad qui s'en allait à la Fontaine-Chaude se baigner. L'une d'elles, qu'il me peignit comme des plus charmantes, avait su s'échapper du groupe, sur un signe qu'il avait fait; rendez-vous avait été pris. Et comme je n'étais point encore en assez bon état de santé pour aller chez elle, il avait été convenu qu'elle viendrait. Bien que ces filles ne soient pas parquées et que leur habitat ne rappelle en rien le bordel, chacune doit répondre à certains règlements : passé certaine heure, il ne leur est plus loisible de sortir : il s'agit d'échapper à temps; et Paul, à demi dissimulé derrière un arbre du jardin public, attendait Mériem au retour du bain. Il devait me la ramener. Nous avions orné la pièce, dressé la table et préparé le repas que nous pensions prendre avec elle et qu'Athman, à qui nous avions donné congé, ne devait pas nous servir. Mais l'heure était passée depuis longtemps; j'attendais dans un état d'angoisse indicible; Paul revint seul.

Il y eut un retombement d'autant plus atroce qu'aucun désir réel ne gonflait ma résolution. J'étais déçu comme Caïn lorsqu'il vit repoussée vers le sol la fumée de son sacrifice : l'holocauste n'était pas agréé. Il nous sembla tout aussitôt que jamais plus nous ne retrouverions occasion si belle, il me sembla que jamais plus je ne serais si bien préparé. Le couvercle trop lourd, qu'un instant avait entrebâillé l'espoir, se refermait; et sans doute il en irait toujours de même : j'étais forclos. Devant la délivrance la plus exquise, sans cesse je verrai se reformer l'affreux mur de la coutume et de l'inertie... Il faut en prendre son parti, me redisais-je, et le mieux assurément est d'en rire; aussi bien mettions-nous une certaine fierté à rebondir sous les rebuffades du sort; notre humeur y était habile, et le repas, commencé lugubrement, s'acheva sur des plaisanteries.

Soudain, le bruit comme d'une aile contre la vitre. La porte du dehors s'entr'ouvre...

De tout ce soir, l'instant dont j'ai gardé le plus frémissant souvenir : je revois sur le bord de la nuit Mériem encore hésitante; elle reconnaît Paul, sourit, mais, avant que d'entrer, recule et, penchée en arrière sur la rampe de la terrasse, agite dans la nuit son haïk. C'était le signal convenu pour congédier la servante qui l'avait accompagnée jusqu'au pied de notre escalier.

Mériem savait un peu le français; assez pour nous expliquer pourquoi d'abord elle n'avait pu rejoindre Paul, et comment Athman, sitôt ensuite, lui avait indiqué notre demeure. Un double haïk l'enveloppait, qu'elle laissa tomber devant la porte. Je ne me souviens pas de sa robe, qu'elle dépouilla bientôt, mais elle garda les bracelets de ses poignets et de ses chevilles. Je ne me souviens pas non plus si Paul ne l'emmena pas d'abord dans sa chambre qui formait pavillon à l'autre extrémité de la terrasse; oui, je crois qu'elle ne vint me retrouver qu'à l'aube, mais je me souviens des regards baissés d'Athman, au matin, en passant devant le lit du cardinal, et de son : « Bonjour Mériem », si amusé, si pudibond, si comique.

Mériem était de peau ambrée, de chair ferme, de formes pleines mais presque enfantines encore, car elle avait à peine un peu plus de seize ans. Je ne la puis comparer qu'à quelque bacchante, celle du vase de Gaète – à cause aussi de ses bracelets qui tintaient comme des crotales, et que sans cesse elle agitait. Je me souvenais de l'avoir vue danser dans un des cafés de la rue Sainte, où Paul, un soir, m'avait entraîné. Là dansait aussi En Barka, sa cousine. Elles dansaient à la manière antique des Oulad, la tête droite et le torse immobile, les mains agiles, et le corps tout entier secoué du battement rythmique des pieds nus. Combien j'aimais cette « musique mahométane », au flux égal, incessante, obstinée ; elle me grisait, me stupéfiait, aussitôt, comme une vapeur narcotique, engourdissait voluptueusement ma pensée. Sur une estrade, aux côtés du joueur de clarinette, un vieux nègre faisait claquer des castagnettes de métal, et le petit Mohammed, éperdu de lyrisme et de joie, tempêtait sur son tambour de basque. Qu'il était beau ! à demi nu sous ses guenilles, noir et svelte comme un démon, la bouche ouverte, le regard fou... Paul s'était penché vers moi ce soir-là (s'en souvient-il ?) et m'avait dit tout bas :

– Si tu crois qu'il ne m'excite pas plus que Mériem.

Il m'avait dit cela par boutade, sans songer à mal, lui qui n'était attiré que par les femmes ; mais était-ce à moi qu'il était besoin de le dire ? Je ne répondis rien ; mais cet aveu m'avait habité depuis lors ; je l'avais aussitôt fait mien ; ou plutôt, il était déjà mien, dès avant que Paul n'eût parlé ; et si, dans cette nuit auprès de Mériem, je fus vaillant, c'est que, fermant les yeux, j'imaginais serrer dans mes bras Mohammed.

Je ressentis, après cette nuit, un calme, un bien-être extraordinaire ; et je ne parle pas seulement de ce repos qui peut suivre la volupté ; il est certain que Mériem m'avait, d'emblée, fait plus de bien que tous les révulsifs du docteur. Je n'oserais guère recommander ce traitement ; mais il entrait dans mon cas tant de nervosité cachée qu'il n'est pas étonnant que, par cette profonde diversion, mes poumons se décongestionnassent, et qu'un certain équilibre fût rétabli.

Mériem revint ; elle revint pour Paul ; elle devait revenir pour moi, et déjà rendez-vous était pris, quand, tout à coup, nous reçûmes une dépêche de ma mère, nous annonçant son arrivée. Quelques jours avant la première visite de Mériem, un crachement de sang, auquel je n'attachai pas grande importance, avait beaucoup alarmé Paul. Ses parents, avertis par lui, avaient cru devoir avertir ma mère ; et sans doute aussi souhaitaient-ils de voir ma mère le remplacer auprès de moi, estimant que le temps d'un boursier de voyage pouvait être mieux employé qu'à ce rôle de garde-malade. Toujours est-il que ma mère arrivait.

Wilde me fit boire un cocktail et en but lui-même plusieurs. Nous patientâmes une demi-heure environ. Que le temps me paraissait long! Wilde riait encore, mais plus d'une manière aussi convulsive, et quand par instants nous parlions, ce n'était que de n'importe quoi. Enfin je le vis tirer sa montre :

– Il est temps, fit-il en se levant.

Nous nous acheminâmes vers un quartier plus populaire, par-delà cette grande mosquée en contrebas, dont je ne sais plus le nom, devant laquelle on passe pour descendre au port – le quartier le plus laid de la ville, et qui dut être un des plus beaux jadis. Wilde me précéda dans une maison à double entrée, dont nous n'eûmes pas plus tôt franchi le seuil, que surgirent devant nous, entrés par l'autre porte, deux énormes agents de police, qui me terrifièrent. Wilde s'amusa beaucoup de ma peur.

– Aoh! *dear*, mais au contraire; cela prouve que cet hôtel est très sûr. Ils viennent ici pour protéger les étrangers. Je les connais; ce sont d'excellents garçons qui aiment beaucoup mes cigarettes. Ils comprennent très bien.

Nous laissâmes les flics nous précéder. Ils dépassèrent le second étage, où nous nous arrêtâmes. Wilde sortit une clef de sa poche et m'introduisit dans un minuscule appartement de deux pièces, où, quelques instants après, le guide ignoble vint nous rejoindre. Les deux adolescents le suivaient, chacun enveloppé d'un burnous qui lui cachait le visage. Le guide nous laissa. Wilde me fit passer dans la chambre du fond avec le petit Mohammed et s'enferma avec le joueur de darbouka dans la première.

Depuis, chaque fois que j'ai cherché le plaisir, ce fut courir après le souvenir de cette nuit. Après mon aventure de Sousse, j'étais retombé misérablement dans le vice. La volupté, si parfois j'avais pu la cueillir en passant, c'était comme furtivement; délicieusement pourtant, un soir, en barque avec un jeune batelier du lac de Côme (peu avant de gagner La Brévine) tandis qu'enveloppait mon extase le clair de lune où l'enchantement brumeux du lac et les parfums humides des rives fondaient. Puis rien; rien qu'un désert affreux plein d'appels sans réponses, d'élans sans but, d'inquiétudes, de luttes, d'épuisants rêves, d'exaltations imaginaires, d'abominables retombements. A La Roque, l'avant-dernier été, j'avais pensé devenir fou; presque tout le temps que j'y passai, ce fut cloîtré dans la chambre où n'eût dû me retenir que le travail, vers le travail m'efforçant en vain (j'écrivais *Le Voyage d'Urien*), obsédé, hanté, espérant peut-être trouver quelque échappement dans l'excès même, regagner l'azur par delà, exténuer mon démon (je reconnais là son conseil) et n'exténuant que moi-même, je me dépensais maniaquement jusqu'à l'épuisement, jusqu'à n'avoir plus devant soi que l'imbécillité, que la folie.

Ah! de quel enfer je sortais! Et pas un ami à qui pouvoir parler, pas un conseil ; pour avoir cru tout accommodement impossible et n'avoir rien voulu céder d'abord, je sombrais... Mais qu'ai-je besoin d'évoquer ces lugubres jours ? Leur souvenir explique-t-il mon délire de cette nuit ? La tentative auprès de Mériem, cet effort de « normalisation » était resté sans lendemain, car il n'allait point dans mon sens ; à présent je trouvais enfin ma normale. Plus rien ici de contraint, de précipité, de douteux ; rien de cendreux dans le souvenir que j'en garde. Ma joie fut immense et telle que je ne la puisse imaginer plus pleine si de l'amour s'y fût mêlé. Comment eût-il été question d'amour ? Comment eussé-je laissé le désir disposer de mon cœur ? Mon plaisir était sans arrière-pensée et ne devait être suivi d'aucun remords. Mais comment nommerai-je alors mes transports à serrer dans mes bras nus ce parfait petit corps sauvage, ardent, lascif et ténébreux ?...

Je demeurai longtemps ensuite, après que Mohammed m'eut quitté, dans un état de jubilation frémissante, et bien qu'ayant déjà, près de lui, cinq fois atteint la volupté, je ravivai nombre de fois encore mon extase et, rentré dans ma chambre d'hôtel, en prolongeai jusqu'au matin les échos.

Je sais bien que certaine précision, que j'apporte ici, prête à sourire ; il me serait aisé de l'omettre ou de la modifier dans le sens de la vraisemblance ; mais ce n'est pas la vraisemblance que je poursuis, c'est la vérité ; et n'est-ce point précisément lorsqu'elle est le moins vraisemblable qu'elle mérite le plus d'être dite ? Pensez-vous sinon que j'en parlerais ?

Comme je donnais ici simplement ma mesure, et qu'au surplus je venais de lire le *Rossignol* de Boccace, je ne me doutais pas qu'il y eût de quoi surprendre, et ce fut l'étonnement de Mohammed qui d'abord m'avertit. Où je la dépassai, cette mesure, c'est dans ce qui suivit, et c'est là que pour moi commence l'étrange : si soûlé que je fusse et si épuisé, je n'eus de cesse et de répit que lorsque j'eus poussé l'épuisement plus loin encore. J'ai souvent éprouvé par la suite combien il m'était vain de chercher à me modérer, malgré que me le conseillât la raison, la prudence ; car chaque fois que je le tentai, il me fallut ensuite, et solitairement, travailler à cet épuisement total hors lequel je n'éprouvais aucun répit, et que je n'obtenais pas à moins de frais. Au demeurant je ne me charge point d'expliquer ; je sais qu'il me faudra quitter la vie sans avoir rien compris, ou que bien peu, au fonctionnement de mon corps.

Aux premières pâleurs de l'aube je me levai ; je courus, oui vraiment courus, en sandales, bien au-delà de Mustapha ; ne ressentant de ma nuit nulle fatigue, mais au contraire une allégresse, une sorte de légèreté de l'âme et de la chair, qui ne me quitta pas de tout le jour.

Je retrouvai Mohammed deux ans plus tard. Son visage n'avait pas beaucoup changé. Il paraissait à peine moins jeune ; son corps avait gardé sa grâce, mais son regard n'avait plus la même langueur; j'y sentais je ne sais quoi de dur, d'inquiet, d'avili.

— Tu ne fumes plus le kief? lui demandai-je, sûr de sa réponse.

— Non, me dit-il. A présent, je bois de l'absinthe.

Il était attrayant encore; que dis-je? plus attrayant que jamais; mais paraissait non plus tant lascif qu'effronté.

Daniel B... m'accompagnait. Mohammed nous conduisit au quatrième étage d'un hôtel borgne; au rez-de-chaussée, un cabaret où trinquaient des marins. Le patron demanda nos noms; j'inscrivis : *César Bloch* sur le registre. Daniel commanda de la bière et de la limonade, « pour la vraisemblance », disait-il. C'était la nuit. La chambre où nous entrâmes n'était éclairée que par le bougeoir qu'on nous avait donné pour monter. Un garçon nous apporta les bouteilles et des verres, qu'il posa sur une table, près de la bougie. Il n'y avait que deux chaises. Nous nous assîmes, Daniel et moi; et Mohammed, entre nous deux sur la table. Relevant le haïk qui remplaçait à présent son costume tunisien, il étendit vers nous ses jambes nues.

— Une pour chacun, nous dit-il en riant.

Puis, tandis que je restais assis près des verres à demi vidés, Daniel saisit Mohammed dans ses bras et le porta sur le lit qui occupait le fond de la pièce. Il le coucha sur le dos, tout au bord du lit, en travers; et je ne vis bientôt plus que, de chaque côté de Daniel ahanant, deux fines jambes pendantes. Daniel n'avait même pas enlevé son manteau. Très grand, debout contre le lit, mal éclairé, vu de dos, le visage caché par les boucles de ses longs cheveux noirs, dans ce manteau qui lui tombait aux pieds, Daniel paraissait gigantesque, et penché sur ce petit corps qu'il couvrait, on eût dit un immense vampire se repaître sur un cadavre. J'aurais crié d'horreur...

On a toujours grand mal à comprendre les amours des autres, leur façon de pratiquer l'amour. Et même celles des animaux (je devrais réserver cet « et même » pour celles des hommes). On peut envier aux oiseaux leur chant, leur vol; écrire :

Ach ! wüsstest du wie's Fischlein ist
So Wohlig auf dem Grund !

Même le chien qui dévore un os trouve en moi quelque assentiment bestial. Mais rien n'est plus déconcertant que le geste, si différent d'espèce en espèce, par quoi chacun d'entre eux obtient la volupté. Quoi qu'en dise M. de Gourmont, qui s'efforce de voir sur ce point, entre l'homme et les espèces animales, de troublantes analogies, j'estime que cette analogie n'existe que dans la région du désir; mais que c'est peut-être au contraire dans ce que M. de Gourmont appelle « la physique de l'amour » que les différences sont les plus marquées, non seulement entre l'homme et les animaux, mais même souvent d'homme à homme, – au point que, s'il nous était permis de les contempler, les pratiques de notre voisin nous paraîtraient souvent aussi étranges, aussi saugrenues et, disons : aussi monstrueuses, que les accouplements des batraciens, des insectes – et, pourquoi chercher si loin ? que ceux des chiens ou des chats.

Et sans doute est-ce aussi pour cela que sur ce point les incompréhensions sont si grandes, et les intransigeances si féroces.

Pour moi, qui ne comprends le plaisir que face à face, réciproque et sans violence, et que souvent, pareil à Whitman, le plus furtif contact satisfait, j'étais horrifié tout à la fois par le jeu de Daniel, et de voir s'y prêter aussi complaisamment Mohammed.

Les Organes génitaux et la Procréation

sans date

Ce n'est pas chez le Dr Caufeynon que Gide aurait trouvé le moindre réconfort. Le docteur Jean Fauconey, dit Caufeynon, dit aussi docteur Jaf, a publié tous les ans, de 1905 à 1938, un, quelquefois deux ouvrages de vulgarisation désespérément orthodoxes, comme on peut en juger par le texte suivant, et aussi d'après quelques-uns de ses titres : *Physiologie du vice, Les Curiosités de l'hystérie, Le Mariage, Amour et Hygiène, Les Vices féminins, La Perversion sexuelle, La Masturbation féminine...* On lui doit aussi un ouvrage sur le sommeil, un sur *La Ceinture de chasteté, son histoire, son emploi* (1905) des *Scènes d'amour morbide*, et une brochure au titre alléchant, que je n'ai pas encore lue : *Volupté, joie, plaisir, expression des plaisirs et marche graduelle de la délectation amoureuse* (1907).

Tous ces ouvrages étaient constamment réimprimés (certains l'étaient encore en 1950), et constituaient incontestablement des lectures érotiques, surtout chez les adolescents, comme le Larousse médical ou ce qui en tenait lieu avant qu'il n'existe. Il est intéressant d'avoir sous les yeux ce qu'on pouvait se procurer dans les années 20 quand on voulait se documenter sur les organes et le fonctionnement de la génération. Tous ces ouvrages sont les descendants en ligne directe du célèbre manuel du Dr Pierre Garnier, *L'Onanisme seul et à deux sous toutes ses formes et leurs conséquences* (*Hygiène de la génération*), qui eut de nombreuses éditions à partir de 1885, et dont nous parlons ailleurs plus longuement. Le ton de ces manuels ne changera d'ailleurs guère en France qu'à partir de la fin des années 60 ; encore le retrouvera-t-on chez certains auteurs en 1978.

IL N'EST DONC PAS VRAI que la création d'un être nouveau est un pas vers la mort ; la nature soutient ceux qui marchent et n'abandonne que ceux qui courent avec une folle précipitation dans une route qu'elle a parsemée d'attraits et de délices. Mais il est difficile, dans l'âge nubile, de résister aux premiers feux de la passion et de gouverner les désirs qui s'irritent à mesure qu'on leur cède. Tout concourt à précipiter dans les témérités et les excès. Les moins téméraires sont ceux qui ne sont tyrannisés que par les organes génitaux, incessamment agacés par des torrents de sperme, fourmillant de spermatozoïdes ; ils convoitent les femmes avec une fureur aveugle ; leurs désirs ont toute l'irrésistibilité, toute la fatalité d'un acte organique, mais ils s'apaisent dès que le besoin est satisfait et ne le reproduisent que quand la perte est réparée.

Les plus à plaindre sont ceux qui sont dominés par des besoins cérébraux qui poignent à la prédominance du sens génésique interne, une imagination mobile et capricieuse, une sensibilité maladive et une instabilité insaisissable dans les volontés et les idées. Ces hommes nerveux voient toutes les femmes à travers un prisme qui leur prête les plus poétiques couleurs et qui les pare d'attraits divins. Ils peuplent la terre de beautés imaginaires qui allument perpétuellement leurs sens et aiguillonnent leurs insatiables désirs ; l'ardente soif du bonheur qui les dévore ne leur laisse pas un instant de repos ; leurs organes, si énergiques qu'ils soient, ne peuvent longtemps répondre à des besoins factices, qui ne meurent que pour renaître ; les obstacles irritent leurs convoitises, et trop souvent ils se replient sur eux-mêmes pour se donner la possession idéale des femmes qu'ils aiment ou la décevante illusion des voluptés qui ne sont plus accordées à leur impuissance.

Bien d'autres impulsions portent l'homme à dépasser la mesure de ses besoins réels. Les poètes ont donné la folie pour guide à l'amour, mais ils n'auraient pas dû oublier la vanité, qui supplée si souvent la folie dans cette mission. C'est la vanité qui perd les jeunes maris et les jeunes amants qui se livrent sans prévoyance à la frénésie de leur passion ; ils veulent se maintenir à la hauteur de leur début ; ils ne veulent pas qu'on suppose du refroidissement ou d'autres amours ; par-dessus tout, ils craignent de voir ternir leurs lauriers ; ils tiennent à se prévaloir de la haute opinion qu'ils ont donnée de la puissance de leur virilité. Ils s'imposent dans une tâche qui dépasse leurs forces ; mais ils ne tardent pas à se repentir de leur imprudence ; ils sont trahis par des organes qui s'irritent, qui perdent leur ressort, et qui refusent enfin de seconder les délices de l'imagination.

L'humiliation provoque sous une autre forme le même sentiment chez les femmes ; elles croient toujours trop facilement que l'homme qui ne peut les satisfaire ne les aime pas, elles veulent et demandent sans cesse des preuves d'amour. La guerre éclate par les vaines démonstrations qu'on fait pour la prévenir. On tombe ainsi dans les excès vénériens qui n'ont pas leur source dans l'amour, mais dans l'amour-propre, la santé se perd par un malentendu.

On a souvent agité la vaine et insoluble question de savoir qui, de l'homme ou de la femme, ressent le plus vivement la voluptueuse secousse qui ébranle le système nerveux dans les rapports sexuels : mais il est évident qu'une telle question restera à l'état d'énigme tant qu'on ne trouvera pas un moyen d'opérer préalablement la transmutation réciproque des sexes ! Il serait plus intéressant pour l'un et pour l'autre sexe de trouver un moyen qui permît à chacun d'apprécier *a priori*, l'état réel de ses forces et de ses besoins ; malheureusement la question se complique d'un trop grand nombre de besoins factices, et ne peut être tranchée qu'*a posteriori* par les effets directs de l'acte vénérien ; il n'est pas douteux que les besoins réels ne soient dans un rapport constant avec l'élaboration du sperme et la durée de son séjour dans les organes génitaux. C'est dans cet état que le coït cause les plus grandes jouissances et exerce l'influence la plus favorable sur tout l'organisme. Ainsi la diminution du plaisir à laquelle se joignent toujours des érections moins fortes, moins durables et une éjaculation précipitée, est-elle toujours le premier avertissement que donne la nature à ceux qui se font illusion sur leur force et se jettent imprudemment dans les excès.

Les émissions spermatiques les plus voluptueuses, les plus vives, les plus actives, sont les seules qui soient favorables et accusent des besoins réels.

Il est vrai que les femmes résistent mieux que l'homme aux actes amoureux, mais cela tient à ce qu'elles ne perdent pas de liqueur spermatique et qu'elles ne sont soumises qu'à une seule cause d'épuisement, tandis qu'une double dépense, à la fois nerveuse et matérielle, concourt à l'énervement de l'homme. Il faut ajouter que le rôle de la femme, dans les rapports sexuels, prête singulièrement à l'équivoque. Chez elle l'acte réel ne porte pas avec lui sa preuve et le mensonge ne saurait se distinguer de la vérité; la femme simule, si elle veut, par envie de plaire ou de tromper, sa participation à des actes auxquels elle ne fait que se prêter; elle n'a besoin, comme on l'a dit, que juste autant de puissance ou de désir qu'il en faut pour ne pas s'y refuser. C'est avec moins de raison encore qu'on a fait intervenir les prostituées dans ces questions qui ne les concernent point. Sans doute il n'en existerait pas si le coït était aussi énervant pour elles que pour l'homme; mais de leur part, le fait n'existe même pas; leur exemple est donc ici sans valeur.

Bien que sous le rapport des causes d'épuisement se rattachant aux relations sexuelles on ne puisse comparer l'homme qu'à lui-même, il n'en est plus ainsi des autres conditions qui caractérisent l'évolution de l'âge adulte et qui influencent l'organisme d'une façon si merveilleuse; ainsi la vivacité, l'énergie, l'éclat des yeux sont aussi remarquables dans les deux sexes. Il n'est pas de médecin qui n'ait vu cette crise salutaire affermir, dans l'un et l'autre sexe, des santés délicates, dissiper des maux réfractaires, opérer, en un mot, des miracles; il n'est pas de mère qui n'ait attendu impatiemment cette heureuse époque où le système génital inaugure son empire avec une si admirable vigueur. A cet âge heureux, l'homme et la femme supportent, sous l'influence d'une ardente passion, des excès et des dépenses dont plus tard le souvenir les étonne.

L'activité sexuelle est influencée même par les plus petits écarts, lorsqu'on s'éloigne de l'usage modéré et naturel des organes génitaux, avec une intensité telle qu'on ne l'observe chez un autre organe, dans aucune autre fonction; la cause de cela est la haute importance de la reproduction. Le moindre excès prolongé peut avoir des suites graves sur le système nerveux et c'est en réalité ce qui se passe ordinairement.

Si nous examinons la plus importante de ces causes depuis la plus tendre enfance jusqu'au mariage, il faut d'abord insister sur les inconvénients que peuvent présenter les relations d'amitié prolongées entre filles et garçons. Ces relations conduisent généralement à un véritable amour réciproque et à des vices sexuels psychiques; généralement il n'y a pas échange de mots obscènes dans ces affections, au contraire, cet amour est tout normal, mais ces jeunes gens finissent par s'embrasser comme des adultes s'embrassent, se pressent sur le cœur, rêvent les uns des autres; bref, se comportent comme des fiancés.

Ainsi sont réveillés des sentiments qui devraient encore sommeiller; ils excitent constamment le système nerveux, peuvent conduire à l'onanisme et même, si cela n'a pas lieu, causent souvent plus tard un état de faiblesse nerveux.

Il est inutile de rester trop longtemps fiancés, surtout quand les fiancés s'aiment et ont souvent l'occasion de se voir. C'est la coutume dans la plupart des pays que la fiancée permette des tendresses dont le charme consiste justement en cela que le communisme du mariage est encore exclu; et pourtant cela produit déjà de fortes excitations sexuelles, excitations très dangereuses pour le système nerveux, puisqu'elles ne sont, au fond, rien autre que de l'onanisme psychique. Les excitations sexuelles continuent sans satisfaction naturelle et affaiblissent le système nerveux à tel point que l'homme peut avoir des éjaculations à la seule présence et au contact de sa fiancée, des douleurs testiculaires et plus tard de l'impuissance.

De même chez la fiancée, le système nerveux sera plus ou moins surexcité et affaibli par suite des désirs éveillés et non satisfaits.

L'accomplissement prématuré de l'acte sexuel agit défavorablement, en ce sens qu'une fonction non encore entièrement développée est mise à contribution. La cohabitation trop précoce se produit le plus souvent dans les mariages où l'un et l'autre sont encore trop jeunes.

On ne peut souvent pas dans les mariages conclus trop tôt distinguer les effets nuisibles de la copulation prématurée, de ceux de l'onanisme, parce que dans la plupart des cas, la cause qui détermine les mariages trop précoces est justement l'existence d'habitudes vicieuses, au moins chez l'un des contractants. L'excitation sexuelle provoquée par les vices de jeunesse pousse presque sûrement le fauteur à se marier de bonne heure. Les conséquences des excès sexuels sont plus bénignes que celles de l'onanisme, pourtant il se développe aussi des maladies profondes des organes génitaux et du système nerveux.

Si l'on pose la question : depuis quel âge de la vie il n'y a plus d'inconvénient à se livrer régulièrement à l'acte sexuel? il faut répondre qu'à cela on ne peut énoncer une loi générale. Tout dépend du degré de développement des forces et de l'état de santé de chaque individu, car, surtout de nos jours, la maturité sexuelle se produit à des âges très variables. On peut plus facilement juger une limite pour le sexe féminin, on peut dire que la maturité est atteinte quand la croissance du corps cesse; quand les seins sont entièrement développés, que la fonction menstruelle se produit à intervalles réguliers, et lorsqu'il n'y a pas de malformation organique des organes génitaux.

Nous comptons en toute première ligne parmi les vices sexuels du mariage l'accomplissement trop fréquent de l'acte copulateur. On croit généralement, et à tort, que les vices sexuels n'ont pas d'influences nuisibles dans le mariage. En réalité, la nature ne fait aucune différence que ces débauches aient lieu dans le mariage ou en dehors. Or, l'acte de la copulation est lié à un grand ébranlement du système nerveux, et la semence est directement tirée du sang, qui doit céder une partie de ses éléments constituants; il s'ensuit que, par le coït trop répété, il se produit une excitabilité et de la faiblesse consécutive du système nerveux, ainsi que de la diminution des éléments les plus nobles du sang.

La question : combien souvent le coït peut être exercé sans inconvénient ne peut, en général, être tranchée, car cela est très variable selon la constitution du corps, l'état de santé, la manière de vivre, les occupations.

Tandis que les personnes robustes et saines, non soumises au surmenage intellectuel, peuvent s'y livrer, sans aucun inconvénient, trois ou quatre fois par semaine, les individus faibles, maladifs ou affligés de prédispositions morbides, devront observer une modération beaucoup plus grande, ainsi que tous ceux qui sont astreints à un travail intellectuel intense.

Il y a des personnes malades, faibles qui peuvent tout au plus se permettre le coït une ou deux fois par mois impunément; il en est de même de tous ceux qui se trouvent fatigués de suite après le coït.

Il est impossible de reconnaître extérieurement à des traits distinctifs les tempéraments portés vers les plaisirs de l'amour. Cependant il est permis d'admettre que l'homme atteint de satyriasis ou de priapisme se remarque à son teint blafard, son regard fixe et brillant, la bouche est charnue et rouge. La femme hystérique se distinguera par une allure vive, l'ampleur des seins et des fesses, l'éclat des yeux, l'abondance du système pileux. Parfois la blonde d'un tempérament génital accentué sera très maigre, presque osseuse, les parties sexuelles peu proéminentes. Rien évidemment en tout ceci n'est définitif, et en cela comme ailleurs, l'exception ne fait que confirmer la règle.

Les caractères distinctifs sont plus nombreux certainement chez la femme, mais aussi les centres érogènes qui lui procurent la sensation voluptueuse se manifestent plus divers.

Chez l'homme, le gland et principalement sa couronne serait l'unique foyer de plaisir. Afin de ménager cette sensibilité, il est bon de tenir cette partie du pénis continuellement recouverte du prépuce, son protecteur naturel.

Chez certains individus, l'anus et le rectum, à cause de leur voisinage avec les vésicules séminales, la prostate et l'urètre, seraient des centres de jouissance érotique.

La femme possède trois foyers de sensations très nets…

A N D R É   B R E T O N

1 8 9 6 - 1 9 6 6

L'Esprit nouveau

1 9 2 2 - 1 9 2 4

Même aujourd'hui, ce qui s'est passé en Europe, disons du Modernisme au Surréalisme en passant par Dada, et qui explose à Paris vers 1924, est difficilement calculable. De l'engin qui en ce temps-là s'est placé sur orbite, on n'a pas fini de voir se détacher des têtes chercheuses filant de plus en plus haut, de plus en plus loin, tandis que l'on commence à peine à distinguer les fusées portantes qui l'ont hissé jusque-là. Pour bien juger de l'accueil qui a pu lui être fait il faut, comme Aragon le demande pour Apollinaire, replacer l'événement dans son temps, dans son « moyen âge ». On comprend mieux alors à quel point, sur le moment, il a pu passer inaperçu ou paraître insignifiant. Certains même, j'en ai connu, n'ont pu être bien conscients de ses prolongements pour l'avoir trop *vécu*.

Nous sommes quelques-uns en tout cas, venus plus tard, pour qui cela change beaucoup de choses. Quand Robert Benayoun, dans un livre important, *L'Érotique du Surréalisme*, affirme que « *le demi-siècle qui vient de s'écouler a renouvelé les concepts sexuels plus que quatre millénaires d'orgie, de rites érotiques ou d'inquisitions* », c'est pour en arriver, sur la fin d'un exposé pénétrant, à la conclusion que « *l'aventure surréaliste a ceci de révolutionnaire (entre autres choses) qu'elle a pour la première fois peut-être dans l'histoire doté le sexe d'un mode d'expression* », et que « *ce dépassement illimité de l'être, ce naufrage des références que procure l'extase, le surréalisme l'a situé, puis exprimé dans le vertige automatique, enfin, dans une démarche plus délibérément revendicative, en assurant ce que*

l'on a pu interpréter comme l'unité de l'esprit et du désir ».

1924 est donc l'année, pour moi, de l'explosion surréaliste. Aragon publie *Le Libertinage* :

« *Je ne fais pas de difficulté à le reconnaître : je ne pense à rien, si ce n'est à l'amour. Ma continuelle distraction dans les domaines de l'esprit, on tend assez à me la tenir à crime, trouve dans ce goût unique et incessant de l'amour sa véritable raison d'être. Il n'y a pour moi pas une idée que l'amour n'éclipse. Tout ce qui s'oppose à l'amour sera anéanti s'il ne tient qu'à moi. C'est ce que j'exprime grossièrement quand je me prétends anarchiste.* »

Crevel publie *Détours*, Breton *Les Pas perdus* et le *Manifeste du Surréalisme*, Artaud *L'Ombilic des Limbes*. En décembre, voici le numéro 1 de *La Révolution surréaliste*, avec un texte de Philippe Soupault, *La Conscience, l'ombre de l'ombre* :

« *Ouvrez une de ces feuilles qui s'intitulent :* L'Humour, Paris-flirt, Mon béguin, L'Amour en vitesse *et autres publications de ce genre. A la dernière page on aperçoit une rubrique très achalandée, celle des petites annonces. Ayez soin de lire attentivement mais pas entre les lignes les demandes, les offres que l'on y fait. Vous vous rendrez compte à ce moment de l'étrange simplicité des désirs. Cette simplicité que j'ai qualifiée d'étrange est aussi et encore merveilleuse. Les désirs, j'ai écrit ces mots, les désirs, voilà les seuls témoins, les seuls fidèles porte-parole.* »

L'*Esprit nouveau* a été publié dans *Littérature* en 1922, puis repris dans *Les Pas perdus*, qui paraissent en 1924. En 1924, il est vrai, comme le fait remarquer Marguerite Bonnet[1], que les surréalistes tendent à se détacher d'Apollinaire, mais c'est dans la mesure où *Le Poète assassiné* devient un monument historique, et c'est sans renier ce qu'ils lui doivent. Ils s'écartent de lui exactement comme lui s'était écarté de Baudelaire « *parce qu'il ne participe plus guère à cet esprit moderne qui procède de*

lui ». *Les Pas perdus* sont à cet égard révélateurs, où l'attitude de Breton vis-à-vis d'Apollinaire[2] va du *Guillaume Apollinaire* de 1917 (« *L'avoir connu passera pour un rare bienfait. Des jeunes gens retrouveront ce mot ingénu : je suis venu trop tard...* ») aux réserves sévères des *Caractères de l'évolution moderne et ce qui en participe* : « *Sans doute Apollinaire est-il encore un spécialiste, c'est-à-dire un de ces hommes dont pour mon compte j'avoue n'avoir que faire*»...

Il n'est pas indifférent de noter qu'en 1917 Breton louait *Le Poète assassiné* de ce que « *l'érotisme y projette d'immenses lueurs* », et qu'en 1922 un des derniers textes qui trouvent grâce à ses yeux reste *Les Onze Mille Verges*, et sa « licence sincère ».

On lit dans *Poisson soluble* : « *L'amour sera. Nous réduirons l'art à sa plus simple expression, qui est l'amour.* »

1. Marguerite Bonnet, *André Breton, naissance de l'aventure surréaliste*, Paris, 1975.

2. En mars 1917, Apollinaire avait demandé à André Breton d'écrire un article sur lui : « *Je ne connais personne qui puisse aussi bien parler de ce que j'ai fait que vous* » (cité par Marguerite Bonnet).

*L*E LUNDI seize janvier à cinq heures dix, Louis Aragon montait la rue Bonaparte quand il vit venir en sens inverse une jeune femme vêtue d'un costume tailleur à carreaux beige et brun et coiffée d'une toque de la même étoffe que sa robe. Elle semblait avoir très froid en dépit de la température relativement douce. A la faveur de la lumière de la librairie Coq, Aragon constata qu'elle était d'une beauté peu commune et qu'en particulier ses yeux étaient immenses. Il eut envie de l'arrêter, mais se rappela qu'il n'avait sur lui que deux francs vingt. Il y pensait encore quand André Breton le rejoignit au café des Deux Magots. « Je viens de faire une rencontre étonnante, lui dit ce dernier à peine assis. En remontant la rue j'ai dépassé une jeune fille qui regardait à chaque instant derrière elle, bien que vraisemblablement elle n'attendît personne. Un peu avant la rue Jacob, elle fit mine de s'intéresser à la devanture du magasin d'estampes, de manière à ce qu'un passant incroyable, tout à fait immonde, qui l'avait remarquée, lui adressât la parole. Ils firent ensemble quelques pas et s'arrêtèrent pour deviser, tandis que je stationnais à quelque distance. Bientôt ils se séparèrent et la jeune fille me parut encore plus désorientée. Elle tourna un moment sur elle-même puis, avisant un personnage d'aspect subalterne qui traversait la rue, elle alla brusquement à lui. Quelques secondes plus tard, ils se jetaient dans l'autobus "Clichy-Odéon". Je n'eus pas le temps de les rejoindre. J'observai qu'ils restaient sur la plate-forme cependant qu'un peu plus haut dans la rue, le gros homme de tout à l'heure demeurait immobile, comme en proie à un regret. » Aragon, comme nous l'avons dit, semblait surtout avoir été frappé de la beauté de l'inconnue, Breton de sa mise très correcte, ce côté tellement « jeune fille qui sort d'un cours » avec on ne sait quoi dans le maintien d'extraordinairement *perdu*. Était-elle sous l'effet d'un stupéfiant ? Venait-il de se produire une catastrophe dans sa vie ? Aragon et Breton avaient beaucoup de mal à comprendre l'intérêt passionné qu'ils portaient tous deux à cette aventure manquée. Le second était persuadé que quoiqu'il eût vu la jeune fille partir en autobus, elle était encore au même point de la rue Bonaparte. Il voulut en avoir le cœur net. En sortant il rencontra André Derain qui lui demanda de l'attendre aux Deux-Magots. « Je reviens les mains vides », disait-il à Aragon quelques instants après. Ni l'un ni l'autre ne pouvait prendre son parti de cette déconvenue et, quand Derain arriva, ils ne purent s'empêcher de lui confier le sujet de leur émotion. Ils n'avaient pas plus tôt commencé à le faire que Derain les interrompit : « Un costume à carreaux, s'écria-t-il, mais je viens de la rencontrer devant la grille de Saint-Germain-des-Prés ; elle était avec un nègre. Celui-ci riait et je lui ai même entendu dire textuellement : « Il faudra bien changer. » Auparavant j'avais vu de loin cette femme arrêter d'autres gens et j'avais attendu un instant qu'elle vînt aussi me parler. Je suis certain de ne l'avoir jamais vue par ici, et pourtant je connais toutes les filles du quartier. »

A six heures, Louis Aragon et André Breton, ne pouvant renoncer à connaître le mot de l'énigme, explorèrent une partie du sixième arrondissement, mais en vain.

Satan conduit le bal

1925

Georges-Anquetil est un des acteurs remuants et inquiétants du théâtre journalistique de l'entre-deux-guerres. Il dirigeait un journal, *Le Grand Guignol*, qui avait ses fidèles, mais que l'on accusait parfois d'être une feuille de chantage et de trafic financier. Il faut remarquer qu'on en disait autant du *Matin* de Bunau-Varilla, et que le rôle d'un autre grand journal, *Le Temps*, dans le dépouillement de l'épargne française au profit de la Russie du tsar, n'a rien eu d'honorable. Georges-Anquetil n'avait évidemment pas la « surface » de ses grands concurrents, et tout de suite après une violente campagne contre Raymond Poincaré, Président du Conseil, et Louis Barthou (coïncidence?), il fut arrêté sous les inculpations d'extorsion de fonds, outrages aux mœurs et invitation au retrait de fonds des caisses publiques. Interné à la Santé, malade, il faillit y laisser sa peau et ne fut libéré que trois mois plus tard, juste pour le procès.

Les autres accusations ayant été abandonnées, semble-t-il, Georges-Anquetil fut condamné à six mois de prison et 1 000 F d'amende pour outrages aux bonnes mœurs; les articles du *Grand Guignol* incriminés ne semblent pourtant pas avoir été d'une obscénité bien terrifiante. L'un d'eux n'était en tout cas que la reproduction d'une étude de *La Quinzaine médicale* sur « *L'érection pneumatique du pénis dans le traitement de la neurasthénie sexuelle* ». Georges-Anquetil s'était vivement défendu d'avoir voulu outrager les mœurs : « *Mon intention, d'un bout à l'autre, a été moralisatrice, et je n'ai*

eu notamment pour but que de stigmatiser un vice [l'homosexualité masculine] *que je déplore de ne pas voir condamné en France, alors qu'il l'est en Allemagne.* »

Condamné pour son activité journalistique, Georges-Anquetil comprit tout le parti qu'il pouvait tirer de la tolérance dont bénéficiait le livre, et il en publia coup sur coup plusieurs dont *La Maîtresse légitime* et *L'Amant légitime*, plaidoyers pour l'égalité des sexes dans l'amour, la polygamie, le mariage à l'essai… Les deux livres bénéficièrent d'une bonne presse et atteignirent un tirage respectable; l'édition de 1925 de *La Maîtresse légitime* annonce, trois ans après la publication, « 451e édition ».

Satan conduit le bal est un énorme « roman pamphlétaire et philosophique des mœurs du temps » de 540 pages extrêmement mal imprimées en tout petits caractères sur du papier journal, dont on trouve encore des exemplaires chez les bouquinistes et qui dut avoir aussi un gros tirage. L'intention de l'auteur est toujours de stigmatiser le vice et la corruption. Et de fait, des scènes comme celle que nous allons lire alternent avec des reproductions d'articles de journaux de documents divers où certains contemporains de M. Georges-Anquetil sont énergiquement mis en cause. Son livre se feuillette sans ennui si on a le goût de la petite histoire récente et du baroque.

Il est question de Georges-Anquetil dans *Littérature* où il se fait prendre à partie à propos d'un sonnet discutable qu'il avait commis sur Baudelaire.

II

Le laboratoire des illusions

> « Les résultats de la lubricité ont partout signalé la
> décadence des empires et la ruine des individus, ou
> l'abâtardissement des races. »

(Virey.)

MAIS OU SOMMES-NOUS DONC, Monsieur Hermès ? C'est une sinistre plaisanterie ; ce laboratoire est peut-être en effet une maison d'illusion – je vous félicite de votre esprit – mais c'est une vulgaire maison de femmes. Que venons-nous faire ici ?

– Lire, comme je vous l'avais promis, Monsieur le Préfet, les secrets des destins. Je tiens toujours parole. Je ne vous demande qu'une minute de patience. Tenez, venez d'abord par ici, et regardez !

Dans une chambre au décor vaguement oriental, où de grotesques lanternes vénitiennes japonaises entouraient les ampoules rouges des lampes électriques, se vautraient, entremêlés sur les divans, une soixantaine de corps nus des deux sexes, dégageant une forte odeur âcre et peu appétissante. L'entrée des deux arrivants ne les dérangea nullement, on le devine : leur pudeur en avait vu d'autres ; mais le Préfet, se tournant vers Hermès, lui dit :

– Eh bien ! et puis après ? Vous ne prétendez pas me faire découvrir là quelque chose de nouveau ? Tenez, voici un entrefilet de la *Liberté* prouvant que nous nous occupons de ces orgies, qui sont devenues une mode parisienne.

Et il tendit à Hermès cette coupure récente :

« Il existe à Paris un certain nombre de maisons clandestines, où des gens blasés éprouvent ou croient éprouver, à assister et participer à des scènes plus ou moins scandaleuses, des sensations qui les enchantent. Ces maisons sont, bien entendu, surveillées étroitement par la police qui, de temps à autre, y fait une visite inattendue, au grand émoi des héros de ces saturnales modernes.

« C'est ce qui est arrivé hier soir, dans un discret immeuble situé 11, rue..., où une soixantaine de personnes des deux sexes étaient assemblées dans les postures les plus diverses. Les uns prenaient une part active à ces ébats d'un genre très spécial ; d'autres se contentaient de les suivre des yeux avec beaucoup d'intérêt. L'offensive brusquée de M. Caron, commissaire à la direction de la police judiciaire, et de ses inspecteurs causa un vif désarroi parmi les acteurs et les spectateurs, qui tentèrent en vain de s'échapper. Les

issues de la maison étaient gardées, et tous les "amateurs" furent invités à prendre place dans deux camions de la Préfecture de police, qui les conduisirent au quai des Orfèvres. Là il fut procédé à une minutieuse vérification de leur état civil, opération qui amena, notamment, la découverte d'un trafiquant de cocaïne, recherché depuis un certain temps. Les personnes qui purent justifier de leur véritable identité – 57 sur 60, et elles appartiennent au meilleur monde – furent remises en liberté ; les autres passèrent la nuit dans les locaux de la police judiciaire. »

– Et voici, Monsieur Hermès, continua le Préfet, un autre article, consacré ce matin même, par M. J.-S. Marchand, dans sa revue mondaine *Sur la Riviera*, à la même descente de police. Lisez-le donc : il est plein de détails savoureux :

« *Les Parisiens ne vont plus au Bois. Nous entendons les Parisiens d'un monde spécial autant qu'élégant, ces Parisiens ultra-raffinés qui ne goûtaient l'an dernier les plaisirs de l'amour qu'autant qu'ils se trouvaient en bande et dans un décor approprié. Le décor, c'était le Bois de Boulogne, et Vénus sait combien de couples appartenant au monde du Théâtre, des Arts, de la Littérature et du Monde tout court se livrèrent à des ébats sans retenue sous les frondaisons voisines du chalet de la Cascade.*

« *Que voulez-vous, c'était la Mode ! Il fallait "en être" pour ne pas avoir l'air de débarquer de Carpentras. Car si l'on débarque de Carpentras, on n'est pas Parisien. Mais on l'est, on l'est même suprêmement, si l'on arrive tout droit de la Pampa sud-américaine et si l'on apporte avec soi quelques vices inédits ou quelques habitudes d'une vulgarité marquée.*

« *Il fut donc très chic, l'année dernière, de fréquenter les fourrés du Bois de Boulogne, devenus le dernier endroit où l'on cause et où l'on flirte. Où l'on agit aussi, où l'on s'agite plutôt, car les gardes surprirent des scènes étonnantes que la pudeur et la loi nous défendent de raconter ici.*

« *Et puis, il y eut trop de monde. Les rendez-vous du Bois devinrent mal portés et les Parisiens raffinés qui avaient inventé la chose l'abandonnèrent aux petites gens, lesquelles se firent prendre. Bien entendu, la police n'avait attendu que ce moment pour s'occuper enfin du scandale.*

« *Les vrais Parisiens, au surplus, avaient fini par découvrir que les fourrés du Bois et la mousse plus ou moins sèche manquaient vraiment de confort. Chose plus grave, ça manquait aussi de lumière. On n'y voyait pas et "voir", en la circonstance, est une question primordiale.*

« *C'est alors qu'un des membres de la bande, un membre actif si nous osons dire, dénicha une maison de la rue Poissonnière où l'on pratiquait les jeux du Bois dans un décor conçu pour cet usage et sous des torrents d'électricité. Là, au moins, on y allait franc jeu et l'on y pouvait appeler un chat un chat !*

« *A vrai dire, la maison était assez mal fréquentée. Elle ne recevait pas un monde très* reluisant, car on ne percevait à l'entrée que la modique somme de 20 francs ! Et qu'a-t-on pour 20 francs, par le temps qui court ?... Mais cela n'était pas pour arrêter nos élégants ni nos élégantes qui trouvaient, d'ailleurs, un piment nouveau à se joindre aux ébats de la canaille.

« On vint donc, cette année, rue Poissonnière, comme on allait, l'an dernier, au Bois de Boulogne. On y vint en bonne compagnie, en bande, et l'on fit, dans les salons, dans les loges d'actrices, dans les ateliers, dans les bars, dans les salles de rédaction, une telle réclame à l'établissement que le patron s'empressa d'en améliorer le confort. Et ce fut à nouveau un endroit très parisien.

« Qu'y faisait-on au juste ?... N'attendez pas des descriptions. Sachez pourtant que le lieu se composait d'une salle unique, de vastes dimensions, à peu près nue, avec contre les murs des lits bas sans literie.

« Hélas ! on fit trop de réclame autour de la maison de la rue Poissonnière. Tant qu'elle restait discrète, ouverte aux seuls habitués, la police estimait n'avoir pas à intervenir. Mais la chose devenait vraiment par trop publique. On ne parlait plus que de cela dans les salons et certaines épouses intransigeantes s'étaient émues. Il a fallu sévir.

« Et, un soir de la semaine dernière, un commissaire de police, chef de la brigade mondaine, a fait irruption, flanqué d'une douzaine d'agents, dans la salle trop fréquentée. Les amateurs des deux sexes, des artistes connus, des fonctionnaires, des banquiers, un riche industriel de l'Est et sa femme et un menu fretin ont été embarqués dans deux camions de cinq tonnes réquisitionnés pour la circonstance.

« Au dépôt, on a découvert que le riche industriel était un garçon boucher et sa femme une prostituée en règle avec les "mœurs". Ils servaient d'amorce à la clientèle. Mais le reste de la prise était du monde le plus authentique ; on le remit en liberté discrètement. »

— Vous voyez donc, Monsieur Hermès, que, sans savoir exactement où vous m'avez mené cette nuit, je connais l'existence de maisons semblables à celle-ci ; mais je vous avoue que je ne vois pas encore le rapport qu'offre ce spectacle avec vos prophéties...

— Le premier qui s'impose, Monsieur le Préfet, c'est qu'une capitale, où de telles orgies sont complaisamment tolérées, où elles sont en tout cas pratiquées par l'élite de la société, est vouée au sort de Babylone, qui fut perdue par les mêmes luxures !

— Elles furent de tout temps et elles seront toujours !

— Pardon, elles s'abritèrent parfois avec un peu plus de discrétion, et elles n'étaient l'apanage que de quelques déséquilibrés. Aujourd'hui vous laissez s'étendre la contagion de cette pourriture : ne vous étonnez pas de la race de dégénérés dont vous vous plaignez.

— Mais est-ce là, Monsieur Hermès, la fameuse boule magique où vous m'aviez promis de me faire lire les destins de l'humanité ?

– Non, Monsieur le Préfet : ceci n'est que l'antichambre. Suivez-moi et nous allons la trouver par ici, dans le laboratoire même des illusions.

Hermès prit alors le préfet par le bras et l'emmena dans une grande galerie, dont le spectacle était effarant :

Ici, sur une planche horizontale, percée d'un trou central et reposant sur deux supports rudimentaires, une femme nue, les poignets et les chevilles attachés à deux nœuds coulants en cuir, était fouettée de cinglants coups de martinet par un homme nu, haletant.

Là, sur une planche à peu près semblable, mais perfectionnée de deux supports de cuir, creusés en forme de selle, destinés à recevoir, l'un, son ventre, l'autre son menton, une fille nue, également couchée, chaque poignet et chaque cheville attachés à un anneau vissé dans la planche, recevait la fessée d'un « personnage » en habit.

Là, le corps nu d'une autre patiente se balançait, suspendu par le cou et les poignets à un carcan qu'on dévissait à volonté et que retenaient au plafond deux lourdes chaînes. Ainsi toutes les parties de son pauvre corps étaient mieux exposées aux coups de cravache dont la cinglait avec rage un sous-officier étranger en tenue. Les seins n'étaient pas épargnés, au contraire, et présentaient même des ecchymoses attestant de la brutalité avec laquelle on les visait par plaisir. Et quand la malheureuse, sous la douleur, avait une contraction nerveuse ou laissait échapper une plainte, elle devait recevoir, sous menace de dénonciation à la patronne qui l'aurait renvoyée sans pitié, deux coups redoublés sur les doigts de pied.

Là, c'était la véritable crapaudine de Biribi : les mains et les pieds attachés ensemble, le corps était ramassé de façon à ce que, soulevé au plafond par une corde jouant sur une poulie, il mît la suppliciée complètement à la merci du flagellant. Celui-ci était un tout jeune homme, qui admirait l'art avec lequel son fouet appliquait sur la peau de la fille des zébrures savamment parallèles.

Là, un individu, qu'on nous dit être un professeur, était habillé en cosaque russe et fouettait, avec le knout, deux filles toujours nues, attachées ensemble à un poteau et qu'il s'imaginait être des étudiantes nihilistes.

Là, c'était un homme politique, un masochiste, qui, lui du moins, ne faisait faire de mal qu'à lui-même, mais qui s'était fait persuader qu'il était un page de Catherine de Médicis, dont une fille tenait le rôle [1], et qui exigeait d'elle qu'elle lui commandât les pires humiliations, auxquelles il devait se soumettre sous peine de se faire piquer d'épingles les tétons et les testicules !

Là, revêtu de la capuce d'un juge ecclésiastique de l'Inquisition, c'est un

1. Elle avait coutume de fouetter, sur leurs fesses nues, les pages et les demoiselles de son « escadron volant ».

« voyeur » (un véritable prêtre, paraît-il) qui regarde un autre maniaque, vêtu, lui, en greffier de tribunal dans la chambre des tortures, fouetter et faire fouetter jusqu'à l'évanouissement par des valets du bourreau une hérétique nue, dont le corps se tord sous la souffrance.

Ici, c'est une blonde dont le buste seul est nu et dont un vieillard pince en ricanant le bout des oreilles et le bout des seins, avec la pince anglaise. Là, c'est une brune, dont la jupe et la chemise ont été retroussées pour lui faire pincer les parties intimes par la pince allemande. Puis son tortionnaire – un personnage décoré de la rosette rouge – l'oblige à marcher sur la semelle hérissée de pointes de la « pantoufle piquante ».

Mais pourquoi celle-ci pousse-t-elle de tels hurlements ? Sa taille, serrée à force, est entourée de la ceinture à griffes, large courroie de cuir pourvue, en effet, de griffes qui doivent entrer assez profondément dans la chair pour faire couler le sang. Or, pendant qu'un maniaque lui fait un massage américain avec la brosse à pointes, pour provoquer une terrible excitation épidermale, un autre lui passe sur les fesses le rouleau à trois rangs de pointes, qui fait de tels ravages qu'après le passage de cette herse dans les chairs labourées ce sont de petites rigoles de sang qui coulent le long des cuisses !

Enfin, voici nue sur le Berkley Horse (cheval de Berkley) une belle rousse à la peau laiteuse, qui est attachée par les reins et le cou, pliée en deux, les jambes debout mais écartées par le bois, et le buste couché sur « le cheval », de façon à présenter son derrière le plus en saillie possible. Sur elle, ce sont trois gentils-hommes qui s'acharnent. L'un, avec des verges, flagelle la plante des pieds ; le second, après l'avoir « zébrée » avec un martinet, puis un fouet de chasse, pratique sur son dos la « discipline des moines », avec une grosse corde à nœuds ; le troisième, après avoir meurtri la peau des fesses avec la canne de bambou, puis avec le « tawse » écossais[1], s'amuse à faire perler le sang avec des épines de houx.

On comprend, dès lors, que le docteur Fowlet, dans son livre sur les maisons de flagellation, écrive que « *leur arsenal se réclame plus d'un musée d'appareils de torture que d'un boudoir. Ce n'est plus une simple polissonnerie à la façon de ces petits jeux galants que les estampes du XVIIIᵉ reproduisirent avec une charmante liberté... Il y a de pauvres jeunes filles qui, poussées par l'appât du gain, n'hésitent pas à se prêter aux caprices sanguinaires de ces maniaques. Dans une maison du centre, dont la maîtresse dit que les femmes supportent facilement de 25 à 75 coups, une jolie blonde se laissait fouetter à tour de bras au tarif de deux francs par coup reçu* ».

Et cet auteur relate l'infamie des exigences des clients, allant jusqu'à « *obliger les femmes à se prosterner... devant leur chair la plus intime après qu'ils venaient, eux, de*

---

1. Large bande de gros cuir ayant à son extrémité recourbée la forme d'une main humaine.

satisfaire aux exigences de la digestion, en leur disant : « Tout ce qui vient de moi, tout ce qui touche mon corps est sacré. Tu es mon esclaves, obéis ! »

Et elles obéissent en effet, les malheureuses, elles obéissent si docilement que, dans la revue *Paris-Médical*, le docteur Léon Bizard, médecin principal du dispensaire de la salubrité de la Préfecture de police, membre de la Commission de prophylaxie des maladies vénériennes au ministère de l'Hygiène, a pu écrire : « *Pourquoi laisser subsister ces chambres de supplices ? Pourquoi ne saisit-on pas ces barbares instruments de torture ? J'ai connu une femme qui a dû s'aliter quinze jours après une séance de flagellation qui lui avait rapporté cinquante francs. Dans certaines maisons à prix élevés, fréquentées, il faut le reconnaître, non pas par des ouvriers, mais par la clientèle bourgeoise et même aristocratique, le client est attiré parce qu'il sait qu'il y trouvera à satisfaire ses passions sadiques et ses goûts érotiques très spéciaux.*

« *Chez nous, me disait dernièrement une de ces tenancières, nous recevons surtout des piqués.* » *Malheureusement, hélas ! les piqués sont nombreux à Paris et je ne vois pas pourquoi on leur faciliterait l'exercice de leurs dangereuses manies.*

« *Il convient donc que les tenancières soient une bonne et dernière fois averties que, sous peine de fermeture immédiate et définitive, il leur est dorénavant interdit de pratiquer la flagellation et autres manœuvres capables d'entraîner de graves désordres physiques, qui les exposeraient en plus à des poursuites judiciaires et à des sanctions pénales les plus sévères.* »

A la suite de certains scandales, la *Ligue des Droits de l'Homme* s'est émue, et dans ses *Cahiers* elle a publié cette note :

« *Notre attention a été appelée sur l'existence à Paris, dans certaines maisons de prostitution, de "chambres de supplices", connues des services de la police, mais tolérées par eux et dans lesquelles des malheureuses acceptent pour de l'argent d'être flagellées parfois cruellement. Ces séances sont susceptibles d'entraîner les conséquences les plus graves pour la santé des victimes... Au reste, ces agissements constituent, d'une façon indiscutable, de la part des auteurs, le délit de "coups et blessures", car il est un principe certain, c'est que le consentement même des victimes – jurisprudence constante – ne fait en aucune manière disparaître le délit en question. Nous avons en conséquence l'honneur de prier M. le Ministre de la Justice de vouloir bien donner les instructions nécessaires pour que de pareilles pratiques soient poursuivies et réprimées, conformément à la loi.* »

Montrant soudain cette note au Préfet, Hermès lui dit :

– Eh bien ! monsieur le Préfet, depuis la publication de ce vœu, y a-t-il eu, pour cela aussi, quelques descentes de police ?

– Laissez-moi donc rire, lui répondit le Haut Fonctionnaire, avec vos sentiments soi-disant humanitaires. Moi, d'abord, je connais les hommes. Alors on me dirait que l'auteur du vœu en question est un habitué de ces maisons que je n'en serais pas autrement surpris. Et puis je vous avouerai que, tout ce que nous venons de voir, je trouve ça au fond très rigolo. Vous m'aviez dit que vous me mèneriez dans votre laboratoire ; ici, en effet, c'est le laboratoire des illusions.

Les uns y ont l'illusion de l'amour; d'autres s'imaginent être les esclaves de Cléopâtre; d'autres, des pachas sanguinaires; d'autres des tortionnaires de l'Inquisition. Mais quel mal y a-t-il à cela? Les petites égratignures qu'ils font aux parties charnues du corps de ces dames de « balai »? Mon Dieu! ils les paient, et cher! Personne n'entre ici à moins de quinze louis. Alors ne dois-je pas me souvenir qu'un grand historien a baptisé Paris de ce nom immortel : le bordel du monde. Or combien d'industries de luxe ne vivent que de cela! Assainir Paris, dans ce domaine, mais ce serait le tuer, économiquement parlant. Aussi, comme on ne fait pas d'omelette sans casser d'œufs, qu'importe que se fendille la coquille de quelques putains, pourvu que nous mangions chaque jour notre omelette! Croyez-moi donc, Monsieur Hermès, moins de sentimentalité déplacée! Si elle est ici, montrez-moi plutôt votre mystérieuse boule magique; sinon, allons la voir et après, nous coucher; car, excusez-moi, mais je commence à avoir sommeil.

– Oh! la contemplation de la boule vous réveillera. Attendez-moi une seconde, et je vous la montre. D'ailleurs vos vœux seront comblés, car on ne la voit bien que couché.

Hermès vola vers la patronne et lui dit à l'oreille : « Tu sais ce que je t'ai téléphoné tout à l'heure. Mon ami est à point. Voici cinquante louis en compte. Mais rappelle-toi mes prescriptions. C'est un vicieux, comme tu n'en as jamais vu. Il sait qu'il vient ici pour se faire fouetter à sang, mais il veut le simulacre complet d'une attaque et d'un combat. Il faut qu'il soit appréhendé, déshabillé et attaché de force. Il se débat solidement. Plus le chiqué sera soigné et aura l'air réel, plus il hurlera, plus il menacera, plus il souffrira pendant la flagellation, *plus il sera content*, ne l'oublie pas, et plus il sera généreux avec toutes tes petites femmes et avec la maison. Un dernier détail : il a la marotte, au moment où on se jette sur lui et où on l'attache, de se proclamer le préfet de police, pour s'imaginer qu'il intimide davantage son monde, et qu'il peut lui-même fermer la maison. Tu vois le phénomène que c'est!

– Voui, mon chéri. Ben, y sera content du business, le phénomène, et tu verras qu'il demandera à revenir. Ici, c'est du travail soigné, et tiens, je sonne, tu vas voir les nègres qui vont le coucher sur la planche en moins de deux! »

En effet, au même instant, ricanant de toutes leurs dents blanches et de leur rire le plus faux, deux splendides nègres, tout nus, sans doute habitués à tous les travaux, étaient mis à la disposition d'Hermès, qui leur désigna l'homme à capturer.

Hermès s'avança, souriant, avec eux, vers le Préfet, et au moment où il lui montrait sa main fermée, comme si elle contenait la fameuse boule, les nègres n'eurent aucune peine à s'emparer du « client » sans défiance et sans défense.

Alors Hermès lui dit : « Tout à l'heure, homme scélérat, tu m'as confié que le spectacle d'ici était rigolo, et qu'il était nécessaire à la vie de Paris. Eh bien! tu vas y goûter toi-même; tu vas danser sous les coups; peut-être après feras-tu fermer ces boîtes. Moi, dans ma justice, j'estime que tu es complice, moralement et pénalement complice de tous les supplices que tu laisses endurer ici par des créatures humaines, dans des conditions telles qu'il est permis de dire que l'esclavage est aboli en Amérique, mais qu'il est faux de dire qu'il l'est en France. Et c'est la honte d'une civilisation. Aussi t'ai-je condamné. »

MAURICE D'APINAC

Auteur inconnu

Sous la férule blanche

1 9 2 5

Les orchestres de jazz-band, la guerre du Rif, le Prix Goncourt 1921 à René Maran pour *Batouala* (« *véritable roman nègre* », si l'on en croit le sous-titre) : l'Afrique et le noir se portent toujours. Les Éditions Amateur-Biblio, rue Guisarde, en profitent pour mettre à leur catalogue un livre de « souvenirs d'Afrique », vaguement anticolonialiste, mais certainement pro-flagellateur.

J'ÉTAIS, À AMBOTRASY, sous les ordres du fameux administrateur D..., célèbre dans toute la colonie par ses exactions et ses fantaisies, souvent ridicules, parfois sanglantes.

Ancien officier, chassé de l'armée après plusieurs scandales, à cause de ses mœurs contre nature (il avait une façon d'aimer ses hommes qui n'avait rien de paternel), il avait été repêché dans l'administration coloniale, grâce à de hautes protections.

Mais sa disgrâce militaire ne lui avait pas servi de leçon. Au contraire, comme il n'avait pas à se gêner avec les indigènes, il se croyait tout permis, étant de ceux qui retombent toujours sur leurs pieds.

Entre autres souvenirs, je l'ai vu un jour flanquer une raclée terrible à un affreux gamin de quatorze ans, métis de Malgache et de Mozambique, vrai type de nègre inférieur, dont le nez couvrait la moitié du visage et dont la lèvre inférieure descendait jusqu'au menton, tout simplement parce que ce gosse, bête et laid, n'avait pas voulu se prêter... à ce que l'on devine !

Dans son chef-lieu, D... avait eu l'aplomb de faire construire une salle de danses attenante à la Résidence. Cette fantaisie qui avait coûté vingt-cinq mille francs à la Colonie[1] était absolument injustifiable. Car cette salle de danse aux murs de granit et au toit de verre n'était pas, comme on pourrait le croire, un lieu de réunion pour les familles. (Il n'y avait pas dix Européens à Ambotrasy et la plupart étaient des célibataires hommes.) C'était tout simplement une succursale du bal des « Quat-z'Arts ». Les femmes qui prenaient leurs ébats chorégra-

---

1. Prix d'avant-guerre dans un pays où les indigènes touchaient quelques sous par jour !

phiques – par ordre – dans cet édifice étaient des indigènes recrutées pour cet usage et elles ne dansaient jamais que nues.

En arrivant à Ambotrasy, D… avait envoyé une escouade de miliciens malgaches dans toutes les cases indigènes avec mission de lui ramener, de gré ou de force, toutes les jolies filles du pays. Il avait ainsi monté son harem et son corps de ballet. Il avait même embauché, pour son usage personnel, les frères de quelques-unes de ces demoiselles. Avec tout ce personnel autour de lui, uniquement consacré à ses plaisirs, il menait joyeuse vie et n'avait guère le temps de s'occuper des affaires de sa province, qui, du reste, ne s'en portaient pas plus mal.

On racontait aussi de lui que lorsqu'il était lieutenant et commandait un cercle dans l'Ouest, au lendemain de la conquête, il avait puisé à pleines mains dans la caisse de la Province, sa solde ne suffisant pas à payer ses fantaisies.

Sur ces entrefaites, le Gouverneur général ayant annoncé sa prochaine visite, D… avait accusé son ordonnance de l'avoir volé et l'avait abattu à coups de revolver avant toute explication. Deux ans plus tard, se trouvant dans les mêmes conditions, le trésor public de son cercle à peu près à sec, sous le coup de la menace d'une inspection, il avait mis le feu à la baraque en bois dans laquelle étaient déposés les fonds et les registres de comptabilité. Et tout avait flambé en un clin d'œil, y compris le scribe indigène chargé de la garde du bâtiment qu'on n'avait pas averti, et qui n'avait pu se sauver à temps !

Et D… était sorti de toutes ces canailleries les mains nettes et le front haut. Plus heureux en cela que son ami, l'administrateur W…, qui, traduit en Cour d'assises – après sa fuite – pour détournements de fonds, faux, usage de faux, incendie volontaire, viols suivis de mort et exécutions arbitraires d'indigènes, avait été condamné à vingt ans de travaux forcés… par contumace.

Cette longue digression était nécessaire pour expliquer la scène orgiaque dont je fus témoin, sur l'invitation de mon chef.

Outre l'amphitryon, nous étions trois invités : deux fonctionnaires bien en cour et moi.

Après un repas excitant qui nous avait été servi par des femmes nues – selon le procédé cher au pape Alexandre VI Borgia – on enleva les tables, et, sur le parquet de la salle de danse, jonché de pétales de roses et de fleurs de bougainvilliers, ces dames nous régalèrent de toutes les danses du cru : hovas, sakalaves, baras, etc., toutes plus étranges et plus inharmoniques les unes que les autres.

Mais le clou de la fête, clou absolument imprévu et inédit que le cerveau détraqué de D… pouvait seul inventer, ce fut la « danse du viol ».

D… avait imaginé de faire violer une de ses danseuses par un de ses « botos », sans qu'ils cessassent pour cela de danser. Deux indigènes armés de fouets et se tenant derrière chacun des danseurs devaient les surveiller et les rappeler à l'ordre sans ménagements à la moindre défaillance.

Il faut dire que s'il est impossible à des Européens d'accomplir l'acte de chair même en dansant la matchiche, le tango ou le shimmy, la difficulté est moindre avec les Malgaches dont certaines danses sont extrêmement voluptueuses et simulent absolument le viol... moins l'acte brutal.

C'est à l'une de ces danses que s'adonnaient nos deux héros, mais comme ils n'y mettaient pas du leur – ils étaient très jeunes tous deux, et, peut-être, n'éprouvaient-ils aucun attrait l'un pour l'autre ? – la conclusion menaçait de se faire attendre.

Aussi D... donna-t-il des ordres en conséquence à ses deux fouetteurs dont les instruments entrèrent vigoureusement en danse, eux aussi. Et c'était un spectacle extrêmement curieux et inoubliable que ces deux jeunes corps mordorés et sveltes se dandinant et se tordant sous les coups, tout en cherchant à s'interpénétrer sans ralentir leurs mouvements des mains et des jambes.

A chaque instant, les deux corps se rejoignaient, se serraient l'un contre l'autre, bouche contre bouche, poitrine contre poitrine. Mais, alors, il eût fallu quelques instants d'immobilité que les fouetteurs ne permettaient pas.

Les lanières sifflaient dans l'air et venaient s'enrouler autour des épaules, des reins ou des cuisses, desserrant les étreintes au moment précis où il aurait fallu les resserrer encore...

La séance eût pu durer ainsi jusqu'à ce que les danseurs épuisés se fussent écroulés sur le parquet sans être parvenus à leurs fins, lorsqu'une maladresse d'un des fouetteurs amena le dénouement.

Il enroula son fouet si maladroitement autour des jambes de la « ramatoa » qu'en voulant le retirer il la fit trébucher. Elle s'étala sur le dos et le « boto », profitant de l'occasion, se laissa tomber sur elle.

Alors, malgré les coups de fouet qui pleuvaient sur lui, cinglants et drus, et rayaient toute la peau de traces noires d'où le sang perlait par endroits, le gamin, serrant les dents pour ne pas hurler, put arriver à ses fins... avec la complicité de la fillette, enfin vaincue.

Mais, quand il se releva, le sang lui dégringolait de partout et il se laissa tomber dans les bras de son fouetteur en poussant de rauques gémissements...

Quant à la jeune ramatoa, on ne lui laissa même pas le temps de se relever. D... la livra à un de ses botos, puis aux autres, puis aux fouetteurs, puis aux miliciens, et elle dut subir sans protester les assauts de tous ses compatriotes présents... Jusqu'au moment où ses yeux se révulsèrent et où elle resta immobile, évanouie à son tour sous tous ces viols brutaux et successifs...

FRANCIS CARCO

1886-1958

L'Amour vénal

1925

Francis Carco est cité deux fois dans le *Dictionnaire des œuvres érotiques* : pour *L'Amour vénal*, et *Rien qu'une femme*. Érotisme un peu mystérieux pour moi, et qui reste au deuxième degré, je veux dire réservé à ceux pour qui la prostitution officielle, son décor de bordel, ses peuplades de filles et de « mauvais garçons », comme on disait, est un univers érotique. Alors, l'évocation de cet univers peut avoir par allusion un sens érotique qu'elle n'a pas chez Francis Carco. En tout cas pas pour moi.

*C*ES FÊTARDS au cœur sec, ces êtres légers et versatiles ne tirent de leurs vices que d'élégantes satisfactions et n'ont point, comme tant d'autres, à redouter la fâcheuse échéance où ils devront payer de leurs larmes des délices endurcies. Leur sensibilité s'accommode du « gentil », du « mignon », du « charmant » que les femmes – par prudence – accolent comme qualificatif au sombre, torturant et tyrannique amour. Grands Dieux! ces êtres-là n'ont pas même le mérite des femmes qui se défendent, après tout, comme elles peuvent. Les journaux libertins, les estampes graveleuses suffisent à leur insouciance… Eux, des hommes? Laissons-les à leur passe-temps. Ils voient « joli ». Ce sont des amuseurs.

Cependant, pour les femmes, quel repos qu'un amant de cette sorte. Il est facile à satisfaire; il ne les choque pas. Ses caprices les plus compliqués, ses désirs ont quelque chose qui plaît tout aussitôt et ne donne pas ensuite à réfléchir. Voyez-le! Il peut courir après la brune, après la blonde, s'enflammer pour elles à l'instant et leur prouver qu'il sait pousser sa note… la joyeuse aventure! C'est un homme-femme jusque dans la preuve du contraire, et l'argent avec lui est bien plus agréablement gagné qu'avec les autres, qui paient mieux.

Paris est plein de ces écervelés, à qui les filles vouent une secrète tendresse, car ils leur font prendre le métier sans horreur. On les appelle des jouisseurs, des bons gros, des gentlemen, des « rigolos », des « pas bileux ». Mais les autres, qui suivent une femme et lui font toujours un peu peur, réclament aussi les mêmes plaisirs. Ils ne sont pas loquaces. Leurs premiers mots proposent un prix puis, à la surenchère, ils dévoilent peu à peu leurs goûts et deviennent exigeants. Comment les écarter? Ils n'avaient point, à leur abord, tant de vices déguisés.

C'étaient des passants moins habiles que leurs frères à fixer l'attention et moins prompts à se décider. Maintenant ils abattent leur jeu et se montrent, véritablement, tels qu'ils sont.

Pareils individus, que le jour ne met pas à leur aise, circulent, le soir venu, près des grands magasins où les femmes qu'ils coudoient les grisent de cent odeurs. Ils respirent derrière elles leurs secrets, cherchent une piste, la hument et ne la perdent plus. C'est en vain qu'on essaie de tromper leur désir. Ils sont guidés par lui d'une manière infaillible, et le pis qu'il arrive est qu'on veuille les lasser. Alors ils font preuve d'une patience incroyable, s'arrêtent, vont, viennent, s'intéressent à toute chose et, finalement, bien souvent, obtiennent ce qu'ils désirent.

Comment les filles ne seraient-elles point touchées par un tel candidat? Il ne lésine jamais ou presque. Il est même, très souvent, d'une correction parfaite et son contact est d'un homme soigné.

Là, pour certaines, est la première indication du mal qu'elles devront prendre pour satisfaire de tels clients. Elles les ont, aussitôt, doublement en mépris, d'autant qu'elles ne les rencontrent point toujours au même endroit...

L'été, par les beaux soirs, sous les feuillages, les promeneuses nocturnes retrouvent les mêmes hommes. Ils foulent, d'un pas flâneur et circonspect, le gravier des allées. A l'entour, les lumières des restaurants, les feux d'un music-hall s'éteignent. Des équipages sur l'avenue se croisent... Douce fraîcheur des feuilles, d'un ciel limpide et constellé! Est-ce le début d'un conte oriental? Des femmes, dans l'ombre, assises sur des bancs, attendent l'occasion, l'épient, la favorisent.

– Allons dans le bosquet, propose une voix très calme.

Ô nuit, ce n'est pas moi qui vous supplie d'être moins sombre! Votre « pâle clarté » luit déjà trop crûment sur le vernis des noirs arbustes. Dans cette retraite, qui sent la terre foulée et arrosée et l'odeur végétale des fusains, elle répand comme le halo d'une complaisante intimité. Quelles nudités, à demi devinées, vont alors apparaître? Par moments, aux aguets, l'homme refrène son ardeur. Il écoute. Il découvre vaguement, cherchant, non loin de lui, le même asile aux mêmes félicités, des couples à la furtive audace. Mais un pas lourd écrase de nouveau le gravier... « Qui se passe ici si tard? » Qui, sur un banc, là-bas, s'assied? Les filles le savent. Aussi, tâchant à rassurer celui qu'elles entreprennent, elles le rappellent à sa fonction par des mots chuchotés d'une voix morne et pâmée de plaisir. Oh! ces mots... Le chant du rossignol, parfois, comme à dessein, les couvre. Mais l'homme s'en forme une luxurieuse image qui le flatte et l'enivre. Ses mains s'égarent. Ses narines se dilatent et, longuement tendu vers des délices, ensevelies par l'ombre, il s'émeut et voit tout chavirer.

Il arrive, quand on sait les choisir, que de semblables bosquets recèlent des joies moins ordinaires, et qu'au lieu d'une femme c'est un associé qu'ils révèlent au curieux. Associé de tout repos, la femme se tient à son côté et l'aide dans son labeur. Ainsi, trouvant à vaincre une répugnance assurée du secret, le passant peut doser les mélanges, recourir à des subterfuges et s'y abandonner. Je n'invente rien… On peut même rencontrer, dans ces lieux enchantés, toutes les commodités de l'amour en plein air et ses pires fantaisies. Autrement, que feraient ces enfants que l'on n'a pas couchés à l'heure, entre ces sombres feuillages ? Est-ce pour la seule leçon d'une anatomie comparée et le dessein dont la nature a préparé les voies qu'ils obéissent à leurs étonnants visiteurs ? Nous ne le croyons pas. D'ailleurs, à la pratique qu'ils ont, ce sont moins des élèves que des maîtres, et leurs jeux ont perdu, sinon toute verdeur, du moins toute ingénuité.

Les habitués du Bois et des Champs-Élysées possèdent, mieux que moi, un pareil sujet, et pourraient en montrer les pernicieux et délirants attraits. Je n'ai pas leur raison de porter si loin le désir de m'instruire. Mais quoi ! Une inconnue déjà dénombre cent délices. Elle joue à la plus fine, et son horrible honnêteté peut être acceptée sur parole. Suivez, après l'accord conclu, cette effrontée aux louches promesses. Elle écarte de petits taillis et vous trace un chemin. Pénétrez plus avant avec elle dans cette retraite feuillue et bruissante. Voici, par terre, une couverture. Vos yeux ont peine à distinguer l'univers clos de toutes parts où vous êtes enfermé. Près de vous, à de lents mouvements et de chuchotantes attitudes, vous distinguez, dans l'ombre, des silhouettes confuses, vous les comptez l'une après l'autre, vous les pouvez approcher, toucher. Elles y sont consentantes. Puis le regard s'aiguise à contempler ces étranges créatures : il en discerne les traits et les sourires jusqu'au moment où, par un geste automatique, chacune d'entre elle écarte un trop pudique manteau et se tient immobile. Alors commencent ce que « ces dames » appellent dans leur langage « des visions d'art ». Tout y concourt à vous troubler, depuis les lascives caresses de lesbiennes égueulées jusqu'au viol bien mimé d'une bacchante par ses sœurs. A ce spectacle, peu d'amateurs conservent leur sang-froid. Les yeux fixés sur ces tableaux, ils se laissent gagner au contagieux exemple, et c'est avec mollesse qu'ils opposent quelquefois une dernière résistance aux sollicitations qu'une ignoble commère, placée à côté d'eux, n'a nulle pudeur à exprimer.

Joignez au légitime désordre, provoqué chez un homme par de tels simulacres, l'angoisse d'être surpris à vous en délecter. Elle ajoute au plaisir. Elle le rend plus piquant et qui s'est laissé prendre à sa consommation ne manque pas d'y recourir, ne serait-ce que par

Un de ces jours d'esprit charnel et de chair triste

que le poète a célébrés. Vous avez beau, par manière de scrupule, en peser les dangers et pressentir les ravages qu'il exercera sur vos moindres habitudes, il vous fascine et vous entraîne. Complice du moment et d'une sorte d'inquiète impunité, il propose à votre imagination ses coupables jouissances. Comment lui résister ? La première défaillance en décide. En outre, par les émouvantes soirées du printemps parisien, quel arrière-goût de notre humaine fragilité ne vient pas au secours de nos vices et ne leur prête une ombre de raison ? Il semble qu'avec vous le monde ait alors ses limites, qu'il n'existe qu'en fonction de vos sens et qu'enfin, avant l'heure de plonger dans l'abîme où ceux-ci nous échappent, il soit encore temps d'en user. Un homme, à de si dissolvantes pensées, calcule mal son bonheur. Il n'en découvre que la plus grossière apparence et, pour peu qu'il lui cède, apporte une misérable hâte à la joindre aussitôt.

C'est là que vous reconnaîtrez ces promeneurs nocturnes et la passion qui les habite. Leur démarche, par je ne sais quel indéfinissable flottement, les trahit. En vain s'efforceront-ils d'en déguiser la précipitation. Même s'ils y parviennent, un œil exercé ne s'y trompe pas. Dans ces chemins peu fréquentés du Bois ou ces allées toujours plus qu'à demi désertes des Champs-Élysées, toute présence qui s'attarde n'est pas qu'insolite. Elle crie ses intentions. Elle se montre dans sa déchéance, et les prostituées, que l'ombre rend partout présentes et moins repoussantes, n'ont pas grand mal à se faire écouter.

RAYMONDE MACHARD

1889-1971

L'Œuvre de chair

1925

Comment ne pas citer Raymonde Machard, qui en 1925, quand elle donna à son public ébloui *L'Œuvre de chair*, avait déjà charmé d'innombrables lecteurs avec *Tu enfanteras* (1919)? Raymonde Machard était la femme d'Alfred Machard, et il faut lire en prologue à *La Femme d'une nuit* (roman d'Alfred) les pages où les deux époux dialoguent devant l'immensité marine :

« *A RAYMONDE MACHARD*

«– A mon tour d'essayer d'enchanter l'Enchanteresse !

«*C'était devant la mer, par un des plus doux soirs de l'été dernier, que j'ai lancé soudain cette audacieuse déclaration.*

«*Je revois ton visage inspiré, qui est si beau, se lever vers moi avec surprise. Tu avais encore au creux de ta robe toutes ces lettres que le vieux facteur breton t'apportait chaque jour, ébahi; toutes ces lettres qui s'élancent vers toi de tous les coins du monde comme autant d'appels d'âme. Tu t'étais penchée sur ces cris avec cette conscience qui te caractérise. Et je savais que ce soir-là, fort avant dans la nuit, tu répondrais à ces femmes, à ces hommes même, qui s'adressaient à toi comme à un très savant docteur ès sentiments.*

«*Je t'ai dit :*

«– *T'expliques-tu cette emprise que tu exerces sur tous ces êtres ?*

«*Tu m'as répondu :*

«– *Pourquoi me l'expliquerai-je ?... Elle est naturelle.*

«*Nul orgueil n'amoindrissait ta pensée.*

«*Tu avais énoncé une vérité, simplement.*

«*Tu as poursuivi :*

«– *Je suis née femme et sensible, ce qui est déjà un pouvoir. J'en possède un autre : celui de savoir exprimer, dans sa profondeur et ses multiples nuances, l'âme féminine. La femme représente une trinité : l'Amante, l'Épouse, la Mère. J'ai fait offrande à cette trinité de mes trois livres : La Possession, L'Œuvre de Chair, Tu enfanteras. L'Amante, l'Épouse, la Mère se sont retrouvées en chacun d'eux. Quant aux hommes – j'entends ceux qui ont le sens et le goût de la féminité – ils ont puisé dans mes livres la possibilité d'ajouter à leur puissance. Cette emprise dont tu parles n'est en réalité qu'une communion d'âmes.*

«*Ton visage brillait comme une flamme. Tu as conclu :*

«– *Pour un écrivain il n'y a pas de plus belle récompense !*

«*C'était mon sentiment. Je me suis surpris à penser tout haut :*

«– *Ainsi tu enchantes des milliers d'âmes... Mais qui s'essaiera à t'enchanter, Enchanteresse ?... Qui ?...*

«*Et soudain :*

«– *Mais, moi d'abord ! Je vais essayer...*

«*Nous avons ri.*

«*Quelle audace en vérité !... Un homme qui découvrirait son âme – l'âme de tous les hommes – à sa femme – qui représente toutes les femmes – risquerait de devenir une cible à condamnations !*

«*Non, je ne voulais point me risquer. Je préférais plutôt changer le cours de tes pensées en t'apportant du Rêve...*

«*Alors j'ai écrit pour toi, et aussi pour toutes celles qui sont tes sœurs sensibles : La Femme d'une nuit.* »

L'*AUBE NAQUIT*, insensiblement, par lentes métamorphoses. Les nues changèrent de teinte. Leur grisaille se fondit, sous les touches subtiles d'un génie pictural, en un harmonieux appel vers le rose. Puis de longues traînes s'accentuèrent dans les zigzags rapides d'un pinceau inspiré. Le gris, débordé, fuyait vers l'horizon. Le rose, à sa suite, s'empara de ce champ de combat céleste et, triomphateur, vint s'exalter sur le pic dominant de ce cirque montagneux. Là, il offrit la fête de ses gammes ardentes aux splendeurs glacées des neiges éternelles. Le pic s'embrasa. Sa silhouette qui se perdait dans les brouillards du petit jour se révéla, inattendue. Elle affectait la forme d'un sein. Son contour était plein et d'une rondeur parfaite. L'extrémité s'effilait ainsi qu'une pointe écarlate dardée vers les lèvres gloutonnes d'un dieu voluptueux.

Ce spectacle intéressait, prodigieusement, certaine créature féminine immobile derrière les vitres flamboyantes d'un chalet situé sur le mont d'en face, près du ciel. L'aube l'avait surprise, telle une invite, en plein sommeil. Ses paupières, avec mollesse, s'étaient entr'ouvertes. La flambée, aussitôt, avait ébloui ses pupilles. Soudain éveillée, elle avait sauté de sa couche dans la crainte vague d'un incendie et s'était précipitée vers la fenêtre. Elle y fut clouée par l'admiration. Sensible jusqu'au malaise, les grands et rares tableaux de beauté menaçaient toujours de lui enlever le souffle. Pourtant, cette fois encore, elle s'y accoutuma. Son regard, attaché aux moindres détails de cette féerie, en sut jouir d'une façon plus humaine. Alors elle eut un sourire d'amoureuse. Nimbée de rose, dans sa longue chemise rose, il lui semblait participer à cette lasciveté olympienne. Ses émotions présentes se fondaient, comme les couleurs célestes, dans une apothéose passionnée. A cet instant elle crut n'être qu'un sein, un sein rond et parfait à la pointe écarlate et dardé, un sein gonflé contenant tout l'amour épars dans l'univers.

Mais son dieu personnel ne songeait guère à profiter de l'aubaine. Il dormait profondément dans le grand lit profond qu'elle venait d'abandonner non sans y laisser le charme insidieux de sa féminité. Sans doute ses sens continuaient-ils à le subir ce charme dans le rêve évocateur d'une nuit qui, pour avoir été terrestre, ne lui en avait pas moins paru divine. La réalité, cependant, a ses avantages. La coquine tint à le lui prouver par la plus originale des démonstrations. Avec une impudeur charmante, elle entr'ouvrit d'un côté le jabot de sa chemise; elle se renversa juste dans l'axe du pic en forme de mamelon pour que son sein, à elle, dardât sa pointe aussi triomphalement; ainsi, le gros sein et le petit juxtaposés dans une lumière complice, elle lança un cri spécial qui avait l'heur d'asservir, en n'importe quelle minute, ce représentant du sexe dit fort.

Le phénomène attendu se renouvela. A ce cri, le dormeur cessa, comme par enchantement, de rêver. Il fut pour y répondre, mais le tableau qui s'offrit à sa vue lui enleva l'usage de la parole. Tout ce qu'un cerveau d'artiste et de raffiné peut concevoir de provocant était surpassé par cette trouvaille espiègle d'une gamine. Ce globe lilliputien qui semblait faire la nique au géant du fond dans son ampleur insaisissable tout en profitant, sans vergogne, de sa découpure puissamment suggestive ; cette frêle cime humaine qui s'érigeait et flamboyait au seul soleil du désir lui donna, tout à coup, l'âme trouble des convoitises :

— Dolène!… reviens près de moi!

Elle ne parut pas l'entendre et comme pour obvier à l'incommode position de son corps, elle aspira une large bouffée d'air qui lui enfla le thorax et rendit son tétin irrésistible.

— Dolène, as-tu fini! C'est entendu, tu as les plus jolis seins du monde! Mais tu n'as pas besoin de les gonfler pour cela! Allons, viens! Je préfère les admirer de près… Viens!

La tentatrice se redressa. Toutefois ce fut pour susciter une grave discussion en faisant fi de l'état où elle avait jeté son malheureux patient.

— Sachez, monsieur, que je ne gonfle rien du tout! Si ma poitrine vous paraît opulente quand il m'arrive de respirer plus fort, c'est que vous ne savez en juger qu'à ces instants-là! Voilà qui est bien vexant!

— Oh! Je n'ai pas dit cela pour cette raison, voyons! Quelle coquette! Au contraire, j'aime mieux que tu ne respires pas si fort… ils deviennent trop gros!

— Tu trouves?

— Oui. Mais viens!

Dolène n'était pas encore décidée. Elle argumenta :

— Tu dis que j'ai les plus jolis seins du monde et tu n'en vois qu'un. Comment peux-tu avoir une opinion? Les hommes, en matière féminine, jugent toujours à la légère. Il faut, au moins, que je te fasse voir les deux!

C'en était trop! D'un bond, il s'élança hors du lit. Preste, elle courut prendre sa place, secouée de petits rires perçants. Soudain, ils s'arrêtèrent. Il la tenait sous son joug avec cet air sauvage de mâle égaré. Elle en fut satisfaite au plus profond de son être où la soumission se cachait. Instinct primitif! La civilisation n'avait pu le détruire dans sa féminité et, pour le contenter, elle avait recours à ces ruses, en apparence incompréhensibles, qui remettaient l'homme, lui-même, dans le véritable rôle que les bienséances mondaines ne faisaient que masquer sous un vernis si fragile! Ainsi leurs amoureuses escarmouches avaient un tour puissant imposé par la nature. Dolène sentait les paumes brutales de Jacques l'écraser, son regard la réduire, et de cela elle goûtait des délices qui allaient jusqu'à la pâmoison. D'une voix adoratrice elle l'exprima d'un mot :

— Mon maître!

La satisfaction de l'homme égala celle de la femme, quoiqu'elle fût d'un autre ordre. Cet hommage rendu à sa masculinité apaisa son courroux. Le « maître » eut un ineffable sourire. Pour récompenser l'esclave, il se coula près de son corps en attente afin de lui dispenser la manne de ses savantes caresses. Mais, soudain, voici qu'on l'arrêta, gentiment, avec un petit air supérieur dont il n'eut pas le loisir de se vexer car, déjà, sa « maîtresse » – au double sens du mot – s'emparait de sa personne mâle et sacrée pour lui donner, à son tour, une leçon. L'inattendu de ce fait le plongea dans une stupeur propice aux visées de la nouvelle promue qui se mit à en profiter avec une gaucherie savoureuse que son intuition, peu à peu, corrigeait. Bientôt experte, elle s'érigea en prêtresse d'un culte dont, jusqu'alors, elle n'avait été, par pudeur, que la passive brebis. Ce renversement piquant séduisit au plus haut point celui qui en était l'heureux bénéficiaire. Toutefois, pour avoir vibré depuis trop de jours, il atteignait à ces limites extrêmes des jouissances humaines d'où l'on choit, comme pour une rançon, dans la douleur et l'impuissance. Il le sentait sans pouvoir s'y arracher. Elle en eut une sorte de divination qui l'incita aussitôt à feindre – par délicatesse à l'égard de l'amour-propre masculin – une lassitude personnelle. Sa tête bouclée vint se blottir, ainsi que celle d'une gosse à bout de jeu, dans le refuge d'une paternelle épaule.

– Mon grand… ta petite dit « Pouce ! » Elle veut nicher là… au repos. C'est si doux…

Ce fut pour lui une double délivrance. Tendrement, il ramena son bras convulsé sur cet inconscient bourreau. Ainsi, cœur à cœur, ils demeurèrent immobiles et silencieux, comme vides d'eux-mêmes. C'était la demi-mort sereine de l'amour. Ils aimaient à prolonger cet état de grâce. Leurs esprits dégagés saisissaient, alors, les nuances suprêmes des sentiments. La condition humaine n'existait plus. Un véritable ciel était né : le Ciel de l'âme. Mais ce n'était qu'un stage. La vie les reprenait, bientôt, sous sa loi. Ils éprouvaient, soudain, le besoin de se retrouver dans leur commune faiblesse. C'est elle qui, la première, s'exprima d'une voix éperdue :

– Tu m'aimes toujours ?

A quoi lui s'empressa de répondre :

– Plus que jamais !

Alors ils furent bien contents.

PAUL MORAND

1888-1976

L'Europe galante

1925

Rien que la terre, rien que l'amour, rien que Paul Morand, c'est-à-dire quoi? Morand était en 1925 l'écrivain moderne par excellence. On vantait sa rapidité (Roger Nimier, Antoine Blondin, l'ont vantée, la vanteront encore dans les années 60). Après *Ouvert la nuit* et *Fermé la nuit* (1922-1923) il n'a jamais retrouvé le grand succès. Ses livres ne vieillissent pas si mal. A partir de 1935 ils ont daté, aujourd'hui ils sont datés, ce qui est beaucoup mieux. Le temps a ajouté un décor à cet érotisme léger effectivement très moderne (micros, voitures rapides, avions), un peu James Bond. Il y a aussi des trouvailles (« garden-partouzes »).

Céleste Julie

N OUS AVIONS FAIT *un dîner russe, évidemment pas en Russie. On s'était mis à table sans y croire, tant on avait auparavant mangé et bu. Sur les douze convives, il n'y en avait jamais beaucoup à la fois dans la salle à manger. On commença par les liqueurs. Le potage plein de bouts de cigarettes en carton.*

Au-dessus d'un massif de pois de senteur, je la regardais. Elle n'était pas telle-ment belle. Son visage, d'une charmante polychromie, s'était trop écrasé contre d'autres visages. Mais une bouche, bonne auberge. Des cheveux comme de la musique. Le démon.

– Quelles belles fleurs! Naturellement vous aimez les fleurs?

– J'aime les fleurs, répondis-je, mais je ne suis pas pédéraste.

Elle chantait à l'Opéra de Monte-Carlo. Son mari, russe comme elle, était préparateur au Musée d'océanographie de la Principauté. A travers la table elle me prit à partie, ce qui est fort désagréable.

– Qu'aimez-vous encore? Dans vos livres, on dirait que vous n'aimez rien.

– Et moi qui croyais faire un inventaire naïf des merveilles du monde!

– En fait de merveilles, vous prenez à tâche de ne nous montrer que l'épilep-sie des Russes, la bêtise des Anglais, l'avarice des Français, la paresse des Espagnols la vanité des Italiens, la vulgarité des Belges, la petitesse des Suisses, la natalité des Allemands, la sauvagerie des Bulgares, l'épaisseur des Hollandais, les grâces universitaires des Tchécoslovaques, les canailleries des Roumains, l'âpreté des Grecs, l'idéal démocratique des Portugais, l'inutilité des Norvégiens, la gymnastique des Suédois, l'ingratitude des Yougoslaves, la légèreté des Autrichiens, la méchanceté des Hongrois, la susceptibilité des Polonais...

—... ou le contraire, madame. Les rêves, dit-on, sont soumis à la loi des contraires. Or, l'écriture n'est qu'un rêve ; cherchez et vous trouverez. Vous verrez soudain, sous ma plume, apparaître la générosité des Russes, la ténacité des Anglais, le jansénisme des Français, le bon sens des Belges, l'altitude des Suisses, la force des Allemands, le savoir des Tchécoslovaques, le courage des Bulgares, l'économie des Grecs, le parisianisme des Roumains, le don d'oubli des Autrichiens, la francophilie des Portugais, le panache des Italiens, etc., et, surtout, la sympathie d'un acteur sans cœur pour ce qui est vivant, sans parler de son admiration pour vous, madame.

A force de paroles flatteuses je la ramenai chez moi et m'étendis avec elle. Sous nous, le plancher se gonflait. Les meubles voltigeaient ainsi que des abeilles. Elle ne s'écriait pas : « Qu'est-ce que je tiens ! » comme les Françaises qui affectent de céder en délirant, sous l'excès de boisson, et avec un œil prudent.

— Oh ! céleste Julie ! commençai-je, je sais que vous portez vos vices tout haut, comme des vertus...

Tout à coup, le téléphone.

N'ignorant pas qui, à cette heure, peut m'appeler, je ne donnerai pas signe de vie. Sous le copieux arrosage de la sonnerie électrique nous baissons la tête et nos caresses sont suspendues.

Julie devient pâle.

— C'est certainement votre amie qui vous téléphone, dit-elle.

— Et puis après ?

— Répondez-lui.

— Non.

— Je vous prie... Elle doit avoir du chagrin, cette femme.

Julie s'agenouille. Le téléphone continue en vain d'avertir la maison silencieuse.

— Répondez, je le veux.

Plus je refuse, plus elle s'énerve. La voilà serrée contre moi comme un drapeau autour de sa hampe.

— Je vous prie... Décrochez, tout au moins... que j'entende cette voix.

Avant que j'aie pu m'y opposer, elle a saisi un récepteur. En obturant le cornet, je mets l'autre à mon oreille. Alors, j'entends celle qui me téléphone chaque nuit dire mon nom, plusieurs fois mon nom, comme, au seuil d'une porte, lorsque l'on siffle le chien égaré dans la campagne.

Plus on m'appelle et plus Julie enferme sa main entre ses jambes. Elle se secoue comme une baleine harponnée.

... La chère voix s'entend maintenant à peine, si soumise à sa propre tristesse que le blâme en a fui. Encore mon nom, une fois. Puis l'appareil n'envoie plus qu'un silence affreux. Cependant la ligne est restée ouverte. Il n'y a plus que l'attente, derrière le vide ténébreux.

Alors les yeux de Julie vont je ne sais où. Elle plonge dans les oreillers et, malgré ses cheveux plein la bouche, fait un cri. Elle tombe, comme une morte parée et en rubans de couleur.

Je raccroche, en hâte. Je veux la prendre dans mes bras, mais elle saute à terre :

— Vous ne sauriez me donner pareil plaisir, dit-elle.

JEAN DE GOURMONT

La Toison d'or

1925

Le succès de La Toison d'or, un bien curieux roman tout à fait oublié, a été perpétué pendant quelques années par des éditions de luxe illustrées en général, de manière j'allais dire suggestive, en fait plutôt appuyée, alors que l'érotisme du Gourmont frère de Rémy est plutôt allusif.

Le personnage principal du livre, Raymond, est un intellectuel amateur de femmes, ou plutôt un amateur de femmes intellectuel : « D'autres sont avocats, médecins, écrivains, etc., je suis amant. » Mais il écrit aussi, et n'envoie pas de lettre à ses maîtresses qu'il ne l'ait auparavant copiée : « La littérature ne perdait pas ses droits, et puis on s'oublie si vite. » Raymond ne ménage pas ses conquêtes, s'il lui arrive quelquefois de souffrir un peu : « L'amour-propre atténue bien des souffrances. Il était agréable à Raymond de se dire que Marguerite était très malheureuse. »

Mais il leur rend parfois justice à sa manière :

« Ce sont les hommes qui ont étudié la psychologie des femmes – des hommes trompés souvent, et qui ne peuvent admettre qu'on leur ait préféré quelque jeune écervelé. Seules, les qualités d'intelligence ne sont rien pour attacher une femme. L'amour est avant tout physique et il n'est pas d'amour passionné qui ne corresponde à des réalités ou à des possibilités charnelles. Qui leur dit, à ces psychologues maussades, que les qualités qu'ils possèdent sont capables de satisfaire une honnête femme ?

« Les femmes ne mentent et ne trompent en réalité pas en agissant ainsi : ce sont les hommes qui les ont trompées. Elles sont sincères, et, aussi instinctivement que la femelle du grand paon, elles cherchent le mâle presque introuvable.»

Il y a des mots assez méchants sur Jean de Gourmont dans le Journal de Paul Léautaud, qui s'écria, quand l'auteur de La Toison d'or épousa une demoiselle Baltazard : « Elle fera un maigre festin ! »

X

LES FEMMES S'ÉPRENNENT rarement des hommes à première vue : elles ne tiennent qu'à ceux qu'elles ont expérimentés. Toujours, au fond des grandes passions nées de la vie commune et que cette vie accentue, il y a une réelle cause physique. La psychologie de l'amour, c'est encore de la physiologie.

– Mon cher Raymond, disait Marguerite, si j'étais très riche, tu m'épouserais peut-être. Maintenant c'est moi qui ai peur de te perdre. Te souviens-tu du jour où je te dis qu'il ne fallait pas m'aimer, parce que ce serait te faire souffrir inutilement ? C'est moi qui souffre, parce que je sais bien qu'il nous faudra nous quitter… Mais je t'aime assez pour me priver de toi. J'accepterai que d'autres femmes t'aiment. Tu m'oublieras sans doute, mais tu sais bien que moi, je ne pourrai pas t'oublier.

Tous les moralistes ont dit que la femme était un être malfaisant, instinctivement mauvais. Les femmes sont admirables pour ceux qu'elles aiment et leur amour survit toujours à celui de leur compagnon. Les hommes disent : « Cette femme que j'aimais n'a répondu à mon amour que par du mépris. » Manque de réciprocité, voilà tout ; c'est d'ailleurs une des choses les plus communes, les plus tristes et les plus tragiques qui soient au monde.

Ce fut pour Raymond une période merveilleuse de vie. Il ne voulait rien apprendre, rien étudier que Marguerite. Il savait bien le provisoire de cet état, et en jouissait comme d'une belle après-midi dans un parc enchanté où tout était nouveau : les formes, les couleurs et les odeurs des choses.

Aux heures de solitude, il avait un peu peur de son bonheur ; ce qui jusque-là avait constitué sa vie : ses études, ses articles, ses romans imaginés, ne l'intéressait plus, depuis qu'il vivait, trop réellement peut-être. Son jugement tempéra cette impression : « Que la poussière tombe méthodiquement sur mes livres, se dit-il, et sur mon bureau, je serai bientôt heureux de retrouver toutes ces besognes, passe-temps de prisonnier, prisonnier de la vie. »

En dehors de Madeleine, qu'il affectionnait peut-être davantage encore, depuis que le secret qu'il avait à lui cacher se faisait plus lourd, Raymond vivait très isolé, sans amis, sans confidents. Il savait si bien que sa vie n'intéresserait personne. On le disait réservé, dissimulé même. La dissimulation est une marque certaine de puissance et de maîtrise sur soi-même ; ce sont les êtres faibles qui se répandent dans les autres et se confessent. Ce qui est encore un manque de jugement. Raymond jugeait les hommes d'après lui-même, et il savait bien qu'au fond de toutes les âmes il y a une certaine méchanceté égoïste. L'égoïsme est la grande puissance de l'homme.

Que d'hommes vivent sans trop de heurts auprès d'une femme, et qui, à la minute même où ils lui sourient, désirent sa mort.

Être aimé d'une femme, décidément, c'est être sa victime et son esclave : l'amour est une tyrannie.

« Mais, se dit Raymond, j'aime cela dans mon attachement pour Marguerite, que je sens qu'elle va m'échapper pour toujours. J'aime ce fugitif qui s'attarde ; et pourtant, sans ironie, je sais bien que je regretterai longtemps, toujours peut-être, la splendeur de sa chair. Si je voulais, elle abandonnerait toutes ses promesses pour moi : deux années de folie sensuelle et... nous trouverions la mort. Ce serait peut-être la vraie sagesse. J'ai d'autres curiosités. Et puis, ne sera-ce pas beau, comme une tragédie antique, cette séparation volontaire, en pleine mer d'amour ? Quelle réalité voudrait cela ? »

On sonna.

— Une lettre, monsieur Raymond, dit la concierge.

— Merci.

C'était une lettre de Marguerite. Raymond l'ouvrit avec inquiétude. Marguerite, jusqu'ici, ne lui avait jamais écrit que de laconiques petits bleus, pour décommander des rendez-vous.

Il lut :

« Mon bien-aimé. – Peut-être as-tu compris hier qu'il y avait quelque chose de changé en moi : depuis quelques mois, je suis ta maîtresse, depuis hier seulement je me suis aperçue que je t'aimais. Comment te dire la plénitude de vie que j'éprouve ? J'ai une peur obscure que, malgré tes protestations, tu ne m'aimes pas vraiment. Je te parle avec sincérité ; je me suis donnée à toi, parce que j'étais lasse d'être seule, aussi parce que quelque chose souriait dans tes yeux tristes ; mais alors que près de toi je me prêtais toute à toi, séparée de toi, je ne pensais plus à Raymond. Maintenant, tu es toujours présent à ma pensée. Si je mords à même une pêche, il me semble que c'est ta chair que je vais manger ; tout me fait songer à toi et je ne puis toucher ma gorge ou mon ventre sans être émue : tout cela est à toi. Si je veux lire quelque livre, mes yeux se posent dans les marges, larges et blanches et c'est toi, toujours toi, qui t'y promènes, et je te suis dans cette promenade. On me parle, et c'est à toi que je réponds. A ces minutes-là, je sens que je suis belle et désirable, comme lorsque tu m'attires vers toi.

« Demain, je te verrai. Je vais savourer la fièvre de l'attente : ce sera la fuite subreptice, sous un prétexte mensonger ; le départ, le corps léger, la chair purifiée pour toi, les cheveux en nuages d'or, mes petites mains bien au secret sous les gants. J'aurai un doux éblouissement, lorsque je t'aborderai, et ton baiser de bienvenue me fera pâlir et rougir.

« Mais, Raymond, puis-je savoir ce que songe ton cœur ? Tu m'as longtemps accablée de tes protestations exagérées ; je souriais alors ; je ne te croyais pas, ou à peine. J'étais seulement un peu heureuse de te voir malade de moi. Me voilà prise au piège. Mais, quoi qu'il arrive, mon bien-aimé, et même séparée de toi, par les nécessités de la vie, sois assuré que c'est à toi que j'appartiens. Je suis capable, sans faiblesse, de garder, auprès d'un autre, un pareil secret... »

« Cette lettre, on dirait que c'est moi qui l'ai écrite, observa Raymond. Les femmes sont ainsi ; lorsqu'elles aiment, elles imitent instinctivement celui qu'elles aiment. Mais elle est admirable, dit-il, en remettant cette lettre doucement dans son enveloppe. Elle a compris qu'il faudrait partir et souffrir. Mais, ainsi, elle gardera intacts ses souvenirs, et je ne la décevrai pas. Et pour moi, quelle joie de revivre, seul, cet autrefois !

« ... Ma joie et ma douleur sont à moi seul : personne n'y comprendra jamais rien, et cette femme qui m'aime est si loin de moi ! Il ne faut que se servir des autres, ne rien attendre d'eux. Les grands égoïstes seuls sont heureux ; les amoureux sont des égoïstes. Est-ce par solidarité qu'ils s'entr'égorgent ? Un homme et une femme se sourient, se mêlent et s'enveloppent d'eux-mêmes. Ils crécnt ainsi – et ils n'y songeaient certes pas – un troisième être, différent d'eux et qui ne les reconnaît pas. C'est beau. Imiter l'égoïsme des bêtes : avec quelle assurance elles vont seules dans la vie. »

Une semaine s'écoula sans visites et sans nouvelles de Marguerite. Enfin, c'est elle. Raymond en éprouva plus de joie qu'il n'osait se l'avouer.

– Que s'est-il passé ? interrogea-t-il.

–… Non, pas maintenant. Prends-moi, d'abord.

Et, déjà nue, elle entraîne Raymond vers le lit. Elle est bien, dit-elle, dans ce parfum de leurs chairs, qui ont donné leur secret. Elle a oublié tout ce qui n'est pas leur vie à eux deux et n'a d'autre désir que de demeurer longtemps ainsi près de Raymond, les seins, les mains et les genoux frais comme les fleurs après la pluie.

– J'ai traversé de bien pénibles heures, dit-elle. Depuis presque huit jours, ma mère me harcelait, me demandant pourquoi je retardais indéfiniment ce maudit mariage. J'ai répondu que je n'étais pas inspirée, pour le moment.

On s'est fâché, mais, pour qu'on me laisse en repos, j'ai répliqué que je voulais plus entendre parler de cette histoire. J'ai pleuré, et me suis montrée si malheureuse qu'à la fin on est venu me consoler, Georges comme les autres… Voilà, sans doute, quelques mois de liberté assurés.

Elle s'était levée, et, toute nue, jouait comme un enfant avec les moindres bibelots, ayant oublié qu'il faudrait partir dans quelques heures. Elle avait d'ailleurs déclaré à sa mère qu'elle dînerait chez une amie, irait au théâtre avec elle et rentrerait très tard ; peut-être même, si cette amie le lui demandait, demeurerait-elle chez elle jusqu'au matin. Il ne fallait pas s'inquiéter.

– Que c'est bon d'être là, dit-elle…

– Reste prisonnière chez moi, Marguerite. On a vu, ajouta-t-il en souriant, des femmes s'installer pour une nuit chez un ami, et y demeurer toute une vie.

– Toute une vie ! Ne me raille pas ; ne me gâte pas cette soirée ; laisse-moi m'imaginer que c'est vrai : je suis chez moi.

Elle fit du thé, trouva dans un tiroir des gâteaux secs. Ce fut le dîner.

– Maintenant, nous n'avons plus faim. Recouchons-nous, Raymond. Dîne de moi, de mes yeux, de mes lèvres, de mes seins et de mon ventre : rassasie-toi de moi. Je ne veux plus songer à l'avenir ; je l'ai repoussé de la main, loin, loin, loin.

Jamais encore elle ne s'était montrée si lascive. Elle disait :

– Je voudrais que nous en mourions.

Étendue sur le lit, tiède, son corps reçoit l'adieu du couchant. Devant cette chair splendide, d'une blancheur de lait, calme maintenant, et ému dans son intelligence, Raymond cherche à comprendre de quoi est fait l'attrait mystérieux de cet être qui repose près de lui, et qui, quelques instants auparavant, le dominait comme un cavalier son cheval. La joie la soulevait et c'était comme un divin galop, dans le soir, sur une grève au bord du flot dont il respirait le clapotis parfumé.

Les mains sous la nuque, Marguerite sommeille. Les lèvres collées aux mousses d'or de ses aisselles un peu moites, Raymond ferme les yeux et songe. Dans son cerveau, un peu ivre de fatigue, des souvenirs lointains resurgissent. Le voilà petit enfant dans un parc saturé de printemps, grisé de lilas ; il passe sous une voûte de seringas à l'odeur exaltée. Ces violents arômes assourdissent son odorat. De petits détails surgissent avec l'étonnante précision d'une photographie ; c'est la résurrection de toutes les sensations qui se sont, un instant, posées sur lui. Il revoit, dans une allée, cette branche trop lourde retenue par un collier de cuir que cravate un fil de fer. Ces deux tilleuls jumeaux qui mêlent leurs branches et leurs fleurs : une chouette blanche y fuit la lumière, s'y recueille en un trou creusé dans le bois pourri. Quelquefois, les geais et les pies la tourmentent, alors elle se jette dans la clarté, et, aveuglée, se heurte aux arbres. L'étang abrité par un rideau bien coupé de tuyas ; des chevaux et des bœufs, au crépuscule, y viennent boire les nuages ; des grenouilles y chantent le long des nuits d'été ; dans d'autres étangs au loin, d'autres chœurs s'organisent, s'orchestrent et répondent, et ce chant grêle et clair s'étend ainsi, peut-on imaginer, sur toute la terre. Les images se succèdent, il les reconnaît, les accueille. Voici, dans un champ, en plein soleil, un homme et un cheval qui labourent. La terre grasse se soulève sous le soc et retombe en volutes. L'homme ne pense à rien ; il suit le cheval qui compte les sillons. Au bout de vingt, le cheval trouve que c'est assez et, arrivé sous la haie, il s'arrête, broute les feuilles. L'homme comprend, obéit, lâche les poignées, prend sous une motte de terre une bouteille rafraîchie, et boit à l'ombre.

Longtemps encore, Raymond se promena dans les allées de son enfance : les genêts s'allument dans le soir comme des torches ; un vieil arbre envahi de lierre s'emplit du chant confus des rouges-gorges ; les crapauds cloquent. Tout s'endort.

Raymond contemple le sommeil de Marguerite :

« Nous avons donc, se dit-il, quelques mois devant nous, assez peut-être pour user notre amour. Elle a voulu, avant de s'enfermer dans le mariage comme dans un cloître, elle a voulu vivre et se créer des souvenirs. Et à moi, cette assurance d'une séparation nécessaire ne me déplaît décidément pas. »

Il songeait avec un certain orgueil aux perturbations qu'il avait apportées dans deux vies humaines :

« Fait-on assez peu ce qu'on veut : il faut se confier au hasard. J'aurais pu, à l'heure même où j'ai rencontré Marguerite, rencontrer une autre femme, et ma destinée eût été autre, la vraie aussi. Ce qui est toujours bien. Et je sais trop, pour m'attarder à celle-ci, que d'autres femmes m'attendent peut-être pour m'appeler leur absolu.

« Un jour je me trouvai, seul, avec une jeune fille, qui volontiers se confessait à moi. Blottie dans ses fourrures, elle paraissait fuir mon baiser qu'elle désirait. Si, à cette minute précise, j'eusse baisé ses yeux et sa bouche, peut-être maintenant serait-elle près de moi. Ce jour-là, volontairement, j'ai fait dévier ma destinée, je ne le regrette pas; il ne faut jamais rien regretter. Et puis, en amour on s'arrange avec ce qu'on a : la femme qui tombe dans notre cœur est vite cristallisée. Pourtant, Marguerite m'inquiète. Me résignerai-je à la laisser partir? J'essaie de me persuader de ma liberté, mais j'ai besoin de son corps quotidiennement; c'est un besoin de son physique, et c'est grave. Oui, je sais le mécanisme des sentiments, je l'aime parce qu'elle va m'échapper : j'en souffrirai, j'en guérirai. En guérirai-je? »

— Raymond! Raymond! appela Marguerite, en ouvrant des yeux un peu étonnés. J'ai dormi pour de bon, ajouta-t-elle. Je suis bien, maintenant, et fraîche comme une vierge; je suis vierge.

Le soir tombait comme une pluie fine; Raymond et Marguerite s'abandonnèrent encore l'un à l'autre, noyés dans l'odeur de leurs chairs, qui leur était une excitation toujours nouvelle.

A L F R E D   J A R R Y

1 8 7 3 - 1 9 0 7

Les Silènes

1 9 2 6

Quelques scènes des *Silènes*, adaptation par Jarry de *Sherze, Ironie, Satire*, de Grabbe, avaient été publiées par *Paris-Journal* en 1923. Il y avait deux manuscrits du texte appartenant l'un à Apollinaire, l'autre au docteur Saltas. L'édition complète fut tirée à 104 exemplaires illustrés d'une eau-forte de Galanis, qui valut peut-être au livre d'être dirigé sur l'Enfer de la Bibliothèque nationale, car le texte... A moins que ce ne soit juste pour cette *Entrée*.

Entrée

Le diable chante :

Phallus en l'air, coudrier nain
Les enfants du Péloponnèse
Ont de jolis palmiers en zinc
Pour enculer les Polonaises.

Les Polonaises ont les doigts gourds
Les palmiers au cul leur sont lourds

Phallus en fer mal dessoudés
Par le ciel de plomb des tropiques
S'en vont par trois à l'Échaudé
Grimper un anus symboliste.

Le Mercure est pour les amants
Poésie ou médicament

Phallus par le froid rétrécis
Sur cet univers où l'on gèle
Rue du Caire ou rue de Poissy
N'attaquent pas la demoiselle

Seul fait un nuage de feu
Témoins libres et vits vaporeux

Il souffle sur ses doigts pour les réchauffer.

FERNAND FLEURET

1883 - 1945

Histoire de la Bienheureuse Raton, fille de joie

1 9 2 6

L'auteur du *Cendrier* et de *Sœur Félicité* passe pour avoir écrit son chef-d'œuvre avec l'*Histoire de la Bienheureuse Raton*. Je suis plutôt de ceux qui ont un faible pour *Les Derniers Plaisirs*, publié en 1924.

Fernand Fleuret se désola toute sa vie du manque de succès de ses livres. *Raton* fait exception, avec « *vingt-cinq éditions jusqu'à la guerre* ». Mais la critique resta à peu près muette : « *La presse, en majorité, refuse les articles, les réclames, et les bonnes feuilles. On supprime même le sous-titre : "Fille de joie". Le Vatican a donné ordre aux journaux bien-pensants... de ne pas parler de... la Bienheureuse Raton.* » Les craintes de Fleuret, qui avait écrit à un ami avant la publication : « *J'ai peur d'avoir été trop loin dans le libertinage*[1] », se confirmaient. Il n'était pourtant pas loin de penser qu'il avait écrit un roman édifiant.

On jugera peut-être un peu longue, nonobstant ses qualités littéraires, notre citation de *Raton*. C'est que la manière dont Fleuret met en scène Donatien-Alphonse de Sade m'a paru instructive. Par exemple, nous connaissons fort bien, d'après des signalements, l'apparence physique de Sade et, d'après des témoignages, son comportement[2]. Il n'était ni long ni mince, mais petit et replet. Ni hautain et inquiétant, mais d'un emportement tout méridional. Et manifestement, l'idée que l'auteur de *La Bienheureuse Raton* se fait de l'œuvre de Sade est à l'avenant. Au fond, il n'y a pas grande différence entre le Sade que voit Fleuret et celui qu'imaginait Jules Janin. Autrement dit, il y avait sans doute beaucoup de points sur lesquels Apollinaire et Fleuret se rencontraient : l'érudition, les grosses farces, etc. ; ils n'étaient certainement pas d'accord sur Sade, et leurs érotismes se situaient probablement dans deux planètes différentes.

1. Citations de lettres de Fleuret extraites du livre de J. de Saint-Jorre.

2. Tout est dit là-dessus dans la *Vie de Sade* de Gilbert Lély, Paris, 1947 et 1963.

*L*A CHAMBRE DE TORTURE où fut conduit M. de Mazan par des porteuses de torches revêtues de cagoules était une ancienne cave voûtée où la pierre se voyait à nu, et qu'éclairait ordinairement une lampe fumeuse, fichée dans un joint de ciment. Mais, en l'occurrence, elle se trouvait illuminée plus qu'à demi par quelques flambeaux de table que réfléchissaient des stalactites assez peu naturelles. Il subsistait néanmoins des coins obscurs où se distinguaient des corps étendus sur des civières ou roulés par terre dans des haillons, des têtes livides et des mains crispées, simulacres de cire qui ne laissaient pas de produire leur effet sur les esprits portés à le désirer. On y voyait encore, dans une pénombre propice aux faux-semblants, des vampires écartelés aux quatre coins des murs, des chaînes, des cercueils dressés, des tenailles, des faisceaux de verges de bois et de fer, deux ou trois espadons du temps du roi Henri, des hallebardes, et des chevalets en forme de croix de Saint-André. Enfin l'on y voyait un sque-lette : il semblait d'autant plus ricaner de la folie des vivants qu'un corbeau empaillé extirpait ses idées noires en lui picorant l'occiput.

— Je vous présente mes hommages, Mesdemoiselles! fit M. de Mazan, tout vêtu de peluche noire, et qui, sur un corps long et mince, portait une tête blonde aux cheveux bouclés. Ses yeux bleu pâle étaient d'une fixité déconcer-tante.

[...]

— Monsieur, dit l'abbé en se séparant à regret de son verre, le petit orgue n'est pas de nécessité, puisque je puis soutenir les voix fort exercées de ces Demoiselles. A votre grand étonnement, elles vous chanteront les cantiques que vous demandez, depuis ceux de la Bienheureuse Marie Alacoque, lesquels ne sont pas des plaintes, mais des élans d'amour, jusques aux Psaumes de la Pénitence, qu'il est toujours bon de se remémorer, surtout dans les conjonctures les plus contraires à notre salut. J'espère, Monsieur, que, dans la suite, vous ne laisserez pas crever de soif l'honnête homme qui instruisit ces Demoiselles de leurs devoirs, sauf la *Belle*, que voici, car elle trouve en son cœur toutes les rai-sons d'aimer et d'honorer Dieu.

— Diable!... fit M. de Mazan qui resta quelques secondes tout interdit, son-geant à combiner une autre mise en scène que celle de l'Inquisition. Alors, reprit-il, en cajolant Raton avec intérêt, cet *Amour Mystique* du *Livre des Beautés*, où la plupart des figures sont ignobles, répondrait réellement à quelque chose? Je veux dire que l'on t'a donné l'éducation indispensable pour satisfaire certains goûts assez répandus chez les raffinés...

L'abbé allait repartir pour détourner la conversation du sujet qu'il se repentait d'avoir fait naître, mais Raton répondit précisément dans le sens qu'il redoutait. Ses compagnes, cependant, sentirent s'évanouir leur effroi devant son air doux mais assuré qui leur rappela Jésus devant les Docteurs, et peut-être aperçurent-elles une auréole au-dessus de sa tête blonde.

— Non, Monsieur, dit Raton. Les livres ni personne ne m'apprendraient rien. Je me borne à mettre ma confiance en Dieu, ou plutôt je ne vis pour Lui qu'afin qu'il vive en moi. Le Divin Maître remplit de Lui-même le vide que nous fai-sons des choses et des affections mondaines, de sorte que nous nous confondons avec Lui, que nous devenons Dieu quand il ne reste en nous plus rien du monde.

– C'est une formule savante que jusqu'ici l'on n'appliquait qu'à la pneumatique, fit M. de Mazan. L'horreur de la Nature pour le vide est une calembredaine bien connue que répètent tous les fesse-cahiers.

– Pardon, Monsieur, entreprit l'abbé qui venait de vider son verre en tapinois, je me permets d'attirer votre attention sur un fait digne de remarque : cette réflexion de la *Belle*, qui n'a rien lu sinon la *Bible de Royaumont*, et quelques exercices de piété fort courants, se trouve à la fois dans l'*Ecclésiaste*, Chapitre XXIV, verset vingt et sixième, ainsi que dans la *Première Epître aux Corinthiens*, Chapitre VI, verset dix-septième : *Passez en moi, vous qui me désirez avec ardeur;* et saint Paul : *Quiconque s'attache au Seigneur devient un même esprit avec lui.* Le Séraphique Jean de la Croix a dit en substance :

« Allons *nous* regarder en *votre* beauté !... Si vous me changez en votre beauté, il me semblera que je serai vous-même et que vous serez moi-même. Votre beauté sera la mienne, et la mienne sera la vôtre. Je serai une même chose avec vous ; vous serez une même chose avec moi. » Jésus dit à la bienheureuse Angèle de Foligno : « Tu es moi-même, et je suis toi-même. » Enfin, Mme Guyon parle du *vide* dans son *Moyen court et très facile de faire Oraison*. N'est-il point prodigieux, Monsieur, qu'une fille presque illettrée présente de semblables rencontres, et ne faut-il pas voir là une de ces illuminations intérieures qui sont comme l'épanouissement de Dieu dans les âmes ? La bienheureuse Ursuline de Parme...

– Mais, enfin, l'Abbé, dit M. de Mazan qui caressait le dos satiné de la *Belle*, et perdait le bras jusques au coude dans son tricot, où tout cela peut-il bien tendre ? On devient Dieu, et l'on vit au bordel ! C'est cela qui est digne de remarque !...

– Monsieur, répondit Raton, je ne suis pas encore Dieu, n'étant pas en état d'entendre parfaitement la voix de Celui qui ne parle au cœur que dans la solitude, mais je ne tarderai pas à faire retraite, afin de me donner tout entière à mon Bien-Aimé.

– *Ducam eam in solitudinem, et loquar ad cor ejus,* interrompit l'abbé.

– Ma fille, dit M. de Mazan, je soupçonne ce vin médiocre de gâter ce qui te reste de raison. Mais nous sommes ici pour la noyer tout entière dans les plaisirs dont le Gentilhomme d'En-Haut ne nous est pas avare. Verse-nous donc encore une rasade, l'Abbé. Et toi, la *Belle*, apprends-moi quels peuvent être les avantages de posséder Dieu en soi dans la solitude, où personne n'a rien à gagner.

– S'abîmer dans la perfection divine, dit Raton.

– Monsieur, dit l'abbé en versant à boire, vous n'en tirerez pas davantage. Elle est en ce moment comme une de ces fleurs pudiques qui se referment sitôt qu'on les touche. Car la Foi, comme l'amour profane, a ses pudeurs. La bienheureuse Marie Alacoque nous a dépeint, avec autant de feu que la Mère

Thérèse, les embrassements de Notre-Seigneur et de sa créature dans cette solitude indispensable. « Il me donna à entendre, écrit-elle, qu'à la façon des amants les plus passionnés, il me ferait goûter ce qu'il y avait de doux dans la suavité des caresses de son amour. En effet, elles furent si excessives qu'elles me mettaient souvent tout hors de moi-même et me rendaient incapable de pouvoir agir. Cela me jetait dans un si profond abîme de confusion que je n'osais paraître. » « Mon cœur et ma chair ont tressailli dans le Dieu vivant », dit le Psalmiste, et le Docteur angélique enseigne que la contemplation se termine dans un transport affectif : *Contemplatio ad affectum terminatur*. Mais ne croyez pas, Monsieur, que la solitude suffise pour amener cette union mystique de l'âme avec Dieu, cet état théandrique, que l'on peut dire hypostatique, bien que ce soit l'erreur d'Origène, condamné par le cinquième concile œcuménique. Il faut nécessairement que cette âme ait été mangée et digérée, qu'elle ait perdu ce qu'elle avait en propre, ce que nous appelons *Mystique Purgative*, pour s'unir avec Dieu et devenir Dieu, ce qui est dit *Mystique Unitive*.

Entre deux, elle passe par la voie *illuminative*...

– Je ne comprends pas très bien, l'Abbé, ce que tu entends par cette digestion quelque peu dégoûtante ?

– C'est une figure, reprit l'abbé, pour représenter le dégagement de la servitude des sens et des illusions de l'esprit. Il faut se mettre ensuite devant Notre-Seigneur comme une toile d'attente devant le peintre.

– Trop de figures, dit M. de Mazan, replongent dans l'obscurité d'où l'on tentait de sortir. Votre abstrait et votre concret se ressemblent diablement !

– Monsieur, répliqua l'abbé, il est dit par la plume du très-suave François de Sales, au sujet de la théologie mystique, que le langage des amants est si particulier que nul ne l'entend qu'eux-mêmes. Pour ce qui est de la toile, image à la portée du plus chétif intellect, le Souverain Maître y peint tous les traits de sa vie souffrante. L'âme en reçoit l'impression et passe par les mêmes douleurs, depuis la Nativité jusqu'à la Mort sur le Calvaire, avant que de monter pour ses noces avec Notre-Seigneur le Thabor de la Transfiguration. Elle acquiert ainsi le goût de la Croix, dont saint Matthieu a pu dire que sans lui l'on n'a pas le goût de Dieu. « Je ne me trouvais nulle part si bien, écrivait sainte Thérèse, que lorsque je l'accompagnais en esprit dans le Jardin des Oliviers. » Ne vous étonnez plus, Monsieur, si ce goût fait trouver plaisantes et agréables les choses même les plus amères.

– Tiens, tiens !... fit M. de Mazan, de qui le visage s'illumina d'une flamme inquiétante. Mais nous en reparlerons tout à l'heure. En attendant, l'Abbé, puisque tu es là pour me jouer de la musique, je serais désireux d'entendre un cantique de cette Marie Alacoque au nom de cuisinière dont tu me rebats les oreilles.

— Volontiers, dit l'abbé. Allons, mes chéries, reprit-il en accordant sa guitare et en s'affermissant sur le coin de la table où il s'était hissé sans façon, prenez le *la*, et chantons le *Cantique en l'honneur du Saint-Sacrement*. J'en voudrais remanier quelques vers, mais je crains d'attenter à la naïveté de ce morceau qui me touche plus qu'une ode de Pindare ou de son rival M. Lebrun. Ce fut cette nouvelle Sapho, Monsieur, qui souhaitait « de mourir en aimant » …

— Pourquoi Sapho ? interrogea M. de Mazan.

— Sapho, par l'accent passionné de ses idées. Monsieur, et encore parce qu'elle se précipita dans l'Abyme, entendez celui de l'Amour divin. Cela ne se peut comprendre autrement, et je m'étonne…

— Assez ! J'écoute, interrompit M. de Mazan. Mais, moi, je redoute, l'Abbé, que tu n'entendes rien à la Poésie !

Là-dessus, l'abbé donna victorieusement le signal, et le quintette fit retentir la *Chambre de Torture*.

Je suis une biche harassée
Qui cherche la source d'amour ;
La main du Chasseur m'a blessée,
Son dard me brûle nuit et jour.

Souffrir, c'est mon délice,
Je ne veux plus d'autre plaisir ;
Tout le reste m'est un supplice :
Aimer, souffrir, c'est mon désir !

Perdez-moi en vous, ô ma Source,
Comme une goutte dans la mer !
Mourir, ou aimer sans ressource,
Car tout le reste c'est amer !

Je suis pure quand je vous touche,
Vos baisers font la sainteté,
Et quand mon cœur vous sert de couche,
De joie il est tout transporté.

L'amour m'a fait un épithème
Qui me blesse et me fait languir ;
Bien que ma douleur soit extrême
Je ne voudrais pas en guérir !

– Cela n'est pas trop mal pour une nonne! fit M. de Mazan lorsque tout le monde se fut rassis. Toutefois, plus que les hiatus, chevilles et faiblesses d'expression, cet *épithème* me soulève le cœur! Sans doute, la vieille biche énamourée a-t-elle écrit ces carmes à l'infirmerie durant qu'on lui posait un cautère... Néanmoins, je vous remercie, mes enfants : vous chantez à ravir!...

– Monsieur, dit l'abbé, les mystiques nomment cautère, et par analogie épithème, le remède qu'emploie l'amour pour guérir les plaies qu'il a faites à l'âme, et que l'on appelle *touches divines*. Mais entendons-nous derechef : à la vérité, Monsieur, ce remède ne guérit l'âme qu'en entretenant ses blessures, de façon que l'âme ne soit plus qu'une plaie universelle. Alors, toute changée en plaie d'amour, l'âme est guérie... Connaissez-vous, Monsieur, le cantique de saint Jean de la Croix qui célèbre les agréments doux-amers de ce cautère :

> *O cauterio suave!*
> *O regalada plaga!*
> *O mano blanda! O toque delicada!*

– Tout cela est fort curieux, interrompit M. de Mazan, et je me sens une furieuse propension mystique. Çà, verse à boire, l'Abbé, Tonnerre de Dieu!... Si je ne t'avais vu sabler en cachette, tu aurais droit à un verre, et, de plus, je crains que tu ne sois ivre trop tôt.

« Mais vraiment, continua-t-il, en prenant Raton sur ses genoux et la berçant traîtreusement, puisque souffrir est un délice, et qu'il faille être remise sur la Croix du Sauveur pour mériter ses caresses, que ne referions-nous ici, où les croix ne manquent point, le tableau de la Passion! Tu te mettrais toute nue, et je te lierais au chevalet par les bras et les jambes. Peut-être même pourrions-nous essayer d'un petit clou ou deux, en ayant soin de ne pas briser les phalanges métacarpiennes. Celles-ci... J'ai sur moi un onguent plus humain que l'épithème mystique; il cicatrise les blessures en quarante-huit heures, et fait qu'elles ne laissent point de traces au bout de quelques jours. La *Boiteuse* jouerait le rôle du Bon-Larron, duquel j'ai idée qu'il boitait, et notre abbé celui du Mauvais, qui devait être ivrogne et discoureur. Pour la peine, on lui entonnerait du vin à tire-larigot. Il en compisserait ses jambes velues et crasseuses, que j'aimerais rompre à coups de barre, ses jambes en manches de veste! Il s'en ferait péter la vessie, de ce vin, et vous en éclabousserait de sang et d'urine! L'*Attisée*, la *Grasse* et la *Pâle* ont l'air assez crapuleux pour figurer les soldats et lâcher quelques propos immondes. Elles pourraient, auparavant, nous régaler d'une Fustigation, et vous cracher à la gueule!... Allons, je vais faire monter toute la maison, y compris les paltoquets qui *liment* au-dessus de nous des pourritures inertes. Quoi! je paierai leurs passes, leurs soupers, leurs bouteilles... Nous aurons ainsi des figurants, et, si la canaille nous manque, j'en enverrai chercher dans la rue : des oublieurs, des maquereaux, des décrotteurs, des savoyards, des filous, des gadouards, le Guet même... Quant à moi, je serai Joseph d'Arimathie, gentilhomme somptueux et fort distingué, de plus grand amateur de parfums et d'aromates, qu'il tirait des Grandes Indes par processions de dromadaires, et conservait en des vaisseaux d'or et d'argent. Quand tu seras censément à l'agonie, souviens-toi de crier : *Tout est foutu !*... Je t'ensevelirai dans un cercueil que j'aperçois, et qui doit être plein de crottes de souris. Après, eh bien, après, je te ressusciterai devant tout le monde... Allons, mets-toi nue avec la *Boiteuse*, et que l'on me sonne la Mère ! Toute nue, je te dis, toute nue ! hurla M. de Mazan en plantant Raton devant lui. Me faut-il t'y mettre, par le Sacré Nom de...

— Arrêtez, Monsieur, arrêtez ! Vous ne ferez pas cela ! cria l'abbé qui, depuis quelques instants, ne songeait plus à boire. Jusqu'ici, je vous ai laissé parler, croyant que votre imagination dévergondée jetait son écume et déversait son trop-plein. J'espérais qu'ensuite vous vous retrouveriez le calme sinon la sagesse, me souvenant du conseil d'Aristote : quand une passion vous gêne, faites-en une tragédie. C'était une tragédie que vous rêviez tout haut, Monsieur, ou plutôt une de ces pièces barbares que les âges gothiques jouaient sur le parvis des églises, et que l'on appelait des Mystères, à la différence que la vôtre n'était que blasphème et parodie. J'ajoute que vous ne croyez pas plus à Dieu qu'aux sorcières et au Diable...

— Monsieur le Cuistre, répondit M. de Mazan, que les sept millions quatre cent cinq mille neuf cent vingt-six diables et leurs soixante-douze princes vous emportent, s'ils existent ! Je trouverais plaisant que vous vous opposassiez à nos volontés, quand, pour les accomplir sans entrave, nous avons versé cinq cents livres sonnantes et trébuchantes à l'honorable maquerelle de céans. Si toutefois cela le gêne, après la déclaration que nous venons de lui faire, il sera toujours loisible à Monsieur le Factoton de Lupanar de se retirer.

— Sans nul doute, Monsieur, répliqua l'abbé en sifflant comme une couleuvre. Mais ce sera pour vous dépêcher quelques personnes de ma connaissance, d'un caractère assez complaisant, qui auront tôt fait, n'en doutez pas, de vous mettre à la raison.

— Qu'est-ce à dire, drôle ? s'écria M. de Mazan qui se leva de table et marcha les poings fermés contre son interlocuteur. Voilà que l'on ose menacer ?...

— Encore un mot, Monsieur, s'il vous plaît, fit l'abbé Lapin en l'attendant de pied ferme, sans toutefois se départir d'une ironique politesse. Oserais-je vous demander des nouvelles d'une femme Rose Keller, lardée de coups de canif, le mardi de Pâques 1768, et cruellement pansée à la cire d'Espagne ? C'était dans une petite maison d'Arcueil. La malheureuse put, dit-on, se soustraire à son bourreau en descendant toute nue par la fenêtre, grâce aux draps de lit qu'elle y

avait attachés. M'informerai-je encore de plusieurs personnes assez incommo-
dées par des pastilles de Fronsac, l'an de grâce 1772, à la fin d'un bal qui se donnait à Marseille et que l'aurore vit se terminer en Lupercales et défenestration ?
Et de plus, si vous le connaissez, comme j'ose le croire, Monsieur, d'un
condamné à mort par contumace, qui fut appréhendé en Piémont, puis enfermé
au fort de Miolans, sur la double requête du Parlement d'Aix et de Mme la
Présidente de Montreuil, sa très-honorable et très-infortunée belle-mère, que
Dieu réconforte et tienne en sa sauvegarde ?

— Ce badin en état d'ébriété plus ou moins mystique a des imaginations singulières ! fit M. de Mazan qui s'était arrêté net et montrait des signes d'inquiétude, malgré le sourire contraint de ses lèvres minces et méprisantes. Que nous
chantes-tu là avec ta quidam cachetée à la cire d'Espagne, ton quidam sous les
verrous, ta belle-mère et ta grâce de Dieu ? Au diable !…

— Pouvez-vous, Monsieur de Mazan, que l'on appelle le *Divin Marquis*, bien
que vos titre et nom véritables soient ceux de Comte de Sade, nom célèbre en
Vaucluse pour avoir été mieux porté, outre deux prélats que je vénère, par
l'immortelle Laure de l'immortel Pétrarque, pouvez-vous, dis-je, continua
l'abbé, imperturbable, me donner des nouvelles du fugitif de Miolans et de
l'épouse admirable de constance, de courage et d'abnégation, hélas ! qui le fit
évader, hélas ! en compagnie de son bardache ?

— Te tairas-tu, maraud !

— Elle est en ce moment à Saumane, en Provence, où elle lamente sur votre
indigne abandon, et prie Dieu qu'il vous ramène. Mais je crains fort, Divin
Marquis, qu'elle ne vous perde tout à fait. Oui, que, malgré la grâce du Roi, on
ne vous renferme en Piémont ! Vous y trouverez, d'ailleurs, de quoi vous vêtir
sans indécence : n'avez-vous pas oublié, Monsieur, dans les commodités de
l'appartement, si j'ose dire, votre belle redingote couleur d'aurore et votre chapeau noir bordé d'angleterre ? M. le Gouverneur serait aux anges de vous revoir,
malgré la fâcheuse plaisanterie de votre départ précipité, un tantinet périlleux…
Mais quelle imprudence ce fut à vous, Monsieur le Comte, d'avoir conservé ce
nom de Mazan sous lequel vous figurâtes sur l'écrou à la demande d'une maison
sans tache qui ne devra d'être salie, que dis-je ! barbouillée, qu'à vos turpitudes
de Bas-Empire, ou, qui plus est, qu'à votre lâcheté sans égale ! N'est-il pas dit
dans Claudien :

Cuncta ferit, dum cuncta timet.

« Il frappe tout, parce qu'il craint tout » ?

— Ah, coquin ! fit le pseudo M. de Mazan, qui tira son épée et en présenta la
pointe. Ah, coquin ! tu m'as joué, tu bois mon vin et tu m'insultes ! Mais tu me
laisseras partir, sinon je découds ton sac à tripes et te renfonce du pommeau tes
fariboles dans la gorge !…

Raton s'était précipitée entre le fer et l'abbé Lapin qu'elle accola des deux bras, durant que ses compagnes, dans un grand tintamarre de chaises renversées, de bris de verres et de carafons, couraient chercher la Mère en poussant des cris affreux.

L'obstacle que formait Raton devant son ami permit au forcené de prendre la fuite. Aussi bien, qu'aurait fait l'abbé, sans autre parade que la fragile guitare, que, cependant, il agitait comme une massue?

– Or çà, fit la Gourdan, quel est ce remue-ménage? Encore du bruit dans ma maison? C'est toi, l'Abbé, la cause que l'on tire l'épée? Mais quoi! M. de Mazan n'est plus ici?...

– Ton M. de Mazan, répondit l'abbé délivré d'une étreinte filiale qui ne laissait pas de l'oppresser, n'est autre que M. de Sade, lequel s'est évadé de Miolans avec la même facilité qu'il vient de gagner la guérite, et contre qui l'on produit des ordres sévères. « Je verrai, Madame, si je vous dois présenter mes salutations dans le moment que j'aurai à prendre congé. » Eh bien, qu'en dis-tu?... Mais ne voulait-il pas crucifier Raton? Sans moi, c'eût été d'un autre scandale! Allons, fais-moi donner mon chapeau. Le temps presse!

Histoires gauloises, recueillies par Léon Treich

1 9 2 6

Après la guerre commença la mode des livres d'histoires drôles, qui dure encore. Tout le monde donna son recueil, généralement dans le goût polisson : *Le Livre de chevet*, *Le Compartiment des dames seules*, etc.

La librairie Gallimard créa dans ces temps-là une *Collection d'anas, propos, anecdotes et variétés* dirigée par Léon Treich, où furent publiées ces *Histoires gauloises*. Nous sommes évidemment assez loin du ton très libre des *Histoires d'hommes et de dames* que nous avons données plus haut, ou des *Histoires raides* que nous citerons plus loin, les unes et les autres étant des publications clandestines.

« La petite semaine de L. Marsolleau »

TOTO, qui a cinq ans, est d'une curiosité diabolique. Ayant vu sa bonne anglaise monter par l'escalier de service à l'étage des domestiques, il l'a suivie en tapinois. La miss est entrée dans la chambre du chauffeur. Et voilà Toto hissé sur la pointe des pieds, le nez écrasé sur la porte et l'œil au trou de la serrure.

Marie, la femme de chambre, passe dans le couloir ; elle surprend Toto dans sa contemplation, comprend du reste, et vicieuse, demande :

– Qu'est-ce qu'ils font, Toto ?

Alors, Toto, les yeux illuminés, répond avec enthousiasme :

– Je ne sais pas c'qu'ils font, mais ils vont vite !

Historiettes

Quand Lolotte fut à la veille de son mariage elle tint conseil avec sa mère à qui elle avait confié ses appréhensions.

– Enfin, maman, si nigaud qu'il soit, il s'apercevra sûrement que la porte est largement ouverte.

– Ne crains rien. Voilà une pommade merveilleuse qui te refera une virginité indiscutable. Arrange-toi pour t'en mettre une bonne couche où tu sais quelques heures avant de te mettre au lit, et le diable m'emporte s'il pourra y fourrer sans peine même son petit doigt.

Malgré tout, la maman n'était qu'à demi tranquille et le lendemain, dès qu'elle aperçoit son gendre :

— Alors, mon enfant, cela s'est-il bien passé ?

— Très bien, belle maman, très bien, mais je ne sais pas ce que j'ai ce matin, je ne peux pas ouvrir la bouche.

Historiettes

Nénette et Nini entrent chez la fruitière et choisissent longuement deux superbes bananes.

— Combien ? questionne Nénette.

— Sept sous pièce.

— C'est cher.

— Prenez en trois, pour vingt sous.

Nénette et Nini s'interrogent du regard et Nini décide :

— Ma foi, prenons-en trois, nous mangerons la troisième.

Histoires gauloises

C'était une aimable P. T. T. affectée, dans un bureau de poste de la rive gauche, au guichet du télégraphe. Etant devenu amoureux d'elle, Maugis passait son temps à lui remettre des dépêches quelconques envoyées à des adresses prises à tout hasard dans le *Bottin* : c'était tout ce qu'il avait trouvé pour parler à sa belle !...

— Combien cette dépêche ? demandait-il...

— Vingt-six sous...

Parfois c'était trente-deux sous, parfois dix-sept, le plus souvent dix... (ceci se passait en des temps lointains, avant la guerre). Et, d'un air indifférent, sans paraître s'apercevoir de l'assiduité du spirituel romancier, elle expédiait ses télégrammes à des gens qui devaient être bien surpris en lisant leurs textes incompréhensibles.

Enfin, un beau jour, Maugis se risqua à lui passer une formule télégraphique sur laquelle il avait écrit ces seuls mots : *Je vous aime !*

Et, par habitude, il lui demanda :

— Combien ?

— Un louis ! répondit-elle simplement...

Historiettes

Guibollard consulte son médecin. Celui-ci l'a palpé, ausculté, examiné sur toutes les coutures. Enfin :

— Mon bon ami, ayez du courage !... vous êtes menacé de paralysie.

— De paralysie !!! Diable ! mais dites, docteur, ce n'est pas de paralysie générale, au moins ?

— Non, non... rassurez-vous. Du côté gauche, seulement.

— Du côté gauche ! Bigre ! vous permettez ?

Et le docteur voit l'excellent homme se hâter de changer quelque chose à l'ordonnance de sa toilette intime.

— Eh ! que faites vous là ?

— Je vais vous vous dire, docteur... Jusqu'ici, je portais à gauche... Alors, étant donné ce que vous venez de me dire, je sauve les meubles...

— Dites donc ! M..., j'en ai appris de belles !...

— Quoi donc ?

— Là-bas... à S... oui, oui... il paraît que vous avez tourné la tête à la jolie baronne.

— Mais non... mais non...

— Ne vous défendez donc pas. On vous a vu, certain soir, derrière un rideau de peupliers. Vous touchiez au bonheur...

— Peuh !... du bout des doigts...

Fantasio n'a pas voulu dire de nom. Sachons seulement qu'il s'agit de deux personnalités parisiennes du théâtre et du scalpel.

La diva vient voir discrètement le docteur X..., spécialiste réputé, et lui expose sa requête.

— Elle voudrait bien s'amuser un peu, mais craint les enfants qui briseraient sa carrière et son corps.

— Mon Dieu ! madame, rien n'est plus facile, ma femme se sert de petits engins...

Et il sonne :

— Marie, allez cherchez dans le tiroir de Madame la petite boîte n° 1.

La soubrette sort, puis revient :

— Monsieur, Madame est sortie.

— Cela ne fait rien, dit le docteur, apportez la petite boîte.

— Monsieur... Madame... a emporté la petite boîte !

Petits échos

Sacha Guitry monte rarement en métro. Pourtant, cela lui arrive quelquefois.

Le hasard le place un jour vis-à-vis d'une jeune fille qui, accompagnée de sa mère, prend des postures émancipées et croise ses jambes de telle sorte que sa jupe relevée laisse voir le haut des bas et les cuisses.

Tous les voyageurs ont les yeux fixés sur cette chair blanche. La jeune demi-vierge fait celle qui ne s'en aperçoit pas.

Alors Sacha Guitry avec une politesse exquise :

– Pardon, mademoiselle, ça ne vous gêne pas que je garde mon pantalon[1] ?

L'autre soir, nous dit le malicieux *Canard Enchaîné*, chez Mme M... (fournitures à l'armée), on lisait un article admirable dans lequel un de nos grands romanciers racontait qu'il était monté en hydravion. Et on en était à ce passage où il dit :

Il n'est pas très recommandable de regarder juste entre ses jambes pour voir l'abîme...

– Tiens ! je ne savais pas que *ça s'appelait comme ça*, interrompit une jeune petite dame assurément un peu étourdie.

Il y eut un froid et, dans les coins, comme des rires étouffés. Les lèvres se pincèrent. Et le lecteur reprit :

... à travers les lattes mal jointes qui forment le frêle plancher.

Mais les esprits étaient ailleurs.

---

1. *L'Esprit de Sacha Guitry*, un vol. (NRF).

WILLY ET POL PRILLE

1859-1931

Le Bazar des voluptés

1926

Séparé de Colette, Willy eut beaucoup d'autres collaborateurs, mais ne retrouva jamais la réussite des *Claudine* malgré de nombreuses tentatives. En 1926 il s'adjoignit Pol Prille, auteur de *Bois de Boulogne, Bois d'amour*, pour donner au public ces *Bazars de volupté* dans la collection du « Gay Savoir » aux Éditions Montaigne. On notera les coups de patte à J. Delteil et à Freud, dont on traduit justement en francais, cette année-là enfin, un premier livre : *L'Interprétation des rêves*.

Les jeunes Espagnoles mutines et savantes

LES CARAVANES parlementaires ne se contentent pas de réjouir leurs yeux dans le Paradis officiel de la belle Aïcha. D'autres plaisirs sollicitent leur curiosité. Le lendemain soir, chaperonnés par un chef de Cabinet, nous fûmes dirigés vers la rue Cataroudji, favorable aux investigations des grands personnages et à l'ivresse des matelots.

Là, dans un cadre modeste, des Espagnoles éparpillaient aux passants les grâces de leur jeunesse. Rieuses, elles prirent par la main les Faunes ventrus, vieillis dans les intrigues du Palais-Bourbon et les conduisirent à travers d'étroits couloirs vers l'inévitable autel.

D'autres, moins pressées d'aboutir, exposèrent à la face congestionnée des visiteurs les rythmes habiles de leurs corps bien faits. Blondes délicatement rosées, brunes au ton d'ambre, leurs mouvements étaient plus allongés et plus variés que dans la monotonie des danses arabes. Ils faisaient mieux saillir les rondeurs aimables et la chair y révélait tous ses secrets. Ce n'était plus comme la danse du ventre un triste appel à la loi des sexes, mais une provocation violente et colorée qui jetait à la face des visiteurs d'alléchantes promesses.

Puis la musique s'assoupit doucement, dans l'agonie du plaisir; les corps des danseuses sensuellement modelés et vibrants cessèrent de tressaillir; des jeux les plus espiègles et gamins s'annoncèrent.

Je me rappelle entre tous le jeu du papier, et j'en ris encore.

Sur l'estrade, une femme avait serré entre ses jambes un journal froissé. Elle conviait les plus dégourdis des visiteurs à y mettre le feu. Un de mes compagnons, d'une teinte politique assez indécise mais à cette heure très rouge de visage, essaya le premier d'incendier la feuille au moyen d'une allumette. Mais la danseuse, avec une admirable souplesse qui lui embellissait la croupe d'un frémissement nerveux, évita sans peine l'approche de la flamme. Il recommença. Un peu de silence. Des sourires. Des regards veloutés, toujours chauds, même dans l'ironie. Lèvres malicieuses, paroles basses, gestes rares. Une attente.

Il n'aboutit pas et toute la mission pouffa d'un rire sans fin.

Alors un ancien ministre s'approcha. Il semblait devoir être plus heureux, mais la danseuse, aux moments les plus désespérés, se dérobait avec une prestesse diabolique. L'allumette enflammée allait, venait, courait. Le papier, dans sa gaine vivante, lui échappait sans cesse. Reculades, torsions, flux et reflux de blancheurs savoureuses, aussi rapides que l'éclair, narguaient les efforts de l'Excellence.

Aussi bien l'ancien ministre et le député n'eussent-ils rien tenté s'ils avaient su qu'un seul homme peut réussir à cet aimable jeu. C'est l'amant de cœur. Jamais une Espagnole ne se laisserait prendre ainsi par un étranger sans redouter les pires vengeances du sort. Et le vaincu, échauffé par cette vaine poursuite, renonça vite à réussir une prouesse qui n'était pas de son âge. Il commanda d'autres bouteilles de champagne pour payer sa défaite. Mais Dieu! que j'ai ri! J'en ai encore la gorge comme harassée. Et jamais depuis je n'ai assisté à un spectacle plus… disons « freudien », puisque, de nos jours, tout ce qui est du sexe appartient à Freud.

Les bizarres merveilles de Changhaï

Changhaï, assure M. Joseph Delteil, réserve au globe-trotter des spectacles extraordinaires. Il nous en énumère quelques-uns qui, incontestablement, sortent de la banalité. Mais faut-il considérer comme paroles d'Évangile les précisions données par les récits de voyage du « Fleuve Amour » sur les boys d'Extrême-Orient?

Henry Maugis grognait, sceptique : « A boy mentir qui vient de loin. » Et il ajoutait : « Quelle confiance accorder au frère qui prétend que l'inflammation de l'urètre avec flux catarrhal (dont le nom vient de « Blenna » mucosité et « ragê » éruption) se déclare – page 15 – au début des pages consacrées au Palais d'Onyx de Changhaï qui, au dire de l'auteur, « a poussé jusqu'au grandiose le perfectionnement des curiosités et des indécences qui sont, en miniature, l'apanage des maisons spéciales de Paris et de Moscou ».

Guidé par un cicerone « tendre, nourri de riz », l'explorateur, après avoir traversé une antichambre éclairée par des rosaces « à vitraux impudiques », examine, dans une salle ronde « pareille à œil », les figurines « malsaines mais esthétiques » languissamment pétries dans des cadres polychromes par un modeleur à l'imagination sadique. « Les unes représentaient des femmes à lourdes hanches accouplées avec des étalons qui... »

(Plaignons les quadrupèdes condamnés à cet éreintant labeur! On se prend à répéter, avec le fabuliste : « Ne forçons point notre "étalon"... !)

« D'autres représentaient des chèvres saillies par des Annamites surchargés d'impostures » – ce qui permet de les regarder comme des boucs émissaires.

« Il y avait des courtisanes... des filles de bonze... des Japonaises » adonnées à des occupations que M. Delteil ne nous laisse pas ignorer.

Dans une salle sombre vaguement éclairée par de malingres torches (comme chez la pauvre Renée Vivien), on lui montre, étendus sur le dos, des nègres « beaux et nus », flagellés en mesure par de jeunes Célestes « épilés et castrés ». (Horribles bourreaux! Affreux petits Chinois! Dire que, pendant mon enfance, je donnais des sous pour racheter cette vermine et l'empêcher d'être mangée par les cochons! Si j'avais su...)

Négligemment, le cicerone, qui a dû lire Meïbomius dans une traduction, vante les mérites de la flagellation, considérée comme l'un des beaux-arts, et les variantes des rapports existant entre la souffrance et la volupté.

Je m'en voudrais de passer sous silence la salle des Bougies : « Au milieu, plantés dans... quatre femmes nues, à la renverse, huit cierges... brûlaient solennellement. Quatre femmes, huit cierges; M. Delteil précise le dispositif ingénieux de ces dames-candélabres. Mieux vaut ne pas le suivre.

Comme je le disais au début, des réserves s'imposent, touchant ces descriptions pittoresques mais dont la ressemblance n'est pas garantie. De quelle fantaisie peuvent s'enjoliver les portraits de l'artiste à qui l'on doit ce signalement historique : « Jeanne d'Arc est une jeune fille avec un chapeau cloche et des bas de soie » ?

N'empêche que, transporté dans l'enceinte des fortifications, le Palais d'Onyx de Changhaï aurait du succès auprès de certaines femmes du monde chercheuses d'inédit... Onyx soit qui mâle y pense!

JEAN BRUYÈRE

Jean Lurçat

1892-1960

Roger, ou les à-côtés de l'ombrelle

1926

Il semble bien, d'après Pascal Pia et diverses autorités, que le peintre Lurçat soit responsable de la gravure qui accompagnait l'édition clandestine de ce joli érotique au climat si particulier. On lui en a attribué aussi le texte, ainsi d'ailleurs qu'à plusieurs autres personnalités de l'époque. Le récit, qui a pour moi beaucoup de charme, est précédé de commentaires un peu oiseux et embrouillés, où l'on reconnaît encore quelques-uns des personnages désignés par des initiales. Ce petit jeu n'est pas bien passionnant. Plus intéressante est la *Post-face*, que nous donnons ici tout entière :

POSTFACE
SUR UN VÉRITABLE ÉROTISME

« *Ce livre, un dernier éclaircissement pour le bien mettre au point. Érotisme ? Soit ! Mais de cet érotisme photogénique, issu d'un super ralentisseur des merveilles mécaniciennes de l'amour.*

« *Expliquons-nous.*

« *Le Ballon est amarré à terre. Scier tout de go la corde ?*

« *Allons donc !*

« *Nous la coupons en quatre, avant que de le lâcher ce hideux Montgolfière qui ne se sent Ballon qu'à cause de ce non moins hideux "Lâchez tout" qui est pour nous la fin d'un si bel envol.*

« *Le Ballon fout le camp, notre plaisir aussi.*

« *Voilà l'érotisme. Les préparatifs d'un départ, du plus triste des départs.*

« *Le plaisir de ce livre, érotique à contrecœur, ce sont les tracés régulateurs d'un Vauban de l'Amour, qui répugnait aux assauts définitifs d'une Place qui n'est forte que dans l'imagination des hommes.* »

Le livre sera réimprimé officiellement en 1979, avec une splendide préface d'Annie Le Brun, « Regard sans train [1] », présentant enfin ouvertement au public « *ce livre "érotique à contrecœur" [...] et qui prend superbement ses distances avec le piquant, le grivois, le gaillard mais aussi avec le tragique, le frénétique ou le spéculatif, pour nous faire voir, c'est très rare, la vie "frappée du désir comme d'une balle au cœur".*

« *Mais voir et faire voir*, ajoute Annie Le Brun, *n'est-ce pas la raison d'être de toute représentation érotique répondant des plus diverses façons à la curiosité primordiale qui se dramatise en chacun dans le pari d'aimer et d'être aimé ? Et quand je dis voir et faire voir, je pense à cet "exhibitionnisme ultime, indéracinable", selon Hans Bellmer, du cœur de l'homme, et qui n'a pour fin que de dévoiler "l'intérieur, cet intérieur qui restera toujours caché, deviné, derrière les couches successives de la construction humaine et ses dernières inconnues.* »

Et enfin, «*ce n'est pas la moindre qualité de ce petit livre de nous rappeler que la liberté du corps est profondément garante de celle l'esprit* »...

1. Reprise en 1984 dans *A distance*.

JE PARTIS bientôt à M. pour mon second bachot. Le soir de mon succès la compagnie m'entraîna. Je rougis pendant longtemps aux interrogations de ma famille sur l'emploi de ce loisir d'un soir. J'en dissimulais avec un soin anxieux les péripéties. Cher Jean, nous avions passé deux heures au… music hall!

On m'établit enfin pour mes licences dans la même ville. La mer et le port m'attiraient plus encore peut-être que les bibliothèques, et cette trop fameuse liberté subite dont nous ne profitons que pour nous prouver à nous-mêmes que « c'est arrivé ».

Je demeurai plusieurs mois chaste, passant mes nuits entières à lire, hors de la noce de la plupart de mes amis.

Je fréquentais ce club où tant de peintres scrofuleux, de maigres poètes et de musiciens « italiens » s'offraient entre eux le luxe illusoire d'une gloire empruntée en coopérative. Je crus en eux quelques semaines d'abord, choisis mes hommes et me retirai. C'est alors que je vis le premier corps nu vivant d'une femme.

Un vieux peintre, touché de mes essais en peinture, m'offrit de dessiner un matin près de lui. Il aimait ma chaleur et m'estimait assez pour m'éloigner d'un art où je ne donnais point de suffisantes preuves. « Mais vous pourrez apprendre plus par les yeux encore que par la main, me disait-il souvent. Il est de votre âge de connaître ces divins corps en mouvement. »

Je me rappellerai toujours mon trouble. L'annonce de ce plaisir troublait ma chair. Je m'épouvantai d'un ridicule possible devant ce corps qui par la pensée déjà, seule… J'achetai une longue blouse blanche pour me dissimuler.

Hélas, le corps adorable de cette fille à peine femme, prodigieusement blonde, la chair mal dissimulée sous une toison dorée, laissa ma chair placide sous un cœur cependant affolé. Rentré, je pleurai longtemps, puis je brûlai la blouse. J'étais amoureux de Juliette.

L'amour mécanicien ou « avoir de la retenue » en amour

Je ne lui étais d'ailleurs pas non plus indifférent. Mon vieux peintre s'en amusait et nous rapprocha. « Il faut que vous appreniez, mon cher. Cette enfant est encore verte. N'oubliez pas qu'à votre âge, la tête est plus périlleuse que les pires jeux du corps. »

Juliette connaissait mon état et en riait parfois. Cher Jean, je ne savais même pas que le corps de la femme fût fendu de si singulière façon, là où je ne savais que confusément deviner une bouche mystérieuse. J'écoutai de plus près mes camarades. Sans cependant accepter des planches qu'un carabin m'offrit.

Je n'avançais guère en besogne, parce que j'ignorais l'usage de ces mains : de ce que d'autres femmes m'apprirent avec tant d'acidité plus tard. Je connaissais Juliette nue : j'avais baisé ses seins. Mais j'étais mal devant elle, trop étouffé par un trouble qui se condensait dans la tête. J'ignorais tout; jusqu'à l'odeur du bijou.

Je m'en ouvris à un ami sûr, encore qu'un tantinet brutal. Les mots m'épouvantèrent. « Si tu ne baises pas tu la perdras dans la semaine. Juliette est trop positive pour s'exciter d'un niais. Et rappelle-toi que, pour ton plaisir, il te faut retenir à l'extrême. Ta joie s'en doublera. »

Ce fut là, cher Jean, le premier conseil d'amour que je reçus. Il n'avait trait qu'à moi-même.

Ah! les gosses et les vieilles dames oublient vite leur partenaire. Ils sont amoureux du hasard et plantent des réussites. Mais ce sont de bien mauvais « mécaniciens »!

Hélas ! ou un coup d'épée dans l'eau

Je m'en aperçus bientôt.

Étendu sans préliminaires sur Juliette, je ne sus que trop vite découvrir l'adorable ouverture d'un corps dont j'ignorais les lois. Je donnai trop vivement ce qu'on doit faire si longuement désirer. Hélas je lui pris les poignets pour l'avoir entendue murmurer sous ma bouche : « Ta main, ta main. »

Pauvre Juliette égarée entre les bras d'un trop pur amant, tu ne devais rien m'apprendre.

Je ne la revis pas, conscient obscurément de ma défaite. Mais je l'aimai durant trois mois. Jamais l'idée ne me vint de recourir aux artifices dont se berça ma jeunesse : l'imagination m'eût alors peut-être appris… C'est alors que je retrouvai Clotilde.

Profil suivi de certaines coupes de ce profil

Clotilde était grande, fine, légère : d'un blond nordique quoique de père italien : fort amazone jusqu'à la taille. J'ai toujours aimé ce genre de femme lorsqu'il ne s'allie pas avec quelque froideur. Mais Clotilde s'arrondissait dès les hanches, et des fesses jusqu'aux pieds était femme, adorablement pleine. Le ventre plat : un bijou nourri : bien ouvert, les lèvres souples, longues, délicieusement parfumées : quand je la quittais j'en parfumais un mouchoir : mes narines même parfois. Ah j'ai bien joué de son odeur – elle en était fière encore qu'elle en fit toujours l'étonnée.

Clotilde avait été à M. la maîtresse d'un mien ami étudiant. Elle étudiait elle-même. Nous suivions les cours de V... ensemble. Mais les études philosophiques ne l'atteignirent jamais que pour lui fournir une technique de son affranchissement personnel.

Elle aimait les bons vins, l'amour, les poètes maudits et les peintres neufs. Elle comprit bien avant moi Matisse et les premiers cubistes. Cependant nous nous rejoignîmes ensemble dans l'enfer insolent[1] de Picasso et ne craignîmes pas un mois entier de nous priver de l'essentiel pour accrocher chez elle une toile « insensée » de la série des Bass.

Elle quitta son ami, le poète C... pour une futilité. Il avait osé, 24 heures, s'enfuir à Monte-Carlo : et pour le jeu. Elle le quitta sans retour, tout en souffrant. C'est alors qu'elle gagna Paris où nous nous rencontrâmes un jour chez Marie.

Elle connaissait Juliette, par les peintres de M. Je ne lui dissimulai pas ma défaite. Cette fille si fière et de cinq ans plus âgée que moi ne m'affligea ni d'un sourire ni d'un conseil. Mais par allusions lointaines et postérieures elle m'éclaira.

Nous nous vîmes souvent. La banlieue de Saint-Germain trustait tous nos loisirs du dimanche, et des demi-journées volées aux facultés : nos plaisirs étaient si vifs et libres que je ne pressentis jamais l'inévitable de cette passion. A peine lui baisais-je les mains, et ce me semblait déjà une atteinte à ce que je croyais camaraderie, et rien de plus. Vers la mi-juin, un cross fut annoncé vers Meudon. J'adorais comme elle cette terrasse. Elle y fut attirée par le corps des athlètes qu'elle hume des yeux comme elle hume les fleurs et les mets.

Nous étions allés tout le jour, dans les prés, les boqueteaux, et ces bois qui sillonnent la tendre région du Meudonnais. Clotilde sautait les fossés, m'entraînait dans les pentes, trottant en avant et en arrière de moi; fauchant les fleurs de son ombrelle. Le soir nous surprit, égarés, au seuil de ces lisières qui courent de Meudon à Villacoublay.

Un gros vent d'orage s'élevait qui fatigua Clotilde. En un bond elle s'étendit sur le sol. D'un pardessus léger accroché sur les ronces je bâtis une tente qui l'abritait du vent.

La tempête s'élevait, sèche, et nous imposait presque silence.

Nous étions rapprochés si fort que nous avions les mains confondues, les joues proches.

Clotilde, seule, parfois jouait. De mes joues, de mes oreilles, de mes cheveux,

---

1. Ceux qui ne sont pas de mon avis sont des cons.

mais sans un mot, sans un regard. J'étais pris entier entre la bourrasque et cet orage qui obnubilaient en moi toute réflexion et, semblait-il, tout désir. Comment sa main se glissa-t-elle sur ma poitrine ? Elle me dit plus tard que rien d'elle ni de moi ne commandèrent cette nuit, où nous n'étions pas plus conscients que les arbres et la tiédeur aride qui les bousculait.

Mais le contact de sa main froide et si nerveuse me secoua le corps d'une brusque détente dont le désir fit les frais. J'approchai ma bouche de celle de Clotilde. Alors, se dépliant comme une étoffe, lentement elle s'écroula sur le sol : muette. Ma tête suivit cette chute lente, je me trouvai couché comme sur un mol oreiller entre deux cuisses brûlantes qui ne se défendaient pas. Ce fut là qu'une respiration profonde m'apprit l'odeur secrète de la femme.

Cette volupté nouvelle pour moi faillit causer ma perte. Tout mon corps ne tendait qu'à respirer cette fleur que je ne tentais même pas de découvrir. Mes deux mains à plat sur sa cuisse et son ventre n'osaient rien. Je respirais l'ivresse de cette chair cachée – j'en oubliais le monde et l'orage des cieux.

Clotilde me dit après que je restai plus d'une heure comme figé dans cette pure luxure. Cependant mon nom qu'elle prononça tout haut tout à coup me tira d'un court sommeil où je m'étais oublié.

Alors la direction de mon désir éclata aussi précise qu'elle avait été lente à s'éclairer. Je culbutai les robes avec la cruauté d'un ouragan. Ces linges saturés du parfum du désir me faisaient pousser des cris qui secouaient en retour tout son corps. La chair apparut sous ma bouche, beauté, si douce et humectée que deux grosses larmes m'en roulèrent des yeux. J'y plongeai tout mon visage. J'y caressai même mes yeux que l'obscurité rendait inutiles. Mon ignorance fondit au contact de ce point mouvant et sensible que le désir de Clotilde modelait comme la rose des seins. Ma langue découvrit seule sa mission et le plaisir qu'elle dispense. Il me fallut mieux l'apprendre encore quand deux cuisses brûlantes serrèrent ma nuque à m'étouffer.

Soudain ce ventre qui supportait ma tête se mit à onduler, scandé par une plainte qui montait dans le vent. Clotilde après une respiration profonde et muette qui crispa tout son corps exhala sa joie, les bras étendus en croix sur l'herbe.

Je voulus me glisser et trouver dans cette chair que ma bouche savait ouverte la volupté que je méritais. Dans le mouvement que je fis, un pied déchaussé de Clotilde heurta de haut en bas mon sexe. La joie fut si criante que je saisis cette jambe et la pressai cruellement sur mon ventre. J'étais envahi : je tombai sans connaissance dans les bras de Clotilde qui se refermèrent sur moi.

Comment avons-nous, ce soir, regagné nos chambres, nous ne le saurons jamais. De grosses gouttes lourdes d'orage tombaient sur mon visage. Je portais dans les terres et les prés Clotilde, inconsciente dans mes bras, ses cheveux dénoués traînant à terre. Je la posais parfois dans un champ vert : nous y dormions côte à côte.

Manuscrit : odeurs et solitudes suivis d'un spectacle

Nous nous revîmes le lendemain au cours de S… Elle évita de me rencontrer seule et profitant de la présence d'amis, prenant congé, elle nous annonça son départ pour le Sud.

Trois jours après je trouvais un télégramme sous la porte : Suis à V… au Savoy. Venez ce soir.

Je la trouvai dans cette chambre splendide qui donne sur le château et que vous connaissez bien, cher Jean. Elle me reçut chez elle, habillée pour le soir et sans un mot qui rappelât nos voluptés passées. Nous causions depuis quelques heures auprès du repas servi près des fenêtres, quand je la vis sonner et prier de desservir. Puis elle m'invita à quérir dans ma chambre le manuscrit des Zones que m'avait confié M…

Quand je revins, elle était couchée, les yeux clos, immobile, enfouie jusqu'au cou. Tout mon corps se mit à trembler et c'est à peine si je pus atteindre le lit et m'asseoir à son chevet. Elle tourna la tête très légèrement vers moi les yeux comme irrémédiablement fermés. J'étais béant de désir et pris d'une espèce d'épouvante qui m'interdisait à la fois tout geste et toute prière.

J'attendais (un miracle ?) quand un bruit léger poussa mon regard vers ses jambes. Le drap frémissait. J'avançai la main et perçus que ses mains, mollement, sous le linge ondulaient. Son nom déchira mes lèvres : sans que l'impassibilité de son visage s'en déroutât une seconde. Mais à un mouvement vif qu'elle fit, l'odeur de son désir monta si puissante qu'une définitive audace m'envahit. Je jetai mes habits au hasard dans la chambre, et la rejoignant j'écartai violemment les draps. Clotilde, les deux mains sur sa chair, goûtait une exclusive joie qui déchirait mon cœur.

Je l'envahis de mes deux jambes pressées. Ondulant doucement sur lui-même son ventre fournissait à ma chair une caresse que j'eusse désiré moins aveugle. Dans un souffle Clotilde me murmurait : « Caresse-toi. » J'obéis : et son regard s'illuminant, ses yeux suivirent dans les miens les phases d'une volupté trop bien apprise dans ma jeunesse. Elle me pressait d'une unique et pesante question qui précipitait mon rythme et énervait ses mains : « Doux ? Doux ? » Enfin ses doigts remontant le long de son corps atteignirent ses flancs puis ses seins qu'elle pétrit : et me chevauchant bouche à bouche je la sentis des ongles me chercher la poitrine puis les flancs. Dans une caresse qui n'avait ni fin ni recommencement, ni lieu fixé ni cadence, griffant et caressant à la fois, savante et craintive, elle m'accorda, à moi, ce qu'elle se fournissait tout à l'heure à elle-même. A genoux, ses yeux à nouveau dardés sur les miens, elle attendit en berçant ma chair que l'imminence de ma joie l'avertît du moment que je la sentais guetter. Alors s'étalant de tout son poids sur ma verge écrasée elle prit au même instant sur mes lèvres les cris qui m'échappaient. Des roucoulements tordaient sa gorge et convulsaient ses jambes. Le spectacle de mes plaisirs créait les siens.

Trois filles de leur mère

1926

« Pierre Louÿs est né à Gand, en 1870. Il est mort dans son domicile parisien en 1925, aveugle à demi, paralysé presque autant, atteint de maladie nerveuse, torturé par l'insomnie, usé spirituellement non moins que physiquement. A partir de sa trente-sixième année, il avait cessé de publier, et il vivait comme cloîtré dans le cabinet de travail de son logis de la rue de Boulainvilliers, entre de hautes bibliothèques et de hauts et épais rideaux, toujours tirés sur des fenêtres quasiment condamnées. Quelques amis seulement avaient accès près de lui, notamment l'écrivain Thierry Sandre, qui fut son disciple et son secrétaire. L'on se plaît à imaginer le moment où cette sorte de caverne artificielle fut ouverte à la lumière du jour, après la mort du reclus volontaire, et tout ce que les héritiers découvrirent parmi les résidus de l'existence d'un homme qui semble bien avoir été l'un des grands et glorieux érotomanes de la fin du dix-neuvième siècle et du début du vingtième... »

Ainsi commence la magnifique préface d'André Pieyre de Mandiargues à l'édition Régine Deforges de Trois filles de leur mère, une des plus magistrales qu'il ait écrites, et je n'emploie pas ici par facilité ce mot de magistrale.

Thierry Sandre situait plus tôt la retraite de Pierre Louÿs, « véritablement mort, pour la poésie et pour le public, dans sa trentième année, dans sa pleine jeunesse en 1900 [1] ». Et il est vrai qu'après Les Aventures du Roi Pausole, bien décevantes malgré tant de bonnes intentions, et qui datent de 1901, Pierre Louis dit Louÿs n'a plus rien publié qui vaille. Emphysémateux, il était pratiquement aveugle depuis 1911 et devait s'aider d'une loupe pour lire, lui qui ne faisait plus guère que cela.

Il laissait donc des papiers, des manuscrits. « Le jour où l'on connaîtra tout, plus d'un s'étonnera, dit Thierry Sandre. Un Pierre Louÿs nouveau, qui peut éclipser l'autre aux yeux de certains, se trouvera révélé. »

Que sont devenus ces manuscrits passé le 4 juin 1925, jour où Pierre Louÿs mourut, à midi si l'on en croit André Lebey ? Avait-il vraiment tellement écrit ? Oui, d'après Émile Henriot, qui rapporte « à la fin de 1925 » un propos datant d'« il y a quelques années » : « On tend à me représenter comme un paresseux, nous disait-il : lentus in umbra. Rien de plus faux... Je ne cesse pas de travailler, je ne sors point. Je ne vois personne. J'emploie tout mon temps à écrire : j'écris quarante-huit heures par jour [2]. »

Il faut noter que d'après Émile Henriot : « L'auteur d'Aphrodite était déjà malade, à demi aveugle, obligé pour lire de placer la page imprimée dans un certain angle, tout près de son œil, et, nonobstant l'épaisse loupe dont il s'aidait, se servant plus de sa mémoire que de la vue pour retrouver le passage cherché. » Mais enfin, Pierre Louÿs n'aurait-il écrit qu'une page par jour, en vingt-cinq ans, cela fait tout de même plus de neuf mille pages. Émile Henriot parle ensuite, « accumulés en plusieurs caisses » de « 420 kilos d'inédits, au dire de l'auteur lui-même ».

---

1. Le Tombeau de Pierre Louÿs, ouvrage collectif, par A. de Monzie, P. Valéry, C. Farrère..., Paris, 1925.
2. Ibid.

Gershton Legman nous en dit un peu plus. Ce serait Edmond Dardenne Bernard, le publicateur de l'*Anthologie hospitalière*, qui serait en cause. Legman parle de « *la collection des manuscrits érotiques inédits de Pierre Louÿs... avec ses milliers de fiches de bibliographie et de lexicographie érotique (dans toutes les langues, y compris le grec et le japonais), sans parler des photographies prises personnellement par Pierre Louÿs* » ... et il ajoute : « *Elle tomba entre les mains de Bernard, à titre privé, après la vente publique de la bibliothèque Louÿs par le libraire Bosse, qui ne voulait pas s'occuper de textes érotiques. Bernard la dispersa impitoyablement et la vendit par fragments – même les fiches bibliographiques et lexicographiques – avec l'aide d'un autre libraire... Heureusement, quelques-uns des manuscrits érotiques de Louÿs furent cédés par ce second libraire à l'éditeur Simon Kra et au tandem célèbre de deux éditeurs érudits dont les publications sont la "crème bibliophile" des textes érotiques de l'âge d'or de la typographie française, les années 1920...* »

Un certain nombre d'inédits furent en effet imprimés dans les années qui suivirent la dispersion : *Histoire du roi Gonzalve et des douze princesses, Pybrac, Manuel de civilité pour les petites filles...* Il reste d'autres inédits. Pour certains, on en connaît même les propriétaires. Y en a-t-il tellement ? Une bonne partie des « 420 kilos » était du papier blanc, Pierre Louÿs ayant l'habitude de faire relier richement des cahiers de beau papier, de commencer à les remplir, et de s'arrêter parfois après quelques pages...

Trois filles de leur mère fut publié clandestinement « par les soins d'un amateur », m'écrit obligeamment Pascal Pia, en un gros et grand volume (19 x 28 cm) tiré sur du papier filigrané du nom de l'auteur retourné : *Syuol Erreip*, et reproduisant en fac-similé le manuscrit autographe, ce qui ne désarma pas les partisans du faux, car il y en eut. On murmura que Thierry Sandre avait appris, depuis quelques années, à imiter l'écriture de Pierre Louÿs, une calligraphie assez simple.

Il reste le texte, « *chef-d'œuvre de Pierre Louÿs ou d'un inconnu qui aurait été génial une fois* », dira Mandiargues.

N-B. Depuis l'écriture et la première publication de cette notice, en 1979, la connaissance de Pierre Louÿs et de son œuvre a considérablement progressé, grâce en particulier aux travaux de Jean-Paul Goujon. Beaucoup de manuscrits érotiques de l'auteur d'*Aphrodite* ont circulé, et nous savons maintenant, sans discussion possible, que tous ces textes sont de lui et qu'il n'a pas cessé d'en écrire de semblables depuis l'âge de dix-neuf ans au plus tard. Tout en collectionnant des milliers de photographies intimes que souvent il prenait lui-même. On consultera avec profit l'excellente *Vie de Pierre Louÿs*, de Jean-Paul Goujon (Paris, 1987), et le gros volume de *L'Œuvre érotique* de Pierre Louÿs, présenté par Jean-Paul Goujon chez Sophie Rongiéras (Éditions Sortilèges) en 1994.

IV

QUATRE HEURES s'écoulèrent. Je dînai seul dans un petit restaurant sans femmes, pour reprendre un peu mes forces ; pour reprendre surtout mes esprits.

Mes forces revinrent assez vite ; mais mes esprits furent plus lents.

Quand je rentrai, vers onze heures, il me restait encore quelque mal à comprendre ce qui m'était arrivé.

Donc j'avais pour voisine une belle Italienne qui vendait ses filles. Que j'eusse pris l'une de ses trois filles, c'était tout simple. De toute antiquité les étudiants et les filles de quatorze ans ont couché ensemble. Que la mère, habituée à partager les amants de ses filles, eût sonné chez moi aussitôt après c'était encore tout naturel.

Mais pourquoi m'avait-elle envoyé Lili? Pourquoi m'avait-elle promis la visite de...

On frappa. On frappa deux fois... J'allai ouvrir. Une voix douce et tranquille me dit :

— Il paraît que c'est mon tour?

Je reculai. Teresa m'avait prévenu que Charlotte était la plus jolie de ses filles, mais je n'espérais pas qu'elle le fût à ce point, et je le lui dis en pleine figure :

— Dieu! que vous êtes jolie!

— Voulez-vous vous taire! fit-elle tristement. Toutes les filles se valent.

— C'est vous qui êtes Charlotte?

— Oui. Je vous plais?

— Si vous me plaisez!

Elle m'interrompit pour me dire avec une sorte de soulagement et de lassitude :

— Eh bien, tant mieux, parce que moi, je me donne comme je suis, vous savez, je ne suis pas coquette pour un sou, et si tu... si vous... Oh! on se tutoie, hein? c'est plus simple.

— Et on s'embrasse?

— Tant que tu voudras.

Je lui pris la bouche passionnément. Le baiser qu'elle me rendit avait plus de mollesse que d'ardeur, mais il était de bon accueil. Elle dit seulement, quand je lui mis la main sous les jupes :

— Laisse-moi donc me déshabiller.

— Crois-tu que j'ai le temps!

— Tu as toute la nuit.

Et sans hâte, avec la simplicité d'un modèle qui ôte ses nippes devant un peintre, elle enleva sa robe noire, ses bas, sa chemise et, nue devant moi, elle soupira :

— Tu vois bien que je suis comme les autres.

Elle était délicieuse. Moins beurre de peau que sa mère, mais aussi noire de poils et de cheveux, elle avait des formes du plus doux contour, et tout en elle était douceur : le regard, la voix, la peau, la caresse.

Quand elle fut sur mon lit et entre mes bras elle murmura presque humblement :

— Je voudrais te faire plaisir... Tu n'as qu'à demander je ferai ce que tu voudras et comme tu voudras.

Cette fois, une furieuse envie me saisit de posséder cette jolie fille par la voie la plus naturelle. Je lui dis que je l'aimais, que je voulais son plaisir d'abord et le geste que je fis lui laissa comprendre comment je l'entendais.

Mais Charlotte leva les sourcils et avec une grande innocence :

— Baiser ? dit-elle. Oh ! si tu veux ! Mais si c'est pour mon plaisir... non ! Moi, tu sais, je ne suis pas une fille compliquée, je n'aime qu'une chose.

— Quoi ?

— Quand je baise, la peur que j'ai d'être enceinte me coupe toute mon envie de jouir. Je n'aime pas baiser. Je n'aime pas non plus qu'on me fasse minette, parce que ça m'éreinte. Maman adore ça, je le lui fais et je ne veux pas qu'elle me le rende.

— Alors, quand tu veux jouir, comment fais-tu ?

— Je fais comme une jeune fille du monde : je me branle, dit Charlotte avec un triste sourire.

J'étais confondu. Je voulus la faire répéter :

— Comment, tu es dépucelée, tu fais l'amour de toutes les manières, tu as tous les jours des hommes, des femmes, et... et tu te branles ? Je comprends cela d'une gosse comme Ricette ; mais toi qui as vingt ans ?

— Grand gosse, toi-même, fit-elle, est-ce que tu ne sais pas que toutes les putains se branlent ?

— Charlotte, je ne veux pas que tu te traites de putain !

— Pardon, fit-elle assez drôlement. Ne sais-tu pas que toutes les pucelles se branlent ?

Je souris à peine. J'étais agacé. Charlotte insouciante continua de la même voix lente et molle.

— Moi je ne me cache de rien. Devant n'importe qui, je me branle quand ça me prend.

— Et ça te prend souvent ?

— Évidemment... J'aime pas rester excitée, ça me fatigue... Ce matin avant de me lever je ne l'ai pas fait mais l'eau de mon bidet était chaude, mon bouton s'est mis à bander... je me suis branlée.

— A cheval sur ton bidet ?

— Oui, ce n'était pas la peine de me recoucher. Ensuite après le déjeuner parce que... Mais tu vas te moquer de moi.

— Non. Dis tout.

— Lili me fourre un biscuit dans le ventre et il faut que je me branle dessus pour qu'elle le mange.

— Et comme tu es bonne fille...

– Oh! je fais tout ce qu'on veut. Enfin après le dîner, on me parlait de toi, il y avait huit jours que je n'avais pas couché avec un jeune homme, je pensais à des choses!... alors tout en causant... comme j'avais envie...

Sans achever sa phrase, elle glissa le doigt dans son entrejambe et, me tendant ses lèvres, elle recommença paisiblement à se masturber.

– Ah! non! m'écriai-je. Pas sur mon lit! Quand j'ai par bonheur dans mes bras une aussi jolie fille que toi, ne comprends-tu pas que j'ai envie de la faire jouir moi-même?

– Et ne comprends-tu pas que tu me ferais jouir si j'avais ta queue dans le derrière et ta bouche sur ma bouche pendant que je me branle?

– Enfin! dis-je avec éclat, je ne peux pourtant pas vous enculer toutes les quatre!

J'avais dit cette phrase avec tant de mauvaise humeur que la pauvre Charlotte se mit à pleurer.

– Voilà bien ma chance, fit-elle. On dit que je suis gentille et c'est toujours moi qu'on attrape. Tu as été charmant pour ma mère et mes sœurs. Je viens pour toute la nuit et dès les premiers mots, j'ai déjà une scène.

Elle pleurait simplement, sans aucun sanglot, mais n'en paraissait que plus pitoyable. Je la pris dans mes bras, je balbutiai :

– Charlotte! ne pleure pas! je suis au désespoir.

– Et naturellement voilà que tu débandes! fit-elle avec une désolation qui me fit sourire malgré moi.

– Charlotte! ma jolie!

– Non, je ne suis pas jolie, puisque tu débandes! Tu as bandé pour maman, pour Ricette et pour Lili; mais auprès de moi, voilà... voilà...

Les larmes l'étouffaient. J'étais désolé. Je ne savais comment arrêter cette douleur peu raisonnable, quand Charlotte se releva et, avec ce besoin de logique et de clarté qui est le propre des esprits simples, elle reprit de sa voix lente et bonne :

– Je t'ai dit que je ferai tout ce que tu voudras. Tu peux jouir dans mon chat, dans mon cul, dans ma bouche, entre mes seins, sous mes bras, dans mes cheveux, sur ma figure, jouis dans mon nez si ça t'amuse, je ne peux pas être plus gentille?

– Mais ma Charlotte...

– Mais mon chéri, tu me demandes quel est mon plaisir, eh bien mon plus grand plaisir, c'est de me branler quand on m'encule. Nous sommes toutes les quatre comme ça, nous avons ça dans le sang, ce n'est pas ma faute. Et nous ne sommes pas les seules, mon Dieu! Ce que j'en ai vu quand j'étais gosse, des écolières et des arpètes qui me disaient en confidence : moi aussi, j'aime bien qu'on m'encule.

– Alors…

– Alors fais de moi ce qu'il te plaira si c'est ton plaisir que tu cherches ; mais si c'est le mien, encule-moi et laisse-moi me branler toute seule. As-tu bien compris ?

Nos bouches se réunirent et le premier effet de la réconciliation fut de me remettre aussitôt dans un état plus digne d'elle. Je cédai à ce qu'elle voulut, mais elle ne me prit pas au mot sur-le-champ et, après m'avoir rappelé qu'elle n'aimait pas qu'on lui fît minette, elle se mit légèrement sur moi, tête-bêche.

C'était une bien jolie chose que le con de Charlotte, peut-être parce qu'elle ne s'en servait guère… mais non, car le second trou dont elle se servait tant était sans défaut comme celui de Teresa.

Toute molle et calme qu'elle fût, Charlotte était une jeune personne fort humide, une de celles qui disent : « Je mouille pour vous » comme une autre dirait : « Je brûle ». Ses poils étaient bien plantés, plus lustrés et moins longs que ceux de sa mère, mais ils croissaient aussi à la naissance des cuisses et ils emplissaient le sillon de la croupe.

Après tout ce que venait de dire Charlotte, je ne voulus pas lui laisser de doute sur mes intentions. J'ouvris ses fesses entre mes mains et je touchai du doigt ce qu'elle m'offrait… Je me rappelais une jeune fille à qui j'avais fait cela et qui s'était écriée avec un frémissement de l'arrière-train : « Oh ! ta queue ! ta queue ! ta queue ! » Charlotte coulait beaucoup, mais ne frémissait guère et ne criait pas. En outre elle était plus habituée à donner des caresses qu'à en recevoir. Par une méprise que sa profession expliquait assez, elle prit mon geste pour un signal et comme elle ne léchait que mes testicules elle me donna sa langue plus bas.

Charlotte n'était pas vicieuse.

La plupart des hommes ignorent tellement l'adolescence féminine qu'ils ne sauraient comprendre comment une jeune fille peut avouer son goût de se branler quand on l'encule et n'avoir aucun sens du vice. Les jeunes filles me comprendront mieux et cela me console, car il est évident que ce livre sera lu par les jeunes filles plus souvent que par les maris.

Donc, Charlotte n'avait aucun sens du vice, heureusement pour elle et pour moi ; mais elle était « sensible », comme disaient les auteurs du dix-huitième siècle. Et, sans cris ni soupirs ni trémoussements de la croupe, elle se mit à baver si abondamment que la petite Lili (vicieuse, celle-là) eût trempé trois biscuits dans cette flûte mousseuse. Cela débordait sur la vulve et cela passait par-dessus les poils… Je me retirai à temps. Ce que je venais de voir m'avait consolé de ne pas posséder Charlotte par la voie inondée.

Quand nous nous retrouvâmes côte à côte, un nouvel incident nous arrêta. Charlotte ne voulait rien choisir, ni proposer. Elle n'avait ni goût, ni caprice, ni préférence, ni invention. Imaginer ou décider, cela la fatiguait.

— Pourvu que tu m'encules et que je me branle, dit-elle, je serai contente.

— Alors mets-toi la tête par terre et les deux cuisses sur le lit.

— Si tu veux! fit-elle simplement.

Puis dès qu'elle eut compris que ce n'était pas sérieux, elle prit mon visage entre ses belles mains et me dit avec un sourire, sans amertume :

— Tu t'amuses quand tu te fous de moi? Eh bien! continue toute la nuit et chaque fois que nous coucherons ensemble. C'est le plus facile de tous les jeux. Je crois tout ce qu'on me dit et je ne me fâche de rien.

— Tu es désarmante! lui dis-je.

— Je suis désarmée, fit-elle parce que je sais depuis longtemps que je suis une pauvre bête.

Mot lamentable, mot tragique! Je n'oublierai jamais le ton que prit Charlotte pour me dire ce mot-là. Et les femmes sont bien folles de croire qu'elles nous séduisent par l'art de s'embellir. Charlotte faillit me prendre jusqu'au fond du cœur par cet aveu qu'elle me fit.

Nue devant moi, elle avait la tête inclinée, les mains jointes sur le ventre au niveau de ses poils... Je crus la regarder pour la première fois. Je vis que sa beauté, comme son caractère, était absolument sans fard. Ni rouge aux lèvres, ni fer aux cheveux; rien aux cils ni aux paupières. Je la trouvai si simple, si belle et si bonne, que je lui dis en la brusquant par les coudes et par les hanches :

— Oui, tu es une pauvre bête, Charlotte, si tu ne crois pas tout ce que je vais te dire, m'entends-tu, Charlotte? mot à mot. Tu es belle de la tête aux pieds. Il n'y a pas un trait de ton visage, pas un poil de ton ventre, pas un ongle de tes orteils qui ne soit joli. Et tu es aussi bonne que belle. Je te connais, maintenant, et c'est à moi de te répéter : fais ce que tu voudras sur mon lit. Je ne te défends qu'une chose, c'est d'injurier la fille que j'aime et contre laquelle je bande. Si tu la traites encore de putain et d'idiote...

— Non, dit-elle gaiement, je vais lui faire la cour, je vais la branler, elle en a envie. Et je lui ouvrirai moi-même les fesses pour que tu l'encules.

— Montre comment.

Elle était couchée auprès de moi. Elle se retourna sans aucun dessein de me proposer une posture; mais je me hâtai de la prendre ainsi.

Cela se fit avec une facilité extraordinaire et que j'éprouvai maintes fois par la suite. L'anus de Charlotte ressemblait à ces gaines de poignards qui sont parfaitement strictes et ajustées, mais où la lame entre d'elle-même. Pour le dire crûment, mais en termes clairs : aussitôt qu'on bandait sous les fesses de Charlotte, on les enculait malgré soi, mais l'entrée en était aussi ferme que souple, et, par un ensemble de qualités qu'il serait indécent de louer outre mesure, on y pénétrait plus vite que l'on ne pouvait en sortir.

Charlotte enculée devint encore plus Charlotte qu'avant : plus molle, plus abandonnée, je m'étais un peu retourné, de telle sorte qu'elle était presque couchée sur moi de dos, ce qui lui permit d'ouvrir les cuisses dans tout leur écartement. J'y mis la main avant elle : c'était un lac. Songeant qu'elle ne s'était pas encore branlée, je me demandai quel phénomène jaillirait sous ses doigts quand elle aurait fini.

Ses gémissements commencèrent au premier moment qu'elle fut pénétrée et durèrent huit ou dix minutes, sans crescendo, sans effet. Elle semblait insouciante de dissimuler son plaisir et surtout de le crier comme une actrice. Elle se branlait si lentement que sa main paraissait immobile, et moi-même, comprenant assez qu'elle aimait ces voluptés calmes, je ne faisais dans ses chaudes entrailles que des mouvements imperceptibles. Vers la fin, prise d'un scrupule qui la peint tout entière, elle tourna vers moi un œil languissant, et me dit avec faiblesse :

— Veux-tu que je te parle ? Tu vois si je suis contente quand tu m'encules ! Aimes-tu que je te dise tout ce que je sens pendant que j'ai ta queue dans le trou du cul ?

— Non. Dis-moi seulement quand...

— Quand je déchargerai ?

— Oui.

— Quand tu voudras. Aussi souvent que tu voudras. Je l'ai fait en t'embrassant avant que tu ne m'encules et je suis prête à recommencer.

— Tout de suite ?

— Mais oui. Tu ne vois donc pas que je me branle « autour » ? Quand tu me diras de jouir, je jouirai.

Ces choses-là ne se disent pas. Je lui fis comprendre que je l'attendais et son plaisir, qui devança le mien d'un instant, se prolongea pourtant davantage, car les femmes jouissent plus longtemps que nous.

RAYMOND RADIGUET

1903-1923

Vers libres et Jeux innocents

1926

L'édition clandestine des *Vers libres* de Radiguet, mort en 1923, valut à René Bonnel, sans qu'il s'en porte plus mal, une plainte (contre X) de M. Radiguet père et de Bernard Grasset réunis, à l'instigation de Jean Cocteau. Cocteau à l'époque se sentait touché par la grâce sous l'influence de Massis et de Maritain, et il avait été choqué.

Il faut dire aussi que les poèmes de Radiguet étaient assortis du commentaire suivant, qui avait pu lui donner l'impression d'être visé :

« *Nous donnons le texte de ces quelques pièces, tel qu'il figure sur les papiers laissés par Radiguet. Cette précision n'est peut-être pas inutile : pourrait-on assurer que* Le Bal du comte d'Orgel *n'a pas été revu et corrigé par des gens obligeants, auxquels Radiguet n'avait sans doute pas demandé qu'ils lui fissent la toilette des morts ?* »

L'authenticité des poèmes était aussi contestée. Quelques mois plus tard René Bonnel récidiva donc en faisant imprimer la plaquette des *Jeux innocents* qui donnait quelques poèmes libertins de plus, et en reproduisait trois manuscrits autographes en fac-similé, précédés de la note suivante :

« *Les poésies publiées dans le présent recueil ne figurent dans aucun des volumes de vers de Raymond Radiguet, excepté* Les Fiancés de treize ans. *Quelques-unes de ces poésies avaient été réunies par l'auteur, en vue d'une plaquette intitulée* Jouets du vent *qui n'a jamais paru.*

« *Quant aux pièces libres nommées* Jeux innocents, *nous donnons la reproduction en fac-similé de certaines d'entre elles. Aucun de ces manuscrits, il est inutile de le dire, n'appartient à M. Jean Cocteau.* »

Cette fois il n'y eut pas de plainte. L'authenticité des poèmes en question ne semble plus faire de doute aujourd'hui.

Chat perché

Au ciel des plages, Virginie,
Ombres d'où je t'ai vue sortir,
Le zéphir, la brise d'été
Apportaient l'odeur de peau nue
Que fleurait ta virginité.

Hymen, par Paul jamais troué
(Ce sont les tickets de l'amour
Comme d'autres, pour le métro)
J'enfonçais ma sague rougie

Dans un rêve où tu figurais
Entre une ruche d'écolière
Aux cheveux en nattes tressées.
La châtaine ainsi que la brune

Non contentes d'une bougie
Cherchaient à prendre en leurs filets
Un lycéen couleur de lune
Qui enseignerait à chacune

L'art d'agacer le chat perché
Dans la niche où il s'est caché.

Jeux innocents

Envole-toi comme mésange
Ombrelle qui cachait nos yeux
Peu à peu se perd l'innocence.

De Vénus complice l'été
Dépouillant toute chasteté
Fait s'égarer les pucelages,
Tels des colliers ou des bijoux.

Qu'une enfant repeigne ses joues!
Après l'amour qu'on lui enseigne,
Entre ses jeunes jambes saigne
La grenade à jamais fendue.

Elle s'habituera bientôt
A mieux supporter les mélanges
Et déjà, du bout de la langue,
Dans l'ombre ou à colin-maillard

Elle reconnaît le coupable.
L'ombrelle ouverte sur le sable
Parmi les algues et le sang
Cachera nos jeux innocents.

GUILLAUME APOLLINAIRE

1880-1918

Poésies libres

1925-1927

Lorsqu'en 1925 un éditeur clandestin (René Bonnel) publia sous le manteau le *Cortège priapique* (« Au Cabinet des Muses, La Havane »), l'authenticité de certains poèmes fut contestée, malgré les détails fournis dans sa préface par M. Léger Alype (Pascal Pia). La même réaction avait suivi l'année précédente la publication du *Verger des Amours* (« Monaco, 1924 »). Les sceptiques ne désarmèrent pas devant la publication en 1927 d'un troisième petit recueil, *Julie ou la Rose*. L'opinion générale aujourd'hui est que les poèmes qui ne sont pas d'Apollinaire sont de Pascal Pia. J'ai publié en 1978 une édition complète des *Poésies libres* préfacée par Michel Décaudin.

696666... 69 est certainement d'Apollinaire. *Seymour* est de qui on veut.

696666... 69

Les inverses 6 et 9
Se sont dessinés comme un chiffre étrange
Comme un chibre d'ange
69
Deux serpents fatidiques
Deux vermisseaux
Nombre impudique et cabalistique
6 : 3 et 3
9 : 3 3 et 3
La trinité
La trinité partout
Qui se retrouve
Avec la dualité
Car 6 deux fois 3
69 dualité trinité
Et ces arcanes seraient plus sombres
Mais j'ai crainte de les sonder
Julia Josepha Marguerite
Les 3 jolies petites suceuses de bites
Rue Grégoire-de-Tours

Seymour

Seymour qui béquillait les femmes
Au temps joyeux de Badinguet
Ne sachant pas cacher la flamme
Qui chaque nuit le consumait
Portait très haut un nom infâme

Paris sortant avec lenteur
Du lacis des chemins de ronde
Se dispersait sur les hauteurs
Où dormaient les collines blondes
Dernier séjour des enchanteurs

Papillon dit Lyonnais le Juste
Le plus jaspé des mirliflors
A pleines mains sculptait son buste
Mademoiselle Mogador
Pris en un corset de Procuste

Viens-t'en sur moi mon esgaldrine
Ma chambrière aux talons courts
Ma biche au bois ma concubine
Entends-tu le cri des amours
Qu'on foule aux pieds à la Courtille

Montmartre chante un chant nouveau
Sur l'air d'une complainte ancienne
Pour célébrer les temps nouveaux
Où la Vénus phalanstérienne
Doit à midi sortir des eaux

Aux Ternes où les tilleuls dorment
Près d'un boudoir capitonné
Une lorette attend sous l'orme
Un dandy indéterminé
Parlant anglais mieux que Gladstone

Un cheval en forme de cœur
Passe en riant de sa berline
Devant la folie Crèvecœur
Où deux amants qu'on assassine
Enlacés expirent en chœur

Mais le quartier Bréda s'attriste
Dans les effluves du benjoin
Que les idylles anarchistes
A la voix du père Enfantin
Soient devenues socialistes

ALEXANDRE DE VÉRINEAU

Au bord du lit

1927

Pendant que nous en sommes aux poésies, donnons quelques vers de la petite plaquette que Louis Perceau signa Alexandre de Vérineau, toujours en 1927.

Culispice

LA VICIEUSE

Viens t'asseoir sur mon dard enduit de vaseline
Car je connais tes goûts, ma vicieuse Line,
  Et qu'il te faut sentir
Un gros membre enfoncé dans tes chairs élastiques,
Cependant que d'un doigt prompt à te divertir
  Par-devant tu t'astiques.

Sur ce clou palpitant assise sans bouger,
Tu n'attends le plaisir que de ton doigt léger,
  Mais sitôt qu'il s'amène,
Lancinant et rapide, infernal et profond,
Ton corps comme en fureur sur mon dard se démène
  Pour l'entrer jusqu'au fond !

THÉOPHILE GAUTIER

1811-1872

Lettres à la Présidente

1927

L'année 1927 est marquée par deux importantes publications posthumes : les *Écrits érotiques* de Stendhal, et les *Lettres à la Présidente et galanteries poétiques* de Théophile Gautier. Ce sont deux éditions clandestines à tirage limité ; les *Écrits érotiques*, à 98 exemplaires, et les *Lettres* à 465 exemplaires. Nous reviendrons sur les textes érotiques de Stendhal à l'occasion de l'année 1932.

La célèbre lettre à Madame Sabatier date du voyage de Théophile Gautier en Italie en 1850. Des copies manuscrites en avaient circulé pendant longtemps avant qu'elle ne soit imprimée pour la première fois en 1890. Nous en parlons dans un autre volume plus longuement. Les *Poésies libertines* avaient été publiées sous le manteau en 1873 par Poulet-Malassis. Le volume de 1927 (« Neuilly, Éditions du Musée secret ») donne pour la première fois le texte des autres billets de Théophile Gautier à la Présidente, précédé d'une introduction de Helpey (Louis Perceau), et d'une étude de Sylvestre Bonnard (Pierre Dufay).

Par ces publications se trouvaient sauvés des textes importants. Si ces mots semblent excessifs, qu'on se souvienne que quelques années auparavant il avait fallu se donner beaucoup de mal pour empêcher M. Arthur Meyer, directeur du *Gaulois*, d'acheter à prix d'or une lettre de Flaubert qui allait passer en vente publique. Pourquoi l'en empêcher ? Parce qu'il voulait l'avoir non pas pour la mettre dans ses coffres, mais *pour la détruire* afin, disait-il, de préserver la mémoire du grand écrivain. Il ne faut pas oublier non plus la manière dont le *Journal* de Jules Renard venait d'être publié (Bernouard 1925/1927). Est-elle vraie la légende qui montre Henri Bachelin et Madame Jules Renard, « Marinette », triant au coin du feu les feuillets manuscrits, Marinette arrachant à Bachelin ceux qu'elle jugeait indignes de la publication (histoires de femmes, duretés sur des « relations », crudités…) et les jetant au feu immédiatement ? Toujours est-il qu'ils furent détruits, et que nous ne connaîtrons jamais le véritable journal de Renard.

Tenez, il faut que je cite la phrase de Flaubert qui avait tellement choqué le si vertueux M. Meyer :

« *La littérature est devenue pour moi un supplice. C'est un terrible godemiché qui m'encule et ne me fait même plus jouir.* »

Et maintenant, à l'intention de tous les Arthur Meyer passés, présents et à venir, ce qu'il écrivait en 1855 :

« *Faites-moi des grimaces dans le dos tant que vous voudrez, mon cul vous contemple.* »

(Février 1852).

Chère Présidente,

J'allonge ma trompe d'éléphant jusque sur ta colline pour t'envoyer cette loge. J'ai, à mon grand regret, si peu d'occasion de t'être agréable, que je saisis celle-ci par le poil.

Présente mes indécences les plus spermatiques à Mlle Bébé.

A toi.

(Vendredi, 19 mars 1852).

Ma Chère Présidente,

Quand on parle du loup on en voit la queue; quand on parle de l'Opéra-Comique on en voit la loge. C'est une petite première représentation d'Adam : *le Farfadet*. Je t'envoie le coupon, et si tu n'as rien de mieux à baiser, descends de ta montagne voir cette couillonnerie musicale. Je te gamahuche l'aisselle et j'irai te serrer la main (faute de mieux) dans cette baignoire.

Tout à toi.

Mille indécences à Bébé.

(Lundi, 26 mars 1855).

Chère Apollonie,

Veux-tu aller ce soir au bénéfice de la Borghi-Mamo ? Tu peux disposer de la loge entièrement. Ernesta rôdera sur le théâtre et se contentera de te dire bonjour.

Je t'aime, ô Présidente, et je souhaite que tes reins redeviennent aptes à la gymnastique du serre-croupière, vœu tout à fait désintéressé, hélas !

P. S. – L'Ernesta, qui vient de lire ce billet, demande une place ; mais va tout droit et ne t'inquiète pas d'elle. Elle ira de son côté et après s'être frotté le derrière à l'angle des coulisses, elle montera chez toi. Elle demande Élisa pour tribarder avec elle dans tes tas de chiffons.

Élisa, pour demain, si c'est possible (de la main d'Ernesta Grisi, sur l'autographe).

(Samedi, 25 avril 1857 ?).

Chère Présidente,

Pardonne-moi de t'envoyer cette loge d'Opéra-Comique ; je te l'offre lâchement pour te voir un peu ce soir dans ce théâtre immonde.

Réserve une place pour l'affreux Reyer, par derrière ; c'est assez bon pour ce pédéraste algérien. Je fais chercher le *Don Juan d'Autriche* afin de l'envoyer à la chère Bébé que j'adore.

Comme le bandagiste, je voudrais te l'essayer sur le pubis, à cru.

(Octobre 1857 ?).

Chère Présidente,

Il fait un temps de chien. Alfred est maussade, tu dois être comme un crin (de cheval) et assez emmerdée de ta soirée. Voilà une baignoire pour l'Opéra-Comique ; va y plonger ta mauvaise humeur.

Puisse mon sperme jaillir jusque la rue Frochot, de chez moi, paraboliquement, dans tes cheveux roux et sur ta glace !

Tout à toi.

(Novembre 1857).

Adorée,

Puisque tu as bien voulu te charger de ma ménagerie de monstres et entrer dans la loge où ils bondiront et grommelleront, tu devrais venir manger un léger quartier de charogne dans ma caverne sur les cinq heures et demie. Je jouirais de toi épisodiquement et tu serais toute portée pour le départ.

Réponds par un hochement de clitoris à la dinde exotique qui te remettra ce poulet.

Je te lécherais bien le cul s'il n'était pas si propre.

A toi.

Ernesta dit cinq heures.

(Septembre 1858).

Présidente de mon cœur,

Pâture-t-on chez toi aujourd'hui ? L'Ernesta voudrait bien te donner un tour de langue au clitoris, et moi mêmement qui pars mardi ou mercredi pour les étranges pays. Si tu es occupée, dis-le à l'esclave pour qu'on envoie chercher un quartier de charogne.

A toi.

Puisse ta chambre des représentants t'accorder trois millions de dotation.

(Saint-Pétersbourg, 10 janvier 1859).

Ô Présidente ! Quelles splendides étrennes pour le pauvre exilé en Sibérie !

R O B E R T   D E S N O S

1 9 0 0 - 1 9 4 5

La Liberté ou l'Amour

1 9 2 7

Pendant de longues années, les spécialistes de Desnos et les bibliographes ont expliqué gravement, les uns derrière les autres, que *La Liberté ou l'Amour* avait été « mutilé par jugement du tribunal correctionnel de la Seine » dès sa publication chez Kra, dans la collection des « Cahiers libres ». Pascal Pia est le premier à avoir émis des doutes dans ses *Livres de l'Enfer* :

« *Le texte de l'ouvrage présente plusieurs lacunes. La page 100, restée blanche, est suivie de deux feuillets vides, après lesquels vient la page 121. La page 129 ne contient que ses trois premières lignes. Sont complètement vides les pages 130 et 131, 145 à 148, 157 à 168, et 179 à 182.*

« *Ces trous seraient, dit-on, imputables au tribunal correctionnel de la Seine qui aurait ordonné la mutilation de l'ouvrage. Pour notre part, ni en 1927, ni plus tard, nous n'avons rencontré d'exemplaires de* La Liberté ou l'Amour *exempts de toute censure, et notre conviction est que l'éditeur avait pris soin d'en blanchir le texte et de ne faire imprimer les passages scabreux que sous forme de "cartons" destinés seulement aux souscripteurs, à ses clients habituels, et aux lecteurs qui en feraient éventuellement la demande. Il est possible, certes, qu'un tribunal correctionnel ait par la suite condamné la publication de cet ouvrage, mais il est peu probable que les trois magistrats composant ce tribunal se soient donné la peine de lire attentivement et de cisailler eux-mêmes la prose de Robert Desnos... »*

C'est d'autant moins probable qu'en 1927 un livre non illustré relevait exclusivement de la cour d'assises, comme nous l'avons vu, et non de la correctionnelle. Or en 1931, dans l'article de Maurice Garçon du *Mercure de France*, le célèbre avocat précise bien qu'il n'y avait eu aucune condamnation de livre, à sa connaissance, depuis 1914. Il est absolument certain qu'un procès, en 1927, ne lui aurait pas échappé, étant donné surtout la personnalité remuante de Robert Desnos et de ses amis, qui, si poursuites il y avait eu, ne seraient pas restés muets ni inactifs. Aucun tract, aucune allusion, n'ont jamais émané du groupe surréaliste à propos de cette affaire.

La Liberté ou l'Amour a été réimprimé en 1962 chez Gallimard par les soins de René Bertelé, qui a signé le texte figurant sur les rabats du livre. En voici les dernières lignes :

« *Si les grandes ombres de Lautréamont et d'Eugène Sue, ombres complices, on le sait, se profilent derrière les aventures de Corsaire Sanglot et de Louise Lame, pour un colloque auquel certain marquis, de loin, n'est pas sans apporter quelques répliques, il faut dire que la rencontre est éblouissante et qu'elle ne pouvait avoir lieu que grâce à Robert Desnos. Le merveilleux, comme jamais, fait ici passer d'un bout à l'autre sa haute charge, toute vibrante d'une longue et passionnée revendication : celle de la liberté de l'amour. Mais l'amour – que certains appelleront ici l'érotisme, comme s'il y avait solution de continuité entre l'un et l'autre – n'est-il pas l'essence même de tout merveilleux ?* La Liberté ou l'Amour *est, en tout cas, un des quelques livres exceptionnels* où ils s'identifient dans un absolu, celui d'une poésie sans complaisance. »

A partir de « *Arrivé au deuxième étage. . .* », septième paragraphe, et jusqu'à la fin, tout le texte, supprimé dans l'édition courante, ne figure que dans les « *cartons* », de l'édition Kra. L'édition Gallimard est intégrale.

Révélation du monde

VERS LE MILIEU de l'après-midi, Corsaire Sanglot se trouva (ou se retrouva) sur un boulevard planté de platanes. Eût-il cheminé longtemps si son attention n'avait été attirée par une femme nue reposant sur le trottoir? Jadis, sur cette gorge, Louise Lame avait mis des baisers scandaleux à l'égard de la populace. Puis des rues adjacentes les avaient attirées en sens contraire. Elles ne s'étaient jamais revues. Quant à la présence de ce cadavre nu dans un quartier qui devait être celui des Invalides ou celui de Monceau, à en juger par un dôme doré émergeant des toits des immeubles modernes, nul n'aurait pu l'expliquer. Tout autre que Corsaire Sanglot eût continué son chemin après une minute d'hésitation, mais en prenant le ciel et les arbres et l'impassible macadam à témoin que cette femme était adorable, en dépit de la rigidité cadavérique, il eût senti germer en son cœur un sentiment étrange, celui que l'amour et la mort seuls peuvent, quand ils se rencontrent, faire naître dans une âme respectable. Paysage de l'émotion, région supérieure de l'amour où nous construisons des tombeaux jamais occupés, lorsque la métamorphose physique finale est évoquée en votre présence l'homme prend quelque noblesse.

Corsaire Sanglot n'eut pas besoin de suivre son chemin pour que les allées de cyprès du songe solitaire connussent les semelles de son imagination.

Il avisa un immeuble de pierre meulière situé sur le trottoir apposé à celui de la belle morte. Au balcon du second étage une enseigne, semblable par le style et la matière (des lettres d'or sur fond noir) à celles des modistes, reflétait un soleil nègre :

A la molle Berthe

Corsaire Sanglot n'hésita pas. Il entra dans le couloir. La concierge, une belle sirène, était en train de changer d'écailles, suivant la volonté de la saison. C'étaient, dans la loge meublée d'une table, d'un buffet et d'un cartel Henri II, des tourbillons d'écailles vertes et blanches. Bientôt, la métamorphose fut terminée et la sirène lissa une magnifique queue d'écailles blanches ressemblant à de la laine. Mais le corsaire montait les étages avec rapidité.

La sirène dressa vers l'escalier sa main blanche et palmée :

« Prends garde, Corsaire Sanglot, pillard de méduses, ravageur d'astéries, assassin des requins! On ne résiste pas impunément à mon regard. »

Arrivé au deuxième étage, le jeune homme sonna à la porte d'un appartement. Un valet de haute taille, galonné et doré, vint lui ouvrir et l'introduisit dans un vaste salon. Il prit place dans un fauteuil de cuir non loin d'une petite table genre table de bridge. Les valets du club des Buveurs de Sperme s'empressèrent autour de lui. Après avoir choisi un cru de choix, du sperme sénégalais année du naufrage de *La Méduse*, Corsaire Sanglot alluma une cigarette.

Le club des Buveurs de Sperme est une immense organisation. Des femmes payées par lui masturbent par le monde les plus beaux hommes. Une brigade spéciale est consacrée à la recherche de la liqueur féminine. Les amateurs goûtent fort également certain mélange recueilli dans la vasque naturelle après d'admirables assauts. Chaque récolte est enfermée dans une petite ampoule de cristal, de verre ou d'argent, soigneusement étiquetée et, avec les plus grandes précautions, expédiée à Paris. Les agents du club sont d'un dévouement à toute épreuve. Certains ont trouvé la mort au cours d'entreprises périlleuses, mais chacun poursuit sa tâche passionnément. Mieux, c'est à qui aura une idée géniale. Celui-ci recueille le sperme du condamné guillotiné en France ou pendu en Angleterre, ce qui donne à chacune de ces émissions et suivant la torture, le goût du nénuphar ou celui de la noix. Celui-là assassine des jeunes filles et remplit ses ampoules de la liqueur séminale que leurs amants laissent échapper sous l'emprise d'une surprise douloureuse quand ils apprennent de sa bouche même la terrible nouvelle. Cet autre, engagé dans un pensionnat d'Angleterre, recueille la preuve de l'émoi d'une jeune pensionnaire quand, étant parvenue à la puberté sans que les maîtresses s'en soient aperçus, elle doit, pour une faute vénielle, recevoir, jupes retroussées et culotte basse, la fessée et les verges en présence de ses compagnes et peut-être d'un collégien, amené là par hasard, dieu des joies amoureuses. Les fondateurs du club, derniers occultistes, se sont réunis pour la première fois au début de la Restauration. Et depuis lors, de pères en fils, l'association s'est perpétuée sous l'égide double de l'amour et de la liberté. Certain poète a déploré jadis que la société n'ait pas été fondée aux derniers jours de l'ère ancienne. On aurait pu de la sorte recueillir et le sperme du Christ et celui de Judas puis, au cours des siècles, celui de Charles Stuart d'Angleterre, celui de Ravaillac et les larmes corporelles de Mlle de Lavallière sur la route de Chaillot au trot sensuel des chevaux qui traînaient son carrosse et celles de Théroigne de Méricourt sur la terrasse des Feuillants et les spermes admirables qui coulèrent aux années rouges sur les estrades révolutionnaires aussi sûrement que le sang auquel ils se mélangèrent. Un autre regretta toujours la perte du divin breuvage que dut être le Malvoisie dans lequel un duc de Clarence fut noyé.

Les membres du club aiment la mer. L'odeur phosphorée qui s'en dégage les grise et, parmi les débris des grèves, épaves de navires, arêtes de poissons, reliquats de villes submergées, ils retrouvent l'atmosphère de l'amour et ce halètement qui, à la même heure, témoigne à notre oreille de l'existence réelle d'un imaginaire, pêle-mêle avec le crissement particulier du varech qui se dessèche, les émanations de ce magnifique aphrodisiaque l'ambre marine, et le clapotis des vagues blanches contre le sexe et les cuisses des baigneuses au moment précis où, atteignant enfin leur ceinture, elles plaquent le maillot contre la chair. Depuis combien de temps Sanglot buvait-il? La nuit tomba! Un nombre considérable d'ampoules brisées gisait à ses pieds à l'apparition de la première étoile, depuis celle en verre blanc du Sénégalais jusqu'à celle jaune des Esquimaux dont l'essence ne supporte pas la lumière du jour, habitués qu'ils sont à n'aimer que durant les six mois de ténèbres polaires.

Pareil à l'ombrelle qui, par la fantaisie déployée, protège tout à coup une belle nageuse seule survivante de la catastrophe au moment où, sous le soleil, elle va succomber à l'insolation avant d'atteindre une terre secourable, le Bébé Cadum érigé sur la maison d'en face frappa le regard du buveur.

— Imaginez, Monsieur, lui dit son voisin, la stupeur de la jeune fille, liée par surprise et déshabillée, devant qui des hommes et des femmes nus prennent des attitudes frappantes, cependant qu'un bel indigène des îles de la Sonde la caresse au plus secret d'elle-même en tenant au-dessous d'elle une coupe à champagne. Cette stupeur a donné à ce liquide la saveur du pin maritime qui le caractérise.

— Pour ma part, je préfère, dit un autre consommateur, le sperme mâle au sperme femelle.

Ici une curieuse conversation sous l'influence du sperme.

— Femme Sperle?

— Plutôt semelle.

— Semelle? Semaine? le temps et l'espace. Tout rapport entre eux est celui de la haine et des ailes.

— L'oseille est en effet un mets de choix, un mets de roi.

— Mois, déchet.

— Mot à mot, tome à tome, motte à motte, ainsi va la vie.

— Enfin voici que l'heure sonne.

— Que sœur l'aune.

— La sœur de qui? demanda Corsaire Sanglot.

— Le cœur décis, décor ce lit.

— Feux intellectuels vulgaires.

— A l'heure actuelle, un ministre s'engouffre dans un corridor d'air et de tempête. Sa Légion d'honneur voltige un instant comme une hirondelle et s'abat. Un deuxième, un troisième ministre le suivent. Autant de poissons rouges dans un aquarium séduisent une coccinelle et cela fait une curieuse tragédie que le désespoir de ces animaux, faits pour s'aimer et qui, séparés par une paroi de verre, tournent en sens contraire.

Un arrivant. – Imaginez, Messieurs, l'émoi d'une femme robuste et fière et hautaine, d'assez grande taille, réduite à l'impuissance et qu'un jeune homme sodomise avec précaution, sans l'avoir complètement déshabillée. Les jupons et la jupe font bourrelet entre le ventre et la croupe. Le pantalon descendu aux genoux, les bas de soie plissés constituent un désordre adorable. Par-devant, les vêtements tombent presque normalement. Là où ils commencent à se relever on distingue un peu de chair blanche et, dans la pénombre du linge chiffonné, on devine le profil des fesses. Le jeune homme, après avoir lubrifié la chair ferme, écarte les deux fesses. Il pénètre lentement avec tendresse et régularité. Un émoi nouveau tourmente la patiente, une humidité révélatrice du plaisir apparaît. Avec une cuillère d'argent, une petite fille recueille délicatement ces larmes sacrées et les dépose dans un petit pot de grès rouge, puis, s'introduisant, grâce à sa faible taille, presque entièrement sous les jambes du couple, elle ne laisse perdre rien de la semence qui mousse autour du membre qui s'agite. Quand l'amour, tango superbe, est devenu une tempête de cris et de sanglots, elle recueille au bord de l'ourlet une neige tiède et odorante ; quand l'orifice est bien net, elle y applique sa bouche, minuscule et rouge ventouse. Elle aspire longuement, mélange intimement à sa salive et le pot de grès reçoit encore cette mixture. Pour terminer, la femme agenouillée laisse l'enfant recueillir ses larmes de honte, de colère, de joie, de fatigue.

– Ainsi avons-nous voulu que fût pressée la grappe merveilleuse. Aucune idolâtrie n'entre en notre passion. Hâtez-vous de rire, religieux déifages, francs-maçons idiots. Un instant notre imagination trouve en ce festin une raison de s'élever plus haut que les neiges éternelles. A peine la saveur merveilleuse a-t-elle pénétré notre palais, à peine nos sens sont-ils émus qu'une image tyrannique se substitue à celle de l'ascension amoureuse : celle d'une route interminable et monotone, d'une cigarette immense qui dégage un brouillard où s'estompent les villes, celle de vingt mains tendant vingt cigarettes différentes, celle d'une bouche charnue.

Et le Corsaire Sanglot s'écria :

– Je pense aux mystères impérieux du langage. Le mot *hafnal* qui figure dans la *Chanson du dékiouskoutage* et signifie « cul », vient de la locution anglaise *half and half* qui, littéralement, signifie moitié et moitié. Le mot *Présent* a pour superlatif *Président* : celui qui est et qui est au-dessus des autres. Le mot *ridicule* est une déformation de *ride-cul*, déformation facile à expliquer quand on aura constaté qu'en riant on ouvre la bouche, d'où excès de peau qui se traduit par de petits plissements à l'orifice opposé. Il est donc logique que le ridicule provoque le rire.

Ce discours éveilla le silence dans l'esprit des membres du club des Buveurs de Sperme. Le Bébé Cadum toussa longuement sur le toit de la maison d'en face et, à ce moment précis, quatre ombres se glissèrent jusqu'au cadavre de femme nue gisant sur le trottoir, le soulevèrent sur leurs épaules et disparurent. A la même heure, dans un hôtel meublé, deux femmes, agents du club, masturbaient soigneusement, sous menace de revolvers, deux jeunes hommes ahuris en qui naissait l'amour.

Un homme brun et rêveur rompit le respectable silence où se complaisaient les buveurs.

« Qu'on imagine l'amour sous telle, telle ou telle forme, je me refuse à le séparer d'un sentiment d'angoisse et d'horreur sacrées. Quand je connus Marie, dactylographe de seize ans, de grandes ailes pourpres battaient sans cesse à mes oreilles. Il n'était pas de minute où, malgré les contingences, des sentiers neufs et luisants ne reflétassent à l'infini mon visage lyrique et transfiguré. Je l'embrassai un jour, à la faveur d'un couloir, tandis que le patron, un commerçant laid, rogue et barbu, la réclamait à grands cris dans l'officine où sa vigilance têtue conservait la poussière séculaire amassée par trois générations mercantiles et crasseuses. Le prestige de la poésie où je vivais me rendait-il beau ? encore que je n'aie jamais cru à ma laideur, mais la tendre, blonde et timide Marie reçut mon baiser en rougissant. Ainsi en fut-il de même plusieurs fois durant les semaines qui suivirent. Un instant suffisait pour que, tombé à ses genoux, entre deux piles de livres comptables, je lui fisse des déclarations enflammées, ridicules et touchantes comme celles des personnages de certains romans. Mon âme ne participait point à ces jeux. L'appréhension des déchirements amoureux me gagnait et tandis que Marie se laissait envahir par l'ivresse de sa première aventure, j'écoutais religieusement en moi-même une voix questionneuse qui me mettait en présence de problèmes métaphysiques et peuplait mon insomnie de préoccupations terribles où la sentimentalité, ressort principal de mon antagoniste, ne tenait aucune place. Le gazon roulait en pente douce vers un précipice. Chaque jour je décidais de ne pas renouveler le stupide et stérile manège. Chaque jour le visage enfantin, le regard clair exprimaient une telle désillusion quand, malgré l'heure tardive, je n'avais fait aucune des démonstrations habituelles que, pris entre deux paradis, celui de l'amour qu'elle avait pour moi, celui d'une certaine noblesse à lui ménager la douleur, je me précipitais de nouveau aux genoux de la fillette. Un jour d'été, vers midi, alors que je voyais par la fenêtre le soleil dorer une bâtisse administrative, que je m'exaltais à ses genoux et qu'elle rêvait, ma main souleva les jupes. J'aperçus le pantalon de petite fille bien sage. Il était fendu, un peu de chair à peine ombragée paraissait. Son visage n'exprima nulle indignation, mais la stupeur du miracle. Avec une force insoupçonnée elle rabattit ses jupes et je ne pus que saisir à pleines mains ses fesses, à travers le pantalon. Elle frémit et se dégagea.

« Je n'en fis jamais davantage jusqu'à mon départ de cette maison où les escargots traînaient sur le papier tricolore de la comptabilité en partie double.

« Je me félicitai de cette séparation brutale qui mettait fin à une pénible situation. Je ne l'aimais vraiment pas en particulier, je l'aimais en général. Ma tendresse pour elle était grande et l'idée de sa douleur me donnait une inconcevable souffrance.

« A quelques mois de là, je la rencontrai. De loin je la vis venir longtemps avant qu'elle ne me remarquât. Je pensai me cacher mais une force impérative me retint. A quelques mètres de distance, nos regards se croisèrent. Le visage inoubliable et songeur s'illumina. Une surprise angélique, une joie profonde affleurèrent à sa peau. Elle vint vers moi et, sans mot dire, nous descendîmes vers la Seine par une rue triste aux balcons chargés d'enseignes dorées. Arrivés non loin de Notre-Dame, au square de l'Archevêché, nous nous arrêtâmes. Elle écouta les explications insuffisantes que je lui donnai de mon silence et, de nouveau, j'obéis à la prière de ses yeux et l'embrassai.

« Je la revis plusieurs fois vers une heure de l'après-midi, dans ce jardin tranquille, sans jamais réaliser mes velléités d'absence définitive. J'étais toujours ramené vers elle. Parfois, je restai huit à dix jours sans venir. Elle, patiemment, venait chaque jour à la même heure, par pluie ou soleil, attendre mon retour. Il se produisait en effet. Les mensonges et les baisers à la bouche, je revenais...

« Certain jour, avant de la rejoindre, je déboutonnai mon pantalon sous le pardessus. Notre baiser me donna une angoisse exquise.

« – Marie, lui dis-je, regardez-moi.

« Elle obéit. Le square était désert.

« – Mon pardessus est boutonné. Mais en dessous il y a quelque chose. Déboutonnez mon pardessus.

« – Non. Pour quoi faire ?

« – Réfléchissez que je ne vous verrai plus.

« – Déboutonnez.

« – Non, dit-elle, je vous en prie.

« – Petite fille, que craignez-vous ? Il faudra bien qu'un jour...

« Elle hésita encore, puis se décida et, les yeux baissés, défit les trois boutons.

« – Regardez, Marie.

« Mais elle fixait obstinément le regard à terre.

« – Regardez.

« Un sourire puéril errait sur ses lèvres. Elle regarda rapidement.

« J'insistai encore, à plusieurs reprises, et à chaque fois, tandis que le rouge la rendait plus charmante, elle jeta de furtifs coups d'œil.

« Chaque jour la tentation me reprit. Je l'amenai successivement à déboutonner la braguette, à dénuder la chair qui palpitait.

« Nous nous rencontrâmes alors dans l'église Saint-Julien-le-Pauvre, sous prétexte de visites au Patis de Dante et là, devant la statue de M. de Montyon, elle m'embrassa sur la bouche en m'étreignant de sa petite main. Devant elle, je me masturbai ; je la contraignis à accomplir l'affolante manœuvre. Ses grands yeux, sa chevelure blonde, son costume enfantin me troublaient. Elle accomplissait mes ordres à regret, avec tristesse, mais avec la joie de me satisfaire. Je lui fis palper toutes les parties secrètes de mon corps. Jamais je ne parvins à poser mes lèvres plus haut que la séparation de la jarretelle et du pantalon, un pantalon de petite fille, comme j'ai déjà dit, brodé, ourlé et orné d'entre-deux maladroitement cousus.

« Enfin, quand elle m'eut littéralement possédé, sans me rien donner en échange (j'aurais pu, cependant, l'amener à la rencontre finale sur un lit d'angoisse), je m'arrachai aux visites désolantes. Elle téléphona plusieurs fois là où le travail m'avait enchaîné de nouveau. Je fis répondre par un ami que j'étais en voyage très loin, dans le premier pays imaginé : la Pologne.

« J'entendais à l'écouteur sa petite voix tremblante et désillusionnée.

« Elle me visite parfois, sur un gravier de souvenirs, à l'heure du sommeil. »

JEAN DE LÉTRAZ

1897-1954

SUZETTE DESTY

Nicole s'égare

1927

Spécialiste du vaudeville croustillant, Jean de Létraz a aussi écrit quelques romans de la même encre, comme *Douze nuits d'amour, ou la vie d'une femme*. En collaboration avec Suzette Desty, il est responsable d'une série sur le thème de la jeune femme trop aventureuse, un peu désaxée par son époque : *Nicole s'éveille, Nicole s'égare, Nicole s'abrite*…, aux audaces assez feutrées.

UNE BANDE JOYEUSE, qui a déjà fait escale à la Rotonde et au Jockey, fait irruption dans l'atelier de Nicole. Sous les masques et les perruques, elle reconnaît quelques-uns des envahisseurs. D'autres, qu'elle n'a jamais vus, déroulent bruyamment autour de ses meubles les anneaux d'une farandole. Quelques-uns sont court vêtus de peaux de bête. Floriane, sous une tunique transparente, arbore une ceinture de roses en guise de cache-sexe. Véra, en ondine, exhibe ses jambes jusqu'à mi-cuisse, mais maintient prudemment ses seins sous une résille de paillettes aux reflets de saphirs.

Des bouteilles de liqueurs jaillissent comme par enchantement. Sur un coffre aux laques précieuses, on installe un bar de fortune. On emplit des verres, des coupes. Un nègre, dont les fesses déteignent sur les genoux d'une dryade, manie expertement des « shakers » et pile de la glace avec un presse-papiers.

Une demi-heure de beuverie et de chansons obscènes pour se mettre en train. Ce soir, tout est permis : on va au bal masqué, où les instincts se démasquent. On boit à la santé de Nicole, déesse hindoue étrangement désirable, qui avale de l'alcool pour se hausser au diapason de cette gaieté insolite. Ralph, en pharaon, le torse nu, excite l'admiration gourmande de deux petites poules anonymes que l'on a récoltées à la terrasse d'un café.

A minuit, on s'entasse dans des voitures et le groupe fait une entrée sensationnelle dans la salle de bal.

Bullier, transformé pour une nuit de folie en Temple du Phallus, cache ses ors démodés sous un décor circulaire de toiles érotiques. Une imagination gigantesque et débridée a stylisé le Dieu monstrueux à l'échelle d'une humanité sur réelle. Des Èves, aux inquiétantes carnations, s'agenouillent en posture d'adoration devant ce Moloch Sexuel qui ne brûle point d'enfants, mais qui en vomit en geysers spumescents.

Nicole est happée dans la foule par des bras musclés de danseurs inconnus qui la séparent de ses compagnons…

Un immense cocktail humain, multiforme et bigarré, tourne dans la cuve où l'orchestre, barman polycéphale, l'agite au gré de sa fantaisie syncopée.

Mais c'est l'heure du cortège. Des porte-voix précipitent le mélange et les éléments se dissocient; les atomes tourbillonnants s'agglomèrent par sympathies et par affinités.

Des hérauts étranges ouvrent la marche, nus, dorés, ocrés. Ils gesticulent et brandissent les lances menaçantes.

Des cordeliers, mieux membrés que des Carmes, suivent une châsse sous laquelle une belle pécheresse pas encore repentie – qui par un ultime souci de dignité a conservé ses bas – expose ses charmes devant une haie de mufles ardents.

Sous des heaumes impressionnants, voici des Croisés, revenus de Jérusalem pour bouter leur graine de joie aux haultes dames qui se morfondaient sous leurs ceintures de chasteté.

Derrière une chaise à porteurs où s'ébattent, impudiques, des nymphes du Parc aux Biches, roule une torpédo caricaturale, révélatrice des partouzes du Bois de Boulogne.

De fausses mineures, maquillées et canailles, s'acoquinent sous la menace d'un Croquemitaine aux verges vengeresses.

Enfin, sur un char pouilleux, une vieille pauvresse auprès d'un mendigot mime avec ostentation les plaisirs économiques des fortifs.

Quand le défilé se disloque, Nicole, serrée, caressée, se soustrait à la moiteur des mains avides et gagne le premier étage pour chercher un refuge dans la Loge d'Honneur, où trône Sukita, que l'on vient d'y porter en triomphe. Elle ramène à ses trousses deux gladiateurs romains, ivres et orduriers, auxquels Ralph, enfin retrouvé, impose une prudente retraite.

Du haut de la tribune, la jeune fille domine le spectacle effarant qui ressuscite pour une nuit le souvenir des orgies antiques, sous les yeux hébétés des gardes municipaux.

Des hommes, vêtus d'une simple veste de pyjama, donnent satisfaction à leur folie sadique d'exhibitionnisme. Des couples se couchent sur le plancher, entourés de voyeurs exigeants. Et, brusquement, sur un pavois, un homme rejoint une femme, l'étreint et lui fait ployer les reins, sous les vociférations de trois mille possédés.

Nicole, étourdie par le prodigieux grouillement de cette foule en rut, constate avec humiliation l'inconscient cynisme de ceux qu'elle appelle ses amis:

Floriane, complètement saoule, embrasse sur la bouche l'ancienne épouse de Sukita, venue dans la loge pour faire du scandale, et les deux femmes, réconciliées, étreignent chacune par une jambe le Coréen qui, grimpé sur une table, vide des bouteilles sur la tête des danseurs.

La princesse Véra a raccolé un Pétrone crapuleux. Serré contre elle, il a glissé une main sous la résille pailleté et la Viennoise se laisse caresser avec une indifférence absolue du spectacle qu'elle donne à ses voisins.

Nicole voudrait partir... Mais la pensée de traverser seule la marée humaine qui reflue en bas la fait hésiter...

« Ralph, emmenez-moi, je vous en prie... » Elle veut prononcer cette phrase, mais elle redoute l'ironie du jeune lord qui, près d'elle, contemple tout ce déchaînement bestial avec une froide curiosité.

– Vous vous amusez, Nicole?

Elle rit nerveusement.

– Oui... énormément! Belle occasion, n'est-ce pas, de faire mon éducation et de bannir quelques-uns de ces préjugés qui m'empêcheraient d'être heureuse en ménage?

Il la regarde, indécis, ne sachant si elle le nargue ou si elle se sent réellement à l'aise dans cette atmosphère de sensualité débridée. Avec un peu d'angoisse, subitement, il examine les épaules de Nicole, dont la chair délicate s'est marbrée au contact des doigts qui les ont pétries. Il l'a vue tout à l'heure, non sans impatience, encerclée dans le cortège par des bras étrangers. Cette promiscuité l'a choqué et il songe maintenant à toutes les louches intimités qui se sont nouées autour de la jeune fille pendant qu'il est resté imprudemment à Londres...

Mais l'orgueil de Ralph Howen se cabre contre un sentiment confus qu'il refuse de définir.

Soudain, l'orchestre se tait. Des haut-parleurs ordonnent la transformation du dancing en salle de théâtre. Devant l'estrade évacuée par les musiciens, un public polychrome s'accroupit par terre, jury qui va se prononcer en une houle d'acclamations hurlantes et de réprobations frénétiques.

C'est l'instant où des concurrents bénévoles vont se disputer un prix de beauté. Elles montent sur les planches et des sifflets stridents cinglent les croupes qu'un pagne léger voile encore.

– A poil!... A poil!...

C'est la tenue de rigueur et l'on conspue les imprudentes aux chairs périmées.

Le flot des nudités rivales grimpe sur un escalier latéral et s'écoule par l'autre. L'écluse des gardiens de ce sérail improvisé filtre les favorites, dont les charmes sont âprement discutés par des Aristarques concupiscents.

Après des éliminations répétées, elles ne sont plus que trois qui, tour à tour, reviennent devant leurs juges.

Trois femmes, qui mendient insolemment les suffrages de cette populace de mascarade. Une fausse blonde, gracile, tachée de noir. Une brune aux matités ambrées, qui cambre sa taille nerveuse. Une troisième, ocrée de la nuque aux talons sous un péplum rouge qu'elle écarte théâtralement pour découvrir les mystères de sa féminité.

Mais, comme des amantes trop zélées, les premières sélectionnées sont victimes de leur empressement. Un public lassé les renie et réclame d'autres Vénus, d'autres Junons.

Impatient de luxure inassouvie, le parterre se tourne vers la galerie pour repérer dans les loges des beautés de choix, d'autant plus désirables qu'elles se sont dérobées au concours. Des bras se tendent, désignant de beaux visages qui rougissent sous l'insulte de cette admiration indiscrète.

— En bas, les femmes!... En bas! Amenez-les!

Alors, dans une salve d'applaudissements, Floriane grimpe sur une chaise, aimantant vers la Loggia d'Honneur l'attention de toute l'assemblée. Pour préparer son effet, la belle fille s'est enroulée dans une écharpe, dont elle donne une des extrémités à son amant. C'est lui qui va la dénuder tandis qu'elle tourne sur place pour dénouer le voile.

— Vive Sukita! Vive Floriane!

Titubant légèrement, Floriane apparaît sans tunique, ceinte seulement de sa guirlande de roses.

— Sur l'estrade! Sur l'estrade!

Elle acquiesce et quitte la tribune. Un grand gaillard la porte jusqu'au tréteau et la jette en offrande à la débauche collective.

Son apparition est saluée par les clameurs de la horde. La maîtresse du Coréen est admirablement proportionnée. Orgueilleusement jeunes, ses seins se tendent vers le désir sauvagement hurlé par ces déments exaspérés.

— A bas les roses! A bas les roses!

Un esclave nubien arrache la guirlande. Floriane se révèle épilée comme une odalisque. Tempête de rires et de protestations!

— Une autre... une autre...

Pour se réhabiliter et regagner les faveurs de ses juges fantasques, — et peut-être aussi pour assouvir une rancune précisée par l'ivresse — Floriane veut les dédommager de leur déconvenue. Elle désigne la loge d'honneur et crie un nom que les premiers rangs transmettent aux suivants, un nom que la foule adopte, répète, impérieuse et ardente.

— La déesse hindoue!... la déesse hindoue!...

Nicole, ainsi désignée, pâlit et se lève. Mais nul refuge ne peut la soustraire aux regards et à la convoitise de ces énergumènes.

— La déesse hindoue!... la déesse hindoue!...

NICOLE S'ÉGARE

Le vacarme grandit, s'enfle et se répercute en échos grondeurs. Les femmes sont les plus acharnées à faire payer à l'Élue la rançon de leur obscure jalousie. L'hommage comminatoire se transforme en manifestation.

Nicole, aux abois, mesure trop tard l'horreur absurde de l'aventure où elle s'est fourvoyée.

Par une bravade désespérée, elle sollicite une ultime approbation :

— Ralph, dois-je y aller?

Il est très pâle aussi, mais il murmure :

— Vous êtes seule juge, Nicole!

Le fracas devient assourdissant. La Princesse ricane :

— Au fond, c'est très flatteur et vous aurez sûrement le prix!

Sukita, par démagogie, pousse Nicole aux épaules :

— Ce soir, vous savez, toutes les femmes sont nues et personne n'y fait attention!

— Ralph, je vais sur l'estrade?

Il ne répond pas.

Comme Floriane, elle quitte la loge. On applaudit et le charivari s'apaise momentanément. Tous les regards sont braqués sur la scène, où la déesse hindoue va, dans un instant, jeter en pâture au stupre de la salle le piment délicat de ses suprêmes hésitations.

Les mains crispées au rebord du balcon, Ralph attend l'odieuse comédie avec une douloureuse angoisse. Le supplice auquel il s'est soumis est au-dessus de ses forces.

Les secondes passent et de sourdes rumeurs annoncent un nouvel orage. Ralph se penche et aperçoit un rassemblement qui se forme, sans doute autour de Nicole...

Il se précipite, descend les marches en quelques bonds, bouscule les badauds... Non! l'infâme exhibition n'aura pas lieu, dût-il lutter seul contre tous ces fous!

— Où est-elle?

C'est à lui que l'on pose la question. Les gens pressent à l'étouffer une grosse femme rousse aux traits bouffis de prostituée, qui glapit d'une voix méchante :

— Je vous dis qu'elle s'est débinée...

Des hommes discutent âprement.

— Elle s'est sauvée?...

— La rosse!

— On l'aurait vue!

— ... En passant, elle s'est planquée derrière deux cipaux!

Ralph, torturé, veut savoir. Au vestiaire, il interroge.

— Oui, Monsieur. Cette jeune femme vient de prendre son manteau.

Nicole s'est enfuie.

Hands off Love

octobre 1927

En octobre 1925, le n° 3 de *La Révolution surréaliste* publiait, sous la signature de Jacques Baron et Michel Leiris, *La*

1. Contrairement à notre intention première, nous publions ci-dessous la version française du texte : « Hands off Love », paru en anglais dans la revue *Transition*, où les conditions de sa présentation n'ont pas été celles que nous avions envisagées.

Revendication du plaisir : « *Nous n'aimons que la neige et le feu de la chair, vraie densité de notre esprit…* » *Hands off love,* deux ans plus tard, propose dans le n° 9/10, au travers d'une analyse des tribulations chaplinesques, une certaine idée de l'amour, du mariage, de l'immoralité, qui frappa beaucoup ses lecteurs de 1927, puis tous ceux qui, dans les vingt années suivantes, eurent l'occasion de le lire[1].

CE QUI PEUT ÊTRE INVOQUÉ, ce qui a force dans le monde, ce qui est valable, avant tout défendu, aux dépens de tout, ce qui entraîne infailliblement contre un homme quel qu'il soit la conviction d'un juge, et songez un instant à ce que c'est qu'un juge, combien vous dépendez à chaque instant de votre vie d'un juge auquel soudain le moindre accident vous défère, bref ce qui met en échec toute chose, le génie par exemple, voilà ce qu'un récent procès met soudain dans une lumière éclatante. La qualité du défendeur et la nature des arguments qu'on lui oppose valent qu'on s'arrête à la plainte de Madame Charlie Chaplin, telle qu'on a pu la lire dans *Le Grand Guignol*. Il va sans dire que ce qui suit suppose le document authentique et, bien qu'il soit du droit de Charlie Chaplin de nier les faits allégués, les phrases rapportées, tiendra pour conformes à la vérité ces faits, ces phrases. Il s'agit de voir ce qu'on trouve à opposer à un tel homme, d'apprécier les moyens qu'on emploie pour le réduire. Ces moyens reflètent étrangement la moyenne opinion morale aux Etats-Unis en 1927, c'est-à-dire celle d'un des plus grands groupements humains, opinion qui tiendra à se répandre et à prévaloir partout, dans la mesure où l'immense réservoir qui s'engorge de marchandises dans l'Amérique du Nord est aussi un immense réservoir de sottise toujours prêt à se déverser sur nous et particulièrement à crétiniser tout à fait l'amorphe clientèle, toujours à la merci du dernier enchérisseur.

Il est assez monstrueux à songer que s'il existe un secret professionnel pour les médecins, secret qui n'est après tout que la sauvegarde de la fausse honte et qui pourtant expose ses détenteurs à des répressions implacables, par contre il n'y a pas de secret professionnel pour les femmes mariées. Cependant l'état de femme mariée est une profession comme une autre, à partir du jour où la femme revendique comme due sa ration alimentaire et sexuelle. Un homme que la loi met dans l'obligation de vivre avec une seule femme n'a d'autre alternative que de faire partager des mœurs qui sont les siennes à cette femme, de se mettre à la merci de cette femme. Si elle le livre à la malignité publique, comment se fait-il que la même loi qui a donné à l'épouse les droits les plus arbitraires ne se retourne pas contre elle avec toute la rigueur que mérite un abus de confiance aussi révoltant, une diffamation si évidemment liée à l'intérêt le plus sordide ? Et de plus comment se fait-il que les mœurs soient matière à législation ? Quelle absurdité ! Pour nous en tenir aux *scrupules* très épisodiques de la *vertueuse* et *inexpérimentée* Mme Chaplin, il y a du comique à considérer comme *anormale, contre nature, pervertie, dégénérée et indécente* l'habitude de la fellation[1]. (*Tous les gens mariés font cela*, dit excellemment Chaplin.) Si la libre discussion des mœurs pouvait raisonnablement s'engager, il serait normal, naturel, sain, décent de débouter de sa plainte une épouse convaincue de s'être *inhumainement* refusée à des pratiques aussi générales et parfaitement pures et défendables. Comment une pareille stupidité n'interdit-elle pas par ailleurs de faire appel à l'amour, comme cette personne qui à 16 ans et 2 mois entre *consciemment* dans le mariage avec un homme riche et surveillé par l'opinion, ose aujourd'hui le faire avec ses deux *bébés*, nés sans doute par l'oreille puisque *le défendeur n'eut jamais avec elle des rapports conjugaux comme il est d'usage entre époux*, ses bébés qu'elle brandit comme les sales pièces à conviction de ses propres exigences intimes ? Toutes ces italiques sont nôtres, et le langage révoltant qu'elles soulignent nous l'empruntons à la plaignante et à ses avocats, qui avant tout cherchent à opposer à un homme vivant le plus répugnant poncif des magazines idiots, l'image de la maman qui appelle *papa* son amant légitime, et cela dans le seul but de prélever sur cet homme un impôt que l'État le plus exigeant n'a jamais *rêvé, un impôt* qui pèse avant tout sur son génie, qui tend même à le déposséder de ce génie, en tout cas à en discréditer la très précieuse expression.

Les griefs de Mme Chaplin relèvent de cinq chefs principaux : 1° cette dame a été séduite ; 2° le suborneur a voulu qu'elle se fasse avorter ; 3° il ne s'est résolu au mariage que contraint et forcé, et avec l'intention de divorcer ; 4° pour cela il lui a fait subir un traitement injurieux et cruel suivant un plan bien arrêté ; 5° le bien-fondé de ces accusations est démontré par l'immoralité des propos coutumiers de Charlie Chaplin, par la conception théorique qu'il se fait des choses les plus sacrées.

1. Par exemple.

Le *crime* de séduction est à l'ordinaire un concept bien difficile à définir, puisque ce qui fait *le crime* est une simple circonstance de la séduction à proprement parler. Cet attentat dans lequel les deux parties sont consentantes, et une seule responsable, se complique encore du fait que rien ne peut humainement prouver la part d'initiative et de provocation de la *victime*. Mais dans le cas présent l'innocente était bien tombée, et si le suborneur n'avait pas l'intention de lui faire un beau mariage, le fait est que c'est elle qui en toute naïveté a eu raison de cet être démoniaque. On peut s'étonner de tant de persévérance, d'acharnement chez une personne si jeune, si dépourvue de défense. A moins qu'elle n'ait songé que le seul moyen de devenir la femme de Charlie Chaplin était d'abord de coucher avec lui puis… mais alors ne parlons plus de séduction, il s'agit d'une affaire, avec ses divers aléas, l'abandon possible, la grossesse.

C'est alors que, sollicitée de passer par une opération qu'elle qualifie de *criminelle*, la *malheureuse* enceinte au moment du mariage s'y refuse pour des raisons qui valent l'examen. Elle se plaint que son état soit public, que son fiancé ait tout fait pour le rendre tel. Contradiction évidente : qui a intérêt à cette publicité, qui se refuse au seul moyen d'empêcher ce qui est un scandale en Californie ? Mais maintenant la victime est bien armée, elle pourra répéter, publier qu'on a voulu qu'elle se fasse avorter. Voilà un argument décisif, et pas une parole du criminel ayant trait à cet acte qui est *une grande faute sociale, légale et morale et par là même répugnante, horrifiante et contraire aux instincts de mère* (de la plaignante) et *à son sens du devoir maternel de protection et de préservation*, pas un mot de Charlie Chaplin ne sera oublié. Tout est noté, les phrases avec leur caractère familier, les circonstances, parfois la date ; à partir du jour où la future Madame Chaplin a songé pour la première fois à se prévaloir de ses *instincts*, à se poser en monument de normalité, la voilà, bien que tant qu'elle n'a pas été légalement mariée elle ait continué, elle le souligne, à aimer son fiancé, malgré ses horrifiques propositions, la voilà changée en un espion intime, elle a vraiment son journal de martyre, elle tient le compte exact de ses larmes. Le troisième grief qu'elle fait à son mari s'appliquerait-il à elle au premier chef ? Est-elle *entrée dans le mariage* avec la ferme intention d'en sortir, mais riche, et considérée ? En quatrième lieu le traitement subi pendant le mariage par Mme Chaplin, si on l'envisage dans tous ses détails, est-il le fruit d'une tentative de démoralisation de la part de Charlie Chaplin ou est-il la suite naturelle de l'attitude quotidienne d'une femme qui collectionne les griefs, les suscite et s'en réjouit ? Notons en passant une lacune : Mme Chaplin omet de nous donner la date à laquelle elle a cessé d'*aimer* son mari. Mais peut-être l'aime-t-elle encore.

A l'appui de ses dires elle rapporte comme autant de preuves morales de l'existence du plan exposé dans le reste de la plainte des propos de Charlie Chaplin, après lesquels un honnête juge américain n'a plus à considérer le défendeur comme un homme, mais comme un sacripant et un Vilain Monsieur. La perfidie de cette manœuvre, son efficacité n'échapperont à personne. Voilà que les idées de Charlot, comme on dit en France, sur les sujets les plus brûlants nous sont tout à coup données, et d'une façon très directe qui ne peut manquer d'éclairer d'un jour singulier la moralité de ces films auxquels nous avons pris plus d'un plaisir, un intérêt presque sans égal. Un rapport tendancieux, et surtout dans l'état d'étroite surveillance où le public américain entend tenir ses favoris, peut, nous l'avons vu avec l'exemple de Fatty Arbuckle, ruiner un homme du jour au lendemain. Notre bonne épouse a joué cette carte : il arrive que ses révélations ont ailleurs un prix qu'elle ne soupçonnait pas. Elle croyait dénoncer son mari, la stupide, la vache. Elle nous apporte simplement le témoignage de la grandeur humaine d'un esprit qui, pensant avec clarté, avec justesse, tant de choses mortelles dans la société où tout, sa vie et jusqu'à son génie le confinent, a trouvé le moyen de donner à sa pensée une expression parfaite, et vivante, sans trahison à cette pensée, une expression dont l'humour et la force, dont la poésie en un mot prend tout à coup sous nos yeux un immense recul à la lueur de la petite lampe bourgeoise qu'agite au-dessus de lui une de ces garces dont on fait dans tous les pays les *bonnes* mères, les *bonnes* sœurs, les *bonnes* femmes, ces pestes, ces parasites de tous les sentiments et tous les amours.

Attendu que, pendant la cohabitation de la plaignante et du défendeur, le défendeur a déclaré à la plaignante, en des occasions trop nombreuses pour qu'on puisse les spécifier avec plus de détails minutieux et de certitude, qu'il n'était pas partisan de la coutume du mariage, qu'il ne pourrait pas tolérer la contrainte conventionnelle que les relations du mariage imposent et qu'il croyait qu'une femme peut honnêtement faire des enfants à un homme en dehors du mariage ; attendu qu'il a également ridiculisé et bafoué l'attachement de la plaignante et sa fidélité aux conventions morales et sociales qui sont de règle sous le rapport du mariage, les relations des sexes et la mise au monde des enfants, et qu'il fait peu de cas des lois morales et des enfants, et qu'il fait peu de cas des lois morales et des statuts y relatif (sous ce rapport, le défendeur dit un jour à la plaignante qu'un certain couple avait eu cinq enfants sans être marié et il ajouta : « C'est bien la façon idéale pour un homme et une femme de vivre ensemble »), nous voilà édifiés sur le point essentiel de la fameuse *immoralité* de Charlot. Il est à remarquer que certaines vérités très simples passent encore pour des monstruosités. Il est à souhaiter que la notion s'en répande, notion purement humaine et qui n'emprunte ici à celui qui la manifeste que son prestige personnel. Tout le monde, c'est-à-dire tout ce qui n'est ni cafard ni punaise, pense ainsi. Nous voudrions bien voir qui oserait soutenir par ailleurs qu'un mariage contracté sous menace lie en quoi que ce soit un homme à une femme, même si *celle-ci* lui a fait un enfant. Qu'elle vienne alors se plaindre que le mari rentre directement dans sa chambre, qu'elle rapporte horrifiée qu'une fois il est rentré ivre, qu'il ne dînait pas avec elle, qu'il ne la menait pas dans le monde, il y a tout juste là de quoi hausser les épaules.

Cependant il semble qu'après tout Charlie Chaplin songe de bonne foi à rendre possible la vie conjugale. Pas de chance, il se heurte à un mur de sottise. Tout est criminel à cette femme qui croit ou feint de croire que la fabrication des mioches est sa raison d'être, des mioches qui pourront à leur tour procréer. Belle idée de la vie. « *Que désirez-vous faire? Repeupler Los Angeles?* » lui demande-t-il excédé. Elle aura donc un second enfant, puisqu'elle l'exige, mais qu'elle lui fiche la paix : il n'a pas plus voulu de la paternité que du mariage. Cependant il faudrait qu'il vienne bêtifier avec les bébés pour plaire à Madame. Ça n'est pas dans son genre. On le verra de moins en moins à *la maison*. Il a sa conception de l'existence, c'est à elle qu'on s'attaque, c'est elle qu'on veut réduire. Qu'est-ce qui l'attacherait ici, auprès d'une femme qui se refuse à tout ce qu'il aime, et qui l'accuse de *miner et de dénaturer* (ses) *impulsions normales... de démoraliser ses régles de décence, de dégrader sa conception des choses morales* parce qu'il a essayé de lui faire lire des livres où les choses sexuelles étaient clairement trai- tées, parce qu'il a voulu qu'elle rencontre des personnes qui apportaient dans les mœurs un peu de cette liberté dont elle était l'ennemie obstinée. Eh bien, quelle complaisance encore de sa part quatre mois avant leur séparation, quand il lui propose d'inviter chez eux une jeune fille qui a la réputation de se livrer à *des actes de perversité sexuelle* et qu'il dit *à la plaignante qu'ils pourraient avoir de la rigo- lade*. C'est le dernier essai d'acclimatation de la couveuse mécanique au com- portement naturel de l'amour conjugal. La lecture, l'exemple, il a fait appel à tout pour faire entendre à la buse ce qu'elle n'arrivait pas à saisir d'elle-même. Après cela elle s'étonne des inégalités d'humeur d'un homme à qui elle fait cette vie d'enfer. « *Attendez que je sois subitement fou, un jour, et je vous tuerai* », cette menace elle ne l'a pas oubliée pour le cahier des charges, mais sur qui donc en retombe la responsabilité? Pour qu'un homme prenne ainsi conscience d'une possibilité telle, la folie, l'assassinat, ne faut-il pas qu'on l'ait soumis à un traite- ment qui peut déterminer la folie, entraîner l'assassinat? Et pendant ces mois où la méchanceté d'une femme et le danger de l'opinion publique le forcent à jouer une comédie intolérable, il n'en reste pas moins dans sa cage un homme vivant, dont le cœur n'est pas mort.

« *Oui c'est vrai*, dit-il un jour, *je suis amoureux et il m'est indifférent qu'on le sache, j'irai la voir quand je voudrai, que cela vous plaise ou ne vous plaise pas; je ne vous aime pas et je vis seulement avec vous parce que j'ai dû vous épouser.* » Voilà le fondement moral de cette vie, voilà ce qu'elle défend : l'amour. Il arrive que dans toute cette histoire Charlot est véritablement le défenseur de l'amour, et uniquement, et purement. Il dira à sa femme que celle qu'il aime est *merveilleuse*, il voudra la lui voir fréquenter, etc. Cette franchise, cette honnêteté, tout ce qu'il y a d'admirable au monde, tout est maintenant argument contre lui. Mais l'argument suprême est cette paire d'enfants nés contre son gré.

Ici encore l'attitude de Charlie Chaplin est nette. Les deux fois il a prié sa femme de se faire avorter. Il lui a dit la vérité : cela se pratique, d'autres femmes le font, l'ont fait *pour moi*. *Pour moi* cela veut dire non par intérêt mondain, par commodité, mais *par amour*. Il était bien inutile de faire appel à l'amour avec Madame Chaplin. Celle-ci n'a eu ses enfants que pour mettre en valeur que : « *le défendeur n'a jamais manifesté un intérêt vraiment normal et paternel ni aucune affection* », nous tenons à signaler cette jolie distinction « *pour les deux enfants mineurs de la plaignante et du défendeur* ». Les bébés ! ils ne sont sans doute pour lui qu'un concept lié à son esclavage, mais pour la mère ils sont une base de revendications perpétuelles. Elle veut leur faire construire un *attenant* à la maison conjugale. Charlot refuse : « *C'est ma maison et je ne veux pas l'abîmer.* » Cette réponse éminemment raisonnable, les notes de lait, les coups de téléphone donnés et ceux qui ne l'ont pas été, les entrées, les sorties de l'époux, qu'il ne voie pas sa femme, qu'il arrive le soir quand elle reçoit des idiots et que ça lui déplaise, qu'il ait des gens à dîner, qu'il emmène sa femme, qu'il la laisse, tout cela constitue pour Mme Chaplin un traitement cruel et inhumain, mais pour nous cela signifie hautement la volonté d'un homme de déjouer tout ce qui n'est pas l'amour, tout ce qui en est la féroce, la hideuse caricature. Mieux qu'un livre, que tous les livres, les traités, la conduite de cet homme fait le procès du mariage, de la codification imbécile de l'amour.

Nous songeons à cet admirable moment dans *Charlot et le Comte* quand soudain pendant une fête Charlot voit passer une très belle femme, aguichante au possible, et soudain abandonne son aventure pour la suivre de pièce en pièce, sur la terrasse, jusqu'à ce qu'elle disparaisse. Aux ordres de l'amour, il a toujours été aux ordres de l'amour, et voilà ce que très unanimement proclament et sa vie et tous ses films. De l'amour soudain, qui est avant tout un grand appel irrésistible. Il faut alors laisser toute chose, et par exemple, au minimum, un foyer. Le monde avec ses biens légaux, la ménagère et les gosses appuyés par le gendarme, la caisse d'épargne, c'est bien de cela qu'il s'évade sans cesse, l'homme riche de Los Angeles comme le pauvre type des quartiers suburbains, de Charlot garçon de banque à *la Ruée vers l'or*. Tout ce qu'il a dans sa poche, moralement, c'est justement ce dollar de séduction qu'un rien lui fait perdre, et que dans le café de *l'Émigrant* on voit sans cesse tomber du pantalon percé sur les dalles, ce dollar qui n'est peut-être qu'une apparence, facile à tordre d'un coup de dents, simple monnaie de singe qui sera refusée, mais qui permet que pendant un instant l'on invite à sa table la femme comme un trait de feu, la femme « merveilleuse » dont les traits purs seront à jamais tout le ciel. C'est ainsi que l'œuvre de Charlie Chaplin trouve dans son existence même la moralité qu'elle portait sans cesse exprimée, mais avec tous les détours que les conditions sociales imposent. Enfin si Madame Chaplin nous apprend, et elle sait le genre d'argument qu'elle invoque, que son mari songeait, mauvais Américain, à exporter ses capitaux, nous nous rappellerons le spectacle tragique des passagers de troisième classe étiquetés comme des animaux sur le spectacle tragique des passagers de troisième classe étiquetés comme des animaux sur le pont du navire qui amène Charlot en Amérique, les brutalités des représentants de l'autorité, l'examen civique des émigrants, les mains sales frôlant les femmes, à l'entrée de ce pays de prohibition, sous le regard classique de la *Liberté éclairant le monde.* Ce que cette liberté-là projette de sa lanterne à travers tous les films de Charlot c'est l'ombre menaçante des flics, traqueurs de pauvres, des flics qui surgissent à tous les coins de rue et qui suspectent d'abord le misérable complet du vagabond, sa canne (Charlie Chaplin dans un singulier article la nommait *sa contenance*), la canne qui tombe sans cesse, le chapeau, la moustache, et jusqu'à ce sourire effrayé. Malgré quelques fins heureuses, ne nous y trompons pas, la prochaine fois nous le retrouverons dans la misère, ce terrible pessimiste qui de nos jours en anglais comme en français a redonné force à cette expression courante *dog's life,* une vie de chien.

UNE VIE DE CHIEN : à l'heure actuelle c'est celle de l'homme dont le génie ne sauvera pas la partie, de l'homme à qui tout le monde va tourner le dos, qu'on ruinera impunément, à qui l'on enlèvera tout moyen d'expression, qu'on démoralise de la façon la plus scandaleuse au profit d'une sale petite bourgeoise haineuse et de la plus grande hypocrisie publique qu'il soit possible d'imaginer. Une vie de chien. Le génie pour la loi n'est de rien quand le mariage est en jeu, le sacré mariage. Le génie d'ailleurs n'est de rien à la loi, jamais. Mais l'aventure de Charlot manifeste, au-delà de la curiosité publique et des avocasseries malpropres, de tout ce déballage honteux de la vie intime qui toujours se ternit à cette clarté sinistre, l'aventure de Charlot manifeste aujourd'hui sa destinée, la destinée du génie. Elle en marque plus que n'importe quelle œuvre le rôle et la valeur. Ce mystérieux ascendant qu'un pouvoir d'expression sans égal confère soudain à un homme, nous en comprenons soudain le sens. Nous comprenons soudain quelle place en ce monde est celle du génie. Il s'empare d'un homme, il en fait un symbole intelligible et la proie des brutes sombres. Le génie sert à signifier au monde la vérité morale, que la bêtise universelle obscurcit et tente d'anéantir. Merci donc à celui qui sur l'immense écran occidental, là-bas, sur l'horizon où les soleils un à un déclinent, fait aujourd'hui passer vos ombres, grandes réalités de l'homme, réalités peut-être uniques, morales, dont le prix est plus haut que celui de toute la terre. La terre à vos pieds s'enfonce. Merci à vous par-delà de la victime. Nous vous crions merci, nous sommes vos serviteurs.

Maxime ALEXANDRE, Louis ARAGON, ARP, Jacques BARON, Jacques-André BOIFFARD, André BRETON, Jean CARRIVE, Robert DESNOS, Marcel DUHAMEL, Paul ÉLUARD, Max ERNST, Jean GENBACHE, Camille GOEMANS, Paul HOOREMAN, Eugène JOLAS, Michel LEIRIS, Georges LIMBOUR, Georges MALKINE André MASSON, Max MORISE, Pierre NAVILLE, Marcel NOLL, Paul NOUGÉ, Elliot PAUL, Benjamin PÉRET, Jacques PRÉVERT, Raymond QUENEAU, Man RAY, Georges SADOUL, Yves TANGUY, Roland TUAL, Pierre UNIK.

Pybrac

1927

L'inspiration érotique de Pierre Louÿs n'atteignait pas toujours les sommets de *Trois filles de leur mère*. En voici un exemple avec le *Pybrac* publié en 1927 par René Bonnel sur un manuscrit inédit, clandestinement bien sûr. Mais ces petits quatrains sont bien plaisants tout de même.

En intitulant ses quatrains *Pibrac* (et non *Pybrac*, comme imprimé fautivement sur l'édition originale), Pierre Louÿs entendait parodier un personnage non négligeable du XVIᵉ siècle, le conseiller Guy du Faur de Pibrac, dont on lira une biographie détaillée chez Pierre Larousse. Pibrac avait commis en effet en 1574 un volume de quatrains moraux qui eurent un immense succès dans toute l'Europe. Molière fait dire cent ans plus tard à Gorgibus dans Sganarelle : « *Lisez-moi comme il faut, au lieu de ces sornettes, / Les quatrains de Pibrac et les doctes Tablettes / du conseiller Matthieu* »…

Je n'aime pas à voir qu'une vierge sans tache
Peigne ses poils du cul devant son cousin Jean
Les frise en éventail, puis en double moustache
Et dise avec un œil railleur : « T'as pas d'argent ? »

Je n'aime pas à voir qu'en l'église Saint-Lupe
Une pucelle ardente aux yeux évanouis
Confessant des horreurs, se branle sous sa jupe
Et murmure : « Oh ! pardon… mon Père… je jouis. »

Je n'aime pas à voir la gosse qu'on enferme
Dans un cabinet noir parce qu'elle a tété
Son frère, et que, la bouche encore pleine de sperme
On l'a vue au salon cracher ça dans le thé.

Je n'aime pas qu'au bal la jeune fille en tulle
Qui m'avoue, en buvant sagement du sirop :
« Quand j'ai beaucoup dansé j'aime bien qu'on m'encule. »
Puis s'excuse : « Oh ! pardon ! j'ai dit un mot de trop. »

Je n'aime pas qu'au bar celle avec qui je soupe
Foute à cheval sur moi, devant un autre amant
Qui lui fait le plaisir de l'enculer en croupe,
Ce partage d'un cul ne me plaît nullement.

Je n'aime pas au lit la petite Lucile
Qui prend son pauvre con douillet et cramoisi,
Dit : « J'aime mieux sucer, maman, c'est plus facile. »
Et qu'on gifle d'un mot : « Tu baiseras aussi. »
Je n'aime pas qu'Iris en mousseline bleue
Caresse au bal ma verge et dise en la baisant :
« Je commence toujours les romans par la queue. »

Le mot est vif, ma chère, encor qu'il soit plaisant.
Je n'aime pas qu'un homme aux brutales caresses
Retroussant un trottin debout dans le métro,
Lui foute inpudemment sa pine entre les fesses
Et décharge en disant : « Pardon, je bandais trop. »

Je n'aime pas à voir qu'Alice aux longues tresses
Lèche à la pension tous les cons du dortoir
Sous les yeux indulgents des jeunes sous-maîtresses
Qui donnent des conseils et tiennent le bougeoir.

Je n'aime pas à voir la gosse qui murmure :
« Je marche par la fente et par le petit trou. »
Quand la putain d'enfant n'est pas encor mûre
Et n'a pas un seul poil… je n'ose vous dire où.

Je n'aime pas à voir au fond d'une guinguette
La tonnelle où Fifi déjeune avec Julot
Suce le vit pendant tiré de la braguette
Et crie : « Ah ! qu'il est bon ! quel foutre de salope ! »

Je n'aime pas à voir l'époux à la mairie
Qui, dès que son désir reçoit le sceau légal
Flanque sa pine au con de sa femme chérie
Pour remplir en public le devoir conjugal.

Je n'aime pas à voir la bouche obscène et large
D'Iris qui suce au parc le vit d'un bourricot
« Pour savoir si c'est bon quand un âne décharge. »
Et qui trouve à son foutre un parfum d'abricot.

Je n'aime pas à voir quand j'achète un cantique
La vendeuse passer la langue entre les dents
Faire un signe de l'œil vers l'arrière-boutique
Et me sucer le vit dès qu'elle est dedans.

DOCTEUR PIERRE VACHET

L'Inquiétude sexuelle

1 9 2 7

Comme aujourd'hui, les livres des sexologues de 1927 (le mot était peu employé) satisfaisaient, ou non, plusieurs sortes de lecteurs. Le docteur Pierre Vachet fut un des plus actifs de ces vulgarisateurs, auteur notamment de *La Connaissance de la vie*, de *La Psychologie de vice*, de *L'Énigme de la femme*.

Il publiait généralement chez Bernard Grasset.

AU FÉTICHISME et au masochisme, on peut rattacher la perversion de l'exhibitionnisme.

L'exhibitionnisme est une perversion de timide ou de vieux marcheur impuissant, souvent aussi d'aliéné. L'exhibitionniste se rencontre dans les allées du bois, dans le renfoncement des portes cochères, à la sortie des ateliers de midinettes. A la vue d'une femme qui offre toutes les apparences de la pudeur et de l'honnêteté, notre homme exhibe. Je ne crois pas que ce soit pour exciter la passante et l'inviter à répondre par le même geste. C'est avant tout pour provoquer une réaction de confusion, de honte, de mépris, voire de colère agressive. C'est pourquoi j'aurais tendance à rapprocher ce vice du masochisme.

J'ai eu l'occasion d'examiner un exhibitionniste de vingt-sept ans, marié depuis deux ans, qui avait été arrêté à deux reprises. Voici ce qu'il m'a avoué : « J'ai toujours été un garçon très timide dans le même temps où mon imagination me représentait la femme comme un être supérieur, infiniment beau, infiniment délicat, je dirai presque idéal. Au fur et à mesure que se succédaient les initiations écolières de mon adolescence, je sentais croître mon angoisse et ma timidité. Je me rendais parfaitement compte des plaisirs qu'un homme peut attendre de l'exercice sexuel, je les désirais vivement, mais je restais atterré en songeant à leur grossièreté. Comment songer à demander de telles choses à ces femmes que je baignais de délicatesse? Un jour, je me représentai un moyen, que je crus discret, de témoigner mon désir, un moyen qui me semblait, par son silence, laisser à la femme toute liberté dans sa pudeur. Je me trouvais alors isolé dans un jardin public en face d'une jeune femme pleine de sérieux et de distinction. Je sortis, j'étalai mes organes génitaux comme une offrande, comme une prière muette. La jeune femme me vit, tourna la tête avec mépris et partit aussitôt. Notez que j'eusse été choqué, navré, si cette femme avait répondu à ma timide avance par un geste indécent. J'avais toujours repoussé avec dégoût les offres des prostituées. Je voulais que la femme à laquelle je m'adressais fût semblable à mon rêve. Hélas, depuis ce temps, j'ai pris l'habitude de ce geste, je l'ai répété. Je me suis fait arrêter une fois. Je me suis marié sans rien dire à ma femme, comptant peut-être que le mariage m'apporterait le remède. Il n'en a rien été. Je me suis toujours trouvé gêné avec ma femme et j'ai accompli mes devoirs conjugaux sans passion. J'ai donc repris mes anciennes habitudes et cela m'a conduit une seconde fois au commissariat de police. Ce n'est pas que je cède à une impulsion violente, irraisonnée. Non, je médite mon projet, je choisis l'heure, le lieu qui me seront le plus propices, je prends toutes précautions pour éviter de me faire surprendre. Le seul fait de saisir sur le visage d'une femme bien élevée la réaction de la pudeur offensée me plonge dans une émotion délicieuse où je discerne un mélange d'espérance et de honte, quelque chose comme ce sentiment qui suit les hardiesses d'enfant lorsque vous ne savez si l'on va vous, châtier, si l'on se moquera de vous, ou si, gentiment, on vous tendra la main. »

Les fameux satyres du Bois de Boulogne étaient des exhibitionnistes, qui, nus sous une grande pelisse, guettaient, cachés dans un fourré, le passage d'une femme ou le plus souvent d'enfants accompagnés de leur bonne, pour sortir de leur cachette et découvrir leurs organes génitaux. Arrêtés, leurs confessions furent lamentables, et tous se révélèrent comme des timides et des anxieux, plus susceptibles d'ailleurs d'un traitement que d'une punition.

Il est deux perversions remarquables par l'extension croissante qu'elles prennent de nos jours dans la société mondaine, deux perversions à la mode parmi les oisifs et les blasés : l'homosexualité et les débauches collectives.

Si les gymnases ensoleillés de la Grèce et les thermes romains connurent jadis l'âge d'or de la pédérastie, si, dans le même temps, Lesbos fut l'île d'élection de la Vénus ardente que servent les amies, si l'Église, durant les sombres siècles de l'Inquisition, stigmatisa le vice où Platon voyait la forme supérieure de l'amour, notre temps voit refleurir la mode des échanges d'amour entre gens de même sexe, comme au temps d'Alcibiade et de Sapho. On ne se cache pas : on s'affiche. L'homosexualité apparaît comme un signe de raffinement et de supériorité ; elle devient « de mode ». Des raffinés, voilà l'épithète dont se décorent ces éphèbes aux hanches arrondies, au visage fardé, parés de lourds bijoux, qui s'appliquent à parler d'une voix grêle à inflexions traînantes, entrecoupées de petit cris, tandis que leur bras se replie d'un geste mignard, comme ferait une patte de cigogne, le pouce et l'index arrondis en anneau, le petit doigt détaché comme celui d'une marquise maniérée.

« Nous sommes des délicats ; semblables à notre chair blonde et fine, notre âme est douée de sensibilités exquises, nous raffolons de la beauté, nous trouvons notre plus grande volupté à contempler nos corps, à nous embrasser chastement, à dormir aux bras l'un de l'autre, et si nous prenons ensemble le plaisir physique, nous le faisons par nécessité, comme un geste accessoire qui n'est pas le but essentiel de notre désir. » Telle est la profession de foi du pédéraste où la puérilité niaise ne le cède qu'à la plus stupéfiante vanité. A Paris, ce vice s'étend à toutes les classes de la société et les variétés des invertis sont innombrables.

Le grand maître fut au siècle dernier l'auteur du *Portrait de Dorian Gray*, le séduisant Oscar Wilde. Aujourd'hui, la noblesse, l'art, la science, la musique, la finance, le journalisme, le théâtre, le music-hall, le sport ont de nombreux représentants aux noms parfois illustres, qui étalent avec cynisme leurs goûts étranges.

En face de tous ces dignitaires, la tourbe : les hôtes journaliers des bars chics de Montmartre, les danseurs attitrés de certains bals dans le quartier de la Bastille, les pensionnaires enjuponnés des maisons de prostitution. Puis, très loin de Paris, les ménages de soldats dans les armées coloniales, et, un peu partout, les ménages sentimentaux des prisons.

Il est courant d'apprendre que le riche Untel vient de mettre dans ses meubles un inverti notoire qui a en même temps, en cachette, un autre amant de cœur, car, par une sorte de transposition morale bizarre, un véritable amour sentimental s'installe entre ces êtres et la jalousie du pédéraste ne le cède en rien à celle de l'amant banal.

Les exemples s'en rencontrent mieux que partout ailleurs dans les prisons, car la vie en commun, et l'impossibilité de posséder entièrement le camarade aimé, multiplient les alarmes et les conflits. Le prisonnier, privé de toute distraction, de toute satisfaction sensuelle, guette toutes les occasions de le voir et, pour passer un moment avec lui, brave des mois de cachot. Des lettres s'échangent pleines de déclarations, de propos enflammés, de supplications, de menaces. Parfois, des batailles s'engagent, bientôt châtiées par le cachot. C'est alors le régime du pain sec, de l'eau, et de la triste masturbation. Mais si l'ami est dévoué, il réserve toutes ses économies à l'achat de nourriture pour son amant, dès sa sortie de cachot. C'est ce que l'argot des prisons appelle le « boulottage ».

Que ne pourrait-on dire des femmes qui perpétuent de nos jours les mœurs de Lesbos ! Leur nombre est certainement beaucoup plus grand que celui de leurs confrères masculins, car bien des femmes du monde préfèrent, pour les caresser, la délicatesse naturelle de la femme. « Toi, tu t'y prends comme pour toi-même » dit Bilitis. Ajoutez à cela qu'il n'est guère de courtisane qui ne se livre à ce sport en ses heures de désœuvrement, et que les filles « de maison » se groupent régulièrement en ménages, surtout dans les maisons de province où elles sont plus cloîtrées. L'avantage des « lesbiennes » sur les pédérastes est qu'elles se livrent à leur vice avec plus de naturel et de simplicité et laissent la métaphysique à la porte du boudoir.

Les plus masculines se laissent reconnaître dans le monde, par leur allure impérieuse et leur costume masculin : feutre à larges bords, chemise d'homme, robe et vareuse dites « tailleur ». Bien des dames qui satisfont à leurs devoirs conjugaux s'offrent clandestinement des amies de passion. Il arrive même que le mari le sache et... se contente d'en rire. Sa jalousie ne va pas jusque-là. J'en connais même de ces maris qui se plaisent au spectacle de leur femme livrée aux baisers d'une amie et qui vont se procurer ce divertissement soit aux « parties » du bois, soit dans une maison chic.

A vrai dire, la vraie « lesbienne » n'aime pas les hommes. Elle a sa femme ; souvent elle l'entretient, elle lui fait au moindre regard équivoque de violentes scènes de jalousie. Quelques-unes au contraire se comportent en souteneurs, exigeant que leur femme se prostitue et leur rapporte de l'argent.

En 1901, en Amérique, les journaux publièrent l'histoire d'une jeune fille qui s'étant liée avec son infirmière, femme mariée, mère de famille, se vit empêchée par sa famille de prolonger ses relations. Elle acheta un revolver et se tua, à l'église, devant sa mère.

Depuis la guerre, les ménages de femmes sont devenus de plus en plus nombreux ; on a invoqué comme raison la prédominance marquée des femmes, le nombre restreint d'hommes, mais je crois, pour ma part, que la seule cause est la contagion du vice.

Si telle est la généralité de cette perversion, s'il est vrai qu'elle tend à s'installer au grand jour, il importe d'en analyser les causes.

Les invertis, du moins les masculins, sont pour la plupart des raisonneurs qui s'efforcent d'asseoir leur passion sur des fondements naturels, tant métaphysiques que physiologiques, dont l'ampleur est souvent comique. Platon, il est vrai, a ouvert la route en faisant de l'amour homosexuel des hommes la forme d'élection de l'amour humain, et parmi les théoriciens allemands du dernier siècle, il s'en est trouvé, non des moindres, qui, étant eux-mêmes des invertis, ont donné à leur œuvre un caractère apologétique. C'est ainsi qu'Ulrich, entre autres, expliquait l'inversion masculine par la présence d'une âme de femme dans un corps d'homme et menait campagne pour que la loi reconnût l'homosexualité et autorisât les mariages entre hommes.

Cet auteur fut le premier qui luttât pour faire accepter par la science le caractère congénital de l'inversion. Le pédéraste ne serait ni un malade, ni un vicieux, mais un être normal en son genre, qui, par une sorte de variation naturelle, aurait une tendance innée à rechercher un individu de son sexe. Cette idée devait être agréable aux pédérastes, mais elle a gagné un grand nombre de ces médecins théoriciens qui, particulièrement en Allemagne, aiment à se perdre dans les vastes hypothèses cosmiques échappant à l'expérimentation. On a supposé dans le développement de l'embryon une lutte entre des éléments sexuels mâles et des éléments femelles pouvant se terminer par la prédominance d'une sexualité femelle dans un organisme d'apparence mâle.

C'est ainsi que Kiernan, de Chicago, écrit : « Il semble certain qu'un cerveau fonctionnant d'une manière féminine peut occuper un corps mâle, ou, réciproquement, des mâles peuvent naître avec des organes génitaux femelles. Les animaux inférieurs sont bissexuels et les divers types d'hermaphrodisme sont des retours plus ou moins complets au type ancestral. Que le cerveau fonctionnant d'une manière féminine puisse se développer seul, parfois, on peut s'y attendre. »

Je dois dire que rien, jusqu'ici, en matière de biologie, ne légitime l'hypothèse d'un cerveau fonctionnant d'une façon autonome, indépendamment des mécanismes organiques. C'est même une hypothèse contredite par les faits. Le cerveau n'est qu'un organe de communication entre tous les éléments du corps et il serait absurde de lui prêter une sexualité propre.

On doit se défendre aujourd'hui, comme au moyen âge, contre l'invasion de la science biologique par les vertus innées. La rigueur scientifique exige que l'on nie l'homosexualité congénitale, innée, chez un individu qui porte tous les caractères physiologiques normaux de son sexe. Sans doute il existe des hermaphrodites, sans doute il y a des hommes et des femmes qui offrent l'aspect d'individus de l'autre sexe. A ceux-là seuls il convient de réserver le nom d'invertis congénitaux. Il est probable que chez eux les glandes à sécrétion interne propres à leur sexe sont ou lésées ou atrophiées, et même que certains portent des éléments glandulaires du sexe opposé, développés normalement à partir des cellules sexuelles primitives, en même temps que les glandes de l'autre lignée sexuelle. Quant aux constitutions mentales congénitales, surtout si elles entrent en contradiction avec la constitution organique, je les juge comme des explications trop commodes à l'usage des esprits paresseux.

Pour ma part, je considère l'inversion sexuelle comme un symptôme qui peut avoir des causes très différentes, et je classerai volontiers les invertis de la façon suivante :

1° Les invertis physiologiquement déterminés, chez lesquels l'homosexualité s'accompagne toujours de stigmates physiques : atrophie des organes génitaux et effémination chez l'homme, avec voix aiguë, rareté des poils, tendance à l'adiposité, développement féminin du système osseux; chez la femme, virilisme comprenant un squelette et une musculature de type masculin, un développement excessif du système pileux, une voix grave.

2° Les névropathes, chez lesquels l'inversion se présente comme un symptôme morbide : épileptiques, déments, idiots, individus accidentellement atteints d'une maladie cérébrale comme l'encéphalite épidémique, et, particulièrement, les déprimés anxieux qui s'ingénient à rechercher des excitations sexuelles dont le caractère monstrueux, exceptionnel, joue le rôle d'un aphrodisiaque.

3° Les individus qui sont devenus invertis par le hasard de l'évolution sexuelle, soit que leur sexualité ait été précocement éveillée et fixée par des expériences homosexuelles, soit que l'amour de l'autre sexe soit attaché à des émotions pénibles et se trouve par là répudié. Ces individus sont essentiellement des émotifs, et autrefois on les confondait avec les hystériques.

4° Les invertis qui trouvent dans leur passion un exutoire plus commode à leurs besoins sexuels et qui s'en tiennent à cette habitude plutôt que de faire les frais d'une adaptation sexuelle nouvelle. Ici j'envisage surtout les femmes qui, ne s'étant pas mariées, trouvent dans l'homosexualité un dérivatif suffisant et se refusent à l'initiation normale dont les premières phases sont naturellement sans agréments.

5° Les vicieux, dont parle Gley, ceux qui commencent par une curiosité malsaine et continuent par habitude.

6° Les invertis professionnels qui pratiquent l'homosexualité comme un véritable commerce.

Les auteurs qui ont écrit sur la psychologie des foules ont mis au premier plan de leur tableau cette contagion des mouvements passionnels qui jette une collectivité soumise à des émotions vives dans une effervescence croissante, rapidement excessive. La panique, la fureur, l'enthousiasme prennent alors des proportions gigantesques et rendent possibles ces actes monstrueux ou sublimes dont l'individu isolé demeure incapable. Il était naturel que l'inquiétude sexuelle des hommes s'orientât à certaines époques, et dans certains milieux, vers ces orgies collectives dont l'histoire nous a laissé maintes relations, où l'excitation vénérienne se trouve portée à un tel paroxysme qu'elle semble toucher, par instants, à la folie. L'action des débauches collectives sur les participants est celle d'un aphrodisiaque puissant, et cela nous permet de comprendre qu'elles aient été le vice favori des Césars vieillis et fatigués de la Rome triomphante, qu'elles soient de nos jours si recherchées des vicieux blasés et impuissants.

Les débauches des maisons à grand spectacle sont communes dans les grandes capitales. Paris a connu récemment les « parties de vice » au Bois de Boulogne.

Les initiés se retrouvent en un point déterminé d'une allée. Dans la journée, des nouvelles ont été communiquées, des coups de téléphone ont été échangés. « Y a-t-il "partouse" ce soir ? – Oui, à tel endroit, Mlle X., la grande étoile, y sera avec son quadrille. » A voir l'intérêt que donne à ce coup de téléphone tel financier ou tel homme politique, vous croiriez qu'un énorme coup de Bourse se prépare ou que le ministère est sur le point de tomber. Il y a des habitués qui ne vivent que pour les « partouses », qui s'y rendent tous les jours, qui les font passer avant leurs rendez-vous d'affaires.

Au lieu convenu les voitures s'arrêtent, un phare s'éteint et se rallume deux fois, c'est le signal. Les comparses répondent de la même manière. La voiture guide se met en route, les autres suivent. C'est que pour dépister la police il convient de changer chaque soir de « chambre ». La « chambre » c'est une clairière en plein bois, à l'écart des allées, souvent peu accessible aux voitures qui ne connaissent pas exactement les détails du trajet. On a connu la chambre du Tir à pigeons, celle de Bagatelle, celle du pont Noir, celle de Saint-Cloud, celle de Ville-D'Avray, de plus en plus éloignées, au fur et à mesure que s'étendaient les indiscrètes inquisitions de la police.

On est au but. On montre patte blanche, des sentinelles sont postées, on se répand au hasard sur l'herbe. Telle étoile de théâtre ou de music-hall est nue sous son manteau de fourrure, elle a son quadrille, c'est-à-dire un petit nombre d'étoiles en herbe qui lui procurent les voluptés qu'elle préfère et qui se prêtent, sur ses indications, aux combinaisons les plus extravagantes. Alors le groupe des initiés en prend à son aise. Toute retenue, toutes convenances, toute jalousie sont interdites. Les uns militent, les autres regardent. Jamais femmes ne montrèrent plus de complaisance ni plus d'appétit. Sur le tard, on repartira, feux éteints.

C'est à juste titre que la police a entrepris de mettre fin à ces débauches collectives dont s'alimente et s'assouvit l'inquiétude sexuelle des déséquilibrés mondains, véritables intoxiqués pour qui la « partie au Bois » devient un besoin aussi impérieux que celui de la drogue pour le toxicomane. L'un d'eux me déclarait que, souvent, dans la nuit, obsédé par les visions du Bois, il se relevait, malgré sa fatigue, pour se rendre aux monstrueuses débauches. Quelques-uns essaient de réagir, mais la plupart aiment leur mal et font, sans difficulté d'ailleurs, de nombreux prosélytes.

Telles sont les principales perversions où l'inquiétude sexuelle des hommes va fermenter comme un incurable abcès. Leur fréquence, la tyrannie qu'elles exercent sur l'imagination, l'affaiblissement physique et moral auquel elles conduisent, sont des raisons suffisantes pour justifier une morale de l'amour plus rationnelle que la nôtre, une morale sexuelle qui serait avant tout une hygiène et une thérapeutique appliquées à ce que le docteur Voivenel a nommé « la maladie de l'amour ».

DOCTEUR APERTUS

Auteur non identifié

La Flagellation dite passionnelle

1927

Les diplômes du « Docteur Apertus », qui publiait, lui, chez J. Fort, dans la collection des « Orties Blanches », sont certainement plus sujets à caution que ceux du Dr Vachet. *La Flagellation dite passion-* *nelle devant la science, devant la morale et dans les mœurs,* quarante ans après, n'est pourtant peut-être pas moins instructive pour nous que *L'Inquiétude sexuelle* ou *L'Énigme de la femme.*

C'EST COMME CES HISTOIRES de jeunes dactylos fouettées par leurs patrons : si le fait a pu se présenter quelques fois outre-Manche, nous doutons fort qu'il puisse se présenter ici couramment. A moins pourtant que ce ne soit en manière de jeu... quelque peu risqué et où, en dépit des apparences, c'est inévitablement l'autorité du patron qui puisse seule en souffrir.

Dans certains ateliers, dit-on avec quelque apparence de raison, on fouette parfois les petites arpètes... Mais nous ne voudrions pas nous faire l'écho de racontars d'anciennes modistes, couturières, etc. Ces corrections d'ailleurs n'en sont guère en réalité et ne constituent que des brimades plaisantes d'un caractère un peu libre sur lesquelles on ne saurait insister dans une étude sérieuse, quelque documentée qu'elle soit.

Voici pourtant, et datant d'hier, c'est-à-dire du 11 septembre 1927, une coupure du *Petit Journal illustré* qui démontre, une fois de plus, que le fouet est resté dans nos mœurs :

Sur la côte bretonne, il existe un petit village où les femmes ne plaisantent pas. Situé près d'une station balnéaire, ce village recevait, chaque jour, la visite de jolies baigneuses, désireuses de faire un peu d'exercice après le bain. Rien de plus naturel. Seulement voilà ! Elles y venaient en maillot.

Cela ne plus pas, on le devine, aux femmes du pays, trouvant que leurs maris s'inté-ressaient trop aux « étrangères ». Ces Bretonnes énergiques organisèrent une petite conspi-ration, se munirent de branchettes de ronces et de touffes d'orties, puis à l'entrée d'un petit bois, allèrent guetter les baigneuses.

Quand celles-ci apparurent, les Bretonnes se jettèrent sur elles et les fustigèrent rude-ment avec les armes qu'elles avaient en main. Les coquettes, trop punies, eurent bien du mal à s'échapper. Les caresses des orties et des ronces leur ont enlevé, à tout jamais, le goût de se promener en maillot de bain.

Un grand dessin en couleur occupant une page entière illustrait cette information des plus exactes et représentait trois élégantes baigneuses, vues de face et fuyant – en poussant des cris certainement, car leur bouche était grande ouverte – tandis que cinq Bretonnes armées de verges improvisées les fouaillaient. Au fond du tableau, trois hommes du pays riaient; à l'un d'eux, une épouse, évidemment, couvrait de sa main les yeux pour qu'il ne vît pas trop une scène aussi plaisante.

Le hasard veut que nous ayons été personnellement renseigné davantage par des témoins oculaires et la scène en réalité se déroula un peu moins pudiquement que le représente le dessin destiné au public innombrable qui suit la publication en question. Les trois baigneuses dans le dessin ont conservé leur maillot. Dans la réalité il n'en fut pas ainsi pour toutes. Deux d'entre elles, que les sévères Bretonnes jugeaient par trop effrontées dans leur costume si sommaire et si collant, furent saisies rigoureusement et, en punition de leur indécence, dévêtues encore un peu plus.

Toutes deux, en même temps mises en posture sous le bras robuste de deux Armoricaines déterminées, reçurent d'elles, après quelques coups de leur verge piquante, une copieuse fessée manuelle qui fut des plus consciencieusement administrée. Cela en présence d'une assistance que récréait visiblement ce spectacle moralisateur. Quand elles purent s'en aller, ce fut avec un empressement facile à deviner qu'elles coururent revêtir leur peignoir pour dissimuler leur rougeur.

Chapitre V
La flagellation dans l'enseignement

Il n'est permis, en France, par aucun règlement de fouetter dans les écoles publiques. Il n'y a pas longtemps, on fouettait encore, un peu partout. Les maîtres, les maîtresses se souvenaient du bon Rollin qui disait :

La voie commune est abrégée pour corriger les enfants : ce sont les châtiments et la verge, ressource presque unique que connaissent ou emploient ceux qui sont chargés de l'éducation de la jeunesse.

Plus loin, il disait encore :

Je n'ai garde de condamner en général le châtiment des verges. Je conclus donc que cette punition peut être employée, mais qu'elle ne doit l'être que rarement et pour des fautes importantes.

Plus récemment, M. Rossignol, membre de l'Institut, professeur au Collège de France, rappelait, en 1888, que Platon vantait l'usage fréquent des coups pour le redressement de la jeunesse et qu'Aristote enjoignait expressément de donner le fouet en certaines circonstances. Il ajoutait même que cette correction n'était pas à infliger seulement dans l'adolescence et que c'est à bon droit qu'on devait en prolonger l'emploi bien au-delà.

Dans les pays anglo-saxons, on est resté de cet avis-là. A la date du 9 juillet 1914, les journaux reproduisaient cette information, reçue d'Haverford :

Le Club des mères organise une campagne dans le but d'obtenir l'adoption d'un système unique de châtiments corporels dans les écoles. Elles estiment que, judicieusement appliqué aux filles comme aux garçons, le fouet seul peut donner des résultats appréciables. Mais elles veulent que le traitement soit égal pour tous. En conséquence, une commission codifiera le nombre de coups à administrer suivant la nature des fautes.

Il faut croire que cette opinion s'est généralisée et qu'elle a été adoptée par les directeurs des établissements scolaires, car voici trois coupures de journaux que nous allons donner à la file et qui montreront quelle adaptation des derniers progrès de la science a été faite à la mise en pratique d'aussi sages conseils. La première vient d'Amérique :

Il paraît que, pour maintenir la discipline dans les écoles américaines, les corrections corporelles sont souvent nécessaires. La turbulence de leurs élèves oblige, dit-on, les professeurs et les maîtresses à se changer en papas et en mamans fouettards. C'est pour simplifier leur tâche qu'une école de l'État, à Redwing, dans le Minnesota, a innové un appareil qui remplacerait avantageusement l'usage de la main. Cette machine, d'un fonctionnement irréprochable, inspirerait au surplus, de l'avis du directeur de l'établissement, une telle terreur aux écoliers et aux écolières que la crainte d'être livrés au « gros gaillard », comme on l'a surnommé, assagirait les plus dissipés.

La seconde coupure vient aussi d'Amérique :

Un instituteur américain de l'Illinois, M. Denis, vient d'inventer un martinet élec-

trique pour les corrections. *C'est à la fois plus élégant et moins fatigant que l'ancien sys-*
tème.

Le procédé est simple : le petit délinquant, ou la petite délinquante, est couché sur une
chaise comme pour recevoir une fessée ordinaire. Près de lui est la machine à fouetter.
L'instituteur presse un bouton et le courant électrique met en mouvement une série de
baguettes qui vont rencontrer le coupable.

La troisième, elle, arrive de Cap-Town. La voici intégralement reproduite :

C'est un nouvel appareil, inventé par un ingénieur de Cap-Town et qui serait en usage
depuis quelque temps déjà dans la plupart des écoles et des institutions primaires de la
colonie.

Personne n'ignore que les punitions corporelles sont encore autorisées par la loi anglaise.
En Australie, au Canada, aux Indes et principalement dans la Colonie du Cap, ces sortes
de corrections sont assez souvent employées pour les élèves des deux sexes.

Le fustigateur automatique ressemble beaucoup à une chaise percée sur laquelle le délin-
quant doit s'asseoir, après avoir, bien entendu, baissé sa culotte comme il convient. Pour les
filles il en est de même : leur robe est arrangée en conséquence et le pantalon défait.

Des courroies ad hoc maintiennent le sujet assis, pendant qu'un mécanisme placé sous
la chaise règle, à la volonté du maître ou de la maîtresse, le nombre et la force des coups de
baguette. Celle-ci, en jonc, mince et flexible, est actionnée par un double ressort d'acier. Il
paraît que dans les cas les plus graves deux fessées de ce genre consécutivement administrées
viennent à bout des natures les plus rétives, même quand on se trouve en présence d'un
grand garçon ou d'une grande fillette particulièrement rebelles et d'une capacité de résis-
tance au-dessus de la moyenne.

Des mères américaines que nous venons de citer, deux pages plus haut,
devons-nous rapprocher plusieurs philosophes, nos compatriotes ?

Nous extrayons d'un bien beau livre de M. Paul Gautier, paru chez Hachette,
en 1900, et intitulé : *La Vraie Éducation*, ces éloquents passages contenus entre la
page 235 et la page 247.

Bon gré mal gré, il faut donc avoir recours à des punitions délibérément infligées. Mais
de quelle sorte ? Telle est la question qui se pose maintenant avec acuité. Sous leur appa-
rence bénigne, les privations sont barbares. Sevrer un enfant d'air, d'exercice, de prome-
nade, de distraction ou de nourriture, est extrêmement cruel, parce que contraire au bon
perfectionnement de l'esprit et du corps, par conséquent nuisible à sa conduite ultérieure.
Au surplus, elles ne servent à rien. On s'habitue étrangement vite à se passer d'une chose.
Le cachot, la retenue, le piquet, le lit ou le pain sec ne tendent pas à devenir familiers.
Amoindrissement de la personne, qu'ils rétrécissent à leur mesure, au lieu d'exciter la

volonté, ils la dépriment. Restent les peines afflictives. Du nombre sont les punitions morales. Mais, sans compter qu'elles n'agissent guère que sur les natures délicates, elles ne peuvent qu'exceptionnellement servir. La honte que ressent un enfant à rester à genoux ou coiffé d'un bonnet d'âne s'émousse rapidement. « Beaucoup d'enfants, sans être foncièrement mauvais, s'endurcissent assez vite contre elles, note avec raison M. Alexandre Martin, et ne paraissent pas souffrir bien fort lorsqu'on les humilie ou qu'on leur témoigne de la froideur. » Du reste les éducateurs, surtout dans la famille, sont rarement capables de garder aussi longtemps qu'il faudrait une attitude sévère. Et puis, maintes fois renouvelé, cela pourrait avoir de réels désavantages auprès de certaines natures particulièrement tendres, en leur faisant croire à un manque d'affection. Il en résulte que les punitions matériellement afflictives – hormis l'abrutissant pensum qu'on devrait interdire en pays civilisé pour la fatigue qu'il ajoute et la dépression qu'il entraîne – sont les meilleures, celles qui touchent le plus, sans inconvénient, la santé, sans préjudice pour l'esprit : l'amende ou le fouet, comme dans les écoles aristocratiques d'Angleterre. Ce dernier, convenablement administré, sur le derrière nu, est, à coup sûr, la plus naturelle. L'antique fessée, ce « châtiment court, inoffensif et sain » qui n'endommage que les globes charnus et « grâce auquel, suivant M. Étienne Lamy, le sang circule plus vite », joint à l'avantage d'être particulièrement efficace, parce qu'éminemment cuisant, celui d'être indiscutablement pratique, toujours à la portée, également applicable aux deux sexes, et, par surcroît, de pouvoir être proportionné à l'âge et à la faute. Rejetons ce que le même auteur appelle fort justement la « superstition de l'épiderme intangible ». Il n'y a pas la moindre barbarie, comme quelques-uns se l'imaginent, à user des verges et du martinet, voire à en graver un peu rudement les marques, infiniment moins qu'à courber sur des « lignes » de « jeunes corps faits pour le grand air et l'exercice ». Dukes, qui est un hygiéniste à l'âme sensible – remarquons-le – ne conseille-t-il pas vivement leur intervention ? « Fessez, fessez, se dit la mère, la peau du c... revient toujours. » Quant à l'humiliation, elle n'apparaît point, pourvu que le patient ne se sente pas insulté. « En Angleterre, d'après M. Boutroux, personne n'a l'idée de se moquer du camarade qui vient d'être corrigé. » Bien mieux, loin de le considérer comme déshonorant, on y regarde le fouet « comme un concours de courage, le patient ayant toujours fort à faire pour retenir ses larmes et ses cris ». En plus d'un châtiment, il devient ainsi une école d'endurance, une sorte de « sport » qui profite doublement à la volonté. Aussi bien, le « flogging » est populaire dans les institutions d'outre-Manche. Qu'il suffise de citer « ces jeunes gens qui se révoltaient naguère parce qu'il était question de le supprimer de leur horizon ». Il n'en allait pas autrement dans l'ancienne France où garçons et filles, grands et petits, fils de paysans et fils de rois, étaient copieusement fouettés par les papas, les mamans, les précepteurs, les régents, l'Église et l'Université. La moindre pensée de honte les effleurait-elle pour tendre souvent leur derrière aux verges ? Qui leur eût dévoilé qu'il y avait là une grave atteinte à leur dignité les eût, certes, beaucoup étonnés !

« Ô père et mère, voyez !
Nous revenons dans vos foyers
Chargés de verges salutaires
Pour qu'en nos petites affaires
Le bouleau vous offre un moyen
De nous encourager au bien.
La loi divine le commande
Et vous aussi, nos bons parents,
Nous venons donc, en pénitents,
Nous-mêmes, vous porter l'offrande
De ces utiles instruments. »

Voilà ce que chantaient en chœur, dans la vieille Allemagne, au retour de la forêt, les enfants qui avaient coutume, aux premiers beaux jours, d'y aller en procession chercher de quoi se faire bien étriller. Il va sans dire, toutefois, que les coups donnés ailleurs que sur les fesses, — « *cette partie du corps que la nature semble avoir faite pour cet usage* », *selon les propres expressions d'un jésuite anglais,* « *tant elles sont rebondies et rapprochées* » *et, du reste, fort peu délicates, éloignées qu'elles se trouvent, en outre, de tout organe important* — *doivent être rigoureusement prohibés, comme brutaux et fâcheux.* « *Dans certaines écoles congréganistes, écrit M. de Coubertin, on a remplacé le traditionnel moyen de répression par des férules, des coups assez violents sur les doigts ou le dos de la main... ; l'invention est malencontreuse. Si l'on se décide à frapper, ce ne sont pas les mains, toujours faciles à estropier, qu'il faut choisir...* » *ni les oreilles, ni les joues.* « *Les soufflets sont dangereux, écrivait Madame, mère du Régent ; ils peuvent causer des désordres dans la tête.* »

Avec « *les joues postérieures* », *au contraire, rien à craindre ; on les peut molester sans scrupule. La Palatine ne s'en privait point : elle fessait ferme. Imitons-la.*

Il y a, il est vrai, la manière ; comme dit l'autre : il faut savoir. Et d'abord, il importe de ne jamais se départir du calme le plus absolu. Le châtiment doit se présenter comme une peine, une réparation et un remède, point du tout comme une vengeance. « *Le moindre "fouet" donné à un enfant, fait observer Guyau, doit avoir le caractère de la justice, jamais celui de la passion.* » *C'était l'avis de saint Jean-Baptiste de la Salle.* « *Pendant que l'écolier se mettra en état de recevoir la correction, le maître, prescrit-il, se disposera intérieurement à le faire dans un esprit de charité et dans une pure vue de Dieu.* » *Aussi bien, à l'encontre de ce que pratiquent de trop nombreuses personnes qui ne fouettent qu'en colère, il est indispensable de ne jamais procéder à une exécution dans le feu de l'emportement. C'est pour en ravir l'occasion aux maîtres que, jadis, à chaque collège était attaché un correcteur, dont c'était l'emploi d'imprimer les sentences, à grands coups de martinet, sur les fesses coupables de leurs élèves paresseux ou indociles.* « *Ne reprenez jamais l'enfant, a dit Fénelon, ni dans son premier mouvement, ni dans le vôtre. Si vous le faites* dans le vôtre, il s'aperçoit que vous agissez par humeur et par promptitude, non par raison et par amitié : vous perdez sans ressources votre autorité. Si vous le reprenez dans son premier mouvement, il n'a pas l'esprit assez libre pour avouer sa faute, pour vaincre sa passion et pour sentir l'importance de vos avis : c'est même exposer l'enfant à perdre le respect qu'il vous doit. Montrez-lui toujours que vous vous possédez ; rien ne le lui fera mieux voir que votre patience. » Prétendent-ils réformer quoi que ce soit, ces parents hurlant, gesticulant et criant, qui se précipitent, les yeux hors de la tête, sur leur malheureux enfant effaré, comme s'ils allaient le mettre en pièces ? Je n'insiste pas sur ces mères aux mains lestes qui distribuent des gifles à tout propos et, le plus souvent, hors de propos, encore moins sur ces hommes du peuple qui battent, à proprement parler, n'importe où, n'importe comment et avec n'importe quoi. Il ne s'agit plus là de punition, mais de violences : au lieu de fortifier la volonté, leur plus sûr effet est de l'amoindrir. L'apparence ou le prétexte du châtiment ne subsiste même plus à l'égard de ces pauvres petits souffre-douleurs qui reçoivent des claques pour rien, pour le plaisir, parce qu'ils ont le nez retroussé ou qu'autour d'eux on a les nerfs « à fleur de peau ».

« Quand maman a mal à la tête, confie à un autre petit garçon un émule de Poil-de-Carotte, d'abord elle ne se lève pas tout de suite, mais tu perds rien pour attendre. Ces jours-là, c'est très mauvais pour toi, t'auras beau faire, t'y passes tout de même. »

« Ma mère dit qu'il ne faut pas gâter les enfants, avait déjà gémi Jules Vallès, et elle me fouette tous les matins ; quand elle n'a pas le temps le matin, c'est pour midi, rarement plus tard que quatre heures. » Véritables enfants martyrs, ceux-ci sont menacés d'abrutissement à bref délai. Et dire, en négligeant ces extrêmes, que ce sont bien souvent les parents qui se livrent à toutes sortes d'excès, quand ils sont en fureur, voire à de véritables pugilats, qui ne comprennent pas qu'on fesse de sang-froid, alors que c'est le premier devoir de qui châtie.

Le second est de donner à la pénitence une couleur morale. S'il est vrai que c'est perdre son temps que de semoncer un enfant tandis qu'on le punit, — « Capitaine, si vous prêchez, prêchez ; si vous fouettez, fouettez, disait un soldat indien à qui cet officier adressait un sermon, tout en lui faisant énergiquement cingler le derrière ; mais prêcher et fouetter à la fois, c'est trop ! ... » — le châtiment doit cependant être expliqué, présenté comme une réparation, un excitant à mieux faire et, au besoin, consenti. Aussi bien, il faut avoir soin que l'enfant s'aperçoive que c'est par bonté qu'on le corrige, par intérêt pour lui, en vue de son avenir. La punition n'exclut pas la tendresse ; bien au contraire, on doit faire sentir qu'elle en procède. « Un de mes amis, nous confie M. de Coubertin, m'a raconté comme quoi, après lui avoir appliqué consciencieusement la correction qu'il avait encourue, le "head-master" lui avait dit, une fois, en mettant des lunettes sur son nez et un bienveillant sourire sur ses lèvres : "J'espère que vous avez de bonnes nouvelles de tous les vôtres." On voit la scène d'ici, et mon ami, en se la rappelant, ne pouvait s'empêcher d'en rire encore. »

Du reste, les punitions ne doivent pas être imposées arbitrairement, mais en conformité avec un plan scrupuleusement suivi. Des parents qui tantôt sévissent et tantôt ne disent rien, — au hasard, — font figure de tyrans, de tyrans méprisés, tandis qu'au lieu de l'aider ils désorientent la volonté. « Mieux vaudrait, constate Spencer, une forme barbare de gouvernement appliquée avec suite qu'une forme plus humaine appliquée avec tant d'indécision et de légèreté. »

C'est pour d'identiques raisons que les châtiments doivent être dispensés avec fermeté, sans faiblesse ni sensibleries. Punir sans punir ne vaut. Que de pères et de mères, incertains dans la répression comme dans l'abdication, ne savent se résoudre à infliger une réelle douleur. S'ils fouettent, ils se contentent de « chasser les mouches » : autant s'abstenir. Toute fessée doit faire mal, très mal. Autrement, c'est une simagrée, plus nuisible qu'utile, et, à tous égards, ridicule. Ils ne versaient pas dans ce travers, nos ancêtres qui trempaient les verges dans du vinaigre afin que la cuisson fût plus longtemps durable. Et ils n'avaient pas la main légère ! « A la première faute que je commis, raconte Francion de son régent, il me déchiqueta les fesses avec des verges plus profondément qu'un barbier ne déchiquette le dos d'un malade qu'il ventouse. » Tout de même, pour se laisser attendrir en cours d'exécution, il vaut mieux ne pas commencer. Outre qu'on ne saurait plus mal placer sa tendresse — c'est le cas de le dire — à ce jeu, en effet, non seulement on perd autorité et respect, l'enfant y prend, de plus en plus, la détestable habitude de faire fléchir ou tourner la règle à laquelle on devrait, au contraire, l'exercer à se soumettre loyalement et noblement.

Si nous avons donné tant d'étendue à cette citation, c'est parce qu'il nous serait bien difficile de trouver réunis avec plus de distinction, de sagacité et d'éloquence des arguments militant en faveur du Fouet comme moyen éducatif. La haute autorité de son auteur nous dispensera de tout commentaire et épargnera à notre impartialité le souci d'étudier davantage de nouveaux arguments désormais superflus.

MAURICE DEKOBRA

1885-1973

Flammes de velours

1927

Auteur léger, galant, Maurice Dekobra n'a jamais eu maille à partir avec la Brigade mondaine ni la justice (une fois, il aurait pu, nous l'avons vu p. 301). Son érotisme tout de situation, de dialogues allusifs, de mots frôleurs, lui attirait un nombre étonnant de lecteurs. En 1927, son éditeur Baudinière annonçait les tirages suivants pour ses principaux titres : *La Madone des Sleepings*, 510e mille, *Mon Cœur au ralenti*, 340e, *La Gondole aux chi-* mères, 290e, et ces *Flammes de velours,* 240e mille. On peut dire de lui, comme de Guy des Cars aujourd'hui, ce que Valéry disait à Léautaud à propos de Georges Ohnet : « *On se moque de Georges Ohnet. Mais, mon cher, c'est un homme très fort. Il sait à merveille ce qu'il faut mettre dans un livre pour qu'il plaise au public : un peu de sentiment, un peu de romanesque, un peu de... un peu de... etc., etc... Doser tout cela. Juste dans les proportions qu'il faut. Là-dessus : servez chaud. Ceux qui le blaguent seraient bien embarrassés d'être aussi habiles*[1]. »

1. Paul Léautaud, *Journal littéraire.*

---

8 mai, onze heures du soir.

*C*E SOIR, un soir embaumé par les fleurs qui sont lasses d'offrir leurs corolles exténuées à la caresse irréelle de la nuit, nous sommes tous les trois dans le grand salon, ouvert sur le jardin, d'où l'on voit la ville blanche descendre en cascade de dominos vers le satin noir et bleu de la Méditerranée. Rosario, assise sur la banquette, esquisse des airs de Granados sur le clavier jauni; Lila, juchée sur le piano, ressemble à une poupée habillée de tulle noir, oubliée là par une marâtre de douze ans. Ses jolies jambes pendent vers le tapis et ses souliers de satin argenté esquissent un 2/4 dans l'espace.

Un grand fauteuil héberge ma paresse inquiète et voluptueuse. Inquiète, parce que mon intimité avec Rosario n'est pas franche. Voluptueuse, parce que les jambes de Lila s'ouvrent et se ferment au rythme de la mélodie. Tandis que Lila fredonne, insouciante, en froissant dans ses doigts les pétales d'un lilium, mon regard rencontre parfois les yeux de l'autre, de la belle aux lèvres rouges. Et je crois découvrir dans ses prunelles la lueur sourde d'un défi. Oserai-je écrire que ce défi fait patte de velours?

Les jolies mains de la Cubaine s'attardent sur l'ivoire strié de noir, dans le même temps que les yeux de la Viennoise me proclament son amour. Tandis que je subis l'affectueuse hostilité de celle-là et savoure la tendresse résolue de celle-ci, je les compare mentalement et les oppose. Rosario, c'est toute la féminité avec ses armes offensives et son armure trompeuse, avec ses pièges à cœurs et ses chausse-trapes à volontés. Lila, c'est toute la sincérité d'une âme neuve dont la blessure s'est vite cicatrisée à la chaleur d'un amour vrai. Rosario ment. Lila pas encore. La duplicité des hommes a appris la méfiance à Rosario. La fourberie d'un seul n'a pas encore caparaçonné le cœur de Lila. Celle-ci donne sa loyauté entre ses lèvres douces. Le baiser de celle-là serait presque une morsure.

Combien de fois, lorsque je passais sous les palmiers du parc pour rentrer dans la villa, n'ai-je pensé aux réflexions que nous suscitons parmi les Quatre Cents d'Alger!

– Hé, hé! chuchotent les personnes averties... voilà le nabab de la villa Nirvanah qui va retrouver ses deux sultanes... Un joli trio, ma foi... Un Français éclectique qui sert de trait d'union entre la mer des Antilles et le beau Danube bleu... On ne lui reprochera pas d'ignorer la géographie, le soir, après minuit!...

Potins puérils?... Insinuations cruelles?... Que m'importe! Peuvent-ils comprendre la réalité?... Puis-je faire entendre à ces gens qui affirment sans preuve, puis-je leur expliquer que nous sommes deux amoureux très normaux, deux amants conformes aux plus pures traditions et que le témoin de notre intimité, cette femme, acharnée à nous poursuivre de son amitié, n'est point animé de desseins libertins? Peuvent-ils se douter du drame très secret qui se joue chaque jour dans la villa très blanche? Un drame, invisible comme un spectre, mais drapé de linons pâles et parfumé d'essences rares?... Un drame sans masque tragique, ni grimaçant?... Le drame aux sourires enjôleurs, dispensateur de mots aimables et d'attitudes décevantes?...

Qui donc me croirait si je parlais? Qui donc se douterait que Lila n'affecte pas devant son amie les allures d'une maîtresse, heureuse d'afficher son bonheur auprès de son amant? Qui donc se douterait que, depuis quinze jours, Lila et moi, nous cachons soigneusement nos effusions à Rosario? Lila, par pudeur. Moi, par prudence. La lettre à Schomberg m'a servi d'avertissement. S'il doit être renseigné par Rosario sur nos états d'âme, mieux vaut que la nouvelle lui parvienne le plus tard possible.

*

Rosario a plié la musique pour allumer une cigarette. Elle s'étire. Ses beaux bras nus se dressent, serpents tentateurs d'un Laocoon drapé de crêpe de Chine safrané. Elle est, ce soir, fascinante avec excès et semble irradier le Désir pour les inconnus qui rêvent aux étoiles, pour les chacals qui rôdent en quête de proies sous les buissons de Cythère. Tandis qu'elle me lançait son étui à cigarettes de jade rose ensanglanté de rubis, je lui ai dit gravement :

— Ma chère, vous menez auprès de nous une existence malsaine.

— Malsaine ?

— Votre dévouement à notre cause, votre attachement à notre chère Lila, vous fait oublier les nécessités de votre propre cœur... Je vous jure qu'il est dangereux pour l'équilibre de vos colloïdes et pour la tension de votre grand sympathique de passer exclusivement votre temps à surveiller la température amoureuse d'un homme qui courtise sans trop d'espoir une femme acharnée à lui résister... N'est-ce pas, Lila ?

— Philippe a raison, ma chère... Tu ressembles à l'Anglais bien connu de l'apologue... On dirait que tu me suis dans l'espoir de voir Philippe, ce tigre ! me dévorer un beau soir à l'ombre d'une tenture complice !

— Croyez-moi, Rosario !... Orientez vers des réalités plus accessibles la ténacité de votre curiosité... Voulez-vous que je vous présente un beau chasseur d'Afrique ?... Préférez-vous imiter Lady Hampton Wynne qui, à cette heure-ci, le dos dans l'alfa, invoque probablement le chevalier de ses jarretières ? Grâce à mes relations à Alger, je vous trouverai sûrement un caïd tentateur ou bien un débardeur kabyle initié aux meilleurs rites de l'amour à la musulmane, à moins que vous ne préfériez un muletier marocain qui assaisonnera de modulations gutturales les phases de votre savoir-faire ?

Rosario nous regarde, Lila et moi, alternativement. Elle hausse les épaules, dédaigneuse.

— C'est tout ce que vous avez à m'offrir ?

— Mon programme devrait vous séduire.

— Me prenez-vous donc pour une chercheuse de frissons faciles ? Vous n'avez donc pas encore compris que je me suis affranchie de ces chaînes *that flesh is heir to*, comme dit Hamlet ? Je laisse Lady Hampton Wynne mêler sa voix au chœur innombrable des épicuriennes en mal de petits vertiges et je préfère aux fleurs vénéneuses de la passion le lys pur de l'amitié.

— Vous nous aimez, Rosario, avec une fidélité qui me donnerait presque la chair de poule.

Lila proteste :

— Il vous taquine, Rosario. Ne l'écoutez pas !

— C'est vrai, je plaisante... Chantez donc toutes les deux pour moi *Who wouldn't*. Le jazz n'est-il pas aujourd'hui le symbole de l'harmonie universelle ?

Lila s'est assise au piano et joue. Rosario chante. Le rythme syncopé boite, titube et s'envole dans la nuit bleue :

I like your ma
I like your pa
Ha! Ha!

J'écoute ces rimes puériles qui ont bercé outre-Atlantique tant d'idylles naissantes ou d'amoureux boudeurs. Ce soir, elles calment mon inquiétude qui, fièvre aux accès intermittents, me surprend, me délaisse et revient, plus sournoise.

Lila me sourit. Rosario me regarde et sourit aussi. Un sourire vrai et qui m'attire. Un masque trompeur et qui me met sur mes gardes.

Maintenant, Lila et Rosario fredonnent *Always*, autre romance américaine :

I'll be loving you
Always
With a love that's true
Always

Always... Toujours... Petit adverbe au regard insidieux, insecte aux élytres chatoyants qui bourdonne à l'oreille de tous les amants et dessine dans l'espace des points d'interrogation.

RACHILDE

1860-1953

Refaire l'Amour

1 9 2 8

Madame Rachilde a-t-elle été vraiment giflée par Max Ernst au banquet Saint-Pol Roux en juillet 1925 ? Elle prétendait avoir reçu de lui un coup de pied dans le ventre. Les versions de l'incident diffèrent, et j'ai oublié d'en parler à Max Ernst pendant qu'il vivait encore. Si c'est vrai, elle a dû riposter vigoureusement malgré ses soixante-cinq ans. Je ne l'ai jamais rencontrée, mais, comme Cavanna, j'en ai entendu parler. C'était paraît-il une femme des anciens temps : en acier, et inusable ; voyez Madame Simone. Je parle plus longuement de Rachilde ailleurs ; elle appartient tout de même au XIXe siècle.

Mais en 1928, sur ses soixante-dix ans, elle était toujours là, et on sent bien que les succès de Raymonde Machard l'agaçaient un peu. Et puis il y avait tous ces jeunes gens si mal élevés. *Refaire l'Amour*, c'est un peu son *Hands off love* à elle.

OUI, LA NUIT est délicieuse. Je rentrerai tard ou je ne rentrerai pas du tout, dussé-je camper comme un homme sauvage. Sirloup m'a suivi, peu soucieux de garder l'auto durant les beuveries de ces messieurs les chauffeurs. Le voilà ivre, lui, de cette liberté complète, sans témoin gênant, sans compagne amoureuse ou capricieuse, absorbant l'attention de son maître : on joue nous deux. Je lui jette un caillou et il s'élance follement heureux de le distinguer parmi les mille et un cailloux de l'allée, aux feux de ses deux topazes flambantes. Il court à travers les pelouses pour y chasser de menues bestioles que son galop frénétique expulsera de leur trou. Puis il revient, fait vivement le tour de ma personne pour s'assurer que rien ne me menace. Je l'entends haleter derrière mes talons. Loup et berger, il me guette et me garde, voudrait sauter sur mes épaules ou se coucher à mes pieds. Ah ! que c'est beau une animalité pure ! Aucun autre intérêt ne le guide, celui-là, que l'amour pour son maître, et cet amour est pourtant fait, extrait, de tous les intérêts réunis. Il représente l'intérêt suprême de la fidélité. Sirloup est un monstre et un innocent. Sur un signe de moi, il tuera ou sauvera quelqu'un…, mais il attendra le signe. Il ne sait rien de mieux que mes ordres.

Combien la douceur de l'air est émouvante ! La fluide clarté de la lune double toutes les lignes noires du paysage d'un ourlet de blancheur opaline. On dirait que ce beau sein de femme, penché sur nous, laisse couler une rivière de lait nourrissant de sa lumière toutes les bouches d'ombre tendues avidement vers lui. Quel calme, dans ce parc immense dessiné pour le seul plaisir du regard ! Qui donc le connaît bien, la nuit, ose le hanter, quand toutes les rumeurs s'apaisent, que la grande ville, derrière lui, semble se taire pour écouter chanter ses rossignols ?

Malgré moi, le peintre travaille : je peuple de nymphes ces pelouses qui se déroulent en tapis de velours allant tremper dans l'eau des lacs et s'y franger d'émeraudes. Je vois danser mes belles illusions en rondes multiples, tantôt légères comme le brouillard de ces prairies artificielles, tantôt comme des écharpes tendues ou des ailes transparentes.

Et la mélancolie de la solitude s'abat sur moi, m'étreint à me suffoquer.

Que t'ai-je fait, ô Nature, pour que tu me condamnes à errer seul parmi tes merveilles, amant toujours épris, sans trêve ni repos, de ce que tu as de plus cruel : le tourment de la volupté. J'aime et j'ai oublié tes plus naïfs commandements, tes ordres les plus impérieux, ô toi, maîtresse des maîtres, et n'est-ce pas toi, par-dessus tout, que j'aime, toi la beauté qu'on ne peut maquiller, toi qui transparais sous tous les masques, nudité vivante et ardente qu'on ne pourra, probablement, atteindre, posséder, qu'en se couchant pour toujours au lit de la tombe ! Nature, marâtre et amante tout ensemble, pourquoi m'as-tu doué de ta puissance aveugle, inutile, si, vraiment, aucune de tes créatures humaines ne peut l'égaler... ou la détruire ? Vieux sans avoir subi la déchéance de la maladie, j'ignore le doute ou la peur. Je demeure debout, indéracinable comme l'arbre, là-bas, le centenaire décapité, dont le cœur, la flamme végétative ne veut pas mourir... et on dit encore de moi : *Le beau Montarès*. Que veux-tu donc que je devienne si jamais personne, dans la foule de tes nymphes ou de tes filles, de mes illusions ou de mes réalités, ne consent à s'unir à moi pour une éternité de caresses ?

J'aime l'amour, « J'ai la fureur d'aimer », pour refaire la sinistre déclaration de Verlaine, et j'ai trahi l'amour parce que je l'ai compris trop tard. Tour ce que j'ai possédé, je l'ai perdu pour ne pas avoir su me l'expliquer à moi-même ou l'apprécier. Je ne peux qu'une réalisation : être heureux au-dessus de tous les bonheurs ordinaires, être surhumain au-dessus de la faiblesse humaine qui me jalouse, m'a pris en horreur, me punit... Or, je ne suis pas coupable, sinon d'être moi, quelqu'un que tu as enfanté à ton image. Nature, un être aveugle s'en allant à tâtons vers sa destinée.

J'ai toujours été la proie d'une nuit de printemps et jamais je n'ai pu résister au corps invisible qu'elle me représente, qui embrase le mien, fait frémir, sous ma peau, ma chair, et, sous ma chair, mes os qui me brûlent. Où est-elle donc, cette compagne insolente qui joue de moi, enflamme mes lèvres et me force à lui livrer tous les baisers, jamais rendus ? Est-ce une mère trop tendre, qui cherche à consoler le fils dont elle redoute les caresses, ou une amante désespérée qui poursuit, de son ombre, l'amant qui l'a trahie ?

Je suis arrivé devant le lac sans rencontrer personne. Je me rappelle les cygnes. Je vois celui qui s'estompait derrière la tête brune de Bouchette, cet hiver. Les cygnes dorment et bercent mon désir sous leur duvet irritant, la petite houppe à poudre de Bouchette qui leur fut arrachée. La merveille du ciel, bleu marine, se mire dans les reflets soyeux de l'eau, la rend profonde comme celle d'un océan. Quelle douceur ce serait d'aller aborder là-bas, dans l'île, de courir sous les saules où sa nudité pâle rendait anxieux les grands oiseaux ! Mais non, rien ! Tout est en rêve, parce que jamais ne sonne l'heure de l'opportunité des beaux hasards. Et, du reste, nous, les hommes trop civilisés, nous avons le talent de les repousser pour des raisons qui ne sont pas la raison, mais des préjugés imbéciles. Nous ne savons offrir le bonbon *Alibi* qu'en toute connaissance de cause, nous sommes les aventuriers qui ont la terreur de l'aventure, sans vrai courage, sans audace, dans tout l'amour, ce pourquoi nous ne sommes pas dignes de vivre, même à notre époque où tout est permis.

*

– Qu'as-tu, mon chien ?

Sirloup tombe en arrêt du côté de la tache noire de ce bosquet, un endroit recouvert par les guirlandes d'un lierre magnifique, une sorte de grotte, une chambre de verdure dont l'entrée se montre ronde, tel le couloir d'une tanière de fauve.

Il y a certainement là des gens cachés, des malfaiteurs ou de pauvres diables dormant à la belle étoile, sans autre étoile que l'œil indiscret de la lune se glissant sous les branches, car la lune, dans son plein, ne souffre aucune rivale.

Sirloup gronde, la queue en fouet. Planté sur ses quatre robustes pattes, il est prêt à bondir. Je lui flatte les oreilles, le calme. Faut-il douter de la sécurité du Bois ? Le décor est si merveilleux dans son immobilité de toile de fond et, au premier plan, ce saule argenté, rideau scintillant de paillettes, abrite sous lui des fleurs d'eau presque roses, grosses comme des têtes d'enfants émergeant de leur bain ! Une aventure de guerre ne me déplairait pas. Je suis irrité par cette splendeur gaspillée. J'ai la mauvaise habitude, ainsi que tous les hommes, de me croire le centre de l'univers, au moins quand je suis seul, et ce n'est pas une aventure de banale tendresse qui étancherait ma soif, après avoir bu à la coupe de la nature. Il me faudrait une bataille et du sang pour me distraire des distractions ordinaires. Elle avait bien raison, *l'autre*, de me dire jadis : « Pourquoi ne peut-on pas mourir… pour éterniser enfin ce qui ne dure pas ? » Et… comme j'ai eu tort de ne pas l'avoir tuée ! Ah ! Refaire l'Amour, son amour, tous les amours en l'unique Amour! Entre deux, assez forts, assez grands, pour recréer le monde, puisque le monde est en nous et que le décor, les cités plus sombres ou les plus clairs paysages n'existent que lorsque nous les animons de notre passion personnelle!

– Voyons, Sirloup, tais-toi! Arrière! Hein? Qu'est-ce que c'est que ça?...

Sirloup vient de bondir irrésistiblement sur un être qui sort de ce trou de verdure, une espèce de long reptile blanc..., c'est..., mais oui, c'est une femme!

Chose inouïe! Devant cette femme, qui est entièrement nue, j'ai posé ma main derrière moi pour y chercher mon revolver, me défendre. Sirloup, happé au collier, frissonne d'une terreur témoignant de sa superstition d'animal en présence d'un autre animal d'une race inconnue. Je le maintiens en arrêt devant de ce nouveau gibier débusquant de son antre. On l'aperçoit aussi nettement, aux lueurs de la lune, que dans un écran de cinéma. Elle est d'un âge incertain, belle de lignes, blonde ou rousse, coiffée court avec des mèches qui lui obstruent les yeux. Elle tire, en se traînant, un lambeau d'étoffe, un manteau, je crois. Péniblement, elle se relève, titube un peu, en ramassant ce manteau, une fourrure de zibeline doublée d'une soie claire, puis s'en couvre, se fond, maintenant, dans une silhouette bien mondaine, celle d'une dame qui serre sa pelisse autour d'elle, du même geste qu'elles ont toutes sur le perron d'un grand restaurant ou du théâtre, quand le froid sévit et qu'elles attendent leur voiture.

Elle vient à moi, lentement, et me dit ceci, d'une voix somnolente, hallucinée :

– Monsieur, cher monsieur? Voulez-vous faire un quatrième?

Elle est probablement ivre, ne se souvient pas du tout du costume qu'elle porte sous la décence de son manteau, dont le col monte jusqu'à la touffe désordonnée de ses cheveux.

Je réponds, repris par le fatal engrenage des propos mondains :

– Mais, volontiers, chère madame. Encore faudrait-il savoir à quel jeu?

Et je salue, secoué d'un frisson analogue à celui de Sirloup. Je demeure, devant elle, respectueux, abruti. Le rôdeur me demandant la bourse ou la vie, la pierreuse en quête d'un miché sérieux, ne m'auraient pas désemparé comme cette apparition. Il y a surtout mon chien qui ne la tolère pas! J'ai toutes les peines à le retenir. Il pousse de vilains petits cris de rage ou de désir, comme chaque fois qu'il sent de la chair nue à sa portée. On ignore s'il a envie de mordre ou de lécher... La nature, la belle nature, est en train de nous rouler tous les deux dans une aventure où je n'aurai pas le dessus, j'en ai peur!

Nous causons, la femme et moi, l'un en face de l'autre, moi retenant mon chien et elle son manteau, la lune nous illuminant de sa lumière morte donne le détail avec une précision affreusement photographique. Ou c'est noir, ou c'est blanc. La fourrure l'enveloppe d'un pan d'ombre qui s'écarte parfois pour laisser entrevoir un morceau de peau blafarde.

J'interroge, très courtois, sans aucune ironie :

— Vous aurait-on manqué de respect, chère madame? Le bois est mal fréquenté, dit-on, à cette heure tardive? Etes-vous blessée, dévalisée? Vos agresseurs vous ont pris vos vêtements, sans doute? Je peux vous défendre ou vous reconduire chez vous...

Alors, elle continue, de son côté, comme si elle était toujours à la recherche *du quatrième*, dans son salon, et elle m'apprend son histoire en termes hachés, décousus, invraisemblables. Je n'en crois pas mes oreilles et Dieu sait, pourtant, si j'en ai entendu, des confidences de femmes, des aveux troublants :

— ... Vous pensez que, pour une partie comme celle-là, on ne pouvait guère la risquer chez mon mari. On est traqué partout! Dans les hôtels, on peut être vendu par les garçons, les chasseurs, ou les femmes de chambre. Ernest est à moitié gâteux et son imbécile de secrétaire, qui est un homme de lettres, n'attend que l'occasion de me faire du chantage. J'ai dit à Fernand que nous irions tout simplement au Bois. La voiture attend chez Laure, on la rejoindra passé minuit. Dites donc, il n'est pas minuit? Il faut que je passe minuit, non... chez Laure..., c'est indispensable. L'ennuyeux, c'est que... qu'ils sont là, vautrés, mon cher, comme des porcs..., c'est honteux! C'est bien désagréable aussi! (Elle parle d'un ton enfantin un peu zézayant, coupé de hoquets et de reniflements bizarres. Elle est peut-être enrhumée du cerveau, étant donné la légèreté de son costume!) Oui..., nous sommes trois, voulez-vous faire le quatrième?

Elle me prend le poignet. Je sens ses ongles qui s'incrustent pour lui assurer son équilibre.

Guidé par cette singulière Galathée, je m'approche de l'antre en question. Sirloup, lâché avec une solide tape sur le museau pour lui apprendre le respect, malgré les circonstances, me suit, le nez bas, grondant en enragé de sa colère intérieure.

Je pénètre, en me baissant, et je vois étalés, dans l'ombre, deux hommes, l'un sur le ventre, l'autre sur le dos, en habits de soirée, si on peut appeler *habits de soirée* des loques fripées, souillées, de couleurs indistinctes pour les gilets blancs.

Un de ces messieurs ronfle, le plastron inondé d'on ne sait quelle mixture qui n'est malheureusement pas pour lui du sang, car ce serait plus propre, au travers de quelle mixture empoisonnée étincellent les prunelles brillantes de deux énormes boutons de diamants. Ce sont des gens très bien.

Abasourdi, je demande encore :

— A quoi s'amuse-t-on, ici, ma chère belle?

Elle s'assied, accablée de fatigue, sur le banc de gazon neuf qui fait le tour de la grotte, comme un divan :

– S'amuser ? Mon pauvre ami, que dites-vous là ? Sans la *neige*, on aurait eu joliment froid ! Des hommes, ça ! (Et elle pousse du pied l'homme qui ronfle.) Non ! Ça n'existe pas. Vous connaissez Ernest ? C'est un gâteux. Il rabâche toute la journée ses mémoires. Ceux-là, plus jeunes, sont tout de suite au bout de leur rouleau. Tenez, il ne m'en reste plus qu'une *petite*, une toute *petite* ! La voulez-vous ? On pourrait ensuite se plaire ensemble.

J'ai compris.

– Merci ! J'ai horreur des paradis de ce genre. Surtout, ne me dites pas qui vous êtes, je vous en prie. Je ne veux ni vous conduire au poste ni retenir votre nom.

Je repousse un peu brusquement la boîte d'or qu'elle me tend et, sans le faire exprès, je répands son contenu, une poudre onctueuse comme, en effet, un flocon de neige. J'écarte le manteau de la femme et, à la pure clarté de la lune glissant son index de fée entre deux branches de ce lierre noir, je la regarde.

C'est horrible ! On dirait des bleus que lui auraient faits ses deux compagnons… de peine ! Par tout le corps, elle est maculée de piqûres et de plaies. Maigre, anguleuse, ses bras, aux coudes et aux poignets, montrent leurs os. Elle a une peau qui semble grise dans la lueur laiteuse de l'astre, mais ses lignes sont encore correctes, révèlent plus de jeunesse que son visage tourmenté.

– Vous avez été belle, madame, dis-je, d'un accent de reproche, très amer, malgré moi. Pourquoi avez-vous avili tout cela ? (Et j'ajoute, plus doucement :) Voyons, reviens à toi, réponds-moi. C'est stupide, c'est coupable de t'abîmer ainsi. La vie n'est pas faite pour le mensonge.

Elle se redresse, impérieuse :

– Vous allez me rendre ma poudre ! Où est ma boîte ? Vous me l'avez volée…

Elle est furieuse, tout à coup.

Je cherche la boîte qui a glissé sur le gazon. Sirloup, très attentif à tous mes gestes, la trouve, la ramasse, et la lui présente, délicatement. Il se sent, maintenant, plein de prévenance pour cette singulière animale qui pose, ou remet, sa peau à volonté.

– Il est beau, votre chien ! (Ses yeux se ferment.) Dites-moi, chéri… est-ce vrai que les chiens…

Elle paraît s'endormir. Sous les narines, je vois couler une morve blanchâtre, une mousse, et mon cœur se soulève. Ce n'est pas une fille, certainement, parce que son état de bizarre ébriété ne lui permettrait guère de retenir la liquéfaction de son cerveau, et elle n'a pas, cependant, laissé échapper un tutoiement vulgaire ou un mot obscène. Elle demeure distante, encore plus ignoble de garder sa tenue qui n'indique ni une passagère exaltation ni un attendrissement. Dans ce cadavre vivant, tout est pourri, détraqué, sali. Il ne reste que la ligne, la ligne mondaine. Si je touchais son nez, je le sentirais mou, s'aplatissant sous le doigt, privé de son cartilage.

Ce n'est plus une femme, c'est une bête, une bête immonde, qui vaut moins que mon chien, la honte de son espèce féminine dont l'héraldisme ne compte plus. Elle n'a qu'une idée fixe… Toujours la même, parbleu, celle qui mène le monde entier aux fins dernières de la suprême convulsion du plaisir !

Je lui parle tout bas, contre son oreille. Elle sourit. Ses dents se mettent à luire, sous le rayon de lune ; de jolies dents sont tellement inutiles aux têtes de mort ! Elle m'écoute, hoche le front, m'approuvant, consentante :

— … Seulement, je vous le prête, je ne vous le donne pas, chère amie. J'y tiens beaucoup ; je suppose qu'on peut en obtenir tout ce qu'on désire, en sachant lui en intimer l'ordre par des caresses appropriées. Surtout, pas de brutalité ou il vous étrangle, vous et les vôtres ! Voici donc, enfin découvert, le quatrième que vous méritez. A ne jamais vous revoir, belle madame.

Et je m'évade…

… Mon cerveau flambe. Je deviens fou. Pourquoi ai-je laissé commettre ce crime ? Car c'est bien un crime, c'est même l'ancêtre de tous les crimes, celui qui nous valut toutes les déformations physiques les plus répugnantes de la création. Il est inscrit, en caractères de pierres, au portail de la cathédrale de Chartres, tourné en dérision joviale par le moyen âge qui savait s'amuser des choses les plus macabres. Il est flétri tout au long, sinon prévu par le. code. J'imagine les commencements du monde racontés par la Bible trop clairement, où les anges eurent commerce avec les filles des hommes et où, sans doute, les hommes, indignés, frustrés, en appelèrent aux sirènes de la mer et aux guenons des forêts.

Du fond de cette fange, de mon abominable trahison, ô maître des maîtres, puissance des puissances, je devrais me traîner à tes genoux pour implorer mon pardon, ô toi qui ne m'as jamais trahi, toi ma force et ma raison de vivre ! Pourquoi m'as-tu abandonné ? Pourquoi, m'ayant livré à ta pire ennemie, cette mauvaise fée aux yeux louches, *l'hésitation*, m'as-tu tout à coup enseigné la pudeur ? La pudeur, *l'Alibi* ! Si tu avais posté cette audacieuse femelle au coin du bois, c'est que peut-être tu voulais la guérir de sa misère ! Entre grands coupables, on peut jouer franc jeu. Est-ce que je mérite mieux que ce rôle de *quatrième* ? Du partenaire de hasard, du passant ratifiant, par son consentement, la bonne aventure, même la plus douteuse des chances ?

A l'aube, mon chien revient et mon chauffeur manifesta sa joie, Moi, je commençais à m'exaspérer dans cette voiture close :

— Monsieur, le voilà, notre Sirloup ! Il est plus malin que les gardes ! On ne l'a pas emballé ! Nous avons bien fait de l'attendre.

Sirloup, très humble, se glisse dans l'auto, se couche à mes pieds. Son long corps reptilien me rappelle vaguement cette femme pliée, toute nue, dans son manteau de fourrure. Du même coup de gueule discret avec lequel il a rendu la petite boîte d'or, il pose, devant moi, un petit mouchoir, un pauvre petit mouchoir plein de bave où se détache, transparaît, une initiale timbrée des neuf pointes de perles.

MARCEL PROUST

1871-1922

Le Temps retrouvé

1927

1927 est l'année où pour la première fois un important inédit de Sade paraît en librairie, très officiellement. Il est vrai qu'il s'agit des *Historiettes, Contes et Fabliaux*, que ni le Parquet, ni même les ligues de moralité ne sauraient poursuivre. La même année, cinq ans après la mort de Proust, paraît *Le Temps retrouvé*, où l'on peut lire la scène mille fois citée que nous reproduisons ici.

Le rapprochement entre ces deux illustres écrivains français fut fait devant moi, pour ma défense mais à ma surprise, le 15 décembre 1956 quand enfin l'affaire Sade vint devant la 17e chambre correctionnelle, à Paris. Grand ami de Fernand Fleuret, Me Maurice Garçon, de l'Académie française, auquel je rends hommage ailleurs, goûtait plus les gaillardises que l'érotisme satanique, bien qu'il fût un des piliers de la Société Huysmans, et grand érudit en sorcellerie. Sans m'en prévenir il avait préparé une plaidoirie sur ces bases : Sade est immoral, obscène et ennuyeux, mais il n'est pas le seul et maintenant nous pouvons tout lire ; d'ailleurs nous avons déjà tout lu, la preuve. Et dans une grande envolée de manches, il s'écria :

« *Au surplus, ne soyons pas hypocrites et reconnaissons que nous en avons vu d'autres et que nous supportons chaque jour, sans protester, des publications qui n'ont pas le triste privilège de trouver leur décri dans une réprobation traditionnelle. Puisque nous parlons de sa*

1. *L'Affaire Sade*, Paris, 1957 et 1963 (édition complète du jugement d'appel).

disme, écoutez ce qu'a écrit Proust, qu'il est convenu de ranger parmi nos plus grands écrivains contemporains… »

Il lut presque entièrement la scène en question, puis enchaîna :

« *Peut-être jugerez-vous inopportun que je poursuive cette lecture dans une audience publique. Du moins ce que j'ai lu peut vous conduire à méditer sur l'état changeant des mœurs. Personne n'a songé à poursuivre Marcel Proust qui s'apparente pourtant étrangement au Marquis de Sade dans la description de cette scène de flagellation.* »

Puis le célèbre avocat s'en prit à Gide, « *dont on dit qu'il est l'un des directeurs de conscience de la jeunesse contemporaine* », et cita des passages de *Si le grain ne meurt* et du *Journal* où, « *devenu vieux* », André Gide notait encore « *sans pudeur* » dans un ouvrage « *publié en des milliers d'exemplaires et destiné à être mis entre toutes les mains* » ses aventures sexuelles… Conclusion : « *Dans le même temps où le Parquet poursuit la Justine, on a jugé les passages que je viens de lire dignes de recevoir le Prix Nobel* [1] ».

J'ai toujours soupçonné Maurice Garçon, qui fut un grand avocat et un homme courageux, d'avoir choisi ces deux auteurs comme têtes de Turc de par son peu de goût pour l'homosexualité masculine. Il avait pu assister, comme tous ses contemporains, à l'espèce d'offensive qui s'était développée dès la fin de la guerre (la Grande), suscitant comme tous les forts courants de sensibilité une multitude d'œuvres plus ou moins mineures :

Lucien, de Binet-Valmer, *Le Responsable*, de Lang, *Les Petits Messieurs*, de Francis de Miomandre, *Le Cycle de Lord Chelesea*, d'Abel Hermant, dont les quatre volumes furent publiés en 1923 : *Le Suborneur, Le Loyal serviteur, Dernier et premier amour, Le procès du très honorable Lord*, Bible et signe de ralliement de beaucoup d'homosexuels français, ou *Jésus la Caille*, de Carco. L'usine Willy, devenue un tout petit atelier, avait naturellement suivi le mouvement. On trouvera des détails intéressants sur l'homosexualité masculine en Europe à l'époque, dans la préface d'un roman bien fabriqué, *L'Ersatz d'amour* [2]. Le ton relativement objectif de ce texte contraste avec la violence de certaines réactions, surtout après la publication des deux livres de Gide, *Corydon* et *Si le grain ne meurt...*

L'établissement que décrit Proust dans *Le Temps retrouvé* ressemble fort à celui qu'il fréquentait lui-même, et pour lequel son assiduité a provoqué d'innombrables controverses, surtout l'épisode des rats. Celui que Proust nomme Albert était, d'après Marcel Jouhandeau, « *Breton d'origine, très catholique, très lié avec* l'Action Française. *Et en même temps il faisait ce métier. Quand il allait en Bretagne, il suivait les processions du Saint-Sacrement avec un cierge. Et puis il revenait pour tenir sa Maison.*

« *Il avait été le valet d'un prince... Sur l'invitation de Proust il gérait un hôtel de passe où un homme qui aimait les garçons pouvait être sûr de trouver un garçon. Au moment de sa mort, un article nécrologique a paru dans la* NRF [3] ».

Voici ce que dit Jouhandeau des rats de Marcel Proust :

« *Vous savez, Proust était là, extrêmement discret, comme dans ses livres. Alors quand il venait, c'était arrangé comme exprès pour lui. Mais ça servait à tout le monde. Il y avait un carreau qui avait des raies. A travers ce carreau, il désignait la personne avec qui il voulait passer un moment. Cette personne était priée de monter, de se déshabiller (il y avait une chaise à côté de la porte), de poser ses vêtements sur cette chaise, et de se masturber devant le lit où Proust était étendu, avec le drap jusqu'au menton. Et si Proust arrivait à ses fins, alors c'était fini. Le garçon disait au revoir à Proust, mais ne s'approchait pas, se rhabillait, et redescendait. Mais si Proust n'arrivait pas à ses fins, le garçon redescendait, et remontait avec Albert, portant deux nasses où on avait pris des rats vivants. On ouvrait les nasses et les rats s'entre-dévoraient. Et à ce moment-là, Proust arrivait à ses fins. C'est vraisemblablement une image des spermatozoïdes. Et à ce moment-là, Proust jouissait.*

« *C'est une histoire qui a été racontée. Ce que je sais, c'est que le garçon qui me l'a racontée parlait sincèrement. Mais il y a très longtemps de cela.* »

Dans une autre version, Proust se faisait apporter de longues aiguilles rougies au feu, et piquait les rats dans leurs cages.

2. Willy et Ménalkas, *L'Ersatz d'amour*, Amiens, 1923. Le livre est malheureusement devenu assez rare. Ménalkas est le pseudonyme de Curnonsky.

3. Marcel Jouhandeau, *La Vie comme une fête*, Paris, 1976. Robert Vigneron, le premier, a donné d'intéressantes précisions sur les amours homosexuelles de Proust dans la *Revue d'histoire de la philosophie...* du 15 janvier 1937.

---

*B*IENTÔT on me fit monter dans la chambre 43, mais l'atmosphère était si désagréable et ma curiosité si grande que, mon « cassis » bu, je redescendis l'escalier, puis, pris d'une autre idée, le remontai et, dépassant l'étage de la chambre 43, allai jusqu'en haut. Tout d'un coup, d'une chambre qui était isolée au bout d'un couloir me semblèrent venir des plaintes étouffées. Je marchai vivement dans cette direction et appliquai mon oreille à la porte. « Je vous en supplie, grâce, pitié, détachez-moi, ne me frappez pas si fort, disait une voix. Je vous baise les pieds, je m'humilie, je ne recommencerai pas. Ayez pitié. — Non, crapule, répondit une autre voix, et puisque tu gueules et que tu te traînes à genoux, on va t'attacher sur le lit, pas de pitié », et j'entendis le bruit du claquement d'un martinet, probablement aiguisé de clous, car il fut suivi de cris de douleur. Alors je m'aperçus qu'il y avait dans cette chambre un œil-de-bœuf latéral dont on avait oublié de tirer le rideau ; cheminant à pas de loup dans l'ombre, je me glissai jusqu'à cet œil-de-bœuf, et là, enchaîné sur un lit comme Prométhée sur son rocher, recevant les coups d'un martinet en effet planté de clous que lui infligeait Maurice, je vis, déjà tout en sang, et couvert d'ecchymoses qui prouvaient que le supplice n'avait pas lieu pour la première fois, je vis devant moi M. de Charlus.

Tout d'un coup la porte s'ouvrit et quelqu'un entra qui heureusement ne me vit pas, c'était Jupien. Il s'approcha du baron avec un air de respect et un sourire d'intelligence : « Hé bien, vous n'avez pas besoin de moi ? » Le baron pria Jupien de faire sortir un moment Maurice. Jupien le mit dehors avec la plus grande désinvolture. « On ne peut pas nous attendre ? » dit le baron à Jupien, qui lui affirma que non. Le baron savait que Jupien, intelligent comme un homme de lettres, n'avait aucunement l'esprit pratique, parlait toujours devant les intéressés avec des sous-entendus qui ne trompaient personne et des surnoms que tout le monde connaissait.

« Une seconde », interrompit Jupien, qui avait entendu une sonnette retentir à la chambre n°3. C'était un député de l'Action Libérale qui sortait. Jupien n'avait pas besoin de voir le tableau car il connaissait son coup de sonnette, le député venait en effet tous les jours après déjeuner. Il avait été obligé ce jour-là de changer ses heures, car il avait marié sa fille à midi à Saint-Pierre de Chaillot. Il était donc venu le soir, mais tenait à partir de bonne heure à cause de sa femme, vite inquiète quand il rentrait tard, surtout par ces temps de bombardement. Jupien tenait à accompagner sa sortie pour témoigner de la déférence qu'il portait à la qualité d'honorable, sans aucun intérêt personnel d'ailleurs. Car bien que ce député, qui répudiait les exagérations de l'*Action Française* (il eût d'ailleurs été incapable de comprendre une ligne de Charles Maurras ou de Léon Daudet), fût bien avec les ministres, flattés d'être invités à ses chasses, Jupien n'aurait pas osé lui demander le moindre appui dans ses démêlés avec la police. Il savait que, s'il s'était risqué à parler de cela au législateur fortuné et froussard, il n'aurait pas évité la plus inoffensive des « descentes », mais eût instantanément perdu le plus généreux de ses clients. Après avoir reconduit jusqu'à la porte le député, qui avait rabattu son chapeau sur ses yeux, relevé son col, et, glissant rapidement comme il faisait dans ses programmes électoraux, croyait cacher son visage, Jupien remonta près de M. de Charlus à qui il dit : « C'était

Monsieur Eugène. » Chez Jupien comme dans les maisons de santé, on n'appelait les gens que par leur prénom tout en ayant soin d'ajouter à l'oreille, pour satisfaire la curiosité de l'habitué, ou augmenter le prestige de la maison, leur nom véritable. Quelquefois cependant Jupien ignorait la personnalité vraie de ses clients, s'imaginait et disait que c'était tel boursier, tel noble, tel artiste, erreurs passagères et charmantes pour ceux qu'on nommait à tort, et finissait par se résigner à ignorer toujours qui était Monsieur Victor. Jupien avait ainsi l'habitude, pour plaire au baron, de faire l'inverse de ce qui est de mise dans certaines réunions. « Je vais vous présenter M. Lebrun » (à l'oreille : « Il se fait appeler M. Lebrun mais en réalité c'est le grand-duc de Russie »). Inversement, Jupien sentait que ce n'était pas encore assez de présenter à M. de Charlus un garçon laitier. Il lui murmurait en clignant de l'œil : « Il est garçon laitier, mais au fond c'est surtout un des plus dangereux apaches de Belleville » (il fallait voir le ton grivois dont Jupien disait « apache »). Et comme si ces références ne suffisaient pas, il tâchait d'ajouter quelques « citations ». « Il a été condamné plusieurs fois pour vol et cambriolage de villas, il a été à Fresnes pour s'être battu (même air grivois) avec des passants qu'il a à moitié estropiés et il a été au bat' d'Af. Il a tué son sergent. »

Le baron en voulait même légèrement à Jupien, car il savait que dans cette maison qu'il avait chargé son factotum d'acheter pour lui et de faire gérer par un sous-ordre, tout le Monde, par les maladresses de l'oncle de Mlle d'Oloron, connaissait plus ou moins sa personnalité et son nom (beaucoup seulement croyaient que c'était un surnom et, le prononçant mal, l'avaient déformé, de sorte que la sauvegarde du baron avait été leur propre bêtise et non la discrétion de Jupien). Mais il trouvait plus simple de se laisser rassurer par ses assurances, et tranquillisé de savoir qu'on ne pouvait les entendre, le baron lui dit : « Je ne voulais pas parler devant ce petit, qui est très gentil et fait de son mieux. Mais je ne le trouve pas assez brutal. Sa figure me plaît, mais il m'appelle crapule comme si c'était une leçon apprise. – Oh ! non, personne ne lui a rien dit, répondit Jupien sans s'apercevoir de l'invraisemblance de cette assertion. Il a du reste été compromis dans le meurtre d'une concierge de la Villette. – Ah ! cela c'est assez intéressant, dit avec un sourire le baron. – Mais j'ai justement là le tueur de bœufs, l'homme des abattoirs qui lui ressemble ; il a passé par hasard. Voulez-vous en essayer ? – Ah ! oui, volontiers. » Je vis entrer l'homme des abattoirs, il ressemblait en effet un peu à « Maurice », mais, chose plus curieuse, tous deux avaient quelque chose d'un type, que personnellement je n'avais jamais dégagé, mais que je me rendis très bien compte exister dans la figure de Morel, avaient une certaine ressemblance sinon avec Morel tel que je l'avais vu, au moins avec un certain visage que des yeux voyant Morel autrement que moi, avaient pu composer avec ses traits. Dès que je me fus fait intérieurement, avec des traits

empruntés à mes souvenirs de Morel, cette maquette de ce qu'il pouvait représenter à un autre, je me rendis compte que ces deux jeunes gens, dont l'un était
un garçon bijoutier et l'autre en employé d'hôtel, étaient de vagues succédanés
de Morel. Fallait-il en conclure que M. de Charlus, au moins en une certaine
forme de ses amours, était toujours fidèle à un même type et que le désir qui lui
avait fait choisir l'un après l'autre ces deux jeunes gens était le même qui lui
avait fait arrêter Morel sur le quai de la gare de Doncières ; que tous trois ressemblaient un peu à l'éphèbe dont la forme, intaillée dans le saphir qu'étaient les
yeux de M. de Charlus, donnait à son regard ce quelque chose de si particulier
qui m'avait effrayé le premier jour à Balbec ? Ou que, son amour pour Morel
ayant modifié le type qu'il cherchait, pour se consoler de son absence il cherchait des hommes qui lui ressemblassent ? Une supposition que je fis aussi fut
que peut-être il n'avait jamais existé entre Morel et lui, malgré les apparences,
que des relations d'amitié, et que M. de Charlus faisait venir chez Jupien des
jeunes gens qui ressemblassent assez à Morel pour qu'il pût avoir auprès d'eux
l'illusion de prendre du plaisir avec lui. Il est vrai qu'en songeant à tout ce que
M. de Charlus a fait pour Morel, cette supposition eût semblé peu probable si
l'on ne savait que l'amour nous pousse non seulement aux plus grands sacrifices
pour l'être que nous aimons, mais parfois jusqu'au sacrifice de notre désir lui-
même, qui d'ailleurs est d'autant moins facilement exaucé que l'être que nous
aimons sent que nous aimons davantage. Ce qui enlève aussi à une telle supposition l'invraisemblance qu'elle semble avoir au premier abord (bien qu'elle ne
corresponde sans doute pas à la réalité) est dans le tempérament nerveux, dans le
caractère profondément passionné de M. de Charlus, pareil en cela à celui de
Saint-Loup, et qui avait pu jouer au début de ses relations avec Morel le même
rôle, en plus décent, et négatif, qu'au début des relations de son neveu avec
Rachel. Les relations avec une femme qu'on aime (et cela peut s'étendre à
l'amour pour un jeune homme) peuvent rester platoniques pour une autre raison que la vertu de la femme ou que la nature peu sensuelle de l'amour qu'elle
inspire. Cette raison peut être que l'amoureux, trop impatient par l'excès même
de son amour, ne sait pas attendre avec une feinte suffisante d'indifférence le
moment où il obtiendra ce qu'il désire. Tout le temps il revient à la charge, il ne
cesse d'écrire à celle qu'il aime, il cherche tout le temps à la voir, elle le lui
refuse, il est désespéré. Dès lors elle a compris que si elle lui accorde sa compagnie, son amitié, ces biens paraîtront déjà tellement considérables à celui qui a
cru en être privé, qu'elle peut se dispenser de donner davantage, et profiter d'un
moment où il ne peut plus supporter de ne pas la voir, où il veut à tout prix terminer la guerre, en lui imposant une paix qui aura pour la première condition le
platonisme des relations. D'ailleurs, pendant tout le temps qui a précédé ce
traité, l'amoureux tout le temps anxieux, sans cesse à l'affût d'une lettre, d'un

regard, a cessé de penser à la possession physique dont le désir l'avait tourmenté d'abord, mais qui s'est usé dans l'attente et a fait place à des besoins d'un autre ordre, plus douloureux d'ailleurs s'ils ne sont pas satisfaits. Alors le plaisir qu'on avait le premier jour espéré des caresses, on le reçoit plus tard, tout dénaturé, sous la forme de paroles amicales, de promesses de présence qui, après les effets de l'incertitude, quelquefois simplement après un regard embrumé de tous les brouillards de la froideur et qui recule si loin la personne qu'on croit qu'on ne la reverra jamais, amènent de délicieuses détentes. Les femmes devinent tout cela et savent qu'elles peuvent s'offrir le luxe de ne se donner jamais à ceux dont elles sentent, s'ils ont été trop nerveux pour le leur cacher les premiers jours, l'inguérissable désir qu'ils ont d'elles. La femme est trop heureuse que, sans rien donner, elle reçoive beaucoup plus qu'elle n'a l'habitude quand elle se donne. Les grands nerveux croient ainsi à la vertu de leur idole. Et l'auréole qu'ils mettent autour d'elle est ainsi un produit, mais comme on voit fort indirect, de leur excessif amour. Il existe alors chez la femme ce qui existe à l'état inconscient chez les médicaments à leur insu rusés, comme sont les soporifiques, la morphine. Ce n'est pas à ceux à qui ils donnent le plaisir du sommeil ou un véritable bien-être qu'ils sont absolument nécessaires ; ce n'est as pas par ceux-là qu'ils seraient achetés à prix d'or, échangés contre tout ce que le malade possède ; c'est par ces autres malades (d'ailleurs peut-être les mêmes, mais, à quelques années de distance, devenus autres) que le médicament ne fait pas dormir, à qui il ne cause aucune volupté, mais qui, tant qu'ils ne l'ont pas, sont en proie à une agitation qu'ils veulent faire cesser à tout prix, fût-ce en se donnant la mort.

Pour M. de Charlus, dont le cas, en somme, avec cette légère différenciation due à la similitude du sexe, rentre dans les lois générales de l'amour, il avait beau appartenir à une famille plus ancienne que les Capétiens, être riche, être vainement recherché par une société élégante, et Morel n'être rien, il aurait eu beau dire à Morel, comme il m'avait dit à moi-même : « Je suis prince, je veux votre bien », encore était-ce Morel qui avait le dessus s'il ne voulait pas se rendre. Et pour qu'il ne le voulût pas, il suffisait peut-être qu'il se sentît aimé. L'horreur que les grands ont pour les snobs qui veulent à toute force se lier avec eux, l'homme viril l'a pour l'inverti, la femme pour tout homme trop amoureux. M. de Charlus non seulement avait tous les avantages, mais en eût proposé d'immenses à Morel. Mais il est possible que tout cela se fût brisé contre une volonté. Il en eût été dans ce cas de M. de Charlus comme de ces Allemands, auxquels il appartenait du reste par ses origines, et qui, dans la guerre qui se déroulait à ce moment, étaient bien, comme le baron le répétait un peu trop volontiers, vainqueurs sur tous les fronts. Mais à quoi leur servait leur victoire, puisque, après chacune, ils trouvaient les Alliés plus résolus à leur refuser la seule

chose qu'eux, les Allemands, eussent souhaité d'obtenir, la paix et la réconciliation? Ainsi Napoléon entrait en Russie et demandait magnanimement aux
autorités de venir vers lui. Mais personne ne se présentait.

Je descendis et rentrai dans la petite antichambre où Maurice, incertain si on
le rappellerait et à qui Jupien avait à tout hasard dit d'attendre, était en train de
faire une partie de cartes avec un de ses camarades. On était très agité d'une
croix de guerre qui avait été trouvée par terre, et on ne savait pas qui l'avait perdue, à qui la renvoyer pour éviter au titulaire une punition. Puis on parla de la
bonté d'un officier qui s'était fait tuer pour tâcher de sauver son ordonnance. « Il
y a tout de même du bon monde chez les riches. Moi je me ferais tuer avec
plaisir pour un type comme ça », dit Maurice, qui évidemment n'accomplissait
ses terribles fustigations sur le baron que par une habitude mécanique, les effets
d'une éducation négligée, le besoin d'argent et un certain penchant à le gagner
d'une façon qui était censée donner au moins de mal que le travail et en donnait
peut-être davantage. Mais, ainsi que l'avait craint M. de Charlus, c'était peut-
être un très bon cœur et c'était, paraît-il, un garçon d'une admirable bravoure. Il
avait presque les larmes aux yeux en parlant de la mort de cet officier, et le jeune
homme de vingt-deux ans n'était pas moins ému. « Ah! oui, ce sont de chic
types. Des malheureux comme nous encore, ça n'a pas grand'chose à perdre,
mais un monsieur qui a des tas de larbins, qui peut aller prendre son apéro tous
les jours à 6 heures, c'est vraiment chouette! On peut charrier tant qu'on veut,
mais quand on voit des types comme ça mourir, ça fait vraiment quelque chose.
Le bon Dieu ne devrait pas permettre que des riches comme ça, ça meure,
d'abord ils sont trop utiles à l'ouvrier. Rien qu'à cause d'une mort comme ça,
faudra tuer tous les Boches jusqu'au dernier. Et ce qu'ils ont fait à Louvain, et
couper des poignets de petits enfants! Non, je ne sais pas moi, je ne suis pas
meilleur qu'un autre, mais je me laisserais envoyer des pruneaux dans la gueule
plutôt que d'obéir à des barbares comme ça; car c'est pas des hommes, c'est des
vrais barbares, tu ne me diras pas le contraire. » Tous ces garçons étaient en
somme patriotes. Un seul, légèrement blessé au bras, ne fut pas à la hauteur des
autres, car il dit, comme il devait bientôt repartir : « Dame, ça n'a pas été la
bonne blessure » (celle qui fait réformer), comme Mme Swann disait jadis : « J'ai
trouvé le moyen d'attraper la fâcheuse influenza. »

La porte se rouvrit sur le chauffeur qui était allé un instant prendre l'air.
« Comment, c'est déjà fini? ça n'a pas été long », dit-il en apercevant Maurice
qu'il croyait en train de frapper celui qu'on avait surnommé, par allusion à un
journal qui paraissait à cette époque, « l'Homme enchaîné ». « Ce n'est pas long
pour toi qui es allé prendre l'air, répondit Maurice froissé qu'on vît qu'il avait
déplu là-haut. Mais si tu étais obligé de taper à tour de bras comme moi par
cette chaleur! Si c'était pas les cinquante francs qu'il donne... – Et puis, c'est un

homme qui cause bien ; on sent qu'il a de l'instruction. Dit-il que ce sera bien-tôt fini ? – Il dit qu'on ne pourra pas les avoir, que ça finira sans que personne ait le dessus. – Bon sang de bon sang, mais c'est donc un Boche… – Je vous ai déjà dit que vous causiez trop haut, dit le plus vieux aux autres en m'apercevant. Vous avez fini avec la chambre ? – Ah ! ta gueule, tu n'es pas le maître ici. – Oui, j'ai fini, et je venais pour payer. – Il vaut mieux que vous payiez au patron. Maurice, va donc le chercher. – Mais je ne veux pas vous déranger. – Ça ne me dérange pas. » Maurice monta et revint en me disant : « Le patron descend. » Je lui donnai deux francs pour son dérangement. Il rougit de plaisir. « Ah ! merci bien. Je les enverrai à mon frère qui est prisonnier. Non, il n'est pas malheureux. Ça dépend beaucoup des camps. »

Pendant ce temps, deux clients très élégants, en habit et cravate blanche sous leurs par-dessus – deux Russes, me sembla-t-il à leur très léger accent – se tenaient sur le seuil et délibéraient s'ils devaient entrer. C'était visiblement la première fois qu'ils venaient là, on avait dû leur indiquer l'endroit, et ils sem-blaient partagés entre le désir, la tentation et une extrême frousse. L'un des deux – un beau jeune homme – répétait toutes les deux minutes à l'autre avec un sourire mi-interrogateur, mi-destiné à persuader : « Quoi ! Après tout on s'en fiche ? » Mais il avait beau vouloir dire par là qu'après tout on se fichait des conséquences, il est probable qu'il ne s'en fichait pas tant que cela, car cette parole n'était suivie d'aucun mouvement pour entrer, mais d'un nouveau regard vers l'autre, suivi du même sourire et du même *après tout on s'en fiche*. C'était, ce *après tout on s'en fiche*, un exemplaire entre mille de ce magnifique langage, si différent de celui que nous parlons d'habitude, et où l'émotion fait dévier ce que nous voulions dire et épanouir à la place une phrase tout autre, émergée d'un lac inconnu où vivent ces expressions sans rapport avec la pensée et qui par cela même la révèlent.

CHARLES DERENNES

1888-1930

L'Éducation sensuelle

1928

De plus en plus pâles paraissent parfois les productions des Amateur-Biblio, de Querelle, de la Librairie Artistique, de tous les éditeurs « galants », face aux livres des auteurs dont on parle. Un volume entre cent : chez Paris-Édition, *L'Éducation sensuelle* de Charles Derennes, l'auteur de *La Petite Faunesse*, par ailleurs poète qui, selon Henri Clouard, « *a entretenu la tradition des grands vers alexandrins avec une certaine mollesse d'humaniste las* ». Dans un assez long *Avertissement*, Charles Derennes pourfend Restif de La Bretonne « *piètre sire, malade et déclassé* », et les « *répugnants passages des* Confessions». Mais chez Rousseau, « *les tares de l'homme sont rachetées par le génie* ». Face à ces « *lyriques tarés* », se dresse la « *physionomie grave et douce* » de Pierre-Isidore X..., dont les Mémoires sont par hasard tombés entre les mains de Charles Derennes. « *Rien de plus sain, de plus normal, que le récit de ses amours enfantines. Tout ce qui est louche et trouble en est banni, ou y est sans merci condamné.* » Oui...

EN CE QUI ME CONCERNE, c'est bel et bien une jeune compagne, à peine plus âgée que moi, qui fut la première à me déniaiser moralement, qui du moins m'a obligé à réfléchir sur certaines choses avec embarras et sans plus en oser parler désormais à ma mère, par exemple.

Ses parents tenaient un petit commerce de mercerie en face de chez nous ; les miens, qui étaient la bienveillance et la simplicité mêmes, se montraient fort affables vis-à-vis d'eux et autorisaient d'autant plus une camaraderie fréquente entre leur fille et moi qu'ils n'eussent voulu pour rien au monde être jugés *fiers* par nos voisins d'en face, lesquels étaient du reste de très honnêtes gens.

Marguerite C... était alors une fillette assez grande, presque trop grande pour son âge, brune, pâle, aux yeux un peu inquiétants. Elle avait mauvais caractère, accaparait régulièrement le jouet sur lequel je venais de fixer mon choix, me le chipait parfois et me pinçait jusqu'au sang, sournoisement, pour un oui ou pour un non. Je dois avouer que, de mon côté, je ne lui ménageais pas les taloches, quand elle me semblait ne les point avoir volées...

En outre, je ne la trouvais pas jolie, oh ! mais pas du tout, – en quoi il me semble, d'ailleurs, que j'avais tort. Mais la proximité de nos habitations, jointe à l'ennui que m'ont toujours valu la solitude et la privation de toute compagnie, était cause que je me rabattais sur Marguerite, faute de mieux, et que nous passions de la sorte de longs moments ensemble.

Le printemps, du moins chez nous, est dans le petit monde des gamins la saison par excellence des jeux de billes, pour lesquels Marguerite, très garçonnière, avait une véritable passion. Nous avions choisi, pour nous adonner aux délices des *cinq trous*, du *grand rond* ou du *petit rond*, un coin de mon jardin que nous avions défriché et aplani nous-mêmes.

A la longue, je m'aperçus qu'en s'accroupissant pour viser ma bille ou le but ma compagne imprimait à ses jupes des mouvements susceptibles d'exposer et même d'imposer à ma vue des parties de notre personne qu'on nous avait pourtant conseillé, à elle-même comme à moi, de tenir aussi cachées que possible. Les premières fois, je détournai de mon mieux mes regards. Je remarquai que, lorsque par hasard un bruit de pas se faisait entendre dans l'allée, Marguerite, sans le moindre embarras d'ailleurs, rabattait ses jupes et prenait une posture plus modeste.

Elle *le faisait donc exprès*. Mais pourquoi ? Je crus d'abord de sa part à une taquinerie de mauvais goût et me disposais à l'en corriger dès la première occasion ; puis il me parut, — mais du diable si je discernais les causes de cette impression ! — que la corriger pour cela serait déplacé ou ridicule. Et, peu à peu, loin d'éviter la vue de ces *terræ incognitæ*, j'en arrivai à les observer, je ne dirai pas avec trouble, mais avec beaucoup d'intérêt et de curiosité.

Un jour où, chassés du jardin par la pluie, nous nous occupions, faute de mieux, dans le grenier, à fouiller au fond de vieilles caisses, Marguerite, me surprenant en train de « regarder », se leva toute rouge de colère et me traita, — je le donnerais en mille !... — d'égoïste. Quel piquant dans un pareil reproche ! Car, si la puérile polissonne me l'adressait, c'était, comme elle me l'expliqua sans embarras quelques secondes plus tard, parce qu'il ne lui avait jamais été permis encore de *me rendre la pareille*, — pour tout dire, de se renseigner sur mon compte, alors qu'elle m'autorisait si libéralement à le faire sur le sien.

Mais alors un étrange sentiment de pudeur m'envahit et je me fâchai violemment à mon tour.

— Je ne veux pas ! Je le dirai à ta mère.

Elle répliqua tranquillement :

— Oh ! pour ça, je suis bien tranquille. Et puis tant pis pour toi, tu es un imbécile, voilà tout.

Le pire, c'est que j'avais vaguement le sentiment d'être un imbécile, en effet ; aussi cédai-je sans trop de peine à sa demande, quand elle la réitéra sur un ton de défi. Je lui laissai réparer le temps perdu, se renseigner à son gré, et non pas *de visu* seulement. Après quoi j'en fis de même sur elle, et, pour la première fois, je me sentis envahi d'une émotion... qui n'avait rien de désagréable... On voit jusqu'où de pareils passe-temps peuvent mener ! Il en résulta de notables changements dans nos relations. Tous les jeux nous paraissaient fades auprès de celui que nous venions d'inventer.

Certes, nous n'en éprouvions pas pour cela plus de tendresse l'un pour l'autre, mais, nous nous sentions alliés, nous très humbles, nous très petits, en face d'un mystère formidable et passionnant. Nous avions à ce sujet de longues conversations qui, bien entendu, ne nous avançaient pas plus que le reste. Et je ne puis m'empêcher de sourire en me rappelant que nos mères, constatant que Marguerite et moi ne nous disputions ni ne nous battions plus, disaient avec attendrissement :

— Enfin, nos enfants se décident à devenir raisonnables.

MARYSE CHOISY

née en 1903

Un mois chez les filles

1928

Les romans de Carco ou de Galtier-Boissière (*La Bonne Vie*, 1925), les nombreuses enquêtes de l'époque, mettent presque toujours en scène l'univers de la prostitution sous un éclairage masculin (c'est probablement pourquoi leur érotisme me reste assez lointain). L'année 1928 verra paraître deux livres qui apportent un regard féminin directement ou indirectement : *Un mois chez les filles* et *Belle de jour*, de Joseph Kessel.

Un mois chez les filles est un reportage dont le succès fut extraordinaire (plus de deux cent mille exemplaires). « *Tous les marcheurs de plus de soixante et les collégiens de moins de quinze ans se sont précipités chez les libraires* », écrit Maryse Choisy (*Préface pour le 200ᵉ mille*). « *Une jeune femme enquête chez les prostituées : grand scandale ! Scandale plus grand encore, un style sans péri-* phrases. » Victor Margueritte lui-même, dommage, crie au « *manque de pudeur* ». Maryse Choisy répond : « *Rien ne me dégoûte davantage que les petites saletés exprimées en un style d'Anatole France. J'écris sans hésiter merde, cul, sexe. Ce sont des mots nets, nobles, francs, courageux, des mots qui font images parce que peu usités. Mais imprimer : "Il s'amusait à ces petites bagatelles coupables avec lesquelles un homme cherche à satisfaire une femme" me semble lâche, pornographique.* » Elle ajoute : « *Ce que j'ai voulu faire dans Un mois chez les filles c'est approcher la prostitution avec des yeux neufs. Pas avec des yeux de consommateur, c'est-à-dire des yeux d'homme : ni avec des yeux de vendeur, c'est-à-dire des yeux de courtisane ; ni même avec des yeux de statisticien de comité qui ne sont pas des yeux, mais des machines à calculer. Il fallait voir les filles avec des yeux d'honnête femme... »*

Chapitre III

Le salon d'attente d'une agence

Grande Agence de Placement
(Autorisée.)

TARIF DU BUREAU : 40 FR.

MADAME R.
Faubourg Montmartre, PARIS

Paris, le 2 mars 1928.

Mademoiselle Choisy,
Ayant une place à vous offrir, je vous serai très obligée d'être à mon bureau demain matin samedi à 9 heures. N'oubliez pas en venant d'apporter vos papiers d'identité.
Je compte sur vous à l'heure indiquée.

... Quand j'arrive, dix postulantes fardées attendent déjà dans le salon d'attente. Le salon (?) d'attente : cinq bancs maigres et noirs, quatre murs, quelques mites, des phrases à faire rougir un singe. C'est le dernier salon de conversation. Mais les conversations sont inimprimables. Je ne les imprime pas.

Il y a là les habituées de l'Agence. Elles ne sont ni femmes de chambre ni grues, mais aspirantes à tout. Elles n'ont pas eu le temps encore de prendre du style. Aujourd'hui elles parlent du cul. Demain, elles parleront du subconscient. A moins qu'elles ne deviennent syphilitiques et découragées.

Hermine : blonde et grasse, gigotante de cuisses, charlestonnante de jambes, dansante de bras, avec une langue à tous les usages et des seins solides. Un beau brin de fille. Une bonne affaire. Position naturelle : écartée.

Elle a chaud partout et toujours. Tous les culots, tous les métiers. Elle fut trois mois au Chabanais. Mais on la renvoya pour incorrection de langage. Elle connaît des histoires drôles. Elle porte des bas de 44 fin, un manteau de soie, des souliers à deux cents francs. Elle cherche une place de sous-maîtresse, de femme de chambre, ou du capital pour une « tôle ».

– Finies les maisons, pour moi, assure-t-elle. Si vous croyez, mes biches, que je vais m'esquinter le trou du c... pour que la patronne ait trente francs et moi vingt! Pas si bête! Tous les cinquante pour bibi.

Elle ne cherche qu'avec une moitié du corps. L'autre moitié a mis toutes ses espérances dans un nègre.

– Seulement, vous savez, faut qu'il casque. Parce que les négros, ça aime l'arrière et c'est bien constitué. Alors c'est dur comme travail! Je vous paie à toutes l'apéro si ça biche.

Suzanne : c'est une bonne à tout faire, avec des joues de saindoux, des yeux humides, un cou beurré et vingt-sept ans. Au premier plan : deux seins roulés dans du lard. A l'arrière-plan : pareilles à deux lunes jaunes allongées dans une réverbération du lac, ses fesses. Ses jambes sont deux boudins pâles entre lesquelles rosit un sexe quand elle s'assied avec des jupes trop courtes. Suzanne c'est le triomphe du mou et du gras. Elle n'aime pas l'homme. Elle est lesbienne. Elle veut être femme de chambre, rien que femme de chambre. Elle dépense sa paie du mois pour la première maîtresse qui lui plaît. Mais elle veut être servie pour son argent. Du tempérament, voui, madame.

Louise : ses cheveux sont jaunes comme l'huile d'olive. Ses yeux sont deux baquets d'urine albumineuse. Ses joues sont deux Noëls roses dans une année blanche. Elle a le nez en queue de vache. Elle a l'air très vache. Elle critique tout. Elle n'arrivera à rien. Trop de rosserie nuit autant que trop de bonté.

Irène : brune, maigre et syphilitique. Lente comme une lanterne arrière. Longue, longue, longue comme le Mississippi. A partir de la tête, il n'y a plus que deux jambes. Elle ressemble à une araignée qui aurait perdu quatre pattes. Timide comme toutes les maigres. C'est la femelle éternellement exploitée. Elle n'a pas d'ambition. Elle non plus n'arrivera à rien.

Laure : ses yeux sont deux prunes dans une jatte de crème. Insolente au nez fou, à la peau mobile. Elle arrivera à tout. Peut-être sera-t-elle sociétaire. Peut-être épousera-t-elle un grand nom de France. C'est une bonniche qui a dans son tablier une couronne de marquise. Elle est jeune. Elle a le temps et pas de tempérament. Tout ce qu'il faut pour arriver, quoi !

Marie : parvenue au Chabanais, elle sera Mary ou Manon. A première vue, quelconque. A seconde vue elle a quelque chose. Des yeux qui luisent dans un visage triangulaire de chat.

Lorsqu'elle fait le trottoir avec Irène, c'est invariablement elle qu'on choisit, bien qu'Irène soit la plus jolie.

Pourquoi choisit-on toujours les mêmes ? Les goûts ne sont cependant pas les mêmes… Problème inquiétant comme toutes les équations de la réussite.

Pourquoi sont-ce toujours les mêmes qui attrapent la syphilis ? Problème inquiétant comme toutes les équations du malheur chronique.

Pour ces filles, avoir la vérole est une trahison du sort. Jamais elles ne s'imaginent qu'elles ont un tantinet aidé le sort.

Leurs idées médicales se pimentent d'une certaine fantaisie. Elles ont sur la syphilis des théories originales qui surprendraient sans doute ces Messieurs de la Faculté.

Hermine, qui fut aussi sage-femme (qu'elle dit !), assure que les jambes cagneuses et un bébé qui sort par les pieds au lieu de sortir par la tête sont des signes irréfutables d'hérédité syphilitique. Toutes les anomalies proviennent d'une hérédité syphilitique.

— Tenez, s'adresse-t-elle à moi, le grain noir sur votre joue droite est un signe d'hérédité syphilitique.

Dix paires d'yeux scrutent le grain de beauté sur ma joue. Je proteste :

— Mais il est faux, mon grain noir, archifaux ! Je le dessine tous les matins au rimmel.

— Bon ! Bon ! Bon ! Vous emballez pas ! fait-elle conciliante. J'ai pas dit ça pour vous vexer. Ça arrive à des gens très bien.

Louise intervient :

– Oh! Et puis on raconte tant de bourdes sur la syphilis. Un flic me disait pas plus tard qu'hier qu'une copine malade avait contaminé des centaines de personnes. C'te blague! On ne contamine jamais. Quand vous avez le sang plus fort, vous ne l'attrapez pas.

Ces principes hygiéniques me semblent bien dangereux pour une aspirante à la prostitution. Au lieu d'accumuler des paperasses aussi inutiles que l'acte de naissance, l'extrait du casier judiciaire, la permission maritale, etc., ne serait-il pas préférable de donner une plus intelligente éducation sexuelle aux filles? Pour la santé des citoyens, ah! qu'un bon cours de prophylaxie serait mieux venu que les garanties d'état civil!

Le cours que fait Suzanne, s'il pèche par le côté scientifique, est du moins très rigolo.

– Il ne faut pas confondre syphilis et maladie vénérienne, explique-t-elle doctoralement.

– ?...

– La syphilis, c'est des lésions locales. C'est un bobo au sexe, c'est une oreille décollée, c'est un nez foutu. Ça attaque des organes spéciaux. Tandis que la maladie vénérienne, c'est beaucoup plus grave! C'est tout le sang qui est empoisonné. Quand on a une maladie vénérienne on ne peut plus guérir. On meurt.

– Une prise de sang, ça signifie rien, crache Laure, péremptoire et méprisante.

Irène est philosophe. Elle a la résignation des filles, des maigres et des dévotes :

– La syphilis, on l'a ou on ne l'a pas. Si on ne l'a pas, on l'aura. Si on l'a, c'est encore le meilleur moyen de ne pas l'attraper.

On sollicite l'opinion d'Hermine. Hermine est une sorte de chef. Chaque groupe a son chef. Ce sont toujours les mêmes qui sont les chefs.

– Oh! moi, avoue Hermine, je ne cours aucun danger. Je suis spécialisée dans les pompiers. Et encore, quand c'est un type douteux, je le fais au tire-lait.

– Au tire-lait?

La technique de ce geste est inconnue aux autres. Elles se suspendent avides à la sonnette des explications. Je ne puis en toute décence les rapporter ici. Que mes lectrices curieuses les demandent à Hermine elle-même.

Laure demeure supérieure. Elle ne veut pas être épatée.

– Secrets de Polichinelle. Sais-tu seulement faire l'amour en canard?

– Et dans l'eau?

Hermine dispute son championnat :

– Peuh! Ce n'est rien, ça. Connaissez-vous l'amour à la Clemenceau?

A ce moment, la porte du bureau ouvre une grande gueule. C'est mon tour. Le bureau me happe. Hélas! Je ne saurai jamais comment M. Clemenceau fait l'amour.

MARTIN MAURICE

Amour, terre inconnue

1 9 2 8

Le roman de Martin Maurice est construit sur des bases classiques qui nous sont maintenant familières. Dans le couple Andrée/Michel l'acte sexuel est une sorte de gymnastique hygiénique, trop brève pour vraiment apporter autre chose que « la joie idéale d'un rite sacré, où *l'on recherche non ce qu'il peut offrir d'agrément sensuel, mais une délectation de l'âme... Acte nocturne, scellant la journée révolue, soit après une soirée au-dehors et la douceur du retour, soit au terme des heures de lecture, de causerie sous la lampe. De toute manière, la célébration se plaçait toujours au seuil du repos, comme le porche s'ouvre sur le silence de l'église. Et, en effet, à peine avait-on achevé que Michel souhaitait la bonne nuit à sa femme, et s'enfonçait dans un sommeil au souffle égal, respirant la bouche close. Andrée n'avait donc plus qu'à s'endormir ».* Quand, inévitablement, elle prend un amant, « *aucun désir. Avec Roland comme avec Michel, cet abandon n'était qu'un symbole... Jamais amante moins égarée ne se glissa dans le premier soir où on l'attendait ».* Quelques heures plus tard (« *C'était lui qui avait dû la renvoyer* »), elle est devenue une autre femme, qui « *sourit bonne-* ment *à la pauvre infirme, à la morte qui tout à l'heure avait franchi ce seuil, littéralement sans savoir où elle allait* ». Andrée a été révélée. Elle finira, obstinée, par rendre à Michel ce que Roland lui a donné. « *A trente-quatre ans, il n'avait jamais vu un visage de femme dans l'ivresse charnelle. Il poussa un cri rauque... Il retomba auprès du sauveur qui venait de l'exorciser. Pour la première fois de sa vie, la possession avait rejoint le désir.* » Roland n'a plus qu'à disparaître après une dernière entrevue. « *Plus je connais les femmes, moins je connais les femmes. J'avais imaginé la scène, les cœurs serrés, le passé dans un regard. C'est bien plus simple. Si belle et si forte ! Elle a pris un autre amant.* » (C'est du mari qu'il parle, bien entendu.)

Amour, terre inconnue, trouvera grâce en 1971 devant Xavière Gautier, féministe militante : « *Ce livre, de facture plutôt traditionnelle, est cependant assez courageux puisqu'il révèle et combat les inhibitions tant masculines que féminines, les préjugés et les tabous sur le plaisir physique du couple. Il se lit, agréablement* [1]. » C'est mon avis.

1. D*Œ*É.

UNE FOIS SEULE, Andrée médita le retour de Roland. On ne pouvait savoir dans quel état d'esprit il revenait. Sans doute l'avait-il oubliée, aimait-il ailleurs. Mais s'il la surprenait un jour, et tombait à ses pieds, demandant pardon de sa fuite comme d'un coup de tête ? Elle se rappelait comme il était persuasif, et, prudente, elle fit le tour d'elle-même.

Sur les caresses, elle se vit imperturbable. Michel avait fait mieux que de substituer, chacun à chacun, ses baisers à ceux de Roland. Il marquait la volupté d'une forte empreinte personnelle. Il y avait souvent de la gaucherie dans sa manière. Mais avec le parti pris de la femme amoureuse, elle préférait aujourd'hui le style primitif, rupestre, de son mari, aux subtilités alexandrines de Roland. L'exécution de Roland était plus raffinée. Mais Michel avait la verdeur d'allure qui fait les vrais maîtres.

Préférence qui allait très loin. Elle revoyait le corps de Roland, et cette souplesse, ce dos cambré et presque gras, cette peau douce et fiévreuse qui l'avaient longtemps affolée, elle s'en souvenait avec un peu d'écœurement, comme d'un plat trop sucré. Elle n'aimait plus que la membrure sèche, la peau froide et rude de son mari, comme étant les vrais signes virils.

En outre, l'intégration de la sensualité dans le mariage contenait parfaitement sa nature ménagère et paysanne, et que ce fût elle qui l'eût accomplie chatouillait son orgueil comme un acte de bonne gestion domestique par lequel, active et vigilante, elle avait enrichi son époux. Désormais la volupté, comme la tarte aux pommes, était « faite à la maison ». L'adultère avait perdu tout son prestige, et lui représentait un état d'indigence, comme on jugeait à Baume-les-Dames le fait de vivre en meublé, ou de se faire soigner à l'hôpital.

Pourtant elle savait bien qu'il y avait autre chose encore dans le souvenir de l'amour. Aussi eût-elle souhaité ne revoir Roland qu'après un oubli plus profond, et quand la nouvelle création de son ménage aurait été parfaite. La vaste lacune que le silence de Michel maintenait entre les baisers et l'amour favorisait Roland qui, lui, avait su tout unir. Mais même ce dernier voile de regret, elle entendait l'arracher d'elle. Quand tout à coup l'image de l'enchanteur, devant un grill-room où elle avait dîné avec lui, un livre, une robe qu'il avait aimés, traversait son horizon comme un arc-en-ciel, la sensible Méridionale, qui en elle avait hérité de sa mère, faisait place à la dure Franc-Comtoise qui opposait à l'intrus un front obstiné et des gestes avares.

Bien loin d'enfermer dans son cœur, tendrement, faiblement, les reliques de l'amour enfui, elle les tirait au jour, voyait leur humanité périssable. Elle disait à Michel des mots, des phrases qu'elle n'avait dits qu'à Roland, s'efforçait de passer avec lui dans les mêmes rues, de s'arrêter aux mêmes magasins. Un soir qu'ils revenaient ensemble de la banque, elle l'entraîna devant le restaurant de la rue Caumartin : « Ça a l'air amusant », et ils y dînèrent. Chaque nouveau souvenir, fruste et timide, et qu'elle rafraîchirait au besoin, finirait par avoir raison de son prédécesseur. La semaine précédente Michel l'avait conduite à Chantilly, où elle n'avait rien à se rappeler. Elle l'avait fait revenir par Ermenonville, où les souvenirs étaient touffus...

Elle entendit la trompe de la voiture, ouvrit la fenêtre. Michel lui faisait signe. Elle mit son chapeau et descendit.

Michel était très gai. Il montrait le cabriolet bleu roi à filets orange.

— N'est-ce pas qu'il est bien?

— Oui. Une fois de plus tu avais raison.

Il reprit place au volant. Elle s'assit à sa droite. Ils casèrent dans la capote baissée les deux manteaux. Puis, la main au levier, Michel demanda :

— Au fait, où allons-nous?

— A Senlis.

Il eut un bon rire.

— Eh bien, au moins, tu sais ce que tu veux.

Elle se traita d'idiote, essaya de se rattraper.

— J'ai dit Senlis, comme Rouen ou Compiègne.

— Mais non, fit-il gentiment, Senlis est très bien. Je ne l'ai pas revu depuis la guerre.

Ils dînèrent à Senlis, et rentrèrent à dix heures.

Un amant sentimental eût avidement recueilli la hâte d'Andrée à nommer la petite ville, en eût tiré un soupçon, l'eût fait proliférer à l'infini. Michel avait eu l'étonnement d'un éclair. Mais sa vie sentimentale était solide et obtuse. Il ne sut pas, devant les maisons restaurées, devant la gare neuve, deviner à ses mouvements, à ses regards, qu'elle ne les voyait pas pour la première fois. Un jaloux aurait exploité comme un précieux filon de doute et de souffrance l'obstination d'Andrée à visiter les jardins du prieuré et du château, bien que la gardienne fût absente. (Il fallut l'envoyer chercher, déranger des voisins.) Il eût observé son vif dépit de ne pas voir le marché qui se tient dans la nef de l'église Saint-Pierre, parce que ce n'en était pas le jour. Michel ne fut frappé de rien. Il suivait sa femme, se sentait fort. Oui, il y avait, dans un fond obscur, certaines fatalités. Il s'y habituait comme un malade à sa maladie. En attendant, il goûtait cette heure facile, la noble estampe de la ville française, la jolie voiture, et les yeux fendus qui brillaient pour lui sous les cils noirs.

Pendant le retour, sur la route crépusculaire, il faisait des projets, signe de bonheur. Il parlait de son jeune cousin Simon, fils de tante Louise, qui venait d'être reçu à l'Inspection des Finances.

— Il y reste deux ans. Puis il démissionne. Nous le prenons à la banque. Et je pourrai revenir à mes études. Mais, tu sais, nous aurons peut-être moins d'argent.

Elle était à sa droite, tête nue dans la brise. Elle dit :

— Nous aurons bien assez.

Il sourit :

— Tu ne doutes jamais. D'ailleurs je garderai l'Angora Buildings, puisque j'ai monté l'affaire. Et, après ma thèse, je pourrai avoir une suppléance, une place de préparateur.

La nuit descendait sur la plaine. Les arbres se raréfiaient. Les usines surgissaient dans le ciel. Le Bourget. Il vit Andrée tourner la tête, regarder sur la droite. Il suivit ses yeux. Un cabaret avec des enfants qui jouaient devant la porte.

— Que regardes-tu?

— Les enfants.

Et, penchée vers lui, elle dit :

— Oh! un enfant de nous!

Il répliqua :

— Bah! c'est peut-être en route. Ou alors, tu feras comme tante Georgette.

Tante Georgette, sœur de M. Ferrand, mariée à dix-neuf ans et demi, stérile jusqu'à trente-deux, avait eu ensuite, coup sur coup, quatre garçons.

Journée si pure qu'au retour, en pénétrant dans la chambre, il voulut en chasser les miasmes voluptueux. Il pensa à la chair avec dégoût. Il regretta les temps glacés où les deux époux reposaient sur ce lit, immobiles et pudiques, comme des figures tombales. Il laissa Andrée faire sa toilette. Puis il se déshabilla, alla s'asperger d'eau froide, et revint se coucher, aussi net et calme que l'homme d'autrefois. Andrée était déjà au lit. Elle étirait ses jambes.

— Ah! faisait-elle, le grand air m'a moulue.

Ils s'embrassèrent, puis éteignirent les lampes.

Michel se tourna sur le côté droit pour s'endormir, mais aussitôt perçut dans sa conscience un malaise. Autrefois, les soirs d'abstinence s'encastraient dans un système. Ils avaient un sens, tandis que ce soir ne signifiait rien.

Il se remit sur le dos, se rapprocha ainsi de sa femme, voulut réfléchir. C'était toujours la même impasse. Dans cette crise compliquée encore. Une confession générale, réciproque, était à la fois nécessaire et impossible, absurde.

Découragé, il s'abandonna au flot. Car le désir remontait en lui, non pour achever ce beau jour, mais du fond des nuits dernières. Il sourit amèrement à sa faiblesse, comme l'opiomane qui sent approcher l'heure de la drogue. La chaleur d'Andrée venait jusqu'à lui. Il ne bougeait pas, mais les images tactiles de la veille, de l'avant-veille renaissaient toutes seules au creux de ses mains, sur tout son corps, accentuées par le thème intérieur de la femme lascive. Comme toutes les trames sur lesquelles avait travaillé son rêve, celle-ci s'était enrichie prodigieusement. D'épreuve en épreuve, l'Andrée impudique avait fini par se découper dans un violent relief. Née de la faute, ayant la corruption à son origine, elle offrait au désir le fort piment de l'affront. Au lieu de prendre aux cheveux l'éhontée, de lui donner de la cravache, le mâle s'agenouillait, buvait son humiliation, y trouvait un ragoût de bonheur.

Michel étendit la main et atteignit sa femme, toucha, à travers le tissu léger, la courbe du dos, la cambrure et le muscle inlassable. Puis il entoura le corps entier, le renversa vers lui. Elle ne dormait pas. Elle rendit les baisers. Les bras s'enlacèrent.

Aucune figure de son imagination n'avait jamais eu pour les sens de Michel une puissance aussi complète que cette Andrée dissolue, parce qu'aucune n'avait aussi étroitement amalgamé les gestes extérieurs avec la fresque intérieure. C'est que cette Andrée-là était la moins lointaine des héroïnes inventées : elle touchait au réel de plus près non seulement que les Molly Sisters ou la Sémiramis du Nord, mais même que les Andrées perdues dont il avait cherché la trace et restitué la forme dans la première semaine de leur révolution. D'autre part, les corps des deux époux étaient parvenus à une liberté et une harmonie si entières que l'Andrée concrète réalisait sans effort, dans leur ingénieux raffinement, toutes les attitudes de l'inspiratrice.

Celle-ci, cruelle, irrésistible, incorporait à sa substance idées, sentiments, événements. C'était pour les lui réserver, pour les mêler à elle, les revivre avec elle, que Michel avait rejeté dans son inconscient les incidents de la journée qui touchaient à son amour. C'était à cette heure qu'il découvrait une portée nouvelle, un sens plus logique, par exemple au retour de Roland, ou au désir qu'avait eu Andrée d'aller à Senlis. Des rapports complexes se développaient en lui activement, en même temps qu'il serrait le corps hanté, l'explorait, lui tirait des soupirs. Et, tout à coup, la vision la plus douloureuse qui se fût jamais levée devant ses yeux le cloua sur place, glacé d'horreur.

Si Andrée avait voulu aller à Senlis, c'était pour y retrouver le souvenir de l'amant perdu. Innocente piété ! Mais que faisait là le mari ? Il doublait le rôle, disait peut-être les mêmes mots, donnait les mêmes baisers… La vision s'étendant et avec elle l'erreur qui l'altérait, Michel aperçut d'un coup, dans une divination à rebours, tous les actes par lesquels Andrée avait voulu abolir le souvenir de Roland comme des actes par lesquels elle avait voulu le raviver. Et, entre tous, les actes de sa chair, la provocation, la hardiesse croissante des baisers, le mutuel éveil. Il avait cru divaguer, se jouer d'elle. C'était elle qui, sous ses caresses, cherchait Roland. Il ne s'étonnait plus qu'elle eût si docilement supporté les ténèbres : elle les souhaitait plus que lui. C'était elle qui avait éteint la première.

Il était à genoux sur le lit, dans la nuit épaisse. La perversion souterraine, le froid cynisme de l'idole, qui, tandis qu'il la caressait, revivait d'autres étreintes, le ravalait à une telle profondeur que le mélange de la mortification et de la volupté ne s'y faisait même plus. Il voulut sortir du cauchemar, se libérer de l'obsession. Dans sa détresse se forma le besoin subit de regarder l'auteur de son supplice, de prendre sur le fait la furie qui habitait ce corps vénéneux, de l'étrangler peut-être.

Il allongea violemment le bras vers la lampe d'Andrée, mais heurta dans l'ombre une main qui le devançait. Ce fut cette main qui tourna l'interrupteur, tandis que lui parvenait la voix de sa femme.

— Mon chéri, je ne puis plus supporter de faire l'amour sans te voir.

Il restait immobile, toujours sur ses deux genoux, au milieu du lit, cherchant le succube qui s'était joué de lui. Mais tout avait disparu. Il voyait, souriant dans la pénombre, un visage à la bouche pure, des yeux ayant la lueur du jeune amour.

Il se pencha vers Andrée, toucha d'une main sa joue, la ligne de l'épaule et du sein. Elle tendit sa bouche. Il l'embrassa, puis s'écarta pour la regarder, puis avança encore ses mains. Cette chair d'Andrée, qu'il pouvait en même temps voir et saisir, éveillait un désir étrange, immédiat et rafraîchissant. Il s'étendit près d'elle, l'enlaça, mais la clarté voilée de la lampe, l'opacité du drap, et les ombres qui se découpaient aux angles de la chambre, l'incommodaient. Il se souleva, alluma aussi la lampe de droite. Mais l'ombre, appuyée au plafond, aux murs, cernait encore le lit.

Alors il sauta au milieu de la chambre, courut à la cheminée, alluma les deux appliques. Puis il donna les deux allumages du plafonnier. Enfin il y avait sur la commode deux flambeaux en porcelaine de Delft, avec cinq ampoules chacun, ornement dont on ne se servait jamais. Il les alluma.

Andrée, ahurie, le regardait faire. Elle cria :

— Qu'est-ce qui te prend, mon amour ? Tu veux faire sauter les plombs ? Quel dépensier ! Tu rêves ?

Il tressaillit, et se retourna pour répondre, la voix sourde :

— Ne me dis jamais que je rêve. J'ai horreur de ça.

Puis, revenant vers elle, il murmura encore :

— Ah ! je rêve !

Et, à deux mains, il prit le drap avec la couverture, les tira vers les pieds, les arracha du lit. Ensuite il se pencha sur Andrée, lui saisit les deux bras, fit couler l'un dans la bretelle de la chemise, puis l'autre, souleva le corps, fit passer la tête, et jeta au loin le chiffon de soie. Que c'était beau, une vraie femme !

Andrée criait, se débattait. Se voyant nue, sans abri sur l'immense plaine du lit blanc, elle abaissa ses paupières. Mais, entre ses cils, elle vit qu'au-dessus d'elle, entièrement nu lui aussi, avec la douceur des vrais mâles, il riait.

— Ouvre les yeux, dit-il.

Au commencement de la possession, appuyé sur les mains, il la regarda simplement, sans ardeur, voulant que le désir continuât, s'agrandît comme il était né, comme l'eau sourd et se répand sur la terre.

La lumière ruisselait autour d'eux. Andrée, tantôt ouvrait les yeux pour lui plaire, tantôt les fermait sous l'éblouissement. Elle était joie, simplicité, innocence. Il eut honte de l'avoir imaginée corrompue, de l'avoir incriminée du vice intérieur dont lui seul était coupable. Même si elle avait péché, elle avait suivi naïvement la nature. Il aperçut le vaste désert qu'avait dû être pour elle le lit nuptial.

Il pouvait se baisser vers cette bouche entr'ouverte, demander dans un souffle :

— Tu m'as trahi. Pourquoi ?

Mais il entendait en lui-même la réponse :

— Tu m'as délaissée. Pourquoi ?

L'insupportable mari, l'affreux silence, tous les mystères du temps où ils s'étaient méconnus, étaient à ensevelir dans la poussière, sous le grand voile du pardon.

L'étreinte progressait lentement, découvrant en avant de lui des perspectives lumineuses. En une minute, comme les mourants voient leur passé, il voyait son avenir, l'adoucissement des caresses frénétiques, un rythme pur où l'amour brûle dans la sérénité, et les enlacements en plein jour qui rendent la volupté inoffensive. C'était la nuit, celle du ciel, celle des vêtements qui faisait toute la tragédie. Cette épouse au contour robuste ne pouvait être stérile. Un matin, à la montagne, dans l'air humide de rosée, il lui ferait son premier enfant.

Il la contemplait, toujours porté sur ses poignets et planant au-dessus du visage renversé. Quand elle avait les yeux ouverts, elle suivait en silence l'onde du plaisir. Mais quand la puissance d'un accord les lui faisait fermer, elle disait :

— Michel... Michel...

Et, soudain, elle leva le bras gauche et posa sa main sur l'épaule de l'homme, geste d'abandon, inutile à la volupté, aveu du véritable amour.

Alors une cadence de triomphe se déchaîna en lui. Son corps descendit, se soutint sur un avant-bras. Une main passa sous la nuque de la femme. L'autre chercha le creux des hanches. Il ne vit plus rien, ne sentit plus qu'une aspiration, le battement d'une aile formidable qui l'enlevait à grands coups vers la cime. Mais à l'instant où il entrait dans la lueur céleste, il ne voulut pas être seul. Il regarda Andrée. Les yeux de l'amante se noyaient. Le sang se retirait de ses lèvres. A trente-quatre ans, il n'avait jamais vu un visage de femme dans l'ivresse charnelle. Il poussa un cri rauque. Devant lui, d'entre les vaines ébauches, s'élevait l'Andrée définitive, dont la chaleur vivante faisait fuir les mauvais anges.

Il retomba auprès du sauveur qui venait de l'exorciser. Pour la première fois de sa vie, la possession avait rejoint le désir.

J O S E P H   K E S S E L

1 8 9 8 - 1 9 7 9

Belle de jour

1 9 2 8

Un mois chez les filles était sur le métier de la prostitution un regard féminin clinique, extérieur malgré sa compréhension intime. *Belle de jour*, écrit par un homme, tente de recréer la recherche par une femme de l'acte de prostitution, accompli sous la contrainte d'une force intérieure incontrôlable. Joseph Kessel, reporter brillant, est plus à l'aise dans les grands espaces que dans les replis de l'âme féminine, mais son roman touche justement par une sorte d'humilité, et la disproportion comme admise entre ses moyens et le sujet qu'il attaque, auquel à son tour l'a soumis une étrange et sensible nécessité intérieure.

Belle de jour avait été publié en feuilleton dans le nouvel hebdomadaire parisien *Gringoire* à l'automne 1928. « *Le scandale fut énorme* », devait écrire cinquante-sept ans plus tard Annette Colin-Simard. « *Comment un écrivain aussi talentueux que Joseph Kessel osait-il décrire, avec tant de précision, les désirs d'une jeune bourgeoise, "bien sous tous les rapports", qui ne trouvait le plaisir physique qu'en se prostituant dans une maison de rendez-vous ? Les protestations de lecteurs indignés, de ligues familiales, d'associations bien-pensantes arrivèrent par sacs entiers au siège du journal 20, avenue Rapp. Les accusations pleuvaient dru. Pornographie, licence inutile, luxure uniquement destinée à appâter le lecteur. Ce M. Kessel avait sans doute voulu*

rééditer l'exploit de Victor Margueritte lorsqu'il avait publié La Garçonne, six ans plus tôt […]. *Un jeune praticien, le Dr André Varay – futur ami et médecin traitant de Joseph Kessel –, tout en ne jugeant pas l'ouvrage aussi sévèrement, pensa que, s'il se mariait un jour, il n'aimerait pas que sa jeune épouse lût un livre pareil*[1]. »

Kessel essaya de se justifier dans une préface pour l'édition de librairie : ... « *Le sujet de* Belle de jour *n'est pas l'aberration sensuelle de Séverine, c'est son amour pour Pierre indépendant de cette aberration et c'est la tragédie de cet amour. Serai-je seul à plaindre Séverine, à l'aimer ?* »

« *Le millier de lettres reçues chez Gallimard dans les semaines suivant la parution du roman apporta la réponse. La plupart venaient de femmes qui disaient : "Comment avez-vous connu mon aventure ?" et certaines étaient signées de grand-mères ! Kessel, en accord avec Gallimard, décida de les publier en volume après avoir changé les noms. Par malheur, Gaston oublia les lettres sélectionnées dans un taxi et le projet tomba à l'eau* » (A. Colin-Simard).

Kessel, qui avait des ambitions académiques, dut en tout cas y renoncer.

Le film que Louis Buñuel, bien plus tard, tirera du livre, deviendra un classique.

---

1. Annette Colin-Simard, « Lire l'été », *Journal du dimanche*, 7 juillet 1985.

*V*OILÀ *BELLE-DE-JOUR*, cria une jeune femme très brune.

La chambre où se trouvait Séverine était celle que lui avait montrée, le matin même, Madame Anaïs. Si elle ne la reconnut point, elle ne trouva rien non plus qui ressemblât à la caverne dévorante et lascive qu'une minute auparavant elle imaginait encore. Le lit parcimonieusement fripé, un gilet accroché à une chaise, des souliers alignés côte à côte, tout témoignait d'une licence bourgeoise. Et l'homme qui riait béatement dans un fauteuil en caressant comme par devoir les seins de la grande fille brune, Séverine ne s'attendait pas à le trouver dans ce lieu, enveloppé jusque-là pour elle de perversité quasi mystique. Il était en bras de chemise. De fortes bretelles suivaient la courbe de son ventre égrillard. Le cou gras et faible portait une tête un peu chauve où la bonhomie le disputait à la suffisance.

— Salut, ma jolie, dit-il en agitant des pieds trop petits, couverts de chaussettes voyantes, tu vas prendre un verre de champagne avec nous et cette vieille amie Anaïs aussi. Évidemment, après le petit déjeuner que je me suis envoyé une bonne fine serait plus assortie, mais Mathilde (il montrait une femme assez chétive qui assise sur le lit achevait de passer sa robe) veut du champagne. Elle a bien travaillé et moi je ne suis pas dur.

M. Adolphe suivit du regard Madame Anaïs qui allait chercher le vin. Son corps puissant et bien construit le fit soupirer.

— Tu en as toujours envie ? demanda Charlotte que continuait à caresser le voyageur de commerce.

— Ah, je te jure, vous avez beau me fatiguer, pour elle, je me défatiguerais.

Mathilde observa doucement :

— N'y pense pas, ce n'est pas bien. Madame Anaïs est trop convenable. Occupe-toi plutôt de la nouvelle. Elle n'ose pas s'asseoir.

— Belle-de-Jour, ma chérie, dit Madame Anaïs qui était revenue avec une bouteille et des verres, aidez-moi à faire le service.

— C'est vrai qu'elle a l'air jeune fille, remarqua Charlotte, mais le genre anglais plutôt, avec son tailleur, pas vrai ?

Elle s'approcha de Séverine et lui dit à l'oreille avec beaucoup de gentillesse :

— Il faut mettre des robes qui s'enlèvent comme une chemise, voyons. Tu vas perdre un temps fou avec ça.

Le voyageur de commerce avait entendu la dernière phrase.

— Non, non, s'écria-t-il, la petite a raison. Son tailleur lui va rudement. Montre-toi d'un peu plus près.

Il attira Séverine et lui murmura dans le cou.

— Ce doit être bon de te déshabiller.

Madame Anaïs, inquiète de l'expression que prit soudain la figure de Séverine, intervint.

– Le champagne va être chaud, mes enfants. A la bonne santé de M. Adolphe.

– C'est mon opinion et je la partage, dit celui-ci.

Séverine hésita lorsque le breuvage tiède et trop sucré eut touché ses lèvres. Comme s'il se fût agi d'une autre, elle vit une jeune femme aux épaules nues, qui était elle, assise près d'un homme beau et tendre, qui était Pierre, et cette jeune femme choisissait le vin le plus sec, ne le trouvait jamais assez froid. Mais Séverine se sentait condamnée à faire ce qu'on attendait d'elle et acheva sa coupe. La bouteille fut vidée, puis une autre. Charlotte vint appuyer longuement ses lèvres sur celles de Mathilde. Madame Anaïs riait un peu trop souvent de son rire honnête. Les plaisanteries de M. Adolphe visaient à une obscénité spirituelle. Seule, Séverine se taisait, lucide. Soudain, une main appuyant fortement sur ses reins la fit asseoir sur des cuisses grasses. Elle vit, tout contre les siens, des yeux humides, tandis que la voix de M. Adolphe chuchotait, amollie.

– Belle-de-Jour, c'est ton tour. On va être heureux ensemble.

De nouveau le visage de Séverine fut tel qu'il ne convenait pas dans la maison de la rue Virène, de nouveau Madame Anaïs prévint une colère qui ne pouvait pas être celle de Belle-de-Jour. Elle prit à l'écart M. Adolphe et lui dit :

– Je vais emmener une seconde Belle-de-Jour, mais ne la brusque pas trop, elle est toute neuve.

– Chez toi ?

– Ni chez moi, ni ailleurs. Elle n'a jamais fait de maison.

– Une étrenne, alors ? Merci, Anaïs.

Séverine se retrouva dans la pièce aux armoires et à la table à ouvrage.

– Eh bien, mon petit, vous êtes contente, je pense ? demanda Madame Anaïs. A peine entrée déjà choisie. Et puis un homme généreux, bien élevé. Ne vous tourmentez pas. M. Adolphe n'est pas exigeant. Laissez-vous faire, il n'en demande pas plus. Le cabinet de toilette est à gauche, mais entrez habillée comme vous êtes, il vous a remarqué pour votre tailleur. Et souriez un peu. Il faut toujours faire croire qu'on en a autant envie qu'eux.

Séverine ne semblait pas avoir entendu. La tête rentrée dans les épaules, elle respirait difficilement. Ce bruit irrégulier était sa seule manifestation vitale. Madame Anaïs la poussa vers la porte avec une douce fermeté.

– Non, dit tout à coup Séverine, non, c'est inutile, je n'irai pas.

– Hé, mais, où vous croyez-vous donc, ma petite ?

Pour réduite que fût la sensibilité de Séverine, la jeune femme tressaillit tout entière. Jamais elle n'eût cru que la voix aimable de Madame Anaïs pût prendre une expression si inflexible, ni que son visage clair pût devenir soudain impérieux jusqu'à la cruauté. Mais ce n'était pas de peur ou de révolte qu'avait frémi le corps de Séverine, c'était d'un sentiment qu'elle découvrait et qui la traversait de part en part délicieusement, misérablement. Elle avait vécu avec un grand orgueil si tranquille que personne n'y avait jamais osé toucher. Et voici qu'une tenancière la rappelait à l'ordre ainsi qu'une servante fautive. Une trouble lueur de reconnaissance parut dans les yeux hautains de Séverine, et, pour épuiser jusqu'à sa lie puissante le philtre de l'humiliation, elle obéit.

Ce court espace de temps n'était pas resté inemployé par M. Adolphe. Il avait plié son pantalon et artistement disposé ses bretelles sur un guéridon. Comme il achevait cette tâche Belle-de-Jour entra. Voyant le voyageur de commerce en longs caleçons de couleur, elle eut un recul si net que M. Adolphe se plaça entre elle et la porte.

— Tu es vraiment une sauvage, mignonne, dit-il avec satisfaction. Mais tu vois, je sais vivre, j'ai fait partir les autres. On est plus intime tous les deux.

Il vint contre Séverine, ce qui fit voir à celle-ci qu'elle était plus haute que lui, la prit par le menton et demanda :

— Alors, dis, c'est vrai, la première fois avec un autre qu'avec un amoureux ? Besoin de sous ? Non ? Tu es bien vêtue, mais ça ne prouve rien. Alors... peut-être... un peu de vice...

Le dégoût de Séverine était tel qu'elle se détourna pour ne point céder à la tentation d'abattre sa main sur cette face trop blanche.

— Tu as honte, dis, tu as honte, chuchota M. Adolphe, mais tu auras du plaisir, tu vas voir.

Il voulut enlever la jaquette de Séverine, mais elle lui échappa d'un brusque mouvement.

— Ce n'est pas du chiqué, s'écria M. Adolphe. Tu m'excites, tu m'excites, chérie.

Il allait la saisir à pleins bras, lorsqu'un coup dans la poitrine le fit trébucher. Il resta une seconde hébété mais soudain le désir contrarié de l'homme qui paie opéra dans ses yeux fades, sur ses traits débonnaires la même transformation qui, chez Madame Anaïs, avait fait plier Séverine. Il prit les poignets de la jeune femme et, avançant vers elle un visage décoloré par la fureur, articula :

— Tu n'es pas folle, hein. J'aime bien rire un peu, mais pas trop avec les traînées de ton espèce.

Et la même volupté affreuse que celle qu'elle avait connue quelques minutes auparavant, mais plus intense encore, enleva toute force à Séverine.

non identifié

Femmes suppliciées

1 9 2 8

Le flagellateur de service, cette année, a signé Jean de la Beuque, aux Éditions Amateur-Biblio, ces *Femmes suppliciées* qui deviennent pour le faux-titre et la page de titre *Les Voleurs de vierges*, mention qui ne figurait qu'en sous-titre et en tout petits caractères sur la couverture. Du coup, toujours sur la page de titre, l'auteur se dédouble en « Jean de la Beuque et G. de Saint-Vallier » et la date recule en 1928 alors qu'elle est 1931 sur la couverture. Mystère de la librairie légère. Le livre est placé sous le patronage du Dr Vachet grâce à une épigraphe qui reproduit ces fortes paroles : « *Dénoncer le vice, décrire les débauches, c'est déjà faire œuvre d'assainissement : le vicieux, comme le criminel, aime le silence et la nuit ; la lumière qui l'éclaire l'effraye, et la rumeur qui le flétrit lui fait peur.* » Plus loin, nous apprenons que Jean de la Beuque et G. de Saint-Vallier, seuls, sont respectivement responsable de : *Esclaves et Pirates, Femmes et corsaires, Les Tortionnaires*

du Labrador, *Aux griffes des bédouins, Le Temple des tortures, L'Hacienda tragique* pour l'un, *Le Harem sanglant, L'Ile des supplices, Les Barbares de l'Orénoque* pour l'autre. Puis, de nouveau réunis, ils signent une *Préface* qui polémique avec Albert Londres à propos de son *Chemin de Buenos-Ayres* paru l'année précédente chez Albin Michel. Pour Albert Londres, « *quatre-vingts pour cent des petites Françaises qui vont consoler les hommes à travers le monde y ont été conduites par le besoin… La paresse… constitue le second lot : vingt pour cent* ». De la Beuque et Saint-Vallier tiennent que « *c'est la force qui intervient, et ce n'est que lorsque la terreur a assoupli ces petites âmes veules, quand la peur en a déjà fait des catins, alors seulement elles prennent le chemin de Buenos-Ayres* »…

Chacun voit midi à sa porte, mais ici la vérité des feuilletonistes n'est pas sans ajouter à celle du reporter, les uns ni les autres n'ayant raison à cent pour cent.

Chapitre Premier

LE MONDE DE LA COUTURE — LES MANNEQUINS
FRANCINE ET SON AMANT

UN MILIEU que beaucoup croient connaître et que peu ont exploré est sans contredit celui de la haute couture. Bien placés pour en connaître les dessous et la vie, nous avons porté notre enquête de ce côté.

Combien de conteurs, de nouvellistes, de romanciers ont signé dans nos quotidiens de vastes bourdes qui ont pu faire sourire depuis les premières jusqu'aux plus infimes arpètes ! Combien de cinéastes nous ont montré les intérieurs de maisons de couture où pas une couturière digne de ce nom ne s'est reconnue. Néanmoins chaque mois un hurluberlu pond quelque chose à ce sujet et dans ce quelque chose y mêle avec attendrissement trottins, midinettes, arpètes, amour, fleur bleue, que savons-nous encore?

La vie des ateliers et des salons n'est pas du tout ce qu'ils racontent.

D'abord posons en principe que ce qui se passe dans un atelier est ignoré du voisin. Deux premières se regardent en chien de faïence. Les modèles de l'une, s'ils ont trop de succès, peuvent démolir ceux de l'autre. Alors c'est la guerre constante à qui cassera les reins de la voisine! Les secondes épousent les querelles de leurs premières, les ouvrières ignorent car la rivalité ne se montre qu'aux salons dont les ateliers sont toujours éloignés. Quant aux arpètes qui sont les mieux placées puisqu'en général elles travaillent à la table de leur première et peuvent saisir des bribes de conversation entre la première et leur seconde, elles se contentent seulement de modeler leur costume sur celui de leur chef d'atelier.

Quant aux salons c'est autre chose.

Les vendeuses, premières et secondes, y règnent et les premières d'atelier n'y apparaissent qu'aux prises de mesures et aux essayages.

Et les mannequins n'y paraissent que pour présenter leurs modèles.

En somme une maison de couture est comparable à un bateau aux pièces nombreuses dont toutes les portes étanches seraient rigoureusement fermées à tout autre qu'aux membres de l'État-Major. Nous ne nous occuperons dans le récit véridique qui suit, ni des ateliers, ni des vendeuses. Un joli mannequin de vingt-deux ans en fut l'héroïne et nous n'aurons point à parler d'autres que d'elle.

Plaçons-nous d'abord dans l'ambiance.

Sauf aux heures de présentations, le mannequin vit dans *la cabine*. On appelle ainsi la pièce où les mannequins se tiennent en permanence avec défense d'en sortir. C'est une sorte de cloître dont les religieuses passent le temps à tout autre chose qu'à dire des prières, croyez-le. A part de rares exceptions, le mannequin a depuis longtemps (n'eût-il que vingt ans!) jeté sa gourme et le mot de vierge ne désigne pour lui que des êtres anormaux ou pour celle qui se souvient de la foi de sa jeunesse : la mère du Christ.

Donc un voleur de Vierges a peu de chances de tomber juste dans ce milieu, néanmoins fort intéressant. Nous ne voulons point dire en effet que les mannequins sont universellement débauchés, mais bien que toutes ont vu le loup et possèdent leur grande ou petite amie. Lesbos triomphe largement et l'ombre de Sapho repousse celle de Don Juan. Cependant l'aventure que nous allons narrer, pour être arrivée à un mannequin qui l'a narrée, eût pu tout aussi bien arriver à telle ou telle jeune fille qui par honte se fût tue.

La cabine est donc, avons-nous dit, le palais du mannequin. Autour de la pièce court une tablette de 30 cm de large sur laquelle les mannequins déposent leur boîte de maquillage.

Sous la table sont les chaussures qu'elles auront à mettre. De la table au plafond des glaces.

Elles sont en général une dizaine par cabine. Une pièce à côté est leur vestiaire, une armoire renferme les robes qu'elles auront à mettre dans la journée, avec l'aide d'une ou deux habilleuses, sous la surveillance de l'une d'entre elles nommée chef de cabine.

Mais la présentation des modèles ne dure pas toute la journée. Alors en se faisant les ongles, en se repeignant pour la dixième fois, en refaisant son maquillage, on cause.

On cause du dernier incident, du monsieur qui nous a suivi dans le métro, du petit ami qui a besoin d'argent, de l'amie jalouse ou du « type chic » qui « les a lâchés ».

Francine (c'était là son nom de guerre, car peu de ces jeunes femmes gardent le leur véritable), Francine donc était mannequin depuis deux ans chez Katherine, avenue des Champs-Élysées, presque à l'Étoile. C'est presque une fille sérieuse, car depuis deux années elle n'avait changé que deux fois d'amant. Elle en était donc au troisième et de celui-là elle était absolument férue. Quand elle arrivait le matin à la cabine, ses yeux trop noirs, sa mine fatiguée, tout décelait en elle la femme amoureuse qui dans les étreintes s'est donnée jusqu'à l'épuisement.

C'était une belle jeune fille de vingt-deux ans, blonde, aux cheveux coupés courts, à la poitrine ferme et bien modelée, aux jambes superbes. Sous le « fourreau » uniforme qui les habille toutes semblablement, elle avait l'allure d'une Junon prisonnière ou enrégimentée. Quand elle présentait les modèles dans les salons, bien des maris tiquaient et louchaient vers elle, mais son air digne et la moue dédaigneuse qui plissait sa lèvre leur disaient à l'avance que toute tentative était inutile. « Je me donne, semblait-elle dire, mais je ne suis pas à vendre ! » Et ceci n'est point trop immoral. Tout semblait donc aller, quand l'amant qu'elle adorait tomba malade et au lieu de demeurer seul à Paris où il avait une chambre du côté de la Bastille, il se fit transporter chez sa mère à Boulogne-sur-Seine, car près des siens il pensait être mieux et plus facilement soigné.

Seulement chez sa mère il ne pouvait décemment prier Francine de venir le voir ! Qu'eût pensé la vieille maman d'une telle désinvolture ? Et ce à juste raison.

Chapitre II

A la maison Katherine, le directeur n'aimait point donner de permission et cela enrageait Francine. En effet, elle avait eu d'abord l'idée de se rendre chez Jean, son amant, ou mieux chez les parents du jeune homme afin de s'enquérir de son état, comme si elle eût été employée à son bureau et si elle eût été déléguée auprès de lui par ses collègues.

Ne pouvant avoir de permission pour cela (car elle ne savait de quel motif appuyer une demande de sortie), elle écrivit à Jean, lui demandant si son état lui permettrait de la recevoir... de la part de ses collègues.

Le jeune homme, enchanté du biais trouvé, répondit qu'il la recevrait quand elle voudrait le soir. Le jour même où elle reçut la réponse de son amant, Francine décida de l'aller voir dès son repas terminé, et pour ne point perdre de temps, quand elle sortit de chez Katherine elle s'en fut dîner à Boulogne.

Neuf heures sonnaient quand elle se présenta chez le jeune homme, après avoir eu soin de se démaquiller de son mieux pour que rien d'excentrique n'effarouchât dans sa tenue la maman de son cher Jean.

De suite on l'introduisit auprès du malade qui, du reste, allait beaucoup mieux et seuls dans la chambre de Jean, ils bavardèrent tant que minuit sonna.

« Diable, dit Francine, vais-je trouver un moyen de locomotion pour rentrer ! Ça ne me dit rien de longer le Bois à cette heure !

– Bah ! dit Jean gaiement, voici cinquante francs. Pour ce prix tu trouveras toujours un taxi qui voudra bien te ramener ! ainsi tu ne risques rien ! »

Ainsi rassurée, la jolie Francine demeura encore quelques instants, puis se retira en s'excusant d'avoir autant prolongé cette visite. Aimable, la mère du jeune homme l'invita à revenir voir son fils, disant qu'il avait été très heureux de voir qu'on ne l'oubliait pas. Bref, après une foule de congratulations, Francine s'en fut le cœur léger et plein de bonheur à la recherche du taxi qui l'allait pouvoir ramener à Paris.

Elle ne tarda pas à en voir passer un qu'elle héla :

« Voulez-vous me conduire à Montmartre ?

– Volontiers, ça m'ennuyait de rentrer à vide ! »

Contente elle lui donna son adresse et monta.

La voiture démarra rapidement et Francine s'installa de son mieux pensant tout haut :

« D'ici à Montmartre, j'ai tout à fait le temps de piquer un roupillon ! »

La formule n'était peut-être pas académique, mais elle n'en demeurait pas moins suffisamment claire et précise dans la pensée de celle qui l'exprimait.

Elle ferma les yeux et se laissa, au bercement de la voiture, rouler dans le sommeil.

La porte du taxi s'ouvrant la réveilla.

« Qu'est-ce qu'il y a? demanda-t-elle en bâillant, on est arrivés? »

Un rire gras lui répondit, puis elle eut un mouvement de recul. Lampes baissées, la voiture était arrêtée au milieu d'un coin touffu.

La peur gagna Francine :

« Qu'est-ce qu'il y a? reprit-elle d'un ton qu'elle eût bien voulu rendre courageux, a-t-on une panne?

– Une panne? penses-tu, poulette, qu'une bagnole comme ça s'amuse à ce petit jeu! une panne? non, mais laisse-moi rire! »

Et sans plus hésiter le chauffeur entra dans la voiture.

Francine sentit une sueur froide lui couler sur les tempes.

« Ne me faites pas de mal, bégaya-t-elle.

– Qui t'a dit que je voulais t'en faire?

– Non! non! tenez, prenez mon argent, tout! oui, tout ce que vous voudrez mais laissez-moi descendre, m'en aller! ne me faites pas de mal, monsieur je vous en supplie!

– Ton argent? qu'est-ce que tu veux que j'en fasse? »

Francine pensa que la chose allait tourner mal et qu'elle avait affaire avec un fou. Elle gémit, désespérée.

Ah, le coin était bien choisi, vraiment! personne qui puisse lui porter secours! La peur de mourir la tenailla. Elle supplia :

« Ne me tuez pas!

– Ah ça, fit l'homme, est-ce que franchement tu te f... de moi? ai-je la tête d'un voleur ou d'un assassin?

– Alors qu'est-ce que vous me voulez?

– Ah! enfin! sur ce ton on va peut-être pouvoir causer! »

Et s'étant assis près d'elle, il la prit par la taille, tendant sa bouche vers celle de Francine. Cette fois, il n'y avait aucun doute à avoir.

Le chauffeur n'était ni un voleur, ni un assassin!

Seulement un satyre.

Certes Francine n'était point ce qu'il est convenu d'appeler une oie blanche, mais pour elle le geste de l'amour ne pouvait se réaliser que lorsque le cœur complétait et adoucissait la trivialité du geste. L'homme lui eût plu qu'en temps ordinaire elle n'eût point hésité à réaliser selon Chamfort le contact des deux épidermes et l'échange de deux fantaisies.

Mais là, seule avec le satyre, sans secours aucun, la chose la révoltait. Sa chair se hérissa et sans penser à elle-même, elle songea : et si au lieu de moi, il était tombé sur une vraie jeune fille ? et non sous l'influence d'une telle pensée, sous la peur, sous la réaction, elle éclata en sanglots.

« Oh, dis, la môme, pas de pleurnicheries avec moi ! c'est de mauvais goût ! tu ne penses pas que je vais te trimballer pour un pourboire de cent sous, hein ? Allons, faut y passer, ou alors je cogne ! et quand je cogne, tu sais, j'ai la main lourde ! »

Elle voulut se débattre.

Alors il la souffleta.

Puis, comme elle ne cédait pas à son écœurant désir, il se mit à frapper, lâche, brutal. De crainte de coups plus violents, elle n'osa crier, mais ses sanglots et ses larmes ne cessaient point. Enfin il cessa de la brutaliser et se penchant sur elle :

« Veux-tu, garce ? oui ou non ? ou faut-il que je cogne encore !

– Oui ! » dit-elle vaincue.

Et elle s'abandonna.

Une heure après la voiture repartait lentement pour que, complètement nue, Francine pût se rhabiller avant que l'on arrivât à la porte Maillot.

A peine passait-on l'octroi qu'elle fit arrêter le taxi, près d'un agent. Le chauffeur narquois la regarda descendre.

Elle lui tendit son billet de cinquante francs.

Tranquille, le satyre regarda le compteur, rendit la monnaie et d'une voix goguenarde réclama son pourboire :

« M..., dit-il, si vous trouvez que j'l'ai pas gagné alors ! qu'est-ce qu'il vous faut comme boulot ! »

Pourpre de honte, Francine lui jeta cinq francs et les larmes aux yeux s'en fut prendre l'autobus de nuit.

Cette histoire, nous la tenons d'une personne qui, chez Katherine, le lendemain entendit Francine faire le récit de sa terrible aventure.

Nous dira-t-on encore après ceci que les Voleurs de Vierges n'existent pas ?

GEORGES BATAILLE

1897-1965

Histoire de l'œil

1928

Comme Apollinaire, Georges Bataille a publié son premier livre, et l'un des plus importants, clandestinement. *Histoire de l'œil* a été imprimé par les soins de René Bonnel, d'après des maquettes de Pascal Pia. Les huit lithographies qui accompagnent le texte sont d'André Masson. Le livre est signé « Lord Auch », abréviation, dira Bataille, de « aux chiottes ». Le format et la typographie du livre sont semblables à ceux du *Con d'Irène*, publié la même année par les mêmes éditeurs. Peut-être pour avoir eu en main en même temps, il y a bien des années, les deux volumes presque carrés des éditions originales, je ne peux pas séparer ces deux textes si différents, qui n'ont cessé par ailleurs de figurer dans mon esprit les deux pôles presque opposés de l'expression littéraire érotique.

Les coïncidences d'œuvres frappent les historiens de la littérature, mais il semble qu'on les étudie moins que les générations d'écrivains alors qu'elles ne posent pas moins de questions. Comment ne pas relever le rassemblement en quelques mois de publications comme *Histoire de l'œil*, *Le Con d'Irène*, *Hécate*, *Recherches sur la sexualité*, *Le Dieu des corps*, dans une certaine mesure *Belle de jour*, d'autres peut-être, clandestines ou non, qu'il nous reste alors à découvrir? Déjà celles-là forment une des constellations les plus interpellantes qui soient... Je me laisse peut-être entraîner par ma pente naturelle à relever les conjonctions.

Histoire de l'œil est sous le signe des conjonctions. C'est un chapitre comme

Coïncidences qui fait le pont entre les univers de Bataille et de Breton, presque totalement dissemblables, et pourtant impossibles à séparer, comme ont pu le montrer les ruptures, les invectives, et la phrase de Breton parlant de Bataille en 1947 : « *un des seuls hommes que la vie ait valu pour moi la peine de connaître* ». Siamois ennemis que tout oppose hormis une mince membrane essentielle. C'est ainsi du moins que j'ai toujours perçu ces deux hommes qui m'ont été proches et précieux.

La totale exactitude des faits relaté dans *Coïncidences* a été mise en doute par la famille de Georges Bataille, en particulier son frère Martial, lorsque à l'occasion d'une interview accordée à Madeleine Chapsal pour *L'Express*, Bataille pour la première fois mentionna ce texte comme autobiographique. Qu'il ait plus ou moins fabulé, il n'en apparaît pas moins que c'est incontestablement à partir de faits réels ; c'est ce qui ressort pour moi, même si je n'avais pas le souvenir de certaines conversations, de ce qu'il écrivit à son frère pour se justifier : « *Ce qui est arrivé il y a près de cinquante ans me fait encore trembler et je ne puis m'étonner si un jour je n'ai pas trouvé d'autre moyen de me sortir de là qu'en m'exprimant anonymement. J'ai été soigné (mon état était grave) par un médecin qui m'a dit que le moyen que j'ai employé, en dépit de tout, était le meilleur que je pouvais trouver*[1]. »

---

1. Georges Bataille, *Œuvres complètes*, t. I, Paris, 1970.

Jacques Brenner, qui parle assez sévèrement de Bataille, prétend que « *des récits comme* Histoire de l'œil *ont rencontré un vif succès auprès des lycéens travaillés par la puberté*[2] ». Je ne crois pas. La lecture d'*Histoire de l'œil*, comme celle de Sade, est de nature à provoquer un violent rejet chez de trop jeunes lecteurs. En 1968, plusieurs comités

1. Jacques Brenner, *Histoire de la littérature française de 1940 à nos jours*, Paris, 1978.

de lycéens distribuaient des tracts pour protester contre la décomposition bourgeoise et capitaliste représentée pour eux par les livres de Bataille, et, particulièrement citée, *Histoire de l'œil*, dont ils réclamaient l'interdiction.

Georges Bataille, fonctionnaire des bibliothèques de l'État, ne put signer *Histoire de l'œil* de son vivant (non plus que *Madame Edwarda*). J'ai publié en 1967 la première édition qui porte son nom.

L'œil de chat

J'AI ÉTÉ ÉLEVÉ SEUL et, aussi loin que je me le rappelle, j'étais anxieux des choses sexuelles. J'avais près de seize ans quand je rencontrai une jeune fille de mon âge, Simone, sur la plage de X... Nos familles se trouvant une parenté lointaine, nos relations en furent précipitées. Trois jours après avoir fait connaissance, Simone et moi étions seuls dans sa villa. Elle était vêtue d'un tablier noir et portait un col empesé. Je commençais à deviner qu'elle partageait mon angoisse, d'autant plus forte ce jour-là qu'elle paraissait nue sous son tablier.

Elle avait des bas de soie noire montant au-dessus du genou. Je n'avais pu encore la voir jusqu'au cul (ce nom que j'employais avec Simone me paraissait le plus joli des noms du sexe). J'imaginais seulement que, soulevant le tablier, je verrais nu son derrière.

Il y avait dans le couloir une assiette de lait destinée au chat.

— Les assiettes, c'est fait pour s'asseoir, dit Simone. Paries-tu ? Je m'assois dans l'assiette.

— Je parie que tu n'oses pas, répondis-je, sans souffle.

Il faisait chaud. Simone mit l'assiette sur un petit banc, s'installa devant moi et, sans quitter mes yeux, s'assit et trempa son derrière dans le lait. Je restai quelque temps immobile, le sang à la tête et tremblant, tandis qu'elle regardait ma verge tendre ma culotte. Je me couchai à ses pieds. Elle ne bougeait plus ; pour la première fois, je vis sa « chair rose et noire » baignant dans le lait blanc. Nous restâmes longtemps immobiles, aussi rouges l'un que l'autre.

Elle se leva soudain : le lait coula jusqu'à ses bas sur les cuisses. Elle s'essuya avec son mouchoir, debout par-dessus ma tête, un pied sur le petit banc. Je me frottais la verge en m'agitant sur le sol. Nous arrivâmes à la jouissance au même instant, sans nous être touchés l'un l'autre. Cependant, quand sa mère rentra, m'asseyant sur un fauteuil bas, je profitai d'un moment où la jeune fille se blottit dans les bras maternels : je soulevai sans être vu le tablier, passant la main entre les cuisses chaudes.

Je rentrai chez moi en courant, avide de me branler encore. Le lendemain, j'avais les yeux cernés. Simone me dévisagea, cacha sa tête contre mon épaule et me dit : « Je ne veux plus que tu te branles sans moi. »

Ainsi commencèrent entre nous des relations d'amour si étroites et si nécessaires que nous restons rarement une semaine sans nous voir. Nous n'en avons pour ainsi dire jamais parlé. Je comprends qu'elle éprouve en ma présence des sentiments voisins des miens, difficiles à décrire. Je me rappelle un jour où nous allions vite en voiture. Je renversai une jeune et jolie cycliste, dont le cou fut presque arraché par les roues. Nous l'avons longtemps regardée morte. L'horreur et le désespoir qui se dégageaient de ces chairs écœurantes en partie, en partie délicates, rappellent le sentiment que nous avons en principe à nous voir. Simone est simple d'habitude. Elle est grande et jolie ; rien de désespérant dans le regard ni dans la voix. Mais elle est si avide de ce qui trouble les sens que le plus petit appel donne à son visage un caractère évoquant le sang, la terreur subite, le crime, tout ce qui ruine sans fin la béatitude et la bonne conscience. Je lui vis la première fois cette crispation muette, absolue – que je partageais – le jour où elle mit son derrière dans l'assiette. Nous ne nous regardons guère avec attention qu'en de tels moments. Nous ne sommes tranquilles et ne jouons qu'en de courtes minutes de détente, après l'orgasme.

Je dois dire ici que nous restâmes longtemps sans faire l'amour. Nous profitions des occasions pour nous livrer à nos jeux. Nous n'étions pas sans pudeur, au contraire, mais une sorte de malaise nous obligeait à la braver. Ainsi, à peine m'avait-elle demandé de ne plus me branler seul (nous étions en haut d'une falaise), elle me déculotta, me fit étendre à terre et, se troussant, s'assit sur mon ventre et s'oublia sur moi. Je lui mis dans le cul un doigt que mon foutre avait mouillé. Elle se coucha ensuite la tête sous ma verge et, prenant appui des genoux sur mes épaules, leva le cul en le ramenant vers moi qui maintenais ma tête à son niveau.

— Tu peux faire pipi en l'air jusqu'au cul ? demanda-t-elle.

— Oui, répondis-je, mais la pisse va couler sur ta robe et sur ta figure.

— Pourquoi pas ? conclut-elle, et je fis comme elle avait dit, mais à peine l'avais-je fait que je l'inondai à nouveau, cette fois de foutre blanc.

Cependant l'odeur de la mer se mêlait à celle du linge mouillé, de nos ventres nus et du foutre. Le soir tombait et nous restions dans cette position, sans mouvement, quand nous entendîmes un pas froisser l'herbe.

— Ne bouge pas, supplia Simone.

Le pas s'était arrêté ; nous ne pouvions pas voir qui s'approchait, nous ne respirions plus. Le cul de Simone ainsi dressé me semblait, il est vrai, une puissante supplication : il était parfait, les fesses étroites et délicates, profondément fendues. Je ne doutai pas que l'inconnu ou l'inconnue ne succombât bientôt et ne fût obligé de se dénuder à son tour. Le pas reprit, presque une course, et je vis paraître une ravissante jeune fille, Marcelle, la plus pure et la plus touchante de nos amies. Nous étions contractés dans nos attitudes au point de ne pouvoir bouger même un doigt, et ce fut soudain notre malheureuse amie qui s'effondra dans l'herbe en sanglotant. Alors seulement, nous étant dégagés, nous nous jetâmes sur ce corps abandonné. Simone troussa la jupe, arracha la culotte et me montra avec ivresse un nouveau cul aussi joli que le sien. Je l'embrassai avec rage, branlant celui de Simone dont les jambes s'étaient refermées sur les reins de l'étrange Marcelle qui déjà ne cachait que ses sanglots.

   – Marcelle, criai-je, je t'en supplie, ne pleure plus. Je veux que tu m'embrasses la bouche.

   Simone elle-même caressait ses beaux cheveux plats, lui donnant des baisers sur tout le corps.

   Cependant, le ciel avait tourné à l'orage et, avec la nuit, de grosses gouttes de pluie avaient commencé de tomber, provoquant une détente après l'accablement d'un jour torride et sans air. La mer faisait déjà un bruit énorme, dominé par de longs roulements de tonnerre, et des éclairs permettaient de voir comme en plein jour les deux culs branlés des jeunes filles devenues muettes. Une frénésie brutale animait nos trois corps. Deux bouches juvéniles se disputaient mon cul, mes couilles et ma verge et je ne cessai pas d'écarter des jambes humides de salive et de foutre. Comme si j'avais voulu échapper à l'étreinte d'un monstre, et ce monstre était la violence de mes mouvements. La pluie chaude tombait à torrents et nous ruisselait par tout le corps. De grands coups de tonnerre nous ébranlaient et accroissaient notre rage, nous arrachant des cris redoublés à chaque éclair par la vue de nos parties sexuelles. Simone avait trouvé une flaque de boue et s'en barbouillait : elle se branlait avec la terre et jouissait, fouettée par l'averse, ma tête serrée entre ses jambes souillées de terre, le visage vautré dans la flaque où elle agitait le cul de Marcelle enlacée d'un bras derrière les reins, la main tirant la cuisse et l'ouvrant avec force.

L'armoire normande

   Dès cette époque, Simone contracta la manie de casser des œufs avec son cul. Elle se plaçait pour cela la tête sur le siège d'un fauteuil, le dos collé au dossier, les jambes repliées vers moi qui me branlais pour la foutre dans la figure. Je plaçais alors l'œuf au-dessus du trou : elle prenait plaisir à l'agiter dans la fente profonde. Au moment où le foutre jaillissait, les fesses cassaient l'œuf, elle jouissait, et, plongeant ma figure dans son cul, je m'inondais de cette souillure abondante.

Sa mère surprit notre manège, mais cette femme extrêmement douce, bien qu'elle eût une vie exemplaire, se contenta la première fois d'assister au jeu sans mot dire, si bien que nous ne l'aperçûmes pas : j'imagine qu'elle ne put de terreur ouvrir la bouche. Quand nous eûmes terminé (nous réparions le désordre à la hâte), nous la découvrîmes debout dans l'embrasure de la porte.

– Fais celui qui n'a rien vu, dit Simone, et elle continua d'essuyer son cul.

Nous sortîmes sans nous presser.

Quelques jours après, Simone, qui faisait avec moi de la gymnastique dans la charpente d'un garage, pissa sur cette femme qui s'était arrêtée sous elle sans la voir. La vieille dame se rangea, nous regardant de ses yeux tristes, avec un air si désemparé qu'il provoqua nos jeux. Simone éclata de rire, à quatre pattes, en exposant le cul devant mon visage ; je la troussai et me branlai, ivre de la voir nue devant sa mère.

Nous étions restés une semaine sans avoir revu Marcelle quand nous la rencontrâmes dans la rue. Cette jeune fille blonde, timide et naïvement pieuse rougit si profondément que Simone l'embrassa avec une tendresse nouvelle.

– Je vous demande pardon, lui dit-elle à voix basse. Ce qui est arrivé l'autre jour est mal. Mais cela n'empêche pas que nous devenions amis maintenant. Je vous promets : nous n'essayerons plus de vous toucher.

Marcelle, qui manquait au dernier degré de volonté, accepta de nous suivre et de venir goûter chez Simone en compagnie de quelques amis. Mais, au lieu de thé, nous bûmes du champagne en abondance.

La vue de Marcelle rougissante nous avait troublés ; nous nous étions compris, Simone et moi, certains que rien ne nous ferait reculer désormais. Outre Marcelle, trois jolies jeunes filles et deux garçons se trouvaient là ; le plus âgé des huit n'avait pas dix-sept ans. La boisson produisit un effet violent, mais, hors Simone et moi, personne n'était troublé comme nous voulions. Un phonographe nous tira d'embarras. Simone, dansant seule un rag-time endiablé, montra ses jambes jusqu'au cul. Les autres jeunes filles invitées à la suivre étaient trop gaies pour se gêner. Et sans doute elles avaient des pantalons, mais ils ne cachaient pas grand-chose. Seule Marcelle, ivre et silencieuse, refusa de danser.

Simone, qui se donnait l'air d'être complètement saoule, froissa une nappe et, l'élevant, proposa un pari :

– Je parie, dit-elle, que je fais pipi dans la nappe devant tout le monde.

C'était en principe une réunion de petits jeunes ridicules et bavards. Un des garçons la défia. Le pari fut fixé à discrétion. Simone n'hésita nullement et trempa la nappe. Mais son audace la déchira jusqu'à la corde. Si bien que les jeunes fous commençaient à s'égarer.

— Puisque c'est à discrétion, dit Simone au perdant, la voix rauque, je vous déculotterai devant tout le monde.

Ce qui fut fait sans difficulté. Le pantalon ôté, Simone enleva la chemise (pour lui éviter d'être ridicule). Rien de grave toutefois ne s'était passé : à peine Simone avait-elle d'une main légère caressé la queue de son camarade. Mais elle ne songeait qu'à Marcelle qui me suppliait de la laisser partir.

— On vous a promis de ne pas vous toucher, Marcelle, pourquoi voulez-vous partir ?

— Parce que, répondit-elle obstinément. (Une colère panique s'emparait d'elle.)

Tout à coup, Simone tomba à terre, à la terreur des autres. Une confusion de plus en plus folle l'agitait, les vêtements en désordre, le cul à l'air, comme atteinte d'épilepsie, et se roulant aux pieds du garçon qu'elle avait déculotté, elle balbutiait des mots sans suite.

— Pisse-moi dessus… pisse-moi dans le cul…, répétait-elle avec une sorte de soif.

Marcelle regardait fixement : elle rougit jusqu'au sang. Elle me dit sans me voir qu'elle voulait enlever sa robe. Je la lui retirai puis la débarrassai de son linge ; elle garda sa ceinture et ses bas. S'étant à peine laissé branler et baiser par moi sur la bouche, elle traversa la pièce en somnambule et gagna une armoire normande où elle s'enferma (elle avait murmuré quelques mots à l'oreille de Simone).

Elle voulait se branler dans cette armoire et suppliait qu'on la laissât seule.

Il faut dire que nous étions tous ivres et renversés par l'audace les uns des autres. Le garçon nu était sucé par une jeune fille. Simone, debout et retroussée, frottait ses fesses à l'armoire où l'on entendait Marcelle se branler avec un halètement violent.

Il arriva soudain une chose folle : un bruit d'eau suivi de l'apparition d'un filet puis d'un ruissellement au bas de la porte du meuble. La malheureuse Marcelle pissait dans son armoire en jouissant. L'éclat de rire ivre qui suivit dégénéra en une débauche de chutes de corps, de jambes et de culs en l'air, de jupes mouillées et de foutre. Les rires se produisaient comme des hoquets involontaires, retardant à peine la ruée vers les culs et les queues. Pourtant en entendit bientôt la triste Marcelle sangloter seule et de plus en plus fort dans cette pissotière de fortune qui lui servait maintenant de prison.

Une demi-heure après, quelque peu dessaoulé, l'idée me vint d'aider Marcelle à sortir de l'armoire. La malheureuse jeune fille était désespérée, tremblant et grelottant de fièvre. M'apercevant, elle manifesta une horreur maladive. J'étais pâle, taché de sang, habillé de travers. Des corps sales et dénudés gisaient derrière moi, dans un désordre hagard. Des débris de verre avaient coupé et mis en sang deux d'entre nous; une jeune fille vomissait; des fous rires si violents nous avaient pris que nous avions mouillé qui ses vêtements, qui son fauteuil ou le plancher; il en résultait une odeur de sang, de sperme, d'urine et de vomi qui faisait reculer d'horreur, mais le cri qui se déchira dans la gorge de Marcelle m'effraya davantage encore. Je dois dire que Simone dormait le ventre en l'air, la main à la fourrure, le visage apaisé.

Marcelle, qui s'était précipitée en trébuchant avec des grognements informes, m'ayant regardé une seconde fois, recula comme devant la mort; elle s'effondra et fit entendre une kyrielle de cris inhumains.

Chose étonnante, ces cris me redonnèrent du cœur au ventre. On allait accourir, c'était inévitable. Je ne cherchai nullement à fuir, à diminuer le scandale. J'allai tout au contraire ouvrir la porte : spectacle et joie inouïs! Qu'on imagine sans peine les exclamations, les cris, les menaces disproportionnées des parents entrant dans la chambre : la cour d'assises, le bagne, l'échafaud étaient évoqués avec des cris incendiaires et des imprécations spasmodiques. Nos camarades eux-mêmes s'étaient mis à crier. Jusqu'à produire un éclat délirant de cris et de larmes : on eût dit qu'on venait de les allumer comme des torches.

Quelle atrocité pourtant! Il me sembla que rien ne pourrait mettre fin au délire tragi-comique de ces fous. Marcelle, demeurée nue, continuait en gesticulant à traduire en cris une souffrance morale et une terreur impossibles; on la vit mordre sa mère au visage, au milieu de bras qui tentaient vainement de la maîtriser.

Cette irruption des parents détruisit ce qui lui restait de raison. On dut avoir recours à la police. Tout le quartier fut témoin du scandale inouï.

L'Anus solaire

1931

L'Anus solaire, écrit en 1927, est le premier livre publié officiellement par Georges Bataille. Il parut en 1931 aux Éditions de la Galerie Simon, tiré à cent exemplaires illustrés de pointes sèches d'André Masson. Bataille en avait rédigé le manuscrit sur dix-huit fiches de la Bibliothèque nationale. Sur le prospectus de souscription distribué par la Galerie Simon figure le texte suivant :

« *Si l'on craint l'éblouissement au point de n'avoir jamais vu (en plein été et soi-même le visage rouge baigné de sueur) que le soleil était écœurant et rose comme un gland, ouvert et urinant comme un méat, il est peut-être inutile d'ouvrir encore, au milieu de la nature, des yeux chargés d'interrogation ; la nature répond à coups de cravache, aussi galante que les jolies dompteuses qu'on admire aux devantures des libraires pornographiques.* »

L'Anus solaire est un texte court. Nous le donnons en entier.

IL EST CLAIR que le monde est purement parodique, c'est-à-dire que chaque chose qu'on regarde est la parodie d'une autre, ou encore la même chose sous une forme décevante.

Depuis que les phrases *circulent* dans les cerveaux occupés à réfléchir, il a été procédé à une identification totale, puisque à l'aide d'un *copule* chaque phrase relie une chose à l'autre ; et tout serait visiblement lié si l'on découvrait d'un seul regard dans sa totalité le tracé laissé par un fil d'Ariane, conduisant la pensée dans son propre labyrinthe.

Mais le *copule* des termes n'est pas moins irritant que celui des corps. Et quand je m'écrie : JE SUIS LE SOLEIL, il en résulte une érection intégrale, car le verbe être est le véhicule de la frénésie amoureuse.

Tout le monde a conscience que la vie est parodique et qu'il manque une interprétation.

Ainsi le plomb est la parodie de l'or.

L'air est la parodie de l'eau.

Le cerveau est la parodie de l'équateur.

Le coït est la parodie du crime.

L'or, l'eau, l'équateur ou le crime peuvent indifféremment être énoncés comme le principe des choses.

Et si l'origine n'est pas semblable au sol de la planète paraissant être la base, mais au mouvement circulaire que la planète décrit autour d'un centre mobile, une voiture, une horloge ou une machine à coudre peuvent également être acceptées en tant que principe générateur.

Les deux principaux mouvements sont le mouvement rotatif et le mouvement sexuel, dont la combinaison s'exprime par une locomotive composée de roues et de pistons.

Ces deux mouvements se transforment l'un en l'autre réciproquement.

C'est ainsi qu'on s'aperçoit que la terre en tournant fait coïter les animaux et les hommes et (comme ce qui résulte est aussi bien la cause que ce qui provoque) que les animaux et les hommes font tourner la terre en coïtant.

C'est la combinaison ou transformation mécanique de ces mouvements que les alchimistes recherchaient sous le nom de pierre philosophale.

C'est par l'usage de cette combinaison de valeur magique que la situation actuelle de l'homme est déterminée au milieu des éléments.

Un soulier abandonné, une dent gâtée, un nez trop court, le cuisinier crachant dans la nourriture de ses maîtres sont à l'amour ce que le pavillon est à la nationalité.

Un parapluie, une sexagénaire, un séminariste, l'odeur des œufs pourris, les yeux crevés des juges sont les racines par lesquelles l'amour se nourrit.

Un chien dévorant l'estomac d'une oie, une femme ivre qui vomit, un comptable qui sanglote, un pot à moutarde représentent la confusion qui sert à l'amour de véhicule.

Un homme placé au milieu des autres est irrité de savoir pourquoi il n'est pas l'un des autres.

Couché dans un lit auprès d'une fille qu'il aime, il oublie qu'il ne sait pas pourquoi il est lui au lieu d'être le corps qu'il touche.

Sans rien en savoir, il souffre à cause de l'obscurité de l'intelligence qui l'empêche de crier qu'il est lui-même la fille qui oublie sa présence en s'agitant dans ses bras.

Ou l'amour, ou la colère infantile, ou la vanité d'une douairière de province, ou la pornographie cléricale, ou le solitaire d'une cantatrice égarent des personnages oubliés dans des appartements poussiéreux.

Ils auront beau se chercher avidement les uns les autres : ils ne trouveront jamais que des images parodiques et s'endormiront aussi vides que des miroirs.

La fille absente et inerte qui est suspendue à mes bras sans rêver n'est pas plus étrangère à moi que la porte ou la fenêtre à travers lesquel [le] s je peux regarder ou passer.

Je retrouve l'indifférence (qui lui permet de me quitter) quand je m'endors par incapacité d'aimer ce qui arrive.

Il lui est impossible de savoir qui elle retrouve quand je l'étreins parce qu'elle réalise obstinément un oubli entier.

Les systèmes planétaires qui tournent dans l'espace comme des disques rapides et dont le centre se déplace également en décrivant un cercle infiniment plus grand ne s'éloignent continuellement de leur propre position que pour revenir vers elle en achevant leur rotation.

Le mouvement est la figure de l'amour incapable de s'arrêter sur un être en particulier et passant rapidement de l'un à l'autre.

Mais l'oubli qui le conditionne ainsi n'est qu'un subterfuge de la mémoire.

Un homme s'élève aussi brusquement qu'un spectre sur un cercueil et s'affaisse de la même façon.

Il se relève quelques heures après puis il s'affaisse de nouveau et ainsi de suite chaque jour : ce grand coït avec l'atmosphère céleste est réglé par la rotation terrestre en face du soleil.

Ainsi, bien que le mouvement de la vie terrestre soit rythmé par cette rotation, l'image de ce mouvement n'est pas la terre tournante mais la verge pénétrant la femelle et en sortant presque entièrement pour y rentrer.

L'amour et la vie ne paraissent individuels sur la terre que parce que tout y est rompu par des vibrations d'amplitude et de durée diverses.

Toutefois, il n'y a pas de vibrations qui ne soient pas conjuguées avec un mouvement continu circulaire, de même que sur la locomotive qui roule à la surface de la terre, image de la métamorphose continuelle.

Les êtres ne trépassent que pour naître à la manière des phallus qui sortent des corps pour y entrer.

Les plantes s'élèvent dans la direction du soleil et s'affaissent ensuite dans la direction du sol.

Les arbres hérissent le sol terrestre d'une quantité innombrable de verges fleuries dressées vers le soleil.

Les arbres qui s'élancent avec force finissent brûlés par la foudre ou abattus, ou déracinés. Revenus au sol, ils se relèvent identiquement avec une autre forme.

Mais leur coït polymorphe est fonction de la rotation terrestre uniforme.

L'image la plus simple de la vie organique unie à la rotation est la marée.

Du mouvement de la mer, coït uniforme de la terre avec la lune, procède le coït polymorphe et organique de la terre et du soleil.

Mais la première forme de l'amour solaire est un nuage qui s'élève au-dessus de l'élément liquide.

Le nuage érotique devient parfois orage et retombe vers la terre sous forme de pluie pendant que la foudre défonce les couches de l'atmosphère.

La pluie se redresse aussitôt sous forme de plante immobile.

La vie animale est entièrement issue du mouvement des mers et, à l'intérieur des corps, la vie continue à sortir de l'eau salée.

La mer a joué ainsi le rôle de l'organe femelle qui devient liquide sous l'excitation de la verge.

La mer se branle continuellement.

Les éléments solides contenus et brassés par l'eau animée d'un mouvement érotique en jaillissent sous forme de poissons volants.

L'érection et le soleil scandalisent de même que le cadavre et l'obscurité des caves.

Les végétaux se dirigent uniformément vers le soleil et, au contraire, les êtres humains, bien qu'ils soient phalloïdes, comme les arbres, en opposition avec les autres animaux, en détournent nécessairement les yeux.

Les yeux humains ne supportent ni le soleil, ni le coït, ni le cadavre, ni l'obscurité, mais avec des réactions différentes.

Quand j'ai le visage injecté de sang, il devient rouge et obscène.

Il trahit en même temps, par des réflexes morbides, l'érection sanglante et une soif exigeante d'impudeur et de débauche criminelle.

Ainsi je ne crains pas d'affirmer que mon visage est un scandale et que mes passions ne sont exprimées que par le JÉSUVE.

Le globe terrestre est couvert de volcans qui lui servent d'anus.

Bien que ce globe ne mange rien, il rejette parfois au-dehors le contenu de ses entrailles.

Ce contenu jaillit avec fracas et retombe en ruisselant sur les pentes du Jésuve, répandant partout la mort et la terreur.

En effet, les mouvements érotiques du sol ne sont pas féconds comme ceux des eaux mais beaucoup plus rapides.

La terre se branle parfois avec frénésie et tout s'écroule à sa surface.

Le Jésuve est ainsi l'image du mouvement érotique donnant par effraction aux idées contenues dans l'esprit la force d'une éruption scandaleuse.

Ceux en qui s'accumule la force d'éruption sont nécessairement situés en bas.

Les ouvriers communistes apparaissent aux bourgeois aussi laids et aussi sales que les parties sexuelles et velues ou parties basses : tôt ou tard il en résultera une éruption scandaleuse au cours de laquelle les têtes asexuées et nobles des bourgeois seront tranchées.

Désastres, les révolutions et les volcans ne font pas l'amour avec les astres.

Les déflagrations érotiques révolutionnaires et volcaniques sont en antagonisme avec le ciel.

De même que les amours violentes, ils se produisent en rupture de ban avec la fécondité.

A la fécondité céleste s'opposent les désastres terrestres, image de l'amour terrestre sans condition, érection sans issue et sans règle, scandale et terreur.

C'est ainsi que l'amour s'écrie dans ma propre gorge : je suis le *Jésuve*, immonde parodie du soleil torride et aveuglant.

Je désire être égorgé en violant la fille à qui j'aurai pu dire : tu es la nuit.

Le Soleil aime exclusivement la Nuit et dirige vers la terre sa violence lumineuse, verge ignoble, mais il se trouve dans l'incapacité d'atteindre le regard ou la nuit bien que les étendues terrestres nocturnes se dirigent continuellement vers l'immondice du rayon solaire.

L'anneau solaire est l'anus intact de son corps à dix-huit ans auquel rien d'aussi aveuglant ne peut être comparé à l'exception du soleil, bien que l'*anus* soit la *nuit*.

ANONYME

Louis Aragon

1897-1982

Le Con d'Irène

1928

Il y a peu de livres dont j'aie autant désiré, de toute la force du désir, d'être l'éditeur. La plupart des autres ont fini par figurer à mon catalogue, celui-ci n'y aura jamais été. Pourtant les obstacles étaient les plus dérisoires qui se puissent rencontrer : tout juste le refus sans valeur juridique d'un auteur à l'incognito transparent mais à l'anonymat obstiné. Ce livre que je n'éditais pas, quelqu'un d'autre pouvait l'éditer, ce qui ne manqua pas d'arriver en 1968 avec Régine Deforges, qui eut toutes les audaces : celle de faire imprimer le livre, celle de me demander une préface, que je donnai avec l'idée qu'il m'était possible de désamorcer les charges d'explosifs sur lesquelles tout le monde se trouvait installé. Mauvais calcul sans doute ; la première édition du livre fut saisie, et l'auteur parut m'en vouloir par la suite. Un passage de cette préface explique peut-être mes rapports avec lui :

« *Cet homme, qui est ou n'est plus vivant, je ne peux rien en dire d'autre que ceci : je crois le connaître — et je peux me tromper. Jusqu'à présent, il a toujours refusé de reconnaître ce livre, et de donner sa caution, même occultement, à une réédition officielle. Position inconfortable et absurde, autant que l'entretien que j'ai eu, il y a quelques années, avec ce fantôme et pendant lequel, éditeur, je parlais à un auteur d'un livre qu'il avait peut-être écrit. Étrange rencontre, et reflet d'une conversation possible. Il disait "l'auteur" en parlant (peut-être) de lui : "L'auteur se refuse, l'auteur interdit... il est impossible à l'auteur..." Je répondais, car la* troisième personne est contagieuse : "Pourtant l'éditeur serait prêt à..." A bien des choses ; aux extrêmes concessions. Mais rien à faire : cet enfant qu'il reniait, il ne voulait pas que quiconque le recueille. Il faut noter que cette attitude est juridiquement intenable. Si un écrivain a parfaitement le droit, comme cela s'est vu, après avoir publié un texte de le regretter et d'en interdire toute réédition, il ne peut à la fois nier l'avoir écrit et en revendiquer la propriété pour en interdire la circulation. Rien ne m'empêchait donc de publier* Irène. *Un peu sottement peut-être, je me suis toujours lié depuis par ce refus illogique et têtu.* »

Même année, même présentation, même éditeur clandestin (René Bonnel) qu'*Histoire de l'œil*, tirage 150 exemplaires, gravures d'André Masson.

N-B. Bien des choses se sont passées depuis qu'en 1979 nous écrivions ces lignes, cinquante ans après l'impression clandestine du *Con d'Irène*. Aragon est mort. Et surtout, en 1986, les Éditions Gallimard ont mis en vente *Défense de l'infini*, suivi des *Aventures de Jean-Foutre La Bite*, sous sa signature officielle. Nous ne discuterons pas trop ici la thèse des « aragoniens », selon laquelle *Défense de l'infini*, contenant les pages intitulées *Le Con d'Irène*, est tout ce qui restait du « grand roman » d'Aragon, qui se serait étalé sur 1500 pages, et aurait été détruit par lui-même en 1927 dans un acte de désespoir. Certains pensent avec de bonnes raisons que nous avons là tout ce qui avait été écrit, ou à peu près.

Quant à la légende du roman « *interdit*

par le groupe surréaliste », reprise par Édouard Ruiz, présentateur du volume, il faut répéter sans se lasser que Breton lui-même a beaucoup fait pour faire rendre justice à des romans, anciens ou contemporains (*Melmoth*, *Le Voleur*, *Le Seuil du jardin* d'André Hardellet, ou les romans de Gracq), et qu'il n'a jamais lancé d'anathème sur le genre en tant que tel. Ce n'est pas le roman qui lui était suspect, mais certains romanciers et, d'une manière générale, l'exploitation commerciale que les romanciers, plus que d'autres littérateurs, ont tendance à tirer de leurs récits.

L'important est surtout que, noyé dans les 250 pages de *Défense de l'infini*, dont certaines sont bien faibles, *Le Con d'Irène* semble perdre terriblement de sa magie. L'éditeur sous le manteau René Bonnel, alors, pourrait-il avoir été le grand artisan de l'enchantement, en choisissant avec sûreté les 60 pages à sauver du naufrage ?

« J'AI PERDU le compte des années. Les premiers temps, je guettais la main qui arrachait une feuille au calendrier noir à la limite de mon rayon visuel. Lundi, mardi, je ne comprenais plus bien ces distinctions humaines. Les jours se ressemblaient tellement dans mon corps. Le quantième faisait une chanson plus distincte à mes yeux affaiblis. Ce nombre croissant au mur n'atteignait jamais la valeur que j'aurais voulu lui donner. Chaque mois j'espérais d'une façon insensée que l'on franchirait sans retour la frontière au-delà de laquelle l'homme se reprend à compter à partir de son pouce. Puis que s'est-il passé ? Est-ce mon fauteuil qu'on a poussé légèrement, mon champ optique qui s'est encore restreint ? Je n'ai plus vu le calendrier, j'ai brouillé jours et mois. Les saisons m'ont permis de me reconnaître, enfin j'ai perdu le compte des années.

« J'avais vingt-cinq ans quand je me suis assis pour toujours. L'enfant de ma fille est en âge de m'inspirer de l'amour. Cela me fait donc bien plus de la soixantaine, et ce feu ne s'éteint pas, ne peut pas s'éteindre au cœur de mon immobilité. Au début, quand j'attendais encore une guérison lointaine, et pourtant j'en ai vu des gâteux, des perclus, je me donnais des efforts surhumains pour faire entendre du regard à ma femme quand elle me frôlait que j'étais encore, que j'étais précisément alors un homme. Elle disait, mettant la main sur mon épaule : "Il s'agite, comme il s'agite", avec une douce espérance luisante et pour moi seul perceptible qu'une bonne congestion allait à la fin des fins m'emporter. Elle restait là des heures à me prodiguer le calme, les conseils, tout près, tout près de moi, sans voir, je n'ai jamais su si elle voyait, sans voir dans mes prunelles tragiques la haine et le désir mêlés, sanglants. Dans le silence et la quiétude mes yeux dansaient pour émouvoir. Une marée d'images y montait, elle s'interposait peu à peu entre le monde et moi. Corps, corps, corps de tous les gens à la ronde, mes mains clouées vous arrachaient aux vêtements, vous arrachaient les vêtements révélateurs de vos formes damnantes, arrachaient à la fois, écorchaient votre peau tentatrice et laissaient sur vos blancheurs et sur ma cornée de grandes traînées rouges à mourir de la male mort sans confesseur, de la mort divine et grondante qu'appelait sourdement ma chair bouleversée sur la rive impossible à quitter du plaisir, interdit à celui qui n'a plus l'usage de ses mains clouées de part et d'autres des cuisses inertes entre lesquelles dérisoirement se dresse énorme, bonté du ciel suce, branle ou baise! la queue prête à crever les murs, et bandant aux étoiles! Un beau matin ma pieuse épouse inventa de me lire, quand mes yeux trahissaient une préoccupation sauvage, les prières des agonisants. Parfois elle faisait asseoir ma fille à mes pieds, et dans mon esprit sens dessus dessous l'inceste alors unissait sa grande voix tonnante à la tourmente de blasphèmes qui me traversait. "Tu n'oublieras jamais ton père, ma Victoire, ni comme j'ai eu de la patience dans son malheur, murmurait la bonne mère, ni comme je le soignais, ni comme je l'aimais. Les malades ont déjà un pied dans le paradis. Ils participent au repos éternel où l'on voit le Bon Dieu au milieu des nuages. L'esprit du péché peu à peu les quitte. Ils ne meurent pas tout d'un coup, ils ne sont pas tout d'un coup des anges : mais la grâce les envahit comme une mer montante. Victoire, ma chérie, regarde bien dans les yeux de ton père, et tu verras lentement s'élever le bleu niveau céleste." Et Victoire levait vers moi ses yeux à elle, ses yeux d'enfant naïve obscurément troublée. J'y lisais un mystère naissant, pareil aux secrets des grands bois, quand respirent sous la feuillée les premières violettes. Puis des bords des paupières pures de mon enfant mes regards glissaient sur toute la peau nacrée : au passage un instant, je m'arrêtais aux lèvres. Une tache y révélait l'encre bue en cachette. Le cordon du scapulaire sortait de la guimpe sur la nuque étroite. Deux petites mains agiles touchaient parfois mes genoux.

« Non, je n'ai jamais pu savoir si elle voyait, ma femme. A certains moments, il passait bien entre nous, je l'aurais juré, une espèce de frisson qui n'était plus le souvenir. Oui, et puis tout de suite plus rien. Ai-je rêvé? Je prenais ma fièvre pour la sienne. Elle est là, la dignité même, qui va et vient, tout en noir, parce que cela convient mieux à ma situation. Ah, ai-je assez ragé de ce deuil préventif! j'aurais voulu l'habiller comme une saltimbanque, la mettre nue, la farder, ne lui laisser que des bas noirs. Elle, disait son chapelet, et parfois me baisait au front. La monstre! Mais elle m'amenait la petite, et je croyais saisir sur son visage une expression de complicité sournoise, et je ne savais plus que penser. D'autant qu'un autre sentiment s'emparait de mes sens, et j'essayais de sourire à Victoire. Allons, c'était encore un délire : ma femme parle avec cette voix froide que je connais. Elle me donne des nouvelles. Pitié habituelle, impitoyable. Pourtant, un après-midi, j'y suis encore, elle venait de me faire boire. Août entier accablait la chambre. L'air n'avait plus claqué les portes depuis des semaines. Dans la cour on plumait un poulet. Cela me prit brusquement. Une rafale. Ouragan immobile entre nos visages voisins. Je sentais férocement la beauté mûre et prête à se défaire de cette compagne inaccessible. Grain magnifique de la peau légèrement humide, odeur brune, immense chaleur. Elle ne me touchait pas, elle restait figée. Ai-je compris? Il me semble qu'elle s'écarte en fermant les yeux, qu'elle se raidit, quel silence. Il me semble. Il me semble. Elle se sauve en détournant la tête. Après tout, c'était simple tristesse, de moi ou d'elle. D'elle, probablement.

« Cependant Victoire grandissait. Ses yeux fuyaient les miens. A la dérobée, elle épiait les garçons. Tout d'abord elle ne se cachait pas de moi. A mes côtés elle feuilletait des livres illustrés et restait un bon quart d'heure devant la même image, à petites moustaches. Une fois elle était tout juste là, dans l'embrasure de ma fenêtre. Elle cousait, et, cousant, un spectacle au-dehors l'avait interrompue. L'aiguille en l'air, elle restait comme ça, la bouche entrouverte; je voyais son bras rond. Dans le jour sa gorge frémissait. Je la sentais sous le corsage écossais : à peine formée, inconsciente, comme aveugle. Je sentais cette gorge enfant devenir dure, dure. Le cou s'infléchit, les lèvres tremblèrent. Puis la main reprit son ouvrage avec ardeur. Victoire ne leva pas le nez, quand de la cour entra un des valets, avec un gros visage innocent, qui traversa la salle en reboutonnant sa culotte. Quand dans mon dos la porte des cuisines se ferma, les yeux de Victoire se détachèrent du linge, lentement, et se portèrent vers le fond de la pièce, mais en chemin ils se heurtèrent aux miens. C'est depuis ce jour que ma propre fille me prit en haine.

« Ces désirs mal éteints qu'un rien faisait renaître, Victoire et sa mère n'étaient pas les seules à les raviver. Il y avait des servantes dont la seule présence me retournait comme une charrue le sol. Les nouvelles seules prenaient garde à moi. Avec l'habitude leur venait l'indifférence. Quand j'étais très jeune encore, certaines se troublaient à me voir cette force figée. Il y en eut dont les regards s'égarèrent. Elles fuyaient alors, craintives; ou riaient. Une, une fois. Elle s'était aperçue de ce qui se passait en moi. Une grande fille, lente, avec de grandes mains, lentes. Une laveuse. Quand il n'y avait personne dans la salle, elle se plantait devant moi sans mot dire. Elle s'assombrissait. Elle laissait couler le temps. Puis elle écartait bien nettement les cuisses. Elle revenait comme cela deux, trois fois le jour. Elle jetait un coup d'œil circulaire sur la pièce. D'une main elle assurait sa coiffure. Elle ne m'effleura même pas de la manche en six mois qu'on la garda à la ferme. Un matin au temps des moissons, tout le monde était aux champs, elle entra comme d'habitude et vint se camper devant moi. Mais elle avait quelque chose qui la préoccupait. Elle secouait sa tête pour dire non. Elle débattait une proposition profonde. Brusquement elle releva sa jupe et montra sa motte. Une jolie motte châtain clair, bombée. Elle portait des bas de coton gris retenus par des ficelles. La jupe retomba, la fille sortit en se parlant : "Il faut que je voie où j'ai mis le lait." Trois jours plus tard, elle quittait la ferme, elle avait reçu une lettre.

« A chaque printemps j'observais la recrue des passions parmi les commensaux de la ferme. Les filles et les garçons ne se gênaient guère pour moi. Je connaissais leurs liaisons, leurs tromperies, leurs vices. De mon coin, je voyais se faire et se défaire des couples, et parfois de curieux trios, des ménages complexes. On ne tenait pas compte de ma présence pour s'embrasser : « Le vieux ? Il ne dira rien, il ne peut rien dire » et même il y avait des amoureux que ma présence amusait. Amusait ? Toujours est-il que le métayer plusieurs années de suite, le père de Gaston, avec des femmes différentes s'arrangeait, c'est sûr, pour que je le voie. Il se mettait dans la fenêtre, comme s'il avait pris le frais. Parfois même il fumait sa pipe. La femme, accroupie à terre, le manœuvrait en me regardant. Ou bien elle ne pouvait pas me regarder. Lui, surveillait la cour. Il criait souvent un mot à quelqu'un. La femme alors avait peur. Il lui donnait un coup de genou.

« J'éprouvais un plaisir positif à voir les hommes et les femmes ensemble. Il me semblait que l'exemple venait à bout de mon infirmité. Cela m'excitait terriblement. Il arriva même que de tels spectacles m'entraînèrent plus loin que je ne l'eusse pensé. Cela me jetait toujours dans une confusion très grande. Mais j'aimais de plus en plus cette confusion même. J'aimais de plus en plus ce qui faisait ma honte aux premiers temps de ma paralysie. J'en arrivais à guetter les hommes, à souhaiter qu'ils désirassent les servantes, ma fille. Je les déshabillais pour voir l'effet qu'un sein aperçu, une épaule ne pouvait, ne devait manquer de leur faire.

« Un hiver, ma femme mourut ensevelie dans son deuil. On me conduisit au cadavre. Il avait les lèvres pincées. Il emportait son secret. J'aurais voulu crier le mien, je torturais mon visage rétif. Les gens se poussaient du coude. "C'est triste, le pauvre vieux. Elle a été si bonne pour lui." Cela simplifia un peu la vie. Victoire ne se croyait pas tenue aux simagrées de sa mère. Elle riait même, quand les laboureurs me plaisantaient. Moi je pensais : au lieu de vous occuper de moi, prenez-la donc, la fille. Vers mai, probablement avril, mai, le métayer revint dans la fenêtre, et c'était Victoire à ses pieds. Elle croyait me faire un grand coup. Elle riait méchamment. Je la regardais bien : je retrouvais les yeux purs de jadis, le petit corps maintenant développé. Elle portait toujours un scapulaire. La scène se reproduisit plusieurs fois. J'étais agité par un plaisir singulier que Victoire prenait pour la rage. Une fois en se relevant elle passa près de moi et me montra les gerçures de ses lèvres.

« Depuis que tout ici lui appartient, Victoire, ma fille Victoire s'est mariée. Elle a eu des amants, elle a eu des enfants. Elle n'a pas cessé de me poursuivre de sa haine. Et j'ai pris à cette haine un goût qu'elle ne peut pas deviner. Je l'aime, Victoire, je n'ai jamais aimé personne au monde en dehors d'elle, ma parole. Elle s'est montrée à moi dans les bras de tous les hommes qu'elle a eus, je crois bien de tous. Je l'ai même vue avec des servantes. Elle est devenue une vraie femme, solide. Elle s'est un peu flétrie. Elle a atteint la quarantaine. Elle est ma fille. Il y a une longue histoire au fond des regards que nous croisons. J'aime sa haine tenace, et je l'éprouve chaque jour. J'aime le mépris qui se trahit dans chaque parole qu'elle m'adresse. Elle dompte les hommes. Le métayer de jadis, elle l'a toujours à son service. Il est marié, lui aussi. Il est comme un chien couchant devant elle. Une maîtresse femme. Ah, si sa mère avait été ainsi.

« Voici donc quarante ans, pas moins, que je suis rivé au milieu des passions et qu'elles me mordent sans détruire la digue qui me sépare de l'univers. Une grande commisération indifférente entoure le fauteuil des impotents. Imbéciles spectateurs, vous ne comprendrez jamais rien. Je ne donnerais pas ma place pour tout l'or du monde. Soustrait à toutes les considérations puériles des hommes, je consacre ici tout mon temps à la volupté. Mes sens réduits se sont affinés à l'extrême, et c'est dans sa pureté que je connais enfin le plaisir. La vieillesse a peu touché mon corps. Si mes cheveux ont blanchi, je n'ai point usé mes jours dans le lit d'une femme que chaque nuit fait agoniser dans sa peau ridée. Dans mon esclavage apparent, quelle liberté véritable. Du temps que j'avais le pouvoir de marcher, de parler, il me fallait tenir compte des autres. Je n'osais pas penser, tout me semblait criminel. Je me limitais. Je redoutais les questions qui se posaient à moi. Une grande injustice met à l'aise. Il n'y a aujourd'hui plus un malheur qui puisse m'atteindre, plus un événement qui puisse me déconcerter. Ainsi, j'ai appris à jouir de moi-même, à jouir d'autrui. Je ne pense pas à mourir. Je ne m'ennuie pas. Il n'est pas plus difficile de ne pas s'ennuyer que de ne pas parler, et je ne peux plus parler. De temps en temps l'envie violente me ressaisit d'être vivant comme tout le monde. Ce sont des crises brèves, qui me font mieux sentir mon bonheur. Que peut-il m'arriver de pire ? Le feu à la ferme ? Presque aucun endroit de mon corps n'est apte à la souffrance physique. Ce serait encore un beau spectacle, et pour un peu je l'espérerais cet incendie rien que pour y découvrir les gestes de l'instinct chez tous ces hommes, chez ces femmes, chez Victoire, et sa fille Irène, et mourir dans le tableau de ces révélations enivrantes, au milieu de cette population échevelée, à demi nue, courant au plus pressé de sa vie et de ses sentiments. Si vous saviez seulement, jeunes gens qui riez de l'infirme, quelle espèce de joie sourde, quel frémissement éveille au fond de ma chair engourdie le bruit léger de vos dérisions. Ah, riez encore, beaux abrutis de vingt ans. Je vous *tiens* par le plaisir même que j'éprouve à vous écouter. Encore, encore, riez de moi, je vous en prie, à en devenir rouges, à en étrangler, à en suffoquer. Là, là. Comme leur peau se tend. Eux aussi, alors, me croient en colère. Ils se mettent à me détester cordialement. Sale vieillard, qu'ils pensent, qui empêcherait bien le monde de danser en rond, s'il ne croupissait pas dans sa bave. Ils m'injurient : on s'y risque, on sait que Victoire, madame Victoire n'y trouvera rien à redire. Les plus hardis me bousculent. Par malheur on n'ose pas trop me maltraiter. Il y en a, un moment je crois qu'ils vont me battre. Mais non. Ce n'est pas pour aujourd'hui du moins. J'ai été autrefois un homme plus beau que vous tous et plus fort, et plus intelligent. Un homme instruit, bêtes brutes. On m'a aimé. Vous m'auriez salué alors. J'habitais dans les villes. J'étais épris de problèmes insolubles. Je vous en dirais trop long si je pouvais parler. Mais, la vérole soit bénie ! je ne peux pas parler. Vous ne devinerez jamais *qui* est ici depuis quarante années. Ah que ne me flanquez-vous pas des gifles, quelle sotte superstition de la faiblesse vous retient ? Ma vie me donne le vertige. J'éprouve dans mes pantalons que je souille une immense joie dominatrice : battez-moi vous dis-je, je suis peut-être quelque chose de mieux, quelque chose de plus qu'Alexandre ou Jules César ! »

ARAGON, BRETON, PÉRET, TANGUY, BARON, PRÉVERT, QUENEAU...

Recherches sur la sexualité

1928

Les *Recherches sur la sexualité* publiées dans le numéro 11 de *La Révolution surréaliste* en mars 1928 peuvent paraître aujourd'hui bien timides. Là encore, il faut se reporter à l'époque, et à son « moyen âge », en l'occurrence l'interminable agonie du dix-neuvième siècle. Quoi qu'on puisse en penser maintenant, les investigations de l'équipe de *La Révolution surréaliste*, en 1928, allaient loin.

Dans ce même numéro 11 figure le célèbre manifeste intitulé *Le Cinquantenaire* de l'hystérie : « *Nous, surréalistes, tenons à célébrer ici le cinquantenaire de l'hystérie, la plus grande découverte poétique de la fin du XIXᵉ siècle... »

AR. : Aragon ; BA. : Jacques Baron ; BO. : J.-A. Boiffard ; BR. : André Breton ; D. : Marcel Duhamel ; M. : Max Morise ; NA. : Pierre Naville ; NO. : Marcel Noll ; PE. : Benjamin Péret ; PR. : Jacques Prévert ; Q. : Raymond Queneau ; MR. : Man Ray ; S. : Georges Sadoul ; T. : Yves Tanguy ; U. : Pierre Unik.

PART D'OBJECTIVITÉ, DÉTERMINATIONS INDIVIDUELLES, DEGRÉ DE CONSCIENCE

1ʳᵉ Soirée
27 janvier 1928

BRETON – Un homme et une femme font l'amour. Dans quelle mesure l'homme se rend-il compte de la jouissance de la femme ? Tanguy ?

TANGUY – Dans une très faible mesure.

BR. – A-t-il des moyens objectifs de s'en apercevoir ?

T. – Oui.

On n'arrive pas à savoir lesquels.

BR. – Qu'en pense Queneau ?

QUENEAU. – Il n'y a pas de moyens.

BR. – Prévert ?

PRÉVET – Cela dépend de la femme.

BR. – Avez-vous des moyens objectifs d'appréciation ?

PR. – Oui, oui, oui, oui.

BR. – Lesquels?

PR. – (*Ne répond pas*).

BR. – Péret?

PÉRET. – Aucun moyen. Et Breton?

BR. – Il n'y a que des moyens subjectifs, auxquels on peut faire confiance dans la mesure où l'on a confiance dans la femme qui est en jeu.

PE. – Je suis d'accord avec Breton.

Q. – Dans quelle mesure Breton fait-il confiance à une femme?

BR. – Dans la mesure où je l'aime. Naville, dans quelle mesure, etc.?

NAVILLE. – Cela dépend de la femme.

BR. – Pouvez-vous, le cas échéant, constater cette jouissance?

NA. – Oui, certainement.

BR. – Comment?

NA. – Grâce à diverses illusions d'ordre mental.

MORISE. – Si ce sont des illusions reconnues pour telles, ce ne sont pas des signes objectifs.

NA. – Je ne crois pas aux signes objectifs.

BR. – Un homme et une femme font l'amour. Dans quelle mesure la femme se rend-elle compte de la jouissance de l'homme? Morise?

M. – Je n'en sais absolument rien.

BR. – Comment se fait-il?

M. – Parce que je n'ai aucun moyen d'information.

NA. – Quels moyens d'information croyez-vous qu'on puisse avoir en pareil cas?

M. – Le témoignage de la femme uniquement.

BR. – Unik est-il de cet avis?

UNIK. – Je pense que non dans un certain nombre de cas. Je pense que la femme peut se rendre compte.

PE. – Dans quel cas?

U. – Lorsque la femme peut s'apercevoir d'un changement d'attitude chez l'homme.

BR. – C'est purement subjectif et sans valeur. N'est-il rien d'autre?

U. – Pourquoi pensez-vous qu'étant subjectif c'est sans valeur?

BR. – Parce qu'une réponse objective peut être substituée à celle-là.

U. – Laquelle?

BR. – La femme peut, dans la plupart des cas, constater que la jouissance de l'homme a eu lieu. Il dépend d'elle de le savoir. C'est une question d'examen plus ou moins vraisemblable de l'état local dans lequel l'homme l'a laissée.

PE. – Il n'y a exactement que ce seul moyen d'appréciation.

U. – Pourquoi pensez-vous que cet examen est seul probant pour la femme?

BR. – Parce qu'il est le seul moyen rationnel auquel elle puisse se rapporter.

Q. – Je suis d'accord avec Breton. Elle ne peut s'en apercevoir que par ce moyen.

PE. – Tanguy?

T. – D'accord.

BR. – Prévert?

PR. – D'accord.

BR. – Naville?

NA. – La femme ne s'en aperçoit que par ce moyen, et encore ne s'en aperçoit-elle pas toujours.

BR. – Pourquoi pas toujours?

NA. – Des circonstances physiologiques l'en empêchent parfois à raison même de sa propre jouissance.

BR. – Est-ce le seul cas?

NA. – Je n'en vois pas d'autres pour l'instant.

Q. – Expliquez l'expression « à raison même de sa propre jouissance ».

NA. – Elle s'entend de soi.

BR. – Naville considère donc que matériellement la jouissance de la femme et celle de l'homme, au cas où elles auraient lieu simultanément, pourraient se traduire par l'émission de fluides séminaux confondus et indiscernables?

NA. – Oui.

PE. – As-tu constaté cette confusion?

NA. – Évidemment, sans quoi je n'en parlerais pas.

BR. – Il est impossible de la constater, à moins d'entretenir avec une femme des rapports verbaux très discutables.

NA. – Et après!

PE. – Queneau, comment imaginez-vous l'amour entre femmes?

BR. – L'amour physique?

PE. – Naturellement.

Q. – J'imagine qu'une femme fait l'homme et l'autre la femme, ou le 69.

PE. – As-tu à ce sujet des renseignements directs?

Q. – Non. Ce que j'en dis est livresque et imaginatif. Je n'ai jamais interviewé aucune lesbienne.

PE. – Que penses-tu de la pédérastie?

Q. – A quel point de vue? Moral?

PE. – Soit.

Q. – Du moment que deux hommes s'aiment, je n'ai à faire aucune objection morale à leurs rapports physiologiques.

Protestations de Breton, de Péret et d'Unik.

U. – Au point de vue physique, la pédérastie me dégoûte à l'égal des excréments et, au point de vue moral, je la condamne.

PR. – Je suis d'accord avec Queneau.

Q. – Je constate qu'il existe chez les surréalistes un singulier préjugé contre la pédérastie.

BR. – J'accuse les pédérastes de proposer à la tolérance humaine un déficit mental et moral qui tend à s'ériger en système et à paralyser toutes les entreprises que je respecte. Je fais des exceptions, dont une hors ligne en faveur de Sade et une, plus surprenante pour moi-même, en faveur de Lorrain.

NA. – Comment justifiez-vous ces exceptions ?

BR. – Tout est permis par définition à un homme comme le marquis de Sade, pour qui la liberté des mœurs a été une question de vie ou de mort. En ce qui concerne Jean Lorrain, je suis sensible à l'audace remarquable dont il a fait preuve pour défendre ce qui était, de sa part, une véritable conviction.

M. – Pourquoi pas les curés ?

BR. – Les curé sont les hommes les plus opposés à l'établissement de cette liberté des mœurs.

PE. – Que pense Tanguy de la pédérastie ?

T. – Je l'admets sans que cela m'intéresse.

PE. – Quelle représentation as-tu de deux hommes faisant l'amour et quels sentiments en éprouves-tu ?

T. – Je me les représente dans tous les cas possibles. Sentiment d'indifférence.

NA. – Prévert, que pensez-vous de l'onanisme ?

PR. – Je n'en pense plus rien. J'y ai pensé beaucoup autrefois quand je m'y adonnais.

NA. – Il est donc un âge. C'est limité à des cas particuliers. En soi, par exemple, c'est assez triste.

NA. – Cela a toujours le sens d'un déficit ?

PR. – Pour moi oui, toujours.

T. – Je pense exactement le contraire.

NA. – L'onanisme s'accompagne-t-il toujours de représentations féminines ?

PR. – Presque toujours.

NA. – Que pense Breton de ces opinions ?

BR. – Elles ne sont pas la mienne. L'onanisme, dans la mesure où il est tolérable, doit être accompagné de représentations féminines. Il est de tous âges, il n'a rien de triste, il est une compensation légitime à certaines tristesses de la vie.

U. – Je partage entièrement cet avis. Mais, bien entendu, l'onanisme ne peut être qu'une compensation.

Q. – Je ne vois pas de compensations ni de consolations dans l'onanisme. L'onanisme est aussi légitime en soi et absolument que la pédérastie.

BR., U., PE. – Aucun rapport!

PE. – Il ne peut pas y avoir d'onanisme sans représentations féminines.

T. – Et les animaux?

BR. – C'est une plaisanterie!

U. – Je suis de l'avis de Péret en ce qui concerne les représentations féminines, mais seulement à partir de la puberté.

BR. – Pour moi, avant et après.

NA. – Péret a-t-il eu des jouissances précises par succubes?

PE. – Oui.

NA. – Quel rapport cette jouissance a-t-elle avec celle qu'on peut obtenir dans la réalité?

PE. – C'est beaucoup mieux.

NA. – Pourquoi?

PE. – Voilà où l'explication est difficile. Je constate sans expliquer. Cela ne s'est produit que deux ou trois fois.

NA. – Quelle différence faites-vous entre les représentations féminines dans le succubat et dans l'onanisme?

PE. – La différence entre le rêve et l'imagination dans la veille.

BR. – Cette réponse est on ne peut plus vague. Il y a cette différence que dans l'onanisme on choisit et qu'on se montre même très difficile, tandis que dans le succubat on n'a pas le choix.

PE. – C'est exact.

NA. – Dans l'onanisme, on a toujours affaire à une femme qu'on connaît, dans le succubat à une femme que l'on ne connaît pas.

T. – Est-ce l'avis de Morise sur l'onanisme?

M. – Il peut s'agir d'une femme imaginaire.

Protestations de Naville, Breton, Péret.
Approbations de Tanguy, Queneau, Prévert.

NA. – Comment définis-tu une femme imaginaire?

M. – C'est une femme qui ne ressemble pas à une femme qu'on connaît, mais qui est pour ainsi dire composée de différents souvenirs.

BR. – Il s'agit là d'une simple substitution de personnes réelles.

PE. – Je pense qu'il est impossible d'imaginer une femme qui puisse vous procurer une émotion érotique.

NA. – Que pense Queneau des opinions émises sur le succubat?

Q. – Je suis de l'avis de Péret.

PR. – Que pensez-vous de la masturbation et de la fellation mutuelles de deux hommes (non-sodomie)? Sont-ils pédérastes?

BR. – Oui. La pédérastie est pour moi associée à l'idée de sodomie. C'est là un cas embryonnaire de pédérastie. Naville considère-t-il que, durant l'amour passionnel, on peut être victime d'un succube ?

NA. – Je crois que la perversité peut amener de tels effets.

Q. – On peut rêver posséder une femme qu'on connaît. Que pensez-vous de cela ?

BR. – C'est aussi loin que possible du succubat, et c'est l'expression très acceptable d'un désir.

PE. – Que pense Prévert du succubat ?

PR. – Je n'ai jamais rêvé que de femmes que j'aimais.

U. – Que pense Péret de l'onanisme féminin ?

PE. – Je le trouve tout aussi acceptable que l'onanisme masculin.

U. – Est-ce tout ?

PE. – Oui.

U. – Et Breton ?

BR. – J'en pense le plus grand bien. J'y suis extrêmement favorable.

PR. – Tout à fait d'accord.

U. – Naville ?

NA. – De même, en soulignant que les femmes y sont beaucoup plus inclinées que les hommes.

PE. – As-tu fait des observations dans ce domaine ?

NA. – Non.

PE. – Alors, comment peux-tu prétendre que les femmes y sont plus portées que les hommes ?

BR. – Question très juste.

NA. – Je fais une différence entre des constatations et des observations.

BR. – Casuistique.

Approbation de Péret et d'Unik.

PE. – Je demande alors si tu as fait des constatations.

NA. – A peine.

PE. – Comment peux-tu donc en juger ?

NA. – A peine.

PR. – Que pense Breton de la sodomie entre homme et femme ?

BR. – Le plus grand bien.

PR. – Vous y êtes-vous déjà livré ?

BR. – Parfaitement.

Q. – Que pense Breton des défaillances physiques au moment de faire l'amour ?

BR. – Cela ne peut arriver qu'avec une femme qu'on aime.

U. – Je pense que cela peut arriver avec n'importe quelle femme.

Q. – Faites-vous toujours l'amour de la même façon ; sinon est-ce pour accroître votre jouissance ou celle de la femme ?

BR. – Fort heureusement non, je m'ennuierais trop. Quant à la femme, elle peut prendre l'initiative de changer autant qu'elle veut.

Q. – Péret ?

PE. – J'obéis toujours à l'avis de la femme, je lui demande toujours son avis.

BR. – Queneau ?

Q. – J'approuve Péret.

BR. – Prévert ?

PR. – Je suis de l'avis de Breton.

BR. – Morise ?

M. – C'est selon l'intérêt commun.

PE. – Unik ?

U. – De même que Péret, je demande toujours l'avis de la femme.

BR. – Je trouve cela colossal, phénoménal. Vous parlez de complications !

PE. – Tanguy ?

T. – Comme Morise.

U. – Pourquoi Breton trouve-t-il colossal de demander l'avis de la femme ?

BR. – Parce que ce n'est pas de mise.

U. – Le contraire peut n'être pas de mise.

BR. – Je m'en fous.

Dans l'ordre de vos préférences, Queneau, quelles sont les attitudes passionnelles qui vous sollicitent le plus ?

Q. – Eh bien, la sodomie, la position dite « en levrette », le 69. Les autres indifféremment. Je pose la même question à Breton.

BR. – La femme assise de face perpendiculairement à l'homme couché, le 69, la sodomie.

NA. – Quel rôle accordez-vous aux paroles durant l'acte sexuel ?

BR. – Un rôle de plus en plus grand au fur et à mesure que je me déprave.

Q. – Qu'entendez-vous par dépravation ?

BR. – Je citerai de mémoire Théodore Jouffroy : « A vingt ans, j'aimais les blondes ; à trente, je préfère les brunes : je me suis donc dépravé. »

Q. – Quel est l'ordre de préférence de Naville ?

NA. – Je n'en ai pas.

Q. – Péret ?

PE. – La position dite « à la paresseuse », la femme assise de face perpendiculairement à l'homme couché, la sodomie, le 69.

Q. – Tanguy ?

T. – Je n'en ai pas.

PE. – Morise?

M. – Occasionnelles et variables, suivant un système qui m'est inconnu.

BR. – Que pense Prévert de la masturbation de l'homme devant la femme accompagnée de celle de la femme en face de l'homme?

PR. – Je trouve cela très bien.

NA. – Que penses-tu de la masturbation mutuelle?

PR. – C'est encore mieux.

BR. – Tout le monde est-il de cet avis?

T. – Non, je donne la préférence à ce qui a été proposé en premier lieu.

PE. – Moi aussi.

BR. – De même.

M. – Indifférence.

PE. – Que pense Tanguy de l'exhibitionnisme chez l'homme?

T. – Inintéressant.

Q. – Je ne m'en suis jamais préoccupé.

U. – J'en pense le plus grand mal.

PR. – Cela m'indiffère.

M. – De même. Cela n'a qu'une portée sociale.

BR. – Pathologique.

PE. – Que pense Queneau de l'exhibitionnisme chez la femme?

Q. – Cela m'intéresse plus que chez l'homme parce que cela m'excite.

PR. – Naville?

NA. – Cela peut être occasionnellement souhaitable.

PE. – Que veux-tu dire?

NA. – Perversité, excitation, que sais-je?

PR. – Non seulement c'est souhaitable, mais cela paraît indispensable (femmes dans les squares).

U. – Je pense le plus grand mal de l'exhibitionnisme.

PE. – Pourquoi?

U. – Cela me semble contraire à l'idée que je me fais de l'amour.

M. – Je n'ai jamais vu cela. Cela relève de l'hystérie ou autre.

PE. – Cela te paraît-il condamnable?

M. – S'il s'agissait d'exhibitionnisme pur et simple, cela ne m'intéresserait pas, mais je pense que cela se motive toujours autrement.

PE. – Tanguy?

T. – Très souhaitable.

BR. – Dans aucune mesure. A priori, je n'ai pas d'exigences physiques.

PE. – Même réponse.

BR. – L'amour doit-il être nécessairement réciproque?

NA. – Je crois qu'il n'y a pas nécessité absolue, mais que l'amour disparaît plus rapidement s'il n'y a pas réciprocité.

U. – L'amour n'a absolument pas besoin d'être réciproque.

PE. – Il peut ne pas être réciproque.

BR. – Il est nécessairement réciproque. J'ai longtemps pensé le contraire, mais j'ai récemment changé d'avis.

Quel est l'âge que vous aimez le mieux chez une femme?

T. – A partir de 25 ans.

NA. – De 18 à 40 ans.

Q. – De 14 à 50 ans.

PE. – De 20 à 25 ans.

U. – Aucun.

PR. – 14 ans.

M. – 25 ans environ.

BR. – De 23 à 30 ans.

Q. – La malpropreté ou la négligence vestimentaire d'une femme peuvent-elles vous empêcher d'aimer cette femme?

BR. – Aucunement.

PE. – A aucun degré.

U. – Je ne pense pas.

PR. – Pas du tout.

T. – C'est pour moi un attrait de plus.

Q. – Péret aime-t-il les femmes qui boitent?

PE. – J'ai horreur de cela comme de toutes les autres malformations.

M. – Quelqu'un pense-t-il différemment?

Q. – Cela m'intéresse beaucoup.

La bestialité n'intéresse personne.

BR. – Vous serait-il agréable ou désagréable de faire l'amour avec une femme ne parlant pas le français?

PE. – Tout à fait indifférent.

PR. – C'est très bien.

BR. – Insupportable. J'ai horreur des langues étrangères.

T. – Très agréable.

Q. – Quelle importance accordez-vous aux paroles durant l'acte sexuel?

PE. – Une énorme importance d'ordre négatif. Certaines phrases peuvent m'empêcher complètement de faire l'amour.

Q. – Une importance considérable. Certains mots sont de nature à accroître la jouissance.

T. – Je suis de cet avis.

NA. – A encourager.

PR. – Je pense tout le contraire.

U. – Je n'aime pas qu'on me parle.

BR. – Dans quelle mesure et dans quelle proportion un homme et une femme faisant l'amour sont-ils susceptibles de jouir simultanément ?

T. – Très rarement.

PE. – Quel pourcentage ?

T. – 10 % .

BR. – Cette proportion varie-t-elle en fonction de l'habitude qu'on a d'une femme ?

T. – Non.

BR. – La simultanéité dont nous parlons est-elle souhaitable ?

T. – Très.

Q. – Mêmes réponses que Tanguy.

M. – 15 % . Plus rare la première fois. Souhaitable.

NA. – 50 %… Indifférent.

PR. – 8 % (*Ne répond pas*). Nuisible.

U. – 12 % . Ignorance. Souhaitable.

BR. – Probablement jamais. Éminemment souhaitable.

PR. – Proportion infime. Extrêmement souhaitable.

2e Soirée
31 janvier 1928

ARAGON. – Il est regrettable que nous n'ayons pu nous exprimer en même temps au sujet des questions posées l'autre jour. Aujourd'hui, bien entendu, il ne saurait s'agir de reprendre dans l'ordre toutes ces questions, mais le sujet est loin d'être épuisé.

BR. – Il serait bon de connaître l'avis des absents de jeudi sur les trois ou quatre questions les plus importantes.

AR. – Quelles sont ces questions ?

BR. – La dernière qui a été posée et, le cas échéant, les deux premières.

AR. – Un homme et une femme font l'amour. Dans quelle mesure et dans quelle proportion sont-ils susceptibles de jouir simultanément ? Cette proportion varie-t-elle en fonction de l'habitude qu'on a d'une femme ? La simultanéité en question est-elle souhaitable ? Qu'en pense Man Ray ?

MAN RAY. – Pas fréquent. Toujours possible. Pas désirable.

AR. – Mais quelle fréquence pour vous ?

MR. – 75 % .

BR. – Vous cherchez à provoquer cette simultanéité par des moyens artificiels ?

MR. – Pourquoi artificiels? Naturels : par calcul.

BR. – Et en dehors de ce calcul?

MR. – Jamais. Je précéderais nécessairement la femme, tout au moins la première fois.

AR. – Duhamel?

DUMAHEL. – Extrêmement fréquent. 85 % . Par des moyens généralement artificiels. Il y a calcul de ma part les trois quarts du temps; ce sont les restrictions que je m'impose qui amènent cette simultanéité. L'habitude est pour moi un facteur très important. La première fois, c'est très désirable, mais très difficile.

AR. – Boiffard?

BOIFFARD. – J'estime que cela se produit très rarement si on ne recourt pas à l'emploi de moyens artificiels.

BR. – Êtes-vous opposé à l'emploi de ces moyens?

BO. – Non, je les emploie.

BR. – Vous les employez sans hésitation, même dans l'amour proprement dit?

AR. – Je fais observer que la façon dont Breton pose les dernières questions est de nature à influencer les personnes suivantes.

BR. – Quelle proportion pour Boiffard?

BO. – 50 % . Mais sans l'emploi des moyens dont nous parlons, la simultanéité est très rare, les chiffres ne correspondent plus à rien. C'est désirable ou non désirable selon les jours.

AR. – Sadoul?

SADOUL. – Rare. 10 à 15 % . Désirable.

BR. – En recourant à l'emploi de moyens artificiels?

S. – Oui.

PE. – Et sans l'emploi de ces moyens?

S. – On ne peut donner de chiffre.

BR. – Noll?

NOLL. – 10 à 15 % lorsqu'il s'agit d'une femme dont on a l'habitude; 2 % lorsqu'il s'agit d'une autre. Cette simultanéité me paraît désirable.

BARON. – De 15 à 45 % . 15% pour une femme de rencontre, de 25 à 45 % pour une femme avec qui on est lié sentimentalement.

BR. – Aragon?

AR. – Je renverse l'ordre des questions. Cette simultanéité est tout ce qui me paraît désirable dans l'amour. C'est une chose absolument exceptionnelle. Bien entendu il n'est pour moi aucunement possible de la provoquer. Je n'ai ni la disponibilité d'esprit ni le pouvoir physique nécessaire pour obtenir un pareil résultat. Ceci cache-t-il pour moi une raison morale, je n'en sais rien, mais c'est probable. L'essentiel est que je ne suis aucunement capable de retarder ma propre jouissance. Impossible dans ces conditions de fournir un pourcentage : peut-être 1 % . Je ne crois pas que le fait de connaître une femme ait sur moi une influence à cet égard.

Il me paraît important de tirer quelques conclusions de ce qui vient d'être dit. J'aimerais que quelqu'une des personnes présentes l'autre soir posât à cet effet quelques questions complémentaires.

BR. – C'est assez difficile. En ce qui me concerne je suis d'accord avec Aragon, tout au moins approximativement : 0 % ou 1 % . Je me refuse à faire appel aux moyens artificiels dès qu'il s'agit de l'amour et j'en fais une question morale.

Le contraire serait du libertinage.

BO. – Je m'élève contre les mots « moyens artificiels ». De quelque nom qu'on les appelle, j'estime qu'ils sont moins le fruit d'un calcul que de la connaissance mutuelle.

Approbation de Baron et de Prévert.

QUENEAU. – Je voudrais savoir ce qu'Aragon pense de la pédérastie ?

AR. – Je répondrai plus tard.

Une question importante est la possibilité de constatation de la jouissance chez la femme ou chez l'homme de la part de l'un ou de l'autre. Y a-t-il effectivement des moyens de constatation ? Noll ?

NO. – Non. Ni l'homme ni la femme n'a de moyens objectifs d'appréciation.

AR. – Sadoul ?

S. – Il y a des moyens.

AR. – Expliquez-vous.

S. – Je n'arrive absolument pas à m'exprimer à ce sujet.

BR. – Est-ce à un fait matériel que la femme peut s'apercevoir de la jouissance de l'homme ? A l'éjaculation ?

S. – Oui.

BR. – Au moment où elle a lieu ?

S. – Oui, sans aucun doute.

BR. – L'homme dispose-t-il d'un moyen matériel analogue pour se rendre compte de la jouissance de la femme ?

S. – Non.

BR. – Man Ray ?

M. R. – La femme sent forcément le moment exact de la jouissance chez l'homme. Mais l'homme doit s'en remettre à la constatation de la lassitude de la femme.

BR. – Et si cette lassitude est simulée ?

M. R. – Tant pis pour la femme. J'accepte son jeu.

BR. – Dans ces conditions, il faut un optimisme démesuré pour donner une proportion de 75 % de jouissance simultanée.

M. R.. – S'il s'agit de satisfaction physique pure, l'onanisme me semble l'idéal. Faire l'amour avec une femme est un jeu dans lequel il s'agit de jouir ensemble.

BA. – Je crois que la femme se rend compte de la jouissance de l'homme au moment de l'éjaculation, mais je n'en ai pas la certitude absolue.

B. – Il ne peut s'agir que d'une certitude absolue ou d'un doute.

BA. – Il est évidemment des cas dans lesquels la femme ne se rend pas compte de la jouissance de l'homme.

AR. – Quels sont ces cas ?

BA. – Ce ne sont pas des cas bien définis.

BR. – L'homme peut-il simuler la jouissance ?

U. – Évidemment, puisqu'il est des cas où la femme se trompe sans même que l'homme simule.

AR. – En fait de jouissance simulée il y a certainement des professionnels. Pour moi je pense que la femme ne peut aucunement constater la jouissance de l'homme d'une façon sûre, qu'elle en juge uniquement sur des signes collatéraux, sauf dans le cas où par le toucher ou la vue elle peut constater qu'il y a bien eu éjaculation.

BO. – Peut-on dire que la jouissance de l'homme a eu lieu sur la simple constatation de l'éjaculation ?

AR. – Pour moi l'éjaculation est accompagnée de jouissance.

Q. – Pas forcément pour moi.

PR. – Pour moi non plus.

T. – Pas du tout.

BR. – Ce ne sauraient être là que des cas pathologiques.

AR. – Je tiens à signaler que pour la première fois au cours de ce débat le mot « pathologique » entre en jeu. Cela semble impliquer de la part de certains d'entre nous une idée de l'homme normal. Je m'élève contre cette idée.

Protestations de Breton, Baron, Duhamel
et Péret. Approbations diverses.

BR. – Je serais curieux de connaître l'explication que donne Aragon du phénomène de la non-jouissance.

AR. – Aucune. Je ne connais pas ce fait. D'autre part, si l'homme n'a aucun moyen matériel de constater la jouissance de la femme, il en a évidemment des moyens subjectifs qui ne sauraient être à la base d'un pourcentage contre lequel je me suis élevé. Pour moi, il me serait impossible de faire l'amour avec une femme de qui je penserais qu'elle a simulé.

BR. – Quel empêchement y a-t-il à ce qu'un homme s'aperçoive matériellement de la jouissance d'une femme?

NO. – Je ne sais pas.

PR. – Celui qui connaît le mieux la jouissance de l'homme est l'homme; et qui connaît le mieux la jouissance de la femme est la femme.

BR. – Il y a une raison parfaitement matérielle à cet empêchement : c'est l'impossibilité pour l'homme de distinguer entre sa propre sécrétion et les diverses sécrétions de la femme, ou même seulement entre les diverses sécrétions de la femme.

U. – Il semble donc en conclusion qu'il n'y ait que des signes subjectifs en dehors de l'examen local auquel la femme peut se livrer.

AR. – Boiffard et Duhamel sont-ils de cet avis?

BO. – Je pense qu'il n'y a pas de signes objectifs dans la plupart des cas, mais, comme l'a dit Breton, étant donné l'impossibilité de distinguer entre les diverses sécrétions de la femme (distinction qui ne pourrait s'établir qu'au moyen d'un microscope), pratiquement il n'y a pas moyen de savoir. Pour la question inverse (signes objectifs de la jouissance de l'homme), je ne sais pas.

AR. – Duhamel?

D. – Je pense évidemment qu'il n'y a pas de signes objectifs, mais je ne me place absolument qu'au point de vue de la confiance mutuelle. Je refuse d'envisager tout ce qui peut avoir lieu autrement.

AR. – Comme l'autre jour, demandons : 1° dans quelle mesure cette confiance peut s'exercer; 2° ce qu'on pense de la légitimité de la simulation.

D. – 1° Je trouve que cela n'a aucun rapport; 2° je croirai toujours à la légitimité de la simulation.

BR. – J'ai déjà répondu à la première question. 2° occasionnellement je ne suis pas opposé à cette simulation.

AR. – Queneau?

Q. – 1° Je ne fais confiance à personne, surtout pas à une femme; 2° je trouve légitime toute simulation.

PE. – Je proteste violemment. Je ferai toujours confiance à une femme si je l'aime. Je trouve légitime la simulation, bien que je n'aie pas envie de m'y livrer.

Q. – Même si je l'aime je ne lui fais pas confiance, surtout pas dans ce domaine.

AR. – Pour moi, le jour où je ne fais plus confiance à une femme, je ne l'aime plus. J'ai horreur de la simulation de la femme, que cependant idéalement je trouve légitime. Pour ce qui est de moi, je voudrais beaucoup pouvoir simuler dans ce domaine, mais j'en suis physiquement incapable.

BA. – Je fais toute confiance à une femme que j'aime et de qui je crois qu'elle m'aime.

S. – J'approuve cette déclaration.

BA. – Je ne suis pas ennemi de la simulation, mais je crois que c'est une tricherie à l'égard de l'amour.

U. – Je crois que la simulation est légitime et n'est pas une tricherie dans le cas où la femme simule pour causer la jouissance de l'homme si elle la désire.

PE. – Duhamel admet-il la possibilité pour lui de faire l'amour avec une femme s'il en aime une autre?

D. – Cela m'est très possible.

NO. – Il n'en est pas question. Lorsque j'aime une femme je ne regarde pas les autres femmes.

Q. – Je voudrais simplement demander à Péret et à Noll ce qu'ils entendent par aimer une femme?

NO. – Je dis que cela ne m'intéresse pas de faire l'amour avec une femme quand j'en aime une autre.

Q. – Qu'est-ce qu'aimer une femme?

PE. – On ne peut me demander une définition semblable à brûle-pourpoint.

NO. – N'étant pas amoureux pour l'instant, je ne puis dire ce que c'est qu'aimer une femme. Je ne me fie pas au souvenir.

BR. – Il est curieux d'observer que nul ne puisse dire ici ce que c'est qu'aimer une femme.

AR. – Si, moi. Aimer une femme c'est considérer celle-ci comme l'unique préoccupation de sa vie, préoccupation devant laquelle toute autre préoccupation cède.

PE. – Baron, vous est-il possible de faire l'amour avec une femme quand vous en aimez une autre?

BA. – Je répondrai comme Noll. Cela ne m'intéresse pas; je ne vois pas d'autre femme.

AR. – J'en suis capable, sous une seule restriction, c'est qu'alors simplement cet acte épisodique vient s'inscrire dans le cours d'une aventure plus générale, non pas tellement de mon fait que de celui de la femme que j'aime (colère).

BA. – Noll, que penses-tu de la pédérastie?

NO. – Je ne pourrais parler que des pédérastes. Je n'éprouve qu'une antipathie foncière, organique à l'égard de ces gens. Aucune similitude de préoccupation morale entre eux et moi.

BA. – Man Ray?

MR. – Je ne fais pas grande distinction physique entre l'amour d'un homme avec une femme et la pédérastie. Ce sont les idées sentimentales des pédérastes qui m'ont toujours éloigné d'eux : les conditions sentimentales entre hommes m'ont toujours paru pires qu'entre homme et femme.

Q. – Je trouve ces conditions sentimentales aussi acceptables dans les deux cas.

BR. – Queneau, êtes-vous pédéraste?

Q. – Non.

L'avis d'Aragon sur la pédérastie?

AR. – La pédérastie me paraît, au même titre que les autres habitudes sexuelles, une habitude sexuelle. Ceci ne comporte de ma part aucune condamnation morale, et je ne trouve pas que ce soit le moment de faire sur certains pédérastes les restrictions que je fais également sur les « hommes à femmes ».

BA. – Je suis de cet avis.

D. – Je ne crois pas que le point de vue moral ait à intervenir dans cette question. Je suis en général gêné par les affectations extérieures et les gestes efféminés des pédérastes. Néanmoins il m'est arrivé d'envisager sans répugnance, pendant un laps de temps très court, le fait de coucher avec un jeune homme que j'aurais trouvé particulièrement beau.

BO. – Tous les pédérastes ne se livrent pas à ces manifestations extérieures. Des gestes de certaines femmes sont plus ridicules, gênants que ceux de certains pédérastes. Je ne condamne absolument pas la pédérastie d'un point de vue moral. J'ai envisagé également le fait de coucher avec un homme sans répugnance. Je ne l'ai d'ailleurs pas fait.

BR. – Je m'oppose absolument à ce que la discussion se poursuive sur ce sujet. Si elle doit tourner à la réclame pédérastique, je l'abandonne immédiatement.

AR. – Il n'a jamais été question de faire de la réclame à la pédérastie. La discussion prend ici un tour réactionnel. Ma réponse, que je désire commenter, ne m'est venue à propos de la pédérastie que parce qu'il en était question. Je veux parler de toutes les habitudes sexuelles.

BR. – Veut-on que j'abandonne la discussion? Je veux bien faire acte d'obscurantisme en pareil domaine.

Q. – Breton, condamnez-vous tout ce qu'on appelle les perversions sexuelles?

BR. – A aucun degré.

Q. – Quelles sont celles que vous ne condamnez pas?

BR. – Toutes les perversions qui ne sont pas celle dont nous venons trop longuement de parler.

Q. – Que pense Aragon de l'usage des préservatifs?

AR. – J'en ai une représentation enfantine. Je crois que cela s'achète chez les pharmaciens.

BR. – Peut-être plutôt chez les droguistes.

Q. – C'est curieux, j'en ai exactement la même représentation qu'Aragon.

AR. – Passons. Les corps étrangers sont-ils employés par certains d'entre nous comme éléments érotiques?

Non, à l'unanimité.

AR. – La présence de tiers incommode-t-elle Queneau quand il fait l'amour?

Q. – Non.

D. – La présence d'un homme me gênerait beaucoup, mais non celle d'une femme.

NO. – La présence d'un homme faisant l'amour en même temps que moi peut à la rigueur ne pas me gêner.

BA. – La présence de voyeurs me gêne, mais non celle de tiers actifs.

S. – Même réponse.

M. R. – Un étranger me gênerait, mais non un ami. Une femme jamais.

BO. – Même réponse que Baron.

U. – La présence d'un tiers me gêne de toute façon énormément et m'empêcherait de faire l'amour.

PR. – C'est assez gênant.

BR. – Je ne saurais supporter la présence d'aucun tiers.

AR. – L'amour se fait à deux, dans toute espèce de solitude. Ce peut être dans une foule, mais dans une foule inconsciente.

PE. – La présence d'une femme ne me gêne pas, mais toute autre présence m'est intolérable.

BR. – Quelles sont les attitudes passionnelles qui vous sollicitent le plus? Baron?

BA. – Le 69, la position dite « en levrette ».

D. – La position dite « en levrette », le 69.

AR. – Je suis extrêmement limité. Les diverses attitudes me sollicitent également, comme autant d'impossibilités. Ce que j'aime le mieux, c'est ma pollution pendant la fellation active de ma part. En fait, je fais presque toujours l'amour de la manière la plus simple.

M. R. – Pas de préférences. Ce qui m'intrigue le plus, c'est la fellation de l'homme par la femme, parce que c'est ce qui s'est présenté pour moi le plus rarement.

NO. – La fellation de la femme par moi, ou bien sexe sur sexe, bouche sur bouche, le 69.

S. – Pas de préférence violente. Cependant la fellation de la femme par moi.

AR. – Qu'est-ce qui vous excite le plus?

D. – Les jambes et les cuisses d'une femme. Ensuite le sexe, les cuisses et les fesses.

PR. – Les fesses.

Q. – Le cul.

AR. – L'idée de la jouissance de la femme.

NO. – C'est aussi tout ce qui m'intéresse.

D. – Également.

PE. – Pour les parties du corps, les jambes et les seins. Par ailleurs, voir une femme se masturber.

M. R. – Les seins et les aisselles.

BR. – Les yeux et les seins. D'autre part tout ce qui, dans l'amour physique, est du ressort de la perversité.

AR. – Je ferai volontiers mienne la dernière partie de cette réponse dans la mesure où le domaine de la perversité est celui du gâchage.

BR. – Il ne s'agit pas nécessairement pour moi du plaisir stérile.

BA. – La bouche, les dents, la naissance des seins. Tout ce qui est de l'ordre de la perversité et de la découverte.

S. – Le sexe et le haut des cuisses, ensuite la bouche. Tout ce qui est de l'ordre de la perversité et de la découverte.

U. – L'idée que j'ai de l'excitation de la femme que j'aime.

AR. – Que pensez-vous du danger extérieur (par exemple de mort) pendant que vous faites l'amour?

PR. – Cela ne peut être qu'un stimulant, et les gens qui n'ont pas connu ce danger n'ont jamais fait l'amour.

BR. – Je trouve ce propos tout à fait excessif. Il n'est pas question d'avoir la conscience du danger extérieur dans l'amour physique avec une femme qu'on aime.

D. – Je puis avoir conscience de ce danger quand je fais l'amour avec une femme que j'aime. Ce ne serait pas un stimulant mais, et je ne puis l'expliquer, cela provoquerait chez moi une plus grande jouissance, à moins que ce danger ne prenne une forme immédiate et catastrophique.

NO. – L'idée de ce danger ne m'a jamais effleuré.

AR. – J'ai eu un très grand goût du danger jusqu'au jour où celui-ci s'est présenté à moi comme une menace qui concernait plus spécialement une femme que j'aimais. A partir de ce jour j'en ai eu horreur.

BR. – S'agissait-il d'un danger de mort?

AR. – Pour cette femme, non.

S. – L'idée du danger est incontestablement pour moi un excitant.

Q. – Quand je fais l'amour je suis trop occupé pour m'occuper du danger.

PE. – Je me range absolument à cet avis.

AR. – Moi, un rien peut me distraire.

Q. – C'est vrai aussi.

BR. – L'amour est peut-être compatible avec toutes les distractions, mais l'idée de l'amour n'est compatible avec aucune.

AR. – Bien entendu.

Q. – Aragon a-t-il des tendances au fétichisme ?

AR. – Je me tiens pour fétichiste, en ce sens que je porte sur moi un grand nombre d'objets auxquels j'attache une importance et que j'ai constamment besoin d'avoir à ma portée.

D. – Je suis comme Aragon.

BR. – Dans quelle mesure Aragon considère-t-il que l'érection est nécessaire à l'accomplissement de l'acte sexuel ?

AR. – Un certain degré d'érection est nécessaire, mais, en ce qui me concerne, je n'ai jamais que des érections incomplètes.

BR. – Juges-tu que c'est regrettable ?

AR. – Comme tous les déboires physiques, mais pas davantage. Je ne le regrette pas plus que de ne pouvoir soulever des pianos à bout de bras.

D. – Aragon attache-t-il une plus grande importance à la jouissance de l'homme qu'à celle de la femme ?

AR. – Cela dépend essentiellement des jours.

Avant de partir, je tiens à déclarer que ce qui me gêne dans la plupart des réponses formulées ici est une certaine idée que je crois y démêler de l'inégalité de l'homme et de la femme. Pour moi rien ne sera dit sur l'amour physique si l'on n'a pas d'abord admis cette vérité que l'homme et la femme y ont des droits égaux.

BR. – Qui a prétendu le contraire ?

AR. – Je m'explique : la validité de tout ce qui précède me paraît jusqu'à un certain point infirmée par la prédominance fatale du point de vue masculin.

Q. – Quel est l'avis de Noll sur le fétichisme ?

NO. – Je suis fétichiste dans une très grande mesure : j'ai chez moi toutes sortes d'objets.

BR. – Ce n'est pas du fétichisme, c'est du collectionnisme.

NO. – Je ne me masturbe pas devant un objet de provenance féminine.

S. – Je ne conçois absolument pas jusqu'ici le fétichisme ni le collectionnisme.

D. – J'ai des tendances au fétichisme.

BR. – Queneau est-il masochiste, dans le sens très large du mot ?

Q. – Pas du tout. Je serais plutôt sadique.

S. – J'ai une tendance très marquée au masochisme et au sadisme sur le plan moral, sans que cela exclue pour moi le plan physique.

D. – Plutôt sadique sur les deux plans.

BA. – Je serais plutôt sadique sur le plan physique.

D. – Quelle importance attachez-vous à l'habitude dans l'acquisition des perversions ?

BR. – Je ne suis ni sadique, ni masochiste. L'habitude ne peut donc jouer aucun rôle pour moi.

D. – Queneau?

Q. – Une importance aussi grande que pour la non-acquisition des perversions.

BR. – Une femme qu'a priori vous pouvez aimer se donne à vous aussitôt que vous en avez le désir. L'aimerez-vous plus ou moins qu'une femme qui se fera longtemps désirer?

D. – Je l'aimerai beaucoup plus dans le premier cas.

BA. – Moi aussi, car j'ai horreur de la coquetterie.

PE. – Je l'aimerai beaucoup plus dans le second cas.

NO. – Je ne crois pas que l'amour soit susceptible de graduation provenant du fait d'une possession plus ou moins tardive.

M. R. – Par coquetterie, moins; en raison d'autres scrupules, davantage.

Q. – Dans le premier cas davantage.

U. – Je suis de l'avis de Noll.

PR. – Cela ne m'intéresse pas.

S. – J'aime incontestablement plus une femme qui tarde à m'aimer qu'une femme qui répond à mon amour au moment où celui-ci n'est pas encore près de sa plus grande intensité.

NO. – La possession immédiate me semble être la perfection dans ce domaine et, toute réflexion faite, la garantie de la qualité de l'amour.

BR. – Infiniment plus dans le premier cas, pourvu que je sois sûr qu'elle m'aime au moment où elle se donne à moi.

Quel cas fait Prévert de la provocation féminine quand il n'est pas sûr que l'amour est en jeu?

PR. – Je trouve cela extrêmement bien et, si c'est trop rare, c'est la faute des hommes.

M. R. – Je me méfie beaucoup. Je deviens tout de suite hostile.

PR. – Breton, qu'entendez-vous par libertinage?

BR. – Goût du plaisir pour le plaisir.

Q. – Approuvez-vous ou réprouvez-vous?

BR. – Je réprouve formellement.

U. – Pensez-vous que le libertinage chez un homme enlève à cet homme toute possibilité d'aimer?

BR. – Sans aucun doute.

NO. – Je le pense aussi.

M. R. – Breton peut-il s'intéresser à deux femmes à la fois?

BR. – J'ai dit que c'était impossible.

Et Man Ray?

M. R. – Oui, mais à plus de deux.

Q. – Quel est votre premier souvenir sexuel?

PE. – Vers 7 ou 8 ans j'ai vu à l'école un petit garçon s'enduire le sexe d'encre et se masturber sous le pupitre.

BR. – A l'école également un enfant montrant son sexe et le désignant par un mot alors inconnu de moi : « ma... ». Le soir même, j'ai raconté cette histoire à mes parents.

D. – Toujours à l'école. Sous le pupitre un petit garçon me mit à l'improviste la main sur la braguette. Cela me laissa un souvenir très agréable.

BA. – Des élèves se masturbaient derrière leur carton à dessin.

D. – Je me rappelle aussi avoir éprouvé une grande émotion en voyant un homme et une femme s'embrasser.

M. R. – J'avais passé l'âge de la puberté. Un ami plus âgé, qui devait avoir 16 ans, m'a expliqué comment on fait l'amour. Curieux d'essayer, j'attirai une petite fille de 10 ans en lui promettant un livre illustré afin qu'elle me montrât son sexe. J'essayai alors de la pénétrer. Elle se plaignit que je lui fisse mal. J'avais, de crainte d'être seul, emmené mon frère, âgé de 9 ans, et le persuadai d'essayer à son tour. Il le fit et elle le serra dans ses bras en me disant : « J'aime mieux ton frère. Il me fait moins mal. »

S. – J'ai deux souvenirs qui se placent l'un et l'autre entre 5 et 7 ans, sans pouvoir préciser lequel précède l'autre. J'ai rêvé toucher ma verge en érection et la casser de telle façon qu'elle fût séparée de mon corps, mais toujours en érection. Je n'en éprouvais absolument aucune douleur, mais j'avais très peur des reproches que ma mère ne manquerait pas de me faire le lendemain. Au réveil, j'ai éprouvé une vive satisfaction en constatant que cet événement ne s'était pas produit. Je crois, d'ailleurs, avoir fait part à ma mère de ce contentement.

Il m'est aussi arrivé de caresser une petite fille âgée de deux ans de moins que moi, et de m'être fait caresser par elle. Ces actes étaient accompagnés de tapes sur les fesses. Les mêmes faits se sont répétés à intervalles assez éloignés avec la même personne jusqu'à l'âge de 12 ans. Le prétexte était tantôt de jouer au médecin et au malade, tantôt au maître et à l'élève, la distribution de ces rôles étant alternée.

U. – A l'âge de 4 ans, j'ai rêvé que j'étais dans un jardin avec des petites filles vêtues de blanc, dont l'une était particulièrement belle. Je suis resté avec elle assez longtemps. J'éprouvais un vif contentement ; je me suis trouvé déçu au réveil et j'ai demandé à ma sœur si elle avait déjà fait des rêves d'amour.

Protestations générales :

« Ce souvenir sexuel est très faible. »

U. – En voici d'autres : vers 5 ou 6 ans je m'imaginais que je pressais dans mes bras un animal, tantôt un cheval, tantôt un chien. J'en éprouvais une sensation indéfinissable. J'ai éprouvé la même sensation en voyant dans la rue des chiens dont je pensais qu'ils jouaient. Et encore à la lecture d'un conte intitulé « La Chair » qui se trouvait dans un livre traduit du russe et édité par Ferenczi.

PR. – Mes premiers souvenirs sexuels se rapportent à des enfants de mon âge qui ne s'intéressaient qu'à leur sexe. J'étais comme eux. A l'âge de 7 ans je fus très surpris par une petite fille, sœur d'un de mes amis, qui était tombée à la renverse. Je m'aperçus qu'elle n'était pas sexuée comme moi. J'en conclus qu'elle était infirme. Je ne pus la voir, elle me dégoûtait. Par la suite elle est devenue aveugle.

Q. – Je me souviens d'être entré en érection en voyant des chiens accouplés. J'ai eu aussi une pollution en voyant une danseuse costumée en page, à la revue des Folies-Bergère. Il s'en trouvait deux sur la scène, il n'y avait que celle de gauche qui m'intéressât.

NO. – Je pouvais avoir de 4 ans à 4 ans 1/2. Un enfant que j'avais l'habitude d'accompagner jusqu'à sa porte m'invita un jour à monter chez sa mère. Devant moi il déclara à celle-ci qu'il désirerait que son petit pantalon en cheviote bleue fût plus collant. Je sais seulement que vivement impressionné par ce propos je l'ai rapporté le soir à mes parents qui se sont longuement regardés. J'ai rougi, me suis trouvé effroyablement gêné. Cette gêne a persisté longtemps.

(A suivre.)

Aphrodite (édition « intégrale »)

1928

S'agit-il vraiment de l'édition intégrale ? Publiée en 1928 par Pascal Pia et René Bonnel, cette édition comprend effectivement un chapitre entièrement inédit. Mais Pascal Pia convient avec bonne grâce qu'il existe sans doute encore d'autres inédits pouvant également compléter le texte du roman de Louÿs. Disons qu'il s'agit d'une édition augmentée, la deuxième, la première étant celle de Crès en 1913.

Maintenant, où est l'érotisme ? Dans ce texte, dans celui de 1896, celui de 1913 ? Il s'agit ici d'une édition clandestine, dont le titre précise : « *édition intégrale comprenant des passages libres inédits* ». Ces passages libres en font-il un texte plus érotique ? Aux yeux de qui ? La répression qui aurait accueilli en 1928 la mise en librairie courante de ce texte « sous le manteau » aurait-elle été justifiée ? Par quoi ?

Beau sujet d'enquête pour *La Révolution surréaliste*.

Peu de temps avant *Aphrodite*, René Bonnel et Pascal Pia avaient réimprimé *Mademoiselle de Mustelle et ses amies*, de Pierre du Bourdel (Mac Orlan), à 125 exemplaires, sous la firme « *Librairie Hachette,* 79, Boulevard Saint-Germain, Bibliothèque Rose illustrée* ». La couverture imitait vaguement celle de la célèbre collection. Il y eut plainte du respectable éditeur, perquisitions, et Louis Perceau prétendit dans sa Bibliographie qu'*Aphrodite* et *Mademoiselle de Mustelle* avaient été saisis en même temps. Pascal Pia, bien placé pour savoir ce qu'il en est, le conteste :

> « *Avec le concours d'un provocateur, la brigade mondaine chargée de l'enquête ne réussit à se procurer en 1929 qu'un seul exemplaire de cette édition chez un libraire du boulevard Haussmann. Contrairement à ce qu'écrit Perceau, aucun autre exemplaire ne fut découvert et saisi. L'édition, effectivement tirée à 128 exemplaires, plus 4 ou 5 exemplaires nominatifs, s'était épuisée en quinze jours, dès sa sortie de presse au printemps de 1928. L'instruction judiciaire ne permit pas d'identifier le X... visé par la plainte de la maison Hachette.* »

Le passage ci-dessous, comme les autres passages « libres » de l'édition de 1928, a été écrit en même temps que la toute première version d'*Aphrodite* publiée dans le Mercure de France avant la sortie en librairie.

*A*H ! CE SERA TOI, Demetrios. Quand je me baisse mes fesses vers le sol, que n'es-tu là, sous ma croupe tendue, regardant la raie écartée où l'anus contractile se creuse. Tu verras le trou s'élargir, rire comme une petite bouche d'enfant, se distendre, s'épanouir, vivre, et toute la merde passer lentement de mon intestin dans ta bouche...

Tu la mangeras, tu la mâcheras, tu la savoureras, il t'en restera dans les dents, il en glissera dans ton gosier, il en coulera dans nos baisers, ta bouche en restera gluante, ton haleine deviendra violemment parfumée, mange, Demetrios, mes belles merdes lourdes.

PIERRE JEAN JOUVE

1887-1975

Hécate

1928

Les textes de Pierre Jean Jouve, *Hécate, Paulina 1880* (1925), *Wagadu* (1931), un peu comme ceux de Pierre Klossowski, peuvent servir de pierre de touche, de signal de reconnaissance. Je veux dire que leur érotisme, évident pour moi – et d'autres – reste imperceptible à certains. Et puis après ? me direz-vous…

IL Y A QUELQUE TEMPS une « aventure » banale arrivait à Catherine Crachat. Catherine Crachat, quel nom, n'est-ce pas. Un nom qui ne peut être porté que par une créature de douleur.

Catherine Crachat était dans un train qui arrivait à Paris de je ne sais où, de Bâle, ou de Marseille. Catherine Crachat est très belle. Le train avait roulé toute la nuit mais c'était en seconde classe, et nul n'était joli à voir. Cependant il y avait deux hommes dans le compartiment de Catherine. L'un de ces hommes (fort, brun, énergique, je me souviens bien) n'avait pas fermé l'œil depuis le départ pour ne rien perdre de Catherine somnolente.

Personne sur le quai pour Catherine ; une actrice de cinéma qui revient de tourner dans les montagnes ou près de la mer, ce n'est pas attendu. Catherine sautait sur le quai avec ses longues jambes, vivement, et disparaissait tout de suite. Le monsieur brun avait en vain essayé de la suivre. Catherine emportait un regret, ou disons, un sentiment bizarre.

Un quart d'heure plus tard dans une rame de voitures bloquées rue de Rivoli, le monsieur brun se trouvait à côté d'elle, tous deux immobiles en taxi. Tiens, c'est drôle. Au soleil il paraissait un individu bon et intelligent quelconque. Elle détournait les yeux pour ne pas « l'assassiner », mais apercevant la joie agressive de cet homme elle savait que déjà maintenant elle agissait fortement en lui. Le taxi du monsieur collait au sien, alors elle donnait plusieurs ordres contradictoires à son chauffeur et parvenait à semer l'amoureux (puisqu'elle n'éprouvait rien). D'ailleurs elle est peu portée à l'amour facile. Et il faut le remarquer avant d'entendre la suite de l'histoire : Catherine est généralement froide à l'égard du plaisir, très froide, sauf les circonstances du vrai amour qu'elle a positivement connues, et même lui a-t-il fallu une sorte de grâce dans ces circonstances. Elle n'est pas maternelle et n'a aucune habitude de tendresse. Enfin ce n'est pas celle qui jouit de sa méchanceté, et pourtant souffrir et remuer la souffrance en soi et dans les autres a pour elle de la vertu, car n'est-ce pas par ce mauvais chemin que l'on va vers une purification?

Tout de même – elle se sentait absolument sur le point de céder au monsieur brun.

A quatre heures en fumant une cigarette sur son balcon chaud par-dessus la rue (c'était en été) elle eut la sensation (le désir) d'entendre le voyageur parler en bas avec la concierge Mme Pouche. Elle se pencha. A la nuit elle alla *exprès* s'asseoir à la terrasse d'un café sur le boulevard voisin. Et naturellement elle vit surgir le monsieur brun qui se mit à côté d'elle.

Catherine lui demanda son nom et lui dit : « Je dois passer la soirée chez une amie, voulez-vous m'accompagner? Nous finissons par nous connaître. » Ils allèrent chez une dame fort bien habitant avenue de Valois, qui se nomme Marguerite de Douxmaison. Elle le présenta comme son cousin ou n'importe quoi. Là ils s'observèrent et se frôlèrent pendant une ou deux heures. Puis elle le ramena chez elle. Ils parlèrent en buvant du thé de voyages, d'affaires de Bourse et de sentiments de famille. Ensuite elle fit des choses assez grossières avec cet homme jusqu'au matin.

Cependant Catherine Crachat a une conception de la vie tout autre que vous pourriez lui prêter d'après cette histoire; sachez qu'elle n'avait aucune raison positive d'agir ainsi, et aucun *intérêt*. Déjà alors elle portait le deuil d'un très grand et très unique amour perdu.

Catherine Crachat, c'est moi.

Pourquoi me faire connaître par une trivialité? Pour rien. Difficile à dire. Je trouve qu'une aventure aussi saugrenue montre au naturel un être, ou du moins une partie, n'est-ce pas : fantasque, pas sûre et malheureuse, sans pudeur aussi, c'est bien moi. Attendez d'en savoir davantage. La vie que nous avons menée, ou traînée, quand nous la regardons derrière nous, se dresse à charge contre bien des cœurs, alors je commence par moi-même! Et puis est-ce tellement solide, est-ce aussi solide qu'on le dit, le monde, « ce qui se fait et ne se fait pas »? Voilà comment j'ai pris cet honnête père de famille et lui ai fait sortir sa débauche. Quand le défi se présente à nu dans mon esprit, c'est une tentation terrible, je ne trouve rien qui m'empêche de passer outre.

Je vous assure que le lendemain j'étais intacte comme la veille, je veux dire que rien ne m'avait avilie, et pure là où je fais effort de l'être dans la région douce, obscure, de *moi*. J'ai des démons et aussi un feu pour les brûler. Le feu! Mettre le feu, c'est l'idée qui m'excitait quand j'étais petite! J'aime toujours faire brûler, voir brûler. Les histoires de bûchers m'effrayaient et me charmaient. J'y pensais pour m'aider à m'endormir.

Hé bien j'ai entrepris de me brûler de mes propres mains. Quand on est née comme moi d'une naissance affreuse, qu'on est faite de contraires, qu'on se déguise pour vivre, et qu'on joue le théâtre avec soi-même et qu'on est pleine de mouvements violents jusqu'à la sauvagerie, et de peurs, et de chagrins, quand on est sensible à crier (tout ce qui touche la peau fait mal) mais avec cela dans la continuelle position de défense, et quand on est entourée d'ombre, en somme, de noir, sans personne auprès de qui se consoler, sans ange gardien, quand on est professionnellement belle, quand on a un nom qui inspire le dégoût et qui fait contraste avec vous-même qui inspirez autre chose, quand on est actrice de cinéma et bonne à presque rien – on est Catherine Crachat.

J'ai été tout cela.

II

Je vous fais l'effet d'une énigme un peu facile. Tranchons le mot : je suis une aventurière. Vous direz même une grue. Mais prenez garde à ceci que certaines personnes aiment attirer sur leur tête la déconsidération et que la déconsidération est la chose la plus aisée à obtenir. Si vous êtes vieux vous avez envie de coucher avec moi, là, grossièrement, n'est-ce pas la marque du réel intérêt d'un homme pour une femme, que toute femme ambitionne de recevoir? Si vous êtes jeune vous haussez vos épaules carrées comme on les porte aujourd'hui : les femmes orageuses vous fatiguent. Il y a des gens moraux qui tourneront le dos et les personnes religieuses plaindront mon âme. Mais non, je ne suis point du tout cette femme, ni l'autre, ni aucune de celles-là ; je vais vous dire. Je suis une enfant qui a envie de pleurer. Je suis une créature sans feu ni lieu. Je vis comme tout le monde au milieu du luxe et des trucs. Mais je ne suis pas méchante. Si vous m'avez vue à l'écran vous savez que mes plus beaux rôles ont été les fillettes navrées. Je suis née *privée* et dépourvue et pendant très longtemps je n'ai pas même compris de quoi. Je n'ai aimé presque personne. Je vivais pauvre. Cependant j'ai été heureuse une fois ; et tout de suite c'était pour sentir une privation pire. Une chose a passé sur moi pareille au souffle divin, qui m'aurait élevée au-dessus de ma condition. Je ne l'ai plus, et cette fois encore je ne comprends pas pour quelle raison.

Pendant un moment, le don de moi que j'ai pu faire a fourni un sens à ma vie. Car autrement ma vie est absurde, un carrefour de toutes sortes de misères. Oh ne me prenez pas pour trop modeste ; je suis Catherine Crachat ; c'est beaucoup ; c'est un malheur. La chose qui m'arriva et dans laquelle je continue à subsister, il est possible que je vous la raconte. Parfois j'ai des envies de la dire à n'importe qui. Mais pour tout le monde elle est banale.

Connaissez-vous la rue Jacob à la hauteur de l'Hôpital de la Charité? C'est lugubre. J'habite là, depuis dix ans. Toutefois il y a l'envers : mon appartement du quatrième s'ouvre sur un grand jardin prisonnier. Il est plus profond que grand, et ses hauts marronniers mettent leurs branches élevées dans ma main quand je suis à ma fenêtre. C'est mon jardin. Je l'aime toujours en dépit de ce qu'il m'a fait, mais il m'arrive de ne pas pouvoir le souffrir. On aperçoit quatre petites fontaines aux angles, en face un vieux morceau d'hôtel aux volets bleus, et dans une fenêtre du premier une femme pas habillée peigne toujours sa chevelure longue. J'aimais à la passion le silence étrange, misérable, de ses quatre murs, silence traversé par les ronflements d'automobiles.

Cette vieillerie de la rue Jacob ne pèse plus rien, elle est devenue transparente avec le temps. On ne s'aperçoit pas que l'on y est, entre un train et un paquebot. J'aimais ça. Je voyage beaucoup. Mais à présent quelle tristesse me prend en revenant là! Il n'y a pas de phrase pour vous le dire. C'est au point que dans la rue de l'Université par exemple, quand je sens venir la maison, en conduisant ma voiture, je suis capable de tourner à droite et à gauche et de rouler n'importe où comme une idiote ou de m'arrêter pas très loin pendant une demi-heure ou deux heures, occupée à réfléchir si j'y rentrerai ou non. Un moment ce fut une maladie. Des amies m'ont surprise faisant ce manège, et firent un beau bruit pour aggraver ma réputation d'excentrique! A la fin je rentre. La domestique m'ouvre la porte; comme jadis, comme jadis. Je pourrais mourir. Triste au point où la tristesse est un bonheur, je m'allonge sur mon livre et je m'endors en refusant de manger.

Tout cela est l'écho d'événements qui eurent pour théâtre ma chambre sur le jardin.

Certainement, j'ai tant voyagé, est-ce que je ne devrais pas oublier le jardin et les événements qui n'ont pas même duré deux ans? J'ai essayé de changer de logis et il a fallu revenir ici. Quand j'étais à Venise (dans *La Mort de Wagner*) où j'avais le palazzo Vendramin pour moi seule, je rêvais jour et nuit que je regardais le jardin; à Londres j'ai travaillé longtemps et je rôdais dans des rues en brique plus noires que le deuil, mais c'était encore le jardin. Partout j'étais Catherine Crachat ou *Catharina* ou ce que vous voudrez, je jouais mes rôles, dans la débine ou avec de l'argent, et j'essayais d'aimer le ciel nouveau; mais je restais au jardin. Ce qui pour moi est advenu *avant*, le sombre rêve de mon enfance et les aventures et le métier et la noce, c'est une chose, et cette chose devait me conduire, étant donné ce que je suis! à l'histoire du jardin. Il devait se passer là ce qui s'y est passé. Et le reste de ma vie qui fut ajouté *après* glisse dessus sans rien changer et use seulement la douleur par le frottement.

Je crois que je vous la raconterai, mon histoire.

Mais d'abord – j'ai dit que j'étais belle. Je sais que c'est vrai. Je suis belle par profession. Vous, ne me le répétez pas car j'ai les oreilles cassées. La beauté c'est une autre misère que l'on porte. Quand on l'a avec un certain esprit, on est malheureuse. Je voudrais devoir ma vie et ma position à autre chose. La phrase qui me déclare que je suis belle m'offense vraiment. « J'ai les yeux noirs très sensibles, l'ovale plein et régulier, une bouche merveilleuse, des cheveux sombres avec des reflets d'acier, ils peuvent être mousseux, ils peuvent prendre des écailles, ou coller à la tête ; je suis la nouvelle beauté entre femme et homme, par excellence photogénique, etc. » On vend mes portraits en cartes postales. Et je porte aussi mon nom, que je n'ai pas voulu changer, que j'ai seulement effacé derrière le prénom, pour l'écran. Catharina. C'est mauvais goût, romantique. J'ai une égale horreur pour mon nom et pour mon portrait. Il faut supporter les deux.

Je cherche un homme-tombeau. Je ne lui dirai d'ailleurs qu'un petit morceau de l'histoire. Voulez-vous être cet homme-là ?

III

Entre 25 et 26, j'avais toute ma jeunesse. Je vivais seule dans cet appartement, sur ce jardin. Je n'avais pas encore d'argent. Une vieille femme de ménage était ma société. J'étais courtisée par le monde entier ; je n'ouvrais pas ma porte. La femme de ménage prenait les paquets de fleurs et les lettres et les mettait sur la cheminée.

Mais Paris avec sa vie de chien, le travail tous les jours, l'effort sur soi-même, et une certaine réussite dans le métier entrepris, avaient fait du bien à cette pauvre fille, malheureuse. Je m'étais calmée et un peu rassurée, je traversais une heure de répit.

Par curiosité du plaisir j'avais connu plusieurs hommes. C'était tout de suite terminé. Je n'y croyais pas. En dehors de mes crises de noce j'étais solitaire à la maison, et le dimanche comme la semaine. Une orpheline qui ne cherche pas d'amis. *I had paid my way* de toutes les façons, mais c'était tellement mieux que le cauchemar antérieur ! Et parce que je mimais la passion d'autrui cela me plaisait de ne pas avoir de passion à moi. Mon cœur connaissait les trucs de lumière ; et puis la vraie noce je ne la faisais pas non plus. Je travaillais beaucoup, j'avais des engagements et j'allais devenir une star de 2e ou 3e grandeur – « ce que je suis ».

Dans la maison de l'autre côté des arbres il y avait l'atelier d'un peintre. C'était à la hauteur de ma vue. Je suis curieuse et j'aime fouiller chez les autres.

Mes regards passaient dans son vitrage. Mais il devait me dominer un peu et, quand les feuilles ne nous séparaient pas, le peintre pouvait me voir dans ma chambre, ce qui me mettait en défiance; car j'ai horreur d'être vue. Le peintre, un homme jeune, à barbe, faisait une peinture moderne quelconque et c'est tout ce que j'ai su de lui.

Mais sur son petit balcon de rien du tout des caisses et de vagues pots de fleurs me touchaient, impossible de dire pourquoi, mais infiniment. A qui rêvais-je? à moi-même. Et voilà le commencement. Un jour – c'est le jour nécessaire, il y a toujours un moment fatal, un jour, il y eut un jour où Tristan entendit parler pour la première fois de la Reine Ysolde. Un jour de petit printemps, on se mettait à ouvrir les fenêtres et je faisais du repos dans mon lit. J'écoutais les oiseaux. Ils allaient, comme si l'on ne fût pas à Paris mais par exemple au bord d'une grande rivière américaine en pleine nature. Quels oiseaux! Oui, un jour. Et depuis ce jour-là je ne supporte plus que je sois couchée face à une fenêtre.

On avait fait je ne sais quelle modification au vitrage, ou était-ce à cause du soleil de midi? De mon lit même je regardais à l'intérieur de l'atelier. C'était très brillant. Comme dans un rêve. Le peintre travaillait. Je m'en fiche, rien d'inté-ressant de son côté. Entre le fond de l'atelier et le balcon (dont ils avaient aussi ouvert la porte-fenêtre) était le modèle du peintre.

La position donnée au modèle faisait que le modèle me regardait.

Je tremblai d'abord, je reçus une secousse comme lorsqu'on entre dans la mer froide. Quand je vis ce que moi je regardais, il était déjà trop tard. Ce qui me ramena au sentiment de ma propre défense ce fut ce frisson qui ne me quittait pas. Je regardais une main fine et énergique, posée sur un genou, et qui portait une bague lançant des reflets. Un grand jeune homme très blond d'une race extraordinaire. Il tient de l'ange, me dis-je. Et je fermai les yeux.

En les ouvrant je pensai que j'étais dans mon lit. La gorge assez découverte sans doute; et qu'il me voyait dans mon lit. Effectivement il me voyait dans mon lit et la gorge découverte. Je sonnai à toute force la domestique et lui criai vio-lemment de fermer cette fenêtre. C'était mon dernier acte de résistance. Je m'habillai. Je parus à la fenêtre. Je ne pensais qu'à lui. J'étais lui, et rien d'autre. Je le retrouvai. Il se levait justement. Il regardait ma fenêtre et la femme de la fenêtre. Nous nous dîmes, rien qu'en fermant les yeux, en les rouvrant, une chose obscure, capitale. Personne ne surprenait notre manigance : rendez-vous ici le lendemain à la même heure.

C'est ainsi que je connus Pierre Indemini.

Le lendemain je fis le guet à la porte de la maison du peintre. Je vis le jeune homme à l'instant même. Je lui dis : « C'est moi. Vous me plaisez. Je vous aime. M'aimez-vous? – Mais oui », répondit-il avec la voix la plus belle du monde. Je lui criai mon nom et je me sauvai comme si je ne devais jamais plus le regarder sur cette terre.

« Mademoiselle, je ne sais pas si vous êtes réelle ou irréelle, ni ce qui arrive, enfin je ne puis me permettre d'imaginer. Mais je sais que nous sommes d'accord depuis toujours. Mademoiselle, je suis si épris que je me sens parfaitement tranquille pour la première fois. Je ne désire pas faire un mouvement vers vous. Je désire attendre. Pour vous avoir vue et seulement vue une minute, j'ai le sentiment de l'éternité. J'éprouve une confiance absolue en vous et en moi. J'embrasse humblement vos genoux. Pierre Indemini. » C'est sa première lettre. Le lendemain soir. Est-ce beau! Et regardez l'écriture combien elle est noble. Forte et subtile, cette écriture m'enthousiasma comme la main qui l'avait tracée. Je portai le vrai signe de son amour sur ma poitrine. Car je ne connaissais encore de lui que ses cheveux clairs, sa haute stature avec des épaules larges, mais douces, une certaine nonchalance de son corps, et je perdais ses traits. Splendide comme les jeunes gens des fresques dans les anciennes églises et pourquoi pas un ange?

IV

Pour notre première entrevue, je choisis le *Jack*.

Vous êtes venu au *Jack*? c'est un bal nègre. J'y allais boire quand je n'en pouvais plus de ma vie. Au rez-de-chaussée du cabaret on a bouché les fenêtres. Un ventilateur chasse l'odeur de sueur, et on danse par deux ou par trois. J'y avais tourné une fois un film, j'y suis revenue, pour ce zigzag de nègres et de grands mannequins collé sur votre figure; après deux heures du matin les femmes se déshabillent. Le cafard que je trouvais là-dedans était si incomparable, si absolu, si au-dessus de moi-même, que je savourais une sorte de paix.

J'entre avec lui. J'entre.

J'entrai guidant Pierre Indemini!

Je n'avais pas dit une parole à Pierre Indemini depuis le shake-hand. On peut être la statue insensible d'une émotion inouïe.

Déjà les tables serrées, les smoking, les femmes en peau et dix mètres carrés avec cinquante danseurs les uns dans les autres, m'avaient saisie d'un effroi habituel, et déjà j'avais mal au cœur. Mais il fallait. Et l'Anglais se trouvait contre le bar. Cet homme ou animal libidineux réunissait sur lui toute la furie du jeu ce soir. En amour avec n'importe qui homme ou femme, la tête renversée en extase, il était secoué par le jazz régulièrement et ses mains allant et venant devant lui dessinaient ses rêves : une bande d'Américaines glapissait. Voilà que je m'approche de l'Anglais, moi, je lui prends la main, je lui propose de danser. Il me regarde, cette bayadère difforme, et nous partons. Houp! J'avais eu le temps de crier à Pierre Indemini : « Une table est libre au fond à gauche! »

Je sentais l'Anglais ivre contre moi.

Quand je revins enfin près de *lui* je n'avais que cette idée dans l'esprit : comment cela s'est-il fait, comment l'Anglais a-t-il pu prendre cet empire sur moi? Mais j'eus une autre rage. Je mis mes coudes sur la table et je chantai.

Pendant la pause, une ringue anglaise me sortait des lèvres (il faut la dire dans l'anglais le plus français possible) :

> Oh which do you like to see, M'sieu
> Oh which do you like to see :
> That haughty, proud American Girl
> Or the lady from gay Paree –
> Oh the gay Pari – si – enne,
> She do capture all the men
> With the naughty little way
> She has of
>
> > m – m –
> >
> > > walking...

Et puis je plaçai ma tête dans mes bras, et

> Oh which do you like to see, M'sieu
> Oh which do you like to see...

Je fondis en larmes.

Est-ce qu'*il* pouvait aimer une fille comme moi? Tout, tout et toujours, disait non. « Est-ce qu'une fille pareille oserait lever les yeux encore une fois devant lui? Si loin que je me souvienne, j'ai fait rater exprès la chose qui m'était réservée et que je chéris le plus. Ma première faute obscure dans le fond, le péché d'exister qui n'a jamais été pardonné, est-ce que tu comprends, est-ce que tu vas comprendre? Comment comprendrais-tu puisque tu ne me connais pas. Voici donc ce que j'ai imaginé pour me faire connaître et ce n'est *même pas vrai*! Je voudrais t'appeler à moi : ô Étranger... Pour que tu comprennes. Pour que tu comprennes. Pour que tu me dises. »

Sa main glissa un mouchoir de soie sous mon visage, et il me parut charitable comme un saint quand il prononça doucement :

– Voulez-vous sortir à mon bras, Catherine? J'ai parfaitement compris ce qui vous est arrivé.

JAMES JOYCE

1882 - 1941

Ulysse

1922 / 1929

Dans son excellente préface à l'édition partielle de *Ma vie secrète* en 1961, G. Legman fait observer : « *Dans les pays anglo-saxons, jusqu'à l'apparition de James Joyce, de D. H. Lawrence et de Henry Miller (qui ont d'ailleurs été attaqués toute leur vie pour "l'obscénité de leurs œuvres"), l'attribution d'un écrit érotique à n'importe quel écrivain ou personnage public suffisait à briser sa carrière.* » Et il rappelle qu'une édition privée de *Tropique du Cancer*, réalisée clandestinement à New York en 1940, avait valu une peine de prison à son éditeur. Voici le récit que fit Joyce en avril 1932, dans une lettre à son éditeur Bennett A. Cerf, de Random House, de ses tribulations d'écrivain de langue anglaise :

« *2 avenue Saint-Philibert, Passy*
« *Paris, 2 avril 1932.*

« *à Mr. Bennett A. Cerf*
« *Random House Inc., New-York.*

« *Cher Monsieur,*
« *[...] Vous me demandez le récit de la publication de* Ulysses *; puisque vous êtes décidé à lutter pour sa réhabilitation légale aux États-Unis, et à publier la première édition américaine authentique de mon livre, j'estime utile, en effet, de retracer ici l'histoire de la publication en Europe et des complications qui suivirent en Amérique, puisque ces faits ne semblent pas encore connus de tous. Quoi qu'il en soit, ces tribulations ont donné à mon livre dans ses diverses incarnations matérielles une réalité particulière. Habent sua fata libelli !*
« *Vous connaissez sans aucun doute les difficultés que j'ai rencontrées à faire publier quoi* que ce soit depuis le premier volume de prose que j'ai soumis aux éditeurs : Dubliners [Gens de Dublin]. Éditeurs et imprimeurs semblaient d'accord, quelles que soient leurs querelles sur d'autres points, pour ne jamais laisser paraître rien de ce que j'écrivais. Le manuscrit de Dubliners a été soumis successivement à vingt-deux éditeurs et imprimeurs, et, lorsqu'enfin le livre parut, une bonne âme acheta toute l'édition et la fit brûler à Dublin — une innovation, l'auto-da-fé à la portée de tous. Sans l'aide de The Egoist Press Ltd., de Londres, maison dirigée par Miss Harriet Weaver, The Portrait of the Artist as a Young Man n'aurait sans doute jamais été publié.*

« *Vous pourrez donc imaginer ce qu'étaient mes chances de succès lorsque je vins à Paris pendant l'été de 1920, avec le volumineux manuscrit d'*Ulysses, *à la recherche d'un éditeur : en effet, le livre avait été interdit après la publication du onzième épisode dans la* Little Review *que dirigeaient Miss Margaret Anderson et Miss Jane Heap. Ces deux personnes avaient été poursuivies sur la plainte d'une ligue quelconque et s'étaient vu interdire la publication de l'ouvrage par fascicules : les numéros restants furent saisis et je crois même que la police alla jusqu'à prendre les empreintes digitales de ces deux dames. A cette époque, le manuscrit complet fut proposé à un éditeur américain, mais je ne pense pas qu'il lui ait accordé la moindre attention.*

« *C'est à mon ami Ezra Pound, et à un heureux retour du destin, que je dois d'avoir fait connaissance de Sylvia Beach, femme habile et énergique, qui dirigeait depuis quelques années à Paris une petite librairie*

anglaise, à l'enseigne de *Shakespeare and Co.*
Cette libraire courageuse osa ce qu'aucun éditeur professionnel n'avait osé : elle fit imprimer mon manuscrit. [...] *Ulysses fut publié
en très peu de temps, et le premier exemplaire
me parvint pour mon quarantième anniversaire, le 2 février 1922.*

« [...] *La parution de* Ulysses *en France,
cependant, marqua le début, en Angleterre et
aux États-Unis, de nouvelles complications.
Des livraisons expédiées vers ces deux pays
furent saisies par la douane et brûlées à New
York et à Folkestone. La situation était déconcertante. D'une part, je ne pouvais faire enregistrer le copyright de mon livre aux États-
Unis puisque la loi américaine n'accorde le
copyright aux ouvrages publiés hors de sa juri-
diction que s'ils sont réimprimés pour le marché
américain dans les six mois suivant la première
publication ; d'autre part, l'intérêt croissant
provoqué par le livre créait en Amérique une
demande que des faussaires avisés n'hésitèrent
pas à exploiter : plusieurs éditions clandestines
furent publiées et vendues sous le manteau. Ce
scandale provoqua une protestation signée par
cent soixante-sept écrivains de toutes nationalités et je parvins même à faire condamner un
des faussaires par un tribunal de New York.
[...] Ce succès, cependant, fut bien inutile car
le personnage condamné changea aussitôt de
raison sociale et mit en circulation une nouvelle
édition frauduleuse du livre, reproduite photo-
graphiquement d'après l'édition originale française. [...]*

« *Je serais très heureux pour ma part de la
réussite de votre entreprise, car elle permettra*

---

1. Attention ! Il faut prendre garde d'éviter la
consternante édition des prétendues *Lettres* de Joyce
en deux volumes, dans la collection « Du monde
entier » chez Gallimard en 1973. Réunies et préfa-
cées par Richard Ellmann, les lettres de Joyce y sont
soigneusement expurgées (jusqu'à 60 ou 70 % de
leur contenu) de toute obscénité. Le seul texte
recommandable – celui que nous citons –, est celui
des *Œuvres* de Joyce, t. I, dans la Pléiade (1982)
remarquablement établies et traduites par Jacques
Aubert, assisté de Jacques Borel, André du Bouchet,
J. S. Bradley, Anne Machet, Ludmila Savitzky et
Marie Tadié.

aux lecteurs américains, dont j'ai toujours
apprécié la générosité à mon endroit, d'acquérir
la version authentique de mon livre, sans pour
cela enrichir quelque aventurier que les lois
encouragent à exploiter sans vergogne le bien
d'autrui. [...]*

« *Sincèrement vôtre,*
« JAMES JOYCE. »

Ulysse, roman anglais, fut donc édité
pour la première fois à Paris, en anglais,
en 1922. Sept ans après (le temps de traduire 700 pages in-8°), Adrienne
Monnier, libraire rue de l'Odéon à
l'enseigne de la Maison des Amis des
livres, publiait la version française, établie
par Auguste Morel assisté par Stuart
Gilbert, et revue par Valery Larbaud avec
la collaboration de l'auteur.

Si l'on veut avoir une petite idée du
mélange de compression et d'explosion
qui faisait fonctionner l'imaginaire érotique de Joyce, il faut lire ses lettres de
1909 (il a vingt-sept ans), ses lettres à
Nora Barnacle, devenue Nora Barnacle
Joyce, qu'il lui écrit d'Italie, quand la
séparation d'avec sa «petite pensionnaire
chérie», sa «douce petite pute», son
«petit gibier de foutoir» fait monter la
température de sa chaudière mentale [1].
Par exemple le 2 décembre 1909 quand
après s'être félicité (« *Tu vois que je suis
encore un peu poète*»), de ce que Nora ait
aimé le « *beau nom* » qu'il lui a donné :
« *Ma belle fleur sauvage des haies, Ma fleur
bleu nuit inondée de pluie*», il précise qu'«*à
côté et à l'intérieur de cet amour spirituel que
j'ai pour toi, existe un désir sauvage, bestial,
de chaque pouce de ton corps, de tes parties
secrètes et honteuses, de chacune de ses odeurs
et de ses actions*». Ce qu'il va démontrer
ensuite dans presque toutes ses lettres
d'Italie, rappelant à sa femme les
moments fiévreux où il la jette sur le
ventre et la baise par-derrière, «*comme un
porc besognant une truie*», et, écrit-il, se
«*faisant gloire de la sueur empuantie qui
monte de ton cul, de la honte étalée que proclament ta robe troussée et tes culottes blanches*

de petite fille, et de la confusion que disent assez tes joues brûlantes et tes cheveux en bataille». Il éclate «en sanglots de pitié et d'amour pour une parole à peine», il «tremble d'amour» pour Nora d'être couché tête-bêche avec elle, sa tête à lui coincée entre «ses grosses cuisses», elle le suçant, leurs mains s'activant de toutes les façons possibles.

Plutôt que de les paraphraser maladroitement, il vaudrait bien mieux citer encore des passages textuels de ces lettres magnifiques. Malheureusement, les problèmes de Joyce avec la censure anglaise n'ont pas l'air d'être terminés. Si on nous autorise (merci, merci!) à laisser dans notre anthologie le passage d'Ulysse qui y figure depuis 1979, on nous interdit par contre[2], «sous quelque forme que ce soit» (et sous quelle forme, grands dieux, peut-on faire une citation, sinon en reproduisant purement et simplement un texte?), de donner ici les longs extraits de lettres que nous avions déjà fait composer, n'imaginant pas une seconde que l'autorisation de les reproduire pût nous en être refusée, tant elles sont indispensables à la connaissance de l'auteur d'Ulysse, et puisqu'elles circulent déjà intégralement en librairie. Ce n'est donc pas des termes exacts de Joyce que vous apprendrez qu'il aimait voir Nora accomplir en sa présence «l'acte corporel le plus honteux et le plus dégoûtant», autrement dit faire ses besoins naturels devant lui, couché au-dessous d'elle. Et il vous faudra acheter le volume de la Pléiade pour savoir comment il s'inquiétait, ne doutant pas qu'il avait été le premier homme à baiser Nora «complètement», de connaître si un garçon l'avait jamais branlée, et si elle-même, dans le noir, avait «jamais, jamais?» déboutonné un pantalon pour que ses doigts s'y glissent «comme des souris». Non que cela pût le dégoûter de sa fleur bleu nuit inondée de pluie, car même si «la moitié des rustauds rouquins du comté de Galway» l'eussent baisée avant lui, il se précipiterait encore vers elle, «plein de désir». Il veut savoir s'il l'a choquée avec les «saletés» qu'il lui a écrites. Elle pense peut-être que son amour est «chose immonde»? Il l'est, avoue-t-il, à certains moments. Quand certains bruits viennent de derrière elle, quand une mauvaise odeur «monte en volutes» de ses fesses, quand il aperçoit de petites taches marron «sur le fond de sa culotte blanche». Mais tout cela, que les lecteurs d'Ulysse ont bien le droit de savoir, ils ne peuvent l'apprendre que d'une seule manière : encore une fois, en achetant (ce que nous leur recommandons fort) le tome I des Œuvres de Joyce dans la Pléiade[3].

2. On ne serait que « Estate of James Joyce », organisme détenant les droits de Joyce. Les textes reproduits ici étant, comme indiqué à la table, sous ce copyright.

3. Qui malheureusement ne donne pas les lettres de Nora.

ARRIVEZ GERTIE ! cria Cissy. C'est le feu d'artifice de la kermesse. Mais Gertie resta de marbre. Elle n'entendait pas être tenue en laisse. Si ça leur plaisait de galoper comme des dératées, elle, elle voulait rester assise, aussi elle leur cria qu'elle voyait de là où elle était. Les yeux qui étaient rivés sur elle accéléraient les battements de son cœur. Un instant elle le regarda, rencontra son regard, et la lumière se fit en elle. Toute la frénésie de la passion se lisait sur ce visage, une passion muette comme la tombe et qui la faisait sienne. Enfin ils étaient seuls, débarrassés de celles qui les guettaient et faisaient des remarques, et elle comprit qu'elle pouvait se fier à lui jusqu'à la mort, car c'était un homme fort, un homme loyal, gentilhomme jusqu'au bout des ongles. Ses mains et son visage trahissaient son agitation et elle, elle frémit toute. Elle se pencha en arrière davantage pour voir où éclatait le feu d'artifice et elle prit son genou dans ses mains pour ne pas tomber en arrière pendant qu'elle regardait et il n'y avait personne que lui et elle quand elle révéla ainsi toute la longueur gracieusement modelée de belles jambes comme ça, douce sveltesse, délicates rondeurs, et il lui semblait entendre les coups désordonnés de ce cœur mâle, son souffle rauque, car elle savait des choses sur les passions de cette sorte d'hommes à tempérament excessif, car Bertha Supple lui avait raconté une fois sous le sceau du secret en lui faisant jurer de ne jamais… que le monsieur du Bureau de Décentralisation des Régions Congestionnées qui logeait chez eux comme pensionnaire et qui découpait dans les journaux des portraits de danseuses en tutu et la jambe en l'air il avait l'habitude de faire quelque chose de pas bien joli qu'on peut deviner quelquefois dans son lit. Mais ceci était absolument différent d'une chose pareille, parce que ce n'était pas du tout la même chose puisqu'elle pouvait presque sentir qu'il attirait son visage vers le sien et le premier et chaud contact de ses belles lèvres. Et puis on peut avoir l'absolution du moment qu'on ne fait pas l'autre chose avant d'être marié et il devrait y avoir des femmes confesseurs qui comprendraient sans qu'on dise et Cissy Caffrey elle aussi quelquefois avait cette espèce d'expression vague dans les yeux car elle aussi, ma chère, et Winny Rippingham si toquée des photos d'acteurs, et après tout c'était à cause de cette chose encore qui allait venir, comme d'habitude. Et Jacky Caffrey criait de regarder, qu'en voilà une autre, et elle se pencha en arrière et les jarretières étaient bleues, assorties aux rubans des trous-trous pour faire valoir la transparence des et tous voyaient et criaient regardez, regardez par là, et elle se pencha encore plus en arrière pour voir les fusées et quelque chose de bizarre voletait de-ci, de-là, quelque être mou et sombre. Et elle vit une longue chandelle romaine qui montait au-dessus des arbres là-haut, là-haut, et, dans le silence oppressé, ils retenaient tous leur respiration pendant que ça montait toujours toujours plus haut et elle était obligée de se coucher presque sur le dos pour la suivre si haut si haut presque hors de vue et son visage se couvrait d'une séduisante d'une divine rougeur à cause de l'effort et lui pouvait voir de nouvelles choses, les culottes de batiste, le tissu qui caresse le plus la peau comme c'est mieux que ces pantalons jupons avec ces rubans verts à quatre shillings onze, et il les voyait bien parce qu'elles étaient blanches et elle restait comme ça et elle voyait qu'il voyait et alors ça monta si haut et puis plus rien et elle tremblait de tous ses membres d'être tellement renversée en arrière qu'il découvrait tout bien au-dessus du genou là où jamais personne pas même à la balançoire ou quand on va patauger et elle n'avait pas honte et il n'avait pas honte non plus de regarder de cette façon inconvenante-là parce qu'il ne pouvait pas résister au spectacle de cette merveilleuse révélation à demi offerte comme ces danseuses en tutu qui sont si inconvenantes devant les messieurs qui les regardent, et il regardait, regardait toujours. Elle aurait voulu pouvoir pousser vers lui un gémissement étouffé, lui ouvrir ses bras neigeux et graciles, sentir ses lèvres se poser sur son front blanc, pousser le cri d'amour de la jeune fille, un petit cri étranglé et comme arraché d'elle, ce cri qui a retenti au long des siècles. Et alors une fusée s'élança sifflant et sillonnant le ciel, invisible encore et Oh! elle éclata la chandelle romaine comme si elle soupirait Oh! et tout le monde cria Oh! Oh! en extase et il s'en échappa en torrent une pluie de cheveux d'or qui filaient et ruisselaient et ah! c'étaient toutes des gouttes d'étoiles vertes tombant avec des dorées, Oh! que c'est joli! Oh! c'est si doux, si beau, si doux!

Puis tout fondit comme rosée dans la nuit grise, tout fut silence. Ah! Vivement redressée elle le regardait, un petit regard de protestation pathétique, de timide reproche qui le fit rougir comme une jeune fille. Il était adossé au rocher. Léopold Bloom (car c'était lui) restait muet, la tête basse devant les jeunes yeux de l'innocence. Quelle brute il a été! Cette fois encore. Une âme charmante et candide l'a appelé, et lui misérable, qu'a-t-il répondu? Il s'est conduit comme un parfait goujat. Lui entre tous! Mais il y avait un infini trésor de miséricorde dans ces yeux-là, et pour lui une absolution tacite toute prête malgré qu'il se soit tellement égaré, qu'il ait péché, qu'il ait erré. Une jeune fille doit-elle avouer? Non, mille fois non. Ceci était leur secret, à eux deux, seuls dans le soir complice et personne ne savait et ne dirait rien excepté la petite chauve-souris qui voletait si doucement çà et là dans l'obscurité et les petites chauves-souris sont discrètes.

Cissy Caffrey sifflait à la manière des joueurs sur le terrain de football pour montrer ses petits talents, et elle se mit à crier :

– Gertie! Gertie! Nous partons. Venez. Nous pourrons voir de là-haut.

Gertie eut une idée, une petite ruse d'amoureuse. Elle glissa deux doigts dans la pochette de sa blouse, en tira le bout d'ouate et l'agita comme réponse bien entendu sans lui laisser et le remit en place. Je me demande s'il est trop loin pour. Elle se leva. Était-ce un adieu? Non. Il fallait qu'elle partît mais ils se retrouveraient, ici même, et elle ne cesserait d'y rêver jusque-là jusqu'à demain, à son beau rêve d'hier soir. Elle se leva en se dressant de toute sa taille. Leurs âmes se mêlèrent en un dernier et long regard et les yeux qui avaient trouvé le chemin de son cœur, ces yeux traversés d'une lueur étrange, s'attardaient enivrés sur la fleur délicate de son visage. Elle ébaucha pour lui un pâle sourire, un sourire ineffable qui pardonnait, un sourire proche des larmes, et ce fut la séparation.

Lentement sans regarder en arrière elle allait sur la grève bossuée vers Cissy, vers Edy, vers Jacky et Tommy Caffrey, vers le petit bébé Boardman. Il faisait plus noir et la grève était pleine de galets, de bouts de bois et de goémon glissant. Elle marchait avec une certaine dignité tranquille qui lui était propre et aussi avec des précautions et très doucement, parce que, parce que Gertie MacDowell était...

Souliers trop étroits? Non. Elle est boiteuse! Oh!

M. Bloom la regardait s'éloigner en boitillant. Pauvre fille! Voilà pourquoi elle est restée là pour compte pendant que les autres piquaient un galop. Je pensais bien d'après sa touche qu'il y avait quelque chose d'anormal. Beauté méconnue. Une infirmité c'est dix fois pire chez une femme. Mais ça les rend prévenantes. Content de n'avoir pas su ça pendant qu'elle se montrait. Tout de même quelle petite enragée. Après tout pourquoi pas? Ce serait de l'inédit comme avec une religieuse, une négresse ou une jeune fille à lunettes. L'autre qui louche à l'air fragile. Peut-être à la veille de ses époques? ça les rend chatouilleuses. J'ai un si affreux mal de tête aujourd'hui. Où ai-je mis la lettre? Oui, tout va bien. Toutes sortes d'envies saugrenues. Il y en a qui lèchent des sous. La jeune fille dont la sœur me parlait au couvent Tranquilla qui aimait renifler de l'huile de naphte. La virginité finit par leur faire perdre la boule, je pense. Sœur? Combien de femmes à Dublin qui les ont aujourd'hui? Martha, elle. C'est dans l'air. C'est la lune. Mais pourquoi est-ce que toutes les femmes n'ont pas leurs affaires en même temps, c'est-à-dire avec la même lune? Ça dépend de la date de leur naissance probablement. Ou bien toutes prennent le départ en même temps et puis ne vont plus du même pas. Quelquefois Molly et Milly en même temps. En tout cas j'ai bien profité de l'occasion. Rudement content de n'avoir pas fait ça au bain ce matin en relisant sa bébête je vous punirai de lettre. Ça me venge un peu de ce conducteur de tram de ce matin. Cette patate de M'Coy qui m'arrête pour me dire des imbécillités. Et sa femme tournée en province valise voix comme une vrille. Remercions aussi pour les petites grâces. Et ça ne coûte pas cher. La peine de le demander. Parce qu'elles-mêmes éprouvent le désir. Besoin naturel. Des flopées tous les soirs qui se déversent dans la rue à la fermeture des bureaux. Jouer l'indifférence. Tournez-leur le dos elles courent après vous. On les prend comme des mouches. Dommage qu'elles ne se voient pas. Un rêve de bas bien remplis. Où ai-je vu ça? Ah, oui. Des vues de mutoscope dans Capel Street pour les messieurs seulement. Tom le voyeur. Le chapeau de Willy et ce que les femmes en ont fait. Prennent-ils des instantanés de ces filles ou n'est-ce que du truquage? C'est la lingerie qui les allume. Sous le déshabillé cherchaient des rondeurs. Ça les excite aussi quand elles sont. Viens je suis toute propre souille-moi. Et elles aiment s'habiller l'une l'autre pour le sacrifice. Milly enchantée par la blouse neuve de Molly. Au premier abord. Mettent tout ça sur leur dos pour avoir le plaisir de l'ôter. Molly. C'est pour ça que je lui ai acheté les jarretières violettes. Nous c'est la même chose, la cravate qu'il avait ses chaussettes épatantes et son pantalon à bord relevé. Il portait des guêtres la première fois que nous nous sommes vus. Son élégant plastron qui miroitait et par-dessous son quoi? de jais. On dit qu'une femme perd un charme de plus à chaque épingle qu'elle retire. Tiennent par des épingles. C'est Maria qu'a perdu l'épingle de sa. Tirée à quatre épingles pour quelqu'un. La mode fait partie de leur séduction. Elle change juste au moment où on commence à s'y faire. Excepté en Orient. Marie et Marthe, aujourd'hui comme autrefois. Toute offre sérieuse prise en considération. Elle ne paraissait pas pressée non plus. Quand elles le sont c'est pour aller retrouver quelqu'un. Elles n'oublient jamais un rendez-vous. Sortie probablement pour chercher fortune. Elles croient à la chance parce qu'elle est comme elles. Et les autres qui cherchaient plutôt à lui lancer une pointe. Les bonnes amies de pension, les bras autour du cou ou avec leurs dix doigts entrelacés, s'embrassant et se disant des secrets pour rire dans le jardin du couvent. Les religieuses avec leurs figures au lait de chaux, leurs coiffes fraîches et leurs rosaires, qui marchent de long en large, aigries elles aussi à cause de tout ce qui est défendu. Les barbelés. Surtout ne manquez pas de m'écrire. Et je vous écrirai. Dites que vous ne m'oublierez pas? Molly et Josie Powell. Jusqu'à ce qu'arrive le prince charmant et alors on ne se voit plus que la semaine des quatre jeudis. Petit tableau de genre! Oh, devinez qui c'est, je vous le donne en cent! Mais comment allez-vous? Mais qu'étiez-vous donc devenue? Se baisent si heureuse de vous se baisent, de vous revoir. Chacune épluchant l'autre avec méthode. Mais vous êtes superbe. Des amies de cœur qui se montrent les dents dans un sourire. Combien vous en reste-t-il? Ne lèveraient pas un doigt l'une pour l'autre.

Ah!

Ce sont des démons au moment où ça va venir. Ont un air sombre et méchant. Molly me disait souvent sentir un poids de mille kilos. Gratte-moi la plante des pieds. Oh, comme ça! Oh, c'est exquis! Moi aussi je trouve ça bon. Pas désagréable de se reposer une fois par hasard. Je me demande si c'est mauvais à ce moment-là d'aller avec. Sécurité à un certain point de vue. Ça fait tourner le lait, claquer les cordes de violons. J'ai lu quelque chose sur des fleurs qu'elles font faner dans un jardin. On dit aussi que si la fleur qu'elle a sur elle se fane c'est une coquette. Elles le sont toutes. Peut-être a-t-elle senti que je. Quand vous êtes dans cette disposition-là souvent vous rencontrez juste. Je lui plaisais ou quoi? Elles regardent comment on est habillé. Savent toujours quand un homme est amoureux : cols et manchettes. Bon, les coqs et les lions font les beaux eux aussi et les cerfs. Pourraient quelquefois préférer une cravate défaite ou est-ce que je sais? Les pantalons? Et si quand je me ils avaient été. Non. Il ne faut pas forcer la note. Elles n'aiment pas la brusquerie. S'embrasser dans la nuit tous les chats sont gris. Quelque chose en moi l'attirait. Me demande quoi. Elle me préfère tel quel plutôt qu'un rimailleur avec son cataplasme de cheveux pommadés et son accroche-cœur au-dessus de sa châsse droite. Pour aider gentleman dans travaux litt. Il faudrait m'appliquer un peu à mon extérieur à l'âge que j'ai. Me suis arrangé pour qu'elle ne me voie pas de profil. Après tout, on ne sait jamais. Des jolies filles mariées à des hommes très laids. – La belle et la bête. D'ailleurs ce n'est pas mon cas puisque Molly. Elle a ôté son chapeau pour montrer ses cheveux. Large bord acheté exprès pour abriter le visage, rencontre de quelqu'un qui pourrait la reconnaître, pourrait baisser la tête ou se munir d'un bouquet pour cacher son nez dedans. Les cheveux sentent fort pendant le rut. J'ai eu dix shillings pour les démêlures de Molly quand nous étions si fauchés à Holles Street. Et pourquoi pas? Mettons qu'il lui ait donné de l'argent. Pourquoi pas? Tout ça c'est du préjugé. Elle vaut bien dix, quinze shillings, même une livre. Ah oui! Allez-y voir. Tout cela pour rien. Écriture décidée. Mme Marion. Ai-je oublié d'écrire l'adresse sur cette lettre comme pour la carte postale à Flynn? Un jour je suis bien allé chez Drimmie sans cravate. Une scène avec Molly qui m'avait mis sens dessus dessous. Non, je me souviens. Richie Goulding. Encore un qui. Ça lui est resté sur le cœur. Cocasse que ma montre se soit arrêtée à quatre heures et demie. Une poussière. On les nettoie avec de l'huile de foie de requin. Si je pouvais le faire moi-même. Économie. Etait-ce juste au moment où lui et elle?

Oh! Il l'a. En elle. Elle a. Ça y est.

Ah!

M. Bloom arrangea soigneusement son pan de chemise mouillé.

PAUL ÉLUARD

PAUL EUGÈNE GRINDEL

1895-1952

L'Amour la Poésie

1929

Depuis 1979, donc à plus de cent mille exemplaires à ce jour (octobre 1995), Paul Éluard figurait dans les premières éditions de ce volume, et à chaque réimpression, je me félicitais d'avoir sacrifié mes préventions personnelles à l'équité critique. Individu érotique s'il en fut [1], Éluard avait longtemps intégré l'érotisme à sa poésie de la façon la plus intime qui soit. Sa place était ici. Pourtant j'avais hésité à l'y introduire.

Avec une certaine mauvaise foi, je m'étais longtemps réfugié dans le maquis du mérite littéraire : Éluard, au fond, était-il un si remarquable poète qu'on ne pût s'en passer?

On comprend bien que c'est la personnalité d'Éluard qui me gênait : son effroyable abdication personnelle devant les mots d'ordre du stalinisme dans les années qui précèdent immédiatement la guerre de 1939, et qui ne se rachètera plus jusqu'à la fin, une de celles qui auront fait s'ouvrir devant André Breton «ce *gouffre qui depuis lors a pris des proportions vertigineuses, au fur et à mesure qu'a réussi à se propager l'idée impudente que la vérité doit s'effacer devant l'efficacité, ou que la conscience, pas plus que la personnalité individuelle, n'a droit à aucun égard, ou que la fin justifie les moyens* [2]».

C'est une des grandes illusions, je crois, de la jeunesse, que de ne pas parvenir à imaginer le très grand talent, le génie parfois, cohabitant avec la bassesse d'âme, la lâcheté, la cupidité, les vanités les plus dérisoires, l'arrivisme, l'égoïsme, la sottise

même. Les faits sont là, qu'avec l'âge il faut accepter : Claudel, Vigny n'étaient pas fréquentables – en tout cas pas pour tout le monde –, Malherbe, au moins une fois (dans l'affaire Théophile, voir notre tome I) a fait preuve d'une immonde lâcheté, Éluard aura été parfois un grand poète de l'amour. Ce qu'il a pu devenir ensuite n'y change rien. Malherbe et Aragon figurent aussi dans cette anthologie, Claudel et Vigny y seraient s'ils n'avaient pas refoulé leur libido – pourtant bien forte –, hors de leur œuvre.

Nous présentions donc ici autrefois les poèmes XI, XIII, XVII et XVIII de *L'Amour la poésie*. Par exemple celui-ci (le XIII) :

«*Amoureuse au secret derrière ton sourire*
Toute nue les mots d'amour
Découvrent tes seins et ton cou
Et tes hanches et tes paupières
Découvrent toutes les caresses
Pour que les baisers dans tes yeux
Ne montrent que toi tout entière».

1. Tous ceux qui ont connu Éluard avant la guerre de 39 s'accordent sur son extraordinaire acharnement sexuel. Consulter par exemple *Révolutionnaires sans révolution*, d'André Thirion. Sur sa vie amoureuse intime, le document de référence est surtout pour le moment *Lettres à Gala* (« *Je rentre en toi, je me branle pour toi* »), chez Gallimard, 1984.

2. André Breton, *Entretiens,* « Entretiens avec André Parinaud », Paris, 1952.

Ou bien le XVII, juste deux vers : «*D'une seule caresse/Je te fais briller de tout ton éclat.*»

Ne souhaitant pas nous étendre sur le personnage ni soulever de polémique, nous avions fait précéder les poèmes de cette très courte notice :

«*Pierre Corneille, poète du devoir, Paul Éluard, poète de l'amour, sujets éculés de dissertation pour classes terminales. Ce qui n'empêche pas que l'on pourrait faire un magnifique petit volume de textes choisis d'Éluard sous le titre* Poèmes érotiques, *projet qui n'aurait sans doute pas souri à l'écœurant auteur des* Poèmes politiques.»

Or nous sommes informés brusquement que les ayants-droit d'Éluard ne nous autorisent plus désormais à reproduire les poèmes en question qu'à «*la condition expresse*» si nous avons bien lu, que notre notice soit modifiée; au moins que la formule «*écœurant auteur*» soit supprimée.

Il n'en est malheureusement pas question, et nous devons renoncer à garder au Paul Éluard de 1929 la place qui lui revient dans cette anthologie. Ce n'est pas sans avoir de nouveau mûrement réfléchi sur notre parti pris, et ce qui pouvait le justifier. On nous permettra de ne pas en faire état trop longuement. Ce qu'a pu

3. Prononcée à la salle des Sociétés savantes le 17 janvier 1952 et publiée dans *La Nouvelle Critique* d'avril 1952. On la trouvera avec les *Poèmes politiques* dans les *Œuvres complètes* d'Éluard, collection de la Pléiade, tome II, présentation de Lucien Scheler.

cautionner le stalinisme aveugle est suffisamment connu aujourd'hui. Restons dans la poésie. Puisqu'il était question des *Poèmes politiques,* nous renvoyons aux textes. Par exemple le poème «A la mémoire de Paul Vaillant-Couturier» :

«*J'habite le quartier de la Chapelle Et le journal de ma cellule s'intitule Les Amis de la rue vous parlent*»...

Ou encore le poème, dédié à Jeannette Vermeersch (la compagne de Thorez), «Strasbourg XIᵉ Congrès» :

«*O Congrès mot malin mot innocent mot simple*»...

C'est la poésie selon Éluard, l'Éluard de cinquante ans, ou l'Éluard de bientôt soixante, proche de la fin, qui nous expliquera, dans une conférence sur «La Poésie de circonstance[3]», que

«*il faut considérer comme un véritable poème la simple description de l'effort humain telle que l'a faite Illine, le poète russe des plans quinquennaux, dans son livre* Les Montagnes et les Hommes»,

car c'est «*un bon sujet*». Et il faut exploiter les bons sujets, en 1952, si les poètes français veulent rattraper leur retard «*à la fois sur le passé prestigieux de la poésie de combat*», et surtout sur

«*le merveilleux présent de la poésie objective en URSS*»...

Après tout, ce n'est peut-être pas écœurant. C'est probablement pire.

Du haut de la chair

1929

Joseph Hémard, dessinateur gaillard, est responsable de l'illustration d'une multitude de textes rabelaisiens, à commencer par ceux de Rabelais lui-même. Il a signé les dessins qui ornent les sermons du « *Père Joseph* », et passe couramment pour être l'auteur de ce volume très représentatif de la littérature gauloise de l'entre-deux-guerres, comme ceux de Marcel Arnac (*Le Brelan de joie*, 1924), ou de Charles Clavières, alias Henry Clérisse (*Cucurbitin le miraculeux*, 1938).

L ORSQUE l'un de vous a donné vingt-cinq centimes à un mendiant quelconque, et envoyé son adhésion de membre perpétuel à l'œuvre des Incestes Repentants, il est persuadé d'avoir fait son devoir vis-à-vis de l'humanité, et d'avoir droit au titre d'homme charitable en même temps qu'à la reconnaissance de ses concitoyens. Quelle erreur! Et surtout quelle présomption. S'il en était ainsi, ce serait trop simple; et la charité est une vertu bien autrement compliquée à exercer.

Tout d'abord il faut éviter les classifications tant en matière de don qu'en matière de réception. Pour beaucoup, l'argent est le pivot, sinon le seul moyen de secourir son prochain. Je n'irai pas jusqu'à dire qu'il est nul; non, il a son intérêt; mais il n'est qu'un petit, tout petit élément de charité au milieu de nombreux autres; c'est un élément matériel, comme peut l'être tout cadeau tel qu'un complet de coupe anglaise à un loqueteux, un petit marc à un alcoolique, ou un collier de perles à une courtisane; il représente une valeur, souvent pour celui qui le reçoit, toujours pour celui qui le donne; mais c'est une valeur tangible, représentée par la matière dont il est composé, qui ne peut dépasser un taux fixe, et se trouve par conséquent limitée.

Tout autres sont les dons moraux, les dons spirituels qui n'ont pas de prix et qui sont bien souvent un réconfort autrement solide pour le secouru qu'un pot-au-feu dans la bavette, ou quelque menue monnaie sujette aux fluctuations du change.

Je vous regarde, chers frères et sœurs, ouvrir des yeux semblables à ceux du veau qui regarde passer un vélocipède sur un chemin vicinal; quelques exemples imagés sont nécessaires, je le vois, pour éclairer mes paroles, et vaincre votre stupidité. Oyez donc cette parabole :

Il y avait, à Subure, un jeune maculorellus qui était pauvre d'argent et riche d'idées, ce qui prouve qu'on ne peut tout avoir à la fois.

A côté de chez lui habitait une meretrix qui avait vu le jour trente années environ avant le jeune macularellus, et qui possédait des coffres pleins d'or, ainsi qu'une nature luxuriante. De l'autre côté de la maison du jeune homme logeait un riche vieillard qui avait fait sa fortune comme architriclin, et en face des trois logis demeurait enfin une jeune fille belle comme une fleur, qui vivait chichement de son métier de dictériade lequel ne la nourrissait pas tous les jours.

Or, et si vous n'étiez pas bouchés hermétiquement, vous l'auriez déjà deviné, l'architriclin aimait la dictériade, laquelle adorait le jeune homme, et la meretrix soupirait pour ce dernier qui ne songeait qu'à la jeune fille. Situation inextricable et propre à faire naître des germes de haine dans les cœurs des intéressés si la Charité n'était venue s'immiscer dans cet état de choses pour y apporter le bonheur :

Un jour que la jeune fille, revenant de livrer son travail, rencontrait le jeune homme sur le chemin de Tyr, ce dernier lui dit :

— Ô toi, la plus belle de toutes les belles de Memphis, écoute : je t'aime et tu m'aimes aussi. Pourquoi souffrir séparés quand nous pouvons être heureux réunis ? Fais-moi l'aumône de toi-même pour enrichir mon existence ; de mon côté je te ferai le même don, et, ajouta-t-il à mi-voix, tu ne le regretteras pas.

— Tu me fais de la peine, ô Jouvenceau, lui répondit-elle. Je ne suis pas la celle que tu crois ; tu m'offres le concubinage, alors que j'ai juré à Mylitta de n'appartenir qu'à mon époux !

— Comment peux-tu croire, jeune fille, qu'une pensée aussi basse ait pu éclore en mon âme ? C'est devant le pornoboscéron que je te demande de te donner à moi, et non en catimini.

— J'accepterais bien, Jouvenceau ; mais tu es plutôt dans l'indigence, et je suis, moi, semblable aux épis de froment que le moissonneur vient de couper au pied ; que penses-tu qu'il puisse résulter de bon de l'union de nos deux misères ? Ignores-tu l'apologue des âmes devant le râtelier vide ?

— Que n'as-tu confiance en mon génie, belle des belles ? Notre union serait notre force au contraire. Crois en moi et dis-moi oui.

Elle lui dit : oui, et ils se marièrent. Et le soir des noces ils avaient pour tout bien deux oboles et demi, et un bon de pain périmé.

Mais le jeune macularellus, je l'ai dit, était ingénieux. Dès le lendemain, il dit à sa femme :

— Ma gosse, écoute-moi. L'Architriclin, tu le sais, se meurt d'amour pour toi. Est-il charitable de le laisser se morfondre ? Sois généreuse, belle des belles, et va lui dispenser l'illusion de l'amour. S'il n'est le dernier des mufles, il saura reconnaître tes services, et ainsi tu auras embelli de joie ses vieux ans.

Attendrie devant tant de bonté charitable, la jeune femme obéit à son mari ; et de son côté, le mari s'en fut trouver la meretrix et lui dit :

– Ô meretrix à la riche nature et au cœur soupirant, écoute : je connais ton mal et je viens le guérir. Le devoir nous ordonne de faire le bien, et je veux que ton cœur soit réjoui ; me voici, je suis prêt à répandre sur toi les surabondances de charité dont la nature m'a doué. Laisse-moi t'enlever ces voiles et ébattons-nous.

Or, tandis que les jeunes époux faisaient le bien à leurs semblables, ces derniers réfléchirent, et l'esprit de charité les emplit à leur tour. Ils songèrent que ce jeune ménage était pauvre et par reconnaissance pour ces êtres d'élite, ils leur dispensèrent à leur tour beaucoup de mines d'or et de talents.

Ainsi, vous le voyez, chers frères et sœurs, le bien trouve toujours sa récompense. Faites donc le bien et soyez charitables. Si vous êtes embarrassés pendant les premiers temps, venez chez moi ; je dirige un ouvroir où des dames patronnesses rompues à l'exercice des bonnes œuvres se feront un devoir et un plaisir de rendre service à ceux de nos frères dont le cœur est en peine ; pour celles de nos sœurs qui sont dans le même cas, je leur ferai la charité moi-même ; une seule petite condition : il sera demandé à chaque consultant, dès l'entrée, une somme d'argent minime, bien léger sacrifice destiné à apprendre au visiteur à mépriser les biens de ce monde, en même temps qu'à contribuer à l'entretien du personnel.

1929

1 9 2 9

Voici un des plus curieux érotiques jamais publiés. « *Plaquette de 20 x 30 ne comportant pour titre général que la date inscrite en gros chiffres sur sa couverture* » disent *Les Livres de l'Enfer.* « *Publiée en 1929 à Bruxelles, probablement aux frais des dirigeants de la revue belge* Variétés, *qui venait de consacrer un de ses numéros au surréalisme...* »

Ce livre introuvable vaut paraît-il assez cher, tant mieux. C'est alors un des rares volumes précieux qui auront échappé, tout à fait par hasard, aux ventes successives de mes bibliothèques. Il s'agit d'un ouvrage assez étrange, composé de quatre photographies résolument obscènes signées Man Ray, et de poèmes répartis çà et là dans les pages, entremêlés d'une énumération des mois de l'année, des mentions *Premier semestre* et *Deuxième semestre,* et des noms Aragon et Benjamin Péret,

sans que l'on puisse dire qui est ou se déclare responsable de quoi.

Nous citons quelques-uns de ces poèmes dans le doute. Dieu reconnaîtra les siens.

N.B. 1929 sera réimprimé en janvier 1993 très officiellement par les Éditions Allia, avec pour tout commentaire une petite citation de la notice de P. Pia dans *Les Livres de l'Enfer.* Mais on sait aujourd'hui que les poèmes du premier semestre sont de Benjamin Péret et ceux du deuxième d'Aragon, car Aragon lui-même a publié en 1974 dans le tome IV de son *Œuvre poétique* les poèmes du deuxième semestre.

L'allégation reproduite sur le rabat de couverture de l'édition Allia, selon laquelle «les exemplaires furent saisis à la frontière et ne parvinrent jamais en France », est exagérée. Le volume est rare, mais il a un peu circulé tout de même.

Ah les petites filles qui relèvent leurs robes
et se branlent dans les buissons
ou dans les musées
derrière les Apollons en plâtre
pendant que leur mère compare la queue de la statue
à celle de son mari
et soupire
Ah si mon mari lui ressemblait
Un jour la mère viendra seule dans le musée
mais sa fille s'enfuira de l'autre côté
la queue à la main

et la mère désolée
volera une poignée de porte
en cristal

C'est un beau clitoris
C'est une énorme pine
qui excite le clitoris
et le fait jouir

Amour amour amour à mon con
Amour amour amour à ma pine
Bénis ô rouge pine
ce jeu de tes deux couilles
Nous voulons dieu c'est notre pine
Nous voulons dieu c'est notre con

Il m'encule le chéri
Branlez ses couilles et pelotez ses fesses
Il m'encule le chéri
Je jouis de tous les côtés

Depuis plus de quatre mille ans
mes fesses l'attendaient
Depuis plus de quatre mille ans
Je ne cessais de me branler

Ah qu'il est long et frétillant
Ah que ses couilles sont pesantes
Ah qu'il est long et frétillant
et que rouge est son gland

Il me décharge sur la gueule
Son foutre m'emplit les narines
Il me décharge sur la gueule
Ah je vais lui manger la pine

Voici ma pine et mon foutre
c'est l'élan de mon cœur
mais montre-moi ton con
auprès de la fenêtre

Le voici le con si doux
le vrai pain des couilles
dont les poils nous chatouillent
jusque dans la bouche

Je suis fouteur voilà ma gloire
Mon espérance est dans ma main
Je suis le plus grand fouteur de l'Histoire
Je décharge sur ton chien

Accroche un lampion à ta bite et va
mais bande
Que la Tour Eiffel étonnée se cache dans le cul du Trocadéro
que la Seine excitée
envahisse la rue Trousse-Nonnains
que les poteaux télégraphiques
déchargent leurs dépêches dans la bouche d'un égout
que la toile de Jouy gise épuisée
sur les matelas éventrés
Et ne t'arrête pas ainsi Bande nom de dieu
Que la boulangère remplace le boulanger par son pain
et que ce pain viole toutes les vierges de la ville
Bande encore Défonce les tabernacles
Fous la guillotine
afin qu'elle décapite le bourreau
Bande toujours toujours plus
que ta queue gronde comme un torrent
et perce dieu par tous les pores
Alors tu iras sur les boulevards
précédé par la renommée de ton vit
et toutes rouges elles te jetteront des confetti blancs le leur

L'a prise dans ses mains
        La belle
L'a prise dans ses mains
        La bite

L'a mise entre ses seins
La belle
L'a mise entre ses seins
La bite

Quand elle fut bien rouge
La bite
L'a plongée en sa bouche
La belle

L'a plongée en sa bouche
La bite
Et bouge bouge bouge
La belle

La belle et la bite
Habile habile habile
La bête, la grosse fête
La bite et la belle
Dit Bite ah bite habite
Moi vite

L'a montrée au bouton
La bite
L'a frottée au bouton
La belle

Elle entre dans le con
La bite
La belle la belle la belle
Bite

IL ENTRE ELLE JOUIT
ELLE JOUIT C'EST UN PLAISIR
IL ENTRE ELLE JOUIT
ELLE JOUIT TANT QU'IL
JOUIT

La pine et le con dans un lit
La pine et le con dans la rue
La pine et le con dans un tramway
La pine et le con sur les Grands Boulevards
La pine et le con dans la campagne
La pine et le con perdus dans les forêts
La pine et le con dans un autre lit
La pine et le con séparés par la foule
La pine et le con réunis par la foule
La pine et le con très riches en taxi
La pine et le con le long d'une rivière
La pine et le con dans un confessionnal de l'église
                     [Saint Augustin
La pine et le con sous les yeux d'un pensionnat de
                     [jeunes filles
La pine et le con aux prises avec les démons
La pine et le con n'importe où mais ensemble

Une motte sur un mur
Qui pinochait du pain dur
Motte motte jolie motte
Qu'est-ce que vous lui ferez
A la motte motte
Qu'est-ce que vous lui ferez
A la motte dans les prés
Les couples s'enfilent
On lui donnera à boire
Le lait de notre pine
On lui donnera-z-à boire
Si qu'elle mange notre pine
On lui donnera à boire
Si qu'elle mange notre pine
On lui donnera à boire
A la motte
Les couples jouissent
Essuyez votre queue à l'herbe
Ou si l'on préfère
Essuyez sa queue aux maisons

Essuyez vos queues o Maisons
Ils se lavent comme ils peuvent
Bécoti bécota
Et la motte s'envola

Nous avons fait l'amour
Nous avons fait l'amour
Ah le foutre tout le foutre
Nous avons fait partout l'amour.

Sur une chaise l'amour
Des deux fous le moins fou tremble
Ah le foutre gare le foutre
Gare la chaise elle se casse
Sur les planches du plancher
L'amour près du feu l'amour
Dans le feu le feu prend au foutre
Le foutre a brûlé

Amamamamour
Le pianogé le pianogé
Mit Maman Mimi Mais j'ai
Nous avons fait l'amour
Dans les cris de l'ivoire
Sur ses pieds de cristal
Ah foutre encore le foutre
Le foutre a chanté

Dans la nuit l'amour
Au soleil l'Amour
L'amour l'amour sous la pluie
Au grand vent l'amour
L'amour l'amour dans la grêle
L'amour l'amour dans la neige
Ah tes yeux aveuglés de foutre
Le foutre est tombé

Tout petit devant toi
Le foutre ou les larmes
Devant toi Tout Petit
Le foutre a des charmes
Que les larmes n'ont pas

JULES ROMAINS

1 8 8 5 - 1 9 7 2

Le Dieu des corps

1 9 2 8

Quand le navire ...

1 9 2 9

Il existe un poème de Péladan, mauvais poème d'un médiocre poète, dans le *Livre Secret*, je crois, où Péladan imagine qu'à force d'y rêver la présence de la femme aimée finit par se matérialiser à ses côtés. C'est le sujet des deux romans de Jules Romains, derniers volumes d'une trilogie dont la totalité ne semble pas avoir été prévue lorsque Jules Romains publia *Lucienne* en 1922. *Lucienne* n'est que le récit de la rencontre dans une petite ville de province de la jeune femme qui porte ce prénom et de Pierre Febvre, « *physicien manqué* », devenu commissaire de bord «*sur un grand paquebot qui fait la Méditerranée-New York*». *Le Dieu des corps* relate le mariage et les modalités d'une union charnelle proche de la perfection. Dans *Quand le navire...* Lucienne et Pierre,

séparés dans l'espace, vivent néanmoins à bord du paquebot de Pierre une impossible mais réelle réunion physique que l'esprit scientifique de Pierre tente ensuite d'analyser, sinon d'expliquer. Ils ne parleront jamais de ces «*circonstances*», dit Pierre, « *si peu remarquables du dehors, où le monde fut pour moi remis en question* ». Pour Lucienne aussi, le monde à ce moment-là a été remis en question. Alors? « *L'amour se dit qu'il étouffe dans les limites de la vie. L'amour se heurte en criant à l'étroitesse du monde. Tout à coup il prend un élan désespéré. Mais quand enfin tout est par terre et qu'il peut passer, il a peur.* »

Il y a par moments dans ces deux livres un souffle inspiré assez rare chez Jules Romains.

Le dieu des corps

NOUS EMPLOYÂMES la matinée du lendemain à nous promener. Lucienne semblait heureuse. Mais elle parlait peu et regardait toutes choses distraitement.

Dans nos projets antérieurs, il avait été question de quitter Rouen dès le soir même, si nous nous étions fait une idée suffisante de la ville. Comme il fallait en prévenir l'hôtel, je demandai vers midi à Lucienne ce qu'elle décidait.

Ses yeux se posèrent sur les miens. Une trace du feu rose de la veille revint sur son visage. Elle semblait réfléchir avec un peu d'émotion.

– A quelle heure partirions-nous?

— A cinq heures, je crois.

— Il nous faudrait donc achever de visiter la ville cet après-midi ?

— Oui, et pour la connaître encore assez mal. Ne partons que demain ?

Je sentis qu'elle était soulagée qu'on différât ce départ. Pendant le déjeuner, sans l'interroger directement, je tâchai de m'assurer de son vrai désir.

— Puisque maintenant rien ne nous presse, nous pouvons nous reposer un peu avant de reprendre cette course à travers la ville ?

Tandis qu'elle acquiesçait, son regard semblait me dire : « Pourquoi n'avons-nous pas le courage d'avouer que nous nous moquons de tout, de cette ville, de ses monuments, de la suite du voyage, et que la seule chose qui importe, c'est de nous retrouver le plus tôt possible dans notre nouveau royaume charnel ? Comme si nous avions pensé à autre chose depuis ce matin ! Comme si nous pouvions attendre encore ? »

Sous le prétexte de ce repos, je laissai Lucienne remonter dans la chambre la première. Par une conformité un peu superstitieuse aux rites de la veille, je m'obligeai à patienter un quart d'heure.

Je la trouvai vêtue et parée comme la veille. Elle vint d'un mouvement naturel s'asseoir sur le canapé. Je me mis à ses genoux.

Elle défit le haut de sa robe. Ses seins admirables surgirent de nouveau des étoffes, s'avancèrent vers moi. En deux minutes, à la vitesse d'un raz de marée, mon exaltation était revenue au niveau de la veille. Je recommençai sur la chair de Lucienne tous mes actes d'idolâtrie. J'éprouvais le besoin d'y apporter encore plus de zèle, de leur faire exprimer davantage. Moi qui avais été si souvent un mâle fougueux et pressé, encore plus enclin à jouir de la femme, suivant mon propre élan, qu'à me préoccuper de son capricieux plaisir, je n'avais aucune hâte. J'adorais non seulement la chair de Lucienne mais ses volontés, ses inspirations. Je me laisserais conduire par elle, sur sa chair et sur la mienne, aussi lentement et par autant de détours qu'il lui plairait, jusqu'à l'union de son corps au mien, union qui pour moi aussi devenait en effet si importante, se chargeait par avance de tant d'émotion et d'une telle qualité de jouissance qu'il m'aurait paru déraisonnable d'en abréger les préparations elles-mêmes délicieuses.

Moi l'homme, avec mon expérience, qui, un jour plus tôt, me serais pris pour une moitié de blasé, quand m'étais-je douté que les « choses charnelles » pouvaient se mettre à ce plan, et sans qu'il fût besoin d'aucun artifice, parce qu'une jeune fille, qu'aidaient sa pureté même et une espèce de génie, venait de les regarder en face et d'en mesurer les profondeurs avec attention ? Tout au plus en avais-je eu quelque pressentiment auprès de cette maîtresse dont j'ai parlé. Sa croupe et ses seins, chargeant magnifiquement le lit, ou me pressant de leur houle acharnée, m'avaient entraîné déjà plus loin que la volupté, jusqu'aux confins d'une religion de la chair. Mais je m'étais aventuré par là avec une mauvaise conscience. Cette religion, je l'entrevoyais trouble et maudite. Je me sentais glisser dans un monde inférieur au monde connu (infernal au sens premier). L'ivresse que j'y trouvais ne me rassurait pas. J'en attendais toujours ce réveil affreusement lucide que Baudelaire exprime bien.

Au lieu de cette fièvre sexuelle, pleine au fond d'âcreté et ennemie de moi, ce que Lucienne me communiquait, comme si je le buvais à ses seins, c'était un enthousiasme que n'inquiétait aucune restriction de l'esprit, et qui n'aurait pas craint de se comparer aux états de conscience que nous estimons le plus à cause de leur contenu intellectuel, de leur objet, ou de leur origine.

Ainsi, j'avais cru, un petit nombre de fois dans ma vie, éprouver l'impression du sublime. Agenouillé devant Lucienne, si fier de voir vers quel visage montait l'intention adorante des caresses dont je parcourais sa poitrine, c'est plus encore cette impression du sublime que la fureur banale du désir qu'il me semblait retrouver.

Quand à son tour elle m'eut dénudé le buste, qu'elle m'eut frôlé lentement de ses lèvres et flairé, et qu'elle eut fait sa lente aspiration, je craignis un instant qu'elle ne fût prise du même besoin de repos que la veille. Je guettais son visage. Après une sorte de recueillement, il se ranima. Je compris aussi que nous pouvions quitter ce canapé incommode sans rompre le charme. Mi la guidant, mi la portant, je la menai jusqu'au lit.

Elle m'y fit allonger auprès d'elle. Ses deux mains vinrent appuyer doucement sur ma tête. Je sentis qu'elle guidait ma bouche au-dessous de ses seins, qu'elle m'invitait à continuer la découverte de son corps. Tandis qu'une de ses mains restait sur ma nuque, me dirigeant par instants d'une pression imperceptible, son autre main repoussait peu à peu ses vêtements. J'arrivai ainsi à la taille, à la première courbure des hanches, et du ventre. Je me fis un jeu de lui tracer toute une ceinture de caresses, dont les tours se pressaient et s'enchevêtraient. Mes baisers séjournaient sur des régions de chair molles et tendres. Ma bouche, ma langue, qu'elles accueillaient sans résistance, qu'elles engloutissaient presque, semblaient s'y agglutiner. Il me fallait peu d'effort pour imaginer qu'une certaine pénétration de nos corps se faisait déjà, et deux faibles cris qui échappèrent à Lucienne me montrèrent qu'elle le sentait aussi.

Les vêtements glissaient toujours, du même mouvement que mes baisers. Est-ce moi que gagnait un peu de hâte, ou ne faisais-je qu'obéir à Lucienne ? Sa nudité s'étendit plus vite, comme un feu de broussailles où se met le vent. J'arrivais aux abords de sa chair la plus féminine. J'en sentais déjà le parfum rayonner à travers des touffes plus flatteuses qu'une bourre de soie ; ce parfum qui m'est devenu depuis aussi reconnaissable et ami que sa voix même, mais qu'alors je respirais pour la première fois, avec un tremblement.

Lucienne me pressa le visage de la main, comme pour lui demander d'avoir la force de s'écarter. Je cédai. D'une longue caresse qui lui traversa tout le corps, qui passa dans l'intervalle des seins, j'allai retrouver ses lèvres.

Pendant que je prolongeais ce baiser, elle acheva de rejeter ses vêtements. Je quittai ses lèvres pour la contempler nue. Je ne pouvais pas être surpris de l'extrême beauté de son corps. Elle naissait de toutes les notions que j'avais de lui, comme une figure des points qui la déterminent. J'avais de cette parfaite nudité une représentation mentale nécessaire, avant même que mon regard ne l'eût vérifiée.

Pourtant le spectacle en était si exaltant, rassasiait si bien l'esprit de toutes les joies de la preuve, mettait si largement le comble à mon état de vénération, qu'un nouveau et presque furieux zèle de caresse s'emparait de moi. Mais je croyais sentir chez Lucienne le besoin d'une pause. Je me contins, pour ne faire que la regarder, pour ne la caresser que de mes yeux seuls. Caresse qui plus que d'autres, peut-être, lui était difficile à supporter bravement. Son corps paraissait se ramasser, se blottir. Son visage se détournait, cherchait un refuge. Elle serrait les jambes. Elle cachait son ventre de sa main. Mais, loin d'encourager en elle-même ce retour de pudeur, je crois qu'elle s'en blâmait presque comme d'une faiblesse et d'un manque de loyauté envers le royaume charnel.

— Regarde, me dit-elle en contraignant un peu sa voix, regarde bien ta femme… (elle ajouta, en souriant, pour mieux se vaincre) ta femme impudique.

D'un geste, que sa volonté obtenait, elle écarta sa main de son ventre. Ses jambes se desserrèrent un peu, s'entr'ouvrirent presque. Mais l'effort qu'elle faisait sur elle-même lui donna le frisson. Elle se ramassa, de nouveau serra ses jambes. Sa main commença le geste de revenir la cacher. Je mis doucement trois baisers sur les tendres touffes.

Elle frissonna encore.

— Sais-tu, lui dis-je, qu'il n'est pas possible d'être plus belle que toi?

Comme pour me remercier, ou pour échapper à sa gêne, elle m'enlaça le cou, me donna quelques baisers. Mais elle revint à mon torse, en multipliant ses caresses, comme si c'était maintenant à son tour de reconnaître et de vénérer. Elle suivait le même rite que moi, descendant le long de la chair, repoussant les vêtements elle-même, peu à peu.

Au milieu de mon bonheur, j'éprouvais une certaine crainte. Chez cette femme sûrement neuve, la rencontre soudaine du désir de l'homme, dans sa naïve brutalité, n'allait-elle pas produire sinon le sentiment du ridicule – elle était trop exaltée pour songer au ridicule du moins celui d'une laideur violente, bestiale, capable de le réveiller de la merveilleuse ivresse où depuis la veille elle s'enfonçait avec moi? Je me demandai s'il ne serait pas plus sage, et s'il ne paraîtrait pas tout naturel, de céder à un emportement que je n'avais pas besoin de feindre, et d'en venir sans aucun délai à la possession.

Mais cette épreuve, outre ce qu'elle avait de provocant pour ma sensualité, m'intéressait par son risque même. Je me disais aussi que pour un esprit comme le mien, qui restait mathématicien jusque dans ses délires, une pareille dérobade équivaudrait à truquer la discussion d'un problème. Puisque j'avais suivi Lucienne jusque-là, et avec quel enthousiasme, dans sa découverte progressive des « choses charnelles », était-il bien élégant, au sens intellectuel du mot, d'esquiver un moment critique ?

Mais déjà il était trop tard. Lucienne, qui m'avait dénudé et atteint du même mouvement, reculait son visage. J'étais infiniment anxieux. Elle l'avait, il est vrai, reculé sans brusquerie, ne détournant pas ses yeux qui semblaient, au contraire, devenir ardents et graves. Soudain, elle vint jeter sa tête contre la mienne, enfouir son visage dans l'ombre du mien, et me chuchoter à l'oreille, d'un chuchotement qui gardait la chaleur de sa voix :

— Mon mari.

Je pressai ses épaules. Elle ajouta parlant très lentement, avec beaucoup d'inflexions :

— Écoute. Il y a des choses que je n'avais jamais comprises et que je comprends si bien maintenant. Tu sais… J'ai lu (tu penses qu'on peut être très sage et avoir lu cela), j'ai lu que dans certaines sociétés antiques les femmes adoraient le sexe de l'homme, lui rendaient un culte. Et je ne te dis pas que j'étais révoltée. Mais c'était pour moi aussi étrange, aussi loin dans les anciennes folies, que le sacrifice à Moloch de *Salammbô*. Eh bien…

— Eh bien ?

— Eh bien… (elle enfouit encore mieux son visage et frissonna des pieds à la tête) eh bien ! je ne savais pas que ce pouvait être… oui, si beau, avoir cette espèce de beauté impatiente, terrible. Quand tu as regardé mes seins, hier, je reverrai toute ma vie l'élan que tu as eu. C'est quelque chose d'aussi fort pour moi. Je m'en veux de ne pas avoir le courage de te le montrer comme tu l'as fait, mon mari… pas encore le courage. Mais moi aussi j'adore… (le mot se gonflait de tout un feu qui montait en ondulant de sa poitrine)… Je suis envahie d'adoration, comme une femme antique…

Elle haletait. Son cœur luttait avec lui-même. J'achevai de me débarrasser de mes vêtements.

— Un baiser au moins, dit-elle.

Elle alla vite jeter ce baiser peureux, comme au pied d'une idole ; puis se renversa, ouvrit ses jambes, m'attira sur elle.

A peine l'avais-je pénétrée qu'un son ivre sortit de sa gorge, un jaillissement long, égal, qui tenait du cri et du souffle, du roucoulement et du hurlement. Il aurait suffi à m'arracher le spasme, si même l'insurpassable excitation où j'étais m'avait permis de le retarder.

....

Quand le navire...

J'entre dans sa première cabine. Cette fois encore, le double mouvement de la porte se fait sans la plénitude de réalité que je voudrais. A quoi cela tient-il?

Mais, dès que je suis entrée, j'ai l'impression de prendre une présence telle que Pierre va être obligé de me voir.

Et en effet, il me regarde. Je ne puis pas en douter. Il suit mes mouvements.

L'excès de lumière me gêne encore beaucoup. Je refais mon chemin de l'autre fois. Je passe la baie libre. Je m'avance vers le lavabo dont les deux robinets sont admirablement distincts. Je me penche. J'étends les deux mains. Je touche les deux robinets. Je sens très bien le froid du métal, le contours.

A ma droite, je découvre la chambre de Pierre; la couchette. Je me dirige par là. Je tâte la couchette. Je vais m'y asseoir, tournée vers la baie libre. J'attendrai. J'aurai le courage d'attendre. Si Pierre m'a vue, il ne pourra pas s'empêcher de venir. Même s'il est stupéfait jusqu'à l'angoisse. Même s'il se croit halluciné.

Je l'entends se lever. Il passe la baie libre. Il m'aperçoit, s'arrête.

Il m'est impossible de douter. Un visage qui regarde et qui reconnaît le montre de toutes sortes de façons. Ma présence, je la vois reflétée sur lui. Et il ne me regarde pas comme une forme vague. Ses yeux me retrouvent exacte, entière, je le sens bien. Il reconnaît même ma robe. Il fixe un instant mes cheveux, parce que, depuis son départ, j'ai un peu changé ma coiffure.

Il n'a pas peur de moi. (Mon Dieu! C'est vrai qu'il pourrait avoir peur de moi. C'est une horrible idée.) Il a une espèce d'étonnement profond, mais calme et heureux. Comme je lui souris, il répond à mon sourire. Je suis sûre que sa pensée est pleine d'une tendre, d'une immense effusion pour moi. Il me remercie. Il me dit, de son regard : « Oui, tu es là. Je te vois. Nous sommes ensemble. » Il me dit mon nom. Il me dit : « Lucienne. »

Je n'ose pas bouger. Je n'ose plus rien vouloir. Il me semble que je suis arrivée à l'extrémité, à la dernière extrémité de ce qui m'est permis. Il me semble que si je demandais, que si j'essayais d'obtenir quoi que ce soit de plus, ce serait la mort, le « royaume de la mort ».

J'ai passé la nuit ivre de mon triomphe. Je suis passée par-dessus la nuit, portée par mon triomphe. L'amour a tenu sa promesse. Mon cœur déborde d'hymnes. L'amour ne m'a pas laissée plus longtemps me déchirer les mains au mur de la séparation, aux ronces de la séparation.

J'ai rejoint Pierre. Rejoint. Je n'épuise pas l'immensité de ce mot. Je tiens ce mot comme un de ces très longs verres épanouis en calice plein d'une liqueur que j'aspire sans pouvoir l'achever. Rejoint. Songe, mon cœur, à ce qu'était l'absence, la distance, cette distance qui n'a pas résisté à l'amour; cette distance qui grandissait chaque nuit et que chaque nuit l'amour creusait tellement plus vite qu'elle a fini par s'effondrer.

....

Comme l'amour a suivi des voies étranges! Il a commencé par m'attirer dans la chair. Il m'y a fait entrer comme dans un palais plein d'or, de fêtes et de musique. Il m'y a enfermée. J'ai cru que j'y étais prisonnière. Ivre de fêtes, mais prisonnière. Oui, j'ai découvert un jour que le « royaume » était une prison. Et voilà que c'est aussi l'amour qui me délivre. C'est dans la prison même qu'il fallait trouver le couloir souterrain de l'évasion.

Mais cette pensée est ingrate, impie. Je ne dois pas parler de prison. L'amour ne m'a jamais emprisonnée. Il m'a unie. Mais il a voulu me laisser le temps de découvrir un à un chaque miracle de l'union, d'en fouiller la profondeur et les délices, de m'y rouler de joie, de souhaiter d'y mourir.

Ce triomphe, je le sens comme une délivrance, comme une évasion quand je pense à mon corps à moi. Mais je le sens comme une union quand je pense au bien-aimé.

L'amour, qui avait promis de m'arracher à moi-même pour m'unir à une existence adorable. L'amour, dont j'avais, une nuit, entendu la promesse, en me serrant et en tremblant un peu, pendant que les deux cloches sonnaient l'une contre l'autre; parce que la promesse était aussi une espèce de sentence, et que quelque chose était condamné.

La promesse a été tenue. Accomplie? Épuisée? Est-ce que l'union ne veut pas plus? ne me veut pas plus? Je tremble de nouveau.

Je sens bien que l'union s'est arrêtée, qu'elle se retient encore. Cette nuit, Pierre et moi, nous restions l'un en face de l'autre comme des fiancés. Une pudeur, une défense nous empêchaient de nous jeter l'un sur l'autre. Etions-nous les époux sans aucune pudeur qui se pénètrent et se mêlent? Nous étions de nouveau des fiancés.

Vaincre maintenant cette pudeur, cette défense. Ne pas seulement être présents l'un à l'autre, malgré les corps et l'espace. Ne pas arrêter l'union où elle en est. Nous épouser, mon bien-aimé. Nous pénétrer et nous mêler.

« Ce n'est pas possible », dit soudain une voix modérée de mon esprit. Mais je sais bien que c'est possible. Je sais que tout est possible. J'apprends depuis des semaines, je sais sûrement depuis hier que l'impossible, c'est ce qu'il a été convenu que nous ne devions pas tenter, qui ne devait pas nous tenter. L'impossible, mon âme, c'est que tu as promis de ne pas pouvoir. L'impossible, c'est ton pacte.

Dieu! que ce monde est fragile! Voilà que j'ai presque peur.

Oui, mon âme, j'ai peur de toi. J'ai peur de l'âme. Peur de quelque mouvement que je n'ai pas demandé. Peur, maintenant, de la fragilité de ton pacte.

Pierre, mon cher petit Pierre, mon mari, mon compagnon vivant, mon petit compagnon de cette vie et de ce monde, je te jure que je ne demande rien de plus. Je te jure que je serai sage. Oui, le reste est impossible. C'est juré.

....

Les Mémoires d'un prostitué
par lui-même

1 9 2 9

Les Éditions Prima, autre spécialiste, publiaient de nombreux volumes aux titres alléchants, qui ne tenaient pas toujours leurs promesses. C'est le cas de ces *Mémoires d'un prostitué par lui-même* dont on ne comprend pas très bien ce qui a pu le faire classer à l'Enfer de la B N. Mais nous avons expliqué pourquoi les textes attrape-nigauds avaient leur place dans cette anthologie, et celui-ci présente une particularité qui ne nous a pas paru sans intérêt : une préface de Georges Sim. On sait que Georges Sim était le pseudonyme dont un écrivain débutant signait les nombreux volumes qui lui permirent de se faire la main avant de devenir Georges Simenon.

Les déclarations de Georges Sim n'étonneront que ceux qui ignorent à quel point les méthodes de la librairie ont peu changé depuis cent ans :

« *Des vedettes de music-hall ont écrit leurs mémoires.*

« *Des sociétaires de la Comédie-Française aussi.*

« *Et une danseuse noire.*

« *Et un forçat.*

« *Et d'autres héros.*

« *Et il faut espérer que ce n'est pas fini. Il faut regretter que Landru n'ait pas écrit les siennes. Il faut supplier les assassins, les héros, les financiers, les gens intenses, voleurs, volés, pauvres bougres et milliardaires présents et futurs de nous révéler leur identité.* »

Georges Sim propose de fonder *Le Syndicat des héros de roman*, car « *cette mode*

des mémoires, que des gens prennent pour un snobisme, n'est pas autre chose qu'une mutinerie. La mutinerie des héros de roman ». Pendant des années ces héros de roman n'ont rien dit, alors qu'ils faisaient la fortune de plusieurs générations de romanciers. Ils ont donc décidé « *d'arranger leurs petites affaires eux-mêmes. Et je vous jure que nous aurons :*

« *Les mémoires d'un cocu célèbre,*

« *Les mémoires de la poule du coin de la rue Monge,*

« *Les mémoires de l'exhibitionniste de la place des Vosges,*

« *Les mémoires de... et de...*

« *En attendant celles d'un Président de la République !... *»

Georges Sim « *trouve ça très bien. Le public aussi, qui commençait à en avoir assez de la description d'une fête à bord du yacht du roi du pétrole, péniblement imaginée par un pauvre bougre n'ayant jamais quitté la rue Lepic et dînant chaque soir d'un cervelas* ».

Chemin faisant, Georges Sim donne le détail de son organisation : « *un trio de collaboratrices* » dont le rôle consiste à venir lui raconter des histoires après les avoir vécues. C'est l'une d'elles qui lui dit un jour : « *Je connais un type qui pourrait vous en raconter aussi. C'est un gigolo chic. Il fait des passes à cent louis. Hommes et femmes !* »

«*Amenez-le*», dit Georges Sim.

Pour terminer, le préfacier explique les difficultés que lui donna la révision du texte du « *gigolo chic* » :

« *Ma dactylo est à ma droite. Et il parle bien gentiment, sans rougir, en employant, ma foi, les termes de sa profession, ce qui est assez naturel.*

« *Un marin désignant la chose qui se dresse à l'avant de son bateau ne dit-il pas :*

« *– Une bitte...*

« *Et il ne rougit pas.*

« *Ma dactylo non plus.*

« *Cela ne va pas moins me faire un sacré turbin de remplacer ces bittes et autres objets d'un calibre approchant par des mots congrus dans les pages qui vont suivre.* »

Aux mêmes Éditions Prima, Georges Sim est l'auteur à part entière cette fois d'un livre que je n'ai pas encore pu lire : *Un monsieur libidineux.*

La plus belle poule de Paris

JE CROIS AVOIR OMIS de dire comment je connus la Dame Blonde. Ce n'est pas palpitant, mais cela montre qu'il y a des gens qui sont faits pour se comprendre. Je venais de lui être présenté par une bande de copains et de copines quand nous décidons tout à coup, restés seuls, de déjeuner ensemble.

Nous nous dirigeons donc vers un restaurant. Pendant ce temps, je sens qu'elle m'examine.

Au moment d'entrer elle m'arrête, me glisse un billet de cent francs dans la main et me souffle :

– Tu payeras !

Elle avait compris !

Moi aussi !

Pendant plusieurs mois, il y eut dans nos recettes des hauts et des bas, des jours gros et des jours maigres, d'autant plus pénibles que ces jours-là nous devions nous passer de cocaïne. Je reviendrai là-dessus.

Mais, quand nous eûmes l'idée d'adjoindre un nouveau rayon à notre commerce, les jours maigres disparurent presque entièrement.

Il s'agissait d'un rayon de flagellation.

Mon amie adopta pour ce travail une robe noire très collante qui lui montait jusqu'au menton et dont les manches étaient longues et étroites.

Cela faisait ressortir son casque de cheveux blonds et elle avait vraiment grand air, surtout la cravache à la main.

Nous fîmes comme les autres :

insertions d'annonces dans les journaux hebdomadaires :

« Dame éducation anglaise cherche ami sérieux pour conversation »

ou bien

« Dame autoritaire voudrait trouver ami qui la comprenne »

ou même :

« Dame énergique cherche esclave ».

Il y a cent variantes. Les initiés comprennent. C'est du travail qui rapporte et qui ne comporte pas de morte-saison. Le plus difficile, parfois, c'est de garder son sérieux.

Le plus souvent, quand mon amie recevait une visite, je m'en allais discrètement et à mon retour, un signal m'annonçait si la voie était libre. En l'occurrence, le signal était un bout de ruban rouge attaché au cordon de sonnette.

Mais il m'arrivait, par désœuvrement ou par curiosité, de rester caché dans une penderie d'où je pouvais tout voir par une serrure.

Et c'est ainsi que je puis vous décrire à loisir certain client rond et gros, avec un crâne rasé, un petit nez en boule et des yeux en bille de loto sous d'épaisses lunettes.

Je le vois encore. Il entre, hésitant, un peu inquiet et, selon les rites de la confrérie, il balbutie :

– Bonjour, maîtresse !

Mon amie, droite, sévère, son fouet à la main, réplique sèchement :

– Déshabille-toi !

– Mais, maîtresse…

– Veux-tu te déshabiller ?

Premier coup de fouet.

– Oui, maîtresse… oui.

Déballage. Un ventre énorme et mou.

– Mets-toi à quatre pattes ! vite !

Comme il hésite, second coup de fouet.

– Oh oui, maîtresse !…

Et alors mon amie lui passe un collier de chien, une laisse. Et voilà notre gros homme à lunettes qui, à quatre pattes, commence à tourner en rond autour de la chambre, au bout de la laisse, tandis que parfois le fouet le cingle.

– Maintenant, fais…

Je passe un ordre quelconque. Il ne faut pas perdre de vue que tout cela est réglé d'avance, que les rites varient selon les clients mais que la plupart veulent toujours la même chose.

Celui-ci exécute l'ordre de travers. C'est dans la tradition. Elle le punit. C'est prévu aussi.

– Va dans le coin !

– Oui, maîtresse !…

– Lève les bras !… Répète vingt fois je suis une petite pisseuse !…

Et il le répète ! je le jure ! les bras en l'air, le ventre en avant, le collier au cou, le crâne tondu, la face pourpre, avec des regards effrayés et ravis, il murmure.

– Je suis une petite pisseuse ! je suis une petite pisseuse ! je suis…

Cette fois-là, c'est moi qui fais pipi dans mon caleçon !

Deuxième client. Celui que nous appelions la plus belle poule de Paris.

C'était un bookmaker anglais, vieux, chauve, le teint brique, la face ridée. A peine arrivé, il se retirait dans le cabinet de toilette pour endosser une tenue féminine du dernier siècle : corset, pantalon à dentelles, jupon à fanfreluches, bas de soie et le reste…

Puis il posait sur son crâne une magnifique perruque blonde et ondulée.

La séance commençait.

– Alors tu es une femme ?

– Oui, maîtresse…

– Une vraie femme ?

– Oui, maîtresse ?

– C'est vrai ! Tu ne mens pas ! je vois même que tu prends des pilules Orientales ! Ta poitrine a gagné trois centimètres depuis l'autre semaine…

– Oh oui, maîtresse !

– Sais-tu que tu es maintenant la plus belle poule de Paris ?

Les yeux humides, il répétait d'un voix éperdue de bonheur :

– Oh oui, maîtresse…

Mais il faisait quelque chose de travers.

C'était réglé aussi. Il fallait le punir. C'est pour cela qu'il était là. Mon amie l'attachait sur une chaise, lui passait des menottes. Et il restait ainsi des heures durant, heureux, tremblant, larmoyant. Après quoi il reprenait ses apparences habituelles et s'en allait à petits pas. Dans la rue, il n'était plus qu'un vieux bonhomme sur lequel les gens ne pensaient même pas à se retourner.

Un jour il fut appelé télégraphiquement en Angleterre. Nous n'en entendîmes plus parler pendant plusieurs mois.

Puis nous reçûmes cette lettre que je reproduis textuellement.

« Maîtresse,

« Je ne suis pas encore venu te voir parce que j'ai perdu beaucoup d'argent. Maintenant je suis pauvre mais je crois que je vais pouvoir m'arranger.

« Puisque tu m'as tellement dit que je suis la plus belle poule de Paris, ne penses-tu pas qu'avec mon corset, mes bas de soie, ma perruque et tout je pourrais revenir à Paris et faire la même chose que toi pour gagner de l'argent ? »

RENÉE DUNAN

1892-1936

Une heure de désir

1929

Encore aux Éditions Prima, un petit roman de Renée Dunan, qui publiait la même année un texte clandestin, *Les Caprices du sexe, ou les audaces érotiques de Mademoiselle Louise de B...*, sous le pseudonyme de Louise Dormienne. *Une heure de désir* m'a été signalé plusieurs fois comme ayant été pour des adolescents (et pour d'autres, je suppose) une lecture troublante dans les années 30. Le livre en tout cas avait plus de titres à être classé à l'Enfer de la B. N., comme il l'a été, que les *Mémoires d'un prostitué*, mais il pourrait maintenant en sortir sans inconvénients.

« *J'ai voulu y mettre au net*, dit Renée Dunan dans sa préface, *les ressorts de la sexualité, du désir et de l'intelligence, appliqués aux impulsions sans lesquelles la vie renoncerait à durer.* »

Le roman est divisé en parties s'efforçant de suivre chronologiquement l'engrenage des ressorts en question : *Première partie, quatre heures dix, Deuxième partie, quatre heures quarante...*

Le chapitre que nous citons est le deuxième de la *Troisième partie, Cinq heures deux.*

« *Elle rêve que Jupiter est amoureux d'elle, et qu'il se met à son service sous la forme d'un grand page des mieux bâtis...* »

Lesage, *Le Diable boiteux* XVI : *les Songes*

L*A FORCE* de certaines timidités réside dans leur ténacité et l'espèce de violence avec laquelle, le temps de l'hésitation écoulé, elles se jettent à l'action sans même mesurer leur élan.

N'étant pas ce qu'on nomme pathologiquement un timide, Jacques avait, depuis l'arrivée d'Isabelle, subi l'espèce de crainte un peu épouvantée qu'inspire parfois la jeune fille moderne. Il était de ceux qui n'ont pas accepté encore qu'elle diffère tant des exquises créatures dont débordaient les romans pour familles bourgeoises, dans les temps innocents d'avant-guerre.

D'où sa timidité, née d'une incertitude pénible quant à la façon dont on accueillerait ses « amitiés ».

Mais une fois lancé, il ne voulait plus reculer. Il avait décidé de poser sa bouche sur le sein droit d'Isabelle. La chose se trouva donc accomplie, et d'ailleurs sans difficultés. Il en résulta pourtant deux choses que le jeune homme ne prévoyait aucunement. La première fut le délire sexuel, l'impulsion véhémente, l'élan brutal que cela créait brusquement en lui. Il comprit d'un trait alors comment le satyre qui viole les femmes sur les routes subit vraiment une sorte de fatalité incoercible. A cette seconde, en effet, rien ne paraissait pouvoir le détourner d'étendre le corps d'Isabelle, et de le prendre malgré cris, plaintes et défenses. Le rut était dans son cerveau et sa chair.

Le second événement, plus étonnant encore, consista en ceci qu'au lieu d'une combative lutte de la jeune fille, au lieu du geste peut-être même excessif, par lequel Isabelle aurait pu et dû, selon Jacques, réagir contre son baiser, elle parut succomber net. La jeune fille n'eut en effet, sans un mot, qu'une sorte de soupir. Le sein rigide se déplaça, et une lente ondulation du torse suivit. Jacques, encouragé, leva sa main droite, comme le lion fait, sur une proie abattue par lui, lorsqu'un autre fauve s'approche. Il posa cette main sur la hanche gauche, serra le corps dans une détente mécanique, renonça alors au sein et leva d'un geste prompt sa bouche vers celle d'Isabelle.

Il la vit, deux dixièmes de seconde, toute proche de son regard devenu bigle. Il perçut la courbe indurée du menton et sa délicate volute montant vers le double bigarreau d'une lèvre éclatante de sang. Aussitôt, les deux bouches se scellèrent dans un baiser violent. Et Jacques, le bras gauche libéré, commença alors de palper le corps qu'il croyait désormais à lui, la taille, la cambrure des lombes, la croupe, enfin.

Il avait les yeux si proches des yeux d'Isabelle que le détail couramment invisible de leurs secrets physiques lui fut sensible. Il connut le diaphragme des iris sur la chambre obscure dont le fond est tapissé par l'étrange et mystérieuse rétine. Il se vit lui-même reflété dans cette liquidité violacée, que parsemaient des macules orangeâtres. Pendant ce temps, il écrasait les lèvres d'Isabelle, goûtait prodigieusement le tact de ces muqueuses sanguines, leur saveur légèrement vanillée, et les sentait enfin s'ouvrir, lentement, ainsi qu'un autre organe plus secret. Cette dilatation, instinctive, témoignait d'une ardeur communiquée, d'une sorte de transfusion du désir, et irritait plus encore chez Jacques la volonté mâle de ne point abandonner le corps avant qu'il se fût rendu.

Brusquement, les paupières s'abattirent sur les yeux de la jeune fille, des paupières d'une peau fine comme un pétale de rose. Leur déplissement était délicat et souple. Les cils s'étalèrent, à la place du regard disparu, comme une queue de paon. Et il sentit soudain que l'arc vertébral d'Isabelle s'abandonnait, que le corps féminin devenait une offrande amoureuse, le don à celui qui sut annuler dans ses nerfs les de la défense.

Il se pensa victorieux.

Sa main avait cherché la chair proche. Il la reconnut comme un trésor qu'on a cru perdu. Il promena les extrémités de ses doigts sur cette surface lisse aux courbes savantes. Il tenait les muscles arc-boutés sur la tête du fémur, et qui aident à la station droite. A cette minute, on devinait leur relâchement. Il descendit un peu, fut à la cuisse où les attaches musculaires formaient sous la peau un réseau complexe de ligaments. La pente l'entraîna et il vint jusqu'au genou. Il le tenait maintenant sous sa paume. Il la sentait vibrer à ce contact d'une dominatrice main mâle. Il rétrograda enfin. La peau s'attestait ici plus tendre et plus fine. Elle flottait mieux sur le tissu sous-jacent. C'était l'entrejambe, la route même vers le secret du corps féminin. Cependant, il aspirait avec une volupté puissante la salive qui sourdait de la bouche entrebâillée. Sous le déclenchement du désir qu'il transmettait, toutes les glandes agissaient dans une sorte de violence riche en félicité. Il semblait que le corps d'Isabelle s'abandonnait dans ses organes comme dans ses gestes. Et les parotides emplissaient cette bouche gonflée, la faisaient déborder de leur sécrétion mousseuse. La salure et l'acidité qu'il percevait avaient un goût âcre et délicieux. Isabelle, en cet instant, subissait un délire autre que Jacques. Elle connaissait vraiment la volupté. Dans les ténèbres de son corps, des organes cachés et insoupçonnables semblaient maintenant dilatés et exaspérés. Ils battaient au rythme du sang hâtif qui filait avec un friselis dans les vaisseaux, suivait les ramilles ténues où il charriait ses millions de globules et arrivait au contact de surfaces si énervées que son seul passage y créait une jouissance térébrante et profonde. Et elle sentait battre son cœur dans ses tempes, dans ses vertèbres, où la sensation voisinait la douleur et flottait au seuil de la conscience, dans un vaste organe plus profond, bondé de sang, qui se gonflait à l'étouffer, et dans sa sexualité.

NELLY ET JEAN

Nous deux, simples papiers du tiroir secret

1 9 2 9

Ce petit roman d'initiation amoureuse est un classique. L'édition originale, très bien imprimée, est illustrée de 46 gravures coloriées attribuées à Jean Dulac. Présenté en deux volumes 14 x 22, 5 sous emboî-tage et chemise cartonnée, l'ensemble a un charme 1930 indéniable.

Le texte serait de Marcel Valotaire. Tirage clandestin à 295 exemplaires.

du carnet de Nelly

10 juillet 19…

A TOUT PRENDRE, aujourd'hui, je suis assez mécontente de moi. Je viens pourtant d'accomplir un acte de courage. Je lui ai écrit que *c'était impossible*; je l'ai pensé sincèrement en l'écrivant, mais, maintenant que ma lettre est partie, je voudrais bien courir après. Et cependant, – chose étrange, – c'est exactement ce que je pensais. Est-ce parce qu'il est loin que cela me semble impossible? Oh non! je l'aime davantage que cela. Nous allons souffrir tous les deux, par cette lettre, et il n'y a plus rien à faire; elle est partie. Le croira-t-il? Non, peut-être?… Oh! s'il n'allait pas le croire, quel bonheur! Pourvu qu'il ne se résigne pas à la triste réalité!

Je veux être à lui; je sens malgré moi que cela sera un jour, mais ce jour est peut-être encore lointain.

De plus en plus, depuis que nous avons regardé ensemble cette Léda, je sens quelque chose m'attirer irrésistiblement vers lui.

Est-ce un certain accord entre nos idées, entre nos sentiments? Est-ce davantage?… Mais pourquoi m'a-t-il montré cette statuette? Avait-il une arrière-pensée? – et laquelle? Était-ce pour se rendre compte de ce que je savais, pour me faire parler et lui demander des explications? Je ne sais, mais il est certain que Léda et le cygne m'ont troublée un peu plus qu'ils n'auraient dû; – ils n'ont pas été seuls. Cette main que j'ai sentie se poser si légèrement a fait passer un petit frisson dans tout mon corps… Pourquoi cela? Je n'ai jamais rien éprouvé de semblable. Indice, peut-être, de quelque chose qui reste encore bien mal défini.

Je commence tout juste à y voir un peu plus clair. Je l'aime profondément, je n'en doute plus, et je viens de lui refuser ce qui aiderait à nous aimer davantage peut-être. Bien que je ne sois pas encore persuadée qu'il y ait là quelque chose d'absolument indispensable, je veux bien le croire, puisqu'on le dit. Pour ma part, j'avais toujours cru qu'on pouvait s'aimer sans cela…

Peut-être que non pourtant, car je suis toute triste d'avoir envoyé ma lettre.

Mais j'ai bon espoir, il ne le croira pas, car s'il m'aime, il ne peut pas le croire.

du carnet de Nelly

« Dans la bouche d'une femme, non est le frère aîné de oui. »

Victor Hugo.

de Nelly à Jean

15 juillet 19…

Vous savez pourquoi je vous ai écrit qu'il me semblait impossible de vous appartenir entièrement.

C'est la seule raison.

Et comme nous en souffrons, mon Jean, car nous nous aimons trop, je te promets qu'un jour je serai à toi ; mais je te demanderai de ne plus m'en parler du tout, – jusqu'au jour, prochain j'espère, où n'y tenant plus je te crierai : « Prends-moi ! »

Alors, je t'en prie, n'hésite pas ; et tu comprendras combien je t'aime car je t'aurai donné ce qui a le plus de prix pour moi.

Je voudrais aussi être sûre, avant, que personne ne le saura jamais, et que je n'y risquerai rien. C'est bien pourquoi nous ne devrons pas renouveler trop souvent ce petit exercice.

N.

du carnet de Nelly

20 juillet 19…

Résistance acharnée malgré tout mon désir. Je sens que la prochaine fois je ne pourrai plus lutter.

Commencement d'essai qui éveille en moi une peur que je n'éprouvais presque pas, avant.

Je me demande l'impression que cela peut faire, car, rien qu'en rentrant un peu, tout a l'air de vouloir éclater. Pourtant, ce doit être délicieux de se sentir unis comme il n'est pas possible de l'être mieux.

du carnet de Nelly

23 juillet 19…

Impressions multiples et confuses, bien difficiles à analyser.

Ce moment m'inquiétait, je peux le dire, – m'inquiétait même beaucoup, et pourtant, le fond même de l'opération n'a rien de terrible.

Je suis montée, toute joyeuse ; l'escalier si noir me semblait très clair. Il était déjà là. J'ai voulu bavarder, mais mes idées tourbillonnaient et les mots me venaient mal. Je sentais bien que c'était le *grand jour…*

Il me couvre de ces chauds baisers que j'aime tant, me déshabille un peu pour être plus à l'aise, me fait quelques caresses ; – je lui dis :

« Va vite ! »

J'ai eu seulement l'impression de quelque chose qui cédait sous une légère pression, à peu près comme une bulle de savon quand on la touche.

Ce qui est un peu douloureux peut-être, c'est le passage à faire pour arriver jusque-là ; c'est cela qui me faisait peur, car je me demandais ce que pouvait être le reste ; et je l'imaginais bien pire.

Quand j'ai entendu ces mots que j'attendais depuis longtemps « tu es à moi », j'ai été très heureuse. C'est bien tout le bonheur, de pouvoir se dire qu'on appartient à quelqu'un qu'on aime beaucoup.

Toute la journée a été vraiment très bonne pour moi. Cette petite impression de peur ne m'était, au fond, nullement désagréable. Comment expliquer cela ? Je savais que la chose ne pouvait plus se remettre. J'étais moi-même très pressée. Je ne voulais plus attendre. Et voilà où il devient difficile d'analyser ses sentiments. C'est incroyable, il y a tout juste une semaine, j'écrivais avec une ferme conviction que c'était impossible. Comme les idées changent vite !

Je pense vraiment que, dans toute cette affaire, le rôle d'un homme est de beaucoup le plus ingrat et le plus délicat. C'est pour cette raison, sans doute, qu'on lui permet un certain apprentissage défendu aux jeunes filles…

Non, je ne regrette rien.

Je crois me rappeler que j'ai crié.

C'était, il me semble, à l'instant décisif. Je ne saurais guère déterminer ce que ces cris voulaient dire : mélange de crainte, de désir et de bonheur, bien difficile à démêler… Sensation inouïe, d'être liés aussi intimement qu'il est possible ! Combien je plains les femmes qui ont affaire à des hommes durs ou qu'elles n'aiment pas. Quel cauchemar doit être alors ce moment, si délicieux pour moi !

du carnet de Jean

25 juillet 19…

Deux fois déjà nous nous sommes rencontrés ici et nous avons refait les gestes déjà appris, mais bien mieux à vrai dire. Chaque fois, je me suis ingénié à une caresse nouvelle : il en est une, *très rose*, qu'elle a notée sur son carnet d'une plume spirituelle qui me ravit.

Elle se donne au plaisir avec tant de franchise que j'augure bien de l'épreuve définitive ; je voudrais bien la reculer encore ; mais je sens que ce n'est plus possible. Sans doute, jouit-elle à l'extrême des caresses multiples que je lui prodigue, du doigt et de la langue, et souvent des deux à la fois ; elle se cambre, elle gémit, ses seins se tendent et leur pointe rose s'érige… Sans doute, quand je n'en puis plus de désir, sa petite main douce, se saisissant de Petit-Jean, dur comme fer, parvient-elle à *nous* calmer tous les deux, en lui faisant rendre l'âme un bon coup…

Aujourd'hui, je lis dans ses yeux une résolution bien arrêtée ; c'est le jour. Visiblement, elle a un peu peur, mais elle ne reculera pas. Rôle délicat que le mien ! – être à la fois soumis et autoritaire, caressant et brutal peut-être ; agir avec raffinement et avec violence…

Et ce sont d'abord les jeux de chaque fois, mais comme empreints d'une impatience, presque d'une gravité inaccoutumée. L'heure tourne ; l'horloge lointaine du port nous avertit que nous devons bientôt nous séparer…

L'émotion *me* troublerait presque, mais une douce caresse a vite raidi Petit-Jean qui, maintenant, se tend à souhait pour la tâche à accomplir… Je la renverse sur le bord de la paillasse providentielle, une main passée sous ses reins pour la soulever et la retenir. Tandis que je cherche l'entrée petite, étroite, mais trempée, par le désir, et que j'hésite, parce que ses cuisses ne s'ouvrent pas à souhait, je lis sur son visage l'angoisse de l'instant terrible… Voilà, je suis dans la bonne voie. Petit-Jean est à peine engagé qu'elle supplie déjà : « Non, non ! » Mais, si je lui cède, elle m'en voudra de n'avoir pas su être assez fort pour lui imposer ce que dans son cœur elle désire avec autant de violence que moi. Son visage se crispe… Ma main sous ses reins retient le corps qui se dérobe, l'attire contre moi. Elle crie… Je me penche sur elle et je la calme en lui disant : « Petite chérie, tu es à moi ! » Impossible d'ailleurs de prolonger l'étreinte… D'un coup je me retire et ses doigts qui s'empressent finissent pour moi la caresse. Je n'en puis plus. Mais elle ? Je n'ai pas senti la rupture brusque de la résistance prévue. Serait-ce un demi-succès seulement ?… Une preuve brutale nous renseigne. Sa chemise se tache de sang ; c'est moi qui lui ai fait voir, un peu troublé. Elle m'a sauté au cou, en me disant : « Je t'aime » et sans un mot de plus, elle est restée longtemps blottie contre mon épaule.

du carnet de Nelly

25 juillet 19...

Je désire de plus en plus fort recommencer ce que nous avons fait si brièvement dans notre grenier, – drôle de chambre nuptiale !

J'avais peur, en rentrant ce soir-là, que ma tante ne remarquât quelque chose de changé dans ma démarche ou en moi-même. J'étais en effet fort agitée, sans subir d'ailleurs la moindre fatigue.

Pourtant, Jean m'a dit que l'amour était très fatigant ; je ne m'en suis pas aperçue... Après, j'étais, au contraire, pleine de courage. A quand la prochaine fois ? Peut-être demain !

LOUIS PERCEAU

1882-1942

Bibliographie du roman érotique au XIXe siècle

1930

Il ne s'agit que de textes clandestins, et en fait, le monumental travail de Louis Perceau s'arrête à 1929. Ces deux gros volumes (800 pages en tout) donnent, d'après l'auteur, « *une description complète de tous les romans, nouvelles, et autres ouvrages en prose, publiés en français, de 1800 à nos jours, et de toutes leurs impressions* ». Perceau s'explique longuement dans son *Avertissement* sur la méthode qu'il a suivie, et c'est fort justement qu'il conclut : « *Cette Bibliographie n'est point parfaite. Mais elle est, je le crois, le premier essai sérieux de Bibliographie des ouvrages érotiques.* » Il est certain que toute bibliographie de ce genre devra partir de là où il s'est arrêté. L'ouvrage comprend en outre des tableaux statistiques du plus grand intérêt.

Est-ce une lecture érotique ? Certaine-ment. J'ai connu des érotomanes distin-gués dont c'était une des lectures favorites, et pas seulement pour rêver sur des exem-plaires introuvables. La liste des têtes de chapitres, les notices des catalogues clan-destins, sont souvent autant de petits romans érotiques. La description des *Carbonari de l'amour*, un classique, nous en a paru un bon exemple.

1930 est une année bien choisie pour publier un bilan. Entre le Krach de Wall Street en 1929, l'Exposition coloniale et le premier ministre Laval en 1931, l'évacua-tion de la Ruhr, le massacre de la garnison de Yen Bay, le centenaire de l'Algérie, les troubles en Russie, en Allemagne, en Chine, en Espagne marquent la fin des Années Folles, le passage d'un après-guerre à un avant-guerre.

L ES | CARBONARI | DE L'AMOUR | *Histoire d'un Château Pyrénéen* | par | V. d'Andorre | Première Partie | *La Nounou* | G. Lebaucher, Libraire-Éditeur | Montréal (Canada) [*Bibl. André I...*].

Couverture muette de papier vergé teinté. Dans le titre intérieur, fleuron du Satyre jouant de la flûte, entouré d'une banderole avec l'inscription (presque illi-sible) *Gai et Doux c'est* (Marque de Gay et Doucé). Pour le Tome II : – Deuxième Partie | *L'Épine Blanche*. – Deux vol. de 4 + 236 pp. pour le Tome I et 4 + 258 pp. pour le Tome II. Imprimé sur beau papier vergé à grandes marges. Format : 163 x 168 (pour les plus grandes feuilles). Justification : 115 x 71.

confidences. — *Les désirs de la jeune châtelaine réclament un prompt soulagement. —* *Joséphine à califourchon sur les genoux d'André. — Arrivée de la Marquise en compagnie de Nounou, d'Emma et des deux séminaristes. — Robert apprend les exploits de sa sœur et en rit. — Éveline et Nounou font part aux jeunes gens de la fondation de l'Aubépine. — Joie générale. — Scènes érotiques : Joséphine avec André, Éveline et Robert : accouplement incestueux d'Emma avec André, pendant que Joséphine prépare une dépêche que le joli groom ira remettre, à franc étrier, aux trois coupables.*

Page 95. — CHAPITRE IV. *Joséphine, Nathalie et Gabrielle obtiennent du Marquis la faveur de visiter le Temple de l'Amour. — Admiration des visiteuses et descriptions variées. — Scènes érotiques : Paphos et Lesbos. — Nouvelles recrues au château. — Le triple viol accompli sur Valentine ; Les premières armes d'Olympe dans le château. — La noblesse toulousaine. — Une soirée musicale et ses effets. — La ronde de Nounou.*

Page 134. — CHAPITRE V. *Retour victorieux des deux vicomtes. — Petit lever d'une jolie maman. — Privautés innocentes : curiosités d'enfants. — Origine de Louis. — Tentation. — Éveline survient et paye pour Olympe. — Faire et voir faire. — Paul de Civray exploite, pour la première fois, la maman de son ami. — Nounou en chaleur et Fiorella maquerelle. — Visite d'Eveline aux guitaristes, aux mandolinistes et au dortoir des pucelles. — Chez Nathalie : La confession de Mirafiore. — Comment sœur Thérèse a perdu sa rose. — Aventure de Gabrielle : mariée et pucelle. — Un souvenir de Nathalie et ses conséquences.*

Page 181. — CHAPITRE VI. *Les derniers préparatifs : le Marquis, Éveline, Nathalie et Fiorella. — Les petites servantes du Temple de l'Amour. — Les petites servantes du Temple de l'Amour. — Nathalie et Fiorella chez les garçonnets. — Inspection du Marquis auprès des jeunes femmes. — Nouveaux venus : Paul de Civray raconte la séduction des sœurs Féraud. — Flirterie. — Les jeux innocents : pigeon vole ; la punition de Marthe et du comte d'Ermenonville. — Nouveaux arrivants ; suite des gages : le marquis confesseur et la pénitence de Suzanne. — Cantique d'amour. — Retardataires : le discours de la Marquise. — Les négresses. — Tous à poil. — Valse d'amour. — Nounou en Bacchante. — La première victime : Laure Morin sur l'autel de Vénus. — Sœur Thérèse et Nathalie complices de Léon de Rifray. — Laure polluée. — Une idylle à Sodome. — Léon reçoit de Nounou une fleur de minette et des feuilles de rose. — Cinq pucelages qui s'envolent. — Un inceste.*

Page 235. — CHAPITRE VII. *Joséphine et la jeune Anna au balcon. — Ce qu'elles voient dans la grande salle de la Rotonde. — Un vœu impudique immédiatement exaucé. — Les Éthiopiens de Mistress Mac-Ayrel. — Les cadenas de chasteté : la nuit de Clarisse. — Le mystérieux incognito : Joséphine et Anna traitées en levrettes. — Un exercice préparatoire : toutes ces dames enchevillées. — Entrée des Éthiopiens. — L'orgie. — Les plaisirs fous de Joséphine et d'Anna. — Leur voluptueuse lassitude et leur réveil. —* FIN.

Annoncé en 1900 comme *Nouveauté* à la suite du Tome I de MAÎTRESSE DE SON FILS, avec la notice de 1894.

Prix actuel, sur grand papier : 180 francs.

ANONYME

Jean Cocteau

1889-1963

Le Livre blanc

1930

La paternité du *Livre blanc* était gé-néralement attribuée à Jean Cocteau depuis l'édition originale, publiée officiellement mais à tirage limité, le texte étant « *précédé d'un frontispice et accompagné de 17 dessins de Jean Cocteau* ». Une nouvelle édition publiée après la dernière guerre par Paul Morihien com-portait des dessins de la même facture, mais cette fois non signés. Un texte de présentation inédit disait : « *Nous publions cette œuvre parce que les talents y dépassent de beaucoup l'indécence et qu'il s'en dégage une sorte de morale qui empêche un honnête homme de la ranger au nombre des livres liber-tins. Nous l'avons reçue sans nom ni adresse.* » (?)

Aujourd'hui le livre est officiellement reconnu comme faisant partie des œuvres de Cocteau.

U<small>N DES ÉLÈVES</small>, nommé Dargelos, jouissait d'un grand prestige à cause d'une virilité très au-dessus de son âge. Il s'exhibait avec cynisme et faisait commerce d'un spectacle qu'il donnait même à des élèves d'une autre classe en échange de timbres rares ou de tabac. Les places qui entouraient son pupitre étaient des places de faveur. Je revois sa peau brune. A ses culottes très courtes et à ses chaussettes retombant sur ses chevilles, on le devinait fier de ses jambes. Nous portions tous des culottes courtes, mais à cause de ses jambes d'homme, seul Dargelos avait les jambes *nues*. Sa chemise ouverte dégageait un cou large. Une boucle puissante se tordait sur son front. Sa figure aux lèvres un peu grosses, aux yeux un peu bridés, au nez un peu camus, présentait les moindres caractéristiques du type qui devait me devenir néfaste. Astuce de la fatalité qui se déguise, nous donne l'illusion d'être libres et, en fin de compte, nous fait tom-ber toujours dans le même panneau.

La présence de Dargelos me rendait malade. Je l'évitais. Je le guettais. Je rêvais d'un miracle qui attirerait son attention sur moi, le débarrasserait de sa morgue, lui révélerait le sens de mon attitude qu'il devait prendre pour une pruderie ridicule et qui n'était qu'un désir fou de lui plaire.

Mon sentiment était vague. Je ne parvenais pas à le préciser. Je n'en ressentais que gêne ou délices. La seule chose dont j'étais sûr, c'est qu'il ne ressemblait d'aucune sorte à celui de mes camarades.

Un jour, n'y tenant plus, je m'en ouvris à un élève dont la famille connaissait mon père et que je fréquentais en dehors de Condorcet. « Que tu es bête, me dit-il, c'est simple. Invite Dargelos un dimanche, emmène-le derrière les massifs et le tour sera joué. » Quel tour ? Il n'y avait pas de tour. Je bredouillai qu'il ne s'agissait pas d'un plaisir facile à prendre en classe et j'essayai vainement par le langage de donner une forme à mon rêve. Mon camarade haussa les épaules. « Pourquoi, dit-il, chercher midi à quatorze heures ? Dargelos est plus fort que nous (il employait d'autres termes). Dès qu'on le flatte il marche. S'il te plaît, tu n'as qu'à te l'envoyer. »

La crudité de cette apostrophe me bouleversa. Je me rendis compte qu'il était impossible de me faire comprendre. En admettant, pensais-je, que Dargelos accepte un rendez-vous, que lui dirais-je, que ferais-je ? Mon goût ne serait pas de m'amuser cinq minutes, mais de vivre toujours avec lui. Bref, je l'adorais, et je me résignai à souffrir en silence, car, sans donner à mon mal le nom d'amour, je sentais bien qu'il était le contraire des exercices de la classe et qu'il n'y trouverait aucune réponse.

Cette aventure qui n'avait pas eu de commencement eut une fin.

Poussé par l'élève auquel je m'étais ouvert, je demandai à Dargelos un rendez-vous dans une classe vide après l'étude de cinq heures. Il vint. J'avais compté sur un prodige qui me dicterait ma conduite. En sa présence je perdis la tête. Je ne voyais plus que ses jambes robustes et ses genoux blessés, blasonnés de croûtes et d'encre.

— Que veux-tu ? me demanda-t-il, avec un sourire cruel. Je devinai ce qu'il supposait et que ma requête n'avait pas d'autre signification à ses yeux. J'inventai n'importe quoi.

— Je voulais te dire, bredouillai-je, que le censeur te guette.

C'était un mensonge absurde, car le charme de Dargelos avait ensorcelé nos maîtres.

Les privilèges de la beauté sont immenses. Elle agit même sur ceux qui paraissent s'en soucier le moins.

Dargelos penchait la tête avec une grimace :

— Le censeur ?

— Oui, continuais-je, puisant des forces dans l'épouvante, le censeur. Je l'ai entendu qui disait au proviseur : « Je guette Dargelos. Il exagère. Je l'ai à l'œil ! »

— Ah ! j'exagère, dit-il, eh bien, mon vieux, je la lui montrerai au censeur. Je la lui montrerai au port d'armes ; et quant à toi, si c'est pour me rapporter des conneries pareilles que tu me déranges, je te préviens qu'à la première récidive je te botterai les fesses.

Il disparut.

Pendant une semaine je prétextai des crampes pour ne pas venir en classe et ne pas rencontrer le regard de Dargelos. A mon retour j'appris qu'il était malade et gardait la chambre. Je n'osais prendre de ses nouvelles. On chuchotait. Il était boy-scout. On parlait d'une baignade imprudente dans la Seine glacée, d'une angine de poitrine. Un soir, en classe de géographie, nous apprîmes sa mort. Les larmes m'obligèrent à quitter la classe. La jeunesse n'est pas tendre. Pour beaucoup d'élèves, cette nouvelle, que le professeur nous annonça debout, ne fut que l'autorisation tacite de ne rien faire. Le lendemain, les habitudes se refermèrent sur ce deuil.

Malgré tout, l'érotisme venait de recevoir le coup de grâce. Trop de petits plaisirs furent troublés par le fantôme du bel animal aux délices duquel la mort elle-même n'était pas restée insensible.

En seconde, après les vacances, un changement radical s'était produit chez mes camarades.

Ils muaient; ils fumaient. Ils rasaient une ombre de barbe, ils affectaient de sortir tête nue, portaient des culottes anglaises ou des pantalons longs. L'onanisme cédait la place aux vantardises. Des cartes postales circulaient. Toute cette jeunesse se tournait vers la femme comme les plantes vers le soleil. C'est alors que pour suivre les autres, je commençai de fausser ma nature.

En se ruant vers leur vérité, ils m'entraînaient vers le mensonge. Je mettais ma répulsion sur le compte de mon ignorance. J'admirais leur désinvolture. Je me forçais de suivre leur exemple et de partager leurs enthousiasmes. Il me fallait continuellement vaincre mes hontes. Cette discipline finit par me rendre la tâche assez facile. Tout au plus me répétai-je que la débauche n'était drôle pour personne, mais que les autres y apportaient une meilleure volonté que moi.

Le dimanche, s'il faisait beau, nous partions en bande avec des raquettes, sous prétexte d'un tennis à Auteuil. Les raquettes étaient déposées en cours de route, chez le concierge d'un condisciple dont la famille habitait Marseille, et nous nous hâtions vers les maisons closes de la rue de Provence. Devant la porte de cuir, la timidité de notre âge reprenait ses droits. Nous marchions de long en large, hésitant devant cette porte comme des baigneurs devant l'eau froide. On tirait à pile ou face qui entrerait le premier. Je mourais de peur d'être désigné par le sort. Enfin la victime longeait les murs, s'y enfonçait et nous entraînait à sa suite.

Rien n'intimide plus que les enfants et les filles. Trop de choses nous séparent d'eux et d'elles. On ne sait comment rompre le silence et se mettre à leur niveau. Rue de Provence, le seul terrain d'entente était le lit où je m'étendais auprès de la fille et l'acte que nous accomplissions tous les deux sans y prendre le moindre plaisir.

Ces visites nous enhardissant, nous abordâmes les femmes de promenoir et fîmes ainsi la connaissance d'une petite personne surnommée Alice de Pibrac. Elle demeurait rue La Bruyère dans un modeste appartement qui sentait le café. Si je ne me trompe, Alice de Pibrac nous recevait mais ne nous accordait que de l'admirer en peignoir sordide et ses pauvres cheveux sur le dos. Un tel régime énervait mes camarades et me plaisait beaucoup. A la longue, ils se lassèrent d'attendre et suivirent une nouvelle piste. Il s'agissait de réunir nos bourses, de louer l'avant-scène de l'Eldorado en matinée le dimanche, de jeter des bouquets de violettes aux chanteuses et d'aller les attendre à la porte des coulisses par un froid mortel.

Si je raconte ces aventures insignifiantes, c'est afin de montrer quelle fatigue et quel vide nous laissait notre sortie du dimanche, et ma surprise d'entendre mes camarades en ressasser les détails toute la semaine.

La Bourgeoise pervertie

André Ibels était le frère du dessinateur Ibels. Il collabora d'ailleurs lui aussi à *L'Assiette au beurre*. Il avait publié quatre romans, des poèmes, des pièces de théâtre et divers autres textes, quand il entreprit de faire publier *La Bourgeoise pervertie*, « *roman psychophysiologique* » placé sous l'invocation de Restif de La Bretonne avec l'épigraphe : « *Je n'ai voulu écrire que la vérité ; j'ai été l'historien de mes personnages.* » Dans une *Préface*, il explique : « *En écrivant* La Bourgeoise pervertie, *j'ai eu le désir d'abord, puis la certitude d'avoir écrit un roman de haute moralité humaine.*

« *Tel n'a pas été l'avis des quelques éditeurs auxquels cet ouvrage fut soumis. Mais les éditeurs, heureusement, ne détiennent pas l'exclusivité de la critique et le droit absolu de la censure. Leur jugement, plus d'une fois, s'est trouvé en défaut. Il m'a donc fallu non seulement me substituer à eux, mais encore, me substituant à eux, faire mieux qu'eux, quitte à gagner plus qu'eux, ce qui est presque une revanche en même temps qu'une protestation.*

« *Je me suis décidé à faire cette édition de haut luxe, à tirage restreint.* »

André Ibels fit en effet imprimer une édition non illustrée de son livre, mais tirée sur divers papiers de luxe à 999 exemplaires, en vente chez l'auteur à Villemomble.

Ibels explique ses intentions dans la suite de sa préface : « La Bourgeoise pervertie *est le roman d'une nymphomane – mais non d'une érotomane...* » Les médecins « *acceptent comme N'importe-Qui la morale chrétienne qui est à la base de la morale dans tous les pays dits civilisés... bien que la morale courante s'éloigne de plus en plus de la morale naturelle... A l'heure présente, la question de l'Amour est pourtant assez grave pour que l'on s'en occupe loyalement... Il y a un fait... il existe un homme pour dix femmes... il y a donc neuf femmes qui seront privées durant leur vie d'amour et de maternité... Mais alors pourquoi ne pas franchement mettre le fer rouge dans la plaie et admettre d'un coup le matriarcat d'abord, la polygamie ensuite... Toutes les vérités sur l'Amour, le grand savant Charles-Henry les a condensées dans une simple petite phrase : "En amour, le seul maître qui commande, c'est l'Instinct..."*

« *Mais hélas, le propre des passions étant de devenir plus violentes, en raison de la résistance, il faut plus plaindre que condamner les exagérés et les exagérées de l'amour ; par exemple les femmes qui sont atteintes – comme Régina Sutter – de nymphomanie !* »

Et André Ibels cite Mirabeau, fustigeant ces femmes qui « *ne gardent plus aucune mesure... déshonorent dans cette affreuse maladie leurs attraits par les plus sales prostitutions...* » puis conclut :

« *Ce n'est pas toujours de gaîté de cœur que le romancier peint les malheurs d'une femme douce et sensible ; mais si du tableau présenté peut résulter, pour celui qui le regarde avec fruit, une leçon de soumission aux ordres de la Nature, qui veut, en amour, beaucoup de liberté mais qui condamne et punit férocement les exagérations ; et si ce tableau peut servir d'avertissement aux libertins et aux libertines qui se laissent aller sans réflexion et avec trop de complaisance sur les routes fatales : le but de* haute morale humaine que s'est assigné l'écrivain est atteint. »

Tout le roman se ressent de cette confusion. Car enfin, si Régina est nymphomane, elle n'a pu être « pervertie » par les expériences de sa jeunesse ; c'est l'un ou l'autre. Finalement, ce personnage plus sympathique que son auteur, et auquel on s'est attaché, Ibels le fait mourir assez sottement : Régina s'empoisonne «*parce qu'elle ne guérira jamais* ». « *Dans la vie de cette "passive", il n'y eut qu'une seule seconde d'énergie, et elle l'employa à mourir* ». Elle aurait mieux fait d'en profiter pour échapper à son romancier.

VIII

« Quelques-uns m'appellent la Débauche ; quelques autres donnent mon nom à la débauche. Ni ceux-ci, ni ceux-là ne savent la noblesse d'Éros Polyphallique. »

L'Amour Plural
Han Ryner.

A la demie de huit heures, le jour battant encore son plein, toute la bande, déjà excitée par de nombreuses libations, toutes plus ou moins alcoolisées, se mit à table. Stéphanie Gonnet aidée de Suzette Tournemire et auxquelles s'était jointe Régina, avaient étalé une collection de hors-d'œuvre des plus variés : thon, sardines aromatisées, harengs marinés, pâtés de foie gras, œufs durs, concombres, tomates à l'huile et au vinaigre, etc.

Les langues s'étaient déliées. On partait joyeusement pour s'amuser toute la nuit. La chaleur était d'autant plus lourde qu'il avait fallu, à cause des voisins, toujours plus ou moins curieux ou policiers, fermer les volets et allumer le lustre.

Jude, tout de suite, proposa de se mettre à l'aise. Les jeunes gens retirèrent leur veste et leur gilet. Les jeunes filles, elles, le cou engoncé dans leur collerette de dentelles, se refusèrent à retirer leur corsage jusqu'au moment où Marguerite Larille déclarant la chaleur vraiment insupportable se dégrafa elle-même et apparut en cache-corset et les bras nus. Une heure après, hormis Muguette Langlois, elles étaient toutes en cache-corset. La timbale milanaise provoqua, à cause de sa grosseur, l'enthousiasme le plus effréné. Jude proposa de manger la croûte du pâté en se la passant. Chacun y devait donner un seul coup de dent. Au milieu des rires, la croûte dorée fut engloutie. Comme Jude s'était imposé le rôle de sommelier, les vins les plus divers circulaient ; la cave de papa Charvais était mise à réelle contribution. Bien avant le dessert, les bouteilles de champagne circulaient, et chaque fois que Jude faisait sauter un bouchon, c'étaient des éclats de rire. Boute-en-train d'autant plus que l'ivresse le gagnait, il ordonna, après un discours grandiloquent au cours duquel il imita Mounet-Sully, que chacun eût à boire une gorgée de champagne à la bouteille même qu'on allait baptiser en chœur. Pour baptiser la bouteille, il monta sur la table, cacha dans la bouteille une petite pincée de sel et marmonna quelques vers de Virgile. Et la bouteille passa successivement de mains en bouches et de bouches en mains. Marguerite Larille riait tellement quand son tour de boire arriva, qu'elle renversa une bonne partie de son contenu sur sa poitrine. D'un bond, elle s'était levée et comme le liquide la glaçait, elle défit prestement son corset. Ses seins jaillirent. Elle se mit à rire de plus belle et comme Jude la félicitait en termes choisis, possédant de tels charmes, de bien vouloir les offrir en coupes à leurs regards éblouis, Stéphanie Gonnet, jalouse du succès, ouvrit à son tour son corsage et exhiba sa marmoréenne poitrine. Ce fut du délire. Rodolphe, gris, voulait absolument chanter *la Marseillaise*. Jude engagea alors toutes ces demoiselles à suivre les bons exemples. Tintin, sur un signe de Michel Charvais, laissa poindre deux petites mandarines, sur lesquelles, après que Jude en eut constaté au toucher la dureté, chacun dut s'extasier sur les « mignons ». Suzanne Tournemire se fit un peu prier. Comme sa chemise montait très haut, il fallut se contenter de voir ses seins à travers le linon. Colette et Régina refusaient en riant de se soumettre.

Mais Jude arriva; il coucha Colette sur son bras, tandis que Tintin la délaçait. Régina, voyant qu'elle n'échapperait pas, retirait elle-même son corset en riant, et laissa Jude prendre ses deux seins entre ses mains avant de les sortir de sa chemise.

Seule, Muguette Langlois protestait avec énergie contre de telles exhibitions, et comme Jude avançait vers elle, elle lui jeta un regard si suppliant que le jeune homme s'arrêta brusquement, pris soudain d'une sorte de respect.

Muguette, d'ailleurs, s'était élancée vers la porte pour fuir. Jude la rattrapa et lui dit tout bas :

— Je suis un idiot. Votre place n'est pas ici; je vais vous faire partir, suivez-moi. Très digne, il passa devant.

— Demain, je vous ferai reporter votre violoncelle, lui dit-il dans le corridor; je vois que vous n'êtes pas... comme les autres... Toutes mes excuses, Mademoiselle Muguette.

Elle osa dire :

— C'est que j'ai peur de m'en aller, de traverser le bois; je pensais qu'on s'en irait tous ensemble après avoir fait de la musique, après avoir dansé, Monsieur Jude...

Jude réfléchit un moment.

— C'est juste, fit-il; venez avec moi et ayez confiance en moi.

Elle le suivit docilement.

Il monta au second étage, ouvrit une chambre.

— Reposez-vous, dit-il et, quoi qu'il arrive, n'ouvrez pas... Voulez-vous que je vous enferme?

— Si vous voulez.

— A présent, je vous donne ma parole d'honneur que personne n'entrera ici... pas même moi; demain matin, de bonne heure, je vous ferai sortir... Je vais leur dire que vous êtes partie...

Simplement, elle répondit :

— Merci, Monsieur Jude; je vous jure que je ne savais pas où j'allais... Non, vraiment, je ne pouvais point me douter... C'est horrible tout ce qui se passe... tout ce qui va se passer... en bas...

— Mais non... répliqua Jude en souriant, mais gêné, rien n'est horrible pour nous... mais tout doit l'être pour vous, je comprends cela.

Il la salua, ferma la porte, mit la clef dans sa poche et s'éloigna, content de lui.

Et, quand cet étrange garçon rentra dans la salle à manger, il annonça gaiement que Mlle Muguette Langlois, ne se sentant pas à la hauteur des événements qui se succédaient depuis l'apéritif, avait préféré regagner ses pénates, et il reprit son cri en rugissant :

— L'orgie continue !

Ce disant, il enleva ses vêtements au milieu des éclats de rire. Lorsqu'il fut en chemise, il se glissa sous la table d'où toutes les femmes vivement retirèrent leurs jambes en poussant des cris. Au bout d'un instant, Jude reparut à l'autre bout, cette fois, nu comme un ver.

On l'acclama. Néanmoins, il attrapa une serviette et se l'attacha aux reins, déclarant qu'il ne l'enlèverait que lorsque tout le monde se serait mis à l'aise, à sa manière qui était la bonne et la seule bonne.

André Leuth, mis au défi par Rodolphe, se déshabilla dans le même temps que Victor Lavel et que Rodolphe lui-même. Seul, Charvais restait en smoking, impeccable, souriant et refusant de « prendre cette nouvelle tenue ».

— Je suis là, moi, pour recevoir, se défendait-il.

Marguerite Larille, en voyant tous ces jeunes hommes nus autour de la table, fut prise soudain d'un fou rire. Jude, sous prétexte de la calmer, l'avait enserrée dans ses bras tandis que, traîtreusement, Régina lui défaisait les boutons de son pantalon. A un moment donné, prestement, Jude enleva la chemise et Marguerite, trop ivre pour être confuse, apparut nue. Stéphanie Gonnet, qui se flattait d'avoir posé pour Jean-Paul Laurens, se dévêtit alors majestueusement, mais avant d'enlever sa chemise, elle tint à cacher son sexe, en déclarant qu'elle enlèverait sa serviette quand tous et toutes seraient comme elle.

— Pour cette parole sage et juste, cria Jude, je propose un ban d'honneur pour la déesse Stéphanie.

Ce fut un charivari épouvantable de bouteilles, de verres, d'assiettes et d'argenterie.

— Un vin d'honneur à toutes les demi-déesses qui sont ici, déclara soudain et dignement Charvais en se levant.

Les verres s'élevèrent. Jude alors, les reins libérés, bondit sur la table et déclama les premiers vers de l'*Après-Midi d'un Faune* de Stéphane Mallarmé.

Mais personne ne l'écoutait. Colette et Régina, saoules de rire et de champagne, se dévêtaient mutuellement.

Et quand tous les convives, nus, furent assis, Michel Charvais se leva, de plus en plus digne, et laissa tomber la phrase qui venait de rendre célèbre à jamais Charles Dupuy :

— La séance continue…

— Nue, ajouta Jude.

Et la séance, en effet, continua.

Soudain, Jude s'était dressé. A travers les fumées de l'ivresse et aussi celles, plus denses, du tabac, au bout de ce grand corps maigre et nu, on avait vu un bras qui n'en finissait plus se dresser vers le lustre. Et la lumière s'était brusquement éteinte. Des voix, avec ce léger ton de fausset que sont les jeunes voix, hurlèrent frénétiquement :

— Bravo, Jude, bravo !

Dans l'obscurité, des rires fusèrent de tous côtés et couvrirent les faibles protestations de quelques voix féminines.

Et, dans cette nuit inattendue, déjà pleine de tumulte, on entendit le bruit de chaises renversées et, tout à coup, de bouteilles et de verres qui tombaient avec fracas sur le parquet. Quelqu'un ou quelqu'une, en s'en allant, et sans le faire exprès probablement, avait tiré un pan de la nappe. Alors on entendit des « Non », des « Je ne veux pas », des « Vous me faites mal ». Un moment même, il y eut un grand silence ; puis, les portes s'ouvrirent, des pas martelèrent les couloirs et les escaliers. On montait dans les chambres. Clameurs et baisers se perdaient à présent dans la nuit, mêlés à des bruits comme des claques données sur des chairs nues ; et, de nouveau, dans des murmures étouffés, des portes tapèrent.

Jude avait empoigné Stéphanie Gonnet par la taille et l'avait emportée à la manière des faunes dont il continuait, dans son idée fixe provoquée par l'ivresse, à vouloir jouer le rôle. Connaissant les aîtres de la maison, il savait dans quelle chambre il la déposerait. Au second étage, il pénétra donc dans une pièce toute bleue et jeta Stéphanie Gonnet sur un lit…

Régina et Colette, elles, avaient d'abord été entraînées, puis poussées dans l'escalier par des bras qui leur semblaient innombrables et des mains multiples aux gestes indiscrètement tâtonneurs. Puis, elles avaient été presque culbutées sur un lit où déjà gisait un couple dans lequel, vaguement, elles crurent reconnaître Marguerite Larille et Ludovic Blanc. C'était en effet la chercheuse de fruits verts qui initiait le jeune Ludovic. Soudainement dégrisée par son désir réalisé, elle délaissait son amant un instant, se glissait dans le groupe où elle agrippait Rodolphe Legendre qu'elle soupçonnait aussi d'être vierge. Elle avait fini par avoir un flair extraordinaire pour découvrir les néophytes. A deux ou trois gestes qu'il osa, elle comprit qu'elle ne s'était pas trompée ; aussi le couchat-elle à côté des autres qui déjà forniquaient avec Régina et Colette, sous les yeux ahuris de Paul Margotil.

... Cependant dégrisé par le spasme, Jude, inquiet, s'était mis à la recherche de Régina et de Colette. Il marchait doucement sur le palier. Il entra dans plusieurs chambres vides. Enfin, dans l'une, sur un lit, il sentit un amas de corps. Alors il se glissa, chercha un sexe, trouva drôle de prendre une femme sans savoir d'abord qui elle était. Il se figura posséder Marguerite Larille. Celle-ci – car c'était elle – se laissa faire, pensant sans doute qu'un de ces « petits », à son tour, prenait sa revanche…

Subitement non loin de lui, un soupir qu'il connaissait bien lui révéla la présence de Régina. Colette ne devait certainement pas être loin. Il palpa et, à certains signes, les identifia. D'abord, il se sentit pâlir. Jusqu'alors, il avait été sûr de leur fidélité. Les savoir à d'autres lui causa une petite sensation désagréable, douloureuse presque, mais vite chassée par le besoin d'une vengeance immédiate. Il attira Régina à lui et se mit en devoir de la réexciter. Il connaissait les moyens et surtout la passivité de celle-ci. Soudain, il l'abandonna et revint à Marguerite, laissant Régina se morfondre. Marguerite Larille s'aperçut alors de sa méprise et voulut se refuser, mais Jude, solidement, la tenait et comme il était déjà expert aux choses de l'amour, elle se soumit encore. Enfin, Jude s'endormit, indifférent et calme, au milieu de toutes ces nudités à moitié mortes d'ivresse et d'amour et que le sommeil avait aussi gagné.

Quand Jude se réveilla, une lueur blafarde apparaissait à la fenêtre. Il regarda le tableau. Régina et Colette nues côte à côte, en travers du lit, reposaient bien près d'André Leuth et des frères Margotil ; et, un peu plus loin, gisait Marguerite Larille… Les deux premiers amoureux de cette dernière avaient glissé du lit, et, en chien de fusil, ronflaient sur le tapis.

En regardant Colette et Régina, il eut un étrange sourire, puis, comme il sentit un petit froid lui tomber sur les épaules, il alla dans une chambre voisine, prit des couvertures qu'il jeta sur tous ces corps (car Jude n'était pas un mauvais garçon). Il erra dans d'autres chambres, retrouva Stéphanie Gonnet dans la même pose extatique dans laquelle il l'avait laissée. Il avait hâte, maintenant, de retrouver ses vêtements. Comme il allait franchir le vestibule du bas, l'idée lui vint d'ouvrir le grand salon. Il y trouva, dormant à poings fermés, sur le tapis, et se tournant le dos, Suzette Tournemire et Chander. L'idée de prendre Suzette lui passa subitement par la tête ; il s'agenouilla et Suzette le reçut, persuadée qu'elle se donnait à Chander. Puis, par la suite, prendre toutes ces femmes sans se donner à elles complètement lui procura un plaisir ineffable... Aux côtés de Régina et de Colette, il avait pris l'habitude de se retenir. Ne lui arrivait-il pas souvent de les faire se pâmer chacune, deux ou trois fois dans la nuit ou dans le jour, sans se donner, lui, une seule fois ? Il s'était d'ailleurs pleinement satisfait avec Stéphanie Gonnet ; les autres, c'était « de la rigolade ».

Il songea tout à coup à Tintin.

– Il n'y a plus que celle-là qui manque à ma collection, murmura-t-il.

En errant, il se trouva dans une petite pièce. C'était l'endroit où Mᵐᵉ Charvais aimait à coudre.

Une paire de ciseaux gisait encore sur la table. Son miroitement attira l'attention de Jude, tandis qu'une idée diabolique lui passait soudainement par la tête. Il la repoussa. Ne venait-il pas de penser à tondre le pubis à toutes ces femmes auxquelles il venait de donner de la jouissance ! Il haussa les épaules... Cependant, délicatement, il se pencha sur Suzette Tournemire et lui prit ce qu'il dénommait le « petit trophée ».

Dans la salle à manger et le petit salon, le petit jour entrait. Il eut la vision d'un champ de bataille. Les bouteilles renversées et les verres couchés accrochaient les lumières irisées qui tombaient, en tapinois, des rainures de volet. Seul, Charvais, l'amphitryon, toujours en smoking, comme un commandant de vaisseau qui doit partir le dernier et sur la dernière embarcation, avait voulu rester à son poste. Assis à la table, il dormait, la tête dans les bras. Tintin, dans un coin, gisait toute nue, adossée à la muraille, la tête penchée sur un Pierre Margotil ronflant. Sa tête penchée sur un Pierre Margotil ronflant. Sa tête reposait sur le ventre de la fillette. Il trouva la pose inesthétique, souleva la tête de Pierre Margotil, tira Tintin, la prit dans ses bras et la porta dans le petit salon attenant à la salle à manger. Tintin ne s'était pas même réveillée. Alors, il la caressa et se coucha près d'elle... Un peu plus tard, il ramassait la paire de ciseaux, se penchait aussi sur Tintin, satisfaite, puis gravement, dans cette pièce, sa lucidité complètement revenue, il se mettait à la recherche de ses effets. Non sans peine, il les retrouva tous sur une chaise, bien rangés, car Jude dans les pires désordres, qualité de sa race, conservait toujours un certain ordre. Lorsqu'il fut prêt, dans un seau à champagne, il se lava un peu ; puis, imperturbablement, son chapeau sur la tête, il remonta dans les chambres, toujours armé de sa paire de ciseaux.

« C'est la vengeance de Samson », se disait-il, en souriant diaboliquement.

Il prit son portefeuille, y rangea soigneusement les dépouilles amoureuses, plia un papier, marqua des initiales et remonta au premier, vraiment frais et dispos.

Jude n'avait pas plutôt refermé la porte, que Régina s'était réveillée.

Lorsqu'elle se retrouva dans cette chambre rouge – maintenant éclairée par les rais d'un soleil ardent qui l'allumait et lui donnait un aspect vraiment infernal – étendue près de Colette, sur cette couche saccagée et où dormait un jeune homme : André Leuth, et une autre femme dont elle n'apercevait point le visage, elle chercha à rassembler ses souvenirs. Subitement dégrisée, elle descendit doucement du lit, regarda Rodolphe Legendre et Ludovic Blanc et se posa mentalement la question.

– A qui ai-je appartenu ?

Elle se souvenait bien que des bras l'avaient enserrée, qu'elle avait eu quantité de spasmes violents et comme elle n'en avait jamais eu ; mais là s'arrêtaient ses souvenirs.

L'idée qu'elle avait peut-être été la proie de ces trois hommes la remplit un instant d'épouvante, de confusion, mais aussi d'un sentiment extraordinairement pervers qu'elle ne s'expliquait pas.

MAX DES VIGNONS

Fredi en ménage

1 9 3 0

L'évolution des mœurs conduit maintenant P. Brenet, comme d'autres éditeurs, à compléter ses collections par des romans homosexuels. La Librairie Artistique publie donc la série illustrée des *Fredi*, romans du travestisme, avec un certain succès.

STANIE fut émerveillé lorsqu'il vint pour la première fois chez Fredi et qu'il vit René en femme de ménage. Il en conçut pour l'éphèbe un surcroît d'affection.

Introduit cérémonieusement au cabinet de travail, il trouva Fredi en kimono japonais et chaussé de souliers de satin à talons Louis XV.

C'était le dernier costume d'intérieur du jeune homme. Il éprouvait une volupté réelle à se promener en ces chaussures anormales qui l'obligeaient à creuser la taille et à jeter la croupe en arrière.

Quand il marchait, cela lui donnait un balancement des hanches qui, non plus, ne manquait de charmes.

A l'entrée du Sud-Américain, il se leva avec beaucoup de grâces, la main tendue, si bien que le pauvre Stanie ne sut plus à qui allaient ses préférences : à la patronne ou à la soubrette.

Minaudant, Fredi le pria de s'installer auprès de lui sur le canapé.

Entre-temps Xavier survint, mais René l'arrêta dans le vestibule et lorsque le brave homme sut qu'il y avait une visite il s'esquiva discrètement.

Auprès de l'éphèbe, Stanie frissonnait d'un impatient espoir. Cette espérance se transforma en vertige quand René parut portant un plateau chargé de verres.

Pour l'occasion celui-ci avait aussi chaussé des souliers à hauts talons et une souple jupe à petits plis balançait sur ses jambes. Avec une blouse en crêpe de Chine et un tablier à bavette, il était complètement métamorphosé, d'autant plus qu'il avait eu la précaution de friser sa chevelure abondante, se faisant deux jolies chouchettes de chaque côté du front.

Tous trois ressentaient en cette ambiance trouble un plaisir morbide et pourtant pénétrant.

Fredi ordonna à sa soubrette de demeurer et respectueusement René s'assit sur un coin de chaise.

Ses yeux étincelaient en fixant son ami qui continuait à minauder, exaspérant le visiteur qui se contenait avec peine.

On but une gorgée de porto, puis soudain, sans avertissement préalable, Stanie saisit Fredi à la taille et l'attira contre lui.

Sous ses doigts nerveux, il sentait la chair du buste qui s'enfonçait, se fondait.

René demeura imperturbable, mais il savait que Stanie, ayant vingt-sept ans, ne craignait pas deux adversaires.

Avec des mots très doux, Fredi s'abandonnait, défaillant absolument.

Une émotion le pénétrait, il se réjouissait d'être préféré à son ami, pourtant plus jeune.

Il entraîna Stanie et René courut derrière eux, pour préparer tout le nécessaire. En même temps que soubrette, il fut valet de chambre auprès de l'Américain.

Puis il resta là, ému, attendant les événements et nul ne songea à le renvoyer, au contraire.

Il eut son tour assurément et sans doute, afin de lui prêter secours, Fredi ne le quitta pas.

L'après-midi s'écoula ainsi et ce fut Xavier, vers six heures du soir, qui les tira de leur douce béatitude.

René, malgré la légèreté de son costume, se précipita pour lui ouvrir et l'introduisit au cabinet de travail.

Fredi et Stanie vinrent bientôt le rejoindre, le premier étant en kimono, les pieds nus en ses souliers de satin.

Ils prirent l'apéritif, calmement, éprouvant tous comme un alanguissement bienheureux.

René avait tamisé les lumières et dans la pièce régnait une pénombre reposante.

Stanie maintenant craignait de s'éloigner de ce home hospitalier ; il restait là, enfoncé dans un fauteuil, arrêtant son regard chargé de reconnaissance, tantôt sur Fredi, tantôt sur René.

Xavier entretenait la conversation à lui seul, nul ne lui répondait, mais il ne s'en inquiétait guère, certain qu'on l'écoutait.

Stanie proposa que l'on terminât la journée à Montmartre ; Fredi refusa en s'étirant à l'instar d'un jeune chat.

L'on était si bien en cette tiédeur du logis que la peur du froid le retenait.

Stanie se décida à demeurer et glissa sournoisement à René deux billets bleus pour commander le dîner à un traiteur voisin.

L'éphèbe se hâta, puis revint pour disposer la table dans le cabinet de travail. Il avait repris son costume de soubrette et Stanie portait un pyjama de Fredi par-dessus son gilet de flanelle.

La gaieté ne venait pas cependant; il y avait en eux une insatisfaction imprécise faite d'apaisement et de calme et cela leur était voluptueux.

Le dîner dura longtemps, on bavardait doucement, sans fièvre, jouissant de la tranquillité de l'heure.

René courait à la cuisine chercher les plats et servait chacun avec dextérité.

Au dessert, Stanie qui, fort riche, cultivait une neurasthénie congénitale, murmura, avec conviction :

Comme vous êtes heureux.

Personne ne lui répondit : René songeait à ses espoirs insatisfaits, à ses difficultés pécuniaires, Xavier à ses cheveux gris.

Pour prendre le café, ils s'allongèrent tout uniment sur le tapis. Ils n'étaient point couronnés de roses, mais en cela seulement ils différaient des anciens aux soirs de banquets.

Cet abandon de toute contrainte leur était agréable, stimulant leurs désirs continuellement émoussés.

Nulle gêne ne pouvait les entraver, ils se connaissaient maintenant, et ne craignaient point d'avouer les particularités de leurs tendances.

D'ailleurs, ils se ressemblaient tous les quatre, ils avaient des goûts identiques, des penchants qui se complétaient et une égale langueur.

Cependant, Stanie, en sa qualité d'homme, restait le roi de la fête; c'était à celui qui le comblerait, cherchant à ranimer sa vigueur endormie.

Xavier lui-même rajeunissait à la clarté douce des ampoules que voilaient des écrans de crêpe de Chine.

Après le café, ils burent des liqueurs, en commençant par du cognac. Ils se grisaient, sans tapage, sans brutalité, câlinement, comme des enfants sages.

Et l'ivresse montante faisait tomber un à un les derniers embarras.

A minuit, il fallut rhabiller Stanie qui voulait absolument rentrer chez lui. On dut même le soutenir jusqu'au trottoir où un taxi vint le cueillir. Cependant Xavier, le moins ivre de tous, se chargea de l'accompagner.

Fredi et René remontèrent, toute leur joie était tombée, ils étaient veules, tristes, sans courage. Ils abandonnèrent les débris du festin et s'en furent se coucher, s'endormant aussitôt.

Mais le lendemain, ils furent réveillés de bonne heure. René semblait avoir tout oublié et vêtu d'un peignoir se mit courageusement à la besogne quotidienne.

Fredi se leva aussi, mais accoutumé à réfléchir, il gardait, en son cœur, un souvenir amer.

Il se voyait crouler dans la débauche, tomber au même état de dégradation que tous ces viveurs qu'il méprisait jadis.

Son besoin de moralité, sa pudibonderie naturelle se réveillaient soudain, lui apportant des regrets insupportables.

Il se ravalait au même degré que les prostituées qui fréquentaient les bars américains ou les dancings.

Il se reprochait surtout de n'avoir point d'amour pour Stanie qui, lui-même, n'éprouvait à son égard, aucun sentiment tendre.

Avec René comme avec Raoul il avait été entraîné par une affection réelle. Cela lui semblait normal, parce que aucune individualité humaine ne peut vivre sans tendresse.

Mais ce stupre imbécile lui causait une véritable répugnance et il se maudissait d'être descendu jusque-là.

Assis à l'orientale sur le canapé, il rappela ses souvenirs, analysa toutes les phases de l'entraînement qui l'avait conduit à la déchéance et il conclut qu'il lui faudrait un rude sursaut d'énergie pour échapper, à l'avenir, à la tyrannie de la sensualité.

Encore une fois, il gémit sur cette tare originelle qui faisait, de son sexe, un maître indomptable.

Il aurait voulu se meurtrir pour fuir cette nécessité qui le conduisait parfois au bord d'une sorte de folie passagère.

Songeur, il regardait René qui astiquait les meubles en sifflotant. Il l'enviait pour sa tranquillité d'âme, son absence de remords.

JEAN CLAQUERET

Humiliations chéries

1 9 3 0

Cependant, la collection des « Orties Blanches » poursuit sa triomphante carrière avec de nouveaux auteurs. *Humiliations chéries* comporte des têtes de chapitre dont la simple énumération se suffit presque à elle-même.

CHAPITRE I – Qui sert de prologue. Considérations générales de Césarine sur « La Fessée ». CHAPITRE II – Georgette et Raymond fessés. Césarine apprend le joli jeu de la fessée. CHAPITRE III – La scène du balcon. Où Césarine apprend comment on fesse une dame. CHAPITRE IV – Césarine reçoit enfin sa première « bonne fessée ». Julia la fouetteuse. Dans la salle de bains. La fessée aux orties. CHAPITRE V – Au pensionnat. L'encadrement. Margot fessée par Francine. Césarine fessée par Rosette. Rosette fessée par Francine. Césarine fessée par Margot... et ce qui s'ensuivit... CHAPITRE VI – Où Césarine goûte à la fessée de Francine. La correction de Rosa la voleuse. La vengeance de Rosa : Césarine fouettée jusqu'au sang. CHAPITRE VII – Un dimanche chez Julienne. La bonne est corrigée. Francine fessée à son tour. La cousine Gaby fesse Césarine. Julienne sous le fouet du chien. Gaby fouettée. Le lavement de Gaby. La bonne encore corrigée ! CHAPITRE VIII – Employée de banque. Césarine est fessée par son patron. Et dit adieu à son innocence. CHAPITRE IX – Les fessées de Pierrot. Comme on se retrouve ! Césarine prend un lavement. Souvenirs d'enfance. Madame Defresse fesse Césarine. Césarine révèle à sa fouetteuse des choses bien agréables. CHAPITRE X – Colette et le coup de foudre. Maman Defresse corrige Georgette et son mari. Maman Defresse fessée par Césarine, Colette et Fernand. Maman Defresse se venge ! Colette et Césarine fouettées jusqu'au sang. CHAPITRE XI – Bataille de dames. La bonne idée de Pierrot. Chez Mme Blanche. Comment quatre fessées peuvent faire la paix entre deux farouches ennemies. CHAPITRE XII – Suzanne, la belle fesseuse. Chez Mme Le Tellau. Daniel fouetté par sa sœur. Deux longues fessées. CHAPITRE XIII – Le mariage de Césarine. Fessée avant la mairie. Daniel fesse Césarine. Césarine perd une deuxième fleur d'oranger. Voyage de noces. Où l'on retrouve Julia. Souvenirs d'enfance en action. La revanche de Césarine. Le ménage fouetté. CHAPITRE XIV – La vie de famille. Les réceptions « fessantes » de Mme Le Tellau. Les intermèdes de Mme Blanche. L'initiation de Paulette. La polka des bébés !... ÉPILOGUE – La prière aux lectrices.

D. A. F. DE SADE

1740-1814

Lettre à Martin Quiros

1 9 3 0

La porte qu'en 1909 Apollinaire déverrouillait pour Sade ne cesse pas de s'entrouvrir ligne par ligne. « *Le surréalisme proclame la toute-puissance du désir, et la légitimité de sa réalisation*, dit Maurice Nadeau. *Le Marquis de Sade est la figure centrale de son Panthéon*[1]. » « *J'ai choisi en quelque sorte le Marquis de Sade comme centre* », dit Robert Desnos dans la lettre liminaire à son texte sur l'érotisme. *La Révolution surréaliste* a cédé la place au *Surréalisme au service de la Révolution*[2], le *Second Manifeste du Surréalisme* a corrigé le premier, la place de Sade n'a pas diminué, au contraire.

En 1924 a été fondée la Société du Roman Philosophique, dont l'objet principal est de publier Sade[3] ; elle est animée par Maurice Heine. C'est elle qui publie en 1926, sous la firme surprenante « Stendhal et Cie », l'édition originale du *Dialogue entre un prêtre et un moribond*, jusque-là inédit. La même année, Eluard donne à *La Révolution surréaliste* son texte sur *D. A. F. de Sade, écrivain fantastique et révolutionnaire* : « *Pour avoir voulu redonner à l'homme civilisé la force de ses instincts primitifs, pour avoir voulu délivrer l'imagination amoureuse de ses propres objets et pour avoir lutté désespérément pour la justice et l'égalité absolues, le Marquis de Sade a été enfermé presque toute sa vie à la Bastille, à Vincennes et à Charenton...* »
En 1927 Stendhal et Cie, puis Kra, publient les *Historiettes, Contes et Fabliaux*. La Société du Roman Philosophique offre son premier déjeuner « en l'honneur du Marquis de Sade sur l'emplacement de la Bastille ». En 1929 Paul Bourdin publie la *Correspondance inédite du Marquis de Sade, de ses proches et de ses familiers* à la Librairie de France.

En 1930 les Éditions Fourcade publient *Les Infortunes de la vertu*, première version de *Justine* ; importante préface de Maurice Heine. Le Dr Serfati publie à Lyon sa thèse : *Essai médico-psychologique sur le Marquis de Sade*. Otto Flake publie à Berlin son *Marquis de Sade*. En octobre, la *Lettre à Martin Quiros* paraît dans le numéro 2 du *Surréalisme au service de la Révolution*, présentée par Maurice Heine.

Maurice Heine est un personnage attachant, sur lequel Georges Bataille et Gilbert Lely, qui a continué son œuvre sadienne, nous donnent des renseignements précieux[4]. « *Ce bibliophile et cet érudit scrupuleux*... dit Bataille, *prenant la parole au Congrès de Tours (où se consomma, après la guerre de 14, la scission entre communistes et socialistes français), sortit un revolver,*

---

1. *Les Livres de l'Enfer.*

2. Maurice Nadeau, *Histoire du surréalisme*, Paris, 1945 et 1964.

3. C'était, nous apprend Gilbert Lely, une association régie par la loi de 1901, qui se proposait de publier, « sans bénéfice, en ouvrages de grand luxe et hors commerce, réservés exclusivement à ses deux cents sociétaires, des textes rares et inédits du Marquis de Sade ».

4. G. Bataille, *Le Secret de Sade*, revue *Critique*, 1947 ; Gilbert Lely, préface au *Marquis de Sade*, par Maurice Heine, Paris, 1950.

tira au hasard, et fit à sa femme une légère blessure au bras. Heine était cependant un des hommes les plus doux et les mieux élevés que j'ai connus. Cet acharné défenseur de Sade, aussi intraitable que son idole, poussait le pacifisme à ses conséquences dernières. » Gilbert Lely nous apprend que, né en 1884 et mort en 1940, il entra en 1919 au parti socialiste, fut ensuite rédacteur à *L'Humanité*, puis exclu « *pour s'être insurgé contre la suppression de toute liberté de discussion à l'intérieur du parti* ». Il collabora à beaucoup de revues scientifiques et littéraires et travailla au service de fabrication d'Ambroise Vollard. Le plus clair de son temps était consacré à Sade.

Actualité de Sade

O*N VOUDRAIT,* à cette place, donner aussi souvent que possible des textes inédits ou inconnus d'un auteur si proche de nous qu'il faut un réel effort pour imaginer que dix ans seulement nous séparent encore du bicentenaire de sa naissance.

Alternant avec ces révélations ou restitutions, on souhaiterait offrir une revue polémique des influences, sans cesse plus marquées, que Sade imprime à l'esprit contemporain.

De ces éléments de *Cahiers sadistes*, on a dessein de bannir presque toujours les commentaires critiques. Il serait aisé, par exemple, d'en surcharger le document qui va suivre : mais quel lecteur ne regretterait de trouver ainsi affaiblis la poétique valeur de mystère, l'accent inouï de cette lettre sans équivalent ? En décidant une telle abstention, on reprend donc, à sa bassesse près, le postulat d'Anatole France : « Il n'est pas nécessaire de traiter un texte du marquis de Sade comme un texte de Pascal [*]. » on ne l'étouffera pas, en effet, ce texte vivant, sous des gloses pédantes, mais on le reproduira avec la conscience dont l'employé de MM. Lemerre et Charavay se targuaient précisément de se passer.

Un siècle de lâcheté et de carence, responsable soit de la destruction, soit du recel de chefs-d'œuvre inédits[**], voilà qui impose certains devoirs aux involontaires héritiers de cette période néfaste et, de toutes nos forces, reniée. On sent donc bien qu'il devient impossible de laisser sans réplique les insultes que de misérables « roquets » se permettent avec d'autant plus de *cynisme* que le « dogue » n'est plus là pour lever bien au-dessus de leur museau sa patte distributrice.

M. H.

[*] Page 29 de la préface signée A. F., à *Dorci ou la Bizarrerie du Sort*, conte inédit par le marquis de Sade, publié sur le manuscrit avec une notice sur l'auteur, Paris, 1881, in-16.

[**] Par exemple, la lettre écrite en 1782, paraissant pour la première fois dans *Latinité*, 1ʳᵉ année, n° 10, p. 320-324 (décembre 1929); ou *Les Infortunes de la Vertu*, roman daté de 1787, publié pour la première fois aux Éditions Fourcade (juillet 1930).

I

(4 octobre 1779).

Martin Quiros... tu fais l'insolent mon fils si j'étois la, je te rosserois... je t'arracherois ton j. f... de toupet faux, que tu renouvelle tous les ans avec les poils de queue des bidets de la route de Courtheson a Paris comment fairois tu vieux mâtin pour reparer ça? aint dis comment fairois tu? tu t en irois comme un picard qui abbat des noix tirailler de droite et de gauche de ces vieux chose noirs qui bordent les boutiques le soir le long de la rue St Honoré, et puis le lendemain avec un peu de colle forte tu arrangerois ça sur ton vieux front d'écaille de façon que ça n'y paroitroit pas plus qu'un morpion sur la « marmite » d'une g... n'est ce pas mon fils... Allons tache... tache un peu de taire je t en prie car je m'ennuiye d'etre si longtemps insulté par la canaille. Il est vrai que je fais comme les drogues et quand je vois toute cette meute de roquets et de doguines aboyer apres moi je leve la jambe et je leur pisse sur le nés.

F... te vla sçavant comme un in folio, ou a tu pris tant de belles choses?... ces elephants qui tuent Cesar, ce Brutus qui volent des bœufs, cet Hercule, cette bataille de Prunelles, et ce Varius!... oh : que tout ça est beau. Tu as volé tout ça un soir en revenant de mener ta maitresse souper ches sa commerce, tu lui mettois tout ça dans la queue de sa robe, a mesure que tu le prenois, et puis tu faisois comme celui qui y mangeoit des cerises, de façon que la pauvre marquise est arrivée le soir ches elle avec des elephants, des hercules, et des bœufs dans sa robe, ce qui la faisait tenir droite et roide tout comme si elle n'eut pas eté la fille d'une presidente. Queuque tu me parle de femme grosse je ne t ai pas donné mon jeu pour des femmes pleines, moi, je te l'ai donné pour toi... est ce que tu es pleine toi est ce que md** Patulos l'est? ou bien si c'est milli***PRINTEMPS? dis... dis moi qui est ce qui est pleine cheux vous. Ma foi au surplus le soit qui voudra tu te souviens de ma chanson Heureusement que je m'en f... eh bien je la chante ici six fois le jour, et je la siffle quatre.

---

* Bibliothèque d'Avignon (musée Calvet), Collection Requien n° 11886. Quatre pages autographes, non signées. La suscription à la quatrième page est ainsi libellée : *A Monsieur – Monsieur le chevalier – Quiros chez md. de – Sade a Paris – en observant que la présente n'est écrite – que pr La Jeunesse.* Au-dessus de l'adresse, et d'une main étrangère, la mention : *Répondu le 14 Sbre 1779.* (Sade était alors détenu par lettre de cachet au donjon de Vincennes.) La graphie et la ponctuation sont ici fidèlement transcrites, ainsi que les abréviations et points suspensifs.
** Abréviation habituelle pour *Madame.*
*** Abréviation habituelle pour *Mademoiselle.* Le nom qui suit est, sur le manuscrit, en gros caractères.

Comment vieux j... f... de singe, visage de chiendent barhouillé de jus de mure, écha-
lât de la vigne de Nöé arrete du dos de la baleine de Jonas, vielle allumete de briquet de
bor... chandelle rance de ving quatre a la livre sangle pourrie du beaudet de ma femme...
tu ne m'a pas découvert des isles, tu oses me dire cela, toi et tes quatre camarades de la fre-
gate plate a bas bord qui roule les côtes du port de Marseille, vous n'avez pas été me
découvrir des isles et vous ne m'en aves pas trouvé sept dans une matinée ? Ah : vielle
citrouille confite dans du jus de punaise, troisieme corne de la tete du diable figure de
morue allongée comme les deux oreilles d'une huitre, savate de maquerelle, linge sale des
choses rouges de milli Printemps, si je te tenois, comme je t'en frotterais avec, ton sale
grouin de pomme cuite qui ressemble a des marons qui brulent, pour t'apprendre a mentir
de la sorte.

Comme tu fais le gentil parce que tu ne degueule pas sur la mer, que veut tu que je te
dise a cela mon fils, il y a longtemps que je sçai que tu portes le vin et l'eau mieux que
moi mais pendant que tu fais tant le brave sur le tillac, il ne faudroit qu'un serpent de carton, pour te faire jetter dans l'eau ou dans l'enfer s'il etoit ouvert sous tes pieds... chacun
a ses infirmités mon fils Quiros... heureux celui qui en a le moins. Mais quest ce que tu
me parles de Venise je n'ai jamais eté a Venise moi, c'est la seule ville d'Italie que je ne
connoisse pas, mais j'irai un jour, a ce que j'espere, quant a patron Raviol, c'est différent.
Je le connois j'ai eu l'honneur d'etre son capitaine pendant trois semaines, et je suis persuadé qu'il n'a jamais été si bien mené de sa vie ; je me souviens que nous avons attaqué
le pont d'Arles ensemble auquel combat je perdis beaucoup de monde, et je fus obligé de
me retirer avec deshoneur*, et sans avoir pu en venir à l'abordage. Pendant ce temps la, toi
qui ne sçai pas nager comme moi, et qui en raison de cela n'aimes pas les combats navaux,
tu cotoyois le rivage ta scelle sur le dos comme une tortue, et tes bottes fortes aux mains en
guise de gands, cherchant a t assembler avec quelque monsieur Rétif, ah : je n'ai pas oublié
toutes tes belles prouesses.

J'ai été fort aise d'apprendre que mon escadre etoit en rade. Je ne tarderai pas a la
joindre, avec mon esquif le Fracasseur je n'attends plus que soixante ou quatre ving
pieces de canons, et quarante vits de mulets qui sont chez le fondeur et que je veux faire
mettre sur la hune afin de lui donner un air plus redoutable. et puis je mettrai a la voile
pour aller en croisieres ce** printemps.

Tu dis donc comme ça mon fils Martin que je n'ecris pas a ton gout ; ecoute un peu
mon raisonnement a ce sujet.

Je n'ecris que pour ma femme, qui lit tres bien mon ecriture quelque mauvaise quelle
soit. Ceux qui sans aucun titre, et sans aucun droit, veulent y fourer leurs nés dans cette

---

* Ce mot remplace *perte* qui est raturé.

** Ce mot remplace les mots *sur milli*, rayés, mais laissés intentionnellement apparents pour le double sens.

écriture qui ne te plait pas, s'ils n'en sont pas content peuvent s'aller f... f... Veux tu de l'erudition a present sur cela, eh bien en voila mon fils et le mâle et la femelle qui se donnent ces airs la loin de se facher du lieu ou je les envoiye, me répondront s'ils veulent franchement avoueru leurs gouts ce que le regent repondit a une femme qui se plaignait a lui que le cardinal Dubois, l'avoit envoyée ou je les envoye. Madame, le cardinal est insolent. Mais il est quelque fois de bon conseil. *Adieu Quiros. Mes compliments a Gautruche quand tu le verras; dis-lui que je suis bien enchanté de sa ressurection et surtout je t'en pris ne m'oublie pas sur milli*PRINTEMPS.*

Ce 4 au soir en recevant ta 3ᵉ lettre ou a la minute comme dit milli Printemps.

---

* Le mot remplace les mots *pres de*, rayés mais laissés apparents. Le nom fin de ligne est en gros caractères.

ANONYME

Louis Aragon

1897-1982

Préface aux Onze Mille Verges

1930

Le grand intérêt des règles, c'est de permettre les exceptions, suivant l'aphorisme d'Alfred Jarry (1873-1907) : « *Car enfin, Madame, s'il n'y avait pas de Pologne, il n'y aurait pas de Polonais.* » Ainsi peut-on dire qu'il n'y aurait pas d'exceptions s'il n'y avait pas de règles, mais que la proposition se retourne aisément, donnant ainsi raison à un autre de nos grands classiques, qui affirme : « *L'exception ne confirme pas la règle, elle la justifie.* » Et vice versa, d'ailleurs.

Il était plutôt prévu au départ que cette anthologie ne reproduirait pas de textes dits critiques. En voici un, qui ne saurait passer pour une lecture érotique de près ni de loin et constitue donc l'exception dont nous parlions. Il s'agit de la préface écrite, en tout cas publiée en 1930, par un surréaliste des plus représentatifs pour une réédition (à Monte-Carlo, clandestinement) des *Onze Mille Verges*, qui auront « *avec elle... fait pour la première fois leur apparition, encore discrète, dans les librairies que fréquentent les bibliophiles et les lecteurs éclairés* ». C'est Pascal Pia qui parle, ajoutant, en ce qui concerne la préface : « *Les assertions n'en sont pas absolument exemptes d'erreur... Apollinaire, malgré son engagement volontaire en 1914, malgré ses exploits de combattant et la grave blessure qui entraîna sa trépanation, ne fut jamais fait chevalier de la Légion d'honneur.* » C'est qu'on donne couramment la Légion d'honneur à des escrocs mais jamais à des pornographes.

Cette préface anonyme est aujourd'hui officiellement rendue à Louis Aragon (voir par ex. les notes de *Défense de l'infini*).

QUE GUILLAUME APOLLINAIRE a voulu avoir la Légion d'honneur et qu'il l'a eue, c'est un fait, et un aussi qu'il a fallu une guerre européenne pour cela. Le cortège des poèmes patriotiques, un peu déconcerté, s'arrête devant sa propre inutilité, qui est figurée par le catafalque où se couche aussitôt décoré l'enchanteur pourrissant. Ce n'est pas moi qui lui ni leur chercherai des excuses. Il faudrait se garder pourtant de prendre Apollinaire pour un patriote, lui qui souhaitait la victoire de l'Allemagne, parce qu'il en attendait la victoire du cubisme. C'était un de ces aventuriers qui disent toujours les paroles attendues dans les circonstances où ils se trouvent, leurs coups de chapeau à des reines de carnaval ne signifient pas qu'ils sont persuadés de la grandeur de la Blanchisserie, par exemple ; ils perdent et ne perdent pas le sens de l'humour. Ce qui importait à notre compère était le succès, que dis-je ? le triomphe, de sa poésie et de son personnage poétique. Il faut se garder, et je fais tout le contraire, de plaider les circonstances atténuantes, de le considérer pour cela comme un arriviste : il ressemblait étonnamment à ces Messieurs qui se promènent, très importants, dans les salles du casino de Monte-Carlo, et qui arborent un ruban rouge essentiellement pour que le barman leur prête de l'argent quand ils ont perdu.

En bonne et en mauvaise part c'est à Monte-Carlo plus qu'à quoi que ce soit que fait penser Apollinaire. Les prestiges démoralisateurs de cette ville, et ses terrasses, les courses des victorias sur les corniches, le souterrain qui joint le Sporting à l'hôtel de Paris pour qu'on y puisse assassiner les gagnants, et plus que tout le décor monégasque, avec ses pompes, ses canons, sa fausse dynastie, tout un clinquant de livrées devant une putasserie authentique, la vie que le jeu, comme un sucre la lumière, invertit, et la musique, cet abus de confiance, et de nos jours, cela vous manquait, Monsieur, de votre temps, la racaille titrée des Russes blancs, tout ici oppose plus sordide qu'ailleurs une imagerie d'uniformes et de sentiments, où se marient *les Bateliers de la Volga, la Marseillaise et Viens Poupoule*. Quittons ces rivages où nous sommes en train de nous égarer.

Déjà Guillaume Apollinaire appartient à la nuit des lampions de bicyclette. Il faut pour le comprendre le situer dans son temps, avec ses mœurs aujourd'hui insaisissables, ses critères, son moyen âge en un mot. Si on commence ce petit trapèze volant, il n'y a plus mèche de faire un seul reproche à l'auteur des *Mamelles de Tirésias*. C'est d'ailleurs un cas si bien jugé que celui des amants du drapeau tricolore que je n'y perdrai pas mes cheveux blancs. Maurice Barrès me disait : « Apollinaire ? Attendez donc. Je vais vous dire tout ce que j'en sais. C'est un homme qui a fait des rééditions de livres érotiques… » Vieux con. Mais je ne me troublai pas, sachant à qui je parlais : « C'était un poète, imaginez-vous. — Ah ! reprit Barrès, il faisait aussi des vers ? » La mauvaise foi et la stupidité de l'« Amateur d'Ames » mettent parfaitement en relief la grande curiosité d'esprit et l'intelligence absolument à part qui caractérisaient Apollinaire. Cependant on pourrait s'amuser à trouver aussi, du côté de Mourir pour la Patrie, et de la ficelle des phrases, de la canaillerie de la période, quelques parentés entre ces deux rigolos au visage impassible. Avis aux amateurs de parallèles.

Ce qui fait la grandeur d'Apollinaire sera sans doute cette curiosité, qui a pris très souvent la forme admirable de l'image, à tel point qu'on peut dire de sa poésie qu'elle est avant tout une curiosité de l'inconnaissable. Et sans doute que sa plus grande curiosité était la curiosité des mœurs. Il n'y avait rien dont cet homme, d'abord hésitant, et banal, sût parler aussi admirablement. Tout le reste en lui était peut-être faux, mais ceci c'était Apollinaire même. Il faut attacher un grand prix à cette activité qu'il déploya en faveur des livres défendus, lui qui mit Sade, même tronqué, entre les mains d'une génération, et qui prit à la traduction de Baffo le secret de l'accent d'un grand nombre de ses poèmes. C'est peut-être lui qui aura ainsi, plaçant, quand tout un mouvement néo-classique cherchait à excuser Baudelaire et à l'inscrire dans la lignée des grands écrivains français, *les Fleurs du Mal* dans la collection des « Maîtres de l'Amour », qui aura fixé le portrait de l'amant de Jeanne Duval qui sera le seul que reconnaîtra l'avenir. Une conscience aussi claire des liens de la poésie et de la sexualité, une conscience de profondeur et de prophète, voilà ce qui met Apollinaire à un point singulier de l'histoire, là où brutalement se brisent les faux-semblants millénaires de la rime et de la déraison. C'est dans sa préface aux *Morceaux choisis du Marquis de Sade*, dans sa préface aux *Fleurs du Mal*, qu'il a peut-être exprimé avec le plus de bonheur les arrière-pensées qu'il avait sur lui-même. Qui sait s'il ne se considérait pas comme l'alchimiste d'une science nouvelle ? et le moi « science » révèle par son inexactitude le grand trouble qui prend l'homme en face des choses innominées. Toujours est-il que les faiseurs de compromis qui voudront mettre d'accord les poèmes de guerre de *Calligrammes* et *les Onze Mille Verges* seront un jour entraînés à de singuliers écarts dans l'interprétation ou la morale, à leur choix.

Ceux qui détestent, avec la violence qu'il faut, ce monde où Apollinaire a cherché à se tailler sa place ; ceux qui ont cessé même de se marrer de ces fastes bourgeois où la Légion d'honneur ressemble trop à une goutte de sang pour qu'on puisse s'amuser encore de la binette de qui s'en pare ; ceux qui préparent la disqualification définitive des idéologies auxquelles chemin faisant les Apollinaires ont sacrifié, se doivent de comprendre ce qu'un livre comme *les Onze Mille Verges* apporte de déconcertant et d'équivoque dans les rangs mêmes de l'ennemi. C'est à cet égard un ouvrage à vulgariser. Je crains de me faire très mal entendre. C'est que je ne considère pas ce livre comme un livre « érotique », expression mauvaise sous les espèces de laquelle on confond tant de choses que l'hypocrisie seule a réunies. Toutes les fois que le mot bander apparaît, la justice et la pudeur s'alarment. Sujet de tableau. Cependant, qui a le front de confondre les ouvrages philosophiques de Sade, les écrits à proprement parler érotiques de Pierre Louÿs et les historiettes destinées à la masturbation qui constituent la littérature française ? Autant de catégories à consacrer. Il est indispensable à l'indépendance humaine que tout ceci soit regardé avec un œil nouveau. Interdisez Madame de Ségur, qui ne sert qu'à branler de très infâmes vieillards.

Les Onze Mille Verges n'est pas un livre érotique, et c'est passablement son pire défaut. C'est un jeu, où tout ce qui est poétique est admirable, à cause d'Apollinaire et en fonction de lui, pour le lointain que ce livre apporte à ses poèmes. Que tout le romantisme des *Rhénanes* serve de perspective à la scène du train par exemple, où la merde et le sang s'arrêtent pour regarder passer le paysage, voilà qui donne à penser sur les attendus des poèmes d'*Alcools* et de *Calligrammes*. C'est un livre où toute l'habileté d'Apollinaire et sa connaissance d'une certaine vulgarité troublante dont la meilleure expression est la carte postale se font jour aux dépens de la sincérité et de la vie. Mais c'est peut-être le livre d'Apollinaire où l'humour apparaît le plus purement.

« La lettre annonçait au prince Vibescu qu'il était nommé lieutenant en Russie, à titre étranger, dans l'armée du général Kouropatkine.

« Le prince et Cornabœux manifestèrent leur enthousiasme par des enculades réciproques. »

Permettez-moi de vous faire remarquer que cela n'est pas sérieux.

★

L'indignation de Nicolas Restif touchant les œuvres du Marquis de Sade, et le mauvais livre qu'elle lui fait écrire, c'est vainement qu'on tenterait de les expliquer par l'humour. De même les écrits d'Apollinaire touchant la patrie. On n'a pas fini de méditer certains adverbes de Monsieur Nicolas : « innocemment » par exemple, dont il se flanque au cours du récit d'égarements divers. Ce n'est pas de ce genre de vertu que se targue Apollinaire. Affaire d'époque. Le mécanisme est le même. Les attendrissements de Nicolas dans diverses églises auprès de demoiselles à dépuceler valent les verlainades de Guillaume en prison pour vol de *Joconde*, et l'honnêteté la main sur le cœur qu'il a su alors bien défendre. On se souvient peut-être des lettres du « baron d'Ormessan » pour laisser à celui-ci son nom tiré de *L'Hérésiarque et Cie*, où il précisait son propre rôle dans cette affaire. Rien ne peut mieux situer la différence qu'il y a entre l'homme qui met son humour dans la vie et celui qui fait de l'humour, entre un aventurier et un homme qui a le goût de l'aventure. On aimerait savoir ce qui est advenu du baron : pas grand-chose sans doute.

Cependant il suffit que dans ses œuvres « libres », comme on dit, Guillaume Apollinaire ait parlé ce langage qui est celui de tous les hommes, fût-ce au profit d'une affabulation humoristique, pour qu'il ne soit plus seulement ce palotin du monde extérieur dont nous n'aurions qu'à nous détourner. Il n'a pas eu honte de cela, lui qui a si bien caché derrière ses orthodoxies nationales de secrètes et bien différentes pensées. Ce mélange d'hypocrisie et de cynisme qui éclate par-ci par-là, il ne faut en retenir que ce qu'il a d'humain et de révélateur de la chiennerie de ce siècle.

A cet égard, il est vrai, je placerai infiniment plus haut un poème comme *Lundi Rue Christine* que *les Onze Mille Verges*, bien que de l'avis de plusieurs contemporains d'Apollinaire il faille considérer ce livre comme le chef-d'œuvre de son auteur. J'ai entendu cette boutade, entre autres, de la bouche de Picasso. On peut lui passer ce qu'elle a de facile, en fonction du goût que la majorité finira par avoir pour les plus beaux vers de Guillaume Apollinaire, du *Larron* à ce *Chant de l'Honneur* après lequel se tire une espèce d'échelle très particulière.

Il reste à faire de la liberté des abus divers, et précieux. L'homme qui vit, dit-on, en société connaît son ennemi mais inexplicablement le ménage. Ce n'est pas l'anarchie qui parle par ma voix. Ceci est le contraire d'une précaution oratoire. Discréditer profondément ce qui orne cette vie dont je ne me rendrai aucunement complice est une tâche qu'on ne peut s'assigner sans encourir le risque de méprises, qu'il ne tient qu'à moi de ne plus trouver dramatiques. Je ne crois pas que ce soit rêverie que d'imaginer le temps où presque toutes les routes intellectuelles seront machinées par l'initiative de quelques-uns, de telle sorte que tous ceux qui voudront les emprunter seront détournés de l'inavouable but lointain qu'ils se proposaient, et malgré leurs efforts égoïstes, amenés à un carrefour d'impossibilités où il ne leur restera qu'à se soumettre à l'évidence de leur destinée. Cette phrase n'est pas si obscure qu'elle est longue. Personne n'est obligé de se croire menacé. Personne n'est obligé de rire de ce qui précède. Personne n'est obligé d'y prêter la moindre attention.

Mai 1930.

ANDRÉ BRETON

1896-1966

L'Union libre

1931

L'Union libre est probablement le poème le plus célèbre de Breton. Il fut publié seul en 1931 sans nom d'auteur ni d'éditeur, sous la forme d'une mince plaquette brochée à l'italienne.

Ma femme à la chevelure de feu de bois
Aux pensées d'éclairs de chaleur
A la taille de sablier
Ma femme à la taille de loutre entre les dents du tigre
Ma femme à la bouche de cocarde et de bouquet d'étoiles de
        dernière grandeur
Aux dents d'empreintes de souris blanche sur la terre blanche
A la langue d'ambre et de verre frottés
Ma femme à la langue d'hostie poignardée
A la langue de poupée qui ouvre et ferme les yeux
A la langue de pierre incroyable
Ma femme aux cils de bâtons d'écriture d'enfant
Aux sourcils de bord de nid d'hirondelle
Ma femme aux tempes d'ardoise de toit de serre
Et de buée aux vitres
Ma femme aux épaules de champagne
Et de fontaine à têtes de dauphins sous la glace
Ma femme aux poignets d'allumettes
Ma femme aux doigts de hasard et d'as de cœur
Aux doigts de foin coupé
Ma femme aux aisselles de martre et de fênes
De nuit de la Saint-Jean
De troène et de nid de scalares
Aux bras d'écume de mer et d'écluse
Et de mélange du blé et du moulin
Ma femme aux jambes de fusée

Aux mouvements d'horlogerie et de désespoir
Ma femme aux mollets de moelle de sureau
Ma femme aux pieds d'initiales
Aux pieds de trousseaux de clés aux pieds de calfats qui boivent
Ma femme au cou d'orge imperlé
Ma femme à la gorge de Val d'or
De rendez-vous dans le lit même du torrent
Aux seins de nuit
Ma femme aux seins de taupinière marine
Ma femme aux seins de creuset du rubis
Aux seins de spectre de la rose sous la rosée
Ma femme au ventre de dépliement d'éventail des jours
Au ventre de griffe géante
Ma femme au dos d'oiseau qui fuit vertical
Au dos de vif-argent
Au dos de lumière
A la nuque de pierre roulée et de craie mouillée
Et de chute d'un verre dans lequel on vient de boire
Ma femme aux hanches de nacelle
Aux hanches de lustre et de pennes de flèche
Et de tiges de plumes de paon blanc
De balance insensible
Ma femme aux fesses de grès et d'amiante
Ma femme aux fesses de dos de cygne
Ma femme aux fesses de printemps
Au sexe de glaïeul
Ma femme au sexe de placer et d'ornithorynque
Ma femme au sexe d'algue et de bonbons anciens
Ma femme au sexe de miroir
Ma femme aux yeux pleins de larmes
Aux yeux de panoplie violette et d'aiguille aimantée
Ma femme aux yeux de savane
Ma femme aux yeux d'eau pour boire en prison
Ma femme aux yeux de bois toujours sous la hache
Aux yeux de niveau d'eau de niveau d'air de terre et de feu.

Le Moine de Lewis raconté
par Antonin Artaud

1 9 3 1

Les romans noirs anglais fascinaient les surréalistes, surtout *Melmoth* et *Le Moine*, dont André Breton écrira : « *C'est au moment même où ce merveilleux chez Radcliffe n'ose plus dire son nom qu'on va le voir resurgir chez Lewis à l'état vierge, étincelant de mille et mille feux*[1]. » Pour Artaud, « Le Moine *est une imposition de magie, une absorption du réel romancé par la poésie hallucinante et réelle des hautes sphères, des cercles profonds de l'invisible* ».

Il existait trois traductions du *Moine*, la troisième, et la meilleure, ayant été produite en 1840 par Léon de Wailly. Artaud, qui lisait fort mal et pour ainsi dire pas l'anglais, n'a pas prétendu avoir donné une nouvelle traduction du livre, mais l'avoir raconté : « *J'ai raconté* Le Moine *comme de*

mémoire et à ma façon » (projet de lettre à Jean Paulhan). « *C'est assez différent de tout ce que j'ai fait jusqu'à ce jour,* écrit-il encore, *et cela demeure, je crois, très personnel, et même assez curieusement personnel.* »

Ce qui est certain, quels que soient les motifs qui ont pu pousser Artaud à se lancer dans cette entreprise, c'est qu'il y a eu *rencontre* entre le texte de Lewis et son « raconteur ». Rencontre au moins sur le domaine où, chez l'un comme chez l'autre, « *les images traduisent un érotisme que la pudeur vient alimenter de ses braises secrètes* » (Françoise Harmel).

1. Préface à *Melmoth ou l'homme errant*, Paris, 1953.

Chapitre VI

La tentation

> *L'un dans l'autre perdus,*
> *Comme la nuit est belle !*
> *Que le jour est désespérant !*

SON PREMIER PLAISIR épuisé, le moine s'arracha des bras de Mathilde. Un dégoût puissant le submergea. Il jugeait à sa triste valeur l'acte qu'il venait de commettre et l'horreur de son parjure se présenta à lui ; il frémit des conséquences d'une découverte, et, la satiété s'ajoutant au découragement, il ne put subir plus longtemps la promiscuité de sa complice. Il s'écarta d'elle et se souleva sur son séant. Mathilde ne bougeait pas plus qu'un cadavre. Ils restèrent ainsi un long moment, immobiles, dans un silence qui n'en finissait plus, aussi incapables de se réjouir que de regretter une volupté dont l'ardeur même les laissait pantelants et désespérés. Une heure s'écoula dans le même silence figé, dans la même immobilité.

Mathilde fut la première à se reprendre. Elle se glissa doucement contre le moine, lui prit la main et y colla ses lèvres brûlantes.

— Ambrosio! murmura-t-elle d'une voix douce et pleine d'humilité.

Le moine tressaillit à cette voix; il jeta les yeux sur Mathilde, elle avait les siens remplis de larmes, ses joues étaient rouges, et ses regards suppliants semblaient lui demander grâce.

— Vipère, vipère! lui dit-il, dans quel piège m'avez-vous fait tomber? Que l'on en vienne à découvrir votre sexe, — et mon honneur, ma tranquillité, ma vie peut-être, seront la rançon de quelques instants d'une volupté aussi fugitive qu'empoisonnée. Sot que je suis de vous avoir cédé! Mais à présent, que faire? Comment me laver de mon parjure? Par quel sacrifice obtenir le pardon d'un tel forfait?

— Oh! Ambrosio! Voilà donc votre remerciement, voilà ce qui devait me payer de tous les sacrifices que je vous ai faits, moi qui ai renoncé pour vous aux plaisirs du monde, au luxe, à la richesse, à la délicatesse de mon sexe, à mes amis, à ma réputation? Ce crime, si crime il y a, je le porte aussi bien que vous. Qu'avez-vous perdu que j'aie conservé? N'ai-je pas partagé votre faute? Comptez-vous pour rien ce don de mon corps, de mon âme qui, plus que la vôtre, est sacrifiée? Avez-vous déjà perdu jusqu'au souvenir de votre plaisir? Et, je vous le demande, où est le mal dans ce que vous avez fait? Est-ce donc vous, cet esprit profond, qui vous laissez abattre par d'aussi misérables préjugés? Où est-il ce Dieu qui vous interdit de pécher? Vos vœux de célibat sont contre nature, continua-t-elle en s'animant; l'homme n'a pas été fait pour le sacrifice, et si l'amour était une faute, Dieu ne l'aurait pas fait si tentant. Bannissez, je vous en conjure, ces craintes vaines, ces odieuses fumées, et goûtez en paix les caresses que je vous offre, vous auriez mauvaise grâce à me les reprocher.

Elle était de nouveau contre lui, haletante, l'œil comme prêt à se renverser; son sein palpitait, ses yeux étaient chargés d'une langueur enivrante. Une brusque chaleur roula de nouveau dans les veines du moine, l'air, autour de lui, s'allégea, l'anxiété qui l'oppressait fondit dans un sentiment de joie mélodieuse. Mathilde, ayant passé ses bras autour de son cou, rapprocha sa tête de la sienne; un sombre vertige le reprit et il constata avec un attendrissement plein de flammes que la nudité de sa compagne le faisait à nouveau frissonner. Son cœur battit, ses désirs reprirent toute leur force, tout leur feu. Il la serra contre lui avec un redoublement d'ardeur et elle lui rendit baisers pour baisers et caresses pour caresses ; aussi bien, le sort en était jeté, ses vœux étaient rompus et plus rien désormais ne pourrait les ressusciter. Le crime était accompli, il ne lui restait plus que d'en épuiser les conséquences, de le vider des joies qu'il pouvait encore recéler ; ainsi, délivré de tout scrupule illusoire, il mit le comble à son parjure. La belle impudique mit à profit son abandon, et l'aurore les surprit dans un spasme et rougit de leur impudicité.

Ivre de plaisir, le moine abandonna la couche de la pécheresse. L'idée d'une vengeance possible du ciel le fit rire ; il était maintenant hors la loi, la mort même ne lui faisait plus peur et il se surprit à rire de son ancienne simplicité. C'est à ce moment qu'il se souvint que Mathilde était toujours sous le coup d'une menace mortelle. Elle n'avait pas encore expiré tout le poison dont elle était saturée et il tremblait moins de perdre en elle son sauveur qu'une maîtresse étrangement experte dans l'art des voluptés de la chair. C'est pourquoi il revint vers elle et la pria instamment de se décider à employer les moyens de salut qu'elle s'était targuée de posséder.

— Oui, lui répondit Mathilde, avec vous la vie me sera un délice, je ne veux pas la perdre, et il n'y a pas de moyen que je ne veuille employer pour parvenir à la conserver ; je me sens de taille à aborder en face n'importe quel danger ; je m'exposerai sans peur aux conséquences de mon acte, si terribles qu'elles puissent être, et ce ne sera pas payer trop cher le prix de votre possession. Pour vous, je me damnerai avec joie, et une minute entre vos bras dans ce monde vaut bien une éternité d'expiation dans l'autre. Mais vous, Ambrosio, me prêterez-vous serment, quoi qu'il arrive, de ne pas chercher à pénétrer les moyens que je suis décidée à employer pour obtenir ma délivrance ?

Il fit le serment demandé, dont la solennité lui fit passer un frisson dans l'échine, et elle lui dit encore :

— Merci, mon bien-aimé. L'œuvre à laquelle je vais me livrer cette nuit ne laissera pas de vous surprendre par son étrangeté, et il se peut même qu'elle me fasse perdre votre estime, mais tant pis ; j'envisage avec intrépidité toutes les conséquences de mon acte et je suis prête à en supporter la responsabilité de toutes les manières possibles, dans ce monde et dans l'autre.

« Je ne vous demande que de m'introduire à minuit dans cette partie du cimetière qui touche au couvent de Sainte-Claire, et de veiller tandis que je m'introduirai dans les souterrains du couvent. Laissez-m'y seule une heure, et je réponds de cette vie que je réserve pour votre plaisir. N'oubliez pas la clé et soyez à l'heure. Retirez-vous, maintenant, j'entends des pas qui viennent ; je vais faire semblant de sommeiller.

Le moine, quittant la cellule, croisa sur la porte le père Pablos qui venait prendre des nouvelles du novice.

— Eh bien, dit celui-ci, comment va notre jeune malade ?

– Merci, il dort, lui répondit Ambrosio à voix basse, car il désire profiter du répit que lui laisse sa fièvre pour reprendre des forces. Chut, ne le troublez pas.

Après matines, Ambrosio se retira dans sa cellule. Le péché était chose toute nouvelle pour lui, il en était complètement désorienté, la profondeur de sa chute lui donnait le vertige, et il renonçait à voir clair au milieu de ce chaos de satisfaction et d'épouvante que son cerveau lui présentait.

Il était maintenant au niveau des plus abjects pécheurs, mais la peur des châtiments qui l'attendaient dans l'autre monde n'était rien pour lui auprès de celle des cachots de l'Inquisition dans lesquels la moindre indiscrétion de Mathilde, la moindre maladresse de sa part pourrait l'ensevelir à tout jamais. Le remords, la peur, la volupté, l'angoisse menaient dans son esprit la sarabande la plus effrénée. Mais ses transes furent de courte durée, et il eut tôt fait de retrouver son équilibre. Une fois sa ligne de conduite bien tracée et ses décisions prises, il se sentit rasséréné et confia au sommeil le soin de réparer ses forces épuisées par les excès de la nuit passée.

Il se réveilla rayonnant, et comme purifié, et s'abstint tout le jour de visiter Mathilde, mais comme le monastère s'endormait, le moine courut à sa cellule et il la trouva tout habillée et le cœur battant d'anxiété. Elle était pâle et toute son attitude indiquait assez la crainte qui l'oppressait.

– Je vous attendais avec impatience, lui dit-elle…

ROGER MARTIN DU GARD

1881-1958

Confidence africaine

1931

Malgré l'exemple de Gide, de Proust, et de quelques autres, les écrivains académiques et académisables ne se laissent pas aller facilement à sortir de l'Ordre moral. Publiant à six cents exemplaires, à l'enseigne du Plaisir de Bibliophile, cette *Confidence africaine*, Roger Martin du Gard se croit obligé de s'en justifier :

« *Mon cher Ami,*

« *Vous me demandez, avec une flatteuse insistance, "quelque chose" pour vos lecteurs. J'allais vous répondre, encore une fois, que tout ce que j'ai à dire passe automatiquement dans* mes Thibault, *lorsque l'idée m'est venue d'extraire pour vous quelques pages d'un ancien carnet. C'est une conversation, − une confidence, plutôt. Je l'ai recueillie l'été dernier, sur le paquebot qui me ramenait d'Afrique. Ces propos, tenus sans aucun souci de littérature ni de morale, je les ai transcrits tels quels, et peut-être n'y retrouverez-vous pas l'intérêt que j'ai pris à les entendre. Je me demande surtout si vous jugerez convenable d'offrir à vos lecteurs un récit de nature, j'en conviens, à scandaliser les bons esprits...* »

Etc.

Mai, 1930.

QUOI QU'IL ADVIENNE de ces feuillets, je vous aurai donné preuve de mon bon vouloir et de ma fidèle sympathie.

Mais, au moment de les recopier, je m'aperçois qu'ils ne seraient guère intelligibles sans quelques préliminaires. [...]

Voudrais profiter de cette journée en chemin de fer pour noter le récit que Leandro m'a fait sur le pont, par l'admirable soirée du 21.

Avions échangé des propos décousus sur la littérature moderne : timides progrès de la psycho dans le roman français contemporain ; hardiesses de certains romanciers allemands et anglais, etc... Lui ai cité l'article de la « Rev. de P. », où l'on me fait grief d'avoir, dans mon dernier livre, abordé des sujets « scabreux », jugés parfaitement « invraisemblables ». Il a dit alors quelque chose de vague, comme ceci, mais avec un accent inattendu d'irritation : « Je ne sais pas comment les gens sont faits, Monsieur du Gard ! Tout leur paraît toujours invraisemblable ! Est-ce que la vie n'est pas faite presque uniquement de détails exceptionnels ? » Alors la conversation est tombée. Puis il a dit, assez brusquement : « Tenez, Monsieur du Gard, c'est bien la première fois que j'ai envie de raconter ça à quelqu'un… Vous avez vu notre existence à la librairie, Amalia, le vieux Lozzati, leur séquelle d'enfants. A première vue, quoi de moins exceptionnel, n'est-ce pas? Eh bien, sait-on jamais?… Si j'étais sûr de ne pas vous gâter ce beau soir avec mon bavardage… » Pour toute réponse, j'ai approché ma chaise de bord contre la sienne.

Du moment que je me décide, n'est-ce pas, je vous raconterai tout, crûment, tel que les choses se sont passées. Seulement, il faut remonter à plus de vingt ans en arrière. Même au-delà, pour commencer. Jusqu'à notre enfance.

Nous avons été, ma sœur et moi, élevés par le père.

Bon. Je continue. Le soir, j'avais l'habitude de lire assez tard. Jamais Amalia n'y avait trouvé à redire. D'ailleurs, le bat-flanc qui nous séparait rendait mon lumignon bien inoffensif pour elle. Mais elle semblait enragée à me faire sortir de mon caractère. Voilà qu'elle s'est mis en tête de m'obliger à éteindre, sous prétexte qu'elle était fatiguée et que je l'empêchais de dormir. Naturellement, j'ai refusé. Alors elle est montée doucement sur sa chaise, et, pardessus la cloison elle a soufflé ma lumière en agitant un linge à tour de bras. J'ai rallumé aussitôt. Elle a recommencé. Je revois encore, au-dessus de la cloison, sa tête dépeignée et son regard méchant. Je crois que, ce soir-là, elle me détestait, et qu'elle me voulait sincèrement du mal. Décidément, les vacances d'Ernestina avaient gâté bien des choses.

Le lendemain, j'avais pris mes précautions pour protéger la flamme, et, quand je l'ai vue secouer son jupon par-dessus la cloison sans arriver à rien, je me suis mis à rire sans même interrompre ma lecture. Je l'ai entendue se recoucher. J'ai cru que cet enfantillage était terminé. Pas du tout. Je lisais tranquillement : tout à coup, je l'ai vue bondir vers moi et renverser mon chandelier d'un coup de poing. Ah, ça n'a pas été long! Je ne me possédais plus. En deux secondes j'étais debout et je l'empoignais à bras-le-corps. Que s'est-il passé au juste? J'essaye de me rappeler tout, le mieux possible. On était dans l'obscurité. Je rageais pour de bon. Elle aussi. C'était une gaillarde solide. Je m'efforçais de la maîtriser, de la jeter par terre, avec le désir très net de cogner dessus et de lui enlever le goût de recommencer. On était tous les deux en chemise, pressés l'un contre l'autre dans le noir, et on luttait comme deux forcenés. J'avais fini par la soulever. Elle me griffait la nuque. Moi, je reniflais cette chair encore chaude du lit, – l'odeur que j'avais respirée toute une nuit sur le corps d'Ernestina. D'un coup brusque, j'ai fait plier ses reins et je l'ai renversée sur mon matelas. A ce moment-là, je me suis trouvé pris entre ses deux jambes, entre ses jambes nues, qu'elle a refermées derrière moi. J'ai basculé. Je suis tombé sur elle. Ma colère, il en restait juste ce qu'il faut pour exaspérer le désir. Rageusement, j'ai cherché ses lèvres. Je crois bien que déjà elle me tendait maladroitement les siennes...

Et voilà.

Ces choses-là, vous voyez comme ça peut arriver tout naturellement. C'est même tout simple, n'est-ce pas, quand on y pense, quand on retrouve à peu près l'enchaînement des détails.

D. A. F. DE SADE

1740-1814

Les Cent vingt journées de Sodome

1931/1935

Pour les bons esprits qui auraient résisté aux audaces inouïes de M. Martin du Gard, voici une voix plus forte, Sade en personne, non plus le troubadour flûté des *Historiettes et Fabliaux*, mais le chroniqueur sans concessions des *Cent vingt journées de Sodome*.

On connaît l'histoire du texte de Sade, rouleau de papier de douze mètres de long sur onze centimètres de large, perdu par lui à son départ de la Bastille, imprimé à Berlin par le docteur Dühren en 1904, mais si fautivement que le texte en était par endroits illisible. Mandaté par la Société du Roman Philosophique et le vicomte Charles de Noailles, Maurice Heine put se rendre en Allemagne en janvier 1929 pour acheter le manuscrit, dont il donna une édition irréprochable, toujours chez Stendhal et Cie. « *Il devenait intolérable*, dit-il dans son introduction, *que l'excessive rareté d'une publication parfois inintelligible rendît tel que s'il n'était pas un docu-*ment sans équivalent dans aucune littérature. Rien ne saurait plus tenir à l'écart de cette voix inouïe ceux qui sont capables de l'entendre et ne méconnaîtront jamais le sens profond de sa révélation. »

A vrai dire, le prix élevé, le tirage confidentiel (quatre cents exemplaires) et la reproduction scrupuleuse de l'orthographe du manuscrit (que nous suivons ici), empêchaient encore le texte de Sade d'être complètement livré à tous ceux qui étaient capables de l'entendre mais pas d'en payer le prix. En dépit de tout, l'affaire fut un échec. Seul le premier volume était paru en 1931. La publication ne fut terminée qu'en 1935. Malgré l'addition d'illustrations discutables (attribuées à Collot), il n'y eut pas assez de souscripteurs. Ce qui restait fut soldé sans que les notes critiques de Maurice Heine pussent être imprimées comme prévu. La porte n'était pas encore vraiment ouverte.

E TRES FAIBLES et enchaînés uniquement destinés a nos plaisirs, vous ne vous etes pas flattés j'espere que cet empire aussi ridicule qu'absolu que l'on vous laisse dans le monde, vous serait acordé dans ces lieux, mille fois plus soumises que ne le serai [en] t des esclaves, vous ne devés vous attendre qu'a l'humiliation, et l'obeissance doit etre la seule vertu dont je vous conseille de faire usage, c'est la seule qui convienne a l'etat ou vous etes. Ne vous avisés pas surtout de faire aucun fond sur vos charmes, trop blazés sur de tels pieges, vous devés bien imaginer que ce ne serait avec nous que ces amorces la pourraient reussir, souvenés [vous] sans cesse que nous nous servirons de vo [u] s toutes, mais que pas une seule ne doit se flatter de pouvoir seulement nous inspirer le sentiment de la pitié, indignés contre les autels qui ont pu nous arracher quelque grain d'encens, notre fierté, et notre libertinage les brisent des que l'illusion a satisfait les sens, et le mepris presque toujours suivi de la haine remplace a l'instant dans nous le prestige de l'imagination. Qu'offrirés vous d'aillieurs que nous ne sachions par cœur, qu'offrirés vous que nous ne foulions aux pieds souvent meme a l'instant du delire. Il est inutile de vous le cacher, votre service sera rude, il sera penible et rigoureux et les moindres fautes seront a l'instant punies de peines corporelles et afflictives ; je dois donc vous recommander de l'exactitude, de la soumission et une abnégation totale de vous meme pour n'ecouter que nos desirs, qu'il [s] fassent vos uniques loix, volés au devant d'eux, prevenés les et faites les naitre, non pas que vous ayés beaucoup a gagner a cette conduite, mais seulement parceque vous auriés beaucoup a perdre en ne l'observant pas. Examinés votre situation, ce que vous etes, ce que nous sommes, et que ces reflexions vous fassent fremir, vous voila hors de France au fond d'une foret inhabitable, au dela de montagnes escarpées dont les passages ont eté rompus aussitot apres que vous les avés eu franchies, vous etes enfermées dans une citadelle impénetrable, qui que ce soit ne vous y sçait, vous etes soustraites a vos amis, a vos parents, vous etes deja mortes au monde et ce n'est plus que pour nos plaisirs que vous respirés, et quels sont les etres a qui vous voila maintenant subordonnées ; des scelerats profonds et reconnus qui n'ont de dieu que leur lubricité, de loix que leur depravation, de frein que leur debauche, des roués sans dieu, sans principe, sans religion, dont le moins criminel est souillé de plus d'infamies que vous ne pourriés les nombrer, et aux yeux de qui la vie d'une femme, que dis-je d'une femme, de toutes celles qui habitent la surface du globe, est aussi indifferente que la destruction d'une mouche, il sera peu d'excés sans doute ou nous ne nous portions, qu'aucun ne vous repugne, pretés vous sans sourciller, et opposés à tous la patience, la soumission et le courage. Si malheureusement quelqu'une d'entre vous succombe a l'intemperie de nos passions qu'elle prenne bravement son parti, nous ne sommes pas dans ce monde pour toujours exister, et ce qui peut arriver de plus heureux a une femme c'est de mourir jeune. On vous a lu des reglemens fort sages et tres propres et a votre sureté et a nos plaisirs, executés les aveuglement et attendés vous a tout de notre part si vous nous irrittés par une mauvaise conduite. Quelqu'unes d'entre vous avés avec nous des liens je le sçai qui vous ennorgueillissent peut-etre, et desquels vous esperés de l'indulgence, vous seriés dans une grande erreur si vous y comptiés, nul lien n'est sacré aux yeux de gens tels que nous et plus il vous paraitront tels plus leur rupture chatouillera la perversité de nos ames, filles, epouses, c'est donc a vous que je m'adresse en ce moment, ne vous attendés a aucune prerogative de notre part, nous vous avertissons que vous serés traitées meme avec plus de rigueur que les autres, et cela precisement pour vous faire voir combien sont meprisables a nos yeux les liens dont vous nous croyiés peut-etre enchainés. Au reste ne vous attendés pas que nous vous specifierons toujours les ordres que nous voudrons vous faire executer, un geste, un coup d'œil, souvent un simple sentiment interne de notre part, vous le signifiera, et vous serés aussi punies de ne les avoir pas devinés et prevenus que si apres vous avoir eté notifiés, ils eu [ssen] t eprouvé une desobeissance de votre part, c'est a vous de demeler nos mouvemens, nos regards, nos gestes, d'en demeler l'expression et surtout de ne pas vous tromper a nos desirs, car je suppose par exemple que ce desir fut de voir une partie de votre corps et que vous vinssiés maladroitement a offrir l'autre, vous sentés a quel point une telle meprise derangerait notre imagination et tout ce qu'on risque a refroidir la tete d'un libertin qui je le suppose n'attendroit qu'un cul pour sa decharge et auquel on viendroit imbecilement presenter un con. En general offrés vous toujours tres peu par devant, souvens vous que cette partie infecte que la nature ne forma qu'en déraisonnant est toujours celle qui nous repugne le plus. Et relativement a vos culs meme, il y at-il encor des precautions a garder, tant pour dissimuler en l'offrant l'antre odieux qui l'accompagne, que pour eviter de nous faire voir dans de certains moments ce cul dans un certain etat ou d'autres gens desireroient de le trouver toujours, vous devés m'entendre, et vous recevrés d'ailleurs de la part des quatre duegnes des instructions ulterieures qui acheveront de vous expliquer tout. En un mot, fremissés, devinés, obeissés, prevenés, et avec cela si vous n'etes pas au moins tres fortunées, peut-etre ne serés vous pas tout a fait malheureuses ; d'ailleurs point d'intrigue entre vous, nulle liaison, point de cette imbecile amitié de filles qui en amolissant d'un coté le cœur, le rend de l'autre et plus reveche, et moins disposé a la seule et simple humiliation ou nous vous destinons, songés que ce n'est point du tout comme des creatures humaines que nous vous regardons, mais uniquement comme des animaux que l'on nourrit pour le service qu'on en espere, et qu'on ecrase de coups quand ils se refusent a ce service. Vous avés vu a quel point on vous defend tout ce qui peut avoir l'air d'un acte de religion quelconque, je vous previens qu'il y aura peu de crimes plus severement punis que celui la, on ne sçait que trop qu'il est encor parmi vous quelqu'imbeciles qui ne peuvent pas prendre sur elles d'abjurer l'idée de cet infame dieu et d'en abhorrer la religion, celles la seront soigneusement examinées je ne vous le cache pas, et il n'y aura point d'extremités ou l'on ne se porte envers elles si malheureusement on les prend sur le fait, qu'elles se persuadent ces sottes creatures, qu'elles se convainquent donc que l'existence de Dieu est une folie qui n'a pas sur toute la terre vingt sectateurs aujourd'hui, et que la religion qui l'invoque n'est qu'une fable ridiculement inventée par des fourbes dont l'interet a no [u] s tromper n'est que trop visible a present, en un mot decidés vous meme, s'il y avait un dieu, et que ce dieu eut de la puissance, permettrait il que la vertu qui l'honore et dont vous faites profession fut sacrifiée comme elle va l'etre au vice et au libertinage, permettrait-il ce dieu tout puissant qu'une faible creature comme moi, qui ne serait vis a vis de lui que ce qu'est un ciron aux yeux de l'elephant, permettrait-il dis-je que cette faible creature, l'insultat, le bafouat, le defiat, le bravat et l'offensat comme je fais a plaisir a chaque instant de la journée.

Ce petit sermon fait le duc descendit de chaire, et exepté les quatre vieilles et les quatre historiennes qui savoi [en] t bien qu'elles etoient la plutot comme sacrificatrices et pretresses que comme victimes, exepté ces 8 la dis-je tout le reste fondait en larmes, et le duc s'en ambarassant fort peu les laissa conjecturer, jaboter, se plaindre entre elles, bien sur que les 8 espionnes rendroient bon compte de tout, et fut passer la nuit avec Hercule, l'un de la troupe des fouteurs qui etoit devenu son plus intime favori comme avant, le petit Zephire ayant toujours comme maitresse la premiere place dans son cœur, le lendemain devant retrouver des le matin les choses sur le pied d'arrangement ou elles avoient eté mises, chacun s'arrangea de meme pour la nuit et des que dix heures du matin sonnerent, la scene de libertinage s'ouvrit pour ne plus se deranger en rien, ni sur rien de tout ce qui avait eté prescrit jusqu'au 28 de février inclus.

C'est maintenant ami lecteur qu'il faut disposer ton cœur et ton esprit au recit le plus impur qui ait jamais été fait depuis que le monde existe, le pareil livre ne se rencontrant, ni chés les anciens, ni chés les modernes. Imagine toi que toute jouissance honete ou prescrite par cette bete dont tu parles sans cesse, sans la connaitre et que tu appelles nature, que ces jouissances dis-je seront expressément exclues de ce recueil, et que lors que tu les rencontreras par avanture ce ne sera jamais qu'autant qu'elles seront acompagnées de quelques crimes, ou colorées de quelqu'infamies. Sans doute beaucoup de tous les ecarts que tu vas voir peints te deplairont on le sçait, mais il s'en trouvera quelqu'uns qui t'echauferont au point de te couter du foutre, et voila tout ce qu'i [l] nous faut, si nous n'avions pas tout dit, tout analisé, comment voudrais-tu que nous eussions pu deviner ce qui te convient, c'est a toi a le prendre et a laisser le reste, un autre en faira autant, et petit a petit tout aura trouvé sa place ; c'est ici l'histoire d'un magnifique repas ou 600 plats divers s'offrent a ton appetit, les manges-tu tous, non sans doute, mais ce nombre prodigieux etend les bornes de ton choix, et ravi de cette augmentation de facultés, tu ne t'avises pas de gronder l'amphitrion qui te regale, fais de même ici, choisis, et laisse le reste sans déclamer contre ce reste, uniquement parce qu'il n'a pas le talent de te plaire, songe qu'il plaira à d'autres et sois philosophe. Quant a la diversité sois assuré qu'elle est exacte, etudie bien celle des passions qui te paroit ressembler sans nulle difference a une autre, et tu verras que cette difference existe, et quelque legere qu'elle soit, qu'elle a seule precisement ce rafinement, ce tact, qui distingue et caracterise le genre de libertinage dont il est ici question. Au reste on a fondu ces 600 passions dans le recit des historiennes, c'est encor une chose dont faut que le lecteur soit prevenu, il aurait eté trop monotone de les detailler autrement et une a une sans les faire entrer dans un corps de recit. Mais comme quelque lecteur peu au fait de ces sortes de matierres pourrait peut-etre confondre les passions designées avec l'aventure ou l'evenement simple de la vie de la conteuse, on a distingué avec soin chacune de ces passions par un trait en marge, au dessus duquel est le nom qu'on peut donner a cette passion, ce trait est a la ligne juste ou commence le recit de cette passion, et il y a toujours un alinea ou elle finit. Mais comme il y a beaucoup de personnages en action dans cette espèce de drame, que malgré l'attention qu'on a eue dans cette introduction de les peindre et de les désigner tous, on va placer une table, qui contiendra le nom et l'age de chaque acteur avec une legere esquisse de son portrait, a mesure que l'on rencontrera un nom qui ambarassera dans les recits, on pourra recourir à cette table, et plus haut aux portraits etendus si cette legere esquisse ne suffit pas a rappeller ce qui aura eté dit.

Personnages du roman de l'école du libertinage

LE DUC DE BLANGIS, 50 ans, fait comme un satire, doué d'un membre monstrueux et d'une force prodigieuse, on peut le regarder comme le receptacle de tous les vices et de tous les crimes, il a tué sa mere, sa sœur et trois de ses femmes.

L'ÉVÊQUE DE… est son frère, 45 ans, plus mince et plus delicat que le duc, une vilaine bouche, il est fourbe, adroit, fidele sectateur de la sodomie active et passive, il meprise absolument toute autre espece de plaisir, il a cruellement fait mourir deux enfants pour lesquels un ami avoit laissé une fortune considerable entre ses mains ; il a le genre nerveux d'une si grande sensibilité qu'il s'evanouit presque en déchargeant.

LE PRÉSIDENT DE CURVAL, 60 ans, c'est un grand homme sec, mince ; des yeux creux et eteints, la bouche malsaine, l'image ambulante de la crapule et du libertinage, d'une saleté affreuse sur lui meme et y attachant de la volupté, il a eté circoncis, son erection est rare et difficile, cependant elle a lieu et il ejacule encor presque tous les jours, son gout le porte de preference aux hommes, neanmoins il ne meprise point une pucelle, il a pour singularité dans les gouts d'aimer et la vieillesse et tout ce qui lui ressemble pour la cochonerie, il est doué d'un membre presqu'aussi gros que celui du duc, depuis quelqu'années il est comme abruti par la debauche, et il boit beaucoup. Il ne doit sa fortune qu'a des meurtres et est nomement coupable d'un qui est affreux et qu'on peut voir dans le detail de son portrait. Il eprouve en dechargeant une sorte de colere lubrique qui le porte aux cruautés.

DURCET, financier, 53 ans, grand ami et camarade d'ecole du duc, il est petit, court et trapu, mais son corps est frais, beau et blanc, il est taillé comme une femme, et en a tous les gouts, privé par la petitesse de sa consistance, de leur donner du plaisir, il l'a imité et se fait foutre a tout instant du jour, il aime assés la jouissance de la bouche, c'est la seule qui puisse lui donner des plaisirs comme agent; ses seuls dieux sont ses plaisirs et il est toujours pret a leur tout sacrifier, il est fin, adroit et il a commis beaucoup de crimes; il a empoisonné sa mere, sa femme et sa niece pour arranger sa fortune, son ame est ferme et stoique, absolument insensible a la pitié. Il ne bande plus et ses ejaculations sont fort rares. Ses instans de crise sont precedés d'une sorte de spasme qui le jette dans une colere lubrique dangereuse pour ceux ou celles qui servent ses passions.

CONSTANCE est femme du duc et fille de Durcet, elle a 22 ans, c'est une beauté romaine, plus de majesté que de finesse, de l'embonpoint quoique bien faite, un corps superbe, le cul singulierement coupé et pouvant servir de modèle, les cheveux et les yeux tres noirs, elle a de l'esprit et ne sent que trop toute l'horreur de son sort. Un grand fond de vertu naturelle que rien n'a pu detruire.

ADELAIDE femme de Durcet et fille du president, c'est une jolie poupée, elle a 20 ans, elle est blonde, les yeux tres tendres et d'un joli bleu animé, elle a toute la tournure d'une heroine de roman. Le col long et bien attaché, la bouche un peu grande, c'est son seule defaut. Une petite gorge et un petit cul, mais tout cela quoique delicat est blanc et moulé, l'esprit romanesque, le cœur tendre, excessivement vertueuse et devote, et se cache pour remplir ses devoirs de chretienne.

JULIE femme du président et fille ainée du duc, elle a 24 ans, grasse, potelée, de beaux yeux bruns, un joli nés; des traits marqués et agreables, mais une bouche affreuse, elle a peu de vertu, et meme de grandes dispositions a la malpropreté, a l'ivrognerie, a la gourmandise, et au putanisme, son mari l'aime a cause du defaut de sa bouche, cette singularité entre dans les gouts du président. On ne lui a jamais donné ni principes ni religion.

ALINE sa sœur cadette, crue fille du duc quoique reelement elle soit fille de l'eveque et d'une des femmes du duc, elle a 18 ans, une phisionomie tres piquante et tres agreable, beaucoup de fraicheur, les yeux bruns, le nés retroussé, l'air mutine quoique foncierement indolente et paresseuse, elle n'a point l'air d'avoir encor du temperament, et desteste tres sincerement toutes les infamies dont on la rend victime, l'eveque l'a depucellée par derrierre a 10 ans, on l'a laissée dans une ignorance crasse, elle ne sçait ni lire ni ecrire, elle deteste l'eveque et craint fort le duc. Elle aime beaucoup sa sœur, elle est sobre et propre, repond drolement et avec enfantillage, son cul est charmant.

LA DUCLOS, 1re historienne, elle a 48 ans, grand reste de beauté, beaucoup de fraicheur, le plus beau cul qu'on puisse avoir. Brune, taille pleine. Tres en chair.

LA CHAMPVILLE a 50 ans, elle est mince, bien faite et les yeux lubriques, elle est tribade et tout l'annonce dans elle, son metier actuel est le maquerellage, elle a eté blonde, elle a de jolis yeux, le clitoris long et chatouilleux, un cul fort usé a force de service, et neanmoins elle est pucelle par la.

LA MARTAINE a 52 ans, elle est maquerelle, c'est une grosse maman fraiche et saine, elle est barrée et n'a jamais connu que le plaisir de Sodome pour laquelle elle semble avoir eté spécialement creée, car elle a malgré son age le plus beau cul possible, il est fort gros, et si acoutumé aux introductions qu'elle soutient les plus gros engins sans sourciller. Elle a encor de jolis traits mais qui pourtant commencent a se faner.

LA DESGRANGES a 56 ans, c'est la plus grande scelerate qui ait jamais existé, elle est grande, mince, pale, elle a eté brune, c'est l'image du crime personifié. Son cul fletri ressemble a du papier marbré ; et l'orifice en est immense. Elle a un teton, trois doigts et six dents de moins, *fructus belli*. Il n'existe pas un seul crime qu'elle n'ait fait ou fait faire, elle a le jargon agreable, de l'esprit, et est actuellement une des maquerelles en titre de la societe.

MARIE la premiere des duegnes a 58 ans, elle est fouettée et marquée, elle a été servante de voleur, les yeux ternes et chassieux, le nés de travers, les dents jaunes, une fesse rongée par un abcés, elle a fait et tué 14 enfants.

LOUISON la seconde duegne a 60 ans, elle est petite, bossue, borgne et boiteuse, et elle a pourtant encor un fort joli cul, elle est toujours prete aux crimes et elle est extremement mechante. Ces deux premieres sont annexées aux filles, et les deux suivantes aux garçons.

THERESE a 62 ans, l'air d'un squelette, ni cheveux ni dents, une bouche puante, le cul criblé de blessures, le trou large a l'excès, elle est d'une saleté et d'une puanteur atroce, elle a un bras tordu et elle boite.

FANCHON agée de 69 ans a été pendue 6 fois en effigie, et a commis tous les crimes imaginables, elle est louche, camuse, courte, grosse, point de front, plus que 2 dents, un heresipelle lui couvre le cul, un paquet d'[h] emoroides lui sort du trou, un chancre lui devore le vagin, elle a une cuisse brulée, et un cancer lui ronge le sein, elle est toujours saoule, et vomit, pete et chie partout et a tout instant sans s'en apercevoir.

Serail des jeunes filles

AUGUSTINE fille d'un baron de Languedoc, 15 ans, minois fin et eveillé.

FANNI fille d'un conseiller de Bretagne, 14 ans, l'air doux et tendre.

ZELMIRE fille du cte de Tourville, seigneur de Beauce, 15 ans, l'air noble et l'ame tres sensible.

SOPHIE fille d'un gentilhomme de Berri, des traits charmants, 14 ans.

COLOMBE fille d'un conseiller au parlement de Paris, 13 ans, grande fraicheur.

HEBE fille d'un officier d'Orleans, l'air tres libertin et les yeux charmans, elle a 12 ans.

ROSETTE et MICHETTE, toutes deux l'air de belles vierges, l'une a 13 ans et est fille d'un magistrat de Chalon sur Saone, l'autre en a 12 et est fille du marquis de Senanges, elle a été enlevée en Bourbonois chés son pere.

Leur taille, le reste de leurs attraits, et principalement leur cul est au dessus de toute expression. Elles sont choisies sur 130.

Serail des jeunes garçons

ZELAMIR, 13 ans, fils d'un gentilhomme de Poitou.

CUPIDON, meme age, fils d'un gentilhomme en place de Rouen, chevalier de Malthe.

ZEPHIRE, 15 ans, fils d'un officier general de Paris, il est destiné au duc.

CELADON fils d'un magistrat de Nanci, il a 14 ans.

ADONIS fils d'un president de grand'chambre de Paris, 15 ans, destiné à Curval.

HIACINTHE, 14 ans, fils d'un officier retiré en Champagne.

GITON page du roi, 12 ans, fils d'un gentilhomme du Nivernois.

Nulle plume n'est en etat de peindre les graces, les traits et les charmes secrets de ces 8 enfants au dessus de tout ce qu'il est possible de dire et choisis comme on le sçait sur un tres grand nombre.

HUIT FOUTEURS

HERCULE, 26 ans, assés joli mais tres mauvais sujet, favori du duc, son vit a 8 pouces 2 lignes de tour sur 13 de long. Decharge beaucoup.

ANTINOUS a 30 ans, tres bel homme, son vit a 8 pouces de tour sur 12 de long.

BRISE-CUL, 28 ans, l'air d'un satire, son vit est tortu, la tete, ou le gland en est enorme, il a 8 pouces » lignes de tour, et le corps du vit 8 pouces sur 13 de long. Ce vit majestueux est absolument cambré.

BANDE AU-CIEL, a 25 ans, il est fort laid, mais sain et vigoureux, grand favori de Curval, il a 25 ans, est toujours en l'air, et son vit a 7 pouces 11 lignes de touré sur 11 de long.

Les quatre autres de 9 a 10 et 11 pouces de long sur 7 et demi, et 7 [pouces] 9 lignes de tour, et ils ont de 25 a 30 ans.

Fin de l'introduction.

Omissions que j'ai faites dans cette introduction.

1° – il faut dire qu'Hercule et Bande-au-ciel sont l'un très mauvais sujet et l'autre fort laid, et qu'aucun des 8 n'a jamais pu jouir ni d'homme ni de femme.

2° – que la chapelle sert de garderobe et la detailler d'après cet usage.

3° – que les maquerelles et les maquereaux dans leur expédition avaient avec eux des coupe-jarrets à leurs ordres.

4° – détaillés un peu les gorges des servantes et parlés du cancer de Fanchon. Peignés aussi un peu davantage les figures des 16 enfants.

ANONYME

Le Supplice d'une queue

1931

« Ce petit roman qui a pour sujet l'homo-sexualité masculine est l'œuvre d'un ami de Gide, le poète François-Paul Alibert, lequel, en 1931, approchait de la soixantaine et exerçait encore d'assez importantes fonctions à la mairie de Carcassonne. A l'instigation de Gide, un libraire parisien se chargea de transmettre le manuscrit d'Alibert à René Bonnel, qui consentit à l'éditer, et en demanda le frontispice au peintre et graveur catalan Creixams.

« La mention de provenance "Éditions de l'île de la Barthelasse" n'est imputable qu'à la fantai-sie dont Bonnel a toujours fait preuve tant dans l'édition que dans tout autre domaine. En l'occurrence, il se sera rappelé son enfance, qui s'était écoulée à Avignon et à Villeneuve-lès-Avignon. »

Il n'y a rien à ajouter à cette notice de Pascal Pia dans *Les Livres de l'Enfer*, sinon que l'homosexualité masculine n'est pas seule en cause dans *Le Supplice d'une queue* mais aussi, comme on va le voir, une sorte d'infirmité physique par hypertrophie dont certains exemples ont fait l'objet d'études médicales et psycho-sexuelles.

Henri Clouard dit des poèmes de François-Paul Alibert (1873-1953) : « *Il chante les thèmes éternels de l'amour et de la mort, et son chant, nourri de la terre natale, monte dans le ciel humain de la pensée. C'est un chant parfaitement païen. Alibert voulait assurer à l'âme de grands bonheurs, et il s'y efforça dans les limites d'une sagesse fondée sur deux prin-cipes : d'une part, ne pas consentir à mutiler l'être, c'est-à-dire ne reconnaître de véritable satis-faction même très haute, qui ne soit de l'âme et du corps tout ensemble; d'autre part, maintenir le sens général d'une hiérarchie* »...

Le livre de François-Paul Alibert reparaî-tra officiellement pour la première fois à Paris en 1987, préfacé par Hugo Marsan. L'éditeur avait commencé par annoncer «*une importante partie inédite*», mais le texte sera strictement semblable à celui de 1931. Renseignements pris, le manuscrit d'une suite au *Supplice d'une queue* existe en effet, mais sa propriétaire exige pour le faire édi-ter des sommes astronomiques et sans com-mune mesure avec le profit possible d'un éditeur. Il semble d'ailleurs que ce prolon-gement, quoique plus long, n'ajoute pas grand-chose au texte connu.

*I*L N'Y A PAS beaucoup de moustiques ce soir. Combien de fois Albert n'avait-il pas entendu de phrases semblables! C'était :

– J'ai peur que nous n'ayons la pluie dans un moment.

Ou :

– Comme ce tas de foin fraîchement coupé embaume! On dirait qu'il vous invite à s'y reposer...

Ou encore :

– Ce grand cercle autour de la lune présage que le temps changera demain.

C'est le tour indirect, l'invitation au voyage, une façon implicite d'insinuer :

— Ne voyez-vous pas que je ne demande pas mieux que d'entrer en matière et qu'il serait possible qu'on s'entendît ?

Si Albert en avait rarement prononcé de cette sorte, il y frissonnait toujours d'un vif émoi. L'attente sous les arbres, la beauté inconnue qui passe, le désir qui se prend où il peut, la beauté clandestine d'autant plus chère qu'elle est plus défendue et plus précieuse qu'elle est plus méprisée, cette voix les lui renouvelait d'avance, qui répétait avec une hardiesse mal assurée et un accent timide qui s'essayait au cynisme :

— Il n'y a pas beaucoup de moustiques ce soir.

L'air, à vrai dire, en pullulait, mais l'autre aurait pu dire qu'il n'en avait jamais tant vu, le besoin d'amorcer la conversation n'en était pas moins évident ; davantage même, puisqu'il lui fallait proférer n'importe quoi qui témoignât de la hâte qu'il avait à profiter de l'incertaine occasion, de la proie imprévue et soudaine qui s'offre et à laquelle il était impatient (Albert le devinait au seul tremblement de la voix) de se sacrifier à son tour.

Une lourde, tiède, presque étouffante soirée de fin de septembre appesantissait le ciel, épaississait la nuit, tandis que de l'autre côté du chemin les haies de tamaris descendaient, plus sombres encore, jusqu'à l'étang ourlé de moisissures et de détritus. Au-delà, la mer s'enflait à peine, comme n'ayant plus la force de soupirer. Tout se confondait aux yeux dans une obscurité accablée d'arôme de pin, où Albert ne distinguait qu'à peine, sans voir non plus son visage, la forme élancée et frêle de l'homme qui avait murmuré tout à l'heure :

— Il n'y a pas beaucoup de moustiques…

Sans mot dire, Albert accompagna l'inconnu. Il n'aimait pas les longs discours et redoutait, surtout en pareille matière, la banalité ; d'ailleurs, à quoi bon parler quand on s'est si bien compris ? Peu à peu, il glissa son bras autour de la taille de l'homme qui résistait complaisamment puis cédait et se renflait tour à tour à cette évasive pression. La main d'Albert parcourut un torse maigre et nerveux, des flancs presque droits durcis aux feux des plus brûlantes passions, enfin de minces cuisses roidies, et tomba soudain sur une énorme rondeur déjà turgescente et rigide.

— Mâtin, dit-il tout haut et, pour ne pas froisser l'inconnu, il rit intérieurement. Il avait cependant toujours pris au sérieux la pire débauche et ne s'abandonnait, comme en tout, au démon de l'ironie que lorsqu'il se trouvait en présence de disproportions telles qu'elles ne pouvaient faire autrement que d'éveiller en lui l'irrésistible esprit comique. Toutefois la curiosité l'emportait toujours ; et la nature lui avait en outre donné le goût de l'excès bien qu'il n'y succombât que par intervalles. Il alla donc jusqu'au bout et cependant que l'homme, plus étroitement serré contre lui, frémissait d'aise et d'espoir, il détailla, avec une lenteur qui ne faisait, en le retardant, qu'augmenter son plaisir, un partiel déshabillage qui lui mit, si l'on peut dire, dans la main et tout à coup violemment jailli, un membre dont les proportions hors de toutes celles qu'il avait connues jusqu'à ce jour l'étonnèrent d'autant plus qu'il y flottait au bas, comme deux noix de galle suspendues à une maîtresse branche de rouvre, deux testicules presque minuscules, qui semblaient se demander quelle inutile fonction ils remplissaient là, en accompagnement de ce sexe monstrueux, où toute la gloire de la terre et du ciel s'enroulait.

Tout de même, dans son instinct de la mesure, Albert était un peu choqué. On assure, se disait-il, qu'un sein de femme n'est parfait qu'autant qu'il se moule exactement sur le creux de la main. Plus encore en dirai-je autant de toi, double couille, couille géminée, couille génitrice, qui ne m'est jamais plus charmante que si tu t'établis en un juste rapport avec la queue qui te surmonte et que la main qui te caresse est remplie de toi tout entière, au lieu que tu t'y réduises comme un peu d'eau qui fuit entre les doigts, sinon que tu débordes à l'inverse comme une outre outrageusement gonflée au bas de laquelle, la plupart du temps, ne rampe, quand elle est au repos, qu'une queue ridiculement exiguë, à l'égal d'un ver de terre oublié sur un topinambour. Autant en dirai-je de toi, queue sacrée, qui n'atteint à ta perfection totale que lorsque mes dix doigts peuvent sur toi se refermer avec la plus délicate exactitude. Encore, à choisir, préférerais-je ton énormité, queue formidable qu'un centaure envierait, puisque si les couilles sont un des organes nobles de l'homme, c'est de toi du moins, sainte queue, c'est de toi que nous vient, bien que tu ne sois qu'un instrument de transmission, l'invincible, l'indicible volupté.

Toutefois, comme au cours de ces divagations intérieures qui menaçaient de tourner à un lyrisme de mauvais aloi, Albert s'attardait à prolonger les préliminaires d'une furtive caresse, il fut heureux d'être rappelé au sentiment de la réalité par la cloche du dîner. On ne se mettait à table qu'à la dernière heure dans cette petite station où ne restaient plus que de rares baigneurs.

— Vous reviendrez? demanda l'homme avec un peu d'anxiété.

— Tout à l'heure, dit Albert, je vous le promets.

— Hâtez-vous si vous le pouvez, dit l'inconnu, il faut que je rentre bientôt.

Albert s'en fut, décidé à ne pas revenir et jugeant qu'il en avait assez vu. C'est pourquoi sans doute, vingt minutes plus tard, il était là, et retrouvait l'homme au même endroit où il l'avait laissé, n'étant plus guère maintenant que son ombre et la forme presque invisible du désir qui, chez Albert, était devenu d'autant plus impérieux qu'il s'était juré, quelques instants auparavant, de n'y pas succomber.

Ils s'éloignèrent jusqu'à un sentier bifurquant où ils tournèrent à droite du côté de l'étang. Albert avait de nouveau passé la main autour de la taille de son compagnon d'aventure. Celui-ci, sous un mince bourgeron d'étamine noire, plus mince encore d'être usée, on le sentait nu, tout fraîcheur et brûlure, et roidi comme un arbre de bois vert qui parfois fléchissait jusqu'à rompre. Leurs pas s'étouffaient dans le sable. Ils marchaient entre des vignes d'où s'élevait un faible parfum de grappillons desséchés. L'homme connaissait bien les lieux ; il guidait avec sûreté, malgré la nuit opaque, la marche d'Albert qui le suivait de près. Il n'en est sans doute pas à son coup d'essai et je ne suis pas le premier qu'il emmène par ici, se disait Albert, mais qu'importe ?

L'inconnu tourna encore et prit à travers une autre vigne.

– Arrêtons-nous là, dit-il ; et ils s'étendirent dans le sable, sous une haie de roseaux encore verts à l'abri du vent. Albert était singulièrement ému. La voix basse et comme plaintive de l'inconnu, ses longs silences, un air de douceur qui n'allait pourtant pas jusqu'à l'humilité, son désir de plaire, sa crainte de paraître importun par trop de complaisance ou de cynisme, allaient au cœur d'Albert qui se sentait prêt tout à coup à une secrète tendresse pour ce rôdeur de hasard, incliné qu'il était, par disposition naturelle, à mettre toute son âme et toujours il ne savait quel infini dans la moindre étreinte passagère. Dès qu'ils furent couchés, Albert sentit deux lèvres épaisses et chaudes chercher les siennes avec emportement ; il leur rendit leur baiser et soudain sentit la poitrine de l'homme se gonfler contre la sienne d'un profond et douloureux soupir.

– Qu'as-tu, mon ami, demanda Albert ; qu'est-ce qui te rend malheureux ?

– Malheureux, je l'ai toujours été, dit l'autre, et il ne se passe pas de jour que je ne le sois davantage. Mais en ce moment je suis heureux puisque je tiens un ami dans mes bras.

Albert était, à part lui, obligé de convenir que cet homme, si pauvrement vêtu et qui semblait ressortir à la condition la plus modeste, s'exprimait néanmoins avec une aisance et parfois une distinction qui démentaient son humble apparence. Habitué quand même à ne s'étonner de rien, il redoublait de sympathie et de nouveau, avec plus de sincérité que la première fois, baisa ces lèvres de fortune qui s'offraient aux siennes avec une si complaisante ferveur. Or, tandis que leur baiser s'approfondissait davantage, leurs mains peu à peu se désunissaient ; et chacun de son côté, avec cette volontaire lenteur qui hésite, tâtonne, s'attarde, recommence, s'irrite et finit par une voluptueuse brutalité, chacun défaisait l'autre dans un rapprochement de plus en plus étroit où Albert sentit peser contre le sien ce membre énorme, splendide, démesuré, droit et rond comme une colonne, déjà parcouru de vibrations insensibles comme un battant de cloche prêt à se mettre en branle, et qui frémissait le long de son ventre et presque à hauteur de poitrine d'une pulsation sourde et saccadée.

Comme il commençait de suffoquer sous cet écrasement, il s'écarta un peu et reprit haleine. Après tout, un cas aussi formidable n'était pas pour lui déplaire.

Un moment, il rêva à de monstrueuses amours, à des légendes bestiales de l'antiquité. Allons, se moqua-t-il, je ne suis pas ici pour faire de la littérature ; et se rapprocha de nouveau. Ils étaient nus tous deux de la ceinture aux genoux. Le sable gardait un peu de la tiédeur de l'après-midi, sauf qu'une fraîcheur souterraine y perçait, qui venait de la saison et de la nuit et de l'humeur longuement insinuée par la mer toute proche, mais où leurs flancs brûlants trouvaient un apaisement délicieux. Peu à peu, l'inconnu, qui avait saisi Albert à bras le corps, le retournait sans cesse de le tenir serré contre lui avec une force enveloppante et persuasive. Alors Albert, couché sur son bras replié et l'homme adhérant de toute sa longueur après lui, sentit se couler, se glisser, s'introduire entre ses cuisses écartées un faisceau turgide, torride, impérieux, dont il aimait le contact et la suave chaleur, mais dont il était bien sûr qu'il ne pouvait aller plus loin. Au fond, l'autre en serait-il même arrivé à ses fins il ne goûtait guère ce jeu. Il en préférait de moins brutaux et de plus raffinés. Si, parfois, de plein gré, il s'y était abandonné, il n'en avait tiré qu'une satisfaction médiocre. Maintenant, son démon comique reprenant une fois de plus le dessus, il riait sous cape, sachant bien que l'adversaire n'arrive que jusqu'où on le lui permet. Il se rappelait ce petit cocher d'A. pour qui, quelques jours, il avait eu un si violent caprice et qui, une fois qu'ils étaient couchés sur un lit de hasard, dans une chambre sordide, lui avait dit tout à coup, sur un ton d'imploration pathétique et d'impérieuse câlinerie à quoi ajoutait encore son exquis accent méridional :

– Tourne-toi que je t'encule.

– Merci, avait répondu Albert en riant, je n'en ai pas la moindre envie ; et le petit cocher, bon garçon, n'avait pas insisté.

Il pensait aussi à ce magnifique soldat russe, qu'il avait, en Macédoine, pendant la guerre, rencontré, une accablante après-midi d'été, sur la pente de B***, chargé comme un mulet, de larges plaques de sueur aux pectoraux et aux cuisses, qu'il avait emmené, d'autorité, dans la petite chambre délabrée qu'il habitait là, et dont il avait, toute une nuit, littéralement dévoré la splendide chair blonde. A un moment, le Russe avait aussi voulu faire comme le petit cocher. Albert, par plaisanterie, s'y était prêté ; et il n'oubliera jamais avec quel comique désespoir l'autre, après plusieurs tentatives infructueuses, était retombé de côté, son poil doré tout dehors, en soupirant : « Ne moje » (je ne peux pas).

Cependant, qu'étaient ces deux auprès de celui-ci ? Le point d'effraction se précisait ; l'homme multipliait ses attaques tour à tour furieuses et ralenties. Autant aurait valu, en renversant l'équation, qu'il essayât de démolir avec un porte-plume plusieurs épaisseurs de ciment armé. Albert s'amusait beaucoup, et ne laissait pas de ressentir quand même un certain plaisir à cette rigueur inutile qui s'acharnait à le pénétrer. Puis, comme s'il comprenait la vanité de ses efforts, l'homme se tint désespérément tranquille ; et, tout de suite, ramenant

Albert contre lui, il l'embrassa plus furieusement encore, puis éclata en sanglots.

— Console-toi, dit Albert, tu n'aurais sans doute pas mieux réussi avec quelqu'un d'autre.

Il effleurait lentement cette chair nue d'une légère main, avec une pitié infinie, où se mêlait un autre désir ; quand l'inconnu, se penchant, lui darda une longue, une serpentine caresse qui, contournant la poitrine, se glissant sous les aisselles comme une tête de couleuvre amoureuse, pressant au creux du nombril comme si elle voulait le repousser jusqu'au fond du ventre arqué sous la bouche aspiratrice, puis, montant et descendant, tournant en cercle et en spirale, souple et rigide à la fois, errante autour des cuisses d'Albert et plus bas encore, regravissant aussitôt le long de la verge gonflée à éclater, et qui faisait un doux mouvement de roulis, s'attacha définitivement sur un point presque imperceptible, mais d'où il semblait à Albert que tout son corps irradiait jusqu'aux limites du monde, s'y fixa, insista, pénétra toujours plus avant, et tout à coup lancinante et fondante, et se rétrécissant dans un tourbillon de plus en plus étroit qui n'en finissait pas de s'enrouler, entra jusqu'au plus secret de tous les os d'Albert gémissant et suppliant, pour en faire ressortir une lancinante vrille de feu couronnée d'une jaillissante écume que l'homme exprimait, buvait à longues gorgées, et qui, une fois expulsée, laissait Albert brisé, anéanti, sans voix ni mouvement, fondu par tous ses membres à la douceur de la nuit, à la mer là-bas roucoulante, aux étoiles qu'il ne pouvait démêler de son stupide regard et qui s'abaissaient sur lui comme si elles allaient le toucher au front.

« Tout de même, se dit-il, quand il se fut un peu secoué, il faut que je lui rende sa politesse, ou, du moins, que j'essaie. »

Il y fit donc tout ce qu'il put ; mais comment absorber, même partiellement, une aussi formidable rondeur ? Il ne pouvait que l'attaquer en détail, aller de place en place, et commencer, autrement que sur une étroite surface, bien insuffisante à son gré, ce mouvement alterné qui, cependant que la langue insiste sur un point précis, englobe le sexe dressé, et peu à peu l'amène à ce foudroyant arrachement qui vous attire, d'un seul coup, toutes les moelles dehors.

L'inconnu, parfois au seuil de la volupté, et, l'instant d'après, retiré de plusieurs brasses en arrière, s'irritait doucement beaucoup plus contre lui-même que contre Albert, passait par de brusques alternances d'espérance et de désespoir, puis retombait encore ; si bien qu'Albert, n'en pouvant plus, prit le parti de l'aimer avec ses mains, tantôt brutalement, tantôt avec une délicatesse infinie, et fit de telle sorte qu'il se sentit soudain aux prises avec une espèce de *Meta Sudans* revêtue d'un incessant ruissellement autour duquel ses mains ne cessaient pas à leur tour de redescendre et remonter partout à la fois, et qu'elles passaient pardessus les couilles complètement absorbées, pour en faire jaillir cette fontaine de force et de vie, à laquelle, perdant la tête, et dans un goût imprévu de monstrueux, il s'attela de son côté, l'obstruant, la débouchant, la refermant encore, dont l'abondance jaillissait des entrailles les plus profondes de l'homme renversé, serrant les dents, ne poussant qu'un gémissement guttural dont Albert ne savait plus ce qu'il signifiait, ou qu'il demandât grâce, ou qu'il implorât : « Encore ! »

Ils restèrent longtemps confondus l'un dans l'autre, puis, s'étant rajustés tant bien que mal, ils reprirent, en contournant dans les vignes, le sentier de sable jusqu'à l'embranchement du chemin. Avant que de se séparer, Albert hésita ; l'homme paraissait si pauvre ! Mais, en pareille circonstance, il était toujours un peu gêné.

– Voulez-vous me permettre ? dit-il enfin. Malgré l'ombre, il devina, plustôt qu'il ne vit, que l'inconnu souriait.

– Non, dit celui-ci ; je comprends votre méprise, mais je ne saurais. Nous nous reverrons demain, si vous le voulez bien, au même endroit, à la même heure. Maintenant, il est tard, et je dois aller rejoindre ma femme. Elle s'absente tantôt pour deux ou trois jours ; nous pourrons plus longuement converser.

Albert, complètement stupide, ne sut que répondre oui de la tête ; et, tout en revenant, ressassait : « Pourquoi diable se marie-t-on quand on a de ces goûts, et surtout qu'on est foutu de la sorte ? »

STENDHAL

1783 - 1842

Pages supprimées

1932

Les Éditions Champion avaient commencé avant la guerre de 1914 une monumentale édition des *Œuvres de Stendhal*, de valeur inégale selon les volumes. Chaque fois que cela semblait nécessaire aux éditeurs, ils supprimaient les pages « crues », « osées », qu'ils imprimaient à part en cartons réservés aux souscripteurs des œuvres complètes. Un petit volume de 27 pages reprenant ces fragments avait déjà été imprimé par la Société Stendhalienne en 1927. Le *Journal* fut publié en cinq volumes de 1923 à 1934. Les pages ci-dessous sont extraites du tome II, paru en 1932. Nous en donnons le texte complet; les passages supprimés sont entre crochets.

17 vendémiaire XIV [-9 octobre 1805].

J E COMMENCE à avoir beaucoup de faits. J'en ai depuis huit jours, mais la paresse...

« Quand j'ai bien travaillé toute la journée, j'aime à être bien [foutue] le soir », disait Mme Pipelet à M. Girard, son amant. Elle se mettait à quatre pattes pour faire cela, et disait souvent : « [Fous]-moi bien. » Le premier propos me semble bon et succulent de comique. Il m'est revenu vingt fois à l'idée aujourd'hui, il ranimait en moi le désir de faire une bonne comédie, bien succulente de comique, bien ronflante, sans mélange de drame.

Un autre jour, en allant dans le monde, il parvint à [mettre le doigt] à une autre femme : elle [déchargea] tant, pour trancher le mot, que son habit [fut mouillé jusqu'au coude, il fut obligé de rentrer sa manchette toute polluée].

Cymbeline me disait ce matin, en parlant des tribades, qu'elles [se font cela avec leurs doigts, qu'elles se baisent avec leurs langues, qu'elles se titillent avec la langue le bout des tétons, qu'enfin elles se frottent cela en se couchant l'une sur l'autre, celle de dessus passant la cuisse gauche, par exemple sous la cuisse droite de celle de dessous.]

Simple a dit des choses bien plates ce soir. Il paraît que sous prétexte (ou en croyant) que « ça ne signifie rien », que « ce sont des bêtises, cela » (ce sont ses termes), il se permettrait beaucoup de choses contre la délicatesse et même contre l'honneur, s'il en avait envie. Il est entièrement déshonoré de ce côté-là dans l'esprit de M.

Ça est venu à l'occasion du décachettement des lettres de Mme Quesnel. Tournure de M. lorsque je suis entré à dix et demie un moment après la sortie de M. d [e] S [aint-] G [ervais], elle ayant déjà frappé à trois reprises.

Elle se faisait une fête de me dire tout ce qu'elle venait d'entendre tout de suite ; Mante, qui me suivait, a tout glacé. Après son départ, comme pendant sa présence elle avait été distraite, elle ne m'a plus parlé avec cette impétuosité.

Si j'avais le courage d'écrire chaque jour quatre pages sur M. [de Saint-Gervais], je me trouverais au bout de quelque temps un caractère superbe. Il faut que je conte son histoire (mais c'est pour moi ; si jamais quelqu'un trouve ce cahier, je le prie de s'arrêter ici).

M [élanie] ne croyait point ce que je lui disais, qu'il était amoureux d'elle ; toujours même ton, des plaisanteries, seulement un peu plus gaies. De la franchise de cour :

« Si on pouvait demander quelque chose, je sais bien ce que vous demanderiez.

— Et quoi ?

— De la gorge. Au reste, consolez-vous : c'est le défaut des femmes de qualité. » Etc., etc.

Cela parut impertinent et déplut.

« L'amour n'est pas dans la nature, c'est l'ouvrage de la société. »

Il lui faisait chaque jour un petit présent délicat : un collier de corail pour la foire Saint-Nicolas, des cailles à l'heure du dîner, une robe de percale brodée achetée devant elle 5 l [ouis] de Mme Coss [onier], un flacon de thé, une bouteille de *Malaga* vieux.

Toujours arrivant avec un compliment préparé, ce compliment souvent mauvais, toujours hors de propos ; je lui ai vu dire deux fois dans la même occasion, à huit jours de distance : « *Medicus sum, non sum coquinus.* Savez-vous le latin ? » Etc.

Mercredi [23] avril.

Aventure aussi basse chez Mme Pallard, ou plutôt sur la porte de la maison de Mme Lavabre. J'y [enfile] Rosa après l'avoir [branlée], le tout, pour la première fois, n'étant pour lors éclairés que par un réverbère (de Marseille) éloigné de vingt-cinq pas, y ayant de la lumière aux fenêtres des maisons vis-à-vis. Pour finir une matière si maigre et si noire, je la [foutis] à une heure, j'entrai chez elle à minuit. Je mourus bien vite de dégoût ; je lui fis cela deux fois, le lui fis faire six, et m'en allai bien dégoûté et honteux à six heures du matin. Oncques depuis ne l'ai revue, quoique je dusse y retourner.

Je le ferai peut-être pour [l'enculer]. La seule chose que j'aie à louer en elle, c'est qu'elle ne m'ait pas parlé de Mlle L [ouason].

Samadet m'était venu chercher à midi. Je conduis Mme Collavier au tribunal des voleuses; plaidoyers des avocats.

Mme P. m'invite à dîner. Le fromage arrive, je suis très brillant pendant le dîner et les deux heures suivantes, mais non pas encore avec le *sec* et l'*indifférent* du bon ton.

PIERRE DE MASSOT

1900-1969

Mon corps ce doux démon

1932 / 1953

Mon corps ce doux démon n'est certes pas une *lecture* de 1932 puisque ce texte n'a été imprimé que bien après la dernière guerre. Mais c'est une *écriture* qui à divers titres porte bien la marque de son époque, d'où sa présence ici.

La justification de tirage dit : « *Ce livre, écrit en 1932 dans le port de Cannes sur le yacht de Francis Picabia,* L'Horizon, *a été imprimé 200 et vingt fois pour l'auteur et quelques amis.* » Le texte est précédé d'une lettre de Gide datée simplement en haut, « mardi soir », et en bas, « 1934 » :

« *Mon cher Pierre de Massot – Rassurez-vous. Ce que j'aurais à vous dire n'a rien de terrible, bien au contraire. Votre œuvre est si particulière, si personnelle, que j'ai trouvé bien ridicule, en y repensant, le conseil que je vous donnais l'an passé de modifier (par exemple)* l'âge de vos personnages pour rendre plus acceptable votre récit. Il n'a pas à être acceptable mais accepté par quelques-uns seulement, qui vous sauront gré tout au contraire de tout ce qui doit le rendre intolérable pour ceux dont l'opinion ne vous importe guère. Le seul reproche que je puisse vous faire, c'est que vous le leur dites un peu trop. J'ai commencé à vous lire avec tremblements et délices. Le tremblement a cessé dès l'instant que j'ai pris le parti de considérer ce manuscrit comme celui de quelqu'un mort depuis longtemps et à qui cet écrit ne pouvait plus nuire. J'ai compris du même coup que ce tremblement était en fonction de l'affection que je vous portais, qui est vive. Ce mot vous parviendra-t-il... »,* etc.

Ce texte, en 1953, a été imprimé sous la forme d'une plaquette in–8° raisin de 74 pages, tirée à 220 exemplaires hors commerce.

MAIS IL ME FAUT CONTER maintenant jusqu'où m'entraîna dans le domaine de la sensualité une absence devenue totale de scrupules. Que les pharisiens me jettent la pierre ! je ne la mettrai point à mon cou, suivant le précepte évangélique, pour m'aller noyer, mais, qu'il me faille demain dormir à la belle étoile et j'y poserai la tête pour dormir. Oreiller du doute, un peu rude peut-être mais tendrement consenti.

Lucienne avait douze ans à peine quand je la rencontrai mais en paraissait quatorze. De ses parents, je ne dirai rien, sinon qu'ils étaient mes amis. Son père surtout, depuis quelque cinq années. Je les visitai fréquemment. Leur fille, de complexion délicate, vivait dans leur douaire en Touraine, en compagnie de sa grand-mère maternelle et d'une vieille gouvernante irlandaise. Comment je fus amené à la connaître ? tout simplement. Le destin n'emprunte pas toujours à Machiavel.

A la suite de deux hémoptysies consécutives qui m'avaient fort affaibli, mon ami D. eut la pensée de m'offrir un séjour dans sa propriété de campagne et comme, par discrétion, je déclinais l'offre, il insista si chaudement, si habilement aussi que je me trouvai contraint d'accepter. Il m'y conduisit en voiture, y passa une semaine avec moi puis, lorsqu'il me jugea suffisamment acclimaté, reprit le chemin de Paris. Je ne le vis point partir sans quelque mélancolie de la terrasse où, étendu, j'agitais pour lui mon mouchoir. Si las que je me sentisse, si abattu, l'existence entre une gamine que j'avais tout lieu de me figurer sauvage, sa gouvernante et sa mère-grand, ne semblait pas devoir me promettre un trop vif agrément, et je me hâtais d'inventer une raison de m'éloigner dont on ne puisse suspecter la vraisemblance et qui me mît en règle avec celles de la bienséance. Combien je me leurrais! et comme je fus avisé de n'exécuter pas sur-le-champ ce programme! J'eusse manqué de vivre un roman singulier dont longtemps encore je garderai le souvenir…

Lucienne D., je viens de l'écrire, était déjà formée pour son âge, mais vêtue toujours ainsi qu'une très petite fille dont elle conservait les traits charmants : jupe écossaise, au-dessus du genou, chaussettes ou bas roulés, cheveu court et bouclé. Des yeux de soie, immenses et – je sus plus tard pourquoi – brûlants de fièvre illuminaient son visage, le plus joli du monde. La langueur et l'ingénuité de son regard me troublèrent infiniment. Tout de suite amis, on effectuait ensemble de longues randonnées par la campagne qui, dans la région tourangelle, est, à la belle saison, enchanteresse. Aussi naïves que myopes, grand-mère et gouvernante ne voyaient goutte à notre amitié naissante et moi-même alors, aveugle autant qu'Œdipe, j'ignorais où, grâce à son fameux complexe, elle m'allait précipiter. Certes je n'étais pas sans avoir remarqué les rougeurs de l'enfant quand je la surprenais au fond du jardin, sous la charmille, rêvant sur un livre – elle lisait selon son gré – non plus que ses balbutiements si je l'interrogeais sur le choix de ses lectures. Mais rien d'autre, en vérité.

Or, voilà qu'un matin, alors qu'assis côte à côte, je lui faisais traduire un texte de César – pour me distraire, je m'occupais de ses études, sans prévoir l'enchaînement des circonstances – ma main, par hasard, frôla son genou. Le visage de mon élève s'empourpra mais, loin de la retirer, comme instinctivement, elle joignit sa jambe contre la mienne. Stupéfait, sans pourtant rien perdre de mon sang-froid, je transformai doucement le geste involontaire en attouchement précis : ma paume enserra le mollet qu'elle palpa longuement. Ce fut tout ce matin-là. Mais les jours qui suivirent ce jour, durant les heures de classe, nos têtes rapprochées à se confondre, je poussai plus avant ma conquête. C'est ainsi que je lui volai un baiser sur la bouche tout en caressant sa cuisse très haut sous la jupe retroussée et que, peu après, sans qu'elle manifestât de déplaisance, je guidai sur mon propre corps sa main, là où je souhaitais qu'elle demeurât.

Je n'ai pas l'intention de peindre nos voluptueux entretiens. Qu'on sache toutefois que si je ne la possédai pas, au sens strict du mot, il n'est rien d'autre que je ne lui enseignasse et dont elle me sut gré. Souple et passionnée, mais point serve, elle se pliait à tous mes désirs, ainsi qu'une liane aux rameaux d'un chêne. Elle avait perdu jusqu'au souvenir, tant je l'avais admirablement façonnée, de sa pudeur et ne rougissait que sous l'aiguillon du désir. Qu'au plus secret de ce tendre corps, et si vulnérable, sous un triangle de batiste blanche, j'insinue ma caresse, elle s'ouvrait pour l'accueillir. Elle pratiquait, mieux qu'une courtisane, les gammes du baiser. J'aimais qu'elle nuançât de sentiment son libertinage : elle y excellait. Qu'on ne la juge point dépravée ! elle, toute vertu, tout pur amour, et ne se prêtant à mes exigences que par candeur. Les raffinés seuls entendront ce langage ; aussi bien ne s'adresse-t-il pas à d'autres.

Le danger de la délicieuse aventure ne tarda pas à poindre : Lucienne chaque jour davantage – pourquoi le céler ? – s'éprenait de son initiateur. En vain la sermonnais-je, lui assurant qu'elle se devait garder pour beaucoup plus jeune, lui expliquant avec force d'exemples à l'appui qu'il ne fallait pas confondre le plaisir et l'amour, c'était peine perdue, mes raisonnements lui étaient de peu ; pour elle, bien sûr, un et un ne faisaient pas deux. Or, si je goûtais qu'une gosseline de douze ans jouât de mon corps comme d'un violon, il ne m'agréait guère de lui confier mon cœur sans retour. Ayant appris par la domestique qu'elle m'appelait la nuit dans son sommeil, je décidai de partir et du même coup de rompre et de ne la revoir jamais. Néanmoins je fis scrupule de l'en prévenir. Elle domina son chagrin, encore que jaillissent des larmes à travers ses longs cils ; elle ne prononça pas un mot. Et m'évita.

Le jour de mon départ, je prétextai mes valises à boucler pour que la grandmère autorisât sa petite fille à m'accompagner dans ma chambre. En dépit de sa secrète meurtrissure, Lucienne n'hésita pas une seconde à me dispenser une dernière fois le plaisir que j'attendais d'elle et dont elle savait qu'il lui serait rendu ; jamais encore elle n'avait conjugué une telle fougue et tant de science, ni fait preuve d'une si sauvage ardeur. Tandis que sa bouche sensuelle m'aspirait tout entier, je lissais ce que de son corps dévoilait sa position cavalière ; les jambes duvetées, les cuisses dorées et fraîches et, sous les claires lingeries, la croupe et le pubis soyeux, jusqu'à ce que je perdisse pied. Alors, pendant que je rendais les armes entre ses mains mouvantes, elle remonta vers l'oreiller, écrasa mes lèvres d'un baiser doux et fort qui embaumait, puis, preste, légère, s'envola…

… L'odeur de son parfum intime ne se dissipait pas dans la pièce où le soleil entrait à flots par les baies grandes ouvertes…

Un peu plus tard, j'ai su qu'elle se mourait dans un sanatorium, quelque part, en Suisse ; je m'astreignais à ne lui point faire signe. Je jetai même au feu les rares photographies que j'avais prises et déchirai les billets déchirants – trois en tout – qu'elle m'avait adressés tout de suite après mon départ. Puis une lettre de sa mère me manda qu'elle n'était plus. Il y aura déjà douze ans cet hiver que dans la ténèbre un corps charmant se défait qui tout un printemps s'était raidi dans mes bras. *Pax !*

Oui, oui, je le sais, on me donnera du cynique et du roué. Et ce ne seront pas les plus pervertis les moins acharnés ! Je suis mithridatisé contre les toxines de la fausse vertu et de la dévotion. Et me moque des Savonaroles, éperdument ! Combien me divertissent les règlements, édits, lois, arrêts, etc… promulgués à foison en un monde où l'on ne discourt que de liberté et dans lequel on persuade allégrement le premier imbécile venu qu'il peut en disposer à son gré ! Quoi de plus fallacieux ? qu'on ait fait en soi table rase des préjugés et des conventions, on s'aperçoit qu'on risque à tout instant le tribunal, le bagne, la potence ou le donjon. Je m'étonne qu'on ne brûle plus en place de Grève pour délit de sodomie ou pour crime de bestialité[1]. Il est vrai qu'aux États-Unis, nation d'hommes libres, comme chacun sait, et par excellence morale, la foule se charge de supprimer le délinquant, si sa victime surtout appartient à la race blanche et qu'il soit, l'infortuné, de peau noire. Il est vrai qu'en Germanie, par les nuits chaudes de juin, où rôde la luxure, c'est le Reichsführer lui-même, revolver au poing, qui opère. Il est vrai qu'on n'admire plus se pâmer le long de l'Arno, dans la buée mordorée du crépuscule, les capiteuses Florentines et que si la porte est ouverte au Vatican sur le monde, tous les bouges du Transtevere et du Suburre ont clos les leurs désormais… Je tiens pour monstrueux d'être passible des travaux forcés parce qu'on accepta d'indiquer à des adolescents qui vous en priaient les sources du plaisir, et comment les capter. Et penser qu'on est seul, ou presque, à s'en indigner ? Quelle désillusion sur la nature humaine !

Cependant voici une page magnifique[2] dont je contresigne chaque terme : « Elle était forte, enfin, et très faible, comme on peut l'être, de cette idée qui toujours avait été la sienne, mais dans laquelle je ne l'avais que trop entretenue, à laquelle je ne l'avais que trop aidée à donner le pas sur les autres : à savoir que la liberté acquise ici-bas au prix de mille et des plus difficiles renoncements, demande à ce qu'on jouisse d'elle sans restrictions dans le temps où elle est donnée, sans considération pragmatique d'aucune sorte et cela parce que l'émancipation humaine, conçue en définitive sous sa forme révolutionnaire la plus simple, qui n'en est pas moins l'émancipation humaine, *à tous égards*, entendons-nous bien, *selon les moyens dont chacun dispose*, demeure la seule cause qu'il soit digne de servir. »

---

1. Elles seraient légions, celles qui, dans une pieuse rage, apporteraient leur fagot pour alimenter le foyer et à qui, comme l'admirable Jean Hus, nous pourrions dire : « O sancta simplicitas ! ».

2. Cf. *Nadja* d'André Breton (NRF édit., 1928), p. 186 *in fine* et 187.

MON CORPS CE DOUX DÉMON

Ainsi parlait André Breton, superbement. On ne vantera jamais assez non plus l'impavidité d'André Gide qui publiait coup sur coup *Corydon, Si le grain ne meurt, Les Faux Monnayeurs*[1]. Je l'en admire, pour mon compte, profondément. Car il est moins facile d'user de la liberté que d'en définir avec éloquence le concept. Je l'ai souventes fois expérimenté et me refuse d'additionner les déboires et les déceptions.

Que serait-ce si m'attiraient les animaux ? Notez que ce penchant, pour n'être point tenté de le satisfaire, pas plus qu'un autre je ne le proscris. Plus répandu qu'on ne le croit, ceux qui s'y adonnent, c'est avec passion. Mais, soit que les retienne une honte absurde, soit que les conséquences les effrayent de cette pratique, ils ne s'y livrent qu'en grand mystère, entre initiés. Peu osent y faire allusion. Aussi bien dois-je louer M. de Montherlant qui, le tout premier je suis sûr, dans un entretien retentissant que publia le plus lu des périodiques littéraires, proclama que le problème existait, que le taire ou le masquer ne l'éludait point, et qui, après avoir précisé les dessous de ses *Bestiaires*, ne se fit pas faute de suggérer sa dilection singulière, disons mieux : sa prédilection pour les nobles bêtes[2]. Le superbe païen ! comme son audace m'allait au cœur ! J'aimais non seulement qu'il s'en prît à ce sujet, mais qu'il l'abordât de si haut, et sur un ton si grave. Le Français qui a naturellement l'esprit bas, s'il parle de ces choses, vous avez la nausée : oyez-le ou plutôt ne l'écoutez point quand il croise une femme accompagnée d'un chien. Or, quoi de plus naturel si elle demande à son animal préféré les intimes attentions qu'exigent de leurs amants ses pareilles ? et de quoi, oui de quoi s'occupe cet individu ?

J'ai connu une ravissante jeune fille dont l'épagneul était précisément dressé. Ses parents informés, sur leur prière on l'interna comme aliénée et cette enfant qui ne l'était pas le moins du monde sut à merveille simuler, à défaut de repentance, la guérison. Tant et si bien qu'à sa famille on la rendit. Le lendemain de son retour, prévoyant que la délivrance à quoi elle n'avait cessé de songer dans sa prison lui serait fatale, parce qu'elle succomberait à neuf et qu'automatiquement ses bourreaux la feraient réenfermer, elle se sourit une fois encore devant son miroir et se suicida d'une balle dans la bouche. Les siens estimèrent sans doute qu'il en était mieux ainsi et, puisqu'il leur avait donné un monstre en la personne de leur fille, qu'il était équitable que Dieu la leur reprît. Ainsi finissait leur épreuve terrestre. Ce « monstre » qui évoquait un Botticelli m'avait à plusieurs reprises, avant son internement, confié le secret de sa vie, et les tourments

---

1. Gallimard édit.
2. Cf. *Une heure avec* par Frédéric Lefèvre. *Nouvelles littéraires* du 15 octobre 1927.

de son cœur, et qu'une angoisse atroce, inexprimable, l'accablait à la pensée de n'assouvir point sa dévorante et mystérieuse passion. Je l'avais vivement engagée à ne consulter que soi et je l'y engagerais tout de même si elle pouvait de nouveau m'interroger. Comme j'engagerai toujours une créature d'aller au bout de ses désirs, quels qu'ils soient. Je n'agis pas autrement.

1885-1930

L'Amant de Lady Chatterley

1932

On connaît le jugement sec et définitif de Céline sur le roman de Lawrence : « *Une pauvre bitte de garde-chasse pour trois cents pages*[1]. » C'était encore trop pour la langue anglaise. Maurice Girodias pouvait écrire en 1957 : « *L'Angleterre, patrie de Lawrence, est aujourd'hui le seul pays d'Occident où ce livre demeure interdit*[2]. » Les passages suivants, extraits de lettres de Lawrence, donneront une idée des problèmes que lui causa la publication de l'édition anglaise de son livre en 1928 :

> « *à Aldous Huxley,*
> « *Gstaad, 31 juillet 1928.*

> « *Je pense que tous les exemplaires commandés de* Lady Chatterley *sont maintenant en Angleterre : les libraires ont immédiatement écrit pour demander qu'on les fasse reprendre, qu'ils ne peuvent vendre un livre pareil, que je dois annuler leurs commandes, et qu'il faut les débarrasser de cette horreur à l'instant même.* [...] *Il est maintenant question que la police perquisitionne dans les libraires : et je suppose que les gens n'attendent que cela.* [...] »

> «*à M. Speiser,*
> « *Palma de Majorque, 26 mai 1929.*

> « *Je vous remercie de me dire que vous allez tenter de retrouver les éditeurs des éditions frauduleuses de* Lady Chatterley's Lover. *Peut-être mon roman, si vous l'avez lu, vous a-t-il déplu : pour ma part, bien sûr, je le défendrai jusqu'au bout. Mais ce serait rendre un grand service aux lettres que de faire cesser cette piraterie littéraire, ou, en tout cas, d'exposer au grand jour ce trafic éhonté. Il est paru au moins trois éditions frauduleuses de* Lady Chatterley's Lover *aux États-Unis – j'ai vu des exemplaires de deux d'entre elles... »*

> « *à Catherine Carswell,*
> « *Lichtenthal, 12 août 1929.*

> « *Cette affaire de police m'écrase d'ennui et de dégoût ; je n'ai plus envie d'entendre parler de l'Angleterre. Comment peut-on permettre à ces canailles stupides et ignares d'insulter un homme qui ne peut pas se défendre ? L'Angleterre est d'une lâcheté écœurante dès qu'il est question de pureté. »*

Dans sa traduction française, quatre ans plus tard, qui ne fut pas poursuivie, du moins en France, le livre comporte une préface d'André Malraux que l'on cite souvent, mais généralement à tort et à travers. Car passablement ambiguë, comme souvent chez Malraux, elle n'est dans son ensemble qu'un exposé, non de sa pensée, comme on le croit souvent, mais de la pensée de Lawrence, suffisamment différente de celle de son préfacier pour que Malraux veuille faire saisir en 1958 un livre où on la lui attribuait. Cela dit, il y a dans ces cinq pages un peu bâclées une intéressante analyse de l'érotisme en tant qu'attitude :

> « *Peut-être ce livre ne prête-t-il nulle part à la confusion plus qu'en France, parce qu'il se fonde sur l'érotisme. Chez nous, l'érotisme s'oppose à d'autres passions, à la vanité sur-*

---

1. *Bagatelles pour un massacre*, Paris, 1938.

2. L'*Affaire Lolita*, Paris, 1957.

tout (d'où le subtil sadisme des Liaisons dangereuses). La maîtrise d'un héros de Nerciat sur ses sensations, d'un Valmont sur celles de ses partenaires, les rend odieux à Lawrence, pour qui la conscience exaltée de la sensualité peut seule combattre la solitude humaine. »

Et une non moins intéressante, quoiqu'un peu brève, tentative d'historique :

« D'abord, à la Renaissance surtout, la technique physique de l'érotisme. Puis, vers le XVIIIe siècle, la technique psychologique : les hommes de race blanche découvrent que, pour eux, une idée peut être plus excitante qu'un instrument, et même que la beauté d'un corps. Puis, l'individualisation de l'érotisme...
« Chacune de ces phases grandit l'érotisme, lui donne une plus grande place dans la vie des hommes. Il s'approche peu à peu de l'individu. Il était le diable, il devient l'homme ; nous allons le voir dépasser l'homme, devenir sa raison d'être. Là est l'intérêt essentiel de ce livre, et aussi son intérêt historique : l'érotisme y cesse d'être l'expression de l'individu. Il devient un état de l'âme, un état de vie, comme l'opium pour le Chinois des dernières dynasties : c'est l'individu, maintenant, qui n'est plus qu'un moyen. »

Il est bien clair que quand Malraux écrit ensuite :

« Il ne s'agit pas là d'échapper au péché, mais d'intégrer l'érotisme à la vie sans qu'il perde cette force qu'il devait au péché ; de lui don-ner tout ce qui, jusqu'ici, était donné à l'amour : d'en faire le moyen de notre propre révélation »,

et plus loin :

« Notre amour-passion repose sur ce caractère unique de l'amant, de la maîtresse. Il s'agit de détruire notre mythe de l'amour, et de créer un nouveau mythe de la sexualité : de faire de l'érotisme une valeur »,

il n'expose pas son programme, mais celui de Lawrence. Lui, Malraux, n'a pas d'avis ; il s'interroge :

« Que pouvons-nous en attendre, dans cette région de mythes ? Peut-être plus de conscience. » Et encore : « Cette érotisation de l'univers que nous prêtent les Asiatiques, qu'en connaissons-nous nous-mêmes ? »

Et la seule, ou presque, réflexion, personnelle qu'il nous livre est une réserve :

« Pour l'homme, qui cherche, si passionnément, sa raison d'être, je me méfie de garanties cachées au plus profond de la chair et du sang. Je crains alors leur nature et leur durée. Car une grande saveur de solitude accompagne ces personnages de Lawrence : pour ce prédicateur du couple, l'"autre" ne compte guère. Le conflit ou l'accord s'établit entre l'être et sa sensation. »

Il y a là beaucoup de points sur lesquels nous aurons l'occasion de revenir.

IL LA REGARDA, puis détourna les yeux vers la fenêtre, le visage animé de son subtil ricanement muet. Il y eut un silence tendu. Enfin il se tourna vers elle et lui dit d'un ton sarcastique :

— C'est donc pour ça que vous me vouliez ? Pour avoir un enfant ?
Elle baissa la tête.
— Non, pas au fond, dit-elle.
— Et pourquoi alors, au fond ? demanda-t-il d'un ton mordant.
Elle le regarda d'un air de reproche.
— Je ne sais pas.

Il éclata de rire.

— Eh bien, du diable si je le sais, moi!

Il y eut un long moment de silence, de froid silence.

— Eh bien, dit-il enfin, ce sera comme il plaira à Madame. Si vous avez un enfant, je serai heureux de l'offrir à Sir Clifford. Je n'y perdrai rien. Au contraire; j'ai eu une très agréable aventure, tout à fait agréable!

Il s'étira en une sorte de bâillement à demi réprimé. Puis:

— Si vous vous êtes servie de moi, ce n'est pas la première fois que cela m'arrive et je ne pense pas que ç'ait jamais été plus agréable que cette fois-ci, bien que ce ne soit pas particulièrement flatteur pour ma dignité.

Il s'étira de nouveau, d'une curieuse façon, les muscles tremblants, la mâchoire serrée.

— Mais je ne me suis pas servie de vous, supplia-t-elle.

— Comme Madame voudra.

— Non. Votre corps me plaisait.

— Vraiment? répliqua-t-il. Eh bien, alors nous sommes quittes, parce que le vôtre me plaisait aussi.

Il la regarda avec des yeux étranges, assombris.

— Voulez-vous monter maintenant? demanda-t-il d'une voix étranglée.

— Non, pas ici. Pas maintenant! dit-elle pesamment. Et pourtant, s'il avait le moins du monde insisté, elle aurait cédé, car elle était sans force contre lui.

Il détourna de nouveau le visage et sembla l'oublier.

— Je veux vous toucher comme vous m'avez touchée, dit-elle. Je n'ai jamais vraiment touché votre corps.

Il la regarda et sourit de nouveau.

— Maintenant? dit-il.

— Non! non! Pas ici! A la cabane. Ça ne vous ennuie pas?

— Comment est-ce que je vous touche?

— Quand vous me caressez.

— Et vous aimez que je vous caresse?

— Oui, et vous?

— Oh, moi!

Puis il changea de ton:

— Oui, dit-il. Vous le savez sans que je vous le dise.

Et c'était vrai.

Elle se leva, ramassa son chapeau.

— Il faut que je m'en aille, dit-elle.

— Vous vous en allez? répondit-il poliment.

Elle voulait qu'il la touchât, qu'il lui dît quelque chose. Mais il ne disait rien. Il attendait, poliment.

— Merci pour le thé, dit-elle.

— Je n'ai pas remercié Madame de l'honneur qu'elle m'a fait en se servant de ma théière, dit-il.

Elle descendit le sentier, et il resta dans l'embrasure de la porte, ricanant vaguement. Flossie accourut, la queue en l'air. Et Constance dut marcher en silence jusqu'au bois, sachant qu'il était là, debout, à la regarder, avec ce ricanement incompréhensible sur le visage.

Elle rentra chez elle très découragée et ennuyée. Pourquoi avait-il dit qu'on s'était servi de lui? En un sens, c'était vrai. Mais il n'aurait pas dû le dire. En sorte que, une fois de plus, elle était divisée entre deux sentiments : une rancune contre lui et un besoin de se réconcilier avec lui.

Après le thé, qui fut pénible et irritant, elle monta tout de suite chez elle. Mais elle ne pouvait tenir en place. Il fallait faire quelque chose. Il fallait faire quelque chose. Il fallait aller à la cabane; s'il n'y était pas, tant mieux.

Elle se glissa dehors et marcha droit vers la cabane, d'une humeur assez sombre. Quand elle arriva à la clairière, elle se sentait terriblement troublée. Mais il y était de nouveau, en bras de chemise, accroupi, ouvrant les cages pour faire sortir les poules parmi les poussins devenus un peu grands et niais, mais beaucoup plus dégrossis que des poussins de poules.

Elle vint droit à lui.

— Vous voyez que je suis venue, dit-elle.

— Oui, je le vois, dit-il en se redressant et en la regardant d'un air légèrement amusé.

— Vous faites sortir les poules maintenant? demanda-t-elle.

— Oui; elles sont restées assises jusqu'à ce qu'il ne leur reste plus que la peau sur les os. Et maintenant, elles n'ont aucune envie de sortir et de se nourrir. Le « moi » n'existe plus chez une poule couveuse; elle est tout entière dans ses œufs ou dans ses poussins.

Pauvres mères-poules! Quel amour aveugle! et pour des œufs qui n'étaient même pas les leurs! Constance les regardait avec compassion. Un silence morne tomba entre l'homme et la femme.

— Entrerons-nous dans la cabane? demanda-t-il.

— Me désirez-vous? demanda-t-elle avec une sorte de défiance.

— Oui, si vous voulez venir.

Elle entra avec lui dans la cabane. Une obscurité complète y régna quand il eut fermé la porte, en sorte qu'il alluma une petite lumière dans la lanterne, comme l'autre fois.

— Avez-vous enlevé vos dessous? lui demanda-t-il.

— Oui.

— Eh bien, alors, je vais enlever aussi mes affaires.

Il étendit les couvertures sur le sol. Elle enleva son chapeau, secoua ses cheveux. Il s'assit, enleva ses souliers et ses guêtres, déboutonna sa culotte de futaine.

– Couchez-vous donc, dit-il quand il fut en chemise. Elle obéit en silence, et il s'étendit auprès d'elle et tira une des couvertures sur leurs corps.

– Voilà, dit-il.

Et il releva sa robe jusqu'à ce qu'il atteignît ses seins. Il les baisa doucement, prenant les bouts entre ses lèvres, en de petites caresses.

– Ah, que tu es bonne, que tu es bonne, dit-il soudain en lui frottant le ventre de son visage, d'un mouvement câlin.

Et elle lui mit les bras autour du corps, sous la chemise ; mais elle avait peur, peur de ce corps mince, lisse et nu qui semblait si puissant ; elle avait peur de ces muscles violents. Elle avait peur.

Et, quand il lui dit, dans une sorte de petit soupir : « Eh, tu es bonne ! » quelque chose en elle frissonna, et quelque chose, dans son esprit, se raidit, prêt à la résistance, résistance devant cette terrible intimité physique et devant la hâte étrange de sa possession. Et cette fois-ci, elle ne fut pas étourdie par l'extase aiguë de sa propre passion. Elle restait là, les mains inertes posées sur le corps de l'homme en mouvement ; et, quoi qu'elle fît, elle ne pouvait empêcher son esprit de contempler froidement, de haut, ce qui se passait ; et le mouvement de boutoir de hanches lui semblait ridicule, et risible cette sorte de frénésie du pénis acharné à obtenir sa petite crise d'évacuation. Oui, c'était donc l'amour, ce ridicule bondissement des fesses, et cette défaillance du pauvre petit pénis insignifiant et moite. C'était là le divin amour ! Après tout, les modernes avaient raison dans leur mépris de cette comédie ; car c'était une comédie. Comme c'était vrai, ce que certains poètes avaient dit : le dieu qui a créé l'homme dut avoir un humour sinistre pour en faire une créature raisonnable et l'obliger en même temps à cette posture ridicule, et le pousser aveuglément à désirer cette ridicule comédie. Même un Maupassant jugeait l'amour une chute humiliante.

Froid, moqueur, son curieux esprit de femme restait détaché et, bien qu'elle demeurât parfaitement immobile, son instinct la poussait à soulever les reins, à expulser l'homme, à échapper à cette sordide étreinte et aux coups de boutoirs de ces hanches ridicules qui la chevauchaient. Ce corps d'homme était une chose absurde, impudente, imparfaite, un peu dégoûtante, inachevée, grossière. Certes une humanité parfaitement évoluée éliminerait cette comédie, cette « fonction ».

Et pourtant, quand il eut fini, très vite, et qu'il demeura étendu, si tranquille, enfoncé dans son silence, dans un éloignement étrange et immobile, loin, si loin, au-delà de ce qu'elle pouvait atteindre, elle se mit à pleurer dans son cœur. Elle le sentait refluer, refluer loin d'elle, et l'abandonner comme un caillou sur la plage. Il se retirait ; il la quittait en esprit. Il savait.

Et, prise d'une vraie douleur, elle se mit à pleurer. Il n'y prit pas garde ; il ne savait même pas, peut-être, qu'elle pleurait. La tempête de ses sanglots s'élevait et la secouait et le secouait.

– Oui, dit-il, c'est raté, cette fois-ci. Vous étiez absente.

Ainsi il savait. Elle pleura plus fort.

– Mais qu'as-tu ? dit-il. C'est toujours ainsi de temps en temps.

– Je… Je ne puis pas vous aimer, dit-elle en pleurant, car elle sentait son cœur se briser.

– Tu ne peux pas ? Eh bien, ne t'en occupe pas. Il n'y a pas de lois qui t'y obligent. Prends les choses pour ce qu'elles sont.

Il avait toujours la main sur sa poitrine ; mais elle ne lui tenait plus le corps de ses deux mains.

Ce qu'il disait ne la consolait guère. Elle sanglotait tout haut.

– Non, non, dit-il. Il faut accepter la balle avec le grain. Cette fois-ci c'est un peu de balle.

Elle pleurait amèrement :

– Mais je voudrais vous aimer, disait-elle en sanglotant, et je ne puis pas. Ah ! tout cela n'est qu'horrible !

Il rit un peu, à demi amer, à demi amusé.

– Ce n'est pas horrible, dit-il, même si tu le trouves horrible. Et tu ne peux pas le rendre horrible. Ne t'occupe pas de m'aimer ou de ne pas m'aimer. Tu ne peux pas t'y forcer. Dans un panier de noix, il y en a toujours une mauvaise. Il faut prendre la mauvaise avec les bonnes.

Et, retirant sa main, il cessa de la toucher. Et maintenant qu'il ne la touchait plus, elle se sentait méchamment satisfaite. Elle haïssait son patois : et ces *tu*, ces *toi*, ces *tiens*. Il pouvait se lever s'il le voulait, et se tenir debout juste au-dessus d'elle, reboutonnant cette absurde culotte de futaine, droit devant elle. Après tout, Michaelis avait eu la décence de se détourner. Cet homme était si sûr de lui-même qu'il ne soupçonnait même pas qu'on pût le juger grossier, sans éducation.

Et pourtant, tandis qu'il se retirait en silence pour se lever et la quitter, elle s'accrocha à lui, terrifiée.

– Ne pars pas ! ne pars pas ! ne me laisse pas ! Ne sois pas fâché contre moi ! Tiens-moi ! Tiens-moi fort ! murmurait-elle en proie à une frénésie aveugle, sans savoir même ce qu'elle disait, et s'accrochant à lui avec une sorte de démence. C'est d'elle-même qu'elle voulait être sauvée, de cette rage, de cette résistance qu'elle sentait en elle-même. Et pourtant quelle force dans cette résistance !

Il la reprit dans ses bras et l'attira à lui, et soudain elle devint petite dans ses bras, petite et câline. C'était fini, la résistance était finie, et elle commença à fondre en une paix merveilleuse. Et comme elle fondait merveilleusement et devenait toute petite dans ses bras, elle lui devint infiniment désirable ; toutes ses veines semblèrent brûler d'un intense et pourtant tendre désir pour elle, pour sa douceur, pour cette pénétrante beauté qu'elle avait dans ses bras et qui lui passait dans le sang. Et doucement, de cette merveilleuse et vertigineuse caresse de sa main animée d'un doux et pur désir, doucement, il caressait la pente soyeuse de ses reins, plus bas, plus bas encore, entre ses fesses douces et chaudes, plus près encore de ce qu'il y avait en elle de plus vivant. Et elle le sentait comme une flamme de désir, tendre pourtant, et elle se sentait fondre dans la flamme. Elle se laissait aller. Elle sentit le pénis se dresser contre elle avec une force extraordinaire, une silencieuse assertion, et elle se laissa aller à lui. Elle céda avec un frisson qui ressemblait à la mort, elle s'ouvrit tout entière à lui. Ah ! s'il n'était pas tendre envers elle maintenant, quelle cruauté, car elle était ouverte à lui tout entière, et tout à sa merci !

Elle frissonna de nouveau à cette entrée en elle, puissante, inexorable, si étrange, si terrible ! Ce serait peut-être un coup de sabre dans son corps doucement ouvert, et alors elle mourrait. Elle s'accrocha à lui, en proie à une soudaine et terrible angoisse. Mais ce fut une lente caresse de paix, la sombre caresse de paix, de puissante et primordiale tendresse, comme celle qui créa le monde aux origines. Et la terreur s'apaisa dans sa poitrine. Sa poitrine se laissa aller en paix ; elle-même ne retint plus rien. Elle laissa tout aller, elle se laissa aller elle-même, tout entière, dans le flot.

Et il lui sembla qu'elle était comme la mer, tout en sombres vagues s'élevant et se gonflant. en une montée puissante, jusqu'à ce que, lentement, toute sa masse obscure fût en mouvement et qu'elle devînt un océan roulant sa sombre masse muette. Et, tout en bas, au tréfonds d'elle-même, les profondeurs de la mer se séparaient et roulaient de part et d'autre, en longues vagues qui fuyaient au loin, et, toujours, au plus vif d'elle-même, les profondeurs se séparaient et s'en allaient en roulant de chaque côté du centre où le plongeur plongeait doucement, plongeait de plus en plus profond, la touchant de plus en plus bas ; et elle était atteinte de plus en plus profond, de plus en plus profond, et les vagues d'elle-même s'en allaient en roulant vers quelque rivage, la laissant découverte ; et, de plus en plus près, plongeait l'inconnu palpable, et de plus en plus loin roulaient loin d'elle les vagues d'elle-même qui l'abandonnaient, jusqu'à ce que soudain, en une douce et frémissante convulsion, le vif de tout son spasme fût touché ; elle se sut touchée ; tout fut consommé ; elle disparut. Elle avait disparu, elle n'était plus, elle était née : une femme.

Ah ! trop beau, trop charmant ! Dans le reflux, elle comprit toute cette beauté. Maintenant tout son corps s'accrochait avec un tendre amour à l'homme inconnu, et, aveuglément, au pénis défaillant qui, tendrement, faiblement, sans le savoir, se retirait, après le furieux assaut de sa puissance. Comme il se retirait, chose secrète et sensible, et abandonnait son corps, elle poussa un cri inconscient, un cri de pure perte, et elle essaya de le remettre. Ç'avait été si parfait! elle en avait eu tant de joie!

Et maintenant seulement, elle comprenait la petitesse du pénis, sa délicatesse, sa réticence de bourgeon; et un petit cri d'émerveillement et de douleur lui échappa encore; le cri de son cœur de femme émerveillé par la délicate fragilité de ce qui avait été la puissance.

– Que c'est beau! gémit-elle. Que c'est bon!

Mais il ne dit rien; il l'embrassait seulement doucement, couché sans mouvement sur elle, Et elle gémit avec une sorte de béatitude, comme une victime, comme une chose qui vient de naître.

Et maintenant dans son cœur s'éveillait l'étrange émerveillement qu'elle avait de lui. Un homme! L'étrange puissance de la virilité sur elle! Ses mains erraient sur lui, encore un peu craintives devant cette chose étrange, hostile, légèrement repoussante qu'il avait été pour elle: un homme. Et maintenant elle le touchait, et c'étaient les fils de Dieu avec les filles des hommes. Qu'il était beau, d'un tissu si pur! Combien beau et charmant, fort, et pourtant pur et délicat! Quelle immobilité du corps sensible! Quelle absolue immobilité, l'immobilité de la puissance et de la chair délicate. Qu'il était beau! Elle lui glissa craintivement les mains le long du dos jusqu'aux globes doux et serrés des fesses. Beauté! Quelle beauté! Une nouvelle petite flamme de compréhension la traversa. Comment était-ce possible, cette beauté, là même où elle avait naguère senti tant de répulsion? L'ineffable beauté de ces fesses chaudes et vivantes qu'elle touchait! La vie dans la vie, la simple beauté, puissante et chaude! Et le poids étrange de ses couilles entre ses jambes! Quel mystère! Quel poids étrange, lourd de mystère, qu'on pouvait tenir ainsi, doux et lourd, dans ses mains! C'étaient les racines, la racine de tout ce qui est beau, la racine primitive de toute beauté complète.

Elle s'accrocha à lui avec un sifflant soupir d'émerveillement qui était presque un soupir de crainte, de terreur. Il la tenait fort, mais ne disait rien. Il ne disait jamais rien. Elle se glissa plus près de lui encore, plus près, seulement pour être tout près de ce miracle sensuel qui était lui. Et, du fond de son absolue, de son incompréhensible immobilité, elle sentit de nouveau la lente et fatale montée du phallus, de l'autre puissance. Et son cœur fondit et s'écroula dans une sorte de terreur.

Et, cette fois, la présence de l'homme en elle ne fut que douceur et chatoiement, si pure qu'elle devenait insaisissable. Tout son être frémit, inconscient et vivant, comme du protoplasme. Elle ne pouvait savoir ce que c'était. Elle ne pouvait se rappeler ce que ç'avait été; seulement que ç'avait été plus délicieux que rien autre ne pourrait jamais l'être. Seulement cela. Après, elle resta entièrement tranquille, entièrement sans connaissance, elle n'aurait pu dire combien de temps. Et il était tranquille comme elle, plongé avec elle dans un insondable silence. Et de tout cela, ils ne parleraient jamais.

ANONYME

Alexandra Roubé-Jansky?

J'ai quatorze ans

1931 / 1932

Par une femme? Si ce petit texte présentait beaucoup d'intérêt par lui-même, on s'attacherait davantage à percer le mystère de son attribution, mais c'est peu de chose. Publié d'abord dans les « Œuvres libres », publication mensuelle de volumes collectifs, il sera revendiqué ensuite par Alexandra Roubé-Jansky, femme de lettres très 1930 « dont on ne sait rien », dira C. Brécourt-Villars (*Écrire d'amour,*), mais on en fera néanmoins honneur à une certaine Maria Luiz (Bécourt), et même à Louis-Charles Royer, qui fera pour cette mince œuvrette un panégyrique disproportionné : « *Si la sincérité fait, comme je le crois, la principale valeur d'une confession, celle-ci est, depuis Jean-Jacques Rousseau, le document le plus complet et le plus troublant qui ait été offert aux lecteurs* » (cité par C. Brécourt-Villars). Non. Mais c'est une lecture d'époque.

Époque qui pourtant, cette même année 1932, voyait paraître sans paraître y attacher trop d'importance le plus beau livre de Colette, en tout cas celui qu'elle préférera jusqu'à sa mort, et pour nous le plus important : *Ces plaisirs...* « *ces plaisirs que l'on nomme, à la légère, physiques* », précisera Colette dans une épigraphe supprimée par la suite. Le volume deviendra en 1941, retouché légèrement, augmenté de *Renée Vivien* et du *Supplément à Don Juan* (1931) *Le Pur et l'Impur*. Pourquoi *Le Pur et l'Impur* ? Colette n'en dira pouvoir trouver que des raisons « *de fort peu d'importance* », comme « *un goût vif des sonorités cristallines, une certaine antipathie pour les*

points de suspension bornant un titre inachevé ». Possible..

Ces plaisirs... avaient commencé à paraître en feuilleton dans *Gringoire* le 4 décembre 1931. Le 1er janvier 1932 l'hebdomadaire devait renoncer à en poursuivre la publication, submergé, comme *Le Matin* dix ans plus tôt, par les protestations des « bons esprits ». Le volume est mis en vente chez Ferenczi en mai 1932.

A cinquante-neuf ans, « *à l'âge où une femme s'attarde à chanter, l'œil voilé de durable gratitude, les biens qui lui glissèrent des doigts* », Colette s'interroge sur l'amour : « *Qu'y a-t-il donc de changé entre l'amour et moi ? Rien, sinon moi, sinon lui. Tout ce qui procède de lui porte encore sa couleur et la répand sur moi. Mais* » ...

Mais quoi ? Bien des choses : la jalousie, « *tonique quotidien* », l'inquiétude amoureuse, les plaisirs même, physiques ou non, ne sont plus ce qu'ils étaient...

De tout temps la place de Ces *plaisirs...* était réservée dans cette anthologie. Et puis, est-ce vraiment une lecture « érotique » à notre sens du XXᵉ siècle ? Il vaut bien mieux renvoyer les lecteurs tout seuls au livre, à sa réflexion grave sur un sujet réputé frivole, à ses personnages inoubliables. Comme madame Charlotte, « *habitée par un génie femelle, occupé de tendre imposture, de ménagement, d'abnégation* » ; comme Damien, ce don Juan gris, inaperçu, froid, « *point affecté ni entaché de beauté commerciale* ». Cet homme qui n'a « *ni esprit ni gaîté, ni la désarmante sottise dont s'épanouissent, confiantes, les femmes* », mais autour de qui elles s'agglutinent comme des papillons autour d'une ampoule électrique, pour n'en retirer, à la fin du compte, qu'« *un goût de trop peur* ». Marguerite Moreno, De Max... Ou « la Chevalière », grande femme « *à dégaine de beau garçon* » et « *au très naturel platonisme* », qui ne peut que constater, l'age venu : « *Ce que je cherche ne se trouve pas en le cherchant* »...

Lisez *Le Pur et l'Impur* (ne lisez pas *J'ai quatorze ans*).

Q UE FAIRE ? Je m'ennuie et me couche toute nue sur les draps frais. Je m'imagine...

Qui serai-je aujourd'hui ? Cléopâtre, ou la tsarine Alexandra ?

Cléopâtre vaut mieux, elle était toujours couchée et elle était brune comme moi.

Voilà ! Prenons cette longue mèche de mes cheveux et laissons-la négligemment retomber sur le tapis, où je lui donne l'ondulation d'un serpent redoutable.

Une esclave noire toute nue et belle comme une statue m'évente avec un grand éventail de plumes de paon. J'effeuille toutes les roses que j'ai cueillies.

Il me faut des bijoux de reine.

Les pétales rouges seront des rubis, les jaunes des topazes, les blancs et les roses, des diamants et des perles.

Les bras en l'air, j'éparpille ces plumes des fleurs sur moi. Elles descendent en pluie parfumée, chaude, et me recouvrent. En se couchant sur ma peau, elles me chatouillent légèrement ; sur mon ventre, les pétales glissent et s'entassent entre mes cuisses jointes, doux, agréables en velours, en soie.

La porte de mon palais s'ouvre, et un homme apparaît. Il est d'une beauté surnaturelle. C'est le général romain, le général Sacha. Seulement, il a aujourd'hui un noble nez tout droit qui lui donne un profil de médaille. Ses yeux ont la couleur du ciel. Il me sourit tendrement et les coins de sa jolie bouche remontent.

Il est nu. Il s'approche de mon trône et se prosterne comme devant une divinité.

Je fais signe négligemment à un de mes esclaves éthiopiens de le relever et l'invite à s'asseoir à mes côtés. Je congédie mes serviteurs et nous restons seuls.

Je veux faire une seule âme avec lui, mais il a très peur de moi parce que je suis Cléopâtre.

Alors, je prends sa main et ordonne :

– Caressez-moi de la gorge au ventre comme Stepan faisait à Groucha dans la paille. Vous verrez comme ce sera doux !

Alors il se couche le long de mon corps, passe sa petite main chaude et douce sur ma peau, et je frémis.

Il me serre fort contre lui, et voilà!... Voilà! C'est bon!

J'étreins mon oreiller, me roule, me frotte sur lui. C'est Sacha. Oh! quelle sensation aiguë et moite! Je suis envahie d'une douceur qui me pénètre jusqu'aux reins, jusqu'au cœur, jusqu'à la gorge, et je perds presque les sens...

A N D R É   M A L R A U X

1 9 0 1 - 1 9 7 6

La Condition humaine

1 9 3 3

Malraux, Lawrence, le surréalisme et Montherlant, ou l'érotisme en 1933, thèse. Étude comparative. Il y aurait beaucoup à dire et j'y reviendrai plus longuement. Il s'agit pour le moment du seul Malraux, dont les rapports avec l'érotisme pourraient faire, feront peut-être un jour, un volume. Jeune marié de vingt-deux ans, il gagnait (bien) sa vie dans l'édition clandestine d'érotiques de luxe illustrés. Une mévente provisoire ne semble pas étrangère à son départ pour l'Indochine. En 1933 ce n'est plus le même homme. Il a déjà publié *Les Conquérants* (1928) *La Voie royale* (1930) et s'apprête à recevoir le Prix Goncourt avec *La Condition humaine*.

C'est devant les tanks, les canons, les fusils, que Malraux et ses personnages se sentent des hommes[1]. Pas devant les femmes, qui d'ailleurs, on l'a souvent remarqué, traversent rarement ses livres. De tous ses héros seul Ferral est mis en scène dans ses rapports sexuels. On peut voir que le partage du plaisir ne rapproche pas plus les couples de Malraux que ceux de Lawrence. L'homme et la femme ne cessent pas d'être mystérieux l'un à l'autre. (« *Jamais le chrétien n'a vu dans la femme un être tout à fait humain. La sexualité féminine lui échappe, l'expérience sexuelle étant intransmissible d'un sexe à l'autre (c'est toujours l'érotisme de l'autre sexe qui est mystérieux*[2] . ») Et comment le pourraient-ils? Toujours dans *La Condition humaine*, un homme explique ce qu'il a ressenti la première fois qu'il a fait l'amour : « *L'orgueil. – D'être un homme? – Non, de ne pas être une femme.* » Un peu court pour une véritable communication. Mais précisément, le regard de Malraux sur l'érotisme est un de ceux qui éclairent les choses, en partie à cause de ses œillères.

---

1. « *En son cœur, sans quitter du regard le tank qui vient vers lui, il chante le chant profond des Asturies. Jamais il ne saura davantage ce que c'est que d'être un homme* » (*L'Espoir*). Il dira lui-même : « *Quand je fais un truc dangereux, je me sens des couilles.* »

2. Préface à *L'Amant de Lady Chatterley*.

IL ENTRA dans la chambre. Couchée, les cheveux dans les creux du bras très rond, elle le regarda en souriant.

Le sourire lui donnait la vie à la fois intense et abandonnée que donne le plaisir. Au repos, l'expression de Valérie était d'une tristesse tendre, et Ferral se souvenait que la première fois qu'il l'avait vue il avait dit qu'elle avait un visage brouillé, – le visage qui convenait à ce que ses yeux gris avaient de doux. Mais que la coquetterie entrât en jeu, et le sourire qui entr'ouvrait sa bouche en arc, plus aux commissures qu'au milieu, s'accordant d'une façon imprévue à ses cheveux courts ondulés par masses et à ses yeux alors moins tendres, lui donnait, malgré la fine régularité de ses traits, l'expression complexe du chat à l'abandon. Ferral aimait les animaux, comme tous ceux dont l'orgueil est trop grand pour s'accommoder des hommes ; les chats surtout.

Il l'embrassa. Elle tendit la bouche. Par sensualité ou par horreur de la tendresse ? se demandait-il tandis qu'il se déshabillait dans la salle de bains. L'ampoule était brisée, et les objets de toilettes semblaient rougeâtres, éclairés par les incendies. Il regarda par la fenêtre : dans l'avenue, une foule en mouvement, millions de poissons sous le tremblement d'une eau noire ; il lui sembla soudain que l'âme de cette foule l'avait abandonné comme la pensée des dormeurs qui rêvent, et qu'elle brûlait avec une énergie joyeuse dans ces flammes drues qui illuminaient les limites des bâtiments.

Quand il revint, Valérie rêvait et ne souriait plus. Bien qu'il eût l'habitude de cette différence d'expression, il lui sembla, une fois de plus, sortir d'une folie. Ne voulait-il qu'être aimé de la femme au sourire dont cette femme sans sourire le séparait comme une étrangère ? Le train blindé tirait de minute en minute, comme pour un triomphe : il était encore aux mains des gouvernementaux, avec la caserne, l'arsenal et l'église russe.

— Cher, demanda-t-elle, avez-vous revu M. de Clappique ?

Toute la colonie française de Shanghaï connaissait Clappique. Valérie l'avait rencontré à un dîner l'avant-veille ; sa fantaisie l'enchantait.

— Oui. Je l'ai chargé d'acheter pour moi quelques lavis de Kama.

— On en trouve chez les antiquaires ?

— Pas question. Mais Kama revient d'Europe ; il passera ici dans une quinzaine. Clappique était fatigué, il n'a raconté que deux jolies histoires : celle d'un voleur chinois qui fut acquitté pour s'être introduit par un trou en forme de lyre dans le Mont-de-Piété qu'il cambriolait, et celle-ci : Illustre-Vertu, célèbre depuis vingt ans, élève des lapins. D'un côté de la douane intérieure, sa maison, de l'autre, ses cabanes. Les douaniers, remplacés une fois de plus, oublient de prévenir leurs successeurs de son passage quotidien. Il arrive, son panier plein d'herbe sous le bras. « Hep là-bas ! Montrez votre panier. » Sous l'herbe, des montres, des chaînes, des lampes électriques, des appareils photographiques. « C'est ça que vous donnez à manger à vos lapins ? – Oui, monsieur le directeur des douanes. Et (menaçant à l'égard desdits lapins) et s'ils n'aiment pas ça, ils n'auront rien autre. »

— Oh ! dit-elle, c'est une histoire scientifique ; maintenant je comprends tout. Les lapins-sonnettes, les lapins-tambours, vous savez, tous ces jolis petits bestiaux qui vivent si bien dans la lune et les endroits comme ça, et si mal dans les chambres d'enfants, voilà d'où ils viennent... C'est encore une navrante injustice cette triste histoire d'Illustre-Vertu. Et les journaux révolutionnaires vont beaucoup protester, je pense : car, en vérité, soyez sûr que ces lapins mangeaient ces choses.

— Vous avez lu *Alice au pays des Merveilles*, chérie ?

Il méprisait assez les femmes, dont il ne pouvait se passer, pour les appeler chérie.

— Comment en doutez-vous ? Je le sais par cœur.

— Votre sourire me fait penser au fantôme du chat qui ne se matérialisait jamais, et dont on ne voyait qu'un ravissant sourire de chat, flottant dans l'air. Ah ! pourquoi l'intelligence des femmes veut-elle toujours choisir un autre objet que le sien ?

— Quel est le sien, cher ?

— Le charme et la compréhension, de toute évidence.

Elle réfléchit.

— Ce que les hommes appellent ainsi, c'est la soumission de l'esprit. Vous ne reconnaissez chez une femme que l'intelligence qui vous approuve. C'est si, si reposant...

— Se donner, pour une femme, posséder, pour un homme, sont les deux seuls moyens que les êtres aient de comprendre quoi que ce soit...

— Ne croyez-vous pas, cher, que les femmes ne se donnent jamais (ou presque) et que les hommes ne possèdent rien ? C'est un jeu : « Je crois que je la possède, donc elle croit qu'elle est possédée... » Oui ? Vraiment ? Ce que je vais dire est très mal, mais croyez-vous que ce n'est pas l'histoire du bouchon qui se croyait plus important que la bouteille ?

La liberté des mœurs, chez une femme, excitait Ferral, mais la liberté de l'esprit l'irritait. Il se sentait avide de faire renaître le seul sentiment qui lui donnât prise sur une femme : la honte chrétienne, la reconnaissance pour la honte subie. Si elle ne le devina pas, elle devina qu'il se séparait d'elle, et, sensible par ailleurs à un désir physique qu'elle voyait grandir, amusée à l'idée qu'elle pouvait le ressaisir à volonté, elle le regarda, la bouche entr'ouverte (puisqu'il aimait son sourire...), le regard offert, assurée que, comme presque tous les hommes, il prendrait le désir qu'elle avait de le séduire pour celui d'un abandon.

Il la rejoignit au lit. Les caresses donnaient à Valérie une expression fermée qu'il voulut voir se transformer. Il appelait l'autre expression avec trop de passion pour ne pas espérer que la volupté la fixerait sur le visage de Valérie, croyant qu'il détruisait un masque, et que ce qu'elle avait de plus profond, de plus secret, était nécessairement ce qu'il préférait en elle : il n'avait jamais couché avec elle que dans l'ombre. Mais à peine, de la main, écartait-il doucement ses jambes qu'elle éteignit. Il ralluma.

Il avait cherché l'interrupteur à tâtons, et elle crut à une méprise ; elle éteignit à nouveau. Il ralluma aussitôt. Les nerfs très sensibles, elle se sentit, à la fois, tout près du rire et de la colère ; mais elle rencontra son regard. Il avait écarté l'interrupteur, et elle fut certaine qu'il attendait le plus clair de son plaisir de la transformation sensuelle de ses traits. Elle savait qu'elle n'était vraiment dominée par sa sexualité qu'au début d'une liaison, et dans la surprise ; lorsqu'elle sentit qu'elle ne retrouvait pas l'interrupteur, la tiédeur qu'elle connaissait la saisit, monta le long du torse jusqu'aux pointes de ses seins, jusqu'à ses lèvres dont elle devina, au regard de Ferral, qu'elles se gonflaient insensiblement. Elle choisit cette tiédeur et, des cuisses et des bras le serrant contre elle, plongea à longues pulsations loin d'une grève où elle savait que serait rejetée tout à l'heure, avec elle-même, la résolution de ne pas lui pardonner. [...]

Quelque temps après, Valérie accepte un nouveau rendez-vous de Ferral :

Ne ferait-il toute sa vie qu'attendre au passage, pour profiter de leur force, ces poussées de l'économie mondiale qui commençaient comme des offrandes et finissaient comme des coups de tête dans le ventre ? Cette nuit, que ce fût dans la résistance, la victoire ou la défaite, il se sentait dépendant de toutes les forces du monde. Mais il y avait cette femme dont il ne dépendait pas, qui dépendrait tout à l'heure de lui ; l'aveur de soumission de ce visage possédé, comme une main plaquée sur ses yeux lui cacherait les contraintes enchevêtrées sur lesquelles reposait sa vie. Il l'avait revue dans quelques salons (elle n'était revenue de Kyoto que depuis trois jours) retenu et irrité chaque fois du refus de toute soumission par quoi elle stimulait son désir, bien qu'elle eût accepté de coucher avec lui cette nuit. Dans son besoin illimité d'être préféré — on admire plus facilement, plus totalement, d'un sexe à l'autre, — si l'admiration devenait incertaine, il faisait appel à l'érotisme pour la raviver. C'est pourquoi il avait regardé Valérie tandis qu'il couchait avec elle : il y a beaucoup de certitude dans des lèvres gonflées par le plaisir. Il détestait la coquetterie sans quoi elle n'eût même pas existé à ses yeux : ce qui en elle s'opposait à lui irritait le plus sa sensualité. Tout cela très trouble, car c'était de son besoin de s'imaginer à sa place dès qu'il commençait à toucher son corps qu'il tirait sa sensation aiguë de possession. Mais un corps conquis avait d'avance pour lui plus de goût qu'un corps livré, — plus de goût que tout autre corps.

Il quitta sa voiture et entra à l'*Astor*, suivi du boy qui portait sa cage au bout du bras avec dignité. Il y avait sur la terre des millions d'ombres : les femmes dont l'amour ne l'intéressait pas — et un adversaire vivant : la femme dont il voulait être aimé. L'idée de possession totale était devenue fixe en lui, et son orgueil appelait un orgueil ennemi comme le joueur passionné appelle un autre joueur pour le combattre, et non la paix. Du moins la partie était-elle ce soir bien engagée, puisqu'ils allaient d'abord coucher ensemble.

Dès le hall un employé européen s'approcha de lui.

— Madame Serge fait dire à monsieur Ferral qu'elle ne rentrera pas cette nuit, mais que ce monsieur lui expliquera.

Ferral, interloqué, regarda « ce monsieur », assis de dos, à côté d'un paravent. L'homme se retourna : le directeur d'une des banques anglaises, qui depuis un mois courtisait Valérie. A côté de lui, derrière le paravent, un boy tenait, non moins dignement que celui de Ferral, un merle dans une cage. L'Anglais se leva, ahuri, serra la main de Ferral, en lui disant :

— Vous devriez m'expliquer, monsieur…

Ils comprirent ensemble qu'ils étaient mystifiés. Ils se regardaient, au milieu des sourires sournois des boys et de la gravité, trop grande pour être naturelle, des employés blancs. C'était l'heure du cocktail, et tout Shanghaï était là. Ferral se sentait le plus ridicule : l'Anglais était presque un jeune homme.

Un mépris aussi intense que la colère qui l'inspirait compensa instantanément l'infériorité qui lui était imposée. Il se sentit entouré de la vraie bêtise humaine, celle qui colle, qui pèse aux épaules : les êtres qui le regardaient étaient les plus haïssables crétins de la terre. Pourtant, ignorant ce qu'ils savaient, il les supposait au courant de tout et se sentait, en face de leur ironie, écrasé par une paralysie toute tendue de haine.

— C'est pour un concours ? demandait son boy à l'autre.

— Sais pas.

— Le mien, c'est un mâle.

— Oui. Le mien, une femelle.

— Ça doit être pour ça.

L'Anglais s'inclina devant Ferral, se dirigea vers le portier. Celui-ci lui remit une lettre. Il la lut, appela son boy, tira une carte de visite de son portefeuille, la fixa à la cage, dit au portier : « Pour Madame Serge » et sortit.

Ferral s'efforçait de réfléchir, de se défendre. Elle l'avait atteint à son point le plus sensible, comme si elle lui eût crevé les yeux pendant son sommeil : elle le niait. Ce qu'il pouvait penser, faire, vouloir, n'existait pas. Cette scène ridicule était, rien ne ferait qu'elle n'eût pas été. Lui seul existait dans un monde de fantômes, et c'était lui, précisément lui, qui était bafoué. Et par surcroît — car il ne pensait pas à une conséquence, mais à une succession de défaites, comme si la rage l'eût rendu masochiste — par surcroît, il ne coucherait pas avec elle. De plus en plus avide de se venger sur ce corps ironique, il restait là seul, en face de ces abrutis et de son boy indifférent, la cage au bout du bras. Cet oiseau était une constante insulte. Mais il fallait, avant tout, rester. Il commanda un cocktail et alluma une cigarette, puis demeura immobile, occupé à casser, dans la poche de son veston, l'allumette entre ses doigts. Son regard rencontra un couple. L'homme avait le charme que donne l'union des cheveux gris et d'un visage plus jeune; la femme, gentille, un peu magazine, le regardait avec une reconnaissance amoureuse faite de tendresse ou de sensualité. « Elle l'aime, pensa Ferral avec envie. Et c'est sans doute quelque vague crétin, qui peut-être dépend d'une de mes affaires… » Il fit appeler le portier.

– Vous avez une lettre pour moi. Donnez-la.

Le portier, étonné mais toujours sérieux, tendit la lettre.

Savez-vous, cher, que les femmes persanes, lorsque la colère les prend, battent leurs maris avec leurs babouches à clous? Elles sont irresponsables. Et puis, n'est-ce pas, elles retournent ensuite à la vie ordinaire, celle où pleurer avec un homme ne vous engage pas, mais où coucher avec lui vous livre – croyez-vous? – la vie où l'on « a » les femmes. Je ne suis pas une femme qu'on a, un corps imbécile où vous trouvez votre plaisir en mentant comme aux enfants et aux malades. Vous savez beaucoup de choses, cher, mais peut-être mourrez-vous sans vous être aperçu qu'une femme est aussi un être humain. J'ai toujours rencontré (peut-être ne rencontrerai-je jamais que ceux-là, mais tant pis, vous ne pouvez savoir combien je dis tant pis!) des hommes qui m'ont trouvé du charme, qui se sont donné un mal si touchant pour mettre en valeur mes folies, mais qui savaient si bien rejoindre leurs amis dès qu'il s'agissait de vrais choses humaines (sauf naturellement pour être consolés). Mes caprices, il me les faut non seulement pour vous plaire, mais même pour que vous m'entendiez quand je parle; ma charmante folie, sachez ce qu'elle vaut: elle ressemble à votre tendresse, Si la douleur avait pu naître de la prise que vous voulez avoir sur moi, vous ne l'auriez même pas reconnue…

J'ai rencontré assez d'hommes pour savoir ce qu'il faut penser des passades: aucune chose n'est sans importance pour un homme dès qu'il y engage son orgueil, et le plaisir est un mot qui permet de l'assouvir plus vite et plus souvent. Je me refuse autant à être un corps que vous un carnet de chèques. Vous agissez avec moi comme les prostituées avec vous: « Parle, mais paye… »… Je suis aussi ce corps que vous voulez que je sois seulement; je le sais. Il ne m'est pas toujours facile de me défendre contre l'idée qu'on a de moi. Votre présence me rapproche de mon corps avec dégoût comme le printemps m'en rapproche avec joie. A propos de printemps, amusez-vous bien avec les oiseaux. Et tout de même, la prochaine fois laissez donc les interrupteurs d'électricité tranquilles.

Il s'affirmait qu'il avait construit des routes, transformé un pays, arraché aux paillotes des champs les milliers de paysans nichés dans des huttes de tôle ondulée autour de ses usines, – comme les féodaux, comme les délégués d'empire; dans sa cage, le merle avait l'air de rigoler. La force de Ferral, sa lucidité, l'audace qui avait transformé l'Indochine et dont la lettre d'Amérique venait de lui faire sentir le poids écrasant, aboutissaient à cet oiseau ridicule comme l'univers entier, et qui se foutait incontestablement de lui. « Tant d'importance accordée à une femme. » Ce n'était pas de la femme qu'il s'agissait. Elle n'était qu'un bandeau arraché: il s'était jeté de toute sa force contre les limites de sa volonté. Son excitation sexuelle devenue vaine nourrissait sa colère, le jetait dans l'hypnose étouffante où le ridicule appelle le sang. On ne se venge vite que sur les corps. Clappique lui avait raconté l'histoire sauvage d'un chef afghan dont la femme était revenue, violée par un chef voisin, avec la lettre : « je te rends ta femme, elle n'est pas si bien qu'on le dit », et qui, ayant pris le violateur, l'avait attaché devant la femme nue pour lui arracher les yeux, en lui disant : « Tu l'as vue et méprisée, mais tu peux jurer que tu ne la verras plus jamais. » Il s'imagina dans la chambre de Valérie, elle attachée sur le lit, criant jusqu'aux sanglots si proches des cris de plaisir, ligotée, se tordant sous la possession de la souffrance, puisqu'elle ne le faisait pas sous celle du sexe... Le portier attendait. « Il s'agit de rester impassible comme cet idiot, à qui j'ai pourtant envie de flanquer une paire de gifles. » L'idiot ne souriait pas le moins du monde. Ce serait pour plus tard. Ferral dit : « Je reviens dans un instant », ne paya pas son cocktail, laissa son chapeau et sortit.

— Chez le plus grand marchand d'oiseaux, dit-il au chauffeur.

C'était tout près. Mais le magasin était fermé.

— Dans la ville chinoise, dit le chauffeur, y en avoir rue marchands d'oiseaux.

— Va.

Tandis que l'auto avançait, s'installait dans l'esprit de Ferral la confession, lue dans quelque bouquin de médecine, d'une femme affolée du désir d'être flagellée, prenant rendez-vous par lettre avec un inconnu et découvrant avec épouvante qu'elle voulait s'enfuir à l'instant même où, couchée sur le lit d'hôtel, l'homme armé du fouet paralysait totalement ses bras sous ses jupes relevées. Le visage était invisible, mais c'était celui de Valérie. S'arrêter au premier bordel chinois venu ? Non : aucune chair ne le délivrerait de l'orgueil sexuel bafoué qui le ravageait. [...]

Ferral éprouve le besoin de se venger, et sa vengeance est sans grandeur (on sent que Malraux ne l'évoque pas sans un peu d'admiration) : il achète des dizaines d'oiseaux et les fait lâcher dans la chambre de Valérie. Peu d'obstacles à surmonter, l'hôtel où elle habite appartient au Consortium que dirige Ferral.

Puis il rend visite au vieux Gisors :

— Beaucoup moins de femmes se coucheraient, répondait Ferral, si elles pouvaient obtenir dans la position verticale les phrases d'admiration dont elles ont besoin et qui exigent le lit.

— Et combien d'hommes ?

— Mais l'homme peut et doit nier la femme : l'acte, l'acte seul justifie la vie et satisfait l'homme blanc. Que penserions-nous si l'on nous parlait d'un grand peintre qui ne fait pas de tableaux ? Un homme est la somme de ses actes, de ce qu'il a fait, de ce qu'il peut faire. Rien autre. Je ne suis pas ce que telle rencontre d'une femme ou d'un homme modèle de ma vie ; je suis mes routes, mes…

— Il fallait que les routes fussent faites.

Depuis les derniers coups de feu, Gisors était résolu à ne plus jouer le justificateur.

« Sinon par vous, n'est-ce pas, par un autre. C'est comme si un général disait : avec mes soldats, je puis mitrailler la ville. Mais, s'il était capable de la mitrailler, il ne serait pas général… on ne devient général qu'en sortant de Saint-Cyr. D'ailleurs, les hommes sont peut-être indifférents au pouvoir… Ce qui les fascine dans cette idée, voyez-vous, ce n'est pas le pouvoir réel, c'est l'illusion du bon plaisir. Le pouvoir du roi, c'est de gouverner n'est-ce pas ? Mais, l'homme n'a pas envie de gouverner : il a envie de contraindre, vous l'avez dit. D'être plus qu'homme, dans un monde d'hommes. Echapper à la condition humaine, vous disais-je. Non pas puissant : tout-puissant. La maladie chimérique, dont la volonté de puissance n'est que la justification intellectuelle, c'est la volonté de déité : tout homme rêve d'être dieu.

Ce que disait Gisors troublait Ferral, mais son esprit n'était pas préparé à l'accueillir. Si le vieillard ne le justifiait pas, il ne le délivrait plus de son obsession.

— A votre avis, pourquoi les dieux ne possèdent-ils les mortelles que sous des formes humaines ou bestiales ?

Comme s'il l'eût vue, Gisors sentit qu'une ombre s'installait à côté d'eux ; Ferral s'était levé.

— Vous avez besoin d'engager l'essentiel de vous-même pour en sentir plus violemment l'existence, dit Gisors sans le regarder.

Ferral ne devinait pas que la pénétration de Gisors venait de ce qu'il reconnaissait en ses interlocuteurs des fragments de sa propre personne, et qu'on eût fait son portrait le plus subtil en réunissant ses exemples de perspicacité.

— Un dieu peut posséder, continuait le vieillard avec un sourire entendu, mais il ne peut conquérir. L'idéal d'un dieu, n'est-ce pas, c'est de devenir homme en sachant qu'il retrouvera sa puissance ; et le rêve de l'homme, de devenir dieu sans perdre sa personnalité…

Il fallait décidément coucher avec une femme. Ferral partit.

« Curieux cas de duperies à rallonges, pensait Gisors ; dans l'ordre érotique, on dirait qu'il se conçoit, ce soir, comme le concevrait un petit bourgeois romanesque. » Lorsque, peu après la guerre, Gisors était entré en contact avec les puissances économiques de Shangaï, il n'avait pas été peu étonné de voir que l'idée qu'il se faisait du capitaliste ne correspondait à rien. Presque tous ceux qu'il rencontra alors avaient fixé leur vie sentimentale, sous une forme ou sous une autre, — et presque toujours sous celle du mariage : l'obsession qui fait le grand homme d'affaires, lorsqu'il n'est pas un interchangeable héritier, s'accommode mal de la dispersion érotique. « Le capitalisme moderne, expliquait-il à ses étudiants, est beaucoup plus volonté d'organisation que de puissance... »

Ferral, dans l'auto, pensait que ses rapports avec les femmes étaient toujours les mêmes, et absurdes. Peut-être avait-il aimé, autrefois. Autrefois. Quel psychologue ivre-mort avait inventé d'appeler amour le sentiment qui maintenant empoisonnait sa vie ? L'amour est une obsession exaltée ; ses femmes l'obsédaient, oui — comme un désir de vengeance. Il allait se faire juger chez les femmes, lui qui n'acceptait aucun jugement. La femme qui l'eût admiré dans le don d'elle-même, qu'il n'eût pas combattue, n'eût pas existé pour lui. Condamné aux coquettes ou aux putains. Il y avait les corps. Heureusement. Sinon... « Vous mourrez, cher, sans vous être douté qu'une femme est un être humain... » Pour elle, peut-être ; pas pour lui. Une femme, un être humain ! c'est un repos, un voyage, un ennemi...

Il prit au passage une courtisane dans l'une des maisons de Nanking Road : une fille au visage gracieux et doux. A côté de lui dans l'auto, les mains sagement appuyées sur sa cithare, elle avait l'air d'une statuette Tang. Ils arrivèrent enfin chez lui. Il gravit les marches devant elle, son pas long d'ordinaire devenu pesant. « Allons dormir », pensait-il... Le sommeil, c'était la paix. Il avait vécu, combattu, créé ; sous toutes ces apparences, tout au fond, il retrouvait cette seule réalité, cette joie de s'abandonner soi-même, de laisser sur la grève, comme le corps d'un compagnon noyé, cet être, lui-même, dont il fallait chaque jour réinventer la vie. « Dormir, c'est la seule chose que j'aie toujours souhaitée, au fond, depuis tant d'années... »

Qu'attendre de mieux qu'un soporifique de la jeune femme dont les babouches, derrière lui, sonnaient à chaque pas sur une marche de l'escalier ? Ils entrèrent dans la fumerie : une petite pièce aux divans couverts de tapis de Mongolie, faite plus pour la sensualité que pour la rêverie. Aux murs, un grand lavis de la première période de Kama, une bannière thibétaine. La femme posa sa cithare sur un divan. Sur le plateau, les instruments anciens à manche de jade, ornés et peu pratiques, de celui qui ne les emploie pas. Elle tendit la main vers eux : il l'arrêta d'un geste. Un coup de feu éloigné fit trembler les aiguilles sur le plateau.

— Voulez-vous que je chante ?

— Pas maintenant.

Il regardait son corps, indiqué et caché à la fois par le fourreau de soie mauve dont elle était vêtue. Il la savait stupéfaite : il n'est pas d'usage de coucher avec une courtisane sans qu'elle ait chanté, causé, servi à table ou préparé des pipes. Pourquoi, sinon, ne pas s'adresser aux prostituées ?

– Vous ne voulez pas non plus fumer?

– Non. Déshabille-toi.

Il niait sa dignité, et le savait. Il eut envie d'exiger qu'elle se mît tout à fait nue, mais elle eût refusé. Il n'avait laissé allumée qu'une veilleuse. « L'érotisme, pensa-t-il, c'est l'humiliation en soi ou chez l'autre, peut-être chez tous les deux. Une *idée*, de toute évidence... » Elle était d'ailleurs plus excitante ainsi, avec la collante chemise chinoise; mais à peine était-il excité, ou peut-être ne l'était-il que par la soumission de ce corps qui l'attendait, tandis qu'il ne bougeait pas. Son plaisir jaillissait de ce qu'il se mît à la place de l'autre, c'était clair : de l'autre, contrainte; contrainte par lui. En somme il ne couchait jamais qu'avec lui-même, mais il ne pouvait y parvenir qu'à la condition de n'être pas seul. Il comprenait maintenant ce que Gisors n'avait que soupçonné : oui, sa volonté de puissance n'atteignait jamais son objet, ne vivait que de le renouveler; mais, n'eût-il de sa vie possédé une seule femme, il avait possédé, il posséderait à travers cette Chinoise qui l'attendait la seule chose dont il fût avide : lui-même. Il lui fallait les yeux des autres pour se voir, les sens d'une autre pour se sentir. Il regarda la peinture thibétaine, fixée là sans qu'il sût trop pourquoi : sur un monde décoloré où erraient des voyageurs, deux squelettes exactement semblables s'étreignaient en transe.

Il s'approcha de la femme.

GILBERT LELY

né en 1904

Arden

1933

Gilbert Lely, « *la Lampe scabreuse* » (*Dictionnaire abrégé du surréalisme*), a durant des années consacré presque tout son temps à parachever le monument à Sade dont Maurice Heine avait posé les premières pierres. On lui doit une exhaustive *Vie de Sade*, l'établissement d'*Œuvres complètes*, la publication d'inédits… Parallèlement, il élaborait une œuvre poétique tout entière contenue dans un petit volume sans cesse corrigé, augmenté d'une ligne par printemps, comme le tronc des arbres.

« *L'érotisme qui se nourrit de désastre peut aussi devenir passion pour nier le désastre. Il* devient, dans ce mouvement de salut où tout chez Lely trouve sa fin, le stoïcisme et presque l'ascèse que le poète opposera au néant* » (Yves Bonnefoy).

« *Rien ne surpasse le style de ses fantasmes, de ses rêves érotiques… Un surréaliste peut être un libertin, mais alors, il l'est à la façon de Gilbert Lely, avec une flamme poétique qui le consume et éclaire au loin l'univers inconscient* [1]. »

1. Sarane Alexandrian, *Les Libérateurs de l'amour*, Paris, 1977.

Le mort jaloux

CORYPHÉE I.

Tu leur as préparé des flammes et des fioles.
Quel attirail! Elle est la passante qu'on viole
Dans la ténèbre infecte, à cinq ou six voyous,
Sur l'amant poignardé qui mange les cailloux.

CORYPHÉE II.

Troïlus plein de cris, ô fantôme érotique,
Ta maîtresse là-haut se livre à l'univers,
Et nul des soubresauts de son corps frénétique
Ne saurait t'échapper dans ton lucide enfer!

CHŒUR I.

Six mécaniciens penchés sur la fournaise.

CHŒUR II.

Le cadavre pleure du sang.

CHŒUR I.

Des yeux qui brûlent, qui s'éteignent.

CHŒUR II.

C'est la course au flambeau dans les yeux, dans les yeux.

CHŒUR I.

Elle fait un signal de folle.

CHŒUR II.

Sur les réseaux de son système nerveux
Se croisent des messages contradictoires.

CHŒUR I.

Le cadavre dissous coule de sa mémoire.

CHŒUR II.

O jugement dernier
De milliards de soleils dans ses artères!

CHŒUR I.

Sa nuque frappe les cailloux.

CHŒUR II.

Des moelles en fusion ruissellent sur les herbes.

CHŒUR I.

Ses genoux sont braqués vers les étoiles.

CHŒUR II.

Elle est ouverte plus largement
Qu'un prisonnier fendu de bas en haut par les Chinois.

CORYPHÉE I.

C'est l'heure des Jasons, des trésors infinis,
Des gants, des masques, des chalumeaux oxhydriques,

C'est l'heure des galas sur les transatlantiques,
L'heure du rêve à Saint-Laurent-du-Maroni.

PARAPHÉ PAR BELZÉBUTH

Dans le cerveau de ce jeune homme, il y avait Troïlus enchaîné à la tête d'un lit où successivement ses plus cruels ennemis possédaient Cressida, laquelle en concevait un très vif plaisir;

Dans le cerveau de ce jeune homme, il y avait une dame élégante de 1904 qui se glissait dans les coulisses d'une baraque de lutteurs après la représentation et qui donnait cinq francs à un athlète pour qu'il la prît immédiatement, debout, toutes jupes exaltées, contre le bec de gaz, prisonnier par hasard de ces toiles foraines;

Dans le cerveau de ce jeune homme, il y avait un film documentaire permanent qui représentait en gros plans les infidélités de sa maîtresse, tandis qu'un haut-parleur déclamait sans cesse le théorème XXXV du troisième livre de l'*Éthique*.

WILLIAM FAULKNER

1897-1962

Sanctuaire

1933

« *Comme Lawrence s'enveloppe dans sa sexualité*, écrit Malraux dans une préface assez décousue, *Faulkner s'enfouit dans l'irrémédiable.*» *Sanctuaire*, publié en 1931 aux États-Unis, est le livre qui y fit connaître Faulkner grâce au scandale d'un roman « *qui, mêlant habilement sa technique personnelle à celle du roman policier, parut comme un condensé de cruauté, d'horreur et de sexualité exacerbée* » (*Dictionnaire universel des lettres*).

« *Sanctuaire*, dit encore Malraux, *c'est l'intrusion de la tragédie grecque dans le roman policier.* » Et aussi de la sexualité. Les lecteurs français découvriront en 1935/1936 la Detective Story américaine avec les chefs-d'œuvre de Dashiell Hammett : *La Clé de verre*, *Le Faucon maltais*, leurs héros corné-liens, durs et chastes. Il s'écoulera peu d'années ensuite avant que des noces cruelles de Temple Drake et d'un épi de maïs naissent les tueurs sadiques de Chase, qui ne débarqueront en Europe que dans les fourgons d'Eisenhower. *Pas d'orchidées pour Miss Blandish*, on l'a déjà remarqué, est d'ailleurs une sorte de décalque de *Sanctuaire*.

En France, deux jeunes philosophes, Jean-Paul Sartre et Simone de Beauvoir, découvrent « *le monde faulknérien, que le sexe embrase...* ». « *Sanctuaire nous intéressera davantage encore... Cet "infracassable noyau de nuit", qui se trouve au cœur de tout homme... l'art de Faulkner l'entamait, il nous ouvrait des abîmes qui nous fascinaient... Le sexe, chez Faulkner, met littéralement le monde à feu et à sang* [1]. »

Jacques Baronian rapporte (dans le *Magazine littéraire*), qu'après avoir lu le premier manuscrit de *Sanctuaire* en 1929, «*Hal Smith, l'éditeur de Faulkner, ne cachera pas sa surprise. "Bon dieu, lui dira-t-il dans une lettre, je ne peux pas publier ça! on nous mettrait en prison tous les deux." De telle sorte que Sanctuaire ne paraîtra, remanié, qu'en 1931 [...]. Et il aura fallu attendre l'année 1981 pour que soit éditée la version originale du roman*. »

---

1. Simone de Beauvoir, *La Force de l'âge*, Paris, 1960.

L*E DISTRICT ATTORNEY* se tourna vers le jury.
« — Je présente comme pièce à conviction cet objet trouvé sur le théâtre du crime. » Il tenait à la main un épis de maïs que l'on eût dit trempé dans de la peinture brun foncé. « Le motif pour lequel il n'a pas été produit plus tôt est que son rôle dans la présente affaire n'a été mis en lumière que par l'extrait des dépositions dont je viens, messieurs, de vous faire donner lecture : le témoignage de la femme de l'accusé.

« Vous venez d'entendre le rapport du chimiste et du gynécologue, lequel, vous le savez, messieurs, fait autorité en ce qui concerne les mystères les plus sacrés de ce qu'il y a de plus sacré dans la vie : la femme. Ce que mérite un tel crime, conclut-il, ce n'est pas le bourreau, mais du pétrole et un bûcher...

— Je proteste! cria Horace, l'accusation cherche à influencer le jury...

— Accordé, dit le président. Veuillez, M. le greffier, supprimer la phrase qui commence par « Ce que mérite un tel crime... » Vous pouvez prier le jury de n'en tenir aucun compte, M. Benbow. Veuillez vous borner aux faits matériels, M. le district attorney. »

L'attorney s'inclina. Il se tourna vers le banc des témoins où Temple était assise. De sous son chapeau noir, les cheveux de la jeune fille s'échappaient en boucles serrées, d'un roux doré comme des larmes de résine. Le chapeau était orné d'un motif en strass. Entre ses genoux, sur le satin noir, gisait un sac à main platiné. Son manteau beige clair découvrait une épaulette rouge foncé. Ses mains reposaient immobiles sur ses genoux, la paume en dessus. Ses longues jambes blondes étaient écartées, la cheville souple, les deux souliers aux boucles étincelantes, immobiles, couchés sur le côté, comme vides. Au-dessus de la rangée des visages attentifs, blafards, blêmes comme des ventres flottants de poissons morts, elle était assise, l'air à la fois absent et soumis, regardant fixement quelque chose au fond de la salle. Dans la pâleur absolue de son visage, les deux touches de fard semblaient deux rondelles de papier collées sur ses pommettes. L'arc parfait de ses lèvres violemment peintes revêtait également l'apparence d'un mystérieux symbole soigneusement découpé dans du papier rouge et collé à cette place.

Le district attorney se planta devant elle.

— Votre nom? Pas de réponse. Elle déplaça un peu la tête, comme s'il l'eût gênée pour voir ce qu'elle fixait au fond de la salle. « Votre nom? » répéta-t-il, se déplaçant lui-même dans la ligne de son regard. Temple remua les lèvres. « Plus haut, dit-il. Parlez. Personne ne vous fera de mal. Dites à ces braves gens, à ces pères, à ces maris, ce que vous avez à dire et faites-vous rendre justice du tort que vous avez subi. »

Le président, d'un haussement de sourcils, interrogea Horace. Mais Horace ne bougea pas. Il était assis, la tête légèrement inclinée, les mains croisées sur ses genoux.

— Temple Drake, répondit-elle.

— Votre âge?

— Dix-huit ans.

— Votre domicile?

— Memphis, dit-elle d'une voix à peine intelligible.

— Parlez un peu plus haut. Ces messieurs ne vous feront pas de mal. Ils sont ici pour punir l'attentat dont vous avez été victime. Où habitiez-vous avant d'aller à Memphis?

– A Jackson.

– Y avez-vous de la famille?

– Oui.

– Allons. Dites à ces braves gens…

– Mon père.

– Votre mère est décédée?

– Oui.

– Avez-vous des sœurs?

– Non.

– Vous êtes l'unique fille de votre père?

De nouveau le président regarda Horace, mais celui-ci ne bougea pas plus que la première fois.

– Oui.

– Où avez-vous habité, depuis le 12 mai de cette année? Elle déplaça légèrement la tête, comme si elle voulait voir derrière l'attorney. Mais lui, se plaçant dans son rayon visuel, capta son regard. Elle arrêta de nouveau les yeux sur lui, continuant de répondre comme un perroquet dressé.

« Votre père vous savait-il à Memphis?

– Non.

– Où vous croyait-il?

– Il me croyait au collège.

– Vous vous cachiez parce qu'il vous était arrivé quelque chose et que vous n'osiez pas…

– Je proteste! dit Horace. La question est tendancieuse…

– Accordé, dit le président. Voici déjà quelque temps que je suis sur le point de vous avertir, M. l'Attorney, mais la défense, je ne sais pour quelle raison, n'a pas jugé à propos d'intervenir. »

Le district attorney s'inclina vers la Cour; puis, se tournant vers le témoin, la regarda de nouveau dans les yeux.

– Où étiez-vous le dimanche matin 12 mai?

– J'étais dans la grange.

Un souffle passa sur la salle; expiration collective sifflant dans le silence vicié. De nouveaux arrivants entrèrent, mais s'arrêtèrent au fond de la salle, en groupe, et restèrent là. Temple venait encore de pencher la tête de côté. L'attorney s'empara de son regard et ne le lâcha plus. Il se tourna à demi, désignant Goodwin.

– Avez-vous déjà vu cet homme? Elle regarda l'attorney, l'œil fixe, les traits figés et sans expression. A quelque distance, ses yeux, les deux touches de fard, ses lèvres, apparaissaient comme cinq objets dépourvus de signification dans un petit plat en forme de cœur. « Regardez qui je montre.

– Oui.

– Où l'avez-vous vu?

– Dans la grange.

– Que faisiez-vous dans la grange?

– Je me cachais.

– De qui vous cachiez-vous?

– De lui.

– De cet homme-ci? Regardez qui je montre.

– Oui.

– Mais il vous a trouvée?

– Oui.

– Y avait-il là une autre personne?

– Il y avait Tommy. Il disait…

– Était-il dans la grange ou dehors?

– Dehors, près de la porte. Il faisait le guet. Il disait qu'il ne laisserait pas…

– Un moment. Lui avez-vous demandé de ne laisser entrer personne?

– Oui.

– Et il a fermé la porte du dehors?

– Oui.

– Mais Goodwin est entré?

– Oui.

– Avait-il quelque chose dans la main?

– Il avait le revolver.

– Tommy a-t-il essayé de l'arrêter?

– Oui. Il disait qu'il…

– Attendez. Qu'a-t-il fait à Tommy?

Les yeux de Temple ne bougèrent pas.

« Il avait le revolver à la main. Qu'a-t-il fait à ce moment-là?

– Il l'a tué. » L'attorney fit un pas de côté. Immédiatement, le regard de la jeune fille se porta vers le fond de la salle et s'y fixa. L'attorney reprit sa place, rentra dans le rayon visuel de Temple. Elle déplaça la tête; il s'imposa à son regard, le retint, éleva devant ses yeux l'épi de maïs maculé. L'assistance poussa un profond soupir; on entendit le sifflement des respirations.

– Avez-vous déjà vu ceci?

– Oui.

Le district attorney se retourna. « Votre Honneur, et Messieurs, vous venez d'entendre le récit horrible, incroyable, que vient de vous faire cette jeune fille. Vous avez eu la preuve sous les yeux et entendu la déposition du médecin. Je ne soumettrai pas plus longtemps cette enfant outragée, sans défense, à la torture de... » Il s'arrêta. Toutes les têtes, d'un seul mouvement, s'étaient tournées, regardant un homme qui s'avançait posément dans l'allée centrale et se dirigeait vers le tribunal. Il marchait avec calme, chacun de ses pas suivi de l'ébahissement progressif des petits visages blêmes, d'un léger froissement des cols. Ses cheveux blancs étaient impeccablement taillés. Sa courte moustache coupée court avait l'air, sur sa peau hâlée, d'une barre d'argent repoussé, et de petites poches se gonflaient sous ses yeux. Son léger embonpoint était confortablement boutonné dans un complet de toile immaculé. D'une main il tenait un panama, de l'autre une mince badine noire. Sans regarder ni d'un côté ni de l'autre, il monta posément l'allée, au milieu d'un faible murmure qui se prolongea comme un soupir. Il passa devant le banc des témoins, sans un coup d'œil pour Temple qui continuait de fixer quelque chose dans le fond de la salle, traversa en plein le champ de vision comme un coureur qui franchit le ruban d'arrivée, et s'arrêta devant la barre au-dessus de laquelle le président se souleva à demi, les bras sur le pupitre.

« Votre Honneur, dit le vieillard, la Cour en a-t-elle fini avec ce témoin ?

– Parfaitement, monsieur le juge, répondit le président, parfaitement. Accusé, n'avez-vous rien à ajouter ? »

Le vieillard se tourna lentement, très droit au-dessus des respirations retenues, des petits visages blêmes, et laissa tomber son regard sur les six personnes assises à la table de la défense. Derrière lui, le témoin n'avait pas bougé. Elle était assise dans son attitude d'enfant bien sage, le regard fixe, comme sous l'emprise d'un stupéfiant, dirigé, par-dessus les visages, vers le fond de la salle. Le vieillard se tourna vers elle et lui tendit la main. Elle ne fit pas un mouvement. Le public souffla, ravala vivement sa respiration, la retint de nouveau. Le vieillard lui toucha le bras. Elle tourna la tête vers lui, les yeux morts, tout en pupilles au-dessus des trois violentes taches de fard. Elle mit sa main dans celle du vieillard et se leva, le sac platiné glissant de ses genoux à terre avec un floc mou, son regard de nouveau fixé vers le fond de la salle. Du bout reluisant de son fin soulier, le vieillard envoya le sac dans le coin où le box des jurés touchait au tribunal et où il y avait un crachoir, puis il aida la jeune fille à descendre de l'estrade. Lorsqu'ils s'engagèrent dans l'allée centrale, la salle respira de nouveau.

A mi-chemin, la jeune fille s'arrêta, toute mince dans son joli manteau entrouvert, les traits durcis et vides d'expression ; puis elle se remit en marche, la main dans celle du vieillard. Ils avançaient, lui très droit à côté d'elle, ne regardant ni d'un côté ni de l'autre, leurs pas accompagnés par le lent froissement des cols. Une seconde fois, la jeune fille s'arrêta, le corps rejeté en arrière, s'arc-boutant graduellement, le bras roidi sous l'étreinte du vieillard. Il se pencha vers elle, lui parla. Écrasée d'abjection, elle reprit sa marche hallucinée. Près de la sortie, raides, impassibles, se tenaient quatre hommes plus jeunes. Ils restèrent dans une sorte de garde-à-vous, le regard fixé droit devant eux jusqu'à ce que le vieillard et la jeune fille fussent arrivés à leur hauteur. Alors, ils s'ébranlèrent, encadrèrent les deux autres, puis, en un groupe compact, la jeune fille dissimulée au milieu d'eux, ils gagnèrent la porte. Là, nouvel arrêt; et l'on put voir Temple s'arc-bouter encore, s'incruster, pour ainsi dire, dans le chambranle de la porte. Puis, de nouveau, les cinq corps la masquèrent, et, en groupe serré, la petite troupe franchit la porte et disparut. La salle respira : un bourdonnement confus comme un vent qui s'élève. Par-dessus la longue table à laquelle étaient assis l'accusé, la femme avec son enfant, Horace, le district attorney et l'avocat de Memphis, par-dessus le jury, contre le banc de la cour, il déferla lentement comme une marée montante. L'avocat de Memphis, assis, très raide, regardait rêveusement par la fenêtre. L'enfant s'agita bruyamment et se mit à pleurnicher.

« Chut, dit la femme, chch... »

Bouteille et Vénus

On doit au docteur Kahan, ancien directeur des Éditions du Trianon, éditeur d'Hippocrate et d'autres revues médicales, l'édition hors commerce de quelques petits volumes tirés à environ 400 exemplaires pour le compte des « *Disciples d'Hippocrate, médecins, pharmaciens, dentistes, vétérinaires et autres praticiens* ».

Il s'imprimait en principe un volume par an. En 1934 ce fut *La Ripopée du Sieur Ignotus*, de Fernand Fleuret.

Comme *La Ripopée, Bouteille et Vénus* ne porte pas de nom d'auteur. Les textes sont présentés comme « *laissés-pour-compte d'un poète notoire et modeste* ». Ils datent pour la plupart de la jeunesse de Ponchon.

Vieux Messieurs

C'était une maison quelconque, dans un coin,
    Sans rien de pittoresque,
Qu'un très gros numéro qui se voyait de loin
    Tel un séant tudesque,

La maison où j'entrai, sur la foi du Gil-Blas,
    Pour finir mes études,
A la fin d'obtenir de dame Babylas
    Mon brevet d'aptitudes.

Une fois introduit en cet intérieur,
    Me dit cette voltige :
« Voulez-vous assister au cours supérieur?
    – Bien sûr », lui répondis-je.

Lors, elle m'installa sans perdre un seul instant
    Derrière une lucarne
Par laquelle je vis – me sembla – s'agitant
    Une confuse carne.

Comme des asticots perdus dans des brouillards,
        Enfants, vieillards et femmes
Charognaient à l'envi, faisaient leurs débrouillards
        En des coïts infâmes.

Et je vis tout d'abord un macrobien pourri
        En peignoir blanc et rose,
– Telle dans un sérail une jeune houri –
        La paupière mi-close.

Et tandis que l'on lui façonnait à la main…
        Des cigarettes turques,
Des éphèbes vêtus seulement de carmin
        Lui dansaient des mazurques.

Un autre sur un lit se faisait inculquer
        Une étrangère langue ;
On l'entendait gémir, suer et suffoquer
        Et devenir exsangue.

Celui-ci réclamait un peu de bon lolo,
        Alors, une chamelle
Sans nul rapport avec la Vénus de Milo
        Lui tendait sa mamelle.

Celui-là reniflait, avec des grognements
        De volupté béate,
Des linges anciens, de futurs lavements,
        De récente charpiate.

J'en vis un affamé plus que l'est un moineau,
        – Voilà qui tient du diantre ! –
Qui me parut manger tout simplement une o
        Melette avec son ventre ;

Un autre se faisait lécher du haut en bas
        Ainsi qu'une tartine,
Cependant qu'une garce ayant gardé ses bas
        Lui lisait Lamartine.

Des vieillards, bien plus vieux qu'on ne peut souhaiter,
    A terre, à quatre pattes,
Poussant de petits cris et se laissant fouetter
    Couraient comme des blattes.

Quelques-uns plongés plus avant dans un coma,
    De leurs tristes lavettes,
Goulûment, comme ils eussent fait le pur Sôma,
    Buvaient l'eau des cuvettes.

Qu'est-ce que vous voulez, après tout, mon Dieu, c'est
    Pour que rien ne se perde ;
Car quand je m'en allai, cet autre commençait
    A manger de la merde.

ANONYME

Puberté, le journal d'une écolière

1933

Ce petit ouvrage bien enlevé a joui d'une certaine réputation dans les milieux intellectuels pendant plusieurs années. C'est dans les bureaux de *La Nouvelle Revue Française* que j'en ai entendu parler pour la première fois en 1942. Le journal de Marie-Thérèse passait alors pour être authentique. Il a été depuis attribué à Louis-Charles Royer et, plus récemment, à Alexandra Roubé-Jansky, l'auteur de *J'ai quatorze ans* (1932). Quelque chose me donne à penser en tout cas qu'une femme a collaboré à ce *Journal d'une écolière*, si elle n'en est pas entièrement responsable.

Le livre fut publié la même année par deux éditeurs différents : Éditions de France et Raoul Saillard.

N*OUS AVONS FUMÉ* deux ou trois cigarettes et nous avons pris le chemin du retour.

Je suis allée ensuite chez Madeleine. Maurice y était déjà depuis une demi-heure. Il avait l'air mauvais et renfrogné.

Je suis entrée, joyeuse, désinvolte.

– Bonjour, Madeleine, bonjour, Louise, bonjour, Marthe. Bonjour, mon vieux Maurice. Il y a longtemps que vous êtes là ?

– Non !

Madeleine prend un air indigné.

– Oh ! le menteur ! Il est venu me barber vers une heure et il est revenu depuis quarante minutes. Il n'a pas dû se tuer au travail ce tantôt !

Maurice rougit.

– C'est vrai, Maurice, que vous m'attendiez ? Je n'ai pas pu venir plus tôt.

– Qu'est-ce qui vous en a empêché ?

– J'étais allée goûter avec Daniel, ensuite on a été faire un tour.

– Vous vous êtes bien amusée ?

– Oui ! J'ai attrapé mal au cœur à force de manger des gâteaux.

– Il est généreux, Daniel !

– J'en vaux bien la peine, n'est-ce pas, Maurice ?

– Oui, vous en valez la peine, on ferait même beaucoup plus pour vous.

– Qui « on » ?

– Moi.

Je l'ai attrapé par les bras en essayant de le pousser contre le bureau ; mais c'est moi qui me suis trouvée coincée.

Maurice m'a renversée sur la table et a relevé ma robe. Heureusement que j'avais mon maillot de bain !

Louise et Marthe, la sœur et la cousine de Madeleine, se tordaient de rire. Madeleine brodait une chemise avec un sérieux inimitable. Je me trémoussais tant que je pouvais, Maurice me chatouillait. Marthe, qui a treize ans, s'intéressait énormément à nos jeux.

— Mets-lui le doigt, Maurice, lui a-t-elle conseillé.

Maurice a suivi cet excellent conseil.

Penché sur moi, il épiait sur mon visage les impressions que me causaient ses caresses.

— Rité chérie, je te veux.

— Maurice, tais-toi ! Laisse-moi ! Laisse-moi donc enfin !

Il m'a laissée, mais lorsqu'il a eu fini de me faire ce qu'il pouvait.

Marthe faisait mine de regarder dans la rue, Madeleine brodait éperdument. Louise était partie chercher des croissants.

Nous avons encore rigolé, mais plus sagement.

Maurice s'était rabattu sur Madeleine et, les mains plongées dans son corsage, lui pelotait les seins. Il avait de quoi faire, parce qu'elle est bien servie.

— Regarde, Rité, s'ils sont beaux les « nénés » de Mado, m'a dit Maurice en les sortant.

Elle était très fière et ne s'est pas pressée pour les cacher sous l'étoffe. […]

16 septembre.

Il m'est arrivé une drôle d'histoire.

Il y avait des ouvriers qui travaillaient au vélodrome. Pas un coureur. J'attendais Maurice ou Daniel ou le premier qui viendrait, lorsque le Portugais s'est approché de moi en me disant : « Mam'zelle, venez donc voir dans la cabine de Beauvignon, il a laissé quelque chose pour vous. »

Sans méfiance, je me lève et le suis… J'entre derrière lui dans la cabine… lorsque, faisant volte-face, il se retourne et bloque la porte.

Je me vis seule avec lui. Aucun secours à attendre des autres ouvriers. Ils faisaient le guet.

Après m'avoir embrassée, caressée, regardée sur toutes les faces, il défait sa ceinture et baisse son pantalon.

Sans un mot je le laissais faire, épiant l'instant d'inattention de sa part qui me permettrait de fuir. Un peu curieuse au fond. Ça n'était pas déplaisant jusqu'ici, mais ça pouvait mal tourner…

— Couche-toi, me dit-il sourdement.

— Non.

Il m'a prise à bras-le-corps et m'a jetée à terre. La lutte a commencé. Pesant sur moi de toute sa force, il essayait de m'écarter les jambes. Je le mordais, je le griffais de mes ongles qui se plantaient si bien dans ses muscles. Et il en avait, le dégoûtant!

Il m'a envoyé un coup de poing dans la tête qui m'a passablement étourdie. Le choc m'a fait relâcher un peu mes jambes serrées. Il en a profité pour glisser son genou entre elles. Je sentais que j'étais fichue. Déjà je le sentais, il avait réussi... Un coup de reins et ça y était...

Agrippée à ses cheveux crépés, je me débattais quand même... Je lui dis : « Si tu continues, je le dis à ta femme! et je te déchire ta chemise. »

Sans vouloir entendre, il allait enfin triompher, quand... Je me trouvai debout.

J'avais réussi à arracher sa chemise. En entendant l'étoffe se déchirer, il avait fait un mouvement pour m'arrêter et j'en avais profité pour me sauver.

Debout face à face, nous nous mesurions du regard... Il n'était pas mal. Grand, large, costaud, un front têtu caché sous une avalanche de boucles serrées, noires, la poitrine haletante, son épaule musclée, brune, sortant de la chemise en loques. Il prit dans sa poche un grand mouchoir à carreaux pour s'éponger. De sa chemise ouverte sortait un sein carré, dur, brillant de sueur, au mamelon brun pointu.

Il a baissé les yeux devant les miens ironiques et vainqueurs.

Dans le fond, je ne lui en veux pas. Cet avant-goût m'a énervée. Je regrette presque d'avoir vaincu.

Beauvoisin et son copain Edmond ont su ce qui s'est passé dans leur cabine. Ils m'ont dit : « Alors, il t'a eue? C'était fou? Comment fait-il ça? »

Je les ai traités d'imbéciles en leur demandant s'ils croyaient qu'on m'avait si facilement. Pour les convaincre, je leur ai raconté tout comme c'est arrivé. Ils écoutaient, attentifs, n'en perdant pas une miette.

Edmond a conclu :

— C'est bien fait pour toi! Ça finira par t'arriver. Tu es toujours fourrée là où il y a des hommes, tu t'amuses à les exciter et tu t'étonnes qu'ils te tombent sur le râble! J'en aurais bien fait autant le jour où nous étions seuls dans ma cabine. Je n'aurais peut-être pas eu tort. Seulement tu es jeune et tout me serait retombé sur le dos.

Beauvignon l'a interrompu :

— Je crois que, maintenant, tu viendras moins souvent au vélodrome?

Edmond a répliqué avec ironie :

— Penses-tu! Elle y prend trop de plaisir... Elle risque le coup! Elle a gagné cette fois-ci. Elle va rejouer. Que veux-tu qu'elle fasse de plus intéressant que de traîner les hommes derrière elle ? C'est une jouissance pour elle. Pourquoi veux-tu qu'elle s'en prive ?

Mais comme toutes ces évocations l'avaient un peu énervé aussi, il m'a renversée sur l'herbe, il ne m'a mis que le doigt, mais ce que c'était chouette !

Ça lui plaisait rudement à lui aussi. Il a fini par enfouir sa tête, les yeux fermés, entre mes cuisses serrées.

Dans son impatience, il a fait sauter les trois boutons qui fermaient ma chemise-culotte.

Beauvignon faisant semblant de regarder ailleurs, mais, de temps en temps, je le voyais tourner la tête de notre côté. Il était rouge comme une pivoine !

Jamais je n'ai éprouvé tant de plaisir par des caresses. C'était agaçant, exaspérant et délicieux tout à la fois. J'étais presque aussi saoule qu'après un apéritif. Je crois bien que j'aurais fait n'importe quelle bêtise et que, s'il avait voulu la même chose que le Portugais l'autre jour, je l'aurais laissé faire avec plaisir.

Quand nous sommes partis, Edmond a dit à Beauvignon, ne sachant pas que je l'entendais :

– Tu as vu ? Elle est mignonne, la petite. Je la b… bien, tu sais.

En me quittant, il m'a embrassée dans le cou avec un sourire, puis il m'a dit à mi-voix : « Tu as un beau petit chat ! »

Il faut avouer qu'à chaque course il est le vainqueur avec Beauvignon et j'ai droit à la plus belle rose du bouquet triomphal. Mais oui !

17 septembre.

Dimanche, il y a une course avec les Bordelais. J'y vais à l'œil naturellement ! […]

Tous les jours nous prenons le café au même endroit. Je vois arriver Mme Farcini et beaucoup d'élèves, mais elles ne peuvent pas nous voir. Quand j'ai vu passer la mère Farcini, je fonce derrière elle, comme ça je ne suis jamais en retard. J'arrive « au poil ». La directrice a déjà essayé plusieurs fois de me faire « choper » soit par des élèves, soit par des professeurs. Elle peut toujours courir !

25 avril.

Nous allons avoir une représentation dans une salle de mairie. On nous jouera *L'Avare*. Je demanderai à ma tante l'autorisation d'y aller et j'irai me balader avec Edmond.

Il faut que j'en apprenne quelques passages.

Mme Farcini a demandé quelles étaient les élèves qui y allaient.

J'ai dit que ma tante ne voulait pas, que je demanderai à papa. Comme ça je lui dirai à midi et elle n'aura pas le temps de voir ma tante pour lui en parler, si, par hasard, tante m'accompagnait demain matin. Je crois que Jacqueline y va.

29 avril.

Tout s'est passé merveilleusement. J'ai déclaré à Mme Farcini, avec une mine fâchée, que papa ne m'avait pas donné l'autorisation d'y aller.

Je suis partie de chez nous avec l'autorisation signée de ma tante, mais, au lieu d'aller avec les autres me barber à voir jouer *L'Avare*, j'ai pris le train et suis allée chez Edmond.

Il m'attendait comme convenu. C'est lui qui est venu m'ouvrir et, en refermant la porte, il a tourné la clef dans la serrure en disant : « Ça y est, je te tiens. »

Nous sommes passés dans la salle à manger, petite, pas très claire, pas jolie, mais propre et bien rangée. C'était visiblement une femme qui faisait le ménage. Sur le buffet, deux photos représentent une femme d'une quarantaine d'années ; l'autre montrait le profil souriant d'Edmond en chapeau mou, un fer à cheval comme épingle de cravate.

J'ai laissé mon manteau et mon chapeau sur une chaise, il a fait chauffer du café. Il m'embrassait sans arrêt, me posait des tas de questions.

— Tu as déjà été souvent chez des hommes ?

— C'est la première fois.

— C'est vrai, mon chou. Dis-moi vraiment ton âge ?

— Quatorze ans, je te dis ! Qui est cette dame, là, sur le buffet ?

— C'est mon épicière…

Son épicière, c'est une de ses maîtresses. Elle lui donne généreusement l'argent dont il a besoin en échange de ses caresses, de ses mots tendres. C'est elle aussi qui doit faire le ménage…

— C'est ton épicière qui fait le ménage ?

— Oui, bien sûr.

— …

— Tu n'as pas peur toute seule avec un homme que tu ne connais pas ? Parce qu'en somme tu ne me connais pas…

— Non, pourquoi veux-tu que j'aie peur ? Je n'ai peur de rien…

Nous avons vidé nos tasses de café. Il attend quelque chose, il ne sait pas comment faire. Il se décide.

— Tu viens dans la chambre.

— Oui.

Dans cette pièce, il tire les doubles rideaux. Je commence à me déshabiller dans la pénombre. Sur la cheminée, encore deux photos, une femme avec un bébé dans les bras, et un enfant debout tenant un cerceau. Je l'interroge du regard.

— Ma femme et mon gosse.

— Il y a longtemps que tu es divorcé ?

— Cinq ans.

— Quel âge a-t-il, ton gosse ?

— Six ans, il est mignon, hein ! mon chou ?

— Oui, il est mignon, tu l'aimes bien ?

— Oh ! oui, je l'aime bien, je n'ai plus que lui.

— Où est-il ?

— Chez ma mère. C'est elle qui l'élève.

Il repose la photo de son fils là où elle était, puis pense de nouveau à moi. J'ai interrompu mon déshabillage pour regarder les photos, je le reprends.

Me voilà en chemise. C'est une chemise culotte de toile de soie blanche garnie de dentelle ocre. Il paraît surpris de me voir avec des « dessous ».

— C'est une chemise de ta mère ?

— Penses-tu ! C'est à moi. Pourquoi ?

— Tu es gentille comme tout ainsi, tu as de chouettes dessous !

J'enlève la chemise. Je ne garde que mes bas. Appuyée contre les barres de cuivre du lit, qui me glacent le dos, je me laisse contempler.

— Tu es réglée depuis combien de temps ?

— A douze ans et demi.

— Je dis : il y a combien d'années que tu es formée ?

— Eh bien ! compte : douze ans et demi, ça fait qu'il y a plus de deux ans.

— Oh ! mais tu es une petite femme. Alors mon chou, viens là.

Là, c'est le lit.

Je m'y étends, les bras relevés. J'attends. Il vient près de moi, me regarde, me caresse doucement de sa main sèche, ses lèvres se posent partout, légèrement d'abord, puis plus appuyées.

Il est en « bras de chemise ».

— Tu es déjà bien jolie, mais à dix-huit ans, tu seras merveilleuse. Tu verras comme les hommes te désireront. Oh ! ces petits seins si frais, si jeunes ! C'est tout neuf, tout ça. Que tu as un joli petit chat, mon chou. Tu veux faire l'amour ?

— Non, pas aujourd'hui, une autre fois, peut-être.

— Pourquoi ne veux-tu pas ?

— Parce que je n'ai pas envie de connaître « ça » encore tout de suite.

— Tu es vierge ? C'est bien vrai ? Je croyais que tu n'avais plus ton pucelage !

— Je ne te l'avais pas caché !

— Oui, mais je croyais que tu m'avais menti. Tu as raison, mon chou, attends encore pour le perdre, tu as bien le temps. Et tu as osé venir chez moi ! Regarde, mon chou, tu me rends fou. (En effet, il sue à grosses gouttes.) Caresse-moi un petit peu.

Je ne réponds pas ; mais retire, sans violence, ma main qu'il avait placée à certain endroit...

– Tu ne veux pas ? « Il » te fait peur ?

Pour toute explication, je hausse les épaules nues qui s'enfoncent dans l'oreiller. Je me laisse caresser, admirer, désirer.

Il s'est couché sens contraire à moi, a caressé pendant longtemps le « petit chat » avec sa langue.

Cette caresse m'exaspérait. Je serrais sa tête entre mes cuisses, mes orteils se crispaient sur le dessus de lit qu'il n'avait pas enlevé. Je me tortillais, je fermais les yeux.

... Quand il a été l'heure de partir, je me suis rhabillée. Il m'a raccompagnée jusqu'à sa porte seulement, de crainte que son épicière le voie avec moi, il m'a donné de l'argent pour prendre un taxi.

J'ai dit à ma tante que je m'étais ennuyée à la représentation. Je lui ai donné des détails. Ce que je me suis amusée ! Ce que c'était chouette. Je voudrais bien trouver un autre filon pour y retourner. Si Maurice savait ça !...

30 mai.

Anniversaire et catastrophe ! Nous n'irons pas cette année en vacances à R...

Quelle guigne ! Moi qui espérais tant revoir Maurice, qui, malgré tout, reste celui que je préfère. Mon rêve, mon beau rêve... Je ne reverrai donc plus les grands pins, les fougères... Les petits œillets mauves ne me griseront plus de leur parfum sauvage. Mes souvenirs s'estomperont de plus en plus. La grande place de sable blond et chaud où viennent mourir les vagues, l'écume frisée, le phare si blanc, le ciel si bleu, les mouettes joyeuses, aux longues ailes étendues, décrivant des orbes blanches, s'effaceront derrière une brume chaque jour plus épaisse...

D'autres gens habiteront la villa. Black, s'il vit encore, tâchera de se faire héberger pendant la saison. Maurice m'oubliera... Il ne retournera plus dans le chemin de Cythère... ou peut-être avec une autre. Les roses inclineront leurs têtes rondes que d'autres mains que les miennes cueilleront...

SALVADOR DALI

né en 1905

Rêverie

1933

Dans ses *Entretiens* de 1952, André Breton, malgré tout ce qui avait pu les séparer ensuite, ne peut s'empêcher de parler de l'irruption de Dali dans le groupe surréaliste avec une sorte de nostalgie allègre :

« *Durant trois ou quatre années, Dali incarnera l'esprit surréaliste et le fera briller de tous ses feux... sur le plan physique, il est assez content d'en être resté partiellement à sa première dentition ; il se flatte de n'avoir pas connu de femme jusqu'à vingt-cinq ans ; sur le plan mental, nul plus que lui n'est féru de psychanalyse mais, s'il s'en sert, c'est pour entretenir jalousement ses complexes, les porter à l'exubérance... Si, comme l'a soutenu Arthur Cravan, "tout grand artiste a le sens de la provocation", il faut reconnaître que nul n'en a porté le goût plus loin que Dali, aussi bien dans l'art que sur sa personne. Il aime alors se montrer en public dans des costumes très choisis, mais sur lesquels, bien en évidence, sept ou huit mouches artificielles, simulant à la perfection les vraies, sont piquées...* »

Breton rapporte ensuite avec une jubilation manifeste les « *signes d'agitation quelque peu fébrile* » donnés par Aragon devant les provocations de Dali, « *bien décidé à pousser de plus en plus loin cette aventure et à secouer toute espèce de frein* ».

La Femme visible, de Dali, date de 1930. On y trouve déjà tout ce qui fait l'érotique de Dali, une des plus neuves et des plus enrichissantes qui soient :

« *Les relations entre le rêve, l'amour et le sens d'anéantissement qui est propre à chacun d'eux, ont toujours paru évidentes. Dormir est une façon de mourir ou tout au moins de mourir à la réalité, mieux encore, c'est la mort de la réalité, mais la réalité meurt dans l'amour comme dans le rêve. Les sanglantes osmoses du rêve et de l'amour occupent entièrement la vie de l'homme...*

« *Dans l'amour nous régnons sur les flots des images de l'auto-annihilation. Les simulacres scatologiques, les simulacres du désir et les simulacres de la terreur acquièrent la plus claire et la plus éblouissante des confusions.*

« *J'espère faire comprendre que j'attache en amour un prix particulier à tout ce qui est nommé communément perversion et vice. Je considère la perversion et le vice comme les formes de pensée et d'activité les plus révolutionnaires, de même que je considère l'amour comme l'unique attitude digne de la vie de l'homme...*

« *Tout ce qui, pour nous, atteint à la pureté, porte la marque impossible à confondre des aspirations vigoureuses, antinaturelles et vicieuses de l'imagination amoureuse. Les anciens sacrifices humains des Aztèques viennent de prendre tout le goût et toute la lumière de l'amour. Nous aimons Sade, le masochisme de Thomas Hardy, le trouble métaphysique, artificiel et contre nature des mannequins de Chirico, l'artifice à rebours de Gustave Moreau, de Huysmans, la splendeur anti-naturelle de toutes les dérivations de la culture gréco-romaine trouvant leur apothéose dans le Modern Style.*

« *... Je pense à l'abominable, à l'ignoble pays natal où j'ai vécu mon adolescence...*

« *Loin de l'amour.*

« *Dans les familles, la chambre des parents*

non ventilée le matin, dégageant l'affreuse puanteur d'acide urique, de mauvais tabac, de bons sentiments et de merde...

« Loin de l'amour, loin de toi femme violente et stérilisée.

« Paris, 1930. »

Dans *Le Surréalisme au service de la révolution*, Dali se plaisait à diverses provocations. Ainsi dans le numéro 2 (octobre 1928) :

« *INTELLECTUELS CASTILLANS ET CATALANS – EXPOSITIONS – ARRESTATION D'UN EXHIBITIONNISTE DANS LE MÉTRO*

« *Je crois absolument impossible qu'il existe sur terre (sauf naturellement l'immonde région valencienne) aucun endroit qui ait produit quelque chose de si abominable que ce qui est appelé vulgairement des intellectuels castillans et catalans ; ces derniers sont une énorme cochonnerie ; ils ont l'habitude de porter des moustaches toutes pleines d'une véritable et authentique merde et, pour la plupart, ils ont en outre l'habitude de se torcher le cul avec du papier, sans se savonner le trou comme il faut, comme cela est pratiqué dans divers pays, et ils ont les poils des couilles et les aisselles remplis matériellement d'une infinité grouillante de tout petits et enragés "maîtres Millets", "Angel Guimeras"...*

« *L'activité surréaliste a en projet toute une série systématique d'exposition dont la teneur concrète est soumise en ce moment à l'étude, et dont il est impossible de prévoir en ce moment la portée et la signification, mais ce qu'en tout cas nous pouvons avancer, c'est son caractère férocement extra-artistique.*

« *Parmi d'autres projets, une exposition d'objets et d'images et de fétiches catholiques, choisis parmi ceux qui de façon plus aiguë figureraient la pédérastie, le sadisme, etc., occuperait une place prépondérante. Cette exposition (qui en tout cas ne manquerait pas d'être des plus "impressionnantes" outre son sens profa-*

nateur élevé) manifestera le premier point de vue réellement analytique de la question, étant donné que ladite exposition serait annoncée par une vigoureuse préface psychanalytique compétente...

« *Au mois de mai dernier, sur le trajet Cambronne-Glacière, un homme d'une trentaine d'années, assis en face d'une très belle jeune fille, sépara habilement une revue qu'il semblait lire, de telle façon que ne fût vu que de la jeune fille son sexe à découvert, en érection complète et magnifique. Un crétin s'étant rendu compte de cet acte exhibitionniste, acte qui avait plongé la jeune fille dans une énorme et délicieuse confusion, mais sans la plus faible protestation, ce fut suffisant pour que l'exhibitionniste fût frappé et expulsé par le public. Nous ne pouvons que crier toute notre indignation et tout notre mépris pour une façon aussi abominable d'agir contre un des actes les plus purs et les plus désintéressés qu'un homme soit capable de réaliser dans notre époque d'avilissement et de dégradation morale.*

« *SALVADOR DALI.* »

Rêverie parut dans le numéro 4 du *Surréalisme au service de la révolution*, en décembre 1931, et eut entre autres mérites celui de dynamiter définitivement le pont lézardé que les surréalistes avaient jusque-là réussi à préserver entre eux et le Parti communiste français, malgré les brimades crétinisantes dont ils étaient l'objet sans cesse. Les détails de l'affaire sont connus : la phrase ininventable de la « commission de contrôle du Parti » brandissant *Rêverie* : « *Vous ne pensez qu'à compliquer les rapports si simples et si sains de l'homme et de la femme* », la publication de *Misère de la Poésie, Paillasse*, le *Certificat* d'Eluard consacrant la rupture avec Aragon : « *Il osa nous demander, lui l'auteur de trois livres publiés sous le manteau, d'éliminer, sous le prétexte que des esprits malveillants voudraient le faire passer pour pornographique, la collaboration de Dali à notre publication.* »

JE VIENS DE FINIR de manger et vais aller m'allonger sur un divan, comme je dois le faire chaque jour pendant une heure et demie, après quoi, tout le reste de l'après-midi, je compte écrire une partie d'une très longue étude sur Bœcklin, étude qui me préoccupe beaucoup depuis quelque temps.

Aussi, je veux profiter de ce repos pour réfléchir sur certains points qui me paraissent particulièrement contradictoires, par exemple et surtout l'antagonisme entre le sentiment de la mort et le manque absolu de trouble quant aux notions spatiales, si frappant chez ce peintre. Je me persuade de la nécessité de prendre quelques notes pendant mon repos. Donc, je cherche de quoi écrire, ce qui est pour moi, en ce moment, extrêmement difficile, non seulement à cause de plusieurs actes manqués, des oublis… etc., mais encore, parce que je me refuse à écrire – pour des raisons pas très claires – sur le carnet où se trouvent mes notes précédentes. Il me faudrait donc un nouveau carnet (*spécialement*) pour les imitations du type de celles que forment de simples suggestions non élaborées, sinon ces dernières pourront embrouiller les premières. Enfin, je décide que je pourrai me rappeler très exactement tout sans prendre de notes, puisque je vais commencer à écrire aussitôt après le repos.

D'avance, je prends toutes les mesures pour ne pas être dérangé le temps que je vais rester couché. Je défends que l'on m'apporte le courrier. Je vais uriner et, cependant, je me sens impatient d'être étendu sur le divan. J'ai alors une très particulière notion du plaisir qui m'attend dans la chambre, notion qui m'apparaît s'opposer à l'idée plutôt pénible des contradictions que j'aurai à surmonter. Alors je me hâte. Je cours à ma chambre et pendant ce trajet j'expérimente une forte érection, accompagnée de grand plaisir et hilarité.

Arrivé dans ma chambre, je m'allonge sur le divan. Aussitôt l'érection cède à une très légère envie d'uriner, qui suffit, malgré sa quasi-imperceptibilité, à rendre inutiles tous mes efforts de réflexion sur la *frontalité* dans « L'Ile des Morts ». D'où considérations sur cette absurdité : une si faible envie d'uriner capable de devenir aussi gênante, absurdité d'autant plus forte, étant donné ma capacité de retenir l'urine des heures entières, soit que je veuille ne pas me déranger ou me procurer le plaisir d'uriner abondamment. Je suis révolté de devoir me lever, mais je sens qu'il n'y a rien à faire et j'opte pour les concessions, je cours de nouveau uriner. Il s'agit de quatre ou cinq gouttes. Ensuite, à peine couché sur le divan je me relève aussitôt pour fermer le rideau et laisser la pièce dans une demi-lumière. Je me recouche encore et alors, je me sens tout à fait désenchanté, comme si quelque chose de très important me manquait.

Je n'ai pas la moindre idée de ce dont il pourrait s'agir, ce qui me vaut un malaise dont je prévois qu'il cessera dès que je saurai sa raison d'être.

Tout à coup et sans m'aider en rien d'associations, je me souviens que, pendant le dîner, j'ai choisi mentalement (ainsi avais-je autrefois l'habitude de le faire) un croûton de pain assez brûlé, que j'avais décidé d'apporter avec moi sur le divan, pour en vider minutieusement la mie de façon à transformer ce croûton en espèce de vase. Puis, plus minutieusement encore avec mes dents de devant je l'aurais mâché, troué, tassé en d'infimes morceaux bien triturés jusqu'à ce que le tout devînt une pâte fine. Avant de l'avaler, j'aurais gardé parcimonieusement cette pâte dans ma bouche, de chaque côté, sous la langue, et je l'aurais encore travaillé, éprouvant ainsi sa faculté d'adopter plusieurs consistances en raison de la proportion de salive. Tout cela, afin de faire durer plus longtemps le croûton.

Aussitôt trouvée la représentation du morceau de pain, le malaise disparaît et je me précipite pour chercher le croûton en question, que l'on a déjà emporté de la salle à manger et que je retrouve dans la cuisine.

Cependant, je coupe encore un autre croûton tout petit et non brûlé, différent donc de ceux que je préfère, mais que je prends tout de même, surtout parce que sa forme est celle d'une très douce petite corne. Je suis de nouveau sur le divan, mais avec les deux croûtons, et cette fois, sans que rien m'apparaisse qui puisse gêner ma réflexion.

J'essaie de me représenter le plus nettement possible le fameux tableau de « l'Ile des Morts ».

Maintenant je trouve léger d'avoir cru au manque total des troubles spatiaux chez ce peintre et surtout dans « l'Ile des Morts ».

Mon erreur résidait dans la limitation faite, en réduisant grossièrement l'idée des troubles spatiaux aux seuls troubles de la perspective.

Le même sens de la frontalité qui m'avait frappé, au début, dans ce tableau, accuse une « dominante » spatiale bien caractérisée.

Il me paraît maintenant indispensable pour mon étude d'établir un système de relativité qui me permettrait d'anéantir (au moins passagèrement) par exemple les troubles de la perspective dont j'avais longuement étudié le sens chez Vermeer de Delft et G. de Chirico. Je pense à l'insuffisance analytique du passage où je prétends prouver le sentiment funèbre inconscient de ces deux peintres, grâce aux troubles de perspective conjoints à l'illumination. A ce sujet, je pense, concrètement, au tableau de Vermeer, intitulé « La Lettre ». Il me devient impossible de me le représenter en entier et avec toute la lucidité que je désire. Cela à cause de la signification émotive qui vient de naître, de se dégager du rideau, au premier plan (à gauche) du tableau en question.

Alors, je fais surgir automatiquement mon pénis tout petit, laissant sur le divan le petit croûton que j'étais en train de vider. D'une main je joue avec les poils du dessus des testicules, de l'autre, j'amasse une partie de la mie de pain, enlevée du croûton. Malgré quelques efforts tout à fait stériles pour revenir à ma pensée, une rêverie absolument involontaire commence. Je viens de localiser le rideau du tableau de Vermeer dans un rêve que j'ai eu, voici quelques jours. En effet, ce rideau s'identifie par sa forme, sa place et surtout sa signification affective et morale avec le rideau qui, dans le rêve, servait à cacher plusieurs petites vaches, au fond d'une écurie très obscure, où, couché, parmi les excréments et la paille pourrie, je sodomise la femme que j'aime, très excité par la puanteur du lieu.

Ici commence la rêverie

Je me vois tel que je suis maintenant mais sensiblement plus âgé. J'ai en outre laissé pousser ma barbe d'après le souvenir ancien que j'ai d'une lithographie de Monte-Cristo. Des amis me prêtent, pendant une dizaine de jours, un grand château-ferme, où j'ai l'intention de finir d'écrire mon étude sur Bœcklin, qui doit constituer un chapitre du très vaste ouvrage que, pour l'instant, j'appelle *La Peinture surréaliste à travers les âges*.

Après ces dix jours, je dois retourner à Port-Lligat où je retrouverai la femme que j'aime, qui pendant ce temps-là était à Berlin, occupée à des aventures d'amour, ainsi qu'il était question dans une rêverie antérieure.

Le château qu'on me prête est un château appelé « Moulin de la Tour », où j'ai fait un séjour de deux mois quand j'avais dix ans, en compagnie d'un ménage d'amis intimes de mes parents.

Mais, dans la rêverie, le château s'est modifié. Il me paraît extraordinairement vieilli, avec même, çà et là, des airs de ruines. L'étang du jardin est devenu vingt fois plus grand. Je ne suis pas non plus satisfait de son emplacement réel, dans le jardin, entouré d'énormes chênes qui cachaient le ciel. Maintenant, j'ai transporté l'étang à la partie postérieure de la maison, de sorte qu'il puisse être vu de la salle à manger, en même temps que les ciels de nuages et d'orage bœckliniens, que je me rappelais avoir contemplé de cet endroit, d'où l'on domine un horizon très vaste et dégagé. L'étang a aussi changé d'emplacement, car j'étais habitué à voir, toujours, sa longueur en perspective et, dans ma fantaisie, il m'apparaît placé transversalement. Je me vois de dos, dans la salle à manger, finissant mon goûter composé d'un croûton de pain et de chocolat. Je suis habillé d'un costume de velours noir, semblable à celui que portait l'ami propriétaire du château, lors de mon séjour enfantin, avec juste la différence d'une petite pèlerine en toile de fil blanche, extraordinairement propre, accrochée à mes épaules par trois petites épingles de nourrice. Le reste du croûton dans la main, je descends très lentement l'escalier principal du château qui donne dans la cour. L'escalier se trouve dans une quasi-obscurité, à cause de l'heure précrépusculaire qu'aggrave le temps épaissement nuageux. Pendant que je descends, j'entends un bruit de pluie très fine, presque imperceptible. Je pense : « Pourquoi descendre, puisqu'il pleut ? », mais je descends. Me voici dans l'entrée pleine de feuilles sèches qui exhalent une forte odeur de pourriture qui, mélangée avec l'odeur des excréments animaux venue de la cour, me procure un trouble très doux qui me laisse rêveur.

Soudain, je sors de cet état d'extase par une très vive émotion érotique.

Elle est due à la rencontre de mon regard assoupi et de la porte mi-ouverte de l'écurie que je reconnais, sans le moindre doute, pour celle du rêve.

Mais cette émotion s'accentue extraordinairement dès que je remarque la présence bien connue des pointes oscillantes des cyprès, dont le groupe, dans la réalité, sépare, immédiatement après l'écurie, la cour de la prairie, où, dans ma rêverie, ma fantaisie a placé le vaste étang.

L'émotion due aux pointes des cyprès résulte de l'association instantanée d'un autre groupe de cyprès situé dans un lieu public près de Figueras, appelé « Fontaine de la Bûche ».

Ce groupe de très vieux cyprès touffus entourait un cercle dallé au centre duquel, au milieu de bancs de pierres très dépolies par l'usure, coule une fontaine ferrugineuse. Un petit verre d'aluminium se trouvait attaché à une petite chaîne. Le feuillage des cyprès naissait presque au niveau de la terre et leurs sommets rapprochés par des anneaux en fer formaient une coupole, de telle sorte que la fontaine se trouvait enfermée à l'intérieur des cyprès. D'où une ombre absolue, une grande fraîcheur qui valait à cet endroit la prédilection de ma famille. Après la promenade du dimanche, on m'y menait boire les soirs chauds de printemps, une fois reposés, après nous être assis sur les bancs frais et dépolis. Je n'avais le droit de m'approcher de l'eau qu'après avoir mangé le pain et le chocolat. Cette fontaine m'était encore plus rigoureusement interdite, hors de la saison chaude, car l'automne venu, on passait devant elle sans s'arrêter, à cause de l'humidité dangereuse à l'endroit. A la poursuite de ma rêverie m'apparaît indispensable la substitution des cyprès de derrière le mur de la cour, par ceux de la Fontaine de la Bûche. Dans l'obscurité déjà presque complète de la nuit très vite tombée, je vois les extrémités des cyprès de « derrière le mur de la cour » se rapprocher et former une seule et épaisse flamme noire. Du moment où j'ai entendu l'odeur de la cour jusqu'à maintenant, je me suis livré aux actes automatiques suivants : j'ai introduit plusieurs fois la mie de pain, pendant longtemps amassée, dans les trous de mon nez. Je l'ai sortie lentement avec les doigts, en simulant une certaine difficulté, comme s'il s'agissait de la saleté du nez. Parfois, au contraire, je me contentais d'expirer pour projeter la mie de pain.

Cela m'était surtout agréable quand j'avais l'illusion qu'il s'agissait de la saleté du nez, illusion qui, presque toujours, était en rapport direct avec le plus grand laps de temps compris entre l'introduction de la mie de pain dans le nez et son expulsion.

Le procédé d'expulsion par le souffle n'était pas sans inconvénient. La boule de pain tombait n'importe où et le fait de la chercher parmi les plis de mon vêtement ou sur le divan arrivait parfois à déranger et presque interrompre ma rêverie, surtout lorsque (et cela arrivait fréquemment) la mie de pain roulait sous mon corps, de telle sorte que j'étais obligé, pour la rattraper, de me tendre en arc. Ainsi je me séparais du divan. Je ne me tenais que par la tête et par les pieds, ce qui me permettait de tâtonner par le divan. Je finissais par retrouver la boule de mie. Plus elle avait roulé près des pieds, plus pénible était de la rattraper par le procédé convulsif, auquel bien des fois, après de pénibles efforts, il fallait renoncer pour m'asseoir sur le divan, tout en cherchant autour de moi et soulevant mes fesses, en prévision du cas où la boule se serait trouvée juste là où j'étais assis. Mais alors, je soulevais les fesses d'une façon assez inexplicable, opération que j'effectuais toujours très brusquement, avec des sauts qui me donnaient rarement le temps de rattraper la boule.

J'étais obligé de répéter ces sauts plusieurs fois, avec la crainte, à chaque saut, de penser que la boule finirait par sauter à terre, projetée par les ressorts du divan. Ce risque, chaque fois, me secouait de peur, une peur très sensible, localisée au cœur.

Parfois, quand la boule était sortie du nez, je la retenais quelque temps entre mon nez et ma lèvre supérieure, tout en projetant du vent chaud par mes narines, de façon à rendre toute tiède la boule de pain, qui arrivait à suinter et à se ramollir très légèrement.

Toutes ces opérations, je les réalise de préférence avec une seule main (la main gauche) tandis que la droite mobilise mon pénis qui s'est considérablement alourdi, sans toutefois atteindre l'état d'érection.

Au moment précis où j'avais eu la représentation (d'ailleurs d'une extraordinaire netteté visuelle) du gobelet en aluminium attaché à la chaîne, j'avais sorti précipitamment la boule qui se trouvait dans ma narine gauche et l'avais introduite avec soin, le plus profondément possible, sous le prépuce que mes doigts retiennent car se produit une érection légère qui cesse tout de suite.

Le jour même que j'avais rencontré l'écurie du rêve dans la cour du château, après le repas du soir, tandis que je prends le café et une coupe de cognac, je conçois, sous forme de rêverie, un projet à réaliser dans ma rêverie générale. J'expose très rapidement cette partie de sub-rêverie. Elle est extrêmement longue et complexe et je la considère plus propre à un exposé particulier. Je note donc ici, uniquement, les détails généraux et indispensables à la poursuite de la rêverie générale, qui, sans eux, serait beaucoup plus difficile à suivre. Il s'agit en résumé de réaliser l'acte de sodomie du rêve, dans l'écurie que je viens d'identifier avec celle du rêve. Mais, cette fois, à la femme que j'aime s'est substituée une jeune fille de 11 ans, nommée Dulita, que j'ai connue voilà 5 ans. Cette fille avait un visage très pâle d'anémique, des yeux clairs très tristes et vagues, ce qui faisait un contraste très violent avec un corps exceptionnellement développé pour son âge, très bien fait, à la démarche et aux gestes paresseux, pour moi d'une grande volupté.

Pour réaliser la fantaisie de la sodomisation de Dulita dans l'écurie, il me fallait inventer plusieurs histoires qui créeraient des conditions de rêve, similitude indispensable au développement de ma rêverie. Voici celle que j'adopte. La mère de Dulita, femme assez belle, d'une quarantaine d'années, veuve et toujours vêtue de noir, tombe follement amoureuse de moi et accepte, par masochisme, ma fantaisie de sodomiser sa fille, se prête même à m'aider pour cet acte de toute son ardeur, et de tout son dévouement.

Pour cela, j'envoie Matilde, la mère de Dulita, à Figueras. Elle doit se mettre en rapport avec Gallo, une vieille prostituée que j'ai connue dans le temps, qui est extraordinairement vicieuse et expérimentée et qu'il me paraît indispensable de mettre en contact avec Dulita pour sa prochaine initiation.

Une fois Matilde, Dulita et la Gallo installées dans le château, il leur est formellement interdit de me parler et même de me communiquer quoi que ce soit par geste ou par écrit. Dulita doit me croire sourd-muet et un grand savant que le moindre geste importun peut déranger gravement. Chaque soir, après le repas, on enlève toute la table et on apporte café et cognac. C'est l'unique repas, l'unique moment de la journée où je suis avec Dulita et les deux femmes, car, le reste du jour, je demeure enfermé dans mon cabinet de travail où j'écris mon étude sur Bœcklin et prends tous mes autres repas.

C'est à ce moment du soir, dans un complet silence et recueillement, que je transmets, par écrit, toutes mes décisions, quant à l'accomplissement de mes fantaisies, avec les plus microscopiques détails et nuances.

C'est Gallo, la première, qui reçoit mes communications et c'est à elle qu'échoit l'entière responsabilité quant à l'accomplissement (exact jusqu'à la manie) de tous mes ordres, qu'elle communique, à son tour, parfois à Matilde. Selon le cas, elle peut aussi se contenter de lui faire parvenir certaines indications qu'elle croit indispensables.

Voici comment les choses devront se passer pendant cinq jours. Il faut que Dulita ne se doute de rien et même au contraire qu'elle soit préparée par des lectures édifiantes et d'une extrême chasteté, entourée d'une grande douceur et tendresse comme pour sa première communion, qu'elle doit d'ailleurs faire d'ici très peu de temps. Le cinquième jour, on amènera Dulita à la fontaine des cyprès, deux heures avant le coucher du soleil. Là elle goûtera de pain et de chocolat et la Gallo, aidée de Matilde, initiera Dulita, de la façon la plus brutale et la plus grossière. Elle s'aidera d'une profusion de cartes postales pornographiques, dont j'aurai auparavant fait moi-même un choix précis d'un pathétisme bouleversant.

Le même soir, Dulita viendra d'apprendre tout de la Gallo et de sa mère, à savoir que je n'étais pas un sourd-muet, que dans trois jours je la sodomiserai parmi les excréments de l'étable aux vaches. Pendant trois jours, il lui faudra faire comme si elle ne savait rien de tout cela. Il lui est rigoureusement interdit de faire la moindre allusion à tout ce qu'on vient de lui révéler (c'est-à-dire qu'elle, Dulita, saurait que moi je savais qu'elle savait). Tout, jusqu'au moment précis de l'étable, doit continuer dans le mutisme et avec les apparences quotidiennes.

Pour réaliser le programme des fantaisies que je viens de vivre dans la rêverie générale, une des conditions essentielles consistait dans la tout inéluctable nécessité, pour moi, de contempler l'initiation de Dulita, à la fontaine des cyprès, par la fenêtre de la salle à manger, ce qui, en réalité, apparaît impraticable, du fait de divers conflits parfaitement physiques, comme, par exemple, les cyprès dont se trouvait entièrement entourée la fontaine. Ainsi étais-je empêché de contempler l'initiation de Dulita, qui, précisément, devait se passer à l'intérieur de la fontaine. N'y pouvait suffire la toute petite porte d'entrée qui obligeait à courber la tête pour passer. Mais une nouvelle fantaisie, qui m'apparaît particulièrement excitante, vient apporter une solution à ce premier conflit. Un incendie, provoqué par un énorme tas de feuilles sèches mal éteint, avait brûlé en partie les cyprès de devant la fontaine, la laissant à découvert, mais de telle manière qu'une branche mal brûlée pouvait encore offrir une très faible et presque inexistante difficulté à la contemplation de la scène avec Dulita.

Au reste, le même incendie a brûlé tous les alentours, les arbustes et les arbres mélangés et épais.

Voilà qui obligera Dulita à se salir, à noircir son tablier blanc et ses jambes, le jour que sa mère et Gallo la forceront à passer par cet endroit pour aller goûter à la fontaine. L'idée que Dulita ait à se salir me paraît dès lors indispensable, se complète et atteint à sa perfection dans la fantaisie suivante. Je vois Dulita qui arrive à la fontaine et se salit les pieds avec une espèce de boue pestilentielle mélangée à la mousse décomposée, qui, dans la réalité, recouvre le dallage de la fontaine, chaque fois que la conduite se bouche avec les feuilles et provoque une de ces inondations très fréquentes, surtout l'automne. Bien que l'endroit fût fermé, les feuilles sèches n'en arrivaient pas moins à pénétrer, poussées par les rafales des jours d'orage. Mais la fontaine aux cyprès, dont l'incendie eût dû me permettre de voir l'intérieur, reste encore invisible de la salle à manger. Un pan de mur qui fait suite à l'étable la cache.

Déplacer la fontaine jusqu'à la faire rentrer dans mon champ visuel me semble une solution insuffisante et qui détruirait tout le sens de ma rêverie. Par contre, je vois très nettement la fin de l'incendie qui avait brûlé les cyprès et, ainsi, détruit le mur de séparation qui, d'ailleurs, permet « la communication tout immédiate entre l'écurie et la fontaine aux cyprès ».

L'aspect désolé, ruiné des alentours de la fontaine, aggravé par le tas de pierres calciné du mur, me vaut une ambiance parfaitement accommodée à mes desseins. Je pense, soudain, avec une étrange émotion, mélange d'angoisse et de plaisir, que la disparition du mur permettra, vers la fin de l'après-midi aux ombres des cyprès de se répandre lentement, tout le long de la cour, auparavant toujours dans l'ombre. Le soleil atteindra les premières marches de l'escalier de l'entrée, à cette époque de l'année, couvertes de feuilles sèches.

Ainsi le soleil, au moment qui précède sa chute, pénétrera, en une ligne cadmium, dans cette chambre du premier étage aux volets mi-clos, aux meubles sous housse, au parquet couvert du maïs qui sèche là et illuminera une demi-minute de tout son éblouissement l'extrémité du doigt de cette statue en marbre verdâtre, le bras levé, les cheveux masquant son regard et qu'on avait, avec l'étang, enlevée du groupe du jet d'eau.

Malgré la disparition du mur qui cachait la fontaine aux cyprès, il est impossible de la voir de la salle à manger, car elle reste encore cachée, très à gauche, par la fenêtre.

Après plusieurs fantaisies insuffisantes qui me conduisent, peu à peu, à la solution, je conçois d'imaginer la scène de l'initiation de Dulita reflétée dans le grand miroir de la chambre de Dulita, chambre contiguë à la salle à manger. Ainsi pourrai-je observer tout de ma propre chaise, avec l'avantage d'une certaine complication et d'un certain vague des images absolument souhaitable et déjà ressenti du fait de la brûlure légèrement incomplète des cyprès. Et aussi, grâce à la grande distance qui me sépare du lieu de la scène, les images me parviendront dans un état d'imprécision qui m'apparaît particulièrement troublant.

Je vois, avec une netteté et une précision toutes particulières, cette nouvelle phase de la rêverie qui va suivre.

C'est le soir de l'initiation de Dulita, la veille du jour des Morts, on vient de finir de manger, on a tout enlevé de la table où ne restent que trois tasses de café, trois coupes à liqueur et une bouteille de cognac. Dulita est à ma gauche, devant la porte entr'ouverte de sa chambre. Elle occupe la place que j'occupais, moi, lors de mon séjour enfantin au château. Comme moi, à cette époque, elle est en train de ranger ses devoirs scolaires. Elle a devant elle ses cahiers et un plumier ouvert, où je vois une gomme, avec un lion dessiné. C'est l'ambiance exacte de mon premier séjour au château. Gallo occupe la place du propriétaire, fume en silence et lit son journal. Matilde occupe la place de la femme et tricote. Ce soir le silence est plus grand et irrespirablement troublant. A la fin, je fais le geste quotidien, exacte copie de celui que le propriétaire avait à mon égard : je trempe un sucre dans la fin de mon cognac et avance une main vers Dulita. Dulita, la tête inclinée sur son cahier, a notion de mon geste et prend le sucre avec les dents. C'est le signal d'aller dormir. Je finis, dans une très lente gorgée, le cognac de mon verre. Derrière la tête de Dulita, à travers la porte entr'ouverte de sa chambre, dans le miroir, les cyprès noirs de la fontaine doivent bouger.

C'est l'après-midi solennelle de l'insipide jour des Morts. Je m'apprête à contempler la scène de l'initiation de Dulita.

Je pose les souliers portés tous les jours par Dulita sur la table de la salle à manger. Je sors ma verge de mon pantalon, l'enveloppe de linge sale. Les yeux fixés sur la fontaine et ses alentours reflétés dans le miroir, je vois avancer, entre les deux femmes, Dulita vêtue de blanc, une jupe très courte et serrée, des espadrilles neuves. Gallo est habillée en jersey très vif et lumineux et Matilde en noir. Je cours à la fenêtre de la chambre de Dulita, car je désire voir dans tous ses détails le trajet jusqu'à la fontaine, à travers les buissons brûlés. Elles avancent très lentement et avec difficulté, afin d'éviter les grandes branches brûlées, mais Gallo et Matilde poussent Dulita dans les endroits les plus salissants, comme par jeu. A chaque pas, les arbustes parfois épineux et raides s'agrippent aux jambes et aux fesses de Dulita, lui laissant de longues traînées noires. Elles s'arrêtent parfois pour voir par où elles peuvent bien passer. Gallo fesse Dulita en feignant de lui épousseter ses taches, mais avec tant de violence et de sauvagerie qu'elle doit feindre de jouer.

Dulita tente d'échapper à Gallo, après avoir été projetée contre un mur couvert de lierre brûlé. Dulita court maintenant tout droit, sans faire attention, à travers les arbustes qui la griffent jusqu'au sang. Elle se précipite vers la fontaine, y arrive. Elle glisse sur la boue mousseuse qui couvre le dallage et tombe. Elle se relève tout à fait sale, éclaboussée partout. Elle sourit pour se faire pardonner, s'essuie avec le mouchoir, arrange ses cheveux, relève ses bas, tout en tenant sa jupe accrochée à ses dents et montrant ses cuisses salies.

Gallo et Matilde arrivent plus tard, Gallo est redevenue douce et embrasse Dulita sur le front. Matilde coupe des morceaux de pain et garde le croûton pour Dulita qui s'assoit entre les deux femmes. Le groupe a, pour moi, à chaque moment, plus de transcendance et de solennité.

Dulita se peigne maintenant avec un peigne de celluloïd très rouge qui brille jusqu'à devenir aveuglant avec la lumière du soleil à son déclin. L'ombre du château avance vers la fontaine, laissant tout le premier plan des arbustes brûlés que viennent de parcourir les trois figures dans l'ombre.

Et Dulita mange (une bouchée de chocolat, une bouchée de croûton), avec grande lenteur. Elle balance la jambe droite qui est près de Gallo[1].

Je pense que le soleil, à cette minute, illumine la pointe du doigt de la statue de la chambre du premier étage, et le maïs, par terre, un instant devient couleur feu. Je vois une image fulgurante, moi sodomisant Dulita, couchés sur le maïs, dans ladite chambre. Cette vision motivera un élément nouveau de ma rêverie centrale, à laquelle je reviens par l'image de Dulita se levant pour épousseter les mies de pain de ses jupes et se penchant, après, pour prendre de l'eau.

Dès ce moment, les gestes de Dulita qui nettoie le gobelet d'aluminium attaché à la chaîne et jette par trois fois l'eau à travers la position exacte et relative de Gallo et Matilde, l'illumination, les fesses très en vue sous la transparence du vêtement de Dulita, courbée en avant et à genoux, etc... tout cela, dis-je, prend une lucidité et concrétion visuelle exacerbée, quasi hallucinatoire. Le temps que durent les trois gestes consécutifs de *vider le verre*[2] se produit une illusion très nette et exacte du « déjà vu » qui coïncide avec une forte érection. Le moment où Dulita nettoie le verre, avant de boire, est celui de beaucoup le plus émouvant. C'est lui aussi qui a la plus grande puissance visuelle de toute la rêverie jusqu'à la fin. Après, je vois très confusément Dulita que je n'ai pas pu voir boire, s'essuyer la bouche avec la main. Gallo oblige Dulita, très doucement, à s'asseoir de nouveau entre elle et Matilde. Je prévois le commencement de l'initiation. L'ombre du château arrive jusqu'aux genoux de Dulita[3]. J'attends, terriblement troublé, le signal de Gallo, qui doit m'annoncer le début. Gallo met l'album de photos pornographiques sur ses genoux. Matilde caresse la tête de Dulita et Dulita penche la tête sur l'album, essaie de l'ouvrir, mais Gallo lui retient la main, et, ce faisant, regarde son visage et met le doigt devant sa bouche, en signe de silence et de recueillement.

Alors, Gallo lève son visage où je vois survivre une grande beauté. Je suis très ému quand Gallo commence à ouvrir lentement l'album. Je n'en puis plus, et je

---

1. A ce moment j'éprouve une érection et me masturbe en frappant mon pénis contre mon ventre. Je découvre le pénis, la boule de pain saute par terre et roule très loin. Ceci me distrait un instant, car j'hésite à l'aller chercher.
Je ne me rappelle plus où j'en étais de ma rêverie. D'où une angoisse profonde qui disparaît au moment où je retrouve l'image de Dulita balançant sa jambe.
Je poursuis la rêverie tout en gardant les mains immobiles derrières les fesses, attitude très incommode et qui me donne une crampe aux bras. Je reste cependant sans bouger et cela dix minutes encore après la fin de la rêverie.

2. J'ai essayé postérieurement de me masturber avec la représentation de cette image, mais, aux approches de l'éjaculation, l'image s'est transformée en celle de la femme que j'aime, accroupie près d'une cage à lapins.

3. A ce moment je découvre mon pénis, sors la boule de mie que je gardais depuis longtemps sous le prépuce et la mets entre mon nez et ma lèvre supérieure, pour la sentir. Elle est toute chaude et a une légère odeur séminale. Je la remets à nouveau là où je l'avais prise avec l'espoir que plus je la garderai, plus fort elle sentira.

me retourne, vais vers la table de la salle à manger, les yeux fermés, remplis de la dernière image.

Assis sur la chaise que j'occupe tous les soirs à l'heure du souper, je continue à contempler la scène de la fontaine reflétée par la glace, en me masturbant suavement avec le linge qui enveloppe ma verge. Je vois maintenant le groupe de la fontaine, plus petit, plus loin. Les visages et leurs expressions sont très doucement vagues, ce qui offre une marge presque complète à ma fantaisie.

Je n'observe rien de particulier dans le groupe. Dulita ne présente aucune marque de réaction. Elle a le visage très bas et immobile, mélange de honte et d'attention. De temps en temps, Gallo tourne la page et murmure des choses très près du visage incliné que cachent les cheveux de Dulita. Je vois très confusément le groupe descendre par la cour, car l'obscurité s'est très vite faite après la chute du soleil. Je cours mettre sur le siège de Dulita un épis de maïs sur lequel elle devra s'asseoir pendant les trois jours suivants, sans le remarquer. Le troisième soir, la veille de l'acte « manifeste » de la rêverie, on vient d'enlever tout sur la table.

On apporte trois cafés, le cognac. Même profond silence que tous les soirs. Je suis pris par une grande émotion qui m'empêcherait sûrement de parler.

Dulita remue imperceptiblement sur l'épis de maïs. Je donne les détails pour le lendemain, courts, nécessaires, de toute précision. Finalement, j'allonge, comme toutes les nuits, ma main avec le sucre plongé dans le cognac. Dulita reste un moment immobile puis le prend avec les dents. Je vois son regard à travers les larmes, tandis qu'une goutte naît de mon méat.

Le lendemain est un dimanche. Il faut profiter très vite, vers quatre heures, de ce que tout le monde va au village. J'attends un signe de Matilde dans la prairie et je me précipite, couvert de mon seul burnous, d'abord dans la salle où se trouve l'épis de maïs puis au premier étage. Là je trouve Dulita, Gallo et Matilde, entièrement nues. Un instant Dulita me masturbe très maladroitement, cela m'excite beaucoup. Les trois femmes traversent la cour et rentrent dans l'étable. Pendant ce temps, je cours à la fontaine des cyprès, m'assieds sur le banc de pierre mouillé et je dresse de toutes mes forces mon pénis de mes deux mains, puis me dirige vers l'étable où Dulita et les deux femmes sont couchées nues, parmi les excréments et la paille pourrie. J'enlève mon burnous et me jette sur Dulita, mais Matilde et Gallo ont subitement disparu et Dulita s'est transformée en la femme que j'aime, finissant la rêverie avec les mêmes images du souvenir du rêve.

Alors, la rêverie prend fin, car je viens de me rendre compte que je suis en train, depuis quelque temps, d'analyser d'une façon objective la rêverie que je viens de subir et que j'annote immédiatement avec les plus grands scrupules.

RENÉ CREVEL

1900-1935

Les Pieds dans le plat

1933

« *On le lira de plus en plus et on délaissera les grands noms gonflés de vent de ses aînés qui acceptèrent la pourriture* » (Ezra Pound).

Les Pieds dans le plat ont paru aux Éditions du Sagittaire (anciennes Éditions Kra) au mois de mai de ce « *répugnant petit 1933* », qui n'était pas encore « *un immonde 1934* [1] ». « *On considère généralement ce livre comme un livre engagé* », dit fort bien Xavière Gauthier, « *mais, chez Crevel, la politique est toujours liée au sexe* [2] ».

1. René Crevel, *Tandis que la pointole se vulcanise la baudruche*, Documents, juin 1934. Texte repris dans le *Dossier* de l'édition J.-J. P. des *Pieds dans le plat*. On y trouvera entre autres des réflexions de grand intérêt sur l'uniforme et les travestis allemands : « *Les machines n'ont pas fini de jouer des mauvais tours à l'homme. Celui-ci, en l'occurrence, entendait manœuvrer à son gré la femme, cette chose, sa chose. Or sa chose, la femme, devient la forme où et dont il va se modeler...* »

2. *Dictionnaire des œuvres érotiques.*

*P*ARVENU à ce point de son discours, l'éloquent psychiatre se met à faire à quatre pattes le tour des ombres hétéroclites qui doublent les objets accumulés dans ce capharnaüm, car le soleil qui glisse par l'œil-de-bœuf suffit à dessiner sur le plancher le schéma des 32 positions, vous savez bien les fameuses 32, avec leurs mouvants triangles, ellipses et paraboles et aussi parallélépipèdes, à l'usage des salopards, grands vicieux et gueulettes en or. Pensez comme il y aurait à s'en vouloir de laisser se perdre l'occasion de contempler ainsi disposés, superposés, entreposés les éléments d'une géométrie que le timide Euclide (vive la rime, poétesse!) ne fit que supposer. Et maintenant, ongles, oncles des angles, étranglez les étranges, étranchez les étangs, écorchez les écorces. La géométrie, née du sable grec, vous vous rendez compte. Synovie, vous la non moins visuelle qu'effective. Mais si sensible que vous soyez, vous n'en êtes pas moins posée. Donc on vous additionne aux trente-deux positions :

$$32 + 1 = 33$$

33, les deux bossus.

Mais nous y sommes. Nous n'avons jamais cessé d'y être. 33, les deux bossus. Sont-ils assez guignolets les amours? On va leur payer un coup de maison close.

Hélas! en fait de maison close, aucune ne l'est autant que Mémoire Ancestrale. Mme Irma, la maquerelle, leur fait, il est vrai, une touchante réception. Et c'est une belle créature qui porte, brodé sur sa robe de crêpe-satin noir, un palmier tout en strass lui partant des pieds pour lui monter jusqu'aux seins, qu'une cuirasse wagnérienne maintient à une très respectable altitude. A l'ombre de cette imposante végétation couturière les bossus n'en mènent pas large. Pour les ravigoter Mme Irma va les mener au cinéma cochon. Le film s'appelle *La Leçon de Géographie* :

Une salle de classe où bancs et pupitres sont vides. Sur l'estrade, une dame en voiles et très pompeuse robe de deuil. On ne la voit que de dos. Soudain, elle étend la main et se met à caresser d'un doigt distrait une carte de l'Europe pendue au mur. Alors l'Italie, lasse de n'être qu'une botte dans une mer bleue, se dit qu'elle va montrer quel usage doit être fait des presqu'îles. Elle prend donc du relief, saille, déchire d'une brusque poussée les contours qui la tenaient prisonnière d'une surface plane. La dame en deuil détache la volumineuse chose et se retourne. Alors on reconnaît Augusta. Augusta relève ses jupes et pour prouver à la fois qu'elle en est bien au stade anal et qu'elle n'a pas à se gêner avec Espéranza, elle s'enfonce l'Italie où vous pensez. Mais, avoir une Monte Putina dans les boyaux ce n'est pas une petite affaire. Violentes secousses sismiques par tout le corps de l'archiduchesse, soumis à de tels troubles internes que soudain les dessous et la robe se déchirent. Espéranza nue, gonflée, informe, et toujours le chapeau sur la tête, mais le voile participant de la fabuleuse révolution organique qui, peu à peu, se rythme dans son amplification même. Grand tintamarre. On joue à dix gramophones qui ne sont pas réglés les uns sur les autres la Valse de Ravel. Close up. Le nombril d'Espéranza, figuré d'abord par une couronne, est devenu un œil-de-bœuf. « L'œil de l'Europe », ricanent les rageurs petits taureaux africains. La pupille de cet œil, c'est le visage d'Espéranza. La pupille aura raison de la maîtresse d'école. Espéranza arrive à sortir par cette lucarne, mais avec de tels efforts qu'Augusta explose. Les morceaux informes d'Augusta jonchent le sol, Espéranza, tout en remettant de l'ordre dans sa toilette, remonte sur l'estrade. Elle contemple la carte de l'Europe où la cueillaison de sa chère patrie a laissé un trou. La Méditerranée, l'Adriatique ne sont pas des mers bien agitées, surtout sur des planisphères. Et pourtant voilà que des vagues s'élèvent tout autour du trou qui marque l'emplacement de la grande sœur latine. Des vagues s'élèvent mais ne retombent pas. C'est, un buisson de poils bleus dont le cœur ne peut être que de corail. « Mais c'est le buisson ardent de l'Écriture », s'écrie la grande dame romaine trop heureuse de concilier l'ancien testament et la mythologie. Et elle se jette à pleine bouche sur ce sexe d'Amphitrite, ce sexe qui néglige d'avoir un corps. Le prince des journalistes, devenu roi d'Albanie, de son palais a pu contempler la scène. Il se sent congestionné, réclame son épouse. Mais la reine Primerose qui a le bras long est occupée à masturber les Dolomites. Une voix, la voix de la conscience, chante au nouveau roi d'Albanie :

Souviens-toi des Sybarites.

Ta Reine

Aime.

Les Dolomites.

Redeviens donc Sodomite.

Il ne se le fera pas dire deux fois.

Dans l'espoir de fellations simultanées et réciproques, il part pour le pays des fellahs...

— Et la suite ? interroge Synovie.

— La suite ? Mais les deux bossus, les deux 3 de 33 firent 69.

— Les deux 3 et 33 faire 69 ? reprend la poétesse.

La béatitude l'illumine. Elle déclare :

— Puisque la volupté peut de tels miracles, que les lentilles qui, des années et des années, me tinrent lieu de seins, se gonflent ; oui, gonflez, gonflez mes seins. Je ne serai d'ailleurs ni dupe, ni victime de vos exubérances. Si vous exagérez, je vous couperai et vous me servirez de cloche à fromage. De cloche à mettre chacun des 3 de 33, que nous ne pouvons tout de même pas laisser toute la journée faire 69...

*

Les journaux du lendemain devaient annoncer l'assassinat de la poétesse par le psychiatre et le suicide de ce dernier. On avait trouvé la malheureuse la gorge tailladée. Quant au psychiatre, avant de se faire justice, il avait écrit avec le sang de sa femme sur le plancher : « Nous avions décidé de faire de ses seins des cloches à fromage... »

Si l'on rappelle que toute une génération dont il avait été le dieu traita le général Boulanger d'homme frivole, parce qu'il s'était tué sur la tombe de sa maîtresse, on peut imaginer la colère de la France entière, le jour qu'en buvant son café au lait elle apprit la mort scandaleuse de sa poétesse nationale.

Mme Europe, née Marie Torchon, se paya le luxe d'un certain Don Quichottisme et, bien qu'ayant renoncé aux lettres, prit la plume pour défendre la mémoire de son ancienne ennemie.

Espéranza trouva le geste élégant et pardonna son mariage à son fils qui venait d'ailleurs de recevoir le prix Goncourt.

Et ce ne fut point la seule réconciliation.

A un cœur panromain, l'incendie du Reichstag par le *schön* Adolf ne pouvait que rappeler celui de Rome par Néron. A un cœur paneuropéen l'idée hitlé-rienne — *acquérir des terres à l'Europe* [1] *aux dépens de la Russie. Mais alors il faudrait*

1. Extrait de *Mein Kampf*, par Adolf Hitler, Munich, 1932.

que le Reich reprît la route jadis tracée par les chevaliers teutoniques et qu'à l'aide du glaive allemand, il donnât de la terre à la charrue allemande et son pain quotidien au peuple allemand – l'idée de coloniser l'U. R. S. S. apparaissait simplement lumineuse. Augusta éblouie en avait eu son chemin de Damas. Elle s'était convertie au national-socialisme. Elle et la duchesse et Monte Putina se devaient, dès lors, devaient au salut du monde, de faire la paix.

Pour l'instant, elles travaillent, l'une à Berlin, l'autre à Rome, chacune dans sa sphère et selon ses moyens, à l'élaboration d'une Sainte-Alliance contre le bolchevisme. Elles ne rêvent plus que du directoire des quatre puissances. Les journaux russes-blancs qui paraissent à Paris, entre des provocations au meurtre et des hommages au *duce* et au *führer*, leur consacrent des articles enthousiastes.

Augusta, vraie Walkyrie, porte sur sa robe, à la ville et à la campagne, la cuirasse de feu l'archiduc et met des éperons à ses bottes. La bru Wagner peut faire les yeux doux au *schön Adolf.* Augusta ne craint point la concurrence

Et d'ailleurs............, etc., etc.,

(La suite à la prochaine guerre.)

MARCEL AYMÉ

1902-1967

La Jument verte

1933

Sans commune mesure avec les gau-drioles campagnardes de ses imitateurs ou de ses prédécesseurs, l'érotisme de Marcel Aymé, rural ou non, s'est exprimé dans bien d'autres livres. *Le Chemin des écoliers* (1942) par exemple, ou *Le Moulin de la Sourdine* (1936), dont tous les personnages plus ou moins habités par des préoc-cupations sexuelles gravitent autour du crime sadique perpétré par le notaire Marguet, étrange et puissante figure. Mais c'est *La Jument verte* qui apporta d'un seul coup à Marcel Aymé scandale et notoriété définitive.

LES MALORET rentraient des vêpres, ils étaient trois dans la cuisine. Tintin était resté en route à regarder le jeu de quilles. Les coudes sur la table et le menton dans ses mains, Zèphe tournait le dos à la porte et regardait vaguement vers le fond de la cuisine où l'Anaïs, entre l'armoire et le lit, retirait sa jupe noire bordée d'un galon vert, son corsage bleu, et le jupon brodé que sa fille lui avait donné. Noël considérait avec autant d'inquiétude que de mépris l'attitude acca-blée de son père. Lentement, il haussa les épaules et, cherchant sur une chaise le pantalon de toile qu'il y avait jeté avant les vêpres, commença de se dévêtir. L'Anaïs pliait sur le lit son jupon de fine toile.

— Tu devrais te déshabiller, dit-elle à Zèphe.

Zèphe demeura muet, immobile. Elle ouvrit l'une des portes de la grande armoire pour ranger ses vêtements et insista :

— Tu devrais te déshabiller maintenant, tant qu'à faire.

Zèphe leva la tête et, contre toutes ses habitudes, répondit grossièrement. Noël, qui ôtait son pantalon de vêpres, en fut irrité et lui dit :

— Ce n'est tout de même pas de notre faute, si l'Adélaïde vous a mouché ce matin, et si le curé vous a engueulé.

— Toi, tu vas me foutre la paix.

— Quand on fait les saletés que vous faites, on ne va pas le chanter aux quatre coins pour qu'on vienne vous le resservir après.

Zèphe eut un mouvement de tête excédé et ne répondit pas.

— Et d'abord, on commence par se tenir proprement, ajouta Noël, étonné lui-même de s'entendre parler à son père avec autant de liberté.

— Quand tu auras des filles, on verra bien ce que tu feras.

— C'est bon pour vous.

Le père eut un rire poussif et, sans lever la tête, parla d'une voix morne.

— Bien obligé. On disait déjà de mon grand-père et du père de mon grand-père qu'ils couchaient avec leurs filles. On n'a jamais arrêté de le dire ni pour mon père ni pour moi. C'était convenu dans le pays, entendu une fois pour toutes. Alors, qu'est-ce que j'aurais gagné de me gêner?

L'Anaïs feignait de ne rien entendre et se penchait dans l'armoire.

— Et puis quoi, poursuivait le père, c'est une idée qui était dans la maison. Pour s'en défaire, il aurait fallu… je ne sais pas… réussir ailleurs.

Il se tut et retomba dans son hébétude. Noël posa son pantalon du dimanche sur le dossier d'une chaise, près de la fenêtre. Il y eut un grand silence triste. Une ombre passa devant la fenêtre, la chienne aboya dans la cour et Haudouin entra. Il ferma la porte derrière lui et regarda les Maloret. Zèphe tourna la tête et demeura les coudes sur la table, sans paraître étonné. L'Anaïs, effarée d'être surprise en culotte et en corset, se dissimulait derrière la porte de l'armoire et cherchait un tablier à nouer sur son ventre.

— Tu es bien comme ça, Anaïs, lui dit Haudouin d'une voix qui tremblait un peu.

En pans de chemise et son pantalon des jours à la main, Noël hésitait. Honoré, adossé à la porte, mesurait tout l'avantage qu'il avait sur cet homme presque nu, et il s'étonnait que le seul fait d'avoir un pantalon et d'être chaussé l'assurât d'une telle supériorité. La nudité de Noël lui sembla pitoyablement vulnérable, il trouvait l'aventure presque facile.

— Voilà que vous entrez sans frapper? dit Noël et il fit un pas en avant.

Honoré en fit un autre et posa son soulier ferré sur le pied nu, sans appuyer avec le poids de son corps, simplement pour que Noël prît conscience de son infériorité. Le garçon recula, craignant pour sa peau nue. Haudouin lui porta un coup de genou et frappa des deux poings, mais sans grande violence. Noël ne rendait pas les coups; accroupi, il essayait de tenir tout entier dans sa chemise, comme si cette toile mince eût été une protection efficace; un coup mieux dirigé le fit rouler par terre, étourdi. L'exécution avait été si rapide que l'Anaïs, dissimulée derrière le battant de l'armoire, n'en avait rien vu. Zèphe avait regardé la lutte avec lucidité, mais sans vouloir intervenir. A cet instant-là, il était libre de gagner la porte et d'appeler à l'aide, mais la menace éveillait en lui, au plus profond de la bête, un certain sentiment de chevalerie : il acceptait que l'affaire se déroulât dans un ordre convenu. D'ailleurs, une immense paresse le clouait sur sa chaise, et aussi la promesse d'un certain bien-être qu'il attendait de la défaite. Il se leva pourtant quand Haudouin se tourna vers lui, il effaça la tête, remonta les épaules dans l'attitude d'un lutteur en garde. Plus petit que son adversaire, il était râblé et agile, capable de se défendre avec avantage. Mais, sans volonté offensive, il faisait mine de se défendre, pour la forme. Haudouin le sentit si bien qu'il ne voulut pas le frapper. Son dessein était de l'enfermer dans l'armoire. Adroitement, il le ceintura par derrière, lui maintenant les bras au corps. Alors seulement, Zèphe se débattit et réussit à dégager son bras droit, cependant qu'Honoré le portait vers le fond de la cuisine. L'Anaïs n'osait ni agir, ni protester, et semblait surtout préoccupée qu'on ne la vît pas en culotte. Haudouin lui dit doucement :

– Ouvre-moi l'autre battant, Anaïs.

Elle hésitait, dans l'attente que Zèphe le lui défendît, mais il se débattait sans parler.

– Allons, dit Honoré, ouvre vite.

Elle passa derrière lui pour qu'il ne la vît pas, et après avoir ôté le crochet intérieur qui maintenait la porte, regagna son coin avec les mêmes précautions. Ouverte à deux battants, l'armoire était si large qu'on y eût presque logé un bœuf; mais Zèphe, les pieds calés sur le rebord, résistait à la poussée d'Haudouin. Reculant brusquement, Honoré lui fit perdre son point d'appui et réussit à le jeter à plat ventre sur les balles de chiffons qui garnissaient le bas du meuble. Les portes fermées à clé, il retourna auprès de Noël qui commençait à revenir de son étourdissement. Haudouin savait ce qu'il fallait en faire; il y pensait depuis le matin, et peut-être depuis plus de quinze ans. Il le souleva dans ses bras et dit à l'Anaïs :

– Ce n'est rien du tout, le voilà qui remue déjà. On va le mettre en dessous le lit.

L'Anaïs gémissait d'une petite voix douce.

– Il va dormir, affirma Haudouin, ne t'inquiète pas.

Il poussa Noël sous le lit aussi loin qu'il put et l'y barricada avec un banc et des oreillers. La besogne terminée, il s'assit sur le bout de la table et fit un sourire à l'Anaïs qui demeurait immobile dans le coin de l'armoire.

– Tu as de beaux bras, dit-il.

Elle leva les yeux sur lui et eut un sourire de reproche qui éclaira son lourd visage blond.

– Ce n'est tout de même guère bien, Honoré.

– J'ai toujours eu envie de te dire que tu étais belle, Anaïs. Mais tu sais ce que c'est, on n'ose pas.

Elle voulut parler à son tour, mais elle se souvint que Zèphe et son garçon pouvaient l'entendre. Elle fit un sourire plus doux que le premier.

– Naïs, je me suis décidé pourtant, et c'est parce que j'en avais le cœur tout ennuyé.

Elle répondit si bas qu'il comprit au mouvement des lèvres :

— Ah, tu sais bien dire, toi…

Haudouin évaluait avec tendresse les formes pleines et lourdes qui allaient combler ses bras d'homme ; la poitrine forte, bien ficelée dans le corset, le ventre qui bombait haut sous la culotte tendue aux hanches, et les jambes solides, massives, plein les bas de coton noir. Il aimait que l'Anaïs eût cette maturité abondante ; il la trouvait plus belle que ne lui avait paru Marguerite.

Il lui parlait amoureusement et les silences de l'Anaïs étaient tendres. Pourtant, une gêne demeurait entre eux. Honoré ne ressentait pas autant de hâte qu'il avait espéré et commençait d'être inquiet, irrité contre lui-même. C'est qu'il n'était pas venu là pour s'amuser. Honoré fit un pas en avant. Il se sentait gauche et n'avait point d'assurance. Craintive, l'Anaïs se rencognait, se tassait dans l'angle de l'armoire, les bras collés au corps, les mains en flèches serrées entre ses cuisses. Alors il sourit et murmura :

— Attends, je m'en vais tirer les persiennes.

Dans l'obscurité, l'Anaïs ne se dérobait plus et, comme il la pressait contre lui, elle laissa aller sa tête sur son épaule. Il la porta sur le haut lit de plume, heureux qu'elle fût aussi lourde dans ses bras. A leurs tendres plaintes répondaient des plaintes étouffées, d'une douceur enveloppante. Venues de l'armoire et de dessous le lit, elles semblaient sourdre de tous les coins de la cuisine, et chaque fois qu'Haudouin caressait l'Anaïs, la maison des Maloret gémissait tout entière.

Cependant, l'Adélaïde et ses enfants se pressaient devant les volets clos, attentifs à cette grande rumeur de plaisir dont ils se sentaient alanguis. Au coin du chemin des pommiers, le vétérinaire, indécis et tourmenté, n'osait s'approcher, redoutant l'annonce d'une catastrophe. Quand son frère sortit de la maison, il aperçut le doux visage de l'Anaïs, et en même temps la culotte à festons, les bas de coton noir serrés au-dessous du genou par les jarretières bleues. A cette vision, ses yeux saillirent, environ un pied et demi de leurs orbites, et y rentrèrent toutefois. Effrayé de cette aventure, il pâlissait d'une joue et, tout à la fois, rougissait de l'autre pour ce qu'il avait vu le diable si à son avantage dans une culotte à festons.

Honoré, silencieux et grave, s'avançait au milieu de sa famille. Juliette s'appuyait à son bras et, devant lui, marchaient à reculons, pour mieux l'admirer, Alexis, Gustave et Clotilde.

ROBERT SERMAISE

Prélude charnel

1934

Le véritable nom de l'honorable industriel qui déposa un jour le manuscrit de *Prélude charnel* aux Éditions Denoël et disparut ensuite pour longtemps est maintenant connu. Tout ce que nous pouvons en dire est qu'il ne s'appelait pas Robert Sermaise, et que son livre fit le bonheur et la fortune de Robert Denoël, bien que le livre n'ait pas été publié officiellement par l'éditeur de Céline. Denoël en fit des tirages plus ou moins clandestins qui atteignirent semble-t-il des chiffres fabuleux. Sous l'Occupation, un grossiste de Lyon m'affirma en avoir vendu à lui seul plus de cent mille exemplaires de 1934 à 1942. Réédité en 1970 par Régine Deforges, le livre n'aura guère de succès. *Emmanuelle* était passée par là.

Le thème du livre: un oncle a conseillé à son neveu, qui se marie, d'initier sa fiancée à l'amour par étapes douces, plutôt que de lui imposer une nuit de noces torride le premier soir.

*C*OMME les jours précédents, nous nous sommes réfugiés dans l'ombre fraîche d'un bouquet de tilleuls; un épais massif de troènes l'encercle, presque totalement, ne laissant, sur ce jardin ensoleillé, qu'une étroite et discrète échappée. Le banc de bois nous est déjà familier; un banc banal, fait de lamelles vertes, comme on voit dans tous les jardins; mais son profil arrondi, tracé sans doute par quelque dessinateur sensuel, épouse mollement la forme du corps. Assise à ma droite, Thérèse se débarrasse de son grand chapeau de paille, imitant le geste de Cyrano : « Avec grâce je lance mon feutre... »; et elle contrefait, d'une voix cocasse, le nasillement des vieux acteurs. Mais elle s'interrompt, rêvasse un instant; et, avec un soupir, sa tête s'abat sur mon épaule.

– Triste?

– Non, très heureuse. Un peu lasse seulement.

Sous le boléro largement entr'ouvert, j'aperçois la cambrure d'un sein : ligne pure relevée d'une touche sanguine. Je voudrais être capable de l'admirer paisiblement; mais déjà mes reins s'émeuvent; mon désir, parasite indocile, se réveille et s'étire. J'entoure d'un bras les épaules de Thérèse et avançant l'autre main vers le beau sein à demi dénudé, je l'effleure d'une caresse. Thérèse appuie sa main sur la mienne, pour l'immobiliser :

« Mon amour; laisse ta main là, mais sans bouger. Tu sais bien que, si tu me caresses, je serai tout de suite trop folle. Je voudrais me reposer un peu; l'ombre est si douce, après la route au soleil. »

Je lui obéis, refermant ma main sur le globe palpitant. Et ce m'est une nouvelle et délicate volupté de constater l'exacte adaptation de cette poitrine, un peu menue, à la mesure de mes doigts. On me convertirait aisément, aujourd'hui, à la thèse des causes finales! La pointe de chair rose, que ne durcit pas la volupté, est comme endormie sous ma paume.

Thérèse a posé une main sur mon genou. Je l'attire, très légèrement, vers moi; et comprenant aussitôt cette impulsion, la main remonte le long de ma cuisse, heurte mon sexe, tendu sous l'étoffe légère, et se fixe sur lui. Ce contact est cependant trop direct pour nous satisfaire, et la main se meut de nouveau, cherchant l'échancrure du vêtement. « Aide-moi un peu, mon chéri; je suis maladroite encore. » Fébrilement j'ouvre la brèche, toute grande; un peu gêné pourtant de la sombre toison brusquement découverte et du regard de Thérèse posé sur moi. Mais elle sourit et se blottit plus tendrement au creux de mon épaule. Sa main s'amuse à emmêler les mèches frisées et à s'y perdre; puis elle saisit le pénis brûlant, tâtonne, un peu incertaine encore, trouve l'extrémité où s'avoue mon désir, s'y arrête un instant. Bientôt, elle repart, glisse entre mes jambes, caresse d'un frôlement léger les organes dont elle saisit la craintive fragilité; et leur faisant un nid de ses doigts refermés, elle s'immobilise tout à fait.

L'épais feuillage des tilleuls isole notre amour. Mais les cris aigus des hirondelles, striant le ciel, et le concert désordonné des cloches, nous disent l'azur infini de ce dimanche de juillet. Les yeux clos, Thérèse semble assoupie sur mon épaule. Cependant ses doigts qui m'emprisonnent s'animent d'un léger frémissement; caresse à peine perceptible, mais dont l'hypersensibilité de ma chair tressaille aussitôt. Sur le sein qu'elle englobe, ma main se crispe un instant. Thérèse se tend vers moi et soupire.

– Je t'aime, mon chéri. Je t'aime si intensément. Je voudrais savoir t'expliquer... Tant de choses!

– C'est si difficile à dire?

– Oui, hélas! Et pourtant je le sens si vivant en moi, tout cet amour qui m'angoisse. Il déborde de mon cœur; on croirait qu'il va monter tout droit jusqu'à mes lèvres et s'échapper en paroles ardentes. Mais les lèvres, vois-tu, quand elles sont amoureuses, ne connaissent vraiment qu'un langage : celui des baisers. Et quand on leur demande de s'exprimer par des mots, elles ne savent pas traduire exactement.

Après un silence, elle reprend : « Et puis, j'aurais peur de m'analyser devant toi. Tu me trouverais tellement compliquée.

– Tu doutes encore de moi? C'est mal. Crois-tu que je t'aimerais davantage si, au lieu d'être compliquée, comme tu dis, tu t'abandonnais à ton instinct sans réfléchir? J'aime au contraire, infiniment, l'adorable diversité de ton être. Mon amour pour toi, ma chérie, mon amour si intensément charnel est né de cette diversité; il est fait d'admiration pour la clarté de ton intelligence, pour la limpidité de ton âme, presque autant que du désir de ton corps. Et nos caresses les plus…, les plus tendrement osées, me paraissent licites, parce que, malgré tout, j'aime en toi autre chose que ton corps. »

Un peu réticente, en apparence du moins, mais coquette surtout et taquine, Thérèse fait une moue. Elle proteste : « Il ne faut pourtant pas le mépriser, mon corps; même quand il s'abandonne trop follement; il ne faut pas avoir honte de l'aimer!

— Ah! oui, j'en ai bien l'air, en effet! Mais, sérieusement, ma chérie, cette vénération que j'éprouve pour ton être intellectuel et moral ne doit pas t'inquiéter. Elle ne rend pas mon désir plus craintif. Elle le provoque au contraire, le rend plus exigeant, plus audacieux; elle lui permet d'être plus libre, parce qu'elle excuse sa folie même. Et elle le fera plus durable aussi. »

Thérèse ne répond pas. Mais sa main, blottie entre mes jambes, m'enveloppe d'un effleurement à la fois insistant et léger; fluide attouchement, qui m'électrise d'une volupté aiguë. Indifférente tout à coup à notre discussion, Thérèse ne s'intéresse plus qu'aux longs échos de cette caresse, à travers ma sensualité. Elle en épie les vibrations, les provoque de nouveau à plusieurs reprises, et les laisse enfin s'apaiser lentement. Alors elle me sourit, le regard un peu trouble, semblant faire effort pour renouer le fil de ses idées.

— De quoi parlions-nous?

— De nous, ma chérie. De ton amour, que tu jugeais si compliqué.

— Ah! oui. Ce qui me paraît compliqué, vois-tu, ce que je voudrais savoir t'expliquer, c'est (comment dire?) la multiplicité de notre amour. Il a grandi trop vite sans doute; il contient un peu de tout; mais dans quel désordre! Un vrai bric-à-brac. Des restes de mysticisme religieux, mêlés à une adoration païenne pour toi; une admiration profonde de ton intelligence, en même temps qu'une folle tendresse pour certains détails de ton corps; un besoin presque maternel de te dorloter, puis, tout à coup, un désir ardent de tes caresses. Tout cela, je le perçois très nettement; surtout quand je suis contre toi, fascinée par la profondeur de ton regard et troublée cependant par ton désir, si vibrant dans ma main. Mais je sais mal le dire et j'ai peur que tu ne comprennes pas à quel point je t'aime.

— Tu n'es pas déçue, pourtant?

— Déçue? De quoi mon Dieu?

— De l'attente que j'ai voulu t'imposer. Plus tard, peut-être, tu douteras de mon amour? de mon désir de toi?

— Oh! mon chéri! Mais je l'ai vu, je l'ai touché, ton désir, je l'ai senti défaillir de l'excès de nos caresses. Et ne comprends-tu pas que je t'aime davantage, d'avoir connu tout de toi, avant de me donner? Ne comprends-tu pas ma reconnaissance (ma fierté aussi) de n'avoir pas eu à m'abandonner aveuglément?

Ses paroles m'inquiètent pourtant. Avec appréhension je lui demande : « Crois-tu qu'il vaudrait mieux attendre encore ?

– Oh! non. Je ne peux plus. Tu sais bien qu'il me tarde maintenant d'être à toi, à toi tout à fait. Mais je t'aurai dû quelques jours d'un rêve miraculeux, dont s'éclairera toujours notre amour. Un rêve qui eût été impossible, je le sais bien, avec tout autre que toi. »

Sa main, qui m'emprisonnait avec de tendres précautions, se remet à errer sur mon corps; elle se fait compatissante à la dure tension de mon sexe et s'émeut de l'humide aveu de mon désir. « Je comprends – me dit Thérèse – ce qu'il t'en a coûté; à quelle épreuve j'ai mis ta tendresse, ton infinie délicatesse. Mais ce que j'admire en toi, par dessus tout, c'est précisément ce contraste entre ton désir, terriblement impérieux, et ton indulgence pour mes craintes de petite fille. Je t'aime à la fois pour ta violence du premier jour qui m'avait fait si peur, et pour ta patience, depuis lors. » Dans la corolle de ses doigts repliés, elle presse amoureusement l'extrémité vivante du pénis, et elle conclut : « Je t'adore; je t'adore parce que tu es... comme lui, à la fois très fort et très doux. »

Sa voix s'assourdit, semble hésiter, comme lasse de tout ce que les mots ne savent exprimer. Mais ses doigts se font plus caressants, plus curieux des détails de ma chair, plus habiles à provoquer les vibrations de la volupté. Et sous ma main qui l'enserre, je sens le sein de Thérèse se gonfler, tendant sa pointe.

Je me lève, les tempes endolories d'un lourd martèlement assourdissant. « Ma femme aimée, viens! »

A quelques pas de notre tonnelle est une maisonnette en bois; elle sert d'abri aux meubles de jardin et de refuge aux promeneurs, en cas d'averse inopinée. J'y entraîne Thérèse et referme la porte sur nous.

A l'intérieur règne une atmosphère de serre chaude, vibrant d'une étrange luminosité : reflets de soleil que la prairie environnante a barbouillés de vert et qu'elle renvoie au plafond, par les interstices des persiennes closes. L'ameublement est d'une indigence qui me déçoit : une boîte de croquet entr'ouverte, alignant ses boules peintes : dans un coin, des parasols repliés et poussiéreux; au centre un empilage de tables de fer et de chaises. Cependant, contre la paroi du fond, une grande toile grise semble cacher d'autres meubles. Avec quelque défiance, nous relevons un coin de la toile; puis, joyeusement surpris, nous la rejetons tout à fait. Des coussins multicolores apparaissent, répandus à profusion sur le plancher; et de leurs flots désordonnés émerge un divan, moelleusement capitonné de velours rouge. J'y pousse Thérèse, impatient de la dévêtir. Et d'avance, j'imagine la blancheur nacrée de sa nudité, contrastant avec la pourpre du tissu.

Elle me résiste pourtant : « Non, c'est mon tour. Laisse-moi faire. » Et assise devant elle, emprisonnant mes jambes au bord du divan, elle me retient, debout entre les siennes. Mes vêtements, depuis nos récentes caresses, sont restés entr'ouverts et découvrent l'attache du pénis. Dans cette ombre touffue, Thérèse pose ses lèvres, aspirant avidement la moiteur de ma peau. Elle commence ensuite à me déshabiller. Elle me débarrasse de ma veste, s'affaire un instant à la boucle de ma ceinture, réussit enfin à la dénouer. Alors, de ses deux mains glissant le long de mes hanches, elle fait choir mon dernier vêtement. Je suis entièrement nu devant elle, le sexe tendu, vibrant encore de sa brusque liberté.

Comme si elle le découvrait à nouveau, Thérèse contemple mon corps avec un sourire étonné ; elle l'effleure tout entier d'attouchements légers et le parsème de baisers rapides. Et elle me tient longtemps ainsi, sans se lasser de me regarder, de me palper, de me lécher. Puis, me serrant toujours, debout entre ses jambes, elle me fait tourner de profil. Et elle se met à suivre passionnément la double ligne de mon corps ; elle le frôle de la caresse de ses deux mains, l'une glissant le long du dos et contournant mes reins ; l'autre, d'un mouvement parallèle, errant sur mon ventre et sur mon sexe.

Peu à peu, cependant, les caresses se font plus précises, plus réfléchies, recherchent les points de sensibilité plus vive, y revenant, y insistant. Je supplie Thérèse d'arrêter une jouissance trop aiguë, dont je pressens le danger. Mais elle sourit de cette angoisse, dont s'enorgueillit sa tendresse inventive ; et l'aveu de ma faiblesse, loin de l'arrêter, la rend plus ardente encore. Je sens monter en moi la vague enivrante, l'irrépressible volupté ; je sais que, dans un instant, nulle pudeur ne saura la contenir, pas même la honte du spasme, sous la curiosité avide de ce regard. Cependant, un bref éblouissement vient au secours de ma volonté défaillante. Dans l'air trop lourd, les parois semblent vaciller autour de moi ; et je me laisse choir sur les coussins qui jonchent le sol, échappant ainsi, bien malgré moi, aux mains de Thérèse, trop follement amoureuse. Elle me lance un regard déçu. Mais remarquant ma pâleur, elle m'entoure le cou de ses bras ; et cache ma tête contre son ventre, que dénude le boléro trop étroit.

L'hypertension sensuelle qui fut si proche de l'orgasme est lente à s'apaiser. En vain, je cherche à m'y soustraire, immobile, les yeux fermés. Un souvenir suffit à l'éveiller, gonflant mon sexe d'une onde de volupté. L'angoissante pulsation s'atténue cependant, renaît de nouveau, s'atténue encore. Elle ne disparaît enfin que pour laisser mon désir plus exacerbé, plus affamé de retrouver ce vertige, dont il attend son assouvissement

Accroupi, nu, entre les jambes de Thérèse, je veux la dénuder elle aussi ; le pyjama qu'elle porte encore m'est devenu physiquement intolérable. D'un mouvement de reins, elle m'aide à dégager sa croupe et à faire glisser ses vêtements. Elle me laisse écarter ses jambes ; elle me laisse dénouer, de mes doigts, les blondes mèches entremêlées ; elle me laisse entr'ouvrir sa plus secrète nudité. Renversée sur le divan, les cuisses ouvertes, elle se cambre en une offrande haletante de son sexe; puis elle s'abandonne, avidement, aux multiples caresses de mes lèvres et de ma langue, qu'enivre la moiteur croissante de son désir.

Je me redresse enfin pour reprendre haleine; et comme je suis à genoux entre ses jambes, nos sexes se rejoignent. Alors de ma chair, j'effleure cette chair offerte, aussi lentement que me le permet la tension brûlante de mon désir. Longue caresse qui saisit d'abord ma femme aux replis de la croupe, remonte ensuite au long de la pourpre vallée charnelle, fait vibrer sa sensibilité la plus subtile et s'achève enfin au plus touffu de sa toison. A mesure que s'exaspère sa jouissance, les seins de Thérèse vibrent d'un halètement plus rapide. Tendu vers moi, son corps se soulève et s'abaisse, obéissant à l'instinctif besoin d'intensifier et d'accélérer le frôlement humide de nos chairs. Un cri lui échappe : « Ah! prends-moi; prends-moi tout à fait. »

Et pourtant j'hésite. Dominant le tumulte de mes sens, un scrupule me retient encore : crainte de déchirer cette chair dont je sais la fragile douceur; compassion pour la sensibilité de ce corps vierge qui veut s'abandonner à l'assouvissement brutale de mon désir. Etonné de mon hésitation, un peu déçue peut-être, Thérèse est restée immobile, affalée sur le divan. Mais elle se redresse à demi, m'entoure de ses bras, crispe ses mains sur mes fesses. Et au moment où la caresse de mon sexe, remontant des plis de sa croupe, atteint de nouveau sa chair, elle m'attire violemment, d'un geste passionné qui m'enfonce en elle.

Je lis sur ses traits la succession, extraordinairement rapide, de ses émotions : une crispation fugitive du visage; un voile humide troublant le regard; enfin, un éclair de joyeux orgueil. Pendant un moment encore, elle me sourit, un peu dolente, très tendre cependant. Puis, fermant les yeux elle se laisse retomber en arrière, sans autre plainte qu'un cri d'amour.

« Mon mari! mon mari aimé! »

XV

« Et voilà », murmurai-je, en guise de conclusion. J'étais un peu gêné du mutisme de mon oncle et craignais d'avoir trop parlé. Sans mot dire, les yeux clos, il persistait à tirer de sa pipe d'imaginaires bouffées, bien qu'elle fût depuis longtemps éteinte. Enfin, tournant vers moi un regard dont la douceur m'étonna :

– Tu ne regrettes pas, me dit-il, d'avoir suivi mes conseils?

– Non certes.

GABRIEL CHEVALLIER

1895-1969

Clochemerle

1934

Le succès de *Clochemerle,* roman de la France rurale, profonde et paillarde, très inférieur pourtant à *La Jument Verte,* fut immense et dura jusqu'à la Libération. On en publiera encore en 1942 une édition illustrée par Joseph Hémard, tandis que Marcel E. Grancher mettra en circulation l'illustre *Charcutier de Mâchonville.* Conjonctions...

Il y a dans *Sainte-Colline* (1937) une scène de voyeurisme incestueux de la part d'un jeune garçon, que Gabriel Chevallier a traitée avec une certaine délicatesse.

AVANT DE QUITTER l'église, disons quelques mots du curé Ponosse, qui provoquera dans une certaine mesure les troubles de Clochemerle, sans l'avoir voulu, il est vrai, car ce prêtre tranquille, arrivé à l'âge d'exercer son sacerdoce comme il prendrait sa retraite, fuit plus que jamais les combats qui ne laissent dans l'âme qu'amertume, sans contribuer autant qu'on veut le dire à la gloire de Dieu.

Lorsque le curé Ponosse s'installa au bourg de Clochemerle, quelque trente ans plus tôt, il arrivait d'une ingrate paroisse de l'Ardèche. Ce stage, comme vicaire, ne l'avait guère décrassé. Il sentait son origine paysanne et avait encore la rougissante gaucherie du séminariste aux prises avec les honteux malaises de la puberté. Les confessions des femmes de Clochemerle, pays où les hommes sont actifs, lui apportèrent des révélations qui lui donnaient de grands embarras. Comme, en ces matières, son expérience personnelle était courte, par des questions maladroites il se fit initier aux turpitudes de la chair. Les horribles lumières qu'il retira de ces entretiens lui rendirent très pesante une solitude où le visitaient des images infernales et lubriques. La complexion sanguine d'Augustin Ponosse ne l'inclinait nullement au mysticisme, qui est le fait des âmes torturées, lesquelles habitent en général des corps souffrants. Il possédait au contraire une belle régularité organique, mangeait de bel appétit, et sa nature avait des exigences que la soutane recouvrait décemment, sans les empêcher toutefois de se manifester.

Heureusement, arrivant à Clochemerle, dans tout le feu de la jeunesse, pour y remplacer un prêtre emporté à quarante-deux ans par une mauvaise grippe, compliquée de refroidissement, Augustin Ponosse trouva au presbytère Honorine, type accompli de la servante de curé. Elle pleurait beaucoup le défunt, ce qui était la preuve d'un respectable et pieux attachement. Mais la mine vigoureuse et bonhomme du nouvel arrivant parut la consoler rapidement. Cette Honorine était une vieille fille pour qui la bonne administration d'un intérieur de prêtre n'avait plus de secrets, une gouvernante expérimentée qui examina sévèrement les hardes de son maître et lui reprocha le mauvais état de son linge : « Malheureux, dit-elle, vous étiez bien mal soigné! » Elle lui conseilla pour l'été des caleçons courts et les culottes d'alpaga, qui évitent les transpirations excessives sous la soutane, l'obligea d'acheter des flanelles et lui indiqua comment se mettre à l'aise, peu vêtu, quand il restait chez lui.

Le curé Ponosse éprouva la consolante douceur de cette vigilance, dont il remercia le ciel. Mais il se sentait triste, tourmenté par des hallucinations qui ne lui laissaient aucune paix, contre lesquelles il luttait, congestionné, comme saint Antoine dans le désert. Honorine ne fut pas longtemps avant de pressentir la cause de ses tourments. La première elle y fit allusion, un soir, comme le curé Ponosse bourrait mélancoliquement une pipe, son repas terminé.

— Pauvre jeune homme, dit-elle, vous devez bien souffrir à votre âge, toujours seul. C'est pas humain, des choses pareilles... Vous êtes un homme, quand même!

— Hélas, Honorine! soupira le curé Ponosse, devenu cramoisi, et saisi sur l'instant de vigueurs coupables.

— Ça finira par vous monter au cerveau, c'est sûr! On en a vu que ça rendait tout fous de se retenir tant et tant.

— Il faut faire pénitence, Honorine, dans notre état! répondit faiblement le malheureux.

Mais la dévouée servante le traita comme un enfant qui n'est pas raisonnable :

— Vous n'allez pas vous abîmer la santé, des fois! Qu'est-ce qu'il y aura gagné, le bon Dieu, quand vous aurez pris une mauvaise maladie?

Les yeux baissés, le curé Ponosse exprima par un geste vague que la question dépassait sa compétence, et que s'il fallait devenir fou par excès de chasteté, si telle était la volonté de Dieu, il s'y résignerait. Si ces forces allaient jusque-là... On en pouvait douter. Alors Honorine se rapprocha, pour lui dire d'une manière encourageante :

— Avec le pauvre M. le curé, qui était bien saint homme, on s'arrangeait tous les deux...

Ces mots furent pour le curé Ponosse une apaisante annonciation. Levant un peu les yeux, il considéra discrètement Honorine, avec des idées toutes nouvelles. La servante n'était point belle, tant s'en fallait, mais elle portait cependant, bien que réduits à la plus simple expression, ce qui les rendait peu suggestifs, les hospitaliers renflements féminins. Que ces corporelles oasis fussent mornes, aux abords peu fleuris, elles n'en étaient pas moins des oasis salvatrices, placées par la Providence dans l'ardent désert où le curé Ponosse se voyait sur le point de perdre la raison. Une lumière se fit en son esprit. N'était-ce pas honnête humilité de succomber, puisqu'un prêtre plein d'expérience, et que tout Clochemerle regrettait, lui avait ouvert la voie? Il n'avait qu'à aller sans faux orgueil sur les brisées de ce saint homme. Et d'autant plus simplement que la rugueuse conformation d'Honorine permettait de n'accorder à la nature que le strict nécessaire, sans prendre vraiment de joie à ces ébats, ni s'attarder aux complaisantes délices qui font la gravité du péché.

Le curé Ponosse, après avoir machinalement récité les grâces, se laissa conduire par la servante, qui prenait en pitié la timidité de son jeune maître. Tout fut consommé dans une obscurité complète, brièvement, et le curé Ponosse tint sa pensée le plus possible éloignée de son acte, déplorant ce que faisait sa chair et gémissant sur elle. Mais il passa ensuite une nuit si calme, se leva si dispos, qu'il connut par là qu'il serait sans doute bon de recourir parfois à cet expédient, dans l'intérêt même de son ministère. Il décida, pour la périodicité, de s'en tenir aux usages établis par son prédécesseur, dont Honorine saurait bien l'instruire.

Malgré tout, c'était péché, dont il se fallait confesser, et la gêne de l'aveu était grande pour Augustin Ponosse. Par bonheur, en questionnant, il apprit qu'au village de Valsonnas, distant de vingt kilomètres, vivait l'abbé Jouffe, son ancien camarade de séminaire. Le curé Ponosse estima qu'il valait mieux confier ses défaillances à un véritable ami. Dès le lendemain, passant le bas de sa soutane dans sa ceinture, il enfourcha sa bicyclette ecclésiastique, à cadre ouvert, héritage encore du défunt, et par une route accidentée, en peinant beaucoup, il gagna Valsonnas.

Dans les premiers instants les deux abbés furent tout au plaisir de se revoir. Mais enfin le curé de Clochemerle dut bien avouer ce qui l'amenait. Plein de confusion, il dit à son collègue comment il venait d'en user avec sa servante Honorine. Après lui avoir remis ses fautes, le curé Jouffe lui apprit qu'il en usait pareillement avec sa servante Josèpha, depuis plusieurs années.

Le visiteur se souvint en effet la porte lui avait été ouverte par une personne brune qui louchait, mais qui semblait assez fraîche et agréablement trapue. Il estima son ami Jouffe mieux partagé que lui de ce côté-là car il eût aimé pour son goût qu'Honorine fût moins étriquée. (Lorsque Satan lui envoyait des tentations de luxure, c'était toujours sous la forme de femmes splendidement généreuses.) Mais il chassa cette envieuse pensée, entachée de concupiscence et qui manquait à la charité, pour écouter ce que lui expliquait Jouffe. Il disait :

— Mon bon Ponosse, puisque nous ne pouvons entièrement nous détacher de la matière, faveur qui fut accordée seulement à quelques saints, il est heureux que nous ayons à domicile les moyens de lui accorder secrètement l'indispensable, sans occasionner le scandale ni troubler la paix des âmes. Réjouissons-nous que nos misères ne portent pas préjudice au bon renom de l'Église.

— Et d'ailleurs, opina Ponosse, n'est-il pas utile que nous ayons quelque compétence en toutes choses, étant appelés souvent à trancher et conseiller?

— Je le crois, mon bon ami, répondit Jouffe, si j'en juge aux cas de conscience qui m'ont été soumis ici. Il est certain que, sans expérience personnelle, j'aurais bafouillé. Le sixième commandement fournit la matière de grands litiges. Si nous n'avions sur ce point quelques connaissances, sinon approfondies, du moins suffisantes, il nous arriverait d'engager des âmes dans une mauvaise voie. Nous pouvons le dire entre nous : une absolue continence rétrécit le jugement.

— Elle étrangle l'intelligence! dit Ponosse, au souvenir de ses douleurs.

En buvant le vin de Valsonnas, inférieur à celui de Clochemerle (sur ce point, Ponosse était mieux partagé que Jouffe), les deux prêtres apprécièrent qu'une inattendue similitude des cas vînt resserrer des liens d'amitié remontant à l'adolescence. Ils arrêtèrent ensuite des dispositions commodes, celle par exemple de se confesser désormais l'un à l'autre. Afin de s'épargner de nombreux et fatigants déplacements, ils convinrent de régler synchroniquement la fréquence de leurs faiblesses charnelles. Ils s'accordèrent en principe le lundi et le mardi, jours creux, après les grands offices du dimanche, et choisirent le jeudi de chaque semaine comme jour de confession. Ils convinrent encore de partager également la peine : une fois sur deux le curé Jouffe viendrait à Clochemerle pour s'y confesser et recevoir la confession de Ponosse, et la semaine suivante, ce serait le tour du curé Ponosse d'aller trouver à Valsonnas son ami Jouffe, aux fins mutuelles de confession et d'absolution.

Ces arrangements ingénieux donnèrent toute satisfaction durant vingt-trois années. L'usage modéré qu'ils faisaient d'Honorine et de Josèpha, ainsi qu'une promenade bimensuelle de quarante kilomètres, entretenaient les deux curés en excellente santé, et la santé leur procurait une largeur de vues et un esprit de charité qui eurent les meilleurs effets, tant à Clochemerle qu'à Valsonnas. Durant ce long laps de temps, il ne se produisit qu'un accident.

Ce fut en 1897, au cours d'un hiver très rigoureux. Un jeudi matin, le curé Ponosse s'éveilla, bien décidé à faire le voyage de Valsonnas, pour y prendre son absolution hebdomadaire. Malheureusement, il était tombé dans la nuit une quantité de neige qui rendait les chemins impraticables. Le curé de Clochemerle tint malgré tout à se mettre en route, sans écouter les reproches et les cris de sa servante : il se jugeait en état de péché mortel, ayant un peu abusé d'Honorine depuis quelques jours, par suite du désœuvrement des veillées d'hiver. Malgré son courage et deux chutes, le curé Ponosse ne put franchir plus de quatre kilomètres. Il revint à pied, péniblement, et rejoignit la cure, claquant des dents.

Honorine dut le coucher et le faire transpirer. Le malheureux prit le délire, à cause du péché mortel, état où il ne pouvait demeurer. De son côté, ne voyant pas venir Ponosse, le curé Jouffe éprouvait une mortelle inquiétude : il avait messe solennelle le surlendemain et se demandait s'il pourrait la célébrer. Heureusement, le curé de Valsonnas ne manquait pas d'idées. A la poste il dépêcha Josèpha, porteuse d'un télégramme à l'adresse de Ponosse, avec réponse payée : *Comme d'habitude. Ferme propos. Miserere mei par retour. Jouffe.* Le curé de Clochemerle répondit aussitôt : *Absolvo te. Cinq pater, cinq ave. Comme d'habitude plus trois. Grande contrition. Miserere urgent. Ponosse.* L'absolution lui arriva télégraphiquement cinq heures plus tard, avec un rosaire pour pénitence.

Les deux prêtres furent si enchantés de ce moyen expéditif qu'ils envisagèrent d'y recourir constamment. Mais le scrupule les arrêta : c'était vraiment accorder trop de facilité au péché. D'autre part le dogme de la confession, dans ses moindres détails, remonte à un temps où l'invention du télégraphe n'était pas même soupçonnable.

Intermèdes

....

— Et je serai la marraine. Mais à l'avenir, faites attention, saperlotte!

Elle sourit, ajoute :

— D'ailleurs, cela n'aura plus d'importance. Cela n'a d'importance qu'une fois. Et c'est au fond une bonne méthode de s'y prendre de bonne heure. Celles qui ont trop attendu ne savent plus se décider à franchir le pas. Il faut aux femmes tellement d'inconscience…

Ces paroles ne sont pas destinées à la petite Rose Bivaque, qui déjà s'éloigne et ne les comprendrait pas. Celle-ci n'a plus que son Claudius en tête. Il doit l'attendre sur la route, à mi-chemin du château et du bourg.

— C'est du bon ou du mauvais, qu'elle t'a dit? demande Claudius, dès qu'il la voit.

Rose Bivaque raconte à sa façon l'entrevue, et Claudius, qui la tient à hauteur de sein, lui embrasse la joue.

— T'es-ti contente? fait-il.

— *Oh, oua!*

— De ce coup de m'avoir écouté, tu seras mariée la première de toutes.

— *Avoua ta, mon Claudius* [1] *!* dit-elle bas, chavirée.

_____

1. Avec toi, mon Claudius!

Ils se regardent, ils sont heureux. Il fait une admirable journée, très chaude. Le thermomètre doit marquer trente degrés à l'ombre. Ils n'ont plus rien à se confier. Ils écoutent le concert bienveillant que les oiseaux donnent en leur honneur. Ils marchent silencieusement. Et Claudius dit :

— Encore trois semaines de ce temps, ça va faire le vin bon !

Hyppolyte Foncimagne avait pris une angine. Ce grand beau garçon était délicat de la gorge. Depuis plusieurs jours, il gardait la chambre, et cela tenait en souci Adèle Torbayon. Pas seulement en souci, doit-on ajouter, mais aussi en plaisir et en tentation. En souci, comme hôtesse, qui prenait la responsabilité d'un malade sous son toit. En plaisir, parce que Foncimagne, tant qu'il demeurait enfermé, échappait à l'influence d'une autre. En tentation enfin, parce qu'Adèle Torbayon portait secrètement à son pensionnaire un intérêt assez tendre, inspiré tant par le physique du greffier que par un esprit de revanche à l'égard de Judith Toumignon, rivale détestée et victorieuse. Un désir de vengeance, qui sommeillait en elle depuis des années, formait peut-être le plus puissant de son penchant pour Foncimagne. Beaucoup de femmes comprendront ce sentiment.

Un matin, Arthur Torbayon étant à la cave, occupé à mettre du vin en bouteilles, Adèle Torbayon monta jusqu'à la chambre d'Hyppolyte Foncimagne, portant un gargarisme chaud, préparé d'après les instructions du Dr Mouraille. (« On ne pouvait pas abandonner ce garçon, et s'il n'avait que sa Judith pour le soigner, le pauvre pouvait bien mourir ! ») Il soufflait depuis la veille un mauvais vent du sud-ouest, annonciateur d'un orage qui ne se décidait pas à éclater, et toutes les fibres amollies d'Adèle Torbayon appelaient quelque chose qui mettrait fin à son malaise, à cette oppression qui lui paralysait les jambes et lui serrait la poitrine. C'était un besoin vague et pressant de fondre en larmes, d'être sans défense, de pousser des soupirs et des cris inarticulés.

Elle entra dans la chambre et s'approcha du lit où Foncimagne, dolent, sentait renaître ses forces, stimulées par des rêveries fiévreuses. L'arrivée de son hôtesse vint si opportunément concrétiser ces rêveries qu'il ceintura les cuisses d'Adèle Torbayon — qui étaient larges et fermes, de très bonne prise — avec un air d'enfant capricieux et malade qui a besoin d'être gâté. Une grande douceur apaisante inonda le corps d'Adèle Torbayon, comme si, l'orage crevant enfin, de larges gouttes de pluie rafraîchissaient sa peau brûlante. Son indignation manqua de force :

— Vous n'y pensez pas, Monsieur Hippolyte ! fit-elle avec une sévérité insuffisante.

— J'y pense beaucoup au contraire, belle Adèle ! répliqua le sournois, qui profitait de l'embarras de son hôtesse, tenant le plateau, pour pousser ses avantages.

Et, afin de montrer que l'opulente personne occupait bien sa pensée, il en découvrit la preuve formelle. Tout serment, en comparaison, eût été dérisoirement faible. Fortement troublée, l'aubergiste défendit l'honneur d'Arthur Torbayon par des raisons improvisées, d'assez mauvaises raisons :

— Pensez-vous, Monsieur Hippolyte, j'ai une pleine salle de monde en bas!

— Justement, belle Adèle, dit irrésistiblement le perfide, il ne faut pas faire attendre ces gens-là!

Adroitement, il donna un tour de sécurité à la targette, accessible de la tête du lit.

— Vous m'enfermez, Monsieur Hippolyte, ce n'est pas bien! murmura l'aubergiste.

S'étant à tout hasard réservé cet alibi, sans plus de manières, en commerçante qui sait le prix du temps, Adèle Torbayon se laissa doucement aller. Cette bonne femme cachait, sous un air indifférent et des toilettes sans éclat, de réelles aptitudes et d'excellentes surprises corporelles, très réconfortantes pour un convalescent, que le greffier apprécia fort, après de longues journées de diète. Le plaisir de l'aubergiste ne fut pas moins heureusement ressenti. Foncimagne avait en amour de très bonnes manières, savantes, cet art des nuances, des transitions, cette supériorité inventive des hommes qui travaillent habituellement du cerveau. (« L'intelligence, ça se connaît partout! » pensait confusément Adèle en éprouvant. Et soudain une idée illumina son subconscient, prépara l'apothéose de son bonheur : « Et Arthur qui met le vin en bouteilles… ») Oui, cet adroit, ce charmant Foncimagne, c'était autre chose qu'Arthur Torbayon, homme vigoureux certes, mais qui employait mal sa force, et dépourvu de toute fantaisie.

— Quand même, dit plus tard Adèle Torbayon, avec une tardive confusion, tandis que s'apaisait le généreux ressac de sa poitrine, quand même, j'aurais jamais cru ça de vous, Monsieur Hippolyte!

Cette parole ambiguë pouvait être éloge ou blâme indulgent. Mais Foncimagne avait été trop bien payé de retour pour éprouver la moindre inquiétude. Cette conviction lui permit d'être faussement modeste :

— Vous n'avez pas eu trop de déception, ma pauvre Adèle? demanda-t-il hypocritement, avec un air de la plaindre et de s'excuser.

L'aubergiste tomba dans le piège que lui tendait la vanité du beau garçon. Étonnée qu'une chose longtemps différée se fût accomplie si simplement, elle était encore gonflée de bien-être et de reconnaissance. Cette reconnaissance, elle l'exprima de la sorte :

— Oh, Monsieur Hippolyte, on se rend bien compte que vous avez de l'instruction!

— Juste bon à tenir un porte-plume?

— Fripon que vous êtes, quand même! dit tendrement Adèle, en caressant les cheveux de son pensionnaire.

Elle sentait déjà une nouvelle inquiétude sourdre dans ses flancs étrangement remués. Mais le sentiment du devoir reprit le dessus. S'arrachant aux flatteries superficielles que lui prodiguait par courtoisie le greffier, et saisissant son plateau, elle déclara :

— Il faut que je retourne voir ce qui se passe en bas! Si les clients appellent, ça va faire monter l'Arthur de la cave…

A ces mots, ils se sourirent. Adèle, penchée, eut une dernière effusion :

— Grand monstre, tu me croiras, j'avais jamais trompé mon homme.

— Ce n'est pas si terrible?

— Je m'en faisais une montagne, c'est ben drôle!

Et la bonne hôtesse, sur un dernier regard, se glissa dehors et referma sans bruit la porte.

Demeuré seul, Foncimagne reprit ses rêveries, considérablement enrichies par cet épisode qui venait d'introduire une délectable variété dans sa vie. Il se voyait désormais le maître des deux plus jolies femmes de Clochemerle, et qui plus était, deux ennemies jurées, ce qui pimentait la chose. Il remercia le destin qui lui avait procuré si aisément ces deux éclatantes victoires. Laissant ensuite de côté le destin, qui n'avait tout de même pas tout fait, il convint que sa part était grande dans ces réussites. Il céda au plaisir exquis du parfait contentement de soi-même. Puis il se mit à comparer les mérites respectifs de ces aimables femmes. Encore que leurs pôles attractifs fussent différemment distribués, gardant chez l'une et l'autre leurs caractères nettement distinctifs, en raison du modelé et de la répartition des volumes, les deux personnes avaient de l'attrait, les deux se révélaient splendidement douées. Judith était peut-être plus fougueuse, plus coopérante, mais la ronronnante passivité d'Adèle ne manquait pas non plus d'agrément. En tout cas, les deux faisaient preuve d'une absolue bonne foi, et leur conviction demandait plutôt à être modérée, à cause des voisins. Il se félicita que l'une fût si éclatamment blonde, et l'autre si ténébreusement brune. Cette opposition serait un excellent stimulant, car le jeu des alternances, en rompant la monotonie d'une liaison déjà ancienne, lui donnerait un charme nouveau. Après le plaisir qu'il venait de prendre avec Adèle, Foncimagne sentait vivement la puissance de son attachement pour Judith. Mais cet attachement ne devait pas l'empêcher d'avoir une sincère reconnaissance pour Adèle, qui venait de lui céder avec une simplicité très commode et propice, alors qu'il s'ennuyait dans sa chambre et n'avait plus le goût de lire. Une légère fatigue l'envahit, lui restitua ce précieux besoin de sommeil qui le fuyait depuis quarante-huit heures. Il se dit qu'il avait le temps de faire un bon somme avant son gargarisme du soir, qu'Adèle devait lui monter vers quatre heures. Il imagina des façons nouvelles de l'assaillir, qui mettraient en valeur des parties de ce corps riche, laissées dans l'ombre la première fois. La possession n'est complète qu'à la longue, expérimentée sous toutes les formes. Il convenait de pousser activement les expériences, avant d'adopter une opinion définitive. Il ferma les yeux, un sourire s'installa sur ses lèvres, à la pensée des multiples initiatives que réclamait cette tâche captivante.

– Cette Adèle... Cette bonne grosse... murmura-t-il assez tendrement.

Ce fut sa dernière pensée. Ayant oublié son mal de gorge, il s'endormit profondément, avec cette aisance intérieure qui vient d'une grande paix de la conscience, jointe au calme des sens.

Revenue en bas, encore gonflée de la volupté distinguée que venait de lui dispenser le beau greffier, Adèle Torbayon alla se poster sur le seuil de son magasin. Les regards de ces dames se croisèrent. Judith Toumignon fut stupéfaite de l'expression nouvelle de son ennemie. Ce n'était plus l'air de haine d'une femme outragée et qui n'a pas eu de revanche, mais l'air de méprisante indulgence du vainqueur pour le vaincu. Le sourire de triomphe moqueur qui glissa sur les lèvres de l'aubergiste, et cette sorte de langueur heureuse dont sa personne était encore imprégnée, firent concevoir à Judith Toumignon un atroce soupçon. Elle reconnaissait dans l'attitude de sa rivale les symptômes de cette joie intérieure qui lui permettait souvent de considérer les autres femmes avec pitié. Elle ne pouvait mettre en doute les causes de cet éclat spécial dont elle rayonnait elle-même à l'ordinaire. Reculée dans son magasin et dissimulée à la vue d'Adèle Torbayon, elle fixa intensément la fenêtre de la chambre où se trouvait Foncimagne, attendant avec angoisse que son amant, par un discret soulèvement du rideau, témoignât que sa pensée lui demeurait fidèle, comme il avait coutume de faire plusieurs fois par jour, quand ils ne pouvaient se rencontrer.

HENRY MILLER

1891-1980

Tropique du Cancer

1934

Paris est une fête, titrera Hemingway dans bien des années, avec plus d'amertume que la formule n'en laisse paraître. Tous ces Américains et Américaines de Montparnasse et alentours ne font peut-être pas la fête tous les jours, Paris est en tout cas la ville où les écrivains d'outre-Atlantique, comme ceux d'outre-Manche, peuvent venir faire imprimer les livres pour lesquels ils iraient – ils le savent bien –, tout droit en prison ou au bagne dans leur pays, s'ils faisaient la folie d'essayer même de les faire imprimer. La fête peut-être pas, mais la liberté.

Parmi eux, en 1931, un nommé Henry Miller, « *originaire de Brooklyn et encore méconnu, vit à Paris où il a touché le fond aussi bien sur le plan financier que spirituel. S'il avait pu trouver l'argent nécessaire il serait déjà certainement à bord d'un paquebot croisant vers les États-Unis. Mais il attend, pour l'heure, des nouvelles concernant un autre bateau qui amènera en France sa femme, June* ». Il n'est plus tout jeune (quarante ans en 1931), juif, un peu porté sur le sexe. Noëlle Riley Ficht le décrit, d'après les journaux et les entretiens d'Anaïs Nin, « *décharné et à moitié chauve, qui monte les marches de Louveciennes* [1] » (où habite Anaïs).

« *Il est venu pour profiter d'un repas gratuit et pour faire la connaissance d'une femme qui a*

écrit *sur Lawrence ; il prolonge sa visite parce que la conversation et le confort d'une maison élégante et exotique lui plaisent. Elle a entendu de nombreuses anecdotes au sujet de cet auteur passionné [...] Et les voilà tous en train de boire du vin et de discuter livres et idées. Avant la fin de l'après-midi, Miller et elle promettent d'échanger leurs textes autobiographiques – elle lui donnera son journal et il lui passera les premières pages de ce qui deviendra* Tropique du Cancer, *commencé à l'automne. "Je chante, je chante... j'ai rencontré Henri Miller", raconte-t-elle à son journal ce soir-là. Elle réagit à l'aura sexuelle qui se dégage de Miller [...] Elle dit de ses yeux bleus fendus en amande qu'ils sont détachés et observateurs, de sa bouche qu'elle est sensible et vulnérable, de son rire qu'il est contagieux et de sa voix qu'elle est chaude et caressante, pareille à celle d'un Noir, une voix qui s'égare dans le lointain lorsque l'homme réfléchit. Toutes ses phrases se terminent par une sorte de murmure, note-t-elle [...] "comme s'il mettait le pied sur la pédale de sa voix et créait un écho". C'est la spontanéité personnifiée, conclut-elle.* »

Anaïs fait des chèques à Henry, l'installe à Louveciennes. *Tropique du Cancer* sera publié en anglais à Paris chez l'éditeur Jack Kahane, d'Obelisk Press (le père de Maurice Kahane-Girodias, qui reprendra le flambeau de l'édition libre anglaise à Paris en 1953). Kahane hésite devant l'audace du livre, retarde la sortie. Il manque aussi d'argent, accepte d'éditer le livre si Anaïs paye l'imprimeur. Elle trouve l'argent, écrit la préface. Le livre sort.

Ce ne sera pas un succès, même auprès

---

1. Noëlle Riley Ficht, *Anaïs : The Erotic Life of Anaïs Nin*, New-York 1993, tr. fr. *Érotique Anaïs Nin*, Paris, 1994. D'après les journaux inédits d'Anaïs Nin, et de nombreux entretiens.

des Anglo-Saxons de France, sauf auprès des amis et du jeune Lawrence Durrell. Pendant longtemps, Miller et Anaïs vendront eux-mêmes des exemplaires, plus ou moins clandestinement, à des libraires de langue anglaise. Dans la revue *Orbes*, Blaise Cendrars écrira le 1er janvier 1935, de manière d'ailleurs assez discutable (mais nous reparlerons d'Henry Miller) :

« Bien qu'écrit en anglais et que l'auteur soit un américain cent pour cent, ce livre (Tropic of Cancer) *est profondément de chez nous, et Henry Miller un des nôtres, d'esprit, d'écriture, de puissance et de don, un écrivain universel comme tous ceux qui ont su exprimer dans un livre une vision personnelle de Paris ».*

VOTRE VIE ANECDOTALE ! C'est une expression de M. Borowski. C'est le mercredi que je déjeune avec Borowski. Sa femme, qui est une vache sèche, officie. Elle étudie le français maintenant. Son mot favori, c'est « dégueulasse ». Vous pouvez voir tout de suite combien les Borowski sont emmerdants. Mais attendez !

Borowski porte des costumes de velours et joue de l'accordéon. Combinaison irrésistible, surtout si l'on songe qu'il n'est pas mauvais artiste. Il se vente d'être Polonais, mais il n'en est rien, naturellement ; c'est un Juif, ce Borowski, et son père était philatéliste. En fait, presque tout Montparnasse est juif, ou semi-juif, ce qui est pire. Il y a Carl et Paula, et Cronstadt et Boris, et Tania et Sylvestre, et Moldorf et Lucile. Tous, sauf Fillmore, Henry Jordan Oswald se trouva être Juif finalement, lui aussi. Louis Nichols est Juif. Même Van Norden et Chérie sont Juifs. France Blake est Juif, ou Juive ! Titus est Juif. C'est une avalanche de Juifs. J'écris ces lignes pour mon ami Carl dont le père est Juif. Il est important de comprendre tout ça.

Entre tous, la plus charmante de la race est Tania. Et pour l'amour d'elle, je me ferais Juif aussi. Pourquoi pas ? Je parle déjà comme un Juif. Et je suis aussi laid qu'un Juif. En outre, qui donc déteste les Juifs plus qu'un Juif ?

Heure crépusculaire. Bleu indigo, eau polie comme verre, arbres lumineux et liquescents. Les rails disparaissent dans le canal, à Jaurès. La longue chenille aux flancs laqués plonge comme un toboggan de foire. Ce n'est pas Paris. Ce n'est pas Coney Island. C'est un mélange crépusculaire de toutes les villes d'Europe et de l'Amérique Centrale. Les terrains vagues du chemin de fer au-dessous de moi, avec leurs voies noires, enchevêtrées, pas du tout ordonnées par les ingénieurs, mais le dessin cataclysmique, comme ces maigres fissures dans la glace polaire que l'appareil photographique enregistre dans une gamme de noirs.

La nourriture est une des choses qui me donnent une joie inouïe. Et dans cette belle Villa Borghèse, il y a si rarement quelque trace de nourriture ! Par moments, c'est véritablement terrifiant. J'ai cent et cent fois demandé à Boris de commander du pain pour le petit déjeuner. Toujours il l'oublie. Il va prendre son petit déjeuner dehors, semble-t-il. Et quand il revient, il se cure les dents, et il y a un peu d'œuf qui pend à son bouc. Il mange au restaurant, par considération pour moi. Il dit que ça lui fait mal de s'envoyer un bon repas, avec moi pour témoin.

J'aime Van Norden, mais je ne partage pas l'opinion qu'il a de lui-même. Je ne crois pas, par exemple, qu'il soit un philosophe ou un penseur. C'est un putassier, voilà tout. Et il ne sera jamais un écrivain. Et Sylvestre non plus ne sera jamais un écrivain, son nom aura beau flamboyer en lumières rouges de 50 000 bougies. Les seuls écrivains autour de moi pour qui j'ai quelque respect en ce moment sont Carl et Boris. Ils sont possédés. Ils brûlent intérieurement d'une flamme blanche. Ils sont fous, entendent faux. Ce sont des suppliciés.

Moldorf, d'autre part, qui est un supplicié à sa façon, n'est pas fou. Moldorf est ivre de mots. Il n'a pas de veines ni de vaisseaux sanguins, pas de cœur ni de reins. Il n'est qu'une malle portative, pleine d'innombrables tiroirs, et dans les tiroirs se trouvent des étiquettes libellées à l'encre blanche, marron, rouge, bleue, vermillon, safran, mauve, terre de Sienne, abricot, turquoise, onyx, Anjou. hareng, havane, vert-de-gris, gorgonzola...

J'ai transporté ma machine à écrire dans la pièce à côté, où je puis me voir dans la glace à mesure que j'écris.

Tania rassemble à Irène. Elle attend des machins bien garnis. Mais il y a une autre Tania, une Tania comme une grosse graine, qui éparpille son pollen un peu partout – ou, disons, un peu comme Tolstoï, scène d'écurie au cours de laquelle en déterre le fœtus. Tania est une fièvre, aussi – *les voies urinaires* [1], Café de la Liberté, Place des Vosges, cravates éclatantes du boulevard Montparnasse, salles de bains obscures, Porto sec, cigarettes Abdullah, l'adagio de la Sonate Pathétique, amplificateurs, auriculaires, séances de potins, poitrines terre de Sienne brûlée, lourdes jarretières, quelle heure est-il, faisans dorés bourrés de châtaignes, doigts de taffetas, crépuscules vaporeux tournant au roux, acroméga-lie, cancer et délire, voiles tièdes, jetons de poker, tapis de sang et de douces cuisses. Tania déclare, afin que chacun puisse l'entendre : « Je l'aime ! » Et tandis que Boris se brûle au whisky, elle dit : Assieds-toi ici ! Ô Boris... La Russie... Que faire ? j'en crève ! »

La nuit, quand je regarde la barbiche de Boris étalée sur l'oreiller, je deviens fou. Ô Tania, où sont maintenant ton sexe brûlant, tes épaisses, tes lourdes jarre-tières, tes douces cuisses si dodues ? J'ai un os de six pouces dans la queue. J'apla-tirai tous les plis de ton vagin, Tania, et le remplirai de semence ! Je te renverrai à

---

1. En français dans le texte. *(N. d. T.)*

TROPIQUE DU CANCER

ton Sylvestre, le ventre douloureux et la matrice sens dessus dessous. Ton Sylvestre! Oui, il sait bien allumer un feu, mais moi je sais comment enflammer un sexe! Je te rive des boulons brûlants dans le ventre, Tania! Je porte tes ovaires à l'incandescence. Ton Sylvestre est un peu jaloux maintenant? Il sent quelque chose, n'est-ce pas? Il sent les traces de ma belle queue. J'ai un peu élargi les rives, j'ai repasse les rides. Après moi, tu peux bien prendre des étalons, des taureaux, des béliers, des cygnes, des saint-bernard. Tu peux te fourrer des crapauds, des chauves-souris, des lézards jusqu'au fond du rectum. Tu peux chier des arpèges si tu veux, ou t'accrocher une cithare en travers du nombril. Je t'encule, Tania, tant et si bien que ru resteras enculée! Et si tu as peur d'être enfilée publiquement, je t'enfilerai dans le privé. Je t'arracherai quelques poils du con, et je les collerai sur le menton de Boris. Je te mordrai le clitoris, et je cracherai des pièces de quarante sous...

Le ciel indigo, balayé de ses nuages cotonneux, arbres décharnés s'étendant à l'infini, avec leurs branches noires gesticulant comme somnambules. Arbres sombres, spectraux, aux troncs pâles comme de la cendre de cigare. Un silence suprême et bien européen. Volets tirés, boutiques closes. Une lueur rouge çà et là pour marquer un rendez-vous. Façades brusques, presque revêches ; immaculées, sauf quelques éclaboussures d'ombre, projetées par les arbres. En passant devant l'Orangerie un autre Paris me revient à l'esprit, le Paris de Maugham, de Gauguin, de George Moore. Je pense à ce terrible Espagnol qui effarouchait alors le monde avec ses bonds acrobatiques, de style en style. Je pense à Spengler et à ses terribles pronunciamientos, et je me demande si le style, le style grandiose a disparu. Je dis que mon esprit est occupé de ces pensées, mais ce n'est pas vrai ; ce n'est que plus tard, après avoir traversé la Seine, après avoir laissé derrière moi le carnaval des lumières, que je laisse mon esprit jouer avec ces idées. Pour l'instant, je ne puis penser à rien – sauf que je suis un sensitif poignardé par le miracle de ces eaux qui reflètent un monde oublié. Tout le long des berges, les arbres s'inclinent lourdement sur le miroir terni ; quand le vent se lève et les emplit d'un murmure bruissant, ils verseront quelques larmes et frémiront au-dessus des remous précipités de l'eau. Ça me coupe le souffle. Personne à qui communiquer même une parcelle de mes sentiments.

L'ennui avec Irène, c'est qu'elle a une valise au lieu d'un con. Elle veut des machins bien garnis pour les fourrer dans sa valise. Immenses, *avec des choses inouïes* [1]. Llona, elle, avait un con. Je le sais parce qu'elle nous a envoyé quelques poils du bas-ventre. Llona, une ânesse sauvage, qui humait le plaisir dans le vent.

---

1. En français dans le texte. *(N. d. T.)*

Sur toutes les collines, elle jouait à la putain – et parfois dans les cabines téléphoniques et aux cabinets. Elle avait acheté un lit pour son Roi Carol et un bol à barbe avec ses initiales dessus. Elle s'était étendue à Tottenham Court Road, la robe relevée, se caressant des doigts. Elle se servait de bougies, de chandelles romaines, et de boutons de porte. Pas une queue dans tout le pays n'était assez grosse pour elle... pas une seule ! Les hommes entraient en elle, et se recroquevillaient. Il lui fallait des queues extensibles, des fusées explosant d'elles-mêmes, de l'huile bouillante, faite de cire et de créosote. Elle vous aurait coupé la queue et l'aurait gardée à jamais dans son ventre, si vous lui en aviez donné la permission. Un con unique entre des millions, cette Llona ! Un con de laboratoire, et aucun papier de tournesol n'aurait pu prendre sa couleur. Elle était menteuse, aussi, cette Llona. Elle n'avait jamais acheté un lit pour son Roi Carol. Elle l'avait coiffé d'une bouteille de whisky, et sa langue était pleine de poux et de lendemains. Pauvre Carol, il ne pouvait que se recroqueviller une fois en elle, et crever. Elle aspirait une bouffée, et le voilà fichu – comme une moule claquée !

Des machins énormes, immenses, *avec des choses inouïes.* Une valise sans courroies. Un trou sans clé. Elle avait la bouche allemande, les oreilles françaises, le cul russe. Le con, international. Quand elle arborait le drapeau rouge, c'était rouge jusqu'au fin fond. Vous entriez par le boulevard Jules-Ferry, et vous ressortiez par la Porte de la Villette. Vous laissiez tomber votre pancréas dans les tombereaux rouges avec deux roues naturellement. Au confluent de l'Ourcq et de la Marne, où l'eau coule et fuit à travers les barrages et s'étend comme du verre sous les ponts. Llona y gît maintenant, et le canal est plein de verre et d'échardes ; les mimosas pleurent, et il y a la brume humide d'un pet sur les carreaux. Un con conique entre des millions, cette Llona ! Elle n'est que cela, et un cul transparent, dans lequel on peut lire toute l'histoire du Moyen Age !

LOUIS-CHARLES ROYER

1896-1970

Le Club des Damnés

1934

Chaque génération d'hommes de lettres voit débuter des carrières à la Willy, autant par intérêt que par inclination naturelle. N'assure pas sa subsistance qui veut dans la littérature galante; il y faut des dispositions personnelles autant que du tour de main. Louis-Charles Royer est un bon exemple de cette polygraphie particulière. Commencée avec *La Maîtresse noire*, en 1920, sa carrière continua avec un *Amour en Allemagne*, que devaient suivre d'innombrables *Amours* dans tous les pays du monde, suscités par le succès du premier.

Le prière d'insérer (Éditions de France) dit ceci :

« *Après une série d'enquêtes retentissantes :* Au pays des hommes nus *et* L'Amour en Allemagne, *pour ne citer que celles-ci, Louis-Charles Royer revient au roman.*

« *Il nous avait donné, déjà, dans le genre,* La Maîtresse noire, *qui est encore dans toutes les mémoires, et* Le Sérail *dont la thèse hardie souleva tant de controverses. Sa nouvelle œuvre,* Le Club des Damnés, *ne ressemble à aucune des précédentes.*

« *Pour les amateurs de romans policiers, cela pourrait être l'histoire de la mort suspecte du comte autrichien Oswald von Salzberg et des agissements ténébreux de son entourage de hauts personnages, d'espions, de policiers et de journalistes.*

« *Pour ceux qui voient plus juste et plus loin, c'est le drame intérieur qui régit le destin de l'amie de la victime, Mariandl, cette Viennoise attirante, cruelle et sensuelle, capable à la fois du meilleur et du pire.*

« *Tous les lecteurs de Louis-Charles Royer le savent comme hanté par "l'odor di femina"; mais jamais le romancier n'avait trouvé parfum aussi troublant que celui de son héroïne – Vénus tout entière à sa proie attachée – qui règne sur ce mystérieux* Club des Damnés, *antichambre de l'Enfer réservé par le Dante aux possédés de la chair.* »

*S*OUDAIN la voiture s'arrêta, en plein bois, devant un chalet rustique. Quelques autos, phares éteints, stationnaient déjà autour de la maison.

– Nous sommes arrivés, dit le docteur. Vous reconnaissez?

Il sortit de sa poche trois loups de satin noir, en tendit un au jeune homme :

– Mettez ceci; c'est un peu romantique et généralement inutile, car nous nous connaissons tous. Mais il y a, parfois, des invités. Comme vous ce soir... Enfin, c'est la règle stricte du club.

Aubertin sourit, amusé :

– Il y a deux ans, dit-il, je ne me rappelle pas avoir subi cette formalité.

– En effet, mais depuis nous sommes devenus plus discrets. C'est que les soirées sont devenues, elles, plus audacieuses. Vous verrez.

Il frappa trois coups, à intervalles irréguliers, comme un signal. Une femme vint ouvrir. Elle était nue, et, comme eux, masquée de noir.

II

A la suite du docteur, Aubertin pénétra dans une autre chambre décorée de trophées de chasse.

Aux défenses de sangliers, aux cornes de cerfs, étaient accrochés des dominos noirs destinés à remplacer les habits des clubmen. Les dames avaient leur vestiaire particulier.

En changeant de tenue, le jeune homme essayait de se remémorer exactement sa première nuit au club. C'était bien le même pavillon; mais alors on y entrait à visage découvert; le portier en était singulièrement plus décent et l'on y conservait son smoking; tandis que là – Ritten venait de l'en informer – le domino était le seul vêtement toléré sur le corps.

– Vous pouvez même n'en point mettre, précisait le docteur qui se promenait, déjà nu, à travers la pièce.

Quels que fussent ses sentiments à l'égard du sinistre personnage, Aubertin ne pouvait se défendre de l'admirer. La cinquantaine lui avait laissé un corps d'athlète; aucun embonpoint; des épaules carrées d'où partaient des bras, un peu longs, mais terriblement musclés; on voyait saillir aussi les muscles lombaires tandis qu'il s'amusait à lancer en l'air et à rattraper, à l'instant précis où les boulets arrivaient au sol, un haltère de plusieurs kilos. La toison, déjà grisonnante, mais exceptionnellement fournie, qui couvrait son corps tout entier, rappela à l'amant de Zulma les reins duvetés de la petite Bordelaise.

Ritten, cependant, avait décroché un domino et l'endossait.

– Notre club, dit-il, en caressant la ramure d'un dix-cors qui surplombait une haute cheminée gothique, s'appelle toujours le Club des Chasseurs; mais une de nos amies a trouvé un nom qui lui convient mieux : le Club des Damnés. Que vous en semble, Pierre? Peut-être trouvez-vous que je deviens un peu vite familier, ajouta-t-il en souriant; mais nous sommes destinés à nous voir souvent; déjà nous avons, n'est-il pas vrai? beaucoup de souvenirs communs. Et puis, ici, on ne s'appelle que par son prénom.

– Je pense, monsieur, répondit le jeune homme, que Dieu, puisqu'il sait tout, a peut-être d'autres jugements que nous sur les actions humaines et que nul ne peut présager ce qui nous attend dans l'autre monde.

– S'il y en a un! Contentons-nous, en attendant, des joies de celui-ci.

Le docteur eut un rire aigu, sonore, qu'on dut entendre de la pièce à côté; car aussitôt un petit vieillard entra ; on devinait, sous l'ample déguisement, un corps décharné.

– Eh bien ! dit-il, on s'amuse ici…

Le docteur montra Aubertin :

– Un journaliste français, dit-il.

Le vieillard regarda le jeune homme d'un œil méfiant.

– J'espère qu'il saura tenir sa langue, marmonna-t-il, à mi-voix, en allemand, à l'adresse de Ritten, après avoir souhaité, en français, la bienvenue au jeune homme.

– Mon ami parle assez bien notre langue, répondit le docteur amusé. Rassurez-vous, c'est le plus discret des reporters.

Quand ils furent de nouveau seuls, Ritten dit à Aubertin ;

– Évidemment, ce monsieur n'est pas très appétissant ; lorsqu'il ira bientôt les rejoindre en Enfer, dans le cercle de la luxure, les belles pécheresses n'auront pas là un séduisant partenaire ; mais c'est lui qui a fait les frais de notre nouvelle installation. Et vous allez voir que c'est assez réussi.

Il avait ouvert une porte, poussait son compagnon devant lui. Ils se trouvaient, maintenant, dans un grand salon, feutré d'épais tapis d'Orient, et dont le plafond n'était qu'une immense glace. Des fresques hardies, mais dont le dessin et le coloris révélaient un artiste de talent, rehaussaient l'aspect de ce mauvais lieu.

Au centre de la pièce, sous un lustre de Venise, une table était garnie de mets et de flacons.

Sur des fauteuils bas, une douzaine de dominos masqués bavardaient en se cajolant. De temps en temps, l'un d'eux, soulevant son loup de satin, allait grignoter un fruit, un gâteau, lamper une coupe de vin doré.

Un clavecin invisible jouait du Mozart. Deux couples s'essayèrent à un menuet fantaisiste, maladroit ; mais non sans charme, à cause de la grâce naturelle des Viennoises.

Au hasard des pas et des voltes, on voyait luire, entre la soie noire, des mollets hauts et fins, des genoux polis ; parfois, écarté par un doigt taquin, le travesti s'écartait plus encore pour faire admirer à l'assistance une croupe dodue, que la libertine partenaire ne cherchait pas à cacher.

– Pour la décoration de cette frise, expliquait Ritten, en désignant d'un geste circulaire le mur en rotonde, j'ai tout simplement donné à un jeune peintre de mes amis la traduction de la description du temple d'Aphrodite, d'après Pierre Louÿs.

« Voici les centauresses montées par des étalons ; les chèvres, bouquinées par des satyres ; les naïades couvertes par des cerfs ; les vierges saillies par des taureaux. »

L'œil du docteur luisait sous les sourcils embroussaillés. Une sorte de lyrisme érotique le soulevait :

— Vous vous souvenez de la magistrale évocation de votre écrivain? *Europe inclinée supportant le bel animal olympien… Léda guidant le cygne robuste entre ses jeunes cuisses infléchies… La grande multitude des êtres se ruait ainsi, soulevée par l'irrésistible passion divine. Le mâle se tendait, la femelle s'ouvrait et dans la fusion des sources créatrices, s'éveillait le premier frémissement de la vie.*

« Regardez-les, poursuivit-il, en montrant les couples enlacés sur les divans. Croyez-vous qu'ils ne sont pas décidés à tout? Il faudra qu'un jour j'amène ici de quoi réaliser ces fables mythologiques. Rien n'a changé, depuis l'antiquité, de l'instinct monstrueux des hommes. »

Ritten s'était assis. Les coudes sur les genoux, la tête entre les mains, le regard fixe, il avait l'air avec son nez camus, sa poitrine velue, ses membres énormes et noueux, du satyre convoitant les bacchantes.

Aubertin le quitta, alla rejoindre Mariandl. Elle occupait l'un de ces doubles sièges, en vis-à-vis, que les Anglais appellent *love-seat* pour les commodités qu'il offre au flirt; sur le second fauteuil, une grande femme brune causait avec animation.

— Mon ami français, dit Mlle Brückner, en présentant le jeune homme.

— Il est très gentil, répondit l'autre; puis sans plus se préoccuper de lui, elle poursuivit sa conversation. Elle parlait à voix basse, en allemand; Aubertin ne comprenait qu'à moitié.

Il s'agissait, sans doute, d'une amie, absente cette nuit-là, et qui avait accouché pendant que Mariandl séjournait en France.

— Elle n'ose pas revenir, racontait la dame brune, à cause de son ventre abîmé; mais elle est toujours très jolie. Tu verras, je t'amènerai. Gerti sera si heureuse de te voir; elle t'aimait autant que moi…

Sans se soucier de la présence d'Aubertin la jeune femme ouvrit le domino de Mariandl.

— Pauvre Gerti! dit-elle; ses seins ne sont plus aussi beaux. Elle nourrit, tu sais. Écoute — la voix se fit encore plus basse; il n'entendit que les derniers mots : C'est aigre, c'est délicieux… On l'a en soi.

Tout en parlant, la narratrice pétrissait la poitrine de la jeune femme, comme si, des pointes dures, elle espérait faire jaillir le lait.

— C'est l'amie du comte Tepliz dont Hans a parlé au dîner, expliqua Mariandl lorsque la pourvoyeuse de tripots les eut enfin quittés pour d'autres jeux. Embrasse-moi, Pierre; serre-moi…

Aubertin sentait bien que les audacieux attouchements de l'autre femme n'avaient pas déplu à sa maîtresse; que l'ardeur que celle-ci témoignait, en ce moment, pour lui, c'étaient eux qui l'avaient attisée, comme un feu que réveillent et qu'accroissent tous les souffles, d'où qu'ils viennent; et il en éprouvait une peine immense, qui ruinait son propre désir.

Non loin d'eux, presque abattue, déjà, sur un divan, une jeune fille se débattait contre plusieurs hommes qui l'avaient mise nue. On voyait de la détresse, une supplication dans son regard. Une femme maigre et rousse vint à son secours :

— Hans! cria-t-elle, j'ai promis de la ramener vierge.

Ritten eut à nouveau ce rire aigu, le rire du faune tapi dans les roseaux lorsqu'il surprend le bain des nymphes. Cependant, il accourut. D'un revers de main, il dégagea la proie ; puis, s'asseyant à côté de la jeune fille, il commença à lui parler à l'oreille. De temps en temps, il lui apportait à boire, caressait lentement les jambes frêles.

Et peu à peu, la vierge rassurée, conquise, riait et se laissait cajoler. Les mâles revinrent, s'enhardirent, sans cette fois être rebutés.

Lorsque l'orgie prit fin, aux premières lueurs de l'aurore, la fille était toujours vierge ; mais plus souillée que si elle avait succombé sous la saine étreinte d'un amoureux.

Aubertin la vit partir, soutenue par la maigre rousse qui l'avait protégée, les reins ployés, les épaules basses. En montant en voiture, elle se retourna, regarda autour d'elle avec angoisse.

— Une qui ne reviendra pas, dit Aubertin.

Le rire cynique du docteur s'éleva encore sous la voûte humide des hêtres.

— Mais si, fit-il, elle reviendra... Elles reviennent toutes, celles qui ont une fois goûté à la coupe impure. Quand on est damné, au club aussi, c'est pour toujours.

GEORGES DE LA FOUCHARDIÈRE

1874-1946

Affaires de mœurs

1934

Mon grand-père maternel, Georges Salmon, était un personnage hors du commun; je regrette tous les jours que sa mort vers ma douzième année m'ait empêché de le fréquenter plus longtemps, nous aurions continué à bien nous entendre. Anarchiste, anticalotins, antiflics, antimilitariste, antipoliticien comme La Fouchardière, il lisait ponctuellement l'article hebdomadaire de l'auteur de *Vive l'armée, La Prochaine dernière, Cherchez la femme, Le Diable dans le bénitier,* et autres excellents recueils de chroniques que Georges Salmon craignait de ne pouvoir acheter malgré son appétit de lecture, les livres étant chers; alors il découpait le journal.

Où le professeur Voronoff est surclassé

UNE REVUE SCIENTIFIQUE, imprimée en langue allemande, nous apprend qu'une expérience assez curieuse a été tentée « aux frais du gouvernement soviétique » par un Dr Élie Ivanoff, chargé de mission au Turkestan.

Le Dr Ivanoff a emmené, comme sujets, six hommes choisis parmi ceux qui sont restés « le plus près de la nature », c'est-à-dire le plus près de l'animal; il a emmené en même temps douze guenons de grandes familles (nous voulons dire de la famille des gorilles et de celle des chimpanzés). Depuis plusieurs mois, les hommes et les guenons cohabitent en une promiscuité qui peut paraître choquante aux moralistes et aux autres personnes bien élevées... Le Dr Ivanoff espère qu'un courant de sympathie déterminera des flirts accentués entre les hommes privés de femmes et les guenons séparées de leurs mâles; que les guenons trouveront les hommes beaux, que les hommes trouveront les guenons désirables... Alors, le « sexe-appeal », que les Anciens férus de poésie et soucieux d'images plus aimables incarnaient sous les traits d'Éros, maître des dieux, des hommes et des bêtes produira des effets irrésistibles; et le Dr Élie Ivanoff étudiera les résultats de l'expérience, lorsque le ciel (nous proférons sans doute un blasphème) aura béni les unions dont il fut l'animateur, ou, comme on dit au haras, le boute-en-train.

Le professeur Élie Ivanoff vous apparaît sans doute comme un curieux cochon. C'est un savant, tout simplement. Les savants paraissent quelquefois cochons parce qu'ils sont curieux et que la curiosité est la forme la plus perfide du vice, comme on le put voir dès le Paradis Terrestre ; ils cherchent toujours à introduire des complications dans l'œuvre déjà trop compliquée du Créateur... Et ce n'est pas la première fois que des tentatives d'hybridation tendent à justifier ou à démentir la thèse de l'évolution darwinienne.

Le problème a même séduit deux grands romanciers : Wells a situé l'expérience dans l'Ile du Dr Moreau, qui est un laboratoire de chirurgie où des monstres sont construits de pièces détachées. Maurice Renard nous présente les créations du Dr Lerne, sous-dieu, et son œuvre se termine sur un point d'interrogation hallucinant : dans ce domaine où se réalisa pratiquement le mythe de Io et de Jupiter, ne verra-t-on pas naître un jour des veaux trop intelligents ?

Or, le Dr Ivanoff en est encore, lui aussi, au point d'interrogation. Le flirt des hommes et des guenons est entré, d'après ce qu'il a pu remarquer, dans une phase particulièrement active, mais les espérances que le docteur avait conçues ont été détruites par la mort prématurée des trois dames chimpanzées dont la situation pouvait paraître intéressante à l'expérimentateur.

En somme, que peut espérer le Dr Ivanoff, en opérant un rapprochement plus intime entre le spécimen humain le plus proche du singe et le spécimen simiesque le plus proche de l'homme ?

Non pas assurément la naissance d'un petit d'homme, mais, dans l'hypothèse la plus favorable, la naissance d'un petit singe qui n'offrirait rien de remarquable. Il y a peut-être trop d'hommes sur la terre ; il y a certainement assez de singes.

Le croisement projeté eût peut-être constitué un problème intéressant si l'expérimentateur avait uni une guenon à un homme de l'espèce supérieure, doué d'une vaste intelligence et d'une sensibilité affinée... L'union eût été plus difficilement réalisable. Mais alors des questions se posaient : l'enfant tiendra-t-il de son père pour la sensibilité et l'intelligence, de sa mère pour la beauté ? Aura-t-il l'agilité du singe et les réactions héréditaires de l'homme ? Quel martyr serait un être qui aurait une âme d'homme dans un corps de singe, et quel remords pour le Dr Ivanoff !

Il est probable que le produit donnerait une moyenne : l'homme moyen ou le singe moyen... Le singe moyen a sur l'homme cette supériorité qu'il appartient à une race stabilisée depuis longtemps ; tandis que l'homme est toujours en voie d'évolution, c'est-à-dire à la poursuite de complications nouvelles et de nouvelles difficultés dans une existence déjà assez difficile et assez compliquée.

Peut-être cette information publiée par une revue scientifique allemande est-elle un nouveau bobard destiné, comme tant d'autres, à rendre odieux ou ridicule le régime d'une Russie encore mystérieuse.

La tentative du Dr Ivanoff (dont le nom rime assez richement avec

Metchnikoff et Voronoff) prouve seulement que la République soviétique s'intéresse aux savants, ce qui est fort honorable, et que dans tous les pays du monde
l'esprit scientifique est souvent un esprit de curiosité puérile et simiesque.

Mais simiesque est de trop. Il n'y a pas de savants dans le peuple des singes.

L O U I S   P E R C E A U

1 8 8 3 - 1 9 4 2

La Redoute des contrepèteries

1 9 3 4

Il revenait à l'un des grands experts du livre érotique de publier le premier traité de la contrepèterie. A vrai dire, Louis Perceau se contente d'une tentative de classification et de quelques remarques intéressantes. Le grand livre définitif sur le sujet paraîtra vingt-cinq ans plus tard; ce sera *L'Art du contrepet* de Luc Étienne. Telle quelle, *La Redoute* reste une lecture honnête et distrayante.

Contrepèteries portant sur deux consonnes simples au début des mots

Les nouilles cuisent au jus de cane (*).

La serge du vicaire avait beaucoup plu à la dame du fiacre (*).

Quand je prise les brunes, la noire me fuit (*).

Il courait tant de buts divers, qu'il en perdait sa belle mine (*).

Les femmes n'apprécient pas le marc trop doux.

Le douanier a visité les caisses de l'exploratrice jusqu'au fond.

Le sabotier offrit une paire de galoches à sa bru.

L'écuyère se plaint que le mouton de sa botte est trop dur.

Laisse ta biquette au pieu, Nanette !

---

* Les phrases suivies d'un astérisque (*) comportent deux contrepèteries, celles qui sont suivies de deux astérisques en comportent davantage.

Quelle drôle de bille tu faisais.

Couds-la au fond!

Il le dit à deux femmes.

Elle a reçu toute la farine sur sa mante.

Après l'examen, les bachelières livrent leur Kant au feu.

Le curé est devenu fou entre deux messes.

Le grand nombre des monts empêche de les compter.

Les jeunes filles romanesques adorent les nids à verdure.

Le tonnelier a une curieuse manière de défoncer les vieux fûts.

Rien ne vaut un bon coup de marc après la dînette.

Le plongeur a exploré le fond de la Creuse.

A la manière de Casanova : sous des dehors placides, elle cachait un fond réellement curieux; parfois de tout son amour me criant l'aveu, elle se lamentait, faisant même de sa couche un bond hystérique; d'autres jours, à peine descendais-je de son balcon, prêt à glisser du banc dans cet antre obscur, que la sotte commençait à mentir! Hors de moi, je la quittais sans bonté, puis j'allais fier de mon coup l'arroser dans la buvette, ou muser, raqueux au Lido (**).

Voyage de noces

IMPRESSIONS DE CATHERINE ET DE SERGE, NOUVEAUX MARIÉS,
D'APRÈS DIVERS DOCUMENTS

Sur le quai de la gare Serge a déploré la foule.
Il a eu du mal à éveiller ce concierge; laquais à chasser.
Kate laissera quand même bon souvenir.
Propre et bien astiquée, Saverne a l'air d'un jeune enfant.
Catherine apprend à pêcher au canal de Malines.

Il pleut sans arrêt; débarqué au milieu des flaques.

Tout heureuse de m'abriter sous le Jacquemart. Kate.

Catherine rue de la Paix, je l'ai quittée à la Bourse. Serge.

Suis seul à prendre mon thé au milieu des piétons.

Voilà la pire des manies. Il sait pourtant combien mon temps est compté. Kate.

Hôtel Bettine. – Serge se gratte toute la nuit. Y aurait-il à Paris de vraies puces?

Je me débats contre Catherine qui voudrait me sucer la pomme.

Descente entre deux taillis. (Carte aux Parents.)

Saint-Cloud. Elle est à peindre. (Carte de Serge.)

Kate m'a fait décapoter en traversant Loches, résultat : glacé jusqu'au Mans.

Cet aller et retour du Mans m'a irrité la glotte. Quelle chaleur! plus rien dans les sources, la Beauce m'étouffe, Kate.

Il est marrant avec ses grosses lunettes au goût de la Baule. Kate.

Arrêt forcé : panne à Vichy. Valve à fumée. Serge.

Assez vu d'Agen. Soustons est rayé.

Franchissons ce soir Pyrénées. Serge.

Ça serait trop drôle s'il en perdait sa belle mine; ce qu'il lui faudrait c'est un mot de vous. Kate.

Depuis que je l'ai formée, elle s'habitue à faire ses malles. Serge.

Très endetté à force de bambocher, je perds comme un vrai Vénitien.

J'avais toujours rêvé de dîner sur le Pô avec une petite môme amie du baiser.

Il faut partir. Kate devient folle de la messe.

Après ma bonne trempette, je vais me coucher en pensant à toi. (Lettre de Kate à une amie.)

Quel bain! (Serge) et quel site (Kate).

Serge encore en veine! Comment peut-on se passer de ses bonnes parties de roulette? Kate.

Sommes en russes pour aller aux fêtes. Verrons aussi Chaliapine.

Un peu souffrants tous les deux : Kate avait mal aux reins en revenant du ciné. Moi-même à l'instar j'avais mal aux dents! Serge.

Comme tout jeune marié, je me plais à Bandol.

Enfin seuls! Cabine treize. Je descends au quai pour quelques minutes.

Je connais déjà Lamoune aussi bien qu'Oran. Kate.

Reçu mots-croisés, à voir colonne déchirée, je suppose que grille est fausse.

Catherine engraissée, très en beauté. Serge.

Hélas, je gonfle et deviens rousse. Kate.

Kate bonnasse, laissant faire.

Mon tendre époux se frottant le minois entre deux chamelles. Kate.

Fais voir Kate au toubib, même au potard.

Je vais la gâter Catherinette, elle est toute ma vie.

La population normale est bien difficile à classer. Serge.

Empoisonné par grives de Beyrouth, je ne l'ai dit qu'aux parents. Serge.

J'ai peur que les prochaines tempêtes me demandent bien du cran.

Bon souvenir de nous deux.

J'aurais voulu l'envoyer en mer, mais avec ces roulis qui battent les vôtres!

Catherine lassée. Sommes rentrés en pousse dîner à bord. Soupe de rossignols, canetons à la russe, et bien entendu poire à la fine…

Deux thés sans couleur.

A peine dans la baie, il a fallu que je rende. Serge.

Vraiment, ce Gandhi abuse du blanc.

Visite à Gondar, elle est moulue.

Je rapporte un beau canari des Pouilles. Serge.

Et moi, une belle nichée de pinsons. Kate.

De la cime, Kate caressait le poney.

Il m'esquinte, ce maquis, avec ses crêtes de rocs. Kate.

Serons Marseille dimanche. Trouverez car au dock six.

Laissez repas au chaud. Serge.

Tempête. Kate apeurée, verte, et gesticule méconnaissable. Je gémis sans pouvoir lutter. Serge.

OSCAR WILDE ?

1854-1900

Teleny

1893 / 1934

Si *Teleny* n'est pas d'Oscar Wilde, tout donne à penser à certains qu'il y a mis la main, et au moins en a corrigé le manuscrit. Le fait est controversé. Tous les éléments de l'enquête sont réunis dans la préface de Jacques de Langlade à l'édition Régine Deforges de 1976, deuxième édition française depuis celle (clandestine) de 1934, tirée à 300 exemplaires pour le «Ganymède Club de Paris». Pourtant *Teleny* est un texte à peu près ignoré de beaucoup de biographes de Wilde, en tout cas des Français. On peut se demander pourquoi; il est vrai que la plupart des biographies se recopient les unes les autres. La réédition de 1976 passera pour ainsi dire inaperçue.

Le titre français complet est *Teleny, étude physiologique*. Le titre original anglais est *Teleny, or the reverse of the medal, a physiological romance of to day*. La première édition anglaise très confidentielle (100 exemplaires) date de 1893.

*D*ÉJÀ j'escaladais le parapet, décidé à chercher l'oubli dans ce Styx boueux lorsque deux bras m'enlacèrent et empêchèrent ma chute dans le vide.

– Camille, mon amour, mon âme, êtes-vous fou? dit une voix étouffée, haletante.

Rêvais-je? Teleny? Était-ce mon ange gardien ou un démon tentateur? Étais-je devenu fou?

Non. Je n'étais ni fou, ni halluciné. C'était bien Teleny en chair et en os; je le sentais qui m'enlaçait de ses bras. Je revenais à la vie après un horrible cauchemar.

La tension de mes nerfs, le complet abattement qui suivit, joints à sa vigoureuse étreinte me donnèrent l'impression que nos corps amalgamés étaient fondus en un seul.

J'éprouvais une sensation étrange. Tandis que mes mains s'égaraient sur sa tête, son cou, ses épaules, ses bras, ce n'est pas lui que je sentais, je croyais toucher mon propre corps. Nos fronts brûlants se pressaient et les pulsations de ses veines palpitantes semblaient battre dans mes propres veines.

Insensiblement nos bouches se trouvèrent unies par un mutuel consentement. Nous n'échangeâmes pas de baisers, mais notre souffle nous infusa une vie ardente.

Je restai pendant quelque temps dans une sorte d'anéantissement, sentant mes forces s'en aller, conservant juste assez de conscience pour savoir que je vivais.

Tout à coup, un choc nerveux m'ébranla de la tête aux pieds; mon sang reflua de mon cœur à mon cerveau; mes nerfs se tendirent, mes oreilles tintaient, des pointes d'aiguilles m'entraient dans la chair. Nos bouches un instant séparées se collèrent de nouveau avec une ardente concupiscence. Nos lèvres étroitement pressées se frottaient avec une ardeur telle que le sang gicla et cette douce rosée se mélangeait comme pour célébrer les rites hyménéens des nations anciennes, le mariage de deux corps non par la puérile communion du vin emblématique, mais par le sang lui-même.

Nous demeurâmes quelque temps ainsi, plongés dans un délire extatique, éprouvant dans chacun de nos baisers un plaisir de plus en plus intense.

Véritable quintessence de l'amour que ces baisers! Tout le meilleur de nous, la partie essentielle de notre être montait à nos lèvres comme les vapeurs d'une enivrante ambroisie.

Ce n'est que rarement, sinon jamais, qu'on éprouve de telles extases. J'étais sans ressort, vaincu, anéanti. Tout tournait sous mes yeux, la terre s'abîmait sous mes pieds. Je n'avais plus la force de me tenir debout. Je me sentais m'évanouir. Allais-je donc mourir? Allais-je donc mourir? Oh! alors, la mort doit être le plus heureux moment de notre vie, car l'on ne pourrait ressentir deux fois une telle ivresse…

Combien de temps restai-je ainsi? Je ne pourrais le dire. Tout ce que je sais c'est que je revins à moi encore tout étourdi, entendant le ruissellement des eaux au-dessous de moi. Peu à peu la mémoire me revint. Il me serrait. J'essayai de me dégager de l'étreinte.

– Laissez-moi, oh! laissez-moi! Pourquoi ne m'avez-vous pas laissé mourir? Ce monde m'est haïssable; pourquoi traînerais-je une vie qui me dégoûte?

– La vie vous dégoûte? Mais pourquoi?

Et doucement, lentement, il murmura dans sa langue inconnue quelques paroles magiques qui semblaient couler comme un baume dans mon âme. Puis il ajouta :

– La nature nous a formés l'un pour l'autre. Pourquoi lui résister? Je ne puis trouver le bonheur que dans votre amour, dans votre amour seul; ce n'est pas seulement mon cœur mais mon âme qui pantèle pour vous.

Avec effort de tout mon être je le repoussai et je me reculai.

– Non, non! dis-je. Ne me tentez pas au-dessus de mes forces. Laissez-moi plutôt mourir.

– Soit! mais nous mourrons ensemble; la mort au moins ne nous séparera pas. Nous serons enfin unis l'un à l'autre dans un autre monde, comme la Francesca du Dante à son amant Paulo.

Et déroulant une écharpe de soie qui lui serrait la taille : « Attachons-nous ensemble, dit-il, et sautons dans la rivière. »

Je le regardai en frissonnant. Si jeune, si beau et j'allais le tuer! L'image d'Antinoüs telle que je l'avais vue au premier soir de notre rencontre surgit devant moi.

Il avait noué son écharpe à sa ceinture et allait l'attacher à la mienne.

— Venez, dit-il.

Avais-je le droit d'accepter un tel sacrifice? Je répondis :

— Non. Il faut vivre.

— Vivre?... et alors?

Il resta un moment silencieux, attendant ma réponse à une question qu'il n'osait entièrement formuler. Comprenant cet appel muet, je lui tendis les mains.

Et, comme s'il craignait de me voir lui échapper, il me serra de toute la force de son indomptable désir.

— Je vous aime — murmura-t-il — je vous aime follement. Je ne puis vivre plus longtemps sans vous.

— Ni moi, répondis-je, j'ai vainement lutté contre ma passion; maintenant je cède, non pas timidement, mais ardemment, heureux de céder. Je suis à vous, Teleny. Heureux d'être à vous, à vous seul pour toujours.

Un cri rauque sortit de sa poitrine; ses prunelles étincelèrent; son désir devint rage; c'était celui d'un fauve saisissant sa proie, du mâle solitaire trouvant enfin une femelle. C'était plus encore : une âme allant à la rencontre d'une autre âme, dans une ardente poussée des sens, dans un fol enivrement du cerveau.

Peut-on appeler concupiscence ce feu inextinguible qui nous consumait? Nous ressemblions à l'animal affamé qui trouve enfin une ample pâture, et tandis que nous nous embrassions avec une avidité toujours croissante, mes doigts caressaient les boucles de ses cheveux et la peau douce de son cou. Nos jambes s'enlaçaient, son phallus en érection se frottait contre le mien non moins raide et non moins dur. Étroitement collés l'un à l'autre de façon à mettre tout notre corps dans le plus étroit contact, haletants et agités de violentes secousses, nous couvrant de baisers et de morsures, nous devions ressembler, sur ce pont, au milieu de l'épais brouillard, à deux damnés en proie aux tourments éternels.

La marche du Temps s'était arrêtée, et je crois que nous aurions continué à nous exténuer dans un désir insensé jusqu'à en perdre la raison, car nous étions sur la pente de la folie, lorsqu'un futile incident y mit fin.

Un vieux cab, fatigué de la besogne du jour, regagnait lentement sa remise. Le cocher dormait sur son siège. La pauvre haridelle, la tête presque entre ses

genoux, sommeillait de même, bercée par le lent roulement des roues caout-
choutées sur le pavé.

— Venez chez moi, dit Teleny d'une voix nerveuse et basse. Venez chez moi…
coucher avec moi, ajouta-t-il d'un ton suppliant d'amoureux.

Pour toute réponse, je pressai sa main.

— Vous voulez bien?

— Oui, murmurai-je d'une voix faible comme un soupir.

Il héla aussitôt le cab, réveillant non sans peine le cocher qui mit quelque
temps à comprendre ce qu'on lui demandait.

En montant dans le véhicule, ma première pensée fut que dans quelques
minutes Teleny serait à moi, et cette pensée me fit tressaillir de la tête aux pieds
comme sous le choc d'un courant électrique.

Je ne pouvais encore croire à mon bonheur, et mes lèvres durent prononcer
ces mots : « Teleny va être à moi » pour que j'en fusse convaincu. Il sembla comprendre, car il saisit ma tête entre ses mains, et me couvrit de baisers.

Puis, comme pris de remords, il me demanda :

— Vous ne vous repentez pas, dites?

— Pourquoi me repentirais-je?

— Et vous serez à moi, à moi seul?

— Je n'ai jamais été ni ne serai jamais à aucun autre.

— Vous m'aimerez toujours?

— Toujours?

— Que ceci soit notre serment et notre acte de possession éternelle, ajouta-t-il.

Là-dessus, il m'entoura de ses bras et me pressa sur sa poitrine. Je l'enlaçai de
même et, à la lueur tremblotante des lanternes de la voiture, je vis luire dans ses
yeux un feu de folie. Ses lèvres desséchées par la soif d'un désir longtemps
contenu se tendirent vers les miennes avec une expression de souffrance. Nous
nous aspirions de nouveau dans un baiser plus ardent, si possible, que le premier.

Oh! le souvenir de ce baiser me brûle encore les lèvres.

Un baiser, c'est quelque chose de plus que le premier contact charnel de deux
corps : c'est l'exhalation de deux âmes enamourées. Mais le baiser criminel longtemps désiré est plus sensuel encore; c'est le fruit défendu, c'est un tison ardent
qui enflamme le sang.

Le baiser de Teleny me galvanisait, mon palais en goûtait la saveur. A quoi
bon un serment quand on s'est donné l'un à l'autre dans un tel baiser? Un serment n'est qu'une promesse des lèvres, le plus souvent oubliée. Un tel baiser
vous suit jusqu'à la tombe.

Pendant que nos bouches se collaient l'une sur l'autre, sa main lentement,
imperceptiblement, déboutonnait mon pantalon, se glissait dans l'ouverture,
écartait la chemise, s'emparait de mon phallus raide et brûlant. Douce comme la

main d'un enfant, experte comme celle d'une courtisane, ferme comme celle d'un maître d'escrime, elle me fit souvenir, à son simple contact, des paroles de la Comtesse.

Nous savons tous qu'il existe des gens plus ou moins magnétiques. Les uns vous attirent, d'autres vous repoussent. Teleny possédait, pour moi du moins, une sorte de fluide mesmérique dans les doigts. Son simple contact me faisait pâmer. Ma main suivit un peu hésitante l'exemple de la sienne, et je dois confesser que le plaisir que j'éprouvais à manier sa verge était délicieux.

Nos doigts effleuraient à peine le pénis, que dans la tension excessive de nos nerfs et le degré de notre excitation, l'engorgement de nos conduits séminaux les fit déborder. Pendant un moment, une violente douleur me saisit vers la racine de la verge, ou plutôt à l'intérieur des reins, après quoi la sève de vie commença à couler lentement, lentement des glandes séminales ; elle monta au bulbe de l'urètre, le long de l'étroite colonne, comme du mercure dans le tube du thermomètre, ou de la lave en fusion dans le cratère d'un volcan. Elle atteignit le sommet, la fente s'ouvrit, les petites lèvres se séparèrent, et la crème visqueuse jaillit, non pas en un jet violent, mais par saccades, en grosses larmes brûlantes. A chaque goutte qui s'échappait, une sensation indescriptible, insoutenable, se produisait au bout des doigts, à l'extrémité des pieds, dans les plus profondes cellules de mon cerveau ; la moelle de l'épine dorsale, celle des os semblaient se liquéfier ; et lorsque ces différents courants, ceux du sang et ceux des fibres nerveuses, se rencontrèrent dans le phallus, instrument de muscles et d'artères, un terrible choc se produisit, une convulsion annihilant à la fois l'esprit et la matière – jouissance que chacun a ressentie plus ou moins violente, si violente quelquefois qu'elle cesse d'être un plaisir. Serrés l'un contre l'autre, tout ce que nous pouvions faire était d'essayer d'étouffer nos soupirs pendant que les gouttes spermatiques s'échappaient.

La prostration qui suit l'excessive tension des nerfs avait cessé lorsque le cab s'arrêta devant la porte de la maison de Teleny, cette porte que j'avais follement heurtée de mon poing quelque temps auparavant.

Nous sortîmes épuisés de la voiture, mais à peine la porte se fut-elle refermée sur nous que nous recommençâmes à nous baiser et à nous caresser avec une nouvelle ardeur.

Impuissants à refréner nos désirs : « Viens, me dit Teleny, pourquoi attendre davantage et perdre ici un temps précieux dans le froid et l'obscurité ?

– As-tu donc froid et trouves-tu qu'il fasse noir ? » lui demandai-je.

Il m'embrassa tendrement.

– Dans l'ombre, tu es ma lumière, continuai-je ; tu es le feu qui me réchauffe ; les étendues glacées du pôle seraient pour moi le paradis terrestre si tu y étais.

Nous montâmes à tâtons les escaliers, car je ne lui permis pas de faire flamber une allumette. Je me pressais contre lui, non parce que je n'y voyais pas, mais parce que j'étais enivré d'une rage d'amour comme un ivrogne l'est avec le vin.

Nous fûmes bientôt dans son appartement. Dès l'entrée, dans l'antichambre faiblement éclairée d'une veilleuse, il me tendit les bras.

– Sois le bienvenu! dit-il. Puisse cette maison devenir tienne.

Puis il ajouta à voix basse, dans sa langue étrangère si harmonieuse : « Mon corps a faim de toi, âme de mon âme, vie de ma vie! »

Il finissait à peine que déjà nous nous caressions.

– Sais-tu, me dit-il, que je t'attendais aujourd'hui.

– Tu m'attendais? m'exclamai-je surpris.

– Oui, je savais que tôt ou tard tu serais à moi. Et je sentais que tu viendrais aujourd'hui.

– Comment cela?

– Un pressentiment.

– Et si je n'étais pas venu?

– J'aurais fait ce que tu allais faire quand je suis arrivé à temps pour t'en empêcher. La vie sans toi serait impossible.

– Quoi, tu te serais noyé?

– Non, pas exactement. La rivière est trop froide et trop noire et je suis trop sybarite. Non, je me serais simplement endormi… de l'éternel sommeil, en pensant à toi, dans cette chambre préparée pour te recevoir, et où nul homme n'a jamais pénétré.

Il ouvrit alors la porte d'une petite chambre toute parfumée d'une pénétrante odeur d'héliotrope.

C'était une pièce fort originale, capitonnée d'une épaisse étoffe blanche fixée au mur par des boutons d'argent; un tapis formé des toisons blanches de jeunes agneaux couvrait le plancher et au milieu, sur un vaste divan, s'étalait la fourrure d'un ours polaire. Au-dessus de ce meuble unique, une lampe d'argent ancienne, provenant de quelque église byzantine ou d'une synagogue d'Orient, répandait une pâle lumière, suffisante pour éclairer ce temps de Priape dont nous étions les adorateurs.

– Je sais, me dit-il, que le blanc est ta couleur favorite; il sied à ton teint brun, c'est pourquoi je l'ai adopté pour toi, pour toi seul. Nul autre n'entrera ici.

Et aussitôt, avec dextérité, en un clin d'œil, il me dépouilla de tous mes vêtements; je me laissais faire, étant entre ses mains comme un enfant endormi ou un homme en extase. En moins de rien, je me trouvai complètement nu, étendu sur la peau d'ours, et lui, devant moi, me contemplait avec des yeux dévorants.

Ses regards me fouillaient avidement partout; ils semblaient plonger dans mon cerveau, me faisant perdre la notion des choses; ils traversaient mon cœur, fouettaient mon sang qui coulait de plus en plus brûlant dans mes artères, ils dardaient leur fluide dans mes veines, tandis que Priape dressait sa tête, tellement gonflé et tendu qu'il semblait que ses veines allaient éclater.

Il promena ses mains sur tout mon corps; puis ce furent ses lèvres, couvrant de baisers ma poitrine, mes bras, mes jambes, mes cuisses. Arrivé en haut, il appuya avec ravissement son visage sur l'épaisse et abondante toison qui ombrage le pubis.

Il frissonna de plaisir en sentant les poils lui chatouiller les joues et le cou; saisissant alors le phallus, il y appuya ses lèvres. Le contact le mit hors de lui; le gland, puis le membre entier disparurent. Pendant ce temps, j'avais saisi sa tête bouclée; je tremblais de délices; la sensation était si aiguë que j'en devenais fou.

La colonne, toute la vibrante colonne était dans sa bouche, la tête touchant son palais, chatouillé par sa langue, caressée à petits coups. Je me sentais sucé, mordillé, mordu. La jouissance devenait trop forte; elle me tuait. Eût-elle duré un instant de plus, je perdais connaissance.

— Arrête, arrête, je t'en supplie, criai-je.

Il restait sourd à mes supplications. Des éclairs passaient devant mes yeux; un torrent embrasé me traversait le corps. Des frissons rapides me parcouraient de la tête aux pieds.

— Assez, assez!

Mes nerfs se tordaient; je me tortillais, j'entrais en convulsions. Soudain, une de ses mains qui caressait mes testicules glissa sous mes fesses et un doigt pénétra dans l'anus. Il me sembla être un homme par devant, une femme par derrière; j'éprouvais des deux côtés une jouissance sans nom.

C'en était trop, mon corps se liquéfiait; le brûlant lait de vie monta comme une sève de feu tandis que mon sang en ébullition, gagnant le cerveau, y portait le délire. Je n'en pouvais plus; je m'évanouis de plaisir; je tombai sur lui comme une masse inerte.

Quelques minutes après, je repris mes sens. Saisi à mon tour de rage érotique, je voulus prendre sa place, lui rendre ses caresses.

J'arrachai ses vêtements, je le mis nu comme moi. Quel plaisir de sentir sa chair contre la mienne, sa chair nue de la tête aux pieds! Les délices que je venais d'éprouver n'avaient fait qu'augmenter mon ardeur; aussi, après nous être caressés et pressés pendant un moment, nous roulâmes sur le tapis, entrelacés, confondus, nous frottant, nous tordant comme deux chats en chaleur qui s'excitent l'un l'autre, dans le paroxysme de la rage d'amour.

Mes lèvres brûlaient de goûter à son phallus, organe superbe, digne de servir de modèle à l'idole du temple de Priape ou à être suspendu au fronton des portes des lupanars de Pompéi. A la vue de ce dieu sans ailes, nombre d'hommes auraient dédaigné l'amour des femmes — et combien le firent — pour celui de leur propre sexe. Sans atteindre une proportion exagérée, il était énorme; le gland, gros et rond, quoique légèrement aplati, fruit de chair et de sang semblable à un abricot, était pulpeux, savoureux, appétissant.

J'en repaissais mes yeux avides ; je le saisis, je l'embrassai ; je promenai mes lèvres sur sa peau veloutée. Il s'agitait comme le mien en régulières secousses. Ma langue chatouilla doucement la tête, essayant de s'introduire entre les petites lèvres qui s'ouvraient amoureusement pour laisser échapper une goutte de rosée que je recueillis sur les miennes. Je léchai le gland, je le suçai. Le membre remuait verticalement tandis que j'essayais de le serrer plus étroitement de mes lèvres, s'avançant à chaque coup jusqu'à ce qu'il touchât mon palais ; il atteignit presque mon gosier où je le sentis se gonfler davantage. J'allais vite, vite, plus vite. Teleny saisit furieusement ma tête les nerfs crispés.

— Ta bouche me brûle, tu me suces la cervelle ! Arrête ! arrête ! J'agonise. Je n'en peux plus… C'est trop !

Il essayait d'éloigner ma tête pour me faire cesser, mais je n'en pressais que plus fort son phallus de mes lèvres et de ma langue ; mes mouvements s'accéléraient ; bientôt un frisson lui secoua tout le corps et un jet de liquide chaud, visqueux et âcre emplit ma bouche. Jouissance si aiguë qu'elle dégénérait en douleur…

— Arrête ! arrête ! murmurait-il encore.

Il ferma les yeux et resta sans mouvement, tandis que j'exultais à la pensée qu'il était vraiment à moi, que je buvais sa sève écumante, le réel élixir de vie.

Pendant un moment ses bras restèrent serrés convulsivement. Puis il relâcha son étreinte et devint rigide, anéanti par l'excès du plaisir.

Je me sentais presque aussi accablé que lui, car dans ma fureur, je l'avais sucé si ardemment, si avidement que j'amenai de mon côté une abondante éjaculation. Aussi, les nerfs détendus je tombai harassé à son côté sur le divan.

Après un court repos (je ne saurais dire de quelle durée, car il n'était pas mesuré par le pas tranquille et régulier du Temps), je sentis son pénis détendu sortir de sa torpeur et se presser contre ma face ; il cherchait évidemment ma bouche, comme un bébé glouton et gorgé tient serré, même dans son sommeil, le bout du sein de sa mère, simplement pour le plaisir de le sentir sur sa langue.

J'y appuyai mes lèvres ; et semblable à un jeune coq qui réveillé à l'aube tend le cou et pousse son fier cocorico, il dressa la tête et s'enfonça.

Aussitôt que je l'eus dans ma bouche, Teleny fit un tour sur lui-même et se plaça dans la même position que moi, c'est-à-dire que sa bouche était à la hauteur de ma partie médiane, avec cette différence que j'étais sur le dos et qu'il était sur moi.

Il commença par embrasser ma verge, jouant avec la soyeuse toison ; il caressa mes fesses, puis mes testicules d'un doigt léger qui me remplissait d'un indicible délice.

Ses manipulations augmentaient tellement le plaisir que me donnaient sa bouche et son phallus que je fus bientôt hors de moi.

Nos corps ne formaient qu'une masse de frissonnante sensualité, et quoique nous précipitions tous deux nos amoureuses saccades, la concupiscence nous étreignait au point que, dans la tension de nos nerfs, les glandes séminales refusaient leur œuvre.

Nous nous démenions en vain. Tout à coup, la raison m'abandonna; le fluide qui refusait de couler tournoyait dans mes yeux injectés; il tintait à mes oreilles. J'atteignais le summum de la rage érotique, le paroxysme du délire. Mon cerveau semblait trépané, mon épine dorsale sciée en deux. Je suçais néanmoins son phallus de plus en plus vite; je le tirais comme un téton; je voulais le vider; je le sentis tout à coup palpiter, frissonner, se gonfler, et les portes du sperme s'ouvrirent enfin au milieu d'une pluie de brûlantes étincelles; les feux de l'enfer firent place à une Olympe délicieusement calme et ambroisiaque.

Après un moment de repos, appuyé sur un coude, je réjouissais ma vue de la fascinante beauté de mon aimé, vrai modèle académique : large et forte poitrine, bras musculeux et potelés; je n'avais jamais vu une telle vigueur unie à une telle élégance de formes; on n'eût trouvé en lui non seulement la moindre trace de graisse, mais la plus mince superfluité de chair. Il était tout nerf et tout muscle. C'étaient ses fines attaches qui lui donnaient cette gracieuse aisance, cette flexibilité si caractéristique qui vous enlaçait avec les ondulations d'un serpent. Sa peau était d'une blancheur perlée et la toison des différentes parties de son corps, à l'exception de la tête, était noire.

Teleny ouvrit les yeux, me tendit les bras, me prit la main, embrassa et mordilla ma nuque; puis coulant ses lèvres le long de mon dos, il y déposa une succession rapide de baisers ressemblant à une pluie de feuilles de roses tombant d'un rosier en fleurs. Saisissant alors les deux lobes charnus, il les ouvrit des deux mains et darda sa langue dans le trou où quelque temps auparavant il avait plongé son doigt. Ce fut une nouvelle et délicieuse sensation.

Ensuite il se leva et me tendit les mains pour m'aider à en faire autant.

— Maintenant, dit-il, allons voir dans la chambre voisine si nous trouverons quelque chose à manger; nous avons besoin de prendre quelque réconfortant; mais peut-être un bain ne sera pas superflu avant de nous mettre à table. Qu'en pensez-vous?

— Cela va vous déranger?

Pour toute réponse il me fit entrer dans une sorte de serre remplie de fougères et de palmiers nains, qui, dans le jour, recevait les rayons du soleil par une toiture vitrée.

— C'est une pièce à double fin, pouvant servir à la fois de serre chaude et de salle de bain, comme toute maison devrait en avoir. Je suis trop pauvre pour me permettre la dépense des deux, mais ce petit coin suffit pour mes ablutions, et mes plantes paraissent se trouver très bien de cette atmosphère chaude et humide.

– Comment! Mais c'est une salle de bains princière!

– Non, non! répondit-il en souriant, simplement une salle de bains d'artiste.

Nous nous plongeâmes dans une eau chaude, parfumée d'essence d'héliotrope, et ce fut un moment délicieux que de nous reposer là après nos récents excès.

– J'y resterais volontiers toute la nuit, dit-il. C'est si doux de te tenir dans cette eau. Mais nous avons faim, allons satisfaire aux exigences de notre estomac.

Sortis du bain, nous nous enveloppâmes pour nous sécher dans de chauds peignoirs d'un tissu spongieux.

– Viens, passons dans la salle à manger.

J'hésitais à cause de ma nudité et de la sienne.

Il sourit.

– As-tu froid?

– Non, mais…

– N'aie donc pas peur. Il n'y a personne dans l'appartement. Tout le monde dort aux autres étages et d'ailleurs les fenêtres sont fermées et les rideaux soigneusement tirés.

Il me conduisit dans une chambre voisine, entièrement capitonnée d'épaisses et soyeuses tentures d'un rouge éteint. Au centre de l'appartement, une lampe de forme curieuse et artistique était suspendue, répandant une vive clarté.

Nous nous assîmes sur un divan, devant une de ces tables d'ébène de fabrication arabe, incrustée d'ivoire et de nacre.

– Je ne puis vous offrir un banquet, me dit-il, bien que je vous attendisse; mais il y aura suffisamment, je l'espère, pour satisfaire votre appétit.

Le menu se composait de quelques huîtres de Cancale, d'une vieille et poudreuse bouteille de sauternes, d'un pâté de foie gras parfumé de truffes du Périgord, d'une perdrix au paprika, d'une salade des mêmes tubercules coupés en tranches minces et d'une bouteille d'excellent sherry sec.

Toutes ces friandises étaient servies dans des plats de vieux Delft bleu et de Savone, car il connaissait mon goût pour les vieilles faïences.

Puis vint un plat d'oranges de Séville, de bananes, d'ananas, mouillés de marasquin et saupoudrés de sucre, compote exquise imprégnée de la saveur du parfum de ces délicieux fruits.

Après avoir arrosé le tout d'une coupe de vin de Champagne et savouré quelques minuscules tasses d'un moka brûlant et parfumé, il alluma un narghilé et nous aspirâmes à tour de rôle l'odorant Latakieh, mêlant ses spirales bleuâtres à l'ardeur de nos baisers.

Les fumées du tabac et celles du vin nous montaient à la tête, notre sensualité se réveilla et bientôt nous eûmes dans nos bouches un morceau de chair autrement volumineux que l'ambre de notre pipe turque. Nos têtes disparurent entre nos cuisses, nous ne formions plus qu'un corps, nous pressant l'un contre l'autre, cherchant de nouvelles caresses, de nouvelles sensations, dans une ivresse de lubricité de plus en plus violente, avec l'âpre désir non seulement de jouir, mais de faire jouir l'ami. Bientôt des monosyllabes, des mots inarticulés exprimèrent le summum de notre volupté, jusqu'à ce que, plus morts que vifs, nous retombâmes l'un sur l'autre en une masse de chair frissonnante. Après une demi-heure de repos et un bol d'arak, de curaçao et de punch au whisky parsemé d'excitantes épices, nos bouches s'unirent de nouveau.

Ses lèvres humides frémissaient si légèrement sur les miennes que je les sentais à peine ; elles éveillaient seulement le désir de sentir plus étroitement leur contact, tandis que la pointe de sa langue tantalisait la mienne. Pendant ce temps, ses mains passaient et repassaient sur la partie la plus délicate de mon corps aussi légèrement qu'une douce brise d'été ride la surface des eaux, et toute ma chair en tressaillait de plaisir.

J'étais étendu sur des coussins qui m'élevaient à la hauteur de Teleny ; il mit mes jambes sur ses épaules, et, écartant mes fesses, il commença de baiser, puis de lécher l'orifice médian, ce qui procurait un ineffable plaisir. Quand il eut ainsi bien préparé l'entrée en la lubrifiant de sa langue, il essaya d'y enfoncer la tête de son phallus. Vains efforts, elle ne pouvait pénétrer...

– Laisse-moi l'humecter, dis-je, il glissera plus aisément.

Je remis alors son membre dans ma bouche, le caressai de ma langue, le suçai presque jusqu'à la racine.

– Maintenant, dis-je, jouissons de ce plaisir que les dieux eux-mêmes n'ont pas dédaigné.

Du bout de mes doigts j'écartai les bords de cette fosse encore inexplorée et qui bâillait pour recevoir l'énorme instrument qui se présentait à l'entrée.

Une fois encore il y pressa son gland ; le bout pénétra, mais le formidable champignon ne put passer outre, et la verge se trouva ainsi arrêtée dans sa carrière.

– J'ai peur de te faire mal, demanda-t-il, peut-être faut-il remettre cela à une autre fois ?

– Oh ! non, ce m'est un tel bonheur de sentir ton corps pénétrer dans le mien.

Il essaya encore, poussa doucement mais fermement ; les muscles de l'anus se relâchèrent : le gland fut enfin logé ; la peau se tendit tellement que quelques gouttes de sang tachèrent les bords ; mais le passage était forcé et le plaisir surpassa la douleur.

Teleny se trouvait emprisonné; il ne pouvait ni enfoncer ni retirer son instrument; quand il essayait de l'enfoncer davantage il lui semblait qu'il allait être circoncis. Il suspendit un moment son travail, et après m'avoir demandé s'il ne me blessait pas, sur ma réponse négative, il fit entrer le pénis d'un vigoureux coup de reins.

Le Rubicon était franchi; la colonne commença à glisser; il pouvait maintenant entreprendre l'agréable besogne. Le membre entier s'enfonça; la douleur que j'endurais s'assoupit et le plaisir s'en accrut d'autant.

Le petit dieu s'agitait en moi, me chatouillait jusqu'au fin fond de l'être. Tout avait pénétré jusqu'à la racine. Je sentais ses poils se mêler aux miens, ses testicules se frotter gentiment à mes fesses.

En me retournant à demi, je voyais ses yeux si beaux plonger dans les miens. Oh! les insondables prunelles! Comme le Ciel ou l'Océan, elles reflétaient l'infini. Jamais je ne reverrai des yeux si pleins de langueur et de brûlant amour. Ils avaient sur moi un pouvoir mesmérique; ils m'enlevaient ma raison, plus encore, ils changeaient en délices une douleur aiguë.

FÉLICIEN FARGÈZE

Auteur Inconnu

Mémoires amoureux

1 9 3 5

Les souscripteurs du gros volume (322 pages) signé Félicien Fargèze ont été pour la plupart recrutés par Félix Fénéon, nous apprend Pascal Pia. Le livre n'a été tiré qu'à 132 exemplaires, « *Édition privée d'un groupe de bibliophiles* » restés anonymes. Mais l'achevé d'imprimer (26 janvier 1935) porte le nom de l'imprimeur : Allard et Chantelard.

Tabarant prétendait être l'héritier du manuscrit de « Félicien Fargèze », qui serait né en 1836 dans la Côte-d'Or, et mort à Paris en 1920. Pia soupçonne Adolphe Tabarant (1863-1950) d'en être tout bonnement l'auteur.

Le livre reparaîtra très officiellement en 1979 avec une préface de Régine Deforges.

La passionnée Hortense – Mes doubles amours – Pauline maille-feu – Mme Quincette s'en va et Jeanine se marie.

L'HISTOIRE d'Hortense tenait en quelques mots. Née d'Horchiac, elle était cousine du jeune secrétaire à la Cour des Comptes. Leurs âges coïncidaient : vingt-huit ans. Elle avait été élevée au couvent des Oiseaux. Elle en sortit avec le bagage de futiles connaissances qui valaient à l'établissement de la rue de Sèvres sa réputation mondaine. Elle peignait, sculptait, jouait de la harpe, chantait, dansait. Elle avait quinze ans quand elle perdit sa mère. Son père, brillant officier, ruiné par le jeu, faisait sa carrière en Algérie. Une tante passablement folle la recueillit, lui fit partager son existence moisie de vieille fille. Survint un jour le cousin, qui faisait son droit à Paris. Ils s'ennuyaient l'un et l'autre; ils se déniaisèrent mutuellement. Cependant la tante travaillait à marier sa nièce, et ce fut elle qui découvrit l'officier Quincette, de douze ans plus âgé, mais riche. Le jeune d'Horchiac était retourné dans sa province, en Languedoc. Il en revint pour occuper auprès du baron Rodier cet emploi flatteur, mais mal rétribué, qu'il devait à des relations de famille. Il retrouva sa cousine. Ils reprirent aussitôt leur intimité d'autrefois, bien peu ardente, me confia-t-elle. Elle s'était, entre-temps, donnée à un beau lieutenant de cavalerie, jeune, ambitieux, intrépide, qui fut tué par une balle russe, en 55, devant Sébastopol.

Mon installation à l'hôtel Rollin, rue de la Sorbonne, fut opérée avec toute la célérité possible. J'avais au premier étage une grande chambre qu'Hortense jugea gaie et Jeanine magnifique. Mais il me fallait organiser ma vie passionnelle, qui se compliquait. Je fixai à Jeanine d'immuables heures de visites, le matin, entre huit et dix. J'établis l'itinéraire détourné d'Hortense, qui, en évitant les abords de la place Saint-Michel, viendrait tantôt vers la fin de l'après-midi, tantôt le soir. Elles seraient à moi tous les deux jours, chaque jour m'en apportant une. Entrées et sorties étant ainsi réglées, j'évoluai entre mes deux amies en me disant que tout était pour le mieux dans le meilleur des mondes où l'on faisait l'amour.

Hortense me restait encore presque inconnue après ce coup de théâtre du 15 août, si extraordinaire. Et de moi, que connaissait-elle? Mais nous avions vécu en commun d'inoubliables minutes, et quand elle entra le lendemain dans ma nouvelle chambre, nous eûmes le sentiment d'être liés depuis un long temps. Nous plantâmes la crémaillère, et le sens équivoque de l'expression la mit en joie. Je fus d'abord surpris de l'intégrale familiarité que spontanément elle voulut entre nous.

De vrai, ce n'était plus la même femme. Celle-ci manifestait une effronterie sexuelle sans limites. Après s'être livrée entière, elle s'épuisait à attiser ses sens et les miens en s'offrant en détail. Quelle terrible maîtresse! Mais avec ses muscles, ses nerfs, quelle machine à forniquer! Où diable avait-elle pris et appris tout cela? L'histoire du bel officier remontait à six ans; d'Horchiac faisait figure de couille molle; le capitaine Quincette sacrifiait certainement plus à l'alcool qu'à tout le reste. Elle me conta que les charmantes pratiques du saphisme avaient amusé ses nuits de pensionnaire, et que le souvenir attendri qu'elle en gardait n'avait été que partiellement aboli par la connaissance de l'homme. Même, elle m'avoua que la complicité d'une amie lui valait de ranimer parfois ce souvenir. Elle me dit aussi que cette amie, coureuse de sensations ultra-conjugales, l'avait nourrie de toute une littérature aux imageries échauffantes, que lui passait un amant. Mais tout cela m'expliquait-il l'érotique frénésie qu'elle fit délirer sur moi? Désirs incompressibles, charnalité dévorante, embrasement véritablement infernal…

Quoi qu'il en soit, son agissante curiosité de toutes les caresses eut sur moi cet effet heureux qu'elle me guérit d'Anaïs. Je vis de moins en moins la sœur de Titi, et je finis par ne plus la voir du tout.

Le revers de la médaille, c'était la furieuse jalousie d'Hortense. Lui demandais-je, moi, si elle continuait d'être assidue aux séances musicales de son cousin d'Horchiac? Entre nous, le bavardage d'un garçon de chambre de la rue Saint-Jacques m'avait renseigné. La belle dame ne venait plus aussi souvent chez le joueur d'orgue, une fois dans la semaine, peut-être. Elle y venait, en tout cas, et j'aurais pu le lui reprocher, si j'avais été d'humeur jalouse. Pour elle, dès le début elle s'inquiéta de savoir « si la personne en caraco qu'elle avait vue sortir de chez moi y était revenue ». Je la rassurai, reniant lâchement Jeanine : elle n'y était pas revenue et n'y reviendrait pas. Pauvre chère Jeanine qui, elle, m'aimait et se donnait sans en demander plus, sans s'autoriser de cela pour exiger de moi le serment de lui être fidèle!

– Je vous connais, beau masque! me disait Hortense en me menaçant du doigt. J'entends que vous soyez à moi sans partage. Prenez garde!

Un après-midi, comme, inquisitoriale, elle tournait, furetait dans ma chambre, elle jeta un cri : une jarretière, une vulgaire jarretière de coton, se cachait sous des papiers, sur ma table. Cet oubli de Jeanine allait me coûter cher. Ce fut la crise nerveuse, d'abord. Mais j'en savais à présent le remède, que je détenais et dont je vérifiai l'infaillibilité. Puis ce fut son enquête, obsédante, policière, tendant à découvrir l'identité de la « personne en caraco ». Jeanine, à ce moment-là, se voyait obligée de déployer mille ruses pour accourir chez moi, Pauline Maillefeu, sa belle-sœur, s'étant embusquée plusieurs fois sur sa route. Je craignais qu'elle ne changeât ses jours et ses heures de visite sans m'en avertir, ce qui eût risqué de la faire se rencontrer avec Hortense. J'en étais très ennuyé, mais il arriva pis. Je revoyais Louisette Lureau en passant sur les quais. Je lui avais promis de la conduire au bal, et la gamine s'en souvenait. Elle me rappelait ma promesse ; je la lui renouvelais sans songer beaucoup à la tenir. Or, un dimanche qu'elle demandait à Mme Quincette la permission de sortir, elle parla de danse et dit qu'on la menait au bal. « Et qui vous y mène ? » fit, amusée, Mme Quincette. « Des galants, pardi, répondit-elle. Il y en a même un que vous connaissez. » Et cette petite imbécile de prononcer mon nom! Quel pavé dans la mare! Sur-le-champ Hortense décida que cette débauchée devait retourner à Saint-Brice. A peine lui permit-elle de faire son paquet. Elle lui compta l'argent du voyage, la fit accompagner par sa femme de chambre jusqu'à l'embarcadère de la place Mazas, jusqu'au wagon du train partant pour Dijon. Puis elle écrivit à la mère Lureau que sa nièce courant les bals, elle ne voulait pas être tenue pour responsable de sa conduite et la lui renvoyait.

Quand Hortense me jeta cela, une Hortense déchaînée, m'imputant tout, je crus qu'un haussement d'épaules serait une protestation suffisante. Mais elle hoquetait de sanglots en se roulant sur mon lit. En vain disais-je que jamais je n'avais pensé à faire danser et moins encore à courtiser Louisette, je me heurtais à une véhémence vociférante et sourde. Elle me criait l'horreur de ma trahison. « Qu'est-ce que tu pouvais bien faire avec ce souillon de cuisine qui n'a que les os et la peau, et qui empoisonne! » Je tentais de la caresser, mais elle s'en défendait rageusement, me mordait, me lacérait de ses ongles. Je saignai et la vue du sang mua sa rage en tendresse. « Je t'ai griffé, Félicien. Pardonne-moi. Dis-moi encore que tu n'as rien fait avec cette petite saleté. Comment pourrais-tu chercher du plaisir ailleurs, puisque je suis à toi des pieds à la tête et que tu n'as qu'à me prendre? Regarde, si je suis belle! » Elle bombait sa poitrine, arquait son ventre, écartait animalement ses cuisses, me prenait, m'attirait dans sa nudité en feu. « Griffe-moi, mords-moi, criait-elle, griffe et mords mes beaux seins, mon chéri! » Et puis, ce fut la détente. Elle s'immobilisa sous mes caresses, qu'elle ne refusait plus.

Ce sont là de ces scènes qui détourneraient à tout jamais d'une femme, si l'amour n'était aux antipodes de la raison. Le piteux visage à griffures que je fis voir à mes amis! A quels ongles adorés devais-je cela? L'un d'eux, qui avait sa chambre à ce même hôtel Rollin, connaissait mes visiteuses pour les avoir vu passer. Il parlait gaillardement de la jolie brune, toute simplette; il faisait claquer sa langue pour dire quelle fleur de coït était la bonne blonde. Qui, de celle-ci ou de celle-là, m'avait donné cette preuve acérée de son amour? Mais je ne fus pas très fier de comparaître en cet état devant Jeanine. Elle me demanda ce qui m'était arrivé. Je mis cela sur le compte d'une chute : en glissant, je m'étais labouré le visage sur le sol. « Tu t'es battu, Félicien, voilà la vérité », fit-elle. Puis, me regardant de tout près : « Ce sont des coups d'ongles. C'est une femme qui t'a fait ça. » J'eus beau dire, elle ne consentit pas à me croire. Ses yeux s'embuèrent; elle pleura. Mais je lui jurai que je l'aimais bien et la preuve que je lui en donnai la rassura suffisamment.

Je parlais tout à l'heure de mes amis. Hortense se désespérait de ne rien savoir de ma vie de brasserie, de ma vie nocturne. A ses interrogations, je ne faisais que des réponses fuyantes. Y avait-il des femmes, parmi ces amis? Répondre que non eût été ridicule. Eh! oui, parbleu, il y avait des femmes, les maîtresses de ces messieurs. Mais la mienne n'y était pas, puisqu'elle s'appelait Hortense Quincette. Elle insistait, quêtait des précisions. Elle savait que nous allions du café Soufflet au café Belge de la rue Dauphine, où les jupons étaient plus nombreux que les culottes. Je lui rapportais les mille histoires paillardes qui en pimentaient la bière et la choucroute. Elle riait, mais ne se demandait pas moins quel rôle je pouvais jouer dans ces parties collectives. C'était sa préoccupation constante. « Parmi les femmes qui sont là, n'en est-il pas que tu désires? Une qui me ressemblerait un peu, je suppose. Avoue. Je t'excuserais d'avoir couché avec elle en pensant à moi. » Je n'avouais rien, bien entendu; je ne pouvais avouer qu'entre ces houris de brasseries il en était une bonne douzaine qui avaient répété avec moi, en toute camaraderie, leur gymnastique professionnelle. Je les payais d'un passable dîner, et j'y ajoutais quelquefois le double écu. L'argent ne roulait pas, dans notre milieu, et le louis d'or faisait de son possesseur un prince des Mille et une Nuits.

— On t'a vu avec des femmes, hier soir, me dit-elle un jour.

— A quelle heure et où cela?

— Rue de Vaugirard, à onze heures.

– Qui te l'a raconté?

– Mon petit doigt, qui sait bien des choses.

Il y avait là une troublante exactitude d'heure et de lieu. Mes amis et moi, en effet, nous étions sortis du café Belge avec des femmes. Je me souvins qu'alors j'avais vu se glisser dans l'ombre une forme féminine. « Tiens! m'étais-je dit. Elle a la tournure d'Hortense. » Mais cette forme s'enveloppait d'un manteau gris très ordinaire. Hortense irait-elle jusqu'à m'épier, le soir, jusqu'à se travestir pour me surprendre? Cette fois, je me fâchai.

– Je t'engage à prévenir ton petit doigt que je ne suis pas homme à supporter les espionnages. S'il me plaît de me promener, de jour ou de nuit, en compagnie de femmes, ce n'est ni ce petit doigt, ni un autre, qui auront le pouvoir de m'en empêcher.

Je m'attendais à un éclat. Il n'y eut rien. Ou plutôt il n'y eut, de sa part, qu'un élan de soumission amoureuse, auquel je m'appliquai tout particulièrement à répondre. Jamais je ne l'eus plus amicale. Ma ferme protestation l'avait disciplinée.

Mais j'allais d'une inquiétude à l'autre. Deux mois de suite Jeanine avait vainement attendu ses menstrues. J'en fis part à un potard. Il me remit un médicament abortif qui n'eut pour effet que de la rendre fort malade. Le troisième mois n'ayant rien amené, je vis s'affoler Jeanine, qui, allant de l'infusion de rue à l'eau-de-vie allemande, détraquait sa santé sans déterminer l'hémorragie libératrice. Enfin, un carabin me donna l'adresse d'une sage-femme à laquelle on pouvait se fier, qui garantissait l'expulsion du fœtus même un peu après la période embryonnaire. Il suffisait qu'elle gardât l'opérée vingt-quatre heures. Toute une comédie fut machinée par ma pauvre amie pour qu'elle pût passer une journée et une nuit hors de chez elle. Une cousine Buizard, demeurant à Robinson, demandait à garder quelque temps le petit Germain. Jeanine l'y mena, disant à son père et à sa mère qu'elle y resterait trois jours. Elle en revint sur l'heure et put ainsi se rendre chez la sage-femme, qui la délivra sans difficulté. Elle n'en fut pas moins très affaiblie, sans l'être pourtant au point d'éveiller les soupçons autour d'elle.

Les soupçons de sa méchante belle-sœur, surtout, qui l'obsédait de sa sournoise surveillance. Elle offrait, cette Pauline Maillefeu, une figure décolorée qu'on eût dit sculptée dans un navet. Des yeux sans vie; une grosse tête engoncée. Exagérément tétonnière, avec ça, et roulant sous son jupon des fesses de jument, ces fesses qui m'avaient valu d'être qualifié de saligaud parce qu'un jour je m'étais permis de les pincer. Elle venait de passer les trente ans mais en marquait bien quarante. Or, depuis longtemps cette aigre demoiselle ne possédait plus rien d'une pucelle. Jeanine, quand elle se défendait contre elle, ne se faisait pas faute de lui rappeler certaine histoire assez ancienne, des rendez-vous avec un garçon boucher qui s'était amusé d'elle en lui promettant le mariage. Elle avait, chez les Buizard, la situation d'une demi-servante, et l'on y appréciait ses qualités de travailleuse propre et ordonnée.

Je faisais assez souvent, après dîner, ma partie aux « Amis de la Marine » avec Buizard et des habitués. Mme Buizard, Jeanine et Pauline tricotaient ou ravaudaient. Vers dix heures, les femmes se retiraient, et quelques instants après Buizard mettait ses derniers clients à la porte. Peu pressé de rentrer, je rejoignais aussitôt mes amis.

Un soir que je m'en allais, je distinguai Pauline Maillefeu à l'entrée du corridor desservant les chambres de l'hôtel, au coin de la rue Dauphine. Elle logeait là, au rez-de-chaussée; j'avais, à mon arrivée à Paris, logé au deuxième étage. Elle était appuyée contre la porte, dans l'ombre. L'idée me vint d'agacer sa hargne. Je m'approchai.

– Tiens! C'est vous, mademoiselle? Vous n'avez donc pas envie de dormir?

Si invraisemblable que ce fût, elle ne me répondit pas sur le ton d'aigreur qui lui était naturel.

– J'ai de la migraine et je prends l'air, me dit-elle.

– Parions plutôt que vous attendez quelqu'un, fis-je.

Elle se rebiffa.

– Et après? Ça vous regarde?

J'insistai :

– Celui que vous attendez, s'il vous pince les fesses, le traiterez-vous de saligaud?

– Si je vous ai traité de saligaud, un jour, je n'ai pas à retirer le mot, répliqua-t-elle.

– Vous n'êtes pas gentille, dis-je.

– Croyez-vous que c'est une chose à faire, reprit-elle, que de vous pincer comme ça devant tout le monde?

Je me mis à rire.

– Dans ces conditions, mademoiselle Pauline, permettez-moi de vous pincer ici, puisqu'il n'y a personne.

Et je m'approchai un peu plus. Elle recula.

– Passez votre chemin, vous êtes un débauché.

Mais j'avais déjà la main sur le rond de la jupe, au plein des fesses, que je pelotais et ne pinçais pas. Elle me laissait faire. Je pelotai plus libertinement sous la jupe même. Elle me laissa faire encore, et je passai du derrière au devant. Elle reculait sans mot dire, poussait du dos la porte de sa chambre, moi la suivant dans la nuit, ma main bien en place. L'occasion était bonne d'engager assez son honnêteté de fille pour qu'elle renonçât à surveiller Jeanine. Elle se trouva contre son lit et s'y renversa. Elle me soufflait une haleine forte. Une odeur de suint se dégageait du râble que j'amenais à moi. Je la flairai bestialement, cette odeur, et sans autre façon j'eus Pauline Maillefeu, qui se mouvait pour aider à ma prise. Pas un baiser, pas une parole. Elle me montra pourtant qu'elle était contente en me reconduisant jusqu'au dehors. « Cela ne sera pas su, j'espère ? » me dit-elle. « Pauline, je vous promets le plus profond secret. » Et de m'éloigner à une allure de fuite. Mes amis tenaient cercle au café Belge, et j'entrepris un billard avec deux d'entre eux. Une bonne fille, Pomponne, s'ennuyait seule à une table. Elle m'emmena chez elle où j'achevai la nuit.

HENRI MICHAUX

1899-1984

Rencontre dans la forêt

1935/1952

L'édition originale de ce poème d'Henri Michaux date de 1952. C'est une feuille simple de papier d'Arches de 22, 5 x 30 cm pliée deux fois et formant donc ainsi huit pages non coupées 11,2 x 15, le pli étant en bas des pages. Sur la première se lit le titre « *Rencontre dans la forêt* », et plus bas à droite une signature, sans doute un dessin de Michaux. La dernière page porte simplement la date, 1952. Dépliée, la feuille montre le poème imprimé sur sa hauteur, sans nom d'auteur ni signature, le titre étant rappelé en haut. La justification de tirage figure au verso, page 4 de la feuille repliée, et dit : « *De ce poème paru pour la première fois en 1935 dans la revue* Transition *(n° 23) sous la rubrique* "Experiments in language mutation", *il a été tiré, dix-sept ans après, 150 exemplaires hors commerce sur Vélin d'Arches, tous numérotés, qui en constituent l'édition originale. Cet exemplaire porte le n°...* »

Henri Michaux nous ayant refusé, poliment mais fermement, l'autorisation de reproduire les 25 lignes de *Rencontre dans la forêt*, nous ne pouvons en citer que quelques passages, ce qui risque peut-être de donner une fausse idée de ce texte; la responsabilité ne nous en revient pas.

Les trois premières lignes situent le décor et les personnages :

« *D'abord il l'épie à travers les branches. De loin il la bumine, en saligoron, en nalais. Elle : une blonde rêveuse un peu vatte.* »

Les trois vers suivants précisent l'état du guetteur : « *Il pâtamine. Il n'en peut plus.* » Il s'approche « *en subcul* », et renverse sa victime.

« *Il la déjupe; puis à l'aise il la troulache, la ziliche, la bourbouse et l'arronvesse (lui gridote sa trilite, la dilèche).*
« *Ivre d'immonde, fou de son corps doux...* »

Ce qui semble bien un viol s'accomplit donc jusqu'au bout, dans la plénitude de la jouissance d'au moins un des personnages : « *Immense cuve d'un instant.* » Puis :

« *Elle se dresse hagarde. Sale rêve et pis qu'un rêve!*
Mais plus de peur, voyons, il est parti maintenant le vagabond...
et léger comme une plume, Madame. »

CÉLINE

1894-1961

Mort à crédit

1936

Un an après *Mort à crédit*, Céline s'en prend à sa manière, dans *Bagatelles pour un massacre*, à la littérature du cœur : « *La vulgarité commence, Messieurs, Mesdames, au sentiment, toute la vulgarité, toute l'obscénité ! au sentiment ! Les écrivains, comme les écrivaines, pareillement enfiotés de nos jours, enjuivés, domestiqués jusqu'aux ventricules depuis la Renaissance, n'ont de cesse, s'évertuent, frénétiques au "délicat", au "sensible", à "l'humain"... comme ils disent... Dans ce but, rien ne leur paraît plus convaincant, plus décisif, que le récit des épreuves d'amour... de l'Amour... pour l'Amour... tout le "bidet lyrique", en somme... Ils en ont plein les babines ces croulants dégénérés maniéreux cochons de leur "Amour"... »*

Il y a pourtant dans *Le Voyage au bout de la nuit* (1932) des pages amoureuses qui s'oublient difficilement, comme le portrait de Sophie, l'infirmière. Mais le « sentiment », c'est vrai, n'y montre que furtivement le bout de l'oreille. L'âme de Céline, « *qui demeurait rien désireuse* », pas plus que celle de Montherlant n'attend d'être payée de retour. « *Je n'ai pas besoin de "tendraisse"... C'est toujours les pires saloperies de l'existence que j'ai entendu soupirer après les "tendraisses"... C'est ainsi qu'ils se rassurent...* » Céline ne veut pas se rassurer. En tout cas pas avec n'importe quels mots. Il n'a pas admis d'avoir été obligé de censurer, l'année précédente, *Mort à crédit* avant la publication, sur les conseils de son éditeur, Denoël. « *Écrire pourtant de cul, de bite, de merde, en soi n'est rien d'obscène, ni vulgaire.* » Au lieu de modifier son

texte, il a exigé que le livre paraisse caviardé de blancs surprenants, un mot par-ci, dix lignes par-là. Quelques exemplaires hors commerce reproduisent le texte complet ; c'est tout.

On peut lire depuis 1962 une version complétée du livre dans le tome 1 des romans de Céline dans la Bibliothèque de la Pléiade.

Il nous avait paru intéressant de comparer les lectures de 1936 et celle de 1962 [1], en plaçant entre crochets les passages supprimés. Malheureusement Mme Destouches est de ces héritiers qui se plaisent à décider si les auteurs qu'ils représentent ont ou non écrit ce qu'ils ont écrit, au hasard de leur propre caprice. Elle était ainsi ravie en 1964 qu'un long passage du *Voyage au bout de la nuit* figure parmi les *Chefs-d'œuvre de l'érotisme* (Planète), mais elle s'offusquerait quinze ans plus tard qu'on puisse lire quelques pages de *Mort à crédit* dans cette anthologie, suivant une version qui est dans toutes les librairies. Nous avons donc dû renoncer à citer plus de texte que ce que la loi et l'usage ne nous y autorisaient.

Les passages que nous avions choisis auraient pu s'intituler « Les amours du jeune Ferdinand ». Le premier vient au moment où le héros, tout jeune adolescent, a trouvé enfin une place chez Gorloge, le joaillier. On lui a confié un bijou précieux, le « Çakya-Mouni », qu'il

---

1. L'édition Chambriand, vers 1949, passe pour avoir été « intégrale ».

garde dans une poche fermée par trois épingles doubles. « *Il la perdra pas, qu'ils disaient.* » « Ils », c'est Antoine, le compagnon, Madame Gorloge et Robert, l'apprenti, l'ami de Ferdinand. Le patron est absent pour quelques jours, l'été se prolonge, Antoine et la patronne en profitent. Ferdinand et Robert, cachés, les observent. Tout le monde a beaucoup bu. « *C'était la folie des sens.* » Antoine montre une certaine vigueur dans ses attaques amoureuses. « *Le pantalon en fin volant, il était plus que des loques... [C'était tout mouillé autour... Antoine il venait buter dur en plein dans le poitrail... Chaque fois, ça claquait...] Ils s'agitaient comme des sauvages... [Il pouvait sûrement la crever de la manière qu'il s'élançait...]* »

Dans une scène très célinienne, la frénésie monte au point que Madame Gorloge s'en effraie, et manifeste une certaine lassitude. Antoine n'en a cure : « *Ça va! ça va! ma charogne! boucle ta gueule! [Ouvre ton panier!...] Il l'écoutait pas, il la requinquait [à bout de bite] avec trois grandes baffes dans le buffet... Ça résonnait dur...* » Suit une scène de sodomie où le robuste compagnon a recours à la technique du pot de beurre, vulgarisée par le film *Le Dernier Tango à Paris*. « *Il passe à côté, il se met à farfouiller dans le placard, comme ça à poil, en chaussons... Il cherchait le pot de beurre. Il se cognait [la bite] partout : " Oh! yaya! Ohoh! yaï! ya! " qu'il arrêtait pas de glapir... On en avait mal, nous autres... tellement qu'il était marrant... on en éclatait...* »

Le lendemain, la patronne séduit Ferdinand. [*D'une seule main comme ça en bas, elle me masse...*] « *Je vais le dire à ta maman moi. Oh! là! là! le petit cochon!... Chéri petit cochon!...* »

(On peut remarquer que les raisons qui ont fait supprimer certains passages en 1936 ne sont pas toujours évidentes [2].)

Ferdinand doit faire face comme il peut à un véritable raz-de-marée : « *Elle se redresse, elle m'embrasse encore. [Elle enlève tout... corsage,... corset... liquette... Alors je la vois comme ça toute nue... la chose si volumineuse... ça s'étale partout... C'est trop...] Ça me débecte quand même... Elle m'agrafe par les oreilles... [Elle me force à me courber, à me baisser jusqu'à la nature... Elle me plie fort... elle me met le nez dans un état... C'est éblouissant et ça jute, j'en ai plein mon cou... Elle me fait embrasser... ça a d'abord le goût de poisson et puis comme une gueule d'un chien.]* »

Quand Ferdinand se retrouve seul, sa poche est vide, le « Çakya-Mouni » a disparu, c'était un coup monté. Tout le monde, même Robert peut-être, a conspiré à sa perte. Et qui le croirait? Il se retrouve en Angleterre, expédié à la pension Merrywin pour y apprendre l'anglais. Avec lui traînent une demi-douzaine d'élèves, dont Jongkind, le demeuré. Mais Ferdinand, échaudé, a décidé de ne plus dire un mot.

« *J'étais plus bon pour la parlote... J'avais qu'à me rappeler mes souvenirs... Le gueuloir de la maison!... les limonades à ma mère!... Toutes les vannes qu'on peut vous filer avec des paroles! Merde! Plus pour moi! J'avais mon sac!... J'en étais gavé pour toujours des confidences et des salades... Salut!* »

Pourtant Ferdinand tombe amoureux fou de Madame Merrywin. « *Elle craignait personne pour le charme, je dois avouer qu'elle ensorcelait... Elle me faisait un effet profond.* »... « *C'était pas possible d'y croire tellement que je la trouvais belle...* » Nora Merrywin essaie de le faire parler. « *Sa voix c'était comme le reste, un sortilège de douceur. Ce qui m'occupait dans son anglais c'était la musique, comme ça venait danser autour, au milieu des flammes.* » Mais Ferdinand tient bon : « *Je résistais à tous les charmes. Je répondais rien. Je la laissais passer par devant... Ses miches aussi elles me fascinaient. Elle avait un pot admirable, pas seulement une*

---

2. Aucun exemplaire hors-commerce n'ayant pu être retrouvé, Céline aurait, pour l'édition de 1962, rétabli ces passages de mémoire.

　　　　MORT À CRÉDIT

jolie figure... Un pétard tendu, contenu, pas gros, ni petit, à bloc dans la jupe, une fête musculaire... Ça, c'est du divin, c'est mon instinct... La garce je lui aurais tout mangé, tout dévoré, moi, je le proclame... Je gardais toutes mes tentations. »

L'histoire finit mal. Nora Merrywin se jette dans la Tamise. Est-ce qu'après tout ce n'est pas mieux ainsi? L'approche physique des êtres, la « *possession* », « *l'œuvre de chair* » où Raymonde Machard voit la fusion de deux âmes, le docteur Destouches n'y participe pas, semble-t-il, avec la même extase.

« On peut baiser tout ça. C'est bien agréable de toucher ce moment où la matière devient la vie. On monte jusqu'à la plaine infinie qui s'ouvre devant les hommes. On en fait : ouf! Et ouf! On jouit tant qu'on peut dessus et c'est comme un grand désert [3]*... »*

Les éditions Gallimard de *Mort à crédit* publiées après la guerre de 1939-45 paraissent intégrales.

3. *Voyage au bout de la nuit*, Paris, 1932.

MAURICE HEINE

1884-1940

Confessions et Observations psycho-sexuelles

1 9 3 6

Nous avons déjà parlé de Maurice Heine en citant Sade, comme il se doit; on pourra se reporter en ce qui le concerne au commentaire sur la *Lettre à Martin Quiros*, de Sade, page 683. Pour ces *Confessions et Observations psycho-sexuelles*, qui mieux que Maurice Heine lui-même pourrait les présenter? Nous donnons donc les épigraphes du livre, celle de son Avant-Propos, les deux premières pages de celui-ci (sur seize) et son post-scriptum. Le livre était édité chez Jean Crès.

« ... *On n'imagine pas combien ces tableaux sont nécessaires au développement de l'âme; nous ne sommes encore aussi ignorants dans cette science que par la stupide retenue de ceux qui voulurent écrire sur ces matières : enchaînés par d'absurdes craintes, ils ne nous parlent que de ces puérilités connues de tous les sots, et n'osent, pourtant une main hardie dans le cœur humain, en offrir à nos yeux les gigantesques égarements.* »
« D.-A.-F. DE SADE, *La Nouvelle Justine*, 1797, t. IV, p. 173. »

« *Parmi les prémisses de la psychanalyse, il en est deux qui choquent tout le monde et lui attirent la désapprobation universelle : l'une d'elles se heurte à un préjugé intellectuel, l'autre à un préjugé esthético-moral... Mais ce n'est pas avec des reproches de ce genre qu'on peut supprimer un résultat objectif du travail scientifique.* »
« Sigmund FREUD, *Introduction à la psychanalyse* (1915), trad. par S. Jankélévitch, 1922, pp. 32-34. »

« *De nos jours le monde sexuel, en dépit des sondages entre tous mémorables que, dans l'époque moderne, y auront opérés Sade et Freud, n'a pas, que je sache, cessé d'opposer à notre volonté de pénétration de l'univers son infracassable noyau de nuit.* »
« André BRETON, *Introduction aux Contes bizarres d'Achim d'Arnim*, 1933, p. 24. »

AVANT-PROPOS

« ... *Tout est femme dans ce qu'on aime; l'empire de l'amour ne connaît d'autres bornes que celles du plaisir.* »
« LA METTRIE, *Œuvres philosophiques*, 1774, in-12°, t. III, p. 323. »

1. – UNE COLLECTION DE FAITS.

De recherches entreprises à la Bibliothèque de la Ville de Lyon, dans le fonds Lacassagne que M. le D^r Cl. Roux venait de classer, est issu le projet du présent recueil, sous le même titre qu'il porte aujourd'hui. Tout lecteur sans préjugé se convainc, à fréquenter ce domaine réservé d'habitude au praticien spécialisé, qu'il n'y a pas là moins d'éléments de curiosité, d'intérêt, de passion que dans le roman, genre favori du grand public. A cela rien d'imprévisible, puisque médecins et romanciers étudient nécessairement, quoique à des fins diverses, une seule et même réalité psychologique. Mais on peut se montrer surpris que tant d'éditeurs paraissent indifférents à cette identité foncière et négligent d'en tirer les conséquences. C'est proprement méconnaître la valeur d'observation directe, par où certains textes échappent à la technicité pure pour rejoindre et toucher l'humaine sensibilité. C'est vouloir ignorer la noblesse intrinsèque des faits. C'est nier encore – pour combien de temps ? – que les plus belles histoires soient les histoires vraies.

« Une collection de faits authentiques, souvent fort rares, pour la plupart exposés avec franchise et décrits avec précision, contiendra, sans doute, de quoi justifier l'initiative que l'on prend ici. Aussi bien ces faits se répartissent en deux catégories. Recueillis par le clinicien, rédigés et classés par lui, ils constituent des observations. Avoués par le sujet, racontés et décrits par le patient, ils prennent le titre de confessions. »

« Une remarque ici s'impose : encore que les faits de la première catégorie offrent toutes les garanties possibles d'ordre scientifique, ceux de la seconde, de valeur inégale comme les facultés de leurs narrateurs, n'en capteront pas moins et l'attention du psychologue et la curiosité du lecteur. Les médecins, en dehors même de l'école psychanalytique, ne mésestiment plus le carac-tère irremplaçable de la confession : ainsi leurs questionnaires, plus ou moins systématiques, reviennent à provoquer une sorte de confession dirigée [1]. »

« 15 mars 1935 »

« M. H.

« P. S. – Il est évident que le présent recueil ne saurait illustrer tous les aspects de ce protée : la sexualité dite anormale. On ne prétend à donner ici qu'un premier choix d'exemples : choix nécessairement arbitraire, mais exemples reproduisant sans coupures les documents originaux et que de nouveaux volumes pourront compléter à l'avenir [2]. »

1. Un *Questionnaire psycho-biologique* était mis en pratique, à l'Institut de sexologie de Berlin, par le Dr Magnus Hirschfeld qui a bien voulu nous en confier la traduction française. *(N. de M. Heine).*
2. Il ne semble pas que ces volumes soient parus.

Fétichisme et narcissisme

LOUIS X..., âgé de vingt-six ans, homme de lettres, appartient à une famille riche en manifestations vésaniques, principalement dans la ligne maternelle. Un frère de la mère de l'inculpé s'est suicidé ; on dit que c'est dans un accès de *fièvre chaude* ; il est vraisemblable que l'alcool a joué le plus grand rôle dans cette crise. Un second frère, après avoir souffert de convulsions graves et répétées, dans son enfance, a toujours été considéré comme un déséquilibré, un excentrique, quoique fort instruit et fort intelligent. On cite de lui ce fait assez bizarre : en 1848, étant entré aux Tuileries avec les insurgés, il déroba un petit morceau de drap arraché à un meuble. Mais bientôt, pris de remords, il se rend sans retard sur la tombe de son père, pour se faire pardonner son larcin. Sa mère le tenait pour fou.

Si dans la ligne opposée la tare est moins marquée, il y a, cependant, à noter les habitudes d'intempérance du père de Louis X... Un dernier fait à signaler relativement à cette hérédité : un cousin germain a été interné à l'asile de Ville-Évrard.

Louis X... se présente devant nous en homme de parfaite éducation, habitué au contact d'une société élégante et choisie. Très soigné dans sa mise et l'arrangement de toute sa personne, il donne l'impression d'un raffiné pour tout ce qui est affaire de mode et de toilette.

Chaussé de souliers vernis du plus brillant éclat, il porte un binocle par genre, avoue-t-il, plutôt que par nécessité, car sa vue est suffisamment bonne, et il le remplace par un monocle quand, suivant son expression, il *veut faire de la pose*. Son maintien est calme, ses gestes sont sobres et réservés; sa voix, aux intonations monotones, est douce et peu virile. Grand et svelte, il a la barbe et les cheveux d'un blond ardent. Ses mains sont soignées comme celles d'une femme qui consacre des heures à cet entretien extrêmement minutieux : les ongles sont l'objet d'un culte tout particulier et gardés à une longueur extraordinaire qui serait incompatible avec toute occupation manuelle.

La conformation extérieure du corps n'offre, chez Louis X..., qu'une anomalie de structure, à la partie latérale droite de la région cranio-faciale. En ce point, la tempe et la bosse pariétale sont plus saillantes que du côté opposé, et au-dessous d'elles existe une sorte de sillon antéro-postérieur comme si les parties avaient été évidées par un instrument tranchant. La voûte palatine est ogivale.

Le prévenu a toujours joui d'une santé excellente; mais, de bonne heure, il s'est fait remarquer par les anomalies de son organisation morale. Il a toujours été d'un caractère timide, peu expansif. « Jamais on ne l'a vu rire », nous dit son frère. Aimant la solitude, il passait la plus grande partie de son temps enfermé dans sa chambre. Il montrait un esprit paradoxal, enclin à l'ironie et au dénigrement. Il n'a, d'ailleurs, jamais encouru un reproche grave, soit à la maison paternelle, soit au lycée; sa conduite était régulière, faite de passivité plutôt que du désir de mériter des éloges.

Ses habitudes étaient bizarres; il avait des *manies* dont on souriait. Très méticuleux dans les soins qu'il consacrait à sa toilette, et cela dès douze ou treize ans, il se faisait des onctions sur la figure avec de la pommade et se poudrait ensuite, maniant le miroir à tout instant, comme une femme extrêmement coquette.

A la campagne, il prenait des précautions ridiculement minutieuses pour garantir son teint contre les ardeurs du soleil.

Souvent, son frère l'a trouvé, le matin, immobile dans son lit, dans une posture grotesque, la tête recouverte de linges, afin, disait-il, de ne pas « brûler » son traversin. Mais bientôt apparurent des phénomènes de plus haute importance que ces soins exagérés donnés à sa personne, phénomènes d'ordre génésique dont nous avons pu suivre l'évolution depuis leur éclosion jusqu'à ce jour, grâce aux notes autobiographiques que l'inculpé a rédigées sur notre demande.

Ce fut à l'âge de treize ans que Louis X..., interne au lycée de X..., commença, par imitation, dit-il, à se livrer à la masturbation. Il recherchait les attouchements de ses camarades, et c'était surtout les jours de sortie dans sa famille, où il jouissait d'une liberté plus grande, qu'il s'abandonnait à des pratiques solitaires. Dès cette époque, il ne parvenait, par l'onanisme, au spasme voluptueux que par la *contemplation de chaussures vernies*, contemplation vers laquelle, tout enfant, il était instinctivement porté.

En dehors de la masturbation manuelle, tous les autres procédés onanistiques inspiraient à X... un profond dégoût.

Il arriva ainsi jusqu'à ses dix-sept ans, n'éprouvant pour la femme aucune inclination, aucune sollicitation.

Instruit, studieux, il passa assez brillamment son baccalauréat et commença, aussitôt après, l'étude du droit, sans pouvoir, d'ailleurs, s'y intéresser tant soit peu. Attiré vers la littérature, il prit la résolution de s'y consacrer et d'en faire sa carrière.

Ses premières œuvres eurent un insuccès complet. Une année de service militaire vint, à ce moment, faire diversion à son découragement. C'est à cette époque qu'il tenta, pour la première fois, entraîné par des camarades qui raillaient sa timidité de jeune fille, d'avoir des rapports sexuels.

Le coït le laissant froid, il retourna aussitôt à ses habitudes d'onanisme.

En 1887, son volontariat terminé, X... rentra dans sa famille. Il se remit au travail et, tout en préparant sa licence en droit, il composa deux romans qui passèrent inaperçus. Il se distrayait de ses déboires littéraires en lisant des ouvrages anciens; mais son choix se portait particulièrement sur ceux qui consacrent des descriptions aux aberrations sexuelles, aux rapports contre nature; Martial, Pétrone, Aristophane étaient et sont encore ses auteurs favoris.

A cette époque, il avait alors vingt-deux ans, X... ressentit, pour la première fois, des désirs vagues de pédérastie passive et, un jour, dans l'une de ses promenades au bois de Vincennes, il fut sur le point de les satisfaire. Une circonstance indépendante de sa volonté s'y opposa. Mais, dès ce moment, écrit-il, il avait un grand plaisir à contempler dans la rue les jeunes gens de son âge, surtout lorsqu'ils étaient d'un visage agréable et bien habillés.

Cette question du costume avait beaucoup d'importance à ses yeux, mais son plaisir s'accroissait prodigieusement *lorsqu'ils étaient chaussés de souliers vernis*. Il notait ceux de ces jeunes gens qui l'avaient le plus charmé et, rentré chez lui, il se masturbait en évoquant leur image.

A partir de cette époque commence à se dérouler, pour Louis X..., une suite ininterrompue d'incidents dans lesquels marchent, côte à côte, la culture des lettres et la recherche maladive du plus étrange idéal.

Reçu licencié en droit, X..., pour complaire à sa famille, adressa une demande d'emploi à une grande compagnie d'assurances, et, en l'attente d'une réponse, il déclara aux siens qu'il entrait comme clerc dans une étude d'avoué, quoiqu'il n'eût aucunement l'intention de solliciter de telles fonctions qu'il jugeait fort au-dessous de son mérite. Il était toujours convaincu qu'il ne tarderait pas à se faire une place dans la littérature. Particularité bizarre, pendant quatre ans, il entretint sa famille de cette illusion. Il indiquait l'étude de l'avoué où il disait se rendre chaque jour, et jamais il n'y était allé. Il accumula subterfuges sur subterfuges pour dérouter la vigilance de son frère aîné et de sa mère, leur donnant des détails sur ce qui se passait à l'étude, sur l'aridité de son travail, etc.

Il racontait volontiers aux siens que des pièces composées par lui étaient mises en répétition et qu'il avait traité avec tel ou tel directeur de théâtre.

Chaque jour, il quittait régulièrement son domicile, mais il dépensait le temps de son prétendu stage chez un avoué en pérégrinations variées dans les musées, dans le bois de Meudon où il collectionnait des coléoptères, et principalement dans le bois de Vincennes.

Dans ces courses vagabondes, traversées par des mésaventures diverses, – vols et agressions dont il fut victime – Louis X... poursuivait sans relâche, mais infructueusement toujours, ce qu'il appelle son idéal et dont il fait la peinture suivante :

« J'aurais voulu avoir un ami un peu plus jeune que moi, beau, instruit, élégant – j'ai déjà dit l'importance que le costume avait pour moi. Nous aurions passé ensemble plusieurs heures par jour, en causant littérature, philosophie, etc. Dans les intervalles nous nous serions fait de douces caresses, nous nous serions masturbés. Mais je n'aurais point voulu lui demander de se livrer à la pédérastie avec moi. J'aurais craint que les détails répugnants qu'entraîne cette habitude n'altérassent notre amitié. En revanche, j'aurais voulu être possédé au moins une fois par un autre homme, pour savoir ce que c'était. Aucun de ces rêves ne devait se réaliser. »

Découragé par le peu de succès de ses œuvres littéraires, angoissé par l'appréhension de la découverte imminente de ses mensonges accumulés, troublé profondément par l'irréalisation de ses rêves pédérastiques que contrariaient des incidents plus ou moins burlesques et qui fuyaient devant lui comme un mirage, il rentrait chez lui agacé, mal en train, tourmenté par une céphalalgie frontale tenace.

Il cherchait toujours un moyen d'assouvir la passion qui le dominait, quand, un jour, il imagina de remplacer par une *bille* le membre viril dont il n'avait pu encore percevoir le contact tant désiré. Il acheta, à cette fin, une bille d'un certain calibre; mais, de dimension trop grande, elle le blessa; il en choisit une autre de moindre volume.

Voici comment il procédait à son introduction; nous copions textuellement le passage du mémoire qui relate les diverses phases de cette étrange manœuvre :

« Dans le courant de décembre 1893, j'avais acheté une bille d'une certaine grosseur et j'avais cherché à me l'introduire dans l'anus en l'oignant de vaseline. Puisque je n'ai pas eu le courage de me livrer à un homme, me disais-je, il faut au moins que je sache la sensation que doit me procurer cet acte auquel je pense toujours et que je ne connais pas encore.

« Les genoux pliés, revêtu d'un caleçon de soie rose que j'avais acheté long-temps auparavant, je me plaçais une bille enduite de vaseline devant l'anus. J'avais eu soin de mettre en dessous un petit tampon de vieux linge pour ne point salir mon caleçon. Alors, tout en maintenant la bille de la main gauche, je poussais dessus comme pour la *happer avec mon anus*. De la main droite, je maintenais mon caleçon. A ce moment, je n'étais qu'à moitié en érection. Une fois la bille dans mon anus, le travail préparatoire était terminé; la vraie jouissance allait commen-cer pour moi. Me masturbant de la main droite, je faisais des efforts pour *rendre la bille*. Quand j'y étais arrivé, je me la renfonçais avec la main gauche, et ainsi de suite, six, huit, dix, douze fois.

« J'éprouvais un léger accroissement de plaisir quand j'étais arrivé à m'enfon-cer la bille d'un seul coup, sans déployer d'effort.

« Après avoir cherché à retarder l'éjaculation le plus longtemps possible, je m'y décidais brusquement, après avoir expulsé la bille une dernière fois et en la main-tenant étroitement serrée entre mes fesses.

« Je viens de décrire les faits. Voici maintenant mes sensations pendant l'acte. Elles étaient extrêmement complexes et beaucoup moins claires que pendant mes masturbations des années précédentes. Toutefois, j'éprouvais un plaisir double : 1° D'une part, ces entrées et ces sorties de la bille dans mon anus me donnaient la sensation d'un membre viril accomplissant ce même travail d'entrée et de sortie et ce membre viril, je le rattachais en imagination au corps et à la figure des jeunes gens de 20 à 25 ans, que j'avais rencontrés dans ces derniers temps et qui m'avaient le plus charmé par leur figure, leur costume, leur appa-rence mâle et *leurs bottes vernies*.

« Leurs images m'apparaissaient successivement au nombre de quatre, cinq, six, mais j'avais soin d'en réserver une des plus séduisantes pour finir ma poussée, au moment de l'éjaculation. 2° *Il me semblait que ces jeunes gens avaient avec moi des rapports de pédérastie et me masturbaient en même temps.*

« Au cours de ces dernières années, j'ai été hanté par deux idées : 1° trouver un jeune homme de 18 à 19 ans, qui voulût bien associer sa vie à la mienne *érotiquement* et *intellectuellement*, avec qui j'aurais échangé des masturbations sans pédérastie; 2° trouver un homme d'environ 20 à 25 ans, qui voulût bien me faire savoir ce que c'était que la pédérastie passive. Or, à la fin, la première idée de cet ami qui, chez moi, occupait d'abord presque tous mes rêves érotiques, était passée au second plan et diminuait énormément d'importance au profit de la seconde.

« Tout en recherchant toujours en imagination la beauté du visage et l'élégance du costume, je n'évoquais plus la gracilité de l'éphèbe, mais la virilité de l'homme adulte. »

Ces procédés étranges ne suffisaient pas à X... En quête de nouvelles découvertes à l'effet de surexciter encore sa sensualité pervertie, il se mit à tracer dans les vespasiennes, surtout dans les deux dernières du cours de Vincennes, avec une régularité absolue, une inscription stéréotypée, toujours la même. La phrase commençait invariablement ainsi : « *Je prête mes fesses aux beaux mâles qui ont des bottines vernies* » et se terminait en répugnantes promesses.

En écrivant ces divers mots, toujours identiques, X... entrait en érection, *les yeux attachés sur ses souliers vernis.*

Nous avons déjà signalé le culte fétichiste que Louis X... professe pour les bottes vernies, mais il n'est pas superflu de décrire plus complètement les manifestations de cette obsession.

Dès l'âge de 16 à 17 ans, X... aimait à regarder les jeunes gens, mais principalement ceux qui portaient des bottes vernies.

Dans la rue, au lieu de regarder d'abord la figure, il commençait par jeter les yeux sur les pieds. « La triple concordance, chez un jeune homme, de chaussures vernies, d'un costume élégant et d'un visage agréable me ravissait, écrit-il, et provoquait l'érection. »

Sur les promenades publiques, il prenait plaisir à regarder les bottes brillantes des cavaliers. Il ressentait la plus vive satisfaction sensuelle à contempler les bottes vernies exposées dans les maisons de cordonnerie; il y faisait de longues stations.

Pendant plusieurs années, il s'obligea à de très grands détours, uniquement pour voir celles qui étaient placées dans les vitrines des magasins des boulevards. C'était avec peine qu'il s'arrachait à cette contemplation, source d'une véritable ivresse sensuelle pour lui. Plus elles étaient brillantes, plus il était subjugué; la nuit, il rêvait qu'il en dérobait.

Toutefois, ce ne fut que vers la fin de 1893 que l'attraction acquit toute son intensité. X..., dans son autobiographie, l'annonce avec une certaine solennité. Il désirait ardemment faire l'achat de bottes vernies, mais différentes considérations l'arrêtaient. Son obsession le conduisait vers l'École militaire, où il avait de fréquentes occasions de contempler des bottes vernies. Il guettait la venue des officiers, s'attachait pendant quelques instants à leurs pas, le regard fixé sur leurs bottes.

Finalement, impuissant à satisfaire de cette façon son amour pour les bottes vernies, il se décida à en acheter. Ce fut comme une ivresse de possession : « Je les rapportai chez moi, écrit-il, avec un émoi énorme; le cœur me battait avec violence. Je m'enfermai dans ma chambre pour jouir à mon aise de mon acquisition. Je mis mes bottes par-dessus mon caleçon rose. Mon excitation génitale était à son comble. « *Enfin! je les ai* », me répétais-je.

« Le soir, en me couchant, je plaçai mes bottes sur ma table de nuit, bien exposées à la lumière de ma lampe; je ne pouvais en détacher mes regards, et mon enthousiasme sensuel me maintenait constamment en érection.

« Le lendemain matin, je les contemplai longtemps encore avant de me décider à sortir. Depuis ce moment, tous les jours, je tirais mes bottes du carton où elles étaient placées et je les regardais longuement! »

X... a pour ses chaussures des soins attentifs et jaloux, pourrait-on dire. Un jour, la bonne, en faisant la chambre, les avait déplacées. Il en ressentit une vive contrariété et, à partir de ce moment, il eut toujours soin de les placer dans un meuble dont il gardait la clef.

Chaque jour, c'est une jouissance pour lui de les retirer de cette armoire, de les considérer; il les essuie avec des soins infinis, ne néglige rien pour les rendre plus brillantes encore. Après cela, il les dépose en pleine lumière, dans l'embrasure d'une fenêtre, pour jouir de tout leur éclat. Il les admire; il est fasciné par cette vue qui l'exalte jusqu'au spasme voluptueux.

X... qui avait jusque-là hésité à sortir avec ses bottes, prend – avec quel émoi! – la résolution de se promener au bois de Vincennes avec ses chaussures vernies. «Je sortis, en costume de cheval, raconte-t-il dans ses notes, avec mes bottes vernies. Sûrement, me disais-je, il m'arrivera, dans ce costume, d'être remarqué, *désiré*, soit par l'homme adulte, soit par le jeune homme dont je rêvais depuis si longtemps... Et justement, ce jour-là, rien, absolument rien! Je rentrai extrêmement surexcité... Je ne pus dîner... Cependant, dans la rue, beaucoup de personnes s'étaient retournées pour regarder mes bottes. Mais, comme ces personnes n'étaient point telles que je les eusse désirées, cela ne m'a fait aucun plaisir.

« En outre, je constate, une fois rentré, que, malgré les précautions que j'ai prises pour marcher, une des mes bottes a, en travers du pied, une légère craquelure... Cela m'attriste comme la vue d'une première ride sur le visage d'un être aimé.

« Dorénavant, je les garderai chez moi. »

La vue des bottes vernies ne produit pas, seule, chez X..., l'éréthisme, l'orgasme génital. Leur odeur, à un moindre degré toutefois, éveille la même excitation. Il les flaire; leur parfum lui est extrêmement agréable.

Le contact a aussi un grand attrait et lui procure des *sensations exquises*. Le matin, dans son lit, il les presse contre ses cuisses, tout en s'efforçant de modérer son ardeur, comme s'il avait peur *de leur faire du mal*.

De ses *relations avec ses bottes vernies*, X... trace le tableau suivant, dont l'obscénité, si révoltante qu'elle puisse être en elle-même, ne saurait faire oublier, pourtant, qu'on se trouve ici en présence des manifestations d'une obsession pathologique : « Je mets mon caleçon rose et mes bottes. Je monte sur deux chaises, les jambes écartées, et j'entr'ouvre légèrement la porte de mon armoire à glace, pour m'y voir par derrière, grâce à la réflexion de la glace de la cheminée. Tout en me masturbant, je tiens mes regards obstinément attachés sur mes fesses, sur mes cuisses et surtout sur mes bottes. A ce moment, je voudrais pouvoir m'aimer moi-même, me livrer à des attouchements sur mon corps, dont je vois l'image dans la glace. La vue de mes bottes en est arrivée à me surexciter assez pour que je puisse me dispenser, le plus souvent, de l'introduction de la bille dans l'anus. Mon but est de projeter le jet de sperme dans l'ouverture de l'une des deux bottes, et quand j'y parviens, c'est le paroxysme de la jouissance. D'autres fois, sur le point d'éjaculer, je me frotte les fesses, les cuisses et l'anus avec une de mes bottes, tandis que je contemple avec obstination, sur l'autre botte, la lumière qui s'y réfléchit; mais, presque toujours, je les place chacune sur une chaise, près de la fenêtre, inclinées de telle manière qu'elles brillent le plus possible, et, placé à une certaine distance, je cherche, comme je le disais, à les atteindre avec le jet de sperme. Cette opération, dans la jouissance excessive qu'elle me procure, me donne une sensation de triomphe, de victoire, quand la liqueur séminale vient frapper mes bottes. »

En juin dernier, X... crut enfin toucher à la réalisation tant désirée de la pédérastie passive. Il rencontra au bois de Vincennes un jeune bicycliste qui lui plut... Interprétant mal l'allure de cet inconnu, il s'imagine qu'il lui fait des avances. Ses désirs s'enflamment, son cœur bat avec force. Son émotion est intense. Il a vu le jeune homme jeter les yeux sur ses bottes vernies; plus de doute, il le désire autant que lui-même souhaite ses caresses : au paroxysme de l'excitation, il exhibe ses organes génitaux; mais sa déception fut grande quand il vit le jeune homme s'éloigner indifférent.

Le seul résultat de la démonstration de X... fut de provoquer l'indignation d'un cantonnier qui le fit arrêter.

Il est incontestable que la conduite du prévenu plaide contre lui et lui donne, au premier abord du moins, l'apparence d'un vicieux tourmenté par de honteux appétits. Faut-il donc le considérer comme un vulgaire sodomiste bien peu digne de pitié et désigné d'avance à la rigueur des lois? Telle n'est pas notre opinion, et il est du devoir du médecin d'analyser ce qui se trouve en réalité, sous de telles apparences.

Arrivé à un certain âge, l'homme sent s'éveiller en lui des instincts qui le poussent à se rapprocher de la femme et à chercher dans cette union intime des sexes, des jouissances où s'entretient la perpétuation de l'espèce. Au lieu de ces relations hétérosexuelles, X..., en véritable inverti-né, n'est sollicité, depuis son enfance, que pour des rapports contre nature et à forme exclusive de pédérastie passive, la pédérastie active n'ayant, pour lui, aucun attrait. De plus, il est *hanté d'un type idéal*, sans lequel ses appétits homosexuels s'éteignent, type idéal vers lequel tout son être morbide est tendu, qu'il cherche éperdument, sans jamais le rencontrer. S'il croit parfois l'avoir trouvé, il est bien vite désabusé, et pendant ces dernières années, surtout, son existence n'a été qu'une longue série de décevantes illusions. Seules, *ses bottes vernies* ne lui ont donné aucun mécompte et toujours elles ont déterminé cette excitation génitale que la vue, le contact d'une femme ne parviennent pas à provoquer chez lui.

On est fondé à dire que l'onanisme de X... n'est pas l'onanisme habituel. Le masturbateur vulgaire atteint au paroxysme voluptueux par des procédés matériels auxquels il adjoint fréquemment une excitation psychique faite de représentations mentales érotiques qui sollicitent l'orgasme génital.

Mais que l'excitation du sens génésique ne soit possible que par l'intervention d'un objet : tablier blanc, mouchoir, bonnet de nuit, clous de souliers, nattes de cheveux, *bottes vernies*, ce n'est plus là qu'une forme bien nette d'obsession morbide qui ne peut se manifester que chez un dégénéré, chez un malade en pleine déviation psycho-physiologique, allant, ici, jusqu'à l'inversion du sens génital. Louis X..., héréditaire, offre dans son individualité morale des étrangetés, des anomalies, qu'on ne rencontre que chez les malades frappés de dégénérescence, et quoi de plus singulier que cette conception d'après laquelle la pédérastie, l'onanisme et la littérature constituent une *trilogie* sans laquelle X... ne voit pas de bonheur complet!

Une telle conception n'a pu naître que dans un cerveau malade, aux aberrations multiples d'où découlent des impulsions irrésistibles.

De ce long exposé, nous nous croyons autorisés à dégager les conclusions suivantes :

1° X... est atteint de dégénérescence mentale héréditaire avec inversion du sens génital, obsessions et impulsions morbides très actives.

2° L'acte reproché à X... étant sous l'étroite dépendance de ses impulsions pathologiques basées sur son inversion génitale, il ne paraît pas possible de lui en demander compte.

3° Le trouble moral résultant de pareilles obsessions est tel qu'il lui enlève la libre possession de lui-même. En conséquence, il y a lieu, dans l'intérêt tant de l'inculpé lui-même que de l'ordre public, de le mettre à la disposition de l'autorité administrative, aux fins de son placement dans un asile d'aliénés.

Paris, 12 août 1894.

Signé : Paul GARNIER. LEGRAS.

Conformément aux conclusions de ce rapport, X... a bénéficié d'une ordonnance de non-lieu et a été dirigé sur une maison de santé.

ROBERT BRASILLACH

1909-1945

Comme le temps passe

1937

La description de la nuit de Tolède figure dans toutes les anthologies de l'éro- tisme littéraire; ce n'est pas une raison pour nous en passer.

CE FUT la dernière nuit qui fut la nuit de Tolède.

Ils étaient couchés dans l'ombre; la fenêtre ouverte à demi sur la ruelle étroite envahie par la lune à son zénith. Peut-être avaient-ils voulu s'endormir, ce soir, dans les rues poussiéreuses, face à la Castille dévorée de lumière. De longues minutes, ils n'avaient rien dit, étendus côte à côte, immobiles, les yeux fermés, attendant le sommeil et communiquant seulement par leur chaleur. René songeait à ce corps qui près de lui sommeillait peut-être, ce corps de son amie et de sa femme, qu'il commençait seulement de connaître un peu, et qui lui était promis pour l'éternité. Il se souleva un peu sur un coude, regarda Florence qui frémit, mais n'ouvrit pas les yeux. Doucement, il posa sa tête au creux de son épaule, remua comme l'enfant qui veut dormir, soupira, puis resta immobile. Déjà, elle sentait sur elle ce poids de l'homme qu'elle chérissait, cette grosse tête contre son épaule et sa tête, à la naissance des cheveux. Il faisait tiède dans la chambre où longtemps encore ils ne bougèrent pas, approchés l'un de l'autre. Déjà il passait son bras par-dessus son corps, simplement pour la mieux sentir, pour être plus près d'elle, et déjà elle tournait sa tête vers lui, et sentait sa joue tout près de ses lèvres. Il leur semblait que réellement ils s'éveillaient, et leurs yeux cependant demeuraient fermés. Ils surgissaient lentement du sommeil, et tout à l'heure en effet ils seraient parfaitement lucides et attentifs l'un et l'autre, mais pour l'instant, encore engourdis, ils regardaient en eux-mêmes l'image qu'ils composaient, jeunes amants embrassés déjà étroitement, mais chastes, séparés par un peu de sommeil et un peu de linge, et unis seulement par la chaleur. Bientôt, ils s'éveillent tout à fait, ouvrent les yeux, regardent dans la chambre la clarté pâle qui éclaire les montants de la fenêtre, l'alcarazas posé sur le balcon, au-dehors un pan de muraille, au-dedans le lit assez étroit. Il est tout près de son oreille, tout près de ses cheveux parfumés, et il ouvre les yeux à l'ombre de cette chevelure, et du bout de ses lèvres il touche cette oreille, et lui murmure son nom :

« Florence. »

Elle s'est rapprochée de lui, et entre ses genoux il tient maintenant un genou rond, dont il connaît la couleur de pierre de lune, un genou poli comme un caillou dans le torrent, frais et doux, et il n'a pas besoin de le voir pour en reconnaître aussitôt la forme unique, avec ce creux à l'est et à l'ouest de la rotule, comme dans un paysage nocturne et merveilleux. Elle se sent prisonnière elle-même d'autres genoux un peu durs, qu'elle a vus dans son enfance meurtris de coups, salis par la poussière et rayés par les cicatrices, ces genoux d'enfant; de l'enfant son compagnon qui est maintenant dans cette couche ce jeune homme son mari. A travers ce vêtement léger qu'elle porte, il sent son corps chaud et mince, et déjà commence de sa main gauche à caresser son dos, lentement. Elle perçoit le mouvement de chaque doigt, sur cette part d'elle-même presque lointaine, presque insensible, et elle remue la tête de droite à gauche, sur l'oreiller léger, comme si elle disait non. Mais elle ne dit pas non, elle poursuit seulement son rêve, et songe qu'elle est en barque, et continue à sentir la caresse imprécise de cette main d'homme, de cette paume contre ses côtes, et de ces doigts au pli de sa hanche. Savent-ils, l'un et l'autre, si le sommeil ne va pas les reprendre à l'instant, s'ils ne vont pas se délier de cette fragile union, et repartir pour leurs songes incommunicables, après cette sorte d'au revoir gracieux et tiède sur la terre ferme, cet embrassement d'enfants qui vont se quitter, quand déjà clapote au pied de l'appontement l'eau sous la barque? Ils n'ont aucun dessein défini, mais ils sont là dans la pénombre, les yeux maintenant ouverts. La lune pour René dessine, éclaire ce visage encore un peu rond comme le visage même de l'enfance, ces cheveux bouclés sur le front, et délimite, hors de cette face de femme, presque un visage de page florentin, avec un nez droit, des yeux profonds, et quelque sourire ironique. Pour elle, la lumière indique, à demi enfoui, à demi invisible, de courts cheveux drus, un visage de garçon brun, un menton foncé par la nuit, des joues où se devine encore aussi l'enfance, et déjà sous les paupières deux coups d'ongle imperceptibles, sauf à elle. Leurs pieds se touchent, se frôlent doucement, leurs pieds qui à l'extrémité même du corps, indépendants et invisibles, sont aussi adroits pour se comprendre et aussi souples, semble-t-il, que des mains. Et tout le long de leur corps, par ce qui se touche et par ce qui ne se touche pas, ils se devinent, s'accompagnent dans leurs accords, leurs retraits, leur parallèle allongement. Son bras droit à lui s'engourdit sous le poids de son torse. C'est pour le soulager que tout à l'heure il s'est soulevé un peu pour poser sa tête sur l'épaule de Florence. Mais déjà il sent courir sous sa peau mille fourmis, et il se soulève encore sur un coude et fait jaillir son bras tout entier hors du lit. Déjà il a rejeté un peu le drap loin de leurs torses livrés à la relative fraîcheur. C'est à son tour à elle de fermer les yeux, sous son regard, car il la regarde, hissé au-dessus d'elle, appuyé sur ses deux poignets, comme ils regardent un instant toutes les femmes, ces jeunes hommes penchés dans un lit au-dessus d'une proie amicale et consentante. Il soupire pourtant, rejette en arrière ses cheveux noirs, sourit à l'invisible. Puis il la tire par les mains, la secoue comme il la secouait enfant, commence une fraternelle bataille. Elle laisse pencher en arrière sa tête alourdie, toujours les yeux fermés, se soulève un peu sur les épaules et les jambes pendant qu'il la dévêt, qu'il se dévêt doucement. Ils se font face, couchés sur le côté, lui sur le côté droit, elle sur le côté gauche, suivant leur habitude déjà inconsciente, ils se font face et se touchent désormais de tout leur corps, les draps ramenés un instant au-dessus de leurs épaules, respirant le parfum même de leur peau, et l'un l'autre déjà caressant doucement ses versants de leur corps, pareils à des collines dans la nuit. Elle s'est encore rapprochée de lui, et elle est là, immobile bientôt les pieds strictement joints, sentant de ses genoux ses genoux, de son ventre son ventre, de ses seins sa poitrine à lui, et, la tête un peu plus basse, elle appuie ses lèvres sur la grosse artère du cou, qui bat. Il la tient maintenant dans ses bras, les mains unies au creux de ses reins, et il sent comme lui toute la fraîcheur et toute la tiédeur à la fois de ce jeune corps de femme, en cet instant qui domine les futures décrépitudes et la future mort, en cet instant de jeunesse inattaquable qui leur appartient pour l'éternité, quoi qu'il advienne. De son épaule gauche il appuie lentement contre son épaule droite à elle, elle se sent poussée, comme est poussée la barque sous le flot et sous le vent, elle se livre au vertige insensible. Il a dénoué ses propres mains derrière le dos, prend appui sur son genou. Le voici qui la tient allongée sous lui, et il est seulement un peu appuyé sur les avant-bras pour ne l'écraser point, et exactement elle allonge ses jambes sous les siennes, et tous deux l'un au-dessus de l'autre et immobiles, ils goûtent cet instant miraculeux de leur jeunesse et de l'amour, l'instant où s'éveille et se parfait le désir, avant même la caresse, l'instant où elle ne sent d'autre plaisir que le poids de ce jeune corps d'homme sur son corps à elle, un peu étouffée, un peu privée de respiration, mais la gorge saisie d'une si délicieuse angoisse qu'elle ne céderait rien au monde pour cela. Et lui-même, genoux unis sur les genoux, il pèse de son poids qu'il essaie d'alléger sur cette chair si douce. Il ne pense pas à autre chose qu'à cette douceur, douceur de pêche et de satin du ventre, douceur de l'agate polie, douceur de la perle et de la pierre de lune des seins. Ils sont nus l'un contre l'autre, l'un pesant sur l'autre, nus comme aux premiers jours du monde, dans l'innocence du jardin, pendant qu'au-dehors la nuit espagnole rayonne sur la ville, et dans des centaines d'autres chambres sans doute, ici même, et dans des millions d'autres chambres par le monde, d'autres jeunes couples sont à ce même instant de l'immobilité dans le désir. Il caresse ses épaules rondes, il caresse son cou, il courbe le torse un peu plus, et pose ses lèvres sur les siennes. Il s'étonnera toujours de la fraîcheur de la bouche de Florence, comme elle s'étonnera de l'ardeur de sa bouche à lui. Il lui a pris la tête entre ses mains, comme une coupe, comme un fruit et il hausse cette tête vers la sienne, appuie sa bouche fermée contre cette bouche fermée. Longtemps, ils restent ainsi, respirant peu, et il commence d'ouvrir avec précaution ces lèvres fraîches. Elle cède vite, elle ne veut point attendre, mais frémit seulement de la tête aux pieds, et ouvre les yeux sur ce visage proche, dont les yeux rient tout près des siens. Elle mord un peu, mais doucement, ces grosses lèvres charnues, pour avoir le plaisir de les tenir comme elle tiendrait un fruit rouge, et puis il reprend sa caresse imprévisible, caresse son palais, ses gencives dures, écrase contre sa bouche la petite bouche de sa femme et de son amie. Parfois, il la quitte, ou elle-même se secoue de lui et ils reprennent haleine et cherchent un peu d'air, mais aussitôt ils se rapprochent, cherchant le goût l'un de l'autre dans ce baiser lent, qui alternativement écrase et laisse libres leurs bouches, pareilles à deux fleurs de mer qui se mêlent par leur cœur et par leurs pétales. En même temps ne bouge pas encore leur corps exactement parallèle, exactement allongé l'un sur l'autre, elle plus petite et ses durs genoux au-dessus des siens. Pourtant, bientôt, il se détache un peu d'elle, abandonne cette bouche et se laisse glisser un peu sur le côté pendant que de ses jambes il l'emprisonne. Ce n'est pas qu'il veuille encore la prendre, elle ne le voudrait pas non plus. Mais il se courbe, après l'avoir un instant regardée, à la clarté de la lune, petite morte encore agitée de tressaillements étendue sous lui et prisonnière de ses genoux comme une cavale. Il commence, de ses lèvres et de sa langue, à caresser doucement la naissance du cou, où bat une artère, le creux frais où s'attachent les tendons, les seins enfin. Elle tressaille encore, plus fortement, ouvre la bouche comme si elle se noyait. Cette caresse, pourtant, elle la connaît, elle l'attendait, mais elle la remplit toujours d'une émotion insoutenable, et elle ignore vraiment le désir tant qu'elle ne l'a pas subie. Alors en elle, sous ce léger passage des lèvres sur sa chair, s'éveille comme une envie de pleurer, un énervement, une suffocation exquises. Lui-même, ressent-il quelque plaisir? S'il avait le cœur de raisonner en ces instants, il ne saurait que répondre. Ce plaisir qu'il éprouve à caresser d'aussi fermes contours, ce jeune sein durci, et cette peau transparente, presque aussi transparente et aussi dure qu'une mince pellicule de nacre, il se mêle si étroitement au plaisir plus subtil de faire plaisir qu'il ne sait pas les distinguer l'un et l'autre. Il a toujours aimé à donner le plaisir, et parfois un peu plus qu'à le subir. Tandis que de sa bouche il s'attarde encore autour de ce sein, de sa main il caresse un ventre tiède qui tressaille, une longue jambe, le pli de l'aine, et il n'ouvre plus les yeux, mais longuement il fait frissonner ce corps soumis à lui, il y éveille un cri muet, presque une douleur, une joie diffuse ou précise. Lui-même, il s'oublierait volontiers, si c'était s'oublier que s'abîmer dans tel abîme de soin et d'orgueil, et de faire si exactement attention à susciter le plaisir de l'autre. Elle ose à peine le toucher. Au début, elle n'osait jamais toucher ce dur corps de garçon, tendu contre elle, dans une besogne, qu'elle subissait avec une joie violente, mais à laquelle elle aurait eu presque honte de participer. Maintenant, elle a à peu près pris cette habitude de le sentir contre elle, de supporter ce poids miraculeux. En elle-même, elle s'étonne encore de sentir si délicates des mains qu'elle aurait crues rudes, de découvrir la douceur d'un torse d'homme, d'un dos d'homme, et avec sa main, ses petits doigts maladroits et rapides, elle donne des coups hasardeux, avance sa paume, frissonne à la sentir heurter une épaule, un bras – mais lui-même ne sent rien, et elle ne sait même pas si elle le caresse, et la respiration déjà brève et coupée, elle se livre merveilleusement à sa joie. Un instant encore il se laisse glisser sur le côté, l'enserre fortement dans ses bras, une main repliée autour de son épaule, l'autre contre son flanc, un genou remonté au-dessous de sa hanche. Puis ils se retournent ensemble encore, comme deux nageurs, elle le hisse au-dessus d'elle, et il s'appuie sur ses coudes et il la regarde. Voici qu'il se laisse glisser au long d'elle, qu'il appuie sa tête contre son ventre, pendant qu'elle tremble, les bras repliés sous sa tête. Il aime à rester immobile ainsi, sur ce profond et chaud coussin, ouvrant les yeux, contemplant au nord et au sud de lui-même ce paysage merveilleux qu'est un corps de femme, cette planète insolite, et la courbe de ces collines de chair tendre, et les fuseaux des longues jambes pâles, et appuyant sa bouche avec ferveur sur ce ventre qui tressaille, se joignant de la sorte à cet ombilic comme l'enfant avant de naître. Elle aime à son tour sentir contre elle-même, au plus près de sa chair, et avant l'orage même du désir, ce poids presque enfantin, presque puéril, cette tête dont elle devine au toucher les cheveux, le nez, les yeux, dont battent les cils contre son ventre, et elle approche sa main, et de sa main elle appuie la tête contre elle-même, et elle n'a pas besoin d'ouvrir les yeux pour la contempler. Elle est étendue, ils sont étendus sur le lit entièrement découvert, baigné par la clarté de la lune, lui plus brun, elle plus blanche, mais nacrés tous deux, poudrés d'une lumière ocellée et impalpable, et à la même heure sans doute, fenêtres ouvertes ou fermées, dans des pièces chaudes ou froides, de par le monde, des couches pareilles, également dévastées, reçoivent le beau poids de jeunes couples pareils, blancs et bruns, enlacés dans l'ombre ou dans la lumière. De ses mains, sans bouger la tête, il caresse ces longues cuisses, ces genoux, il tient contre lui, entre ses jambes, ces pieds frais et petits, il hausse ses paumes pour caresser au-dessus de lui, encore une fois les seins ronds, la gorge un peu creusée, pour écouter battre, si vite déjà, ce cœur prisonnier. Puis il commence, de sa langue et de ses lèvres, à toucher doucement, à petits coups, cette chair de lune, à suivre lentement ses contours, à descendre, au long du pli de l'aine, au long de cette hanche, vers le centre même de ce corps déjà envahi par le trouble et tendu et amolli tour à tour. Il se redresse, assis sur les talons, le contemple de haut au-dessous de lui comme une bête morte ou soumise, s'aperçoit lui-même dans l'ombre, le dos tourné à la lune, corps de jeune homme debout devant sa proie, avec ses poignets encore minces, l'attache visible de ses épaules, enfant qui se souvient encore d'avoir été un enfant et qui déjà pourtant est un homme qui a obtenu son désir et sa compagne. D'en bas, elle vient d'ouvrir les yeux, et le contemple, elle aussi, si près d'elle, et si loin. Abandonnée de son poids, elle se sent froide dans la nuit. Elle gémit un peu, tend la main vers lui, le touche au-dessus du genou, la laisse retomber. Elle le regarde, elle le regarde, et halète presque, et voudrait sans jamais cesser le regarder, ce garçon dressé au-dessus d'elle, comme lui-même contemple sa petite femelle tiède et immobile, et tous deux savent qu'ils sont baignés dans la même clarté lunaire et le même désir, qu'ils ont envie de leur corps, et qu'ils l'aiment, et qu'il va bien falloir céder à la tentation merveilleuse, mais ils n'aiment rien tant que cette halte souveraine au sommet du temps, lui debout et elle couchée, et se regardant, mais elle ferme les yeux, elle ne le voit point qui penche son corps comme un arbre sous le vent, qui s'appuie sur le coude et défend ses jambes soudain. Elle sent seulement tout près de son oreille ses genoux maintenant, et ses bras sont autour de son ventre, et ils la soulèvent comme un poids, et elle sent contre ses hanches son torse dur. Elle hoche la tête de droite à gauche, dans ce non du plaisir qui veut dire oui, elle touche de ses lèvres, à petits coups, les genoux du jeune homme, sans même le sentir, sans même savoir ce qu'elle fait, et elle gémit déjà. Comment la caresse-t-il? Elle ne sait plus, elle ne sent à travers tout son corps qu'une sorte de brûlure extraordinaire et elle-même ne pourrait bouger, ne pourrait donner de plaisir, et elle se contente d'embrasser ces genoux, ces jambes, et déjà il est revenu au-dessus d'elle, et ce sont ses lèvres qu'elle touche, et lui-même commence d'oublier cette jeune femme étendue sous lui, pour ne plus sentir que le sang qui bat à ses tempes, et devenir prisonnier de cet orage où il s'avance aveugle, ne distinguant plus rien de lui-même ni d'elle, nouveau corps formé de deux corps qui s'embrassent. Pourtant, il s'est soulevé sur ses coudes encore, exactement, attentif à ne pas s'appuyer trop lourdement sur elle, et de son genou, il a séparé les siens à elle, et elle s'est laissé faire. Elle gémit sous ce poids dont elle pourrait, les yeux désormais clos, décrire exactement les formes, elle se sent proche d'être prise, et elle halète, et elle voudrait s'oublier et l'oublier, et ne faire qu'un avec lui, et elle le serre de ses bras devenus durs et elle tord ses mains liées, au-dessus de sa taille et de son buste. Lui-même il gronde un peu, et il se tend, et il lutte contre cet envahissement d'un feu indescriptible, et de temps à autre, il reprend haleine au-dessus d'elle, pour ralentir le plaisir, pour rester encore dans ce domaine terrible de l'attente, dont il souffre et dont il est heureux à la fois. Et pourtant, il sait bien que cette union qu'ils ont commencée n'est pas complète, et que le bonheur ne viendra que de la manière la plus simple. Il pèse un peu plus sur elle, songe un instant à s'étonner, au milieu des pensées les plus minces et les plus difficiles à accorder, que son ventre à elle soit si frais encore, et il s'appuie de ses genoux sur le lit, et commence, doucement, lentement, la respiration coupée et le cœur battant (il l'entend battre, son propre cœur, il l'entend sonner contre ses côtes), à la prendre. Beauté de la machine bien construite, bien huilée, beauté de ces ressorts et de ces engrenages qui s'épousent d'une manière si exacte. Comme elle est chaude et douce et humide cette femme où il s'enfonce, non point seulement d'une partie de son corps, mais de son corps tout entier, lui semble-t-il, tel le nageur qui plonge dans l'eau tiède, et quelle caresse que cette douceur chaude et quelle tiédeur l'enveloppe ! Elle a ouvert la bouche pour crier, mais n'a pas crié, il a fermé les lèvres pour mordre une épaule, mais n'a pas mordu. Il demeure immobile dix siècles, tendu merveilleusement, appuyé sur ses genoux et sur ses coudes, mais soutenant, soulevant par le milieu même de son corps, cette femme accrochée à lui, pendante de lui comme une viande d'un croc, et morte et vivante à la fois. Et elle-même, écrasée sous ce poids d'homme, écartelée sur sa couche, elle a en elle une dilatation suffocante, et du centre d'elle même, si brûlant, irradie une douleur miraculeuse, et elle est comblée comme la blessure par le poignard, comme la bouche d'enfant par le sein, comme le flacon par son liège gonflé, comme la machine par son piston exact, comme s'ajustent et tournent les deux pièces du gond, comme se ferme autour du nageur la mer. Elle ne sait plus si elle gémit ou si elle est silencieuse, si elle se contracte ou elle se laisse aller, si elle se ferme ou elle s'ouvre, elle se sent parfaitement emplie, et pressée, et comblée, et de cette chair partent de grandes ondes de chaleur et de froid, sur un rythme égal, et elle souffre et elle a plaisir à la fois. Et lui, les yeux toujours fermés, toujours attentif à ne pas glisser d'elle, il la supporte toujours au-dessus de l'espace, au-dessus d'un monde des nuées et des mers, il la tient dans un ciel vertigineux, et elle lui pèse merveilleusement, et il se tend et se gonfle et se sent aussi dur et aussi brûlant que la barre de fer au plein milieu du brasier de la forge. Pourtant déjà, elle ne lui suffit plus, cette immobilité. Il commence à aller et venir en elle. Elle se met en mouvement la machinerie précieuse et compliquée, la grande horloge de l'homme et de la femme, où les cœurs précipités battent les secondes, et rien au monde, à l'un ou à l'autre, ne pourrait alors leur faire prononcer une parole, tandis qu'elle se sent soulevée et se soulève, tandis qu'ils appuient et relâchent leur contact, qu'ils avancent et fuient, lentement d'abord, et plus vite, ainsi que sur les rails luisant dans la gare commence à s'ébranler la locomotive du rapide. Il a cherché sa bouche, et de la pointe de la langue d'abord, entre ses lèvres à elle, il imite ce mouvement de tout son corps. Mais bientôt, elle détourne la tête, et d'ailleurs il n'en peut plus, et n'a pas assez de pouvoir sur lui-même pour alimenter ainsi deux foyers d'ardeur sans céder trop vite à la dévorante approche du plaisir. Déjà, il le sent monter en lui, s'affermit encore sur son genou. Elle gémit, et elle aussi a senti que leur plaisir commun était proche, et cette seule pensée l'en rapproche encore, et elle le rattrape d'un bond, comme le coureur son camarade et son rival. Alors s'avance l'orage. Au creux des reins de chacun d'eux, au milieu de leur corps, dans l'ombre, entre leurs jambes, on dirait que s'entrouvent, que s'éveillent et se débouchent mille canaux, un peu partout, qu'un fleuve sourd, comme rejaillissent de la terre les filets d'eau aux alentours des sources, et ils deviennent attentifs, et elle commence à crier, à remuer sa tête, à poser sur son visage d'enfant la plus grande expression de souffrance d'un être humain, et pourtant montent en elle ce tremblement, cette peur, cette chose étrange parente de l'éternuement et des larmes qu'on appelle la volupté. Déjà il se sent comme le paralytique qui perd l'usage de la moitié de son corps : voici que la moitié de son corps est prise, atteinte de cette légère douleur qui va devenir affreuse, et que ses muscles mènent une vie indépendante de la sienne, et la maladie monte et gagne, et il va certainement suffoquer, et tous les canaux sont ouverts dans cette plante qu'est son corps, où bouillonne la sève. Elle brûle et il brûle, et il fouaille cette chair et bute, au plus loin qu'il s'avance, et elle se sent déchirée et prise à pleines mains. Ils sont huilés tout entiers comme des lutteurs, baignés dans la sueur même de la nuit, combattants d'un élément liquide, et le moteur fait de deux corps bat sa mesure vertigineuse, et approche la fin. Alors elle crie, d'un cri long, et se contracte, et ne sait plus ce qui se passe en elle, et veut le fuir et le garder. Et lui-même, terriblement contracté, il laisse aller sa tête sur l'épaule, il serre ses lèvres, il se mord et suffoque, et tout au sommet de sa tension et de son élan, il défaille, et se laisse aller. Voici que sa douleur si bien cachée en lui, sa douleur du centre de son corps, et de ses reins et de ses jambes, elle s'est amassée à la pointe de lui-même, et il l'expulse avec un souffle d'agonie, et il se vide de sa sève, et elle crie toujours, et ils ont chaud, et ils font deux ou trois mouvements spasmodiques, comme l'insecte assommé qui va mourir dans la seconde, et tous ses membres sont détendus, brisés, aussi sûrement que si on lui avait coupé les nerfs et les tendons, et elle le sent qui tombe au-dessus d'elle, qui se laisse noyer, lâche et mou comme un pantin de son. Et déjà le silence s'est établi.

Il a glissé à côté d'elle, sans la quitter encore tout à fait, attendant que s'éloigne d'eux la foudre admirable.

Et puis, il la quitte, il s'allonge comme elle s'allonge, et ils sont immobiles maintenant, et ils reposent.

S'est accomplie l'union. Ce n'est pas la première fois, et ils auront d'autres unions, et celle-ci ne se distingue pas en apparence des précédentes et des suivantes, et peut-être d'autres plaisirs qu'ils prendront ensemble seront-ils plus savants et longs. Mais peu importe, si aujourd'hui, dans cette confusion de blessés et de meurtris qui suit la volupté, ils sentent qu'ils ont accompli, sans qu'ils sachent pourquoi, un de ces miracles indescriptibles qui sont le chef-d'œuvre de la vie : et aujourd'hui, c'était le chef-d'œuvre de l'union.

HENRY DE MONTHERLANT

1896-1972

Pitié pour les femmes

1937

Nous voici de nouveau vers les confins de la lecture érotique. Montherlant, son goût de la volupté pour elle-même (« *tu as joui, j'ai joui, nous sommes quittes* »), sa sexualité à triple face (les garçons, les filles, les animaux), ne pouvait être absent bien sûr de l'ensemble de ce travail. Mais où et comment a-t-il tenté de communiquer son trouble au lecteur autrement qu'en l'analysant? Lui *non plus* n'a pas laissé de textes « *dont la sensation est la fin* ». J'avais en mémoire certaines pages du *Songe* (1922), de *La Petite Infante de Castille*. Bizarrement, j'écartais obstinément de mon esprit la série des *Jeunes Filles*, dont la lecture vers quinze ans avait été incontestablement troublante, génératrice d'images et de sensations. Quelle part avaient dans ce trouble les idées, « *peut-être plus excitantes qu'un instrument, et même que la beauté d'un corps*[1] »? Difficile à dire, et probablement pas tellement important ici. Non que jamais j'aie pu m'identifier au Montherlant ou au Costals de *Pitié pour les femmes*. L'*écart absolu* où l'un et l'autre se tenaient par rapport à ces créatures qui étaient proprement pour moi le sel de la terre m'inspirait plutôt un amusement mêlé d'un vague mépris, surtout en ce qui concerne Costals. J'admirais, j'admire toujours, Montherlant. Mais *La Petite Infante de Castille, Aux fontaines du désir* me paraissaient les témoignages de l'approche d'un domaine où leur auteur – le pauvre – n'avait pas su pénétrer tout à fait, et je l'en plaignais avec la condescendance de mon âge. Quand un jour, j'avais vingt ans, Montherlant, dont j'étais devenu un peu l'éditeur, m'écrivit que tout cela n'était plus pour lui que les vestiges d'une crise devenue à ses yeux inexplicable, j'en fus d'autant plus ébranlé que moi-même je n'étais plus trop sûr de rien.

J'ai relu *Les Jeunes Filles*. Andrée Haquebaut et Solange Dandillot ne me troublent plus autant, mais je trouve que c'est un excellent roman, d'une facture originale, et qui ne porte aujourd'hui sa date de 1937 que comme *Les Liaisons dangereuses* portent celle de 1782, à la manière des meubles de style.

---

1. Cette citation et la précédente renvoient à la notice sur *L'Amant de Lady Chatterley*, page 727. La première est tirée des *Carnets* de Montherlant.

N'EST-CE PAS, j'ai été bien bête avec vous? dit Andrée. Si les hommes savaient comme les femmes peuvent être bêtes, ils les plaindraient au lieu de les déchirer.

— Les femmes ne cessent de réclamer jusqu'à ce qu'on leur ait donné quelque chose. Mais on peut leur donner n'importe quoi. Par exemple, cette pitié. D'ailleurs les hommes vous la donnent, mais sans s'en rendre compte. Ils appellent amour leur pitié. En gros, ce qui relie l'homme à la femme, c'est la pitié beaucoup plus que l'amour. Comment ne plaindrait-on pas une femme, quand on voit ce que c'est? On ne plaint pas un vieillard : il est au terme de sa courbe, il a eu son heure. On ne plaint pas un enfant : son impuissance est d'un instant, tout l'avenir lui appartient. Mais une femme, qui est parvenue à son maximum, au point suprême de son développement, et qui est ça! Jamais la femme ne se fût imaginée l'égale de l'homme, si l'homme ne lui avait dit qu'elle l'était, par « gentillesse ».

— Quelquefois, paraît-il, cette pitié se change en désir.

— Bien entendu. Tout se change en tout. Ce qu'on appelle « amour », « haine », « indifférence », « pitié », ce ne sont que certains moments d'un même sentiment. Et, que la pitié ne soit jamais qu'un moment de quelque chose, Dieu merci. Elle nous annihilerait. Il faudrait n'échapper à la servitude de l'amour, que pour tomber dans la servitude de la pitié! On fait faire n'importe quoi aux gens, en excitant leur pitié. Savez-vous qu'ils en meurent? Savez-vous qu'on peut mourir de sa pitié? Aussi tout ce qui a été fait par pitié tourne-t-il mal, sauf peut-être ce qui a été fait par pitié pour la supériorité, mais cette pitié-là ne court pas les rues. La moitié des mariages maudits sont des mariages où l'un des deux a épousé par pitié. A la guerre, quand j'étais blessé, les civils dans les gares, plus ils me plaignaient, plus je les méprisais. Je sentais que leur pitié les mettait tellement à ma merci! J'aurais pu leur faire signer des chèques, détourner leurs filles, tout ce que j'aurais voulu, et cela sans mérite, sans avoir joué le jeu. C'était répugnant. Cependant il y a là un parti à prendre, et il me semble qu'aujourd'hui, si je convoitais d'autres biens de ce monde que ceux que j'ai, j'aurais moins de goût à les acquérir en exploitant la bêtise ou la vanité ou la cupidité de mes semblables, qu'en exploitant leur pitié.

Par la fenêtre ouverte, un papillon entra et (négligeant Andrée) fit son vol autour de Costals, comme s'il désirait d'être caressé. Mais il n'est pas facile de caresser un papillon.

— Je commence à comprendre, dit Andrée lentement. Vous n'avez jamais eu pour moi que de la pitié. Vous n'avez jamais pour les femmes que du désir, de l'agacement et de la pitié, – pas d'amour. Vous vous arrogez le droit d'avoir de la pitié pour les femmes! Savez-vous que vous êtes ridiculement XIXe siècle? Les femmes « malheureuses »! Michelet! Ah non! pas de votre pitié! Assez de pavés de l'ours! N'en jetez plus! Les femmes n'ont pas besoin de votre pitié! Assez de pavés de l'ours! N'en jetez plus! Les femmes n'ont pas besoin de votre pitié. C'est vous qui êtes à plaindre.

— Pourquoi? Parce que je ne vous aime pas?

— Parce que vous n'aimez personne. Vous n'avez pas de femme, pas d'enfant, pas de foyer, pas de but dans la vie, pas de foi. Et on dirait que c'est parce que vous en avez honte que vous venez vous serrer contre ceux qui aiment — que vous les rappelez auprès de vous, — comme si vous étiez des leurs. Et vous n'en êtes pas, non! non! Un lépreux, voilà ce que vous êtes.

— Oui, c'est bien ce que je vous disais : parce que je ne vous aime pas. Enfin, Andrée Hacquebaut, regardez-moi sans rire : est-ce que j'ai la tête d'un homme malheureux?

— C'est un masque, une grimace.

— La grimace des littérateurs est de vouloir passer pour malheureux. Ils se font tous la tête de Pascal. « L'inquiétude pascalienne de M. Tartempion. » Deux recettes sûres pour entrer à l'Académie : un livre sur Racine, et un livre sur Pascal.

— Vous me l'avez avoué, vous ne vous souvenez pas? « Je mens toujours. »

— Je me souviens très bien. Je vous ai dit cela pour vous donner une idée fausse de moi. Et d'ailleurs, ce que je vous dis et rien! C'est dans leur œuvre qu'il faut chercher les hommes de mon espèce; non dans ce qu'ils racontent.

— Il n'y a qu'à voir votre photo dans *La Vie des Lettres* de cette semaine pour savoir que vous n'êtes pas heureux.

— Il n'y a qu'à voir ma photo dans *La Vie des Lettres* de cette semaine pour savoir que le photographe de *La Vie des Lettres* m'avait dérangé et m'embêtait. Allons, ma chère, vous êtes en plein dans la réaction 227 *bis*.

— Je ne tiens pas à savoir ce qu'est la réaction 227 *bis*. Comme ça doit être encore quelque chose de désagréable... — Qu'est-ce que vous avez voulu dire?

— Vous allez voir, c'est très gentil. Vous savez sans doute que, sous un choc donné, toutes les femmes réagissent de la même façon. Il n'y a pas de mystère chez les femmes. Les hommes leur ont fait croire qu'il y avait en elles du mystère, à la fois par galanterie, et pour les amorcer, parce qu'ils les désirent. Et les femmes, bien entendu, ont marché, et même en ont remis. Cela se passe toujours ainsi : au premier abord, une assemblée de femmes, comme on les voit dire toutes les mêmes choses, rire toutes des mêmes choses, etc. On a le sentiment qu'elles forment une matière interchangeable. Puis, si on fait connaissance de l'une d'elles, avec des sentiments un peu vifs, elle vous apparaît très différente des autres, les autres ne vous apprenant rien sur elle, elle est pour vous une énigme, et reste telle tant que vous ne l'avez pas conquise; car c'est le désir qui fait croire tout cela. Une fois conquise, bientôt elle vous apparaît de nouveau semblable aux autres. On voit qu'en réalité toutes les réactions des femmes sont automatiques, peuvent être prévues d'avance; elles peuvent être prévues d'avance; elles peuvent être classées, et c'est ce que j'ai fait : je leur ai donné des numéros d'ordre. La réaction 227 *bis* est la réaction, toute classique, par laquelle une femme, parce qu'elle est malheureuse, veut convaincre l'homme qu'elle aime que lui aussi il est malheureux. Non seulement parce qu'elle veut le consoler, être « maternelle », mais parce qu'elle est exaspérée de voir que l'homme est heureux, et heureux sans tirer son bonheur d'elle. D'ailleurs les hommes, eux aussi, ont souvent la réaction 227 *bis*, mais chez eux elle ne naît que de l'envie. Enfin presque tous les catholiques, hommes ou femmes, ont eux aussi cette réaction : vouloir prouver aux mécréants qu'ils sont désespérés. Dans cet ordre, la réaction porte alors le numéro 79 CC. CC veut dire « Catholique-Croyant », par opposition aux catholiques qui ne croient pas.

– Je ne sais ce que les femmes vous ont fait pour que vous en parliez ainsi. Elles ont dû vous faire rudement souffrir. Ah oui! c'est vrai, il ne faut pas dire ça! C'est la réaction 227 *bis*! Allez, un jour, vous serez débarrassé des femmes. J'ai souvent songé à comment vous serez quand vous serez vieux. Eh bien, vous ne serez pas beau. Je pourrais dire quelles seront vos rides : j'en vois déjà les premières traces, comme les légers coups de crayon par quoi débute l'esquisse d'un peintre. C'est vrai, vous avez au front des rides que vous n'aviez pas il y a trois mois...

Il se mit à rire, charmé de sa naïve effronterie, et se sentant un peu attiré vers elle. Il hésitait lequel mettre en action, des différents lui-même. Après tout, il aurait bien « pris » Andrée, si Solange n'avait été là. « Elle a une nuque qui n'est pas si mal. Mais est-ce assez? *L'envers vaut l'endroit*, disent les petits tailleurs. Tout de même! » Pour la première fois il avait une sorte d'envie d'elle, peut-être surtout à cause de ses cernes. Peut-être aussi parce qu'elle le dégoûtait : « les charmes de l'horreur n'enivrent que les forts ». Il voyait, sur la table, une mouche rester immobile depuis trois minutes sur la cendre et les bouts de mégots du cendrier avec apparemment autant de jouissance que sur de la confiture, si saoule de cendre qu'on eût pu la saisir avec les doigts : ainsi pour lui-même, tout cela était égal. Ce croc-en-jambe donné à tous ses sentiments et à toute sa politique à l'égard de la jeune fille, depuis cinq ans, ç'aurait été drôle. Il ne la haïssait pas, elle lui était indifférente, avec une nuance de sympathie, et de cette indifférence pouvait sortir n'importe quoi. Il lui était égal de la rendre folle de joie : pourquoi pas? Elle l'avait bien mérité. Il lui était égal de la rendre folle de douleur : elle l'avait bien mérité. Il était aussi raisonnable de la faire souffrir, pour compenser tout le bien injustifié qu'il lui avait fait, que de la rendre heureuse, pour compenser tout le mal injustifié qu'il lui avait fait. Et enfin, était-il besoin de faire quelque chose de raisonnable? Tout lui était facile, et à l'instant même, comme tout lui était facile, et à l'instant, quand il était à sa table de travail, devant la page blanche. L'inhumanité de Costals ne venait pas de ce qu'il ne pût ressentir des sentiments humains, mais, au contraire, de ce qu'il pût les ressentir tous indifféremment, à volonté, comme s'il ne fallait pour chacun d'eux que presser le bouton approprié. L'arbitraire sans limite qui régente les vies humaines, les uns cherchent à lutter contre, les autres n'en ont pas même conscience.

Costals en avait conscience, et, plutôt que d'en souffrir, il préférait l'adorer. Car tout en lui était gouverné par cette pensée : quand le monde offre tant de motifs de joie, souffrir est le fait d'un imbécile (la souffrance, qui se paye en cette vie, et qui n'est pas payée dans l'autre). Après avoir souffert quelques années du déclin de la France, il s'était décidé à aimer ce déclin, meilleure façon de n'en pas souffrir (le patriotisme, n'étant pas un sentiment inné, peut se perdre comme il s'acquiert). Il avait agi de même avec l'injustice sociale, et, généralement parlant, avec toute l'existence du mal. « Si je devais souffrir du mal, ma vie serait un supplice, donc une sottise. Alors, aimons-le, lui aussi. »

Il balança quelques instants s'il ne donnerait pas à la jeune fille un rendez-vous pour le lendemain, où il la satisferait. Mais, le mouvement qu'il avait eu pour elle, le retrouverait-il ? Soudain, la phrase ridicule d'Andrée lui revint : « Vous ne savez pas ce que c'est que la volonté d'une femme », et la question à l'instant fut réglée ; il y avait à cela toutes les raisons qu'il avait depuis cinq ans de ne pas la prendre, mais il y avait en outre que, avec cette phrase, et d'autres du même genre, elle l'avait buté. Cependant il ne sentait plus en lui ce goût de la torturer : une scène de mélodrame – « chat jouant avec une souris » – le rebutait décidément par son côté facile et vulgaire. Il décida donc d'en finir sans s'attarder.

— Pardonnez-moi cette parenthèse. Il est cinq heures et demie. Je vous préviens qu'à six heures ma propriétaire vient ici. Si vous avez quelque chose de particulier à me dire...

— Mais n'est-ce pas vous, Costals, qui avez quelque chose à me dire ?

— Moi ? Que vous dire ?

Il vit le visage d'Andrée, en une seconde, durcir, devenir semblable au visage que prennent les femmes, tout à l'heure piaffantes avec leurs sauvages colliers, quand le commissaire de police leur notifie qu'il ne peut pas les laisser repartir. Son Génie lui toucha l'épaule : « Ne sois pas méchant ! – Si, si ! Pourquoi non ? Puisque je serai bon, tout à l'heure, avec l'autre. – Et avec celle-ci ? – Eh bien, une autre fois. »

— Votre attitude à mon égard est une offense chronique, et il y a des moments où je me demande comment j'ai pu la supporter...

— Moi aussi, je me le suis souvent demandé. Mais ce que les femmes peuvent supporter d'un homme !...

— Bien sûr, quand elles aiment. Et vous, vous ne songez qu'à abuser de votre pouvoir. La vie d'un homme comme vous est affreuse. Monstrueuse.

— Un écrivain digne de ce nom est toujours un monstre.

— Abuser de certains êtres, et frustrer les autres. Jamais dans le rythme des autres. Et tuer sans cesse tout dans l'œuf. Votre vie est une série d'avortements, ceux qu'il y a en vous, et ceux que vous imposez à autrui. Avez-vous oublié ce que vous m'écriviez jadis : « Faire souffrir les femmes, c'est trop facile. Je laisse ça aux gigolos » ?

— Ce jadis est très ancien. C'est le temps où vous m'écriviez vous-même : « Une jeune fille ne se lasse jamais la première de l'amour platonique. » D'ailleurs, vous êtes une fille assez intelligente pour qu'on puisse vous faire souffrir. Vous pouvez jouer avec votre souffrance.

— Non, non, ne croyez pas ça ! Je ne suis pas assez intelligente.

— Souffrir quand on aime, n'est-ce pas une façon de bonheur ? Et encore : votre souffrance, si elle passait, ne vous manquerait-elle pas ?

— Vous en parlez à votre aise !

— Je ne sais pas, ce sont de ces choses que les femmes disent.

Maintenant elle avait peur de lui, une peur d'animal, peur comme on a peur d'un fou avec lequel on est enfermé, et dans le regard duquel on vient de voir une lueur assassine. Et elle cherchait avec désarroi à l'amadouer.

— Ne faites pas le méchant, Costals, je vous en prie, vous qui ne l'êtes pas naturellement, qui vous forcez pour l'être. (Elle cherchait à lui persuader qu'il était bon, comme il y avait d'autres femmes qui cherchaient à lui persuader qu'il était « chrétien malgré lui ».) Mon crime est-il de vous avoir aimé ?

— Mais oui.

— Mais non ! dit-elle, avec force. Ne vous vengez donc pas de je ne sais quoi, vous qui n'avez pas souffert de moi, quand moi j'ai tant souffert de vous. Mes colères n'étaient que de la souffrance transposée. Je souffrais d'elles comme je souffrais de mes bouderies, — de ces bouderies dont vous ne vous aperceviez même pas ! Ne détruisez pas cette lamentable paix si péniblement acquise, par trois mois de luttes et de larmes. Je vous ai dit autrefois : « Plutôt que votre silence et mon incertitude, assénez-moi de ces coups qui seuls peuvent me donner la force de vous échapper. » Maintenant je vous dis : « Non, de grâce, ne m'assénez pas de ces coups. » Que perdrai-je de vous, si vous n'êtes même pas bon pour moi ?

Costals n'éprouvait aucun plaisir à ce qu'elle eût peur de lui. Tout ce qu'il voulait, c'était pouvoir la faire souffrir avec la conscience tranquille.

— Vous avez reconnu l'autre jour que votre amour n'était pas d'une qualité bien fameuse, puisque vous préfériez votre bonheur au mien. Pour une fois, préférez mon bonheur. Laissez-moi vous faire souffrir. J'aimerai en vous le mal que je vous fais. Ainsi je me retrouverai en vous, et vous aimerai. Vous m'avez donné pendant cinq ans le plaisir de ma résistance, donnez-moi maintenant celui de ma cruauté. Les femmes ne veulent jamais savoir tout ce qu'il entre de mensonge, de calcul, de lassitude, de charité dans l'amour qu'un homme leur témoigne. Avec moi vous le saurez. Et c'est bon pour vous, ça ! Ça vous fait connaître la vie.

Voyez-vous, ce qu'il faut, c'est ne pas laisser la vie se figer. La vie est toujours bonne pour quelqu'un de viril.

— Mais qui vous a dit que j'étais virile? Est-ce mon affaire, à moi, d'être virile? Je suis femme, femme, et femme, sapristi!

— Les femmes ont d'ailleurs un moyen sûr de s'empêcher de souffrir.

— Lequel?

— Se regarder dans la glace, quand elles souffrent. Tout de suite elles changeront de figure. Vous avez aussi une autre recette pour faire cesser automatiquement votre souffrance. C'est de vous représenter ce que vous serez dans cinq ans. Vous savez bien que dans cinq ans vous ne m'aimerez plus, et que toute cette histoire vous apparaîtra comme nous apparaissent les nouvelles dans la rubrique « Il y a cent ans » de certains journaux : une risible plaisanterie. Une dune accourt, qui recouvre l'autre. Identifiez-vous à l'Andrée Hacquebaut de trente-cinq ans, c'est une affaire d'imagination.

Elle allait répondre – éclater, – mais une sorte de mille-pattes déboucha sur la table, et s'y promena, la canne à la main. Elle avait horreur de ces bêtes.

— Tuez cette affreuse bête!

— Pourquoi? Elle ne m'a rien fait.

— Et moi, vous ai-je fait quelque chose?

Sous un journal, elle écrasa la bestiole. Il lui jeta un regard mauvais.

— Vous me fatiguez beaucoup, Mademoiselle Hacquebaut. J'étais l'autre jour dans une cuisine, avec une petite fille qui me rendait heureux. Étant heureux, j'ai souhaité que vous le fussiez vous aussi, et c'est pourquoi je vous ai écrit. Hier, vous êtes venue à neuf heures et demie du soir cogner à ma porte comme un charretier. J'étais avec cette même petite fille : tout avait été combiné pour que je la rende femme ce soir-là. Vous avez démantibulé tout cela. Cependant, puisque vous étiez venue pour moi, j'ai voulu que vous ne l'ayez pas fait en vain, et je vous ai donné ce rendez-vous. Nous aurions eu une heure et demie pleine pour causer gentiment, si vous ne vous étiez pas arrangée pour arriver un quart d'heure en retard. Maintenant, je ne sais pas où vous voulez en venir.

— Que cherchez-vous? Cherchez-vous à m'écœurer jusqu'à ce que je vous laisse tranquille? Alors c'est pour cela que vous m'avez fait revenir! Pour me raconter vos saletés avec une fille de cuisine! D'abord, je l'ai toujours dit, vous ne savez pas aimer dans l'égalité…

— Je n'aime pas dans l'égalité parce que, dans la femme, c'est l'enfant que je cherche. Je ne puis avoir ni désir ni tendresse pour une femme qui ne me rappelle pas l'enfant.

— Avec ça, on finit en correctionnelle comme satyre.

— Le satyrisme n'est que l'exagération de la masculinité.

— Et c'est ça, aussi, votre « bienveillance », cette bienveillance dont vous me parliez dans votre lettre! Cette sorte de guet-apens moral que vous m'avez tendu ici, préparé comme vous préparez tout... Enfin, oui ou non, êtes-vous sorti de votre repos pour m'écrire : « Occasion. A profiter »?

— C'était une plaisanterie.

— Quand Néron vient de se jeter sur un de ses familiers, pour le poignarder, et qu'il l'a raté, il rit, et dit que c'était une plaisanterie.

— Oh, Dieu! Si nous en sommes à Néron! soupira-t-il, excédé, appuyant les doigts sur l'une de ses paupières. Qu'est-ce que vous voulez, ce n'est pas de ma faute si j'aime plaisanter. La vie devient une chose délicieuse, aussitôt qu'on commence à ne plus la prendre au sérieux. Mais vous êtes toutes les mêmes; vous croyez toujours que je ne plaisante pas quand je plaisante, et que je plaisante quand je ne plaisante pas.

— Avouez-le donc, vous vouliez suivre minute par minute l'effet de vos savantes tortures, regarder mes sentiments et mes pensées se débattre en moi comme vous regarderiez s'entredévorer des fourmis ou des habitants de la lune, vous tenant prudemment hors du débat, ayant horreur d'y être incorporé. Vous aimez me garder à portée de votre main, comme un chef cannibale son blanc de choix, pour s'en couper de temps en temps une tranche... Ah! elle est belle, votre pitié pour les femmes! Qu'est-ce que ça serait si vous n'en aviez pas! La pitié qu'on a pour le canard au moment où on lui coupe le cou.

— Je reconnais qu'à l'occasion j'ai un peu fait le charlatan avec vous. Mais rien de pareil en ce moment-ci. Tout à l'heure, oui, j'ai voulu vous faire souffrir, et je vous ai même demandé de me le permettre. Mais pas en ce moment. J'ai beaucoup de sympathie pour vous.

Elle vit alors une chose qui lui parut extraordinaire. Elle vit dans les yeux de Costals se former une expression profonde et grave, et ce mot de « fraternel », que jadis elle aimait tant prononcer en pensant à lui, monta à ses lèvres, comme le seul qui pût rendre ce qu'elle ressentait en cet instant-là. Mais rapidement cette expression s'évanouit.

— Croyez-vous que je pourrais être généreux avec vous? lui demanda-t-il, voulant lui donner une fausse espérance.

— Je ne peux plus croire ni en vous ni en rien de ce qui vient de vous. Vous m'avez trompée, trop égarée volontairement. Oh! les hommes! Ces gouffres d'horreur et de mystère et d'incohérence en face des femmes qui, elles, même les moins bêtes et les moins aimantes, ne savent qu'aimer, ne savent que passer leur vie à rendre le bien pour le mal!

— Peut-être qu'on ne leur en demande pas tant. Quant à l'incohérence des hommes... Les hommes sont plus incohérents que les femmes, parce qu'ils sont plus intelligents.

— Laissez-moi donc tranquille avec votre intelligence! Je vous dis seulement : si vous avez pour moi la moindre petite goutte de sympathie, comme vous le prétendez, alors, sauvez-moi. Sauvez-moi, Costals. Ce n'est rien pour vous, et pour moi c'est la vie même. Et il faut bien que je vive, enfin!

Elle était à quelques centimètres de lui, et elle avait clos les paupières. Elle demeura ainsi les paupières closes, à la façon de quelqu'un qui attend un coup, — l'air un peu fantôme, avec ses grands yeux caves, et toute brûlante d'abandon. On n'entendait que le petit cliquetis des pattes des moineaux sur la verrière. Ensuite, comme Costals restait silencieux (et bien qu'elle ne l'eût pas vu lever les sourcils quand elle dit : « Il faut bien que je vive », comme s'il pensait : « Est-ce si utile? »), elle s'éloigna de quelques pas, le visage baissé, en prononçant drôlement : « Je vous demande pardon. Il m'est entré une poussière dans l'œil. » Elle se tourna contre le mur, tamponna ses yeux avec son mouchoir, en silence (pas de reniflements). Costals attendit qu'elle eût fini de pleurer, et il lui parut que cela se prolongeait beaucoup. « Il est encore temps, se disait-il. Un mot, et je la rends folle de bonheur. » Mais il ne parla pas, et elle revint vers la table. Alors il fit un pas vers elle. Soudain son regard tomba sur la main droite d'Andrée, et il vit ce qu'il n'avait pas encore vu : tandis que tous ses ongles étaient très longs, taillés en pointe, l'ongle du médius de la main droite était coupé ras. Ses yeux se relevèrent, se portèrent sur les cernes de la jeune fille, et il battit des paupières, sous la bouffée de désir qui montait en lui. Mais il était trop tard.

— Vous vous êtes cassé l'ongle?

— Oh non! dit-elle, ce n'est rien. Et elle ferma vivement le doigt. Sa tête était baissée.

— Allez-vous-en, ma petite. Je crois que nous sommes au bout de ce que nous avions à nous dire.

Il pensa qu'elle était peut-être armée et allait le tuer, ou tout au moins peut-être le gifler, et afin d'être à même de faire dévier son geste, il se rapprocha encore d'elle, exactement comme les toreros modernes se collent au flanc du taureau, afin d'être « à l'intérieur » du coup de corne. Elle releva la tête, parut surprise, et elle le fixait sans bouger, de son regard meurtri. Lui, cependant, il se rendait compte qu'elle ne cherchait pas à le tuer, qu'elle n'en avait même pas l'idée, et il se disait : « Ces Françaises, tout de même! »

— Costals, je ne vous verrai sans doute jamais plus. Je vous demande de répondre à une seule question : est-ce que vous êtes inconscient?

— Moi, inconscient? Vous en avez de bonnes. Si j'étais inconscient, je ne serais pas coupable.

— Que signifie cela? Faut-il comprendre que vous *voulez* être coupable?

Sans lui répondre, il la prit doucement par le bras, et, ayant ouvert la porte, lui fit faire ainsi les quelques pas qui les séparaient de la porte du jardinet donnant sur l'avenue. (Il y avait devant eux un nuage en forme d'aile.) « Est-ce que je vais la baiser sur le front, avant de la jeter dehors? » A ce geste il n'y avait pas plus de raisons *pour* que de raisons *contre*. La sonnerie de la porte était dérangée depuis longtemps : en principe, elle ne devait pas sonner lorsque la porte était ouverte de l'intérieur; en fait, une fois sur deux, elle sonnait. « Si la sonnerie se déclenche, je l'embrasse. » Il ouvrit la porte. Silence. Des pépiements d'oiseaux, tressant un treillis de chants au-dessus de leurs têtes. Elle sortit.

Il ferma la porte. Il eut l'intuition qu'elle allait revenir, frapper, qu'il allait se passer quelque chose. Il n'en fut rien : il n'avait jamais eu de chance avec ses intuitions. Revenu dans l'atelier, il écouta un moment encore, puis monta vers le columbarium.

— Eh bien, ma petite fille, que pensez-vous de tout cela?

Solange était toujours debout dans le colombier, derrière la tenture, dans l'attitude même où elle était demeurée pour tendre l'oreille. Et elle regardait Costals avec des yeux incertains et injectés. Elle avait aussi le sang aux pommettes, comme lorsqu'il rallumait l'électricité, après l'avoir couverte de baisers durant des heures (son visage un peu tuméfié par les baisers), alors qu'il ne l'avait baisée aujourd'hui que trois ou quatre fois, il y avait une heure et demie. Et ses cheveux autour d'elle étaient fous, parce que ce matin-là elle ne les avait pas mouillés.

— Eh bien, redemanda-t-il, que pensez-vous de cette petite scène? Une vraie parade de foire, hé?

— Je voudrais ne l'avoir pas vue. Quand vous m'avez fait lire des lettres de cette femme, j'ai eu pitié d'elle. Mais maintenant que j'ai vu cela, plus aucune pitié.

Quand il lui avait fait lire quelques lettres d'Andrée, elle avait été choquée de ce qu'elle jugeait de sa part un geste peu délicat, bien qu'il ne lui eût pas révélé le nom de sa correspondante. Elle le lui avait dit. Il avait répliqué : « J'écarte le chapeau. — Expliquez-vous. — On vous expliquera ça quand vous serez grande [1]. » Maintenant encore elle était choquée, par une obscure solidarité de sexe, qu'il l'eût rendue témoin de l'humiliation de cette sœur. Mais telle était sa confiance, qu'à aucun moment elle ne se demanda : « Sera-t-il ainsi, un jour, avec moi? »

— Cela fait du bien, de vous revoir. De voir une femme qui est toujours dans

---

1. « Pour en revenir aux manières du comte de Guiche, le secrétaire m'ajouta que, se trouvant un soir au jeu de la Reine, où il y a cercle, les princesses et les duchesses étant assises autour de la Reine, alors que les autres personnes restent debout, le comte sentit que la main d'une dame, son amie, était occupée dans un endroit qu'il convient de taire par modestie et qu'il couvrait avec son chapeau; observant que la dame tournait la tête, il leva malicieusement son chapeau. Tous les assistants s'étant mis à rire et à chuchoter, je vous laisse à penser comment la pauvrette demeura confuse...

« Il faisait chaque jour de pareilles trahisons aux dames, et cependant elles ne cessaient de le rechercher... » (Primi Visconti : *Mémoires de la Cour de Louis XIV*).

le domaine des réalités. C'est vrai, vous êtes une des rares femmes que j'ai connues, qui ne soit pas folle. Les littérateurs attirent les folles, comme un bout de viande faisandée attire les mouches. Nous bénéficions de toutes les solitudes, de tous les refoulements : elles en veulent pour leurs rêves! Vous êtes l'exception qui confirme la règle, et je vous aime en tant qu'exception.

– Mais, aussi, pourquoi leur répondez-vous?

– Qu'est-ce que vous voulez! Quand je vois des mouches sur un morceau de viande, je me dis : « Il faut bien que tout le monde mange. »

Il l'avait prise dans ses bras, humait le chaud et frais de son visage, coulait une de ses mains à même son épaule, sous la bretelle de sa combinaison (c'était un terrible causeur de bretelles : il les faisait sauter rien qu'en les regardant), affamé de rentrer enfin dans quelque chose dont il avait le désir, et avec la même fougue que s'il la retrouvait après une longue absence; et c'était vrai qu'il revenait d'un pays lointain, de l'enfer des êtres qui ne lui plaisaient pas. Et on eût dit qu'allaient lui échapper de ces petits jappements étranglés qu'ont les chiens délirants de joie au retour de leur bon ou mauvais maître. Il lui dit :

– Je vous apporte ma méchanceté, toute chaude. Cette méchanceté est ma tendresse pour vous; c'est la même chose. Gentil? Méchant? C'est la même chose. Comme on se désaltère avec une cigarette quand on a soif. L'eau vous rafraîchirait, et la cigarette vous brûle, mais c'est la même chose. Ne cherchez pas à comprendre. Vous avez vu cette fille? Il y en a comme cela plein, plein, en pagaye! Ce sont toutes les femmes que j'ai refusées, parce qu'elles ne me plaisaient pas. Cela ne vaut qu'une noyade à la Carrier. Et c'est d'ailleurs comme cela que ça finit : rrrop... je tire la trappe, t'as le bonsoir d'Alfred. Sans image, ce qu'il faudrait maintenant, c'est qu'elle se tue, pour que j'en sois *vraiment* débarrassé. Je vous ai montré cela pour vous montrer ce qui arrive à ce que je n'aime pas. Voilà une fille qui est sortie de rien, qui s'est élevée toute seule, dans les pires conditions, qui est cultivée, sensible, intelligente, pleine de génie, et qui m'aime depuis cinq ans. Si on met en balance ses mérites à mon égard et les vôtres, les vôtres sont nuls. Seulement je ne l'aime pas. Je ne lui ai jamais rien donné, jamais donné un baiser, jamais tenu la main. Parce que je ne l'aime pas. Vous cependant, vous paraissez, vous me plaisez : je vous donne tout. Mon attention, ma tendresse, ma force sexuelle, mon intelligence. Souvenez-vous de cela, si un jour vous avez à vous plaindre de moi, et sûrement ce jour viendra. Vous avez tout eu sans raison. Aucune raison pour que je vous aie tout donné, à vous plutôt qu'à d'autres, aucune raison pour cette préférence et cette partialité. Où ai-je lu ce vers qui me trotte toujours dans la tête quand je pense à vous?

Je ne sais pas pourquoi je t'ai choisie.

« Qu'est-ce que vous êtes? Vous êtes une petite comme les autres, une goutte de rosée sur la prairie. Vous auriez pu avoir toutes les « qualités négatives » du monde, croyez-vous que cela m'aurait arrêté? Il vous fallait plaire, et vous n'y êtes pour rien. Prise presque au hasard. Ainsi va la vie, de hasard en hasard. Pourquoi ceci plutôt que cela? *En réalité*, il n'y a pas de raison, ou celle qu'il y a est si peu de chose! A vous, tout; les autres, ceinture. On est là dans une profonde injustice, et c'est pourquoi je m'y complais. Ce n'est pas que je n'aime aussi la justice; je les préfère l'une et l'autre tour à tour. Il fallait que cela vous fût dit. Vous savez d'ailleurs que j'aime vous dire des choses désagréables. Cela fait partie de mon amour pour vous. »

Elle écoutait sans trop comprendre, avec un certain ahurissement, bien compréhensible. Mais elle était d'un milieu où on pensait des écrivains : « C'est un littérateur. Il ne faut donc pas prendre au sérieux ce qu'il dit. » Lui, il était content qu'elle ne répondît pas, car, quoi qu'elle eût répondu, c'eût été sans doute autre chose que sa pensée à lui. Il dit encore :

– Combien de choses ne sont pas vous! L'univers de la connaissance. L'univers de la souffrance. L'univers de la justice. L'univers de la responsabilité. Vous ne les soupçonnez même pas. Et moi je ne les soupçonne que par éclairs. Une fusée s'élève, les illumine un instant, puis ils rentrent dans la nuit. Ma nuit.

« Cependant je m'occupe de vous, je vous donne de ma substance, il m'arrive de vous parler comme si je parlais à un monde inconnu. Combien de paroles ont atteint leur but? Que de balles perdues? Ai-je raison? Ai-je tort? Une petite fille. Une petite-bourgeoise parisienne de vingt ans. Il y a en a qui disent : « Voilà de quoi vous vous occupez! Quand les classes sociales… quand les peuples… quand les empires… Vous n'avez pas honte! » Et d'autres disent : « Cette seule petite âme là compte autant que l'âme d'un peuple. Toute la souffrance créée dans le monde par la guerre ne pèse pas plus que ne pèseraient les larmes de cette enfançonne. S'il n'y avait rien d'autre dans votre vie, que de l'avoir traitée avec amour, vous auriez rempli votre rôle humain ici-bas, vous auriez labouré la petite parcelle humaine qui a été dévolue à chacun de nous. » De ces deux opinions, laquelle est la bonne? Question toujours vulgaire et vicieuse. Elles le sont toutes les deux. Il faut entrer dans l'une, et la vider complètement, puis entrer dans l'autre, et la vider de même. Ce ne sont jamais que deux faces d'une vérité. Les personnes qui ont une plume élégante écrivent que la vérité est un diamant; ce qu'on oublie toujours de considérer, c'est sur combien de faces est taillé ce diamant. Et maintenant, silence! Ne me répondez pas. Vous n'avez pas besoin de comprendre, mais je n'ai pas besoin non plus de savoir que vous n'avez pas compris. »

PITIÉ POUR LES FEMMES

Il alla fermer les volets [1], tira les rideaux, retourna pudiquement, sur la table, la petite feuille d'une agence de coupures de presse qui portait en grosses lettres le *slogan* : « VOIT TOUT ». Son âme fumait encore, comme sous le coup d'un alcool bienfaisant : cette douce liqueur était sa cruauté pour Andrée. Il renversa Solange, tout habillée, sur le lit, où il lui allongea les jambes. Ensuite il ne fut plus qu'un apache qui cherche à immobiliser un homme à terre. D'ordinaire, il n'osait la presser trop fort contre lui, crainte de lui faire mal : elle était si jeune! Pour la première fois il était brutal avec elle, et, bien qu'il le fût par nécessité, parce qu'elle se débattait, il l'était aussi par calcul, voulant lui faire un souvenir extraordinaire. Elle, criant « Non! Non! » la bouche grande ouverte, roulant sa tête à droite et à gauche, et il sentait son souffle, qui n'avait pas l'odeur qu'il lui connaissait, mais une odeur qui venait de plus profond, une odeur que ses cris allaient chercher plus profond. Il ne put lui immobiliser la tête qu'en lui saisissant la langue entre ses dents, et en la lui serrant quand elle tentait de bouger. Et de tous ses membres il malmenait ce je ne sais quoi qui était mademoiselle Dandillot, systématiquement. Soudain tout devint facile; il coula dans une sensation nouvelle. Elle ferma les yeux, et cessa de se plaindre. Cependant il se recueillait dans sa sensation, qui d'ailleurs était médiocre; elle ne lui donnait qu'un contentement intellectuel : « Voilà qui est fait. » Et il humait vaguement le visage de cette femme, pareil à un lion qui, déchiquetant la viande qu'il tient entre ses pattes, de temps en temps s'arrête pour la lécher.

Il lui essuya le front, les ailes du nez, divinement moites, avec un des mouchoirs que lui avait brodés Andrée Hacquebaut. La tête de Solange avait glissé entre les deux oreillers, pour y être plus renversée encore, et la longue étendue pâle de son cou et de sa gorge prenait plus d'importance que le visage. Il y avait dans son regard un tel don d'elle-même qu'il lui abaissa les paupières, effrayé. Ses lèvres étaient un peu entr'ouvertes, montrant les dents petites, comme on voit dans les étals des boucheries aux têtes décollées des moutons. Il y a trois sourires qui en quelque chose se ressemblent : celui des morts, celui des femmes heureuses, et celui des bêtes décapitées.

Il la contempla un instant, ainsi, attentivement. Il essayait de la différencier. De voir en quoi elle était autre chose qu'un corps. Autre chose qu'un moyen de son art de caresser. Autre chose qu'un miroir où il s'était regardé jouir.

Il s'étendit à son flanc. Son âme, où volait une pensée déjà triste, partit et se promena dans tout ce qui n'était pas elle. C'était l'antique instant où l'homme

---

1. Le columbarium donne sur les jardins d'un couvent (ils sont nombreux dans ce quartier). On entend les cloches; des fenêtres on peut voir les religieuses. L'auteur s'est refusé à tirer parti des contrastes qu'on devine par trop faciles.

dit, comme dans l'Évangile : « Femme, qu'y a-t-il entre vous et moi? » L'antique instant de la pitié pour les femmes. Dehors, le ciel avait dû se couvrir, car la pièce était devenue presque sombre. Il évoqua des femmes sans muscles, à la peau blanche, des femmes infiniment coupables, qu'on tient dans ses bras, à l'heure du crépuscule, au-dessus de la ville où les lumières s'allument, et qui disent : « Une lumière s'allume »..., et qu'on garde, par pitié, en leur faisant croire qu'on les aime, par pitié. Ce souvenir en appela d'autres : toute sa vie s'ouvrit, comme un plumage de paon, et toute cette vie, passé, avenir, était ocellée de visages, comme les ronds d'or sur le plumage des paons. Il eut pitié de cette petite vivante qui était à son côté, le visage dans le creux de son épaule gauche, où tant de visages s'étaient posés (si creux avait été une plaque sensible, tous les visages qu'on y aurait vus en surimpression! – et le monstre affreux que formerait enfin le visage composé de tous ces visages...) Pitié d'elle, de la voir s'aventurer ainsi dans des mains telles que les siennes (et cependant, la moindre petite ruse ou seulement précaution qu'il eût décélée en elle, contre lui, il lui en eût fait grief). Pitié d'elle, de ne l'aimer pas davantage, de ne trouver pas davantage de raisons de l'aimer, – et qu'elle ne fût pour lui qu'une parmi d'autres, alors qu'il était le seul pour elle, – et de ce qu'elle croyait qu'il lui donnait, quand il ne pouvait pas le lui donner. Il pensa : « La jeunesse se passe à aimer des êtres qu'on ne peut posséder que mal (par timidité), et l'âge mûr à posséder des êtres qu'on ne peut aimer que mal (par satiété). » Un de ses bras était passé sous la tête de Solange, mais son visage et son corps étaient détournés d'elle. Il y eut un instant où il la trahit en lui-même si cruellement, qu'il étendit la main et chercha la sienne, pour la réconforter, comme si elle avait dû deviner ce qui se passait en lui (il y avait aussi que, maintenant qu'il n'attendait plus rien de Solange, il sentait le besoin de redoubler de gentillesse avec elle, comme pour lutter contre le temps d'arrêt que marquait son amour). Elle se tourna et, sans mot dire, le baisa sur la joue : malgré ce qui s'était passé, c'étaient toujours ses mêmes baisers d'enfant; elle était sortie de son immobilité pour le faire, comme une vague solitaire se soulève au-dessus d'une mer plane. Un cri lui jaillit du cœur : « Elle peut souffrir de moi, et moi je ne le peux pas d'elle. Je l'aime, mais elle n'a pas le pouvoir de me faire souffrir. Il faut cesser ce jeu, cette inégalité abominable, et au détriment du plus faible! » Une voix s'éleva : « Tu dis que tu l'aimes, et tu ne peux souffrir d'elle. C'est alors que tu ne l'aimes pas. » Et lui : « Toujours cette rage de me confondre avec les autres! Je l'aime et je ne puis souffrir d'elle, parce que je ne suis pas semblable aux autres. On ne me fait pas souffrir comme ça. » Une passion de vérité, qui était toute lumière, ou qui était trouble, qui était sa gloire, ou qui était un vice, le saisit (ce qu'une de ses amies avait appelé sa « loyauté-catastrophe »); il eut envie de lui dire : « Ma petite chérie, ma petite chérie, il vaut mieux que je vous prévienne : je ne vous aime pas assez. Il faudra que vous passiez la main, vous aussi. Un jour je ne me souviendrai même plus de votre visage. Je suis de la race vagabonde des hommes. Un jour j'en aimerai d'autres, de nouvelles! Peut-être est-ce déjà fait! (ce n'était pas vrai). Peut-être que je ne t'aime déjà plus... Peut-être qu'à aucun moment je ne t'ai aimée, mon enfant chérie... » Mais il savait qu'elle était comme les autres, qu'elle aussi, tout de même que les puissants de ce monde, elle vivait, se nourrissait presque exclusivement de mensonges, qu'elle mourrait bientôt si on ne lui mentait pas, que d'ailleurs la Vérité est, *ipso facto*, répréhensible et passible des règlements de police, puisqu'elle se promène nue, comme on sait. Il se tut, mais serra plus fort sa main. « Ce qu'il faut, c'est qu'elle soit contente. » Elle, le visage blotti dans son cou, elle eut un roucoulement dont il serait faible de dire qu'il était comme un roucoulement de tourterelle : il était le roucoulement même de la tourterelle. Il lui demanda ce que signifiait ce roucoulement. Elle répondit : « Ça signifie que je suis bien... » Toujours sa voix sombrée, comme si c'était une autre elle-même, le fantôme de la petite fille qu'elle fut, qui parlait du fond de sa conscience, où ce fantôme était tombé.

Alors il se souvint qu'il y avait eu des êtres auprès de qui, ainsi étendu après l'acte, il n'avait pas eu ce mouvement de fuite. Des êtres auprès de qui, dans cet instant-là, il s'était dit : « Je mourrais bien, comme cela. Maintenant cela me serait égal de mourir, comme cela. » Mais auprès de Solange il ne se le disait pas; non, il ne se disait pas qu'il avait envie de mourir.

« Ce qu'il faut, c'est qu'elle soit contente. » De nouveau, sa lucidité mit à nu ce qu'il y avait sous cette petite phrase. Et il vit que cela ne différait guère de ce qu'il avait ressenti pour beaucoup, beaucoup de personnes, et les plus diverses (et peu importe comment est un être avec ceux qu'il aime; c'est avec les autres qu'il faut le voir). Il se souvint de son émotion en lisant, dans les *Gaîtés de l'Escadron*, les paroles de cette vieille baderne de capitaine Hurluret, quand on lui fend l'oreille. Il dit à peu près : « J'ai quarante ans de service. Eh bien! ce qui compte là-dedans, ce sont les types que j'ai empêchés de faire des bêtises, à qui j'ai épargné des punitions, à qui leur temps de caserne a été un peu plus doux à cause de moi. Et s'il y en a qui plus tard, en se souvenant de leur capitaine, disent : "Tout de même, c'était un bon bougre", j'aurai été bien payé. » Ayant lu cela, Costals avait relevé la tête; cela allait très profond en lui et il songeait : « Je suis un type dans le genre d'Hurluret. » Et maintenant il voyait que ce qu'il avait sous sa petite phrase à propos de Solange, et son désir « qu'elle soit contente », cela ne différait guère de ce qu'il ressentait au front pour ses hommes : « Est-ce que les hommes sont contents? Est-ce qu'il y a quelque chose qui ne va pas? » – à la maison pour les domestiques, se gênant sans cesse afin de leur permettre leur part d'agrément sur cette terre, – aux colonies pour l'indigène embauché, se levant la nuit et lui ajoutant une couverture, parce qu'il l'avait entendu tousser dans son sommeil, –

pour l'errant à demi inconnu, recueilli sous son toit, son hôte, avec lequel il se solidarisait par cette seule hospitalité, et pour tout ce peuple d'hommes et de femmes de rencontre à qui il avait davantage donné que n'importe quel homme à sa place ne l'eût fait, – donné sans « principes », ne croyant pas que le bien fût préférable au mal, – donné même sans idées arrêtées sur le monde, ayant fini par comprendre que rien ne tient dans une définition, que « le peuple » n'est pas ceci ou cela, que « les indigènes », ni « les femmes », ni « les Français », ne sont pas ceci ou cela, que tout est dans tout, que les bons sont mauvais aussi, et que les mauvais sont bons aussi, – donné enfin sans pensée aucune que cela lui fût compté quelque part, ni dans le cœur de ces hommes et de ces femmes, qui l'avaient promptement oublié, ni devant l'opinion qui ignorait ses actes, ni devant les tribunaux humains où la canaille rend l'injustice, ni devant un Tribunal suprême auquel il ne croyait pas, et dont tout ce qu'il pouvait dire était que, s'il existait, et s'il y était accusé un jour (comme il devait l'être, car il avait toujours vécu sans s'occuper des lois), il y aurait des centaines d'êtres qui viendraient y témoigner pour lui. Et il vit donc que, là aussi, Solange Dandillot était une dans la foule, et il la plaignit d'être si peu isolée.

Il resta là, ne pensant plus à elle. « A quoi pensez-vous? » demanda-t-elle, un peu inquiète de cette silencieuse rêverie. « A vous. » Un léger, très léger et subtil filet d'ennui se glissa dans sa conscience. Puis il se dit : « Je mettrai un jour dans un de mes livres cette image de ses dents, comme celles d'un mouton décapité. Je *me sers* d'elle! » A cette pensée qu'il *utilisait* Solange, sa gorge se noua, comme s'il allait pleurer. Mais soudain une autre pensée, alerte, jaillit de lui comme un dauphin hors d'une mer étale : « On me l'a assez répété, que j'étais coupable, et même « criminel », en ne prenant pas une jeune fille qui s'offrait! Ô nature, ô société, ô opinion, êtes-vous contents cette fois? Eh bien! parions que ce n'est pas encore ça. » Cette pensée, en l'amusant, l'encouragea à dire des paroles qui lui coûtaient. Il dressa le buste, se pencha sur elle, lui sourit :

– Alors, ma petite Dandillot, vous voilà donc ma maîtresse! Vous voyez comme les choses se font… Maintenant, si vous pouvez vous détacher de moi, je vous paie des guignes.

Elle fronça un peu les sourcils. Il lui lissa ce froncement, avec le pouce, entre les sourcils.

– Vous avez dit « non » en le faisant : votre honneur est donc sauf. – Autre chose, moins agréable. Savez-vous ce que fait une femme qui…

Il lui dit des mots de pharmacie, à voix basse. Il aurait voulu que la chambre fût plus sombre encore, eût l'obscurité de la nuit. Plusieurs fois il lui répéta : « J'ai honte de devoir vous dire ces choses… » Ce n'était pas de ces choses, ni de devoir les dire, qu'il avait honte : il savait bien qu'elles n'avaient rien de honteux, qu'elles étaient au contraire bienfaisantes et par là morales. Mais il avait honte de les avoir déjà dites tant de fois. Enfin elle se leva, sans parler, et disparut dans la pièce voisine.

Il s'assit dans un fauteuil. Du lavabo vinrent les bruits connus des différentes conduites d'eau. « Maintenant elle fait ceci... A présent elle fait cela... » L'identité entre cette minute et des centaines de minutes qu'il avait vécues lui noya l'âme de mélancolie. « Pour elle, quelque chose de si nouveau, de si surprenant... Et pour moi si usé. » Sa mélancolie eût été moindre s'il avait bien perçu que cet acte n'avait pas causé davantage de plaisir à Solange.

Elle revint, et, s'appuyant des mains aux accoudoirs de son fauteuil, elle se pencha sur lui, au-dessus de lui, avec compassion, dans un geste très « femme »; ils étaient comme deux rescapés d'un naufrage jetés côte à côte sur la grève. Mais elle entrait si visiblement dans son trouble que ce trouble en fut dissipé. Il alla s'asseoir sur le divan, la fit asseoir à son côté, et lui dit :

– Oui, tout cela est pénible. Et pourtant, si je vous ai fait voir cette femme tout à l'heure, c'était bien pour les raisons que je vous ai dites, mais c'était aussi pour vous montrer ce que devient une fille qui n'a pas fait le nécessaire quand il fallait. Voyez-vous, il n'y a qu'une façon d'aimer les femmes, c'est d'amour. Il n'y a qu'une façon de leur faire du bien, c'est de les prendre dans ses bras. L'encens a besoin de chaleur pour donner son parfum; elles aussi, pour donner leur parfum, elles ont besoin de cette chaleur-là. Tout le reste, amitié, estime, sympathie intellectuelle, sans amour est un fantôme, et un fantôme cruel, car ce sont les fantômes qui sont cruels : avec les réalités on peut toujours s'arranger. Vous connaissez la parole de saint Paul : « La prudence de la chair est la mort des âmes. » Je connais beaucoup de mauvais ménages qui ne sont tels qu'à cause du « respect » de l'homme pour la femme : une femme doit être traitée comme une maîtresse, et cela non pas par foucades, mais constamment; que cela soit toujours aisé, la question n'est pas là. Cet imbécile de petit contact, sans doute en avez-vous été un peu déçue, tout à l'heure, comme je l'ai été moi-même; mais il faut six mois à une jeune fille française pour apprendre à jouir convenablement. Une Italienne, une Espagnole, vous la prenez par les épaules, la voilà dans les pommes, quasi; mais une Française a le départ lent, c'est la croix et la bannière pour lui donner du plaisir : j'ai l'habitude de compter six mois de mise au point. Sans doute peut-il naître du mal de ce que je vous ai prise; mais, vous aimant, il en naissait tout autant – pour vous – si je ne l'avais pas fait. Enfin vous avez vingt et un ans. Je ne veux pas dire, non, que ce soit l'automne d'une femme, mais enfin, du train où va la vie... Songez qu'au concours mondial de beauté de cette année, la limite d'âge était de vingt-deux ans... Allez, ma belle, laissez faire le temps. Un jour viendra où vous pressentirez de loin mon désir, et où vous l'aimerez. Nous serons accordés ensemble comme deux équipiers qui font une course de quatre mille mètres : l'un et l'autre marchent complices. Nous nous parlerons dans nos silences. Vous voudrez ce que je veux et je voudrai ce que vous voudrez. Alors vous ne voudrez plus l'obscurité quand je vous étreins; vous voudrez le grand jour, pour me voir, et vous me verrez... Qu'est-ce qui me sou tiendra quand je serai vieux? Mon œuvre d'écrivain, et le bonheur que j'aurai donné aux femmes durant ma vie. Eh bien! vous serez une de ces femmes-là.

Elle lui caressait les cheveux, puis ses mains se nouèrent en ogive au sommet de sa tête, et elle posa le front sur sa poitrine, si baissée qu'il ne vit plus que ses cheveux, dans un geste de soumission infinie.

Ils sortirent. Un vieux, sur un banc, donnait à manger aux oiseaux; elle fit un détour pour qu'ils ne s'envolent pas. Dans les rues, autour de quelques faces de lumière, coulait le magma répugnant et haineux des êtres qui n'aiment pas ou ne sont pas aimés (sans parler de la laideur célèbre des Parisiens). Et en lui, pour la centième fois, mais toujours aussi jeune, la sensation royale d'être au côté, et tel que le légitime possesseur, d'une femme qui suscite des regards et presque des cris d'admiration. Elle lui disait toujours *vous*, ignorant toutefois le plaisir délicat qu'elle lui causait, en l'autorisant ainsi à lui dire *vous* en retour. Avec son *vous*, Costals contredisait l'intimité de leurs relations; il créait, à côté de l'ordre réel, un autre ordre qui le démentait. Il jouait sur plusieurs registres à la fois, qui était le trait essentiel de sa nature.

Parfois il lui mettait la main sur la taille, une seconde, comme pour s'assurer qu'elle était toujours à côté de lui. Mais bientôt elle passa son bras sous le sien. C'était la seconde fois seulement qu'elle faisait ce geste; la première, elle l'avait fait le soir de leur grand malentendu. Les deux fois, c'était après l'avoir vu peiné : il en fut touché. Bientôt cependant il en ressentit de la gêne. En effet, depuis toujours, depuis la première fois que, à dix-neuf ans, il était sorti avec une femme aimée, il s'était obstinément refusé à se mettre au pas de ses compagnes; cela lui paraissait ridicule, et diminuant pour un homme.

ÉTIEMBLE

né en 1919

L'Enfant de chœur

1937

Nous avions fait figurer *L'Enfant de chœur* dans nos précédentes éditions, car c'est une lecture d'époque. Au point qu'Henri Clouard, dans son *Histoire de la littérature française du Symbolisme à nos jours*, traite son auteur d'existentialiste et l'accuse d'avoir subi l'influence « *du Sartre du cloaque... le Sartre dissolvant et destructeur* », à qui l'on doit « *certainement tout un romanesque, si l'on peut dire, de la déchéance humaine* ».

D'autre part, *L'Enfant de chœur* figure au *Dictionnaire des Œuvres érotiques* avec cette notice un peu dédaigneuse d'Yvonne Caroutch :

« *Voici une copieuse tranche de vie qui devrait plaire aux amateurs d'anecdotes intimes, car nous assistons à l'apprentissage de la sexualité que fait un très jeune garçon, André. Nous le suivons jusqu'à sa sortie du lycée. Il a alors seize ans, mais ses expériences érotiques ne semblent guère lui avoir apporté ce qu'il peut en attendre, car trop de questions le tourmentent. Pour un enfant un peu gauche, soumis à la dictature des gifles d'une veuve abusive et vulgaire, le bilan est pourtant satisfaisant : si sa visite à la maison close s'est terminée par un humiliant fiasco, il a connu des rapports plus ou moins réussis avec un camarade de classe et avec une jeune personne de treize ans, plus délurée que lui. Surtout, il est parvenu – oh, très innocemment – à faire l'amour avec sa mère. Mais s'il faut, comme l'affirme un de ses amis convertis, adorer Dieu dans les créatures, l'histoire ne nous précise pas si c'est ce que fait notre héros* lorsqu'il soulève les jupes de sa mère afin de respirer les vapeurs nauséabondes qui s'exhalent entre ses cuisses de syphilitique. Ouvrage réaliste, qui esquive cependant les deux ou trois scènes qui pourraient faire la joie du lecteur.* »

D'un côté c'est trop, de l'autre pas assez. Comment le lecteur s'y retrouvera-t-il? Le lecteur de 1995, sans doute, s'il cherche un texte « hard », comme on dit à son époque, et se reportant au roman, sera déçu. C'est effectivement du Sartre, le Sartre des romans et des nouvelles d'avant-guerre, et pas le meilleur. Pas le pire non plus. Un Zola un peu pâle. Plutôt un naturalisme de l'adolescence comme dans *Charlot s'amuse* (Paul Bonnetain, 1883, voir notre tome II), en plus timide. Le jeune André Steindeil se fait passer au gant de crin par sa mère, car au lycée il a pris des habitudes un peu crasseuses : « *En se voyant ainsi nu, il imagina le déshabillé de sa mère : c'était un souhait, plutôt qu'une image; aucune représentation précise ne s'ordonnait autour de son désir* ». Un autre jour, il guette sa mère à la toilette :

« *A mesure que Mme Steindel se dévêtait, elle quittait son élégance. Bossuées de noyaux graisseux, ses cuisses, vers l'aine, tremblotaient; les mollets, déformés par les talons hauts, étaient brodés de varices et de poils noirs. Le ventre se plissait, distendu par deux grossesses. La poitrine, fraîche et ferme, gardait une jeunesse paradoxale, encore qu'elle fût épaisse à l'excès. Dépouillée de sa gaine, de son soutien-gorge, de ses bas de soie, de son fourreau de* velours, cette « femme chic » devenait un amas de viande affaissée.

(On a deviné que Mme Steindeil vit seule avec son fils.)

Elle avait cependant pour sa graisse des indulgences narcissiques. Le regret d'un long veuvage érigeait fréquemment ses mamelons, au point qu'à les toucher elle hurlait. Ce soir-là, elle ne souffrait pas. Elle se pétrissait les seins sous prétexte de les masser. Elle éprouvait sa résistance à la chatouille : tandis que ses doigts trottaient sur son buste, elle murmurait : "petite souris qui monte, qui monte, qui monte… brrr…" Un frisson de plaisir la secouait. »

Cependant le petit André médite sur ses découvertes anatomiques, un peu superficielles : « Maman a aussi des poils, elle en a même sous les bras. Elle en a jusque sous les bras ». Ce qui provoque chez lui « une joyeuse épouvante », puis un élan amoureux mêlé d'une conclusion peut-être rapide : « Avec tendresse, il songeait à cette maman qu'il craignait, — et dire que, tout simplement, c'était un camarade, une salope ».

Le lendemain, c'est une femme parfumée, maquillée, habillée, sanglée sans doute dans un corset, qui se penche sur lui pour l'emmener à la messe : « Trois taches brunes en triangle, un manteau noir à liserés blancs, se pouvait-il que ce fût la même personne ? »

Pas de quoi, finalement, fouetter quoi que ce soit.

De toutes manières, les lecteurs de cette anthologie n'en sauront pas plus, sauf à se reporter au roman – s'ils le trouvent.

En effet, M. Étiemble a beaucoup réfléchi (mais si, mais si) depuis 1983 (et peut-être même, qui sait, depuis 1937). Âgé aujourd'hui de soixante dix-sept ans, sans doute est-il rentré en lui-même, et en est-il ressorti avec la « joyeuse épouvante » qu'il attribue à son jeune héros devant ses audaces de jeunesse. S'est-il aussi interrogé, comme François Mauriac, sur les dangers de « l'étude clinique de l'érotisme » et son éventuelle responsabilité au cas où la lecture de L'Enfant de chœur pousserait de nouveaux André Steindeil à guetter les poils de leur mère ? On ne sait.

Toujours est-il qu'aujourd'hui (octobre 1995), M. Étiemble nous fait interdire par son éditeur de reproduire dans cette anthologie les trois pages que nous citions depuis douze ans. Qu'à cela ne tienne. Pour compenser (impossible, mais tout de même) vous aurez droit à une page de Spaddy. C'est dur, je sais…

Dévergondages, souvenirs érotiques

vers 1937

«Spaddy» est ici l'auteur de *Dévergondages*, comme dans les pages suivantes il signera, si l'on peut dire, *Colette ou les amusements de bon ton*. Dans les deux cas, il n'est pas impossible que l'auteur soit Renée Dunan. C'est parfois controversé.

Voici un enfant de cœur (de chœur aussi?) moins complexé que le jeune Steindeil/ Étiemble.

Clandestin, bien entendu. L'éditeur sous le manteau serait Maurice Duflou, comme pour *Colette*.

CETTE CHOSE CRÉPELÉE, dont je ne me doutais pas, ce buisson hirsute qui me chatouillait la face et me rendait une odeur âcre et entêtante, me frappa si fort par son mystère que j'y vis l'image de la honte qui s'attachait à cette partie du corps.

La crainte qu'on m'en avait fait comme du plus effroyable péché ne me rendit que plus sensible à l'attrait prestigieux de l'ombre où il se cachait et m'appelait à lui.

Tandis que mes mains tremblantes se posaient sur l'humide fraîcheur des cuisses dures ainsi que du marbre, je vautrais mon minois extasié dans cette crinière épaisse où j'enfonçais, et qui se soulevait et s'abaissait en à-coups secs et successifs. La senteur qui s'en dégageait m'affola et comme un jeune chien qui cherche, glouton, dans sa pâtée, les meilleurs morceaux, je cherchai aussi dans la belle toison.

Mais Alice, aussi impatiente que moi, guida mon ignorance d'une ferme pression à travers sa robe. Tenant ma tête à deux mains, elle accola elle-même ma bouche à son con inondé.

– Ah! tiens, embrasse, mon petit!... et lèche aussi!...

Que la recommandation était inutile! Je broutais déjà avec délices la belle vulve pleine de mouille, passant ma langue de droite et de gauche, me grisant de ce qui fluait dans ma bouche. Elle releva sa jupe :

–Ah! mignon, tu fermes les yeux!... c'est pour mieux te régaler!... Eh bien! Puisque tu aimes ça, tiens!... agite ta langue un peu plus vite!... Tu vois, ici, en haut, où je te montre entre mes doigts!... C'est ça! Ah! tiens, je jouis!... je jouis!... Oh! ça coule!... Que c'est bon et que ta petite langue me fait bien jouir!...

Colette, ou les amusements de bon ton

vers 1937/1938

Le pseudonyme de Spaddy, auteur également de *Dévergondages*, publié à la même époque, cache-t-il Renée Dunan? La question est controversée. Une majorité penche pour l'identification de Spaddy à la journaliste connue, romancière de *Une heure de désir* (p. 375), *La Confession cynique*, de *La Triple Caresse*, entre autres, biographe de *La Papesse Jeanne*, etc., et déjà responsable d'au moins deux autres érotiques sous le manteau signés Louise Dormienne. L'éditeur clandestin de *Dévergondages*, Maurice Duflou, affirme dans une « note de l'éditeur », non signée bien entendu, qu'il s'agit d'une œuvre posthume, ce qui ne prouve évidemment rien.

On retrouve dans *Colette* l'obscénité allègre et directe de *Dévergondages*, avec une nuance d'après moi le déluge assez représentative de cette partie de la France qui, dans ces années-là, avait adopté pour refrain « *Qui a peur du grand méchant loup?* », à la grande fureur de Montherlant : « *Bonne chance, petits cochons* » (*L'Équinoxe de septembre*, 1938).

Depuis plusieurs années, Montherlant sent venir la guerre et s'indigne de l'inconscience de ses compatriotes.

NON, MAIS..., Colette!...

— Ben quoi, y a pas de mal!... Pas vrai, mon loup?... Tiens, regarde!...

Assise dans un rocking-chair, en face de son cousin, autour de la table où nous prenons le café, elle continue tranquillement de remonter son peignoir de mousseline jusqu'au nombril, car elle est toute nue par-dessous.

— Hein! si c'est joli! fait-elle au gosse qui en est bouche bée.

— Tu n'es pas un peu dingo! dis-je. Un gamin de quinze ans, qui est encore dans les jupes de sa mère!...

— Justement! Alors il a dû le lui voir?... Non?... Elle ne te l'a pas montré?...

— Oh! Colette! répond-il tout rouge et l'œil allumé. J'aurais pas osé lui demander!

— Alors, c'est le premier que tu vois?...

— Sûr que je l'ai vu à des filles... mais il y avait pas tant de poils!... Ah! mince!...

— Eh bien! approche, regarde comme c'est fait!

— Allons, Colette, baisse ça!... C'est y pas dégoûtant!...

— La barbe! Moi j'aime de montrer ma motte... Vois! mon petit..., reprend-elle, renversée contre son dossier, ses jambes, gainées de soie, largement ouvertes. Hein? s'il est beau mon angora! N'aie pas honte! Touche donc!...

Sans se faire prier plus, René s'est agenouillé aux pieds de ma maîtresse, parmi les bouillons d'écume de ses volants. Sa main – une main de fille comme sa figure qui a l'attrait troublant d'un sexe indécis – flatte et caresse le doux pelage.

J'interviens de nouveau; certes il est convenu que la jalousie n'est pas de mise entre nous; tout de même, là, sous mes yeux...

– Colette, tu cherres un peu!... Tu vas le faire bander, et après?...

– Il me fait bien bander, lui!... Va, mon gosse, pelote... Pas que c'est doux?... Et cette épaisseur!... Et si ça flambe au soleil!...

D'une rotation de son siège elle a capté dans l'effiloche de ses poils le rayon filtrant à travers le store du fumoir.

– Oh! bat! fait le gosse qui s'extasie à cette flambée d'or rouge sur une chair d'un blanc lilial.

Ses doigts plongent dans la fine crépelure, s'entortillent aux boucles annelées, se traînent sur la douceur du ventre et des cuisses.

– Maintenant, dit Colette, tripote-lui un peu le museau au minet!... Ouvre ses babines sous leur barbichette... Tu ne sais pas?... Avec tes deux pouces... écarte... Je parie qu'elles sont déjà tout humides!... Est-il rose, le joli conin, dis?... Petit polisson... Il me semble que tu te régales!... Sens-moi ça!...

Étalée sur le bord du fauteuil, bombant son ventre, haussant la proue velue vers le nez de l'adolescent, elle savourait la volupté de sa pose impudique et le plaisir de se donner en pâture à un puceau.

Ahuri de sa bonne fortune, il restait là, ployé entre les jambes de Colette, dévorant des yeux la jolie cosse purpurine qui bâillait sous ses doigts.

Ma garce se pâmait de sa propre luxure :

– Va, disait-elle, regarde... regarde bien... ça me fait jouir!... Est-ce cochon, hein, de te montrer mon con que ta mère a tant de fois bouffé... ce gentil conin, avec le joli petit trou qui est par-dessous?... Baisse-toi... Tiens, regarde-le!...

Elle replia une jambe sur l'épaule de René, se tourna de côté pour dégager la raie du derrière dont sa main débusqua la rosette de bistre.

– Baise, mon chéri... Baise le petit trou du cul!...

Il colla sa bouche à la brèche profonde et embrassa longuement sous les roulades cristallines de Colette.

Puis, s'étant remise sur le dos, cuisses écartées :

– A présent, mignon, jouons au chat et à la souris, hein? Donne-lui ta langue au minet...

René inclina son blond visage de chérubin sur la toison rutilante, et joignit ses lèvres à celles de la vulve dont Colette faisait, d'un index, saillir la pourpre.

— Oh! si ça sent bon! bredouilla-t-il.

Quoique fort excité, je commençais pourtant à être mordu au cœur par ces familiarités qui me semblaient aller un peu loin.

— Alors, quoi, protestai-je, tu vas aussi te faire baiser par lui, à ma barbe?

— Pardi! cette question! répliqua-t-elle avec aplomb, sans quitter des yeux la tête bouclée qui s'agitait entre ses aines... Bien sûr, qu'il me baisera, le petit!... En attendant, branle-le!...

Je m'indignai.

— Non, mais tu te fous de moi?...

— Branle-le, que je te dis! ordonna Colette avec cet emportement qu'elle a dès qu'on résiste à ses plus extravagants caprices. Et puis, pelote-lui le cul... il doit l'avoir joli... ça te dédommagera.

Et comme toujours, ma passion pour cette adorable garce me fit céder à son exigence.

Sans qu'il s'interrompît de sa plaisante besogne qui déjà tirait des soupirs à Colette, je rabattis la culotte de René et, agréablement surpris de la blancheur et de la tournure rondelette de ses fesses, je ne me fis pas violence pour les lui patiner.

— Ma foi, m'écriai-je, enchanté, c'est un vrai cul de fillette!...

— Eh bien! tout à l'heure, tu l'enculeras!... Pour l'instant, astique-lui le vit... ça m'excite!

« Ça m'excite! » c'est son mot le plus familier. Il est irrésistible et sans réplique.

Je branlai donc le joli cousin, tout en prenant de mon autre main une revanche sur sa charmante croupe où je cherchais la perverse émotion d'un sexe bâtard. Sa verge, courte et fluette, servait mon illusion, tandis que mon doigt s'amusait autour de son anus sans poils.

— Lèche!... lèche bien!... lui disait Colette. Pointe ta langue dans le haut... Trouve... Ne sens-tu pas le petit bouton?... Oui... là... comme ça... un peu plus fort... Ah! ah!... parfait!

Elle lui avait passé sa jambe gauche en collier, et paresseusement adossée, les deux bras sous sa nuque, elle balançait sa motte aux coups de langue du gamin.

— Mais, c'est qu'il sait faire, le vicieux!... Ah! qu'il suce bien!...

Elle ne fut pas longue à jouir.

— Plus vite!... plus vite!... Mets ton doigt dans mon cul... Ah! ah!...

Elle agita son ventre.

— Ah! ça y est!... ça y est!... gémit-elle dans son étreinte de ses jambes autour de la jolie tête.

Au même moment, je sentis la petite queue se gonfler, quelques gouttes chaudes perlèrent sur mon pouce et le gosse tituba.

— Vite, viens me le mettre, dit Colette qui l'attirait à elle de toute la force de son désir… Viens, petit, que je me paie ton pucelage!…

Mais la queue de René n'était plus qu'une chiffe molle.

— Quoi? déjà tu débandes?… T'es donc pas un homme! fit Colette avec humeur.

Ma jalousie d'amant se gaudissait de cette défaillance.

— Voyons, observai-je, tu ne vas pas te faire monter par un môme qui n'a que du lait dans les couilles!

— Mais si, mais si, s'obstinait la goule. Je veux qu'il me baise devant toi… Hein! mon petit, que tu vas me baiser? Allons, bande! Tu verras si c'est bon de mettre sa quéquette dans un con de femme! Puisque t'oses pas avec ta mère, c'est moi qui vais te régaler!… Seulement, bande, petit couillon… D'abord, foutons-nous à poil!…

Là-dessus, son peignoir glissa à terre et en un clin d'œil elle eut déshabillé René, pendant que je me mettais aussi en costume d'Adam.

— Ah! le beau gosse! Voyez-moi comme c'est tourné! s'extasiait-elle; cette peau fine, ces cuisses rondes et ces fesses! Est-il… Non, mais regarde-moi ces fesses! Est-il cambré ce petit cul-là! Ah! que j'y mettrais bien mon gode!…

Elle le tripotait, le tapotait, insinuait un doigt dans la raie, chatouillait le trou foncé, tournait et retournait le gamin entre ses mains sensuelles qui en pétrissaient avidement tous les charmes.

Je regardais la silhouette droite et fine de René se découper sur une glace où il semblait lui-même prendre plaisir à mirer sa grâce efféminée.

— Oh! cet amour de tapette! répétait Colette, plus allumée que jamais. Une vraie gosseline!… c'est tout juste si ça a un vit! que même, je vais y trouver le goût de la Claudine, tu sais, la môme qui, à la pension, me foutait avec son clitoris… Mais il faut l'avoir plus raide, mon petit! Viens, que je te l'émoustille!

Elle le courba contre un fauteuil, lui éparpilla quelques bonnes claques sur les fesses qu'elles marbraient d'un rose vif. Sa rage passionnelle s'excitait aux remous de la jolie croupe sous les volées crépitantes qu'elle y décochait.

— Oh! ce cul! ce cul!… s'exclamait-elle, on en mangerait!

Elle se baissa, mordit à pleine chair, et plongea sa langue dans la raie. L'autre ronronnait doucement sous les titillations.

— Ah! petit cochon, ça te réveille!… Montre un peu si tu bandes.

Debout, tourné vers elle, il lui pointa son vit à hauteur de la bouche.

— Oh! ce chibre mignon! Tiens, mon gosse, plante-le dans ma bouche!…

Il tendit son ventre et plongea entre les deux lèvres coralines qui s'ouvraient pour le recevoir.

Je m'avançai alors, et prenant René par la taille, je lui mis ma queue en main. Sans que j'eusse à l'en prier, il se mit à me faire ça avec toute la légèreté et le savoir d'une longue habitude.

Je m'écriai, tout ravi de sa dextérité :

— Ma parole, une tante de Montparno n'a pas main plus douce!

— Bougre, ne jouis pas, intervint Colette, je veux que tu l'enfiles!... N'est-ce pas, mon chou, que tu veux lui prêter ton petit cul?

— Oh! c'est sans façon! acquiesça-t-il avec simplicité.

— Es-tu seulement puceau de ce côté?

— Oh! puceau, cousine, je ne saurais dire, quoique Frère Épagathe m'assure qu'il ne me le met que sur les bords!

Aveu dénué d'artifice qui dissipa mes derniers scrupules.

— Eh bien, mon cousin, repartit Colette dans un éclat de rire, tu auras la douceur de perdre à la fois tes deux pucelages... Viens, chéri, viens jouir!...

En fouteuse fantaisiste qui trouve un raffinement à l'incommodité des postures, elle se renversa de dos sur un grand pouf de satin rouge fort bas, assez large pour recevoir sa croupe exquise. Les bras ballants, les seins pointés par la cambrure de son buste à moitié rejeté hors du siège, la tête pendante, elle offrait son ventre d'albâtre dans le voluptueux évasement de ses cuisses qu'elle avait repliées contre ses flancs.

— Va, Chérubin, dit-elle, va, enconne-moi!... Vois comme je te la présente bien, ma vulve!...

Je poussai rageusement le gosse contre les belles fesses à demi retournées, je lui pris moi-même le vit et fichait le gland dans le milieu de la sente poilue.

— Eh bien! allons, donne un coup de cul! lui dis-je.

La queue pénétra avec aisance, non sans arracher un cri d'émoi à Colette.

— A présent, ajoutai-je, ne bouge plus, que je cale ma pine dans le cul.

Je lui ployai l'échine, mes jambes entre les siennes.

— Cambre-toi bien... encore... comme une chienne...

La croupe se creuse, arrondit sa saillie ravissante; j'écartai les deux fesses teintées de rose et la tête de ma verge une fois abouchée au gentil pertuis, je fis aller mes reins.

— Tiens! mon René, que je te perce ta pièce de dix sous...

— Aïe!... aïe!... hurla le gosse sous la vigueur de mon effraction.

— Encore un peu, mon gros... tiens!...

D'un second branle je le pénétrai entièrement sans pitié pour ses cris. Et l'enserrant dans les cuisses de ma maîtresse auxquelles je m'agrippai :

— Te voilà dépucelé et enculé, dis-je. A présent, baise, je me réglerai sur tes coups de ventre.

— Oui, va, soupira Colette qui lui avait enlacé le cou de ses bras. Fais-moi ça gentiment, petit mignon… Est-ce bon, dis-moi, mon con… un joli con de cousine?…

Elle avait posé un de ses talons sur l'épaule de René, qui, ventre à ventre, la tenait de ses deux mains par-dessous les fesses.

Moi, en un étroit emboîtement aussi du cul juvénile, je le sodomisais sur le même rythme dont le gamin allait et venait dans le con de ma chère maîtresse. Mais dans mon dépit qu'il m'en disputât ainsi la faveur, j'eusse voulu lui rompre l'anus; et bientôt je m'emportai à une pédication si violente qu'il en cria de douleur.

— Baise-la donc!… baise-la donc!… lui disais-je, les dents serrées du spasme qui montait. Baise-la, ma garce!… tu ne vois donc pas qu'elle râle et qu'elle attend ton foutre!

Effectivement, Colette était déjà dans les convulsions de l'extase. Son ventre bondissait; ses souliers de velours rose qu'elle avait croisés maintenant sur la nuque de René, me cognaient la figure de leurs frétillements et excitaient ma rage lubrique par le défi qu'ils me jetaient de son plaisir.

— Va!… va!… clamait-elle dans l'alternance de ses interjections de bonheur; va, mon loup… donne-m'en de ta petite bitte de gosse… Pique… pique… ah!… ah!… sur les bords, mon petit… sur les bords… c'est si bon!… ah!…

Redoublant la vigueur des secousses dont je l'ébranlais à travers le cul de ma tapette, je lui criais :

— Garce! roulure! chienne en chaleur! mais jouis donc!…

Elle suffoquait de plaisir.

— Oui! oui! ta garce!… dis-le que je suis ta garce!…

— Une putain de bordel! et je te ferai enconner par tout un régiment!…

— Oui! oui! devant toi!… ah! ah! je jouis! je jouis!… Va, mon gosse, va, pousse, pousse… Ah! ah! mais vas-y! jouis… jouis donc!…

Elle se tordait, dans la vaine attente d'un bonheur partagé, fustigeant le gosse dont elle happait à grands coups, de son conin en délire, la décevante virilité.

— Mais tu n'as donc pas de foutre! clamait-elle.

J'étais à l'instant de jouir. Je dégainai brusquement. Je bousculai le fouteur impuissant, et saisissant Colette par les cuisses, avec l'âpreté farouche d'une jalousie mordue au sang, je la poignardai de ma mentule. Ma véhémence la fit hennir de joie et la cabra dans un sursaut de tout son être.

— Du foutre! tu veux du foutre, salope? Tiens, en voilà!…

Et je n'avais pas fait plus de quatre navettes dans son con qui me brûlait comme braise, que j'y lâchai le flot de ma semence. Ma tête entre ses genoux ramenés sur les seins, mes mains à ses épaules, j'ahanais, scandant les secousses de mes reins :

— Tiens! tiens! gorge-t'en de mon foutre, que j'en fasse déborder ta fente!…

Quand je l'eus déconnée, je la relevai sur son séant, et plaçai René à genoux entre ses jambes, la bouche à son conin tout écumeux. Et pendant qu'il gamahuchait la chaude fille sous le ruissellement de la liqueur spermatique, je l'enculai, et cette fois jusqu'à complète éjaculation.

La fraîche beauté printanière de ce corps quasi insexué, l'illusion d'enculer une fillette aux apparences de garçon, l'étroitesse exquise de ce con masculin dont je cueillais la fleur, enfin l'exaltation de ma maîtresse à ce spectacle et les transports de son plaisir, me firent de cette copulation une jouissance des plus exquises.

– Eh bien, mon joli, demanda Colette à René lorsque, rhabillés, nous nous retrouvâmes assis devant notre tasse de café, que te semble d'une pine dans le cul?

Ses beaux yeux bleus, un peu las, sourirent avec ingénuité; je ne sais quelle pudeur soudaine d'une Ève après sa faute inclina timidement son gracieux visage, et il dit :

– J'en pense, cousine, que j'aimerais mieux encore être fille que garçon!

RADCLIFFE HALL

1886-1943

Le Puits de solitude

1938

Du temps où les homosexuels des deux sexes n'étaient pas encore constitués en groupes de combat, il y avait pour eux des lectures qui étaient des signes de ralliement, et qui n'étaient pas nécessairement des textes d'une obscénité rare, bien au contraire. Pour les hommes, j'ai cité comme exemple les quatre volumes du *Cycle de Lord Chelsea*, d'Abel Hermant. Pour les femmes, les jeunes filles, il y a eu, ce n'est pas très ancien, des livres comme *Le Rempart des Béguines*, de Françoise Mallet-Joris. Avant la guerre, *Mademoiselle de la Ferté*, de Pierre Benoit, a pu avoir très lointainement une fonction de ce genre. Pour *Le Puits de solitude*, c'est beaucoup plus certain. Nombre d'adolescentes ont lu joue contre joue la poignante histoire de Mary et Stephen. La traduction française est précédée (est-ce le cas du texte original anglais?) d'un *Commentaire* d'Havelock Ellis :

« *J'ai lu* Le Puits de solitude *avec un grand intérêt parce qu'indépendamment de ses belles qualités d'art − il est écrit de main de maître − cette œuvre a une importante signification au point de vue psychologique et social. Autant que je puisse l'affirmer, ce livre est le premier roman anglais qui, fidèlement et sans détour, offre un aspect particulier de la vie sexuelle telle qu'elle existe parmi nous aujourd'hui. Les rapports de certains êtres − qui, quoique différents des autres créatures humaines, atteignent parfois au plus haut caractère et aux plus belles aptitudes − avec la société souvent hostile dans laquelle ils se meuvent, présentant des problèmes difficiles et non encore résolus. Les situations poignantes qui en résultent sont exposées ici avec tant de vigueur et, cependant, avec une si complète absence d'offense qu'on doit attribuer une haute valeur au livre de Radcliffe Hall.* »

Le livre fut poursuivi en Angleterre, condamné, puis relaxé en appel.

Chapitre XL

§ 1.

AU DÉBUT D'AVRIL, Stephen et Mary revinrent à la maison, à Paris. Ce second retour sembla d'une merveilleuse douceur en raison de son heureuse et paisible plénitude, de sorte qu'elles se tournèrent en souriant l'une vers l'autre en passant le seuil, et Stephen dit doucement : « Soyez la bienvenue, Mary. »

Et maintenant, pour la première fois, la vieille maison était un foyer. Mary alla vivement de pièce en pièce en chantonnant un petit air, sentant qu'elle voyait avec une compréhension nouvelle les objets inanimés qui emplissaient ces pièces... n'étaient-ils pas à Stephen? A tout instant, elle s'arrêtait pour les toucher, parce qu'ils étaient à Stephen. Puis elle se dirigea vers la chambre de Stephen, non timidement ou redoutant d'y être mal accueillie, mais sans la moindre crainte ni confusion, ce qui lui donna un petit élan de plaisir.

Stephen brossait activement ses cheveux avec deux brosses trempées dans l'eau. L'eau avait noirci ses cheveux par plaques, mais avait accentué l'ondulation profonde au-dessus du front. Voyant Mary dans la glace, elle ne se retourna pas, mais sourit un instant à leurs deux reflets. Mary s'assit dans un fauteuil et l'observa, remarquant la ligne maigre et vigoureuse des cuisses, remarquant aussi la courbe des seins, petits et compacts, d'une certaine beauté. Elle avait enlevé sa jaquette et paraissait très grande dans son chemisier de soie moelleuse et sa jupe de serge sombre.

— Fatiguée? s'informa-t-elle en jetant à la jeune fille un coup d'œil.

— Non, pas le moins du monde, sourit Mary.

Stephen se dirigea vers le lavabo et, se lavant les mains sous le robinet, tacha ses manchettes de soie blanche. Allant à l'armoire, elle en sortit un chemisier propre qu'elle mit après y avoir glissé une paire de boutons de manchettes en or, très simples, après quoi elle mit une cravate neuve.

Mary dit : « Qui s'est occupé de votre linge... qui a cousu les boutons et autres choses de ce genre?

— Je ne sais exactement... Puddle ou Adèle. Pourquoi?

— Parce que c'est moi qui le ferai à l'avenir. Vous verrez que je possède un réel talent – que je sais bien repriser. Quand je reprise, l'endroit ressemble à un panier dont les tresses sont contrariées. Et je sais comment faire un stoppage aussi bien que les stoppeurs! C'est très important, car les reprises doivent être lisses; autrement, lorsque vous faites des armes, vous pourriez attraper une ampoule. »

Les lèvres de Stephen se contractèrent un peu, mais elle dit très gravement : « Merci infiniment, chérie, nous allons examiner mes bas. »

Du cabinet de toilette dont la porte était à côté vint toute une série de bruits : Pierre déposait les bagages de Stephen. Se levant, Mary ouvrit la garde-robe, qui révéla une longue file nette de tailleurs suspendus à des cintres d'acajou massif; elle examina les costumes tour à tour, avec un grand intérêt. Un peu plus tard, elle se dirigea vers le placard pratiqué dans le mur; il était garni de rayons extensibles qu'elle tira un à un, avec précaution. Sur les rayons se trouvaient en bon ordre des piles de chemisiers, de pyjamas de crêpe de Chine – un excellent assortiment – et les dessous masculins de lourde soie que Stephen avait portés plusieurs années durant. Elle découvrit enfin les bas rangés dans un long tiroir et se mit à les déplier prestement, d'un mouvement rapide et légèrement important. Introduisant le poing dans les pieds et les talons, elle chercha les trous inexistants.

— Vous avez dû payer ces bas très cher, car ils sont en soie tissée à la main, murmura Mary avec gravité.

— J'en ai oublié le prix... Puddle les a fait venir d'Angleterre.

— A qui les a-t-elle commandés, le savez-vous?

— Je ne puis me le rappeler, à une femme quelconque.

Mais Mary insista : « Je voudrais avoir son adresse. »

Stephen sourit : « Pourquoi? Allez-vous commander mes bas?

— Chérie! Pensez-vous que je vais vous laisser aller nu-pieds? Bien sûr que je vais commander vos bas. »

Stephen appuya son coude à la cheminée et, le menton dans la main, contempla Mary. Elle fut une fois de plus frappée par l'air de jeunesse qui la caractérisait. Elle paraissait beaucoup moins que ses vingt-deux ans, dans sa robe simple et sa ceinture de cuir... en vérité, elle paraissait à peine plus âgée qu'une écolière. Et il y avait maintenant dans son visage quelque chose de tout à fait nouveau, une douce et sage expression que Stephen y avait mise, de sorte qu'elle eut soudain pitié à la voir si jeune et si pleine de cette sagesse car, parfois, la venue de la passion chez les jeunes gens, en dépit de sa gloire, est étrangement pathétique.

Mary roula les bas avec un soupir de regret; hélas, ils ne nécessitaient aucune reprise. Elle en était à la phase de l'amour où elle désirait accomplir pour Stephen des tâches féminines. Mais tous les vêtements de Stephen étaient désespérément nets; Mary pensa qu'elle devait être très bien servie, comme certains hommes, avec beaucoup de scrupules et de soin de la part des domestiques.

Stephen emplissait maintenant son étui à cigarettes, puisant dans la grande boîte qui se trouvait sur sa table de toilette; puis elle attacha son bracelet-montre en or; puis elle brossa quelque poussière à son vêtement; puis, pendant une seconde, elle fronça le sourcil à son image dans la glace en arrangeant sa cravate immaculée. Mary l'avait vu faire tout cela très souvent mais, aujourd'hui, c'était quelque peu différent, car elles étaient ensemble dans leur demeure, de sorte que ces petites choses intimes avaient plus de prix qu'à Orotava. La chambre à coucher n'aurait pu appartenir qu'à Stephen, une vaste chambre aérée, très simplement meublée, avec des murs blancs, du vieux chêne, et une grande cheminée de brique où brûlaient de grosses bûches amicales. Le lit n'aurait pu être que celui de Stephen, il était massif et avait un aspect austère, ainsi que Mary avait vu quelquefois à Stephen elle-même – à part un couvre-lit de brocart bleu ancien, il était dépourvu de toute garniture. Les chaises n'auraient pu être que celles de Stephen, réservées et peu propices à la flânerie. La table de toilette n'aurait pu être que la sienne, avec son grand miroir d'argent et ses brosses d'ivoire. En toutes ces choses s'était transmise une sorte de vie, dérivée de celle de leur possesseur, à tel point qu'elles semblaient penser à Stephen avec un mutisme qui rendait leurs pensées encore plus insistantes, et ces pensées prirent corps et se mêlèrent si bien à celles de Mary qu'elle-même s'entendit s'écrier : « Stephen! » d'une voix qui n'était pas bien loin des larmes, à cause de la joie qu'elle ressentait à ce nom.

Et Stephen répondit : « Mary... »

Elles restèrent alors immobiles, devenues soudain silencieuses. Et chacune d'elles ressentit une vague crainte, car la réalisation d'un grand amour mutuel peut être à certains moments une chose si foudroyante que les cœurs les plus braves eux-mêmes s'en épouvantent. Et bien qu'elles n'eussent pu exprimer cela par des mots, bien qu'elles n'eussent pu se l'expliquer à elles-mêmes ou l'une à l'autre, elles semblaient être en cet instant au-delà de ce flot turbulent de passion terrestre, elles semblaient regarder droit dans les yeux un amour transformé... un amour surnaturel, désincarné.

Mais le moment passa et elles se rapprochèrent...

ERSKINE CALDWELL

1903-1987

Nous les vivants

1938

Il y a dans *Nous les vivants* deux textes entre lesquels j'ai hésité : *Martha Jean*, et *La Baignade*. C'est que j'ai lu Caldwell comme j'ai lu beaucoup d'auteurs américains d'avant-guerre, sous l'Occupation, à une époque où mon travail de librairie, à quinze, seize, dix-sept ans, me permettait d'avoir entre les mains de temps en temps ces livres interdits. Et le viol sordide de Martha Jean s'accorde mieux pour moi à la désespérance d'une époque dont Simenon, en 1948, a rendu mieux que tout autre la version adolescente dans *La neige était sale*.

Mais l'Histoire est l'Histoire. *Nous les vivants*, choix de nouvelles pris de deux volumes américains, *We are the livings* (1933) et *Kneel to the rising sun* (1935), fut publié en France en 1938 ; dans ces temps-là Caldwell était surtout connu comme l'auteur de *La Route au tabac* et du *Petit Arpent du bon Dieu* où, comme dit Coindreau, « *toutes les puissances de la terre dansent autour de l'homme des rondes mystérieuses et lascives* » (préface à *Nous les vivants*). Il est vrai que dans le même texte Coindreau « *apparente Caldwell aux grands anxieux de la littérature américaine d'aujourd'hui* », comme Faulkner.

On notera qu'en 1933 *God's little acre* avait été interdit par la censure aux États-Unis, bien que, d'après Coindreau, dans ce roman comme dans *Tobacco Road*, « *le lyrisme apporte une saveur si particulière, et relève aux yeux des délicats ce que leur saveur peut avoir de trop gaillard* ».

La baignade

LE NIVEAU de l'eau avait remonté, après deux jours de pluie, et le petit ruisseau était plein jusqu'aux bords. Pour la première fois depuis une semaine, après un brouillard matinal, le ciel était bleu et le soleil chaud.

Leslie ôta sa chemise et son pantalon. Il ne portait jamais de maillot ni de caleçon, ni cette combinaison des deux que mes parents m'imposaient. Dès le printemps, Leslie fourrait caleçon et gilet de coton dans le fond d'un placard où ils demeuraient jusqu'à l'hiver. La mère de Leslie était morte et son père ne se souciait guère qu'il portât ou non des sous-vêtements.

– Nous aurions dû venir avec une pelle, pour enlever la vase, dit-il. Chaque fois qu'il pleut, ce trou en est plein. J'irais bien à la maison en chercher une, mais on me ferait rester pour travailler.

Pendant que Leslie se déshabillait et jetait pantalon et chemise sur un buisson, j'entrais dans l'eau jaune. J'enfonçais jusqu'à la cheville dans la vase mêlée de fragments de bois mort. J'en tirai plusieurs que je lançai sur la rive.

— Comment est l'eau, Jack? demanda Leslie. Il y a beaucoup de fond?

J'allai jusqu'au milieu de la petite rivière, là où le courant était le plus fort. L'eau jaune montait jusqu'à mes épaules.

— J'en ai presque jusqu'au cou, dis-je; mais c'est plein de branches mortes enfoncées dans la vase. Viens vite; nous allons les retirer.

Leslie sauta dans l'eau trouble qui gargouillait autour de lui.

— Je parie que quelqu'un vient jeter des branches mortes, chaque jour, dit-il, faisant la grimace. Sinon, il n'y en aurait pas autant et elles ne seraient pas au fond, dans la vase. Quelqu'un les jette, je te dis; quelqu'un qui habite tout près.

— Peut-être le vieux Howes, Leslie?

Bien sûr; c'est de lui que je veux parler; je parie qu'il vient tous les jours.

Leslie posa le pied sur une branche. Il pinça son nez entre le pouce et l'index, ferma les yeux et plongea pour retirer le bois mort.

— Dis donc? fit-il, quand il reprit son souffle.

— Quoi?

— Le vieux Howes a dit à mon père que nous faisions peur à ses vaches, que nous les faisions courir et qu'elles n'avaient plus de lait.

— Il n'est pas le maître de la rivière parce qu'il a un pré sur le bord, de l'autre côté de la haie. Nous n'avons jamais été par là, dis?

— Non, je n'ai jamais vu les vaches du vieux depuis le printemps. Il a dit ça à mon père parce qu'il ne veut pas que nous venions prendre un bain ici.

Des fragments d'écorce, des brindilles de bois mort descendaient le courant en ordre serré; un amas de débris retenus par quelque branche que l'eau avait soudain emportés; j'étendis les bras en V pour les arrêter et je les rejetai sur la rive.

Leslie dit quelque chose que je n'entendis pas et plongea pour ramener une branche morte. La vase était si gluante que nous ne pouvions nous déplacer rapidement. Il fallait tirer avec soin un pied après l'autre de cette boue jaune qui sentait plus mauvais qu'une étable à porcs.

— Si le vieux Howes vient, dit-il, et s'il veut nous faire sortir, nous lancerons de la vase sur lui, Jack, tu veux?

— Oui, mais il ira le dire à la maison, et à ton père.

— Je n'ai pas peur du vieux Howes, dit Leslie, faisant une grimace. Il ne dira rien. Il sait que nous le rattraperions à la première occasion et que nous le roulerions dans la vase.

— Non. Il est allé parler à ma mère, la fois que j'avais attrapé son jars...

— Oh! il y a longtemps.

Leslie s'interrompit pour écouter : quelqu'un avait marché sur une branche morte, derrière les buissons, et les craquements avaient dominé le bruit de la rivière.

— Qu'est-ce que c'est? dîmes-nous ensemble.

— Qui est-ce? demanda Leslie.

— Écoutons, dis-je, et enfonçons-nous dans l'eau.

Nous entendions quelqu'un qui marchait sur le bois mort et les feuilles sèches, derrière les buissons.

— Qui est-ce? murmura Leslie.

Je secouai la tête, le nez sous l'eau qui tourbillonnait et gargouillait contre les troncs d'arbre de la rive.

Leslie s'était enfoncé dans l'eau : je ne voyais plus que ses yeux et le haut de sa tête. Il serrait son nez à deux mains. L'eau était haute, rapide, limoneuse et nous entendions des gargouillements.

Soudain, entre les buissons, Jenny apparut. Lorsque Leslie la vit, il ouvrit de grands yeux et sortit sa tête de l'eau pour respirer. Le bruit qu'il fit nous effraya tous les trois pendant quelques secondes.

Jenny était la fille du vieux Howes; elle avait à peu près notre âge un ou deux ans de plus, peut-être.

— Qu'est-ce que tu viens faire ici? dit-il rudement à Jenny pour l'effrayer.

— Je viens ici quand ça me plaît.

— Tu ne peux pas venir quand nous prenons un bain; tu n'es pas un garçon.

— Je viens quand je veux, monsieur, dit Jenny; la rivière n'est pas à toi.

— Ni à toi, dit Leslie, qui lui fit une grimace; et voilà pour toi.

— Bon, dit Jenny, puisque c'est comme ça, Leslie Blake, je vais prendre tes habits et les cacher. Et voilà pour toi.

Elle prit le pantalon de Leslie et ma chemise.

Leslie me tira par le bras, vers la rive. Nous n'allions pas vite car nos pieds s'enfonçaient dans la vase.

— Nous allons la faire boire, murmura Leslie; la faire boire un bon coup. Viens.

Nous grimpâmes sur le bord et nous attrapâmes Jenny qui s'enfuyait à travers les buissons avec nos habits. Leslie la prit par la taille, et je lui tirai les bras, de toutes mes forces.

— Je vais crier, dit Jenny. Si vous ne me laissez pas, je crie. Papa est dans le pré; il viendra tout de suite et vous verrez ce qu'il vous fera.

— Il ne nous fait pas peur, dit Leslie, fronçant les sourcils pour intimider Jenny.

Je lui mis une main sur la bouche, j'avais passé mon bras autour de son cou. Nous tirions ensemble pour la ramener près du bord.

— On la fait boire, dis, Jack? demanda Leslie. Elle est allée rapporter au vieux Howes. Elle lui a dit des choses de nous.

— Oui, on pourrait la faire boire ; mais si elle va le dire ?

— Quand elle aura assez bu, elle n'aura plus envie de rien dire. Nous la tiendrons sous l'eau jusqu'à ce qu'elle promette de se taire et qu'elle ait fait la croix sur sa poitrine. C'est elle qui a jeté toutes ces branches dans la rivière ; j'en suis sûr.

Jenny ne pouvait guère se défendre. Leslie la tenait par la taille et moi par le cou, le bras passé sous son menton. Elle essayait de mordre la main que j'avais posée sur sa bouche. A chaque fois j'appuyais sur son cou et elle s'arrêtait.

J'avais peur de jeter Jenny à l'eau. Une fois nous avions fait boire un petit nègre qui s'appelait Bisco, et nous l'avions presque noyé. Il était devenu tout mou dans nos mains et nous l'avions étendu sur le bord et nous l'avions roulé comme un tonneau : l'eau jaune de la rivière coulait de sa bouche.

J'avais peur que ce fût la même chose pour Jenny.

— Oh ! je sais ce que nous allons lui faire, dis-je.

— Quoi ?

— La frotter de vase.

— Pourquoi pas la faire boire ? Elle aura peur et ne jettera plus de branches dans la vase et elle n'ira plus dire ce que nous avons fait.

— Non, Leslie. Tu sais bien, la fois que nous avons fait boire Bisco, il était presque noyé.

Leslie réfléchit un instant, regardant le dos de Jenny. Elle donnait des coups de pied tout le temps, mais sans réussir à se dégager.

— Entendu, dit Leslie, nous allons la frotter de vase. C'est la même chose ; ça lui apprendra à rapporter.

— Elle rapportera quand même ; alors, il vaut mieux nous venger avant. Ça l'empêchera de jeter des branches dans la vase.

— Elle ne dira rien, va, fit Leslie. Elle ne dira rien à personne, pas même au vieux Howes. Quand on frotte quelqu'un avec de la vase ou qu'on le fait boire, ça le guérit de rapporter.

— Alors, allons-y.

Leslie la jeta par terre à plat ventre et lui tint les bras derrière le dos et le visage dans l'herbe. Elle ne pouvait pas crier. Leslie avait posé un genou sur son cou.

— Déshabille-la, Jack, dit-il ; je la tiens.

J'allais tirer sur sa jupe lorsqu'elle me frappa, des deux pieds, au creux de l'estomac. Je tombai en arrière, incapable de retrouver mon souffle. J'ouvris la bouche pour crier, mais c'était impossible.

— Qu'est-ce qu'il y a, Jack ? dit Leslie, tournant la tête par-dessus son épaule.

J'étais à genoux et plié en deux, les mains à la poitrine.

— Qu'est-ce que tu as, Jack ? Elle t'a donné un coup de pied ?

Leslie n'avait rien vu ; il me tournait le dos.

– Si elle m'a donné un coup de pied, dis-je d'une voix faible ; j'ai cru que c'était une mule qui ruait.

– Assieds-toi sur ses jambes, dit Leslie, et elle ne pourra pas ruer.

Je courus au bord de la rivière et je revins les mains emplies de vase jaune. Quand j'avais pris la vase au fond de l'eau, ça avait fait un bruit de succion et ça sentait plus mauvais que du fumier ; on aurait dit des œufs pourris.

J'ôtai la robe de Jenny et la jetai sur un buisson. Leslie lui tenait les bras et lui fermait la bouche.

– Elle a un tricot dessous, Leslie, dis-je.

– Bien sûr, comme toutes les filles ; c'est ça qui les rend si fières.

– Pourquoi dis-tu ça ? fis-je en le regardant. Si c'est pour moi…

– C'est d'elle que je parle, dit Leslie. Je sais que tu portes un tricot et un caleçon parce que tes parents t'y obligent. Mais les filles, elles portent ça par plaisir.

– Ça va, dis-je, mais tu n'as pas besoin de dire ça pour moi, parce que… je…

– Tu ne feras rien du tout, coupa Leslie. Tais-toi. Dépêche-toi de la déshabiller.

– Toute nue ?

– Bien sûr. Nous ne pouvons pas la frotter avec de la vase si elle n'est pas toute nue.

– Je sais. Mais si le vieux Howes vient et qu'il nous voit ?

– Le vieux Howes ne peut rien faire ; il peut tout juste cracher et glisser dans son crachat. Qui a peur du vieux Howes ? Pas moi.

Nous luttâmes avec Jenny et, lorsque nous lui eûmes ôté sa chemise, Leslie dit qu'il avait assez de la tenir. Il soufflait et suait comme s'il venait de courir longtemps et très vite.

Je saisis les bras de Jenny ; je plaçai une main sur sa bouche et je mis un genou sur son épaule. Leslie revenait portant de la vase dans ses mains. Il la jeta sur elle. La vase tomba sur le ventre de Jenny avec le bruit d'une planche qui frappe l'eau. La seconde poignée m'éclaboussa.

Pendant que Leslie allait chercher de la vase, je retournai Jenny afin qu'il pût lui en jeter sur le dos. Elle ne se défendait plus, mais j'avais peur de desserrer mon étreinte et d'ôter la main que je tenais sur sa bouche ; quand je l'eus retournée, elle demeura immobile sur le sol, sans lancer de coups de pied.

– Ça lui apprendra, dit Leslie, qui revenait portant de la vase dans ses deux mains réunies. Elle l'a bien mérité. Peut-être qu'elle ne rapportera plus.

Il répandit la vase sur le dos de Jenny et courut en chercher encore.

– Frotte-la bien, cria-t-il, je vais en rapporter, Jack. Ça lui fera du bien ; ça lui apprendra à jeter des branches dans le fond de l'eau et à raconter tout ce que nous faisons.

J'étendis la vase sur le dos de Jenny, sur ses bras, ses épaules, ses jambes, en prenant garde de n'en point mettre dans ses cheveux, car après on ne peut s'en débarrasser.

— Retournons-la, dit Leslie, qui revenait avec une nouvelle charge. Ça ne fait que commencer.

Je retournai Jenny et elle ne tenta pas de se dégager. Leslie étendait la vase : une poignée sur les jambes, les cuisses, le ventre ; une autre sur les épaules et les seins. Jenny ne bougeait pas ; elle frissonnait lorsque Leslie frottait les parties les plus délicates de son corps avec le mélange de limon et de feuilles décomposées. Le reste du temps on aurait dit qu'elle dormait.

— C'est drôle, murmurai-je.

— Qu'est-ce qui est drôle ? demanda Leslie, levant la tête.

— Elle ne cherche pas à s'en aller.

— C'est qu'elle est finaude, dit Leslie, levant la tête. Elle attend que nous ne nous méfiions plus. Laisse, je vais la tenir.

Il prit ma place ; j'allai chercher de la vase et je l'étendis sur le corps de Jenny. La vase ne collait plus ; elle était liquide et douce. Je sentais, avec la paume de mes mains, que la peau de Jenny était plus fine que la mienne ; à certains endroits elle était très douce. Lorsque je frottai le limon sur ses seins, c'était si doux que je n'osais pas y revenir. Je levai la tête pour voir son visage et je m'aperçus qu'elle me regardait en dessous, les paupières à demi baissées. Je ne pus m'empêcher de penser qu'elle n'était pas en colère contre nous et que, si Leslie n'eût pas été là, elle m'aurait laissé l'enduire doucement de vase tant que j'aurais voulu. Machinalement, mes mains étaient revenues sur ses seins et, soudain, je compris que ce que nous faisions n'était pas bien.

— Qu'est-ce que tu fais, Jack ? dit Leslie ; tu as une drôle de façon d'étendre la vase.

— C'est assez, Leslie, dis-je. N'en mettons plus. Laissons-la s'en aller.

— Qu'est-ce que tu as ? fit Leslie les sourcils froncés. Nous n'avons pas fini ; encore une couche.

Jenny leva la tête et ouvrit les yeux. Elle n'eut pas besoin de me parler pour dire ce qu'elle voulait.

— C'est assez, Leslie ; c'est une fille. C'est assez pour une fille.

Je crois que Leslie était de mon avis, mais il ne voulait pas en convenir. Nous comprenions tous les deux que Jenny n'était qu'une fille, que nous l'avions traitée comme un garçon.

— Si nous te laissons partir, tu promets de ne rien dire ? demanda Leslie.

Elle fit oui de la tête et Leslie ôta la main qu'il avait posée sur la bouche de Jenny.

Nous pensions qu'elle allait dire qu'elle parlerait quand même, à cause de ce

NOUS LES VIVANTS

que nous lui avions fait, mais dès qu'elle fut libre elle s'assit et tenta de cacher son ventre avec ses mains et ses bras, sans parler.

Comprenant qu'elle n'appellerait pas le vieux Howes, nous sautâmes dans la rivière, pour nous débarrasser de la vase que nous avions sur le corps. Jenny, accroupie, nous regardait sans rien dire.

— Rhabillons-nous et partons vite, dit Leslie. Mon père me battrait s'il nous voyait ici avec Jenny dans cet état.

Elle mit une main sur ses yeux lorsque nous sortîmes de l'eau. Nous prîmes nos habits sur les buissons. L'instant d'après, nous l'entendîmes qui barbotait dans la rivière.

Leslie n'avait qu'à passer sa chemise et enfiler son pantalon et il fut prêt avant que j'aie pu seulement retourner à l'endroit ma combinaison de coton. Il serra sa ceinture et partit, au trot, en se boutonnant. J'avais été si pressé de sauter dans l'eau que je n'arrivais pas à retourner ma combinaison. Lorsque les manches étaient à l'endroit, les jambes étaient à l'envers. Leslie s'éloignait.

— Hé! cria-t-il. Pourquoi ne viens-tu pas?

— C'est mon caleçon.

— Voilà ce que c'est de porter des combinaisons.

— Je ne puis faire autrement, tu le sais bien.

— Tant pis pour toi.

— Tu ne m'attends pas?

— Non, Jack, dit-il, courant toujours. Il faut que je retourne à la maison.

— Je croyais que tu n'avais pas peur du vieux Howes, ni de personne? criai-je. Mais il fit comme s'il ne m'entendait pas.

Lorsque Leslie fut parti, je ne me pressai pas. J'étais certain que l'heure à laquelle je rentrerais n'avait pas d'importance, puisque Jenny dirait à son père ce que nous lui avions fait et que le vieux Howes viendrait se plaindre chez nous. J'avais le temps de penser à ce que je répondrais quand on m'interrogerait.

Jenny sortait de la rivière comme je boutonnais ma chemise. Elle passa son maillot de coton, sa chemise et sa robe, très vite, et elle vint vers moi.

— Qu'est-ce que tu as, Jack? dit-elle, avec un léger sourire. Pourquoi n'es-tu pas parti en courant, avec Leslie?

— Je n'étais pas habillé.

J'allais lui parler de la cause de mon retard, mais je me retins.

Elle vint un peu plus près. Au fur et à mesure, je reculais.

— Où vas-tu? dit-elle. Pourquoi t'en vas-tu?

Je m'arrêtai pour la regarder. Maintenant qu'elle était habillée elle était comme la Jenny de tous les jours, mais à mes yeux ce n'était pas la même chose, après ce que nous lui avions fait. Je ne pouvais oublier la sensation de mes mains visqueuses glissant sur la douceur de sa peau. Comme je la regardais j'avais l'impression de ressentir quelque chose de nouveau, je savais que je la reverrais toujours nue comme quand je l'avais touchée.

– Tu ne m'attends pas, Jack?

J'aurais voulu m'enfuir en courant, mais je ne bougeai pas lorsqu'elle vint près de moi.

– Tu vas dire ce que nous t'avons fait, dis, Jenny?

Elle était tout près de moi. Je tournai sur mes talons, et je me mis à marcher auprès d'elle, à deux pas d'écart. Nous traversâmes les buissons et les bois, jusqu'à la route. Là, il n'y avait personne et nous allâmes ensemble jusqu'à la maison de Jenny.

Avant d'arriver au portillon de la barrière, je sentis que ma main touchait la sienne. Je ne sais comment, il me sembla qu'elle avait tenu ma main, un instant. Lorsque je baissai les yeux pour m'en assurer, elle se séparait de moi et entrait dans le jardin.

Je demeurai au milieu de la route. Elle monta les marches du perron. Au moment de franchir la porte, elle s'arrêta et eut un geste pour brosser sa robe comme si elle voulait s'assurer qu'il n'y avait plus de boue. Lorsqu'elle poussa le battant pour entrer, je me demandai si elle m'avait regardé, par-dessus son épaule, ou si je l'avais imaginé.

En tout cas, je crus qu'elle l'avait fait, comme j'avais cru qu'elle avait pris ma main dans la sienne.

– Jenny ne dira rien! murmurai-je, en courant sur la route, vers notre maison. Jenny ne dira rien! répétai-je tout le long du chemin.

La Femme

1938

Ouvrage publié clandestinement par Briffaut, et comportant trente-neuf sonnets inédits de Pierre Louÿs précédés d'une notice signée L. P., c'est-à-dire Louis Perceau. La publication des inédits érotiques de Pierre Louÿs, à partir de 1926, avait soulevé l'indignation des bons esprits, tout prêts à mettre au compte d'une impétuosité juvénile la préface d'*Aphrodite* et *Les Aventures du Roi Pausole*. Il y avait donc deux versions de la chose : 1° Un des secrétaires de Pierre Louÿs a réussi à imiter son écriture ; ce sont des faux. 2° Comme le rapporte Perceau : « *Le Maître a peut-être écrit cela. Mais pourquoi livrer au public les élucubra-tions maladives d'un cerveau épuisé par le génie ?* »

Perceau se fit donc un malin plaisir, manuscrit en main, de publier ces poèmes dont la rédaction s'échelonne du 22 mars 1890 au 13 août 1891, faisant remarquer que « *ce n'est qu'en 1892 que la Librairie de l'Art indépendant publia Astarté* », le premier texte de Louÿs.

Cela dit, ceux qui présentent ces honorables compositions parnassiennes comme d'immortels chefs-d'œuvre ne sont peut-être pas non plus tout à fait raisonnables. Ce n'est pas le meilleur de Pierre Louÿs.

Les nymphes

Oui, des lèvres aussi, des lèvres savoureuses
Mais d'une chair plus tendre et plus fragile encor
Des rêves de chair rose à l'ombre des poils d'or
Qui palpitent légers sous les mains amoureuses.

Des fleurs aussi, des fleurs molles, des fleurs de nuit,
Pétales délicats alourdis de rosée
Qui fléchissent pliés sous la fleur épuisée
Et pleurent le désir, goutte à goutte, sans bruit.

Ô lèvres, versez-moi les divines salives
La volupté du sang, la vapeur des gencives
Et les frémissements enflammés du baiser.

Ô fleurs troublantes, fleurs mystiques, fleurs divines
Balancez vers mon cœur sans jamais l'apaiser
L'encens mystérieux des senteurs féminines.

25 mars 1890

ANONYME

Histoires raides pour l'instruction des jeunes filles

1938

Une bonne partie des histoires qui ne s'imprimaient que sous le manteau vingt-cinq ans plus tôt se retrouvent maintenant dans des recueils publiés très officiellement, par exemple les *Histoires gauloises* de Champi, aux Éditions de France, où l'on retrouve, avec quelquefois il est vrai des nuances impalpables de vocabulaire, certaines des *Histoires d'hommes et de dames* que nous citions pour l'année 1913. On pourrait y trouver aussi quelques-unes de ces *Histoires raides* clandestines sans que le livre en soit poursuivi pour autant en 1938.

C'est Louis Perceau qui a recueilli ces histoires, et rédigé l'*Avant-Propos*. L'éditeur était Maurice Duflou.

Avant-Propos

*A*U COURS DU XIXe SIÈCLE, les folkloristes ont glané, aux coins reculés de nos provinces, les chansons de nos aïeules, ces naïves et fraîches cantilènes qui faisaient la joie des noces villageoises. Ils ont recueilli aussi les chansons plus gaillardes, les récits piquants et rabelaisiens où s'épanouissait à l'aise le vieux fonds gaulois si tenace au cœur du peuple.

Des savants, étrangers à la pudeur verbale et aux vertueux sentiments des moralistes, ont imprimé tout crûment les refrains obscènes et les contes licencieux. Et l'on s'aperçoit aujourd'hui que sans eux toute cette moisson de gaieté populaire et champêtre eût desséché sur place et fût allée rejoindre les livres introuvables et les œuvres détruites par la sottise des hommes.

Nous sommes de ceux qui pensent que tout produit de la pensée est respectable, et que s'il n'est pas toujours nécessaire de le propager, du moins est-il indispensable de le recueillir et de le conserver, ne serait-ce qu'à l'usage des historiens.

Mais nous sommes aussi de ceux qui estiment, après l'immortel Rabelais, que rire est le propre de l'homme et qu'il ne faut laisser perdre aucune occasion de se réjouir.

Ce que les folkloristes ont fait pour tout ce que nous avait conservé, à travers les siècles, la tradition orale, nous l'avons voulu faire pour ces histoires gaillardes qui font de nos jours les délices des sociétés rabelaisiennes.

Ce n'est pas qu'on n'en ait déjà recueilli une grande partie, dans des volumes qui ont connu aussitôt la vogue du public. Mais elles y sont habillées décemment, tout au plus légèrement décolletées et retroussées, et non dans leur rude et gaillarde nudité.

Celles qu'on trouvera ici sont telles qu'on les conte, telles qu'on les entend, sans la moindre concession à la pruderie et à l'hypocrisie de notre société de tartufes.

Les unes viennent de la veine gauloise des fabliaux, des nouvelles en prose et des contes en vers, mais elles se sont modernisées et, partant, sont devenues une tout autre chose que ce qu'elles furent jadis.

Les autres sont sorties toutes neuves de cet esprit parisien qui s'épanouit à l'aise dans tous les milieux où les hommes spirituels conservent entre eux leur franc-parler : salles de rédaction des grands et des petits journaux, salles de garde des hôpitaux, coulisses des théâtres, sociétés galantes ou bacchiques.

Les unes et les autres ont cours aujourd'hui. Où seront-elles demain si l'on n'a pris la précaution de les transcrire pour la postérité?

Nous n'avons pas eu d'autre ambition en préparant ce recueil d'*Histoires raides*.

Puissent-elles réjouir nos lecteurs comme elles nous ont réjoui nous-mêmes! Ce sera notre seule récompense.

UN VIEUX JOURNALISTE.

A la hussarde !

— Oh maman, dit la jeune mariée, si tu savais ce que c'est bon et que mon mari est épatant, quand il me baise à la hussarde!

— A la hussarde!

— Oui. Voilà comme on fait. Je m'étends sur le bord du lit, les jambes bien écartées. Il se met au fond de la chambre, la bite à la main, s'élance en caracolant comme s'il était monté sur un cheval sauvage, et pénètre d'un seul coup, comme ça : Hon!… Ah! mon Dieu! Il me semble que je le sens encore…

La mère, rêveuse, partit sans rien dire.

Mais le lendemain, on la vit arriver chez sa fille, pliée en deux, boitant, marchant les jambes écartées et gémissant sans arrêt.

— Mon Dieu, maman! s'écria la petite, qu'as-tu?

— Ah! ma pauvre fille! c'est ton père qui a voulu le faire à la hussarde. Malheureusement, il a glissé sur le parquet ciré et il est arrivé la tête la première!…

Le taureau indispensable

Le curé rencontre sur le chemin une petite du catéchisme de persévérance, qui tient une vache par la corde.

– Où vas-tu comme ça, Colette?

– Je vais mener la vache au taureau, monsieur le curé.

– Quel scandale!... Ces paysans... Voyons, ma petite, il me semble que ton père aurait bien pu faire ça lui-même...

– Oh! non, monsieur le curé, pour avoir un veau, il faut absolument que ce soit le taureau qui baise la vache!...

La poudre d'Hercule

Cette petite femme n'était pas satisfaite de la vigueur de son mari. Un jour, une tireuse de cartes et sorcière, consultée par elle sur cet objet, lui vendit une boîte contenant une poudre merveilleuse, la poudre d'Hercule, dont il suffisait de saupoudrer les aliments servis à son mari.

Hélas! C'était plus facile à dire qu'à faire, car le mari, le nez sur son assiette, ne quittait jamais la table.

Enfin, un jour qu'il s'était servi une bonne assiettée de purée avec une saucisse, une musique militaire se fit entendre, le mari courut à la fenêtre et la femme en profita pour saupoudrer rapidement son assiette d'une pincée de poudre d'Hercule.

Et quand le mari revint, la saucisse, dressée en l'air, bandait fièrement sur son plat de purée!...

Six coups pour rien

Un brave mari se désolait de ne pas pouvoir avoir d'enfant. Le médecin, consulté, avait déclaré que ce cas de stérilité était le résultat d'une vieille orchite attrapée au régiment.

– Votre femme, elle, a tout ce qu'il faut pour faire un enfant. Mais pour vous, rien à faire...

De grosses questions d'intérêt entrant en jeu, le mari stérile se résolut à employer les grands moyens pour obtenir cet enfant indispensable. Il fit taire sa jalousie et convainquit assez facilement sa femme – quelle femme ne se laisserait ainsi convaincre? – qu'il lui fallait essayer un autre étalon, toutes précautions étant prises pour assurer la discrétion voulue à cette opération extra-conjugale.

Le couple alla donc s'installer, sous un nom d'emprunt et dans deux chambres différentes, dans une grande ville d'eaux. Le soir même de leur arrivée, le mari s'en fut au casino, y fit la connaissance d'un beau mâle, et après quelques confidences, lui dit soudain :

– Avez-vous remarqué la jolie brune qui est à votre droite? Voilà une demi-heure qu'elle vous regarde avec des yeux qui en disent long. Comme je l'ai déjà baisée, l'an dernier, je puis vous la présenter...

Ainsi dit, ainsi fait, et quelques instants après, la jolie brune et le beau mâle s'enfermaient dans la chambre de la première, cependant que l'infortuné mari, dans la chambre voisine, s'essayait à dompter les sursauts de sa jalousie.

Il attendit longtemps. Enfin, après trois longues heures, l'heureux amant sortit. Le mari rejoignit aussitôt sa femme, désireux de savoir si tout avait été fait pour fabriquer le fameux héritier :

– Ça y est? Combien de fois?

– Oh, mon chéri, dit la jolie brune en rougissant, sans te vexer, il est autrement galant que toi! Il m'a baisée six fois, et il en aurait encore ajouté une septième, si sa boîte de capotes anglaises n'avait été épuisée!!!

Le lavement

Marie-Jeanne est une commère un peu là. C'est, je crois, mademoiselle de La Vallière qui assura un jour que tout était grand chez les rois.

Chez Marie-Jeanne, aussi, et on assure dans le village qu'il faudrait lier en fagot les quatre plus belles queues du pays pour combler... ses vœux.

Un jour, Marie-Jeanne tombe malade et le médecin prescrit un lavement. C'est la fille de Marie-Jeanne, la petite Annette – seize ans aux prunes – qui est chargée de l'opération.

Marie-Jeanne grimpe sur son lit, se met à quatre pattes, et présente à sa fille un derrière large comme une jument de brasseur.

La petite avance avec sa seringue, puis questionne :

– Dis-moi, maman, dans quel trou faut-il que je la mette?

– Dans celui du haut, ma fille.

– Ah! c'est dommage, parce que si ç'avait été dans celui du bas, j'aurais pu verser directement avec la casserole.

Le marié ingénu

Le lendemain de la noce, la maman attend sa petite oie blanche de fille pour l'interroger.

– Eh bien, ma fille, es-tu contente de ton mari?

– Oh! oui, maman...

– Que t'a-t-il donc fait, cette nuit?

– Il m'a fait l'amour, maman...

– Ah! Et comment s'y est-il pris?

– Eh bien! maman, nous nous sommes couchés, il m'a embrassée, puis nous avons dormi...

– Quoi! C'est tout? Il ne t'a pas fait autre chose?

– Mais non, maman...

Un peu plus tard, belle-maman pose à son gendre des questions analogues et en reçoit des réponses du même genre que celles de sa fille.

Elle est surprise et le laisse voir.

– Alors, belle-maman, dit l'autre, ce n'est donc pas tout? Que fallait-il donc faire?

– Mon gendre, si mon pauvre mari était encore de ce monde, il vous l'eût vite expliqué... mais je suis une femme et ne sais trop comment...

Soudain, un trait de génie l'illumina :

– Ah! voilà : vous n'avez donc jamais vu faire les chiens, mon gendre?

– Quoi! belle-maman, c'est donc ainsi qu'il faut faire? Ce n'est vraiment pas sorcier, en effet.

Après la seconde nuit, la jeune mariée, toute en pleurs, se précipite chez sa mère :

– Maman! je veux divorcer!... Si tu savais!... Mon mari est devenu fou!...

– Quoi! ma fille?...

– Tu vas en juger!... Hier soir, avant de nous coucher, après que nous avons été déshabillés, il m'a fait mettre à quatre pattes, il est venu me sentir le derrière et il est allé pisser le long de l'armoire à glace!!!

Susceptibilité

Olive est aux colonies depuis de longs mois et il a laissé sa jeune femme à Marseille.

Un beau jour, l'ami Marius arrive du pays.

– Et ma femme? questionne Olive.

– Ta femme, répond Marius, elle est de plus en plus belle, et tu sais, ce n'est pas pour me vanter, mais elle baise rudement bien!

Et se penchant à l'oreille d'un autre de ses amis, Marius ajoute tout bas :

– Ça n'est pas qu'elle baise beaucoup mieux qu'une autre, mais ce cher Olive est si susceptible.

Soyez donc aimable !

Le vieux S., député d'un département du Midi, était excessivement bavard. Un jour, sur une petite ligne où l'on ne voyait ni wagons à couloirs ni wagon-restaurant, le député et sa femme, une vieille rombière ridicule, voyageaient depuis plusieurs heures en compagnie d'un monsieur, fort absorbé dans la lecture du dernier roman à succès. En vain, le député avait-il tenté d'engager une conversation avec son compagnon de voyage, mais ce dernier n'avait répondu que par des grognements aux avances du bavard.

Vient l'heure du déjeuner. Le député ouvre un panier copieusement garni, étale des victuailles sur la banquette, et avant de les attaquer juge l'occasion propice pour une nouvelle tentative de liaison. Il se tourne donc vers le voyageur taciturne, et de son air le plus aimable :

— Comme nous en avons encore pour trois heures avant d'arriver, j'espère, monsieur, que vous nous ferez le plaisir de partager notre repas?

L'autre, toujours renfrogné, répond d'un ton sec :

— Merci, je ne mange pas...

Le député, interloqué, se retourne vers son épouse et − faute de grives... − lui dévoile, au long du déjeuner, les mystères de la politique. Vient l'instant de boire. Le député se met à déboucher une respectable bouteille, et se tournant une nouvelle fois vers son compagnon :

— Voyons, monsieur, vous accepterez bien, au moins, de goûter à ce vieux vin, que j'ai moi-même mis en bouteilles l'année que...

— Merci, je ne bois pas!...

Le déjeuner achevé, nouvel essai de S. :

— Monsieur?... Un havane?... Ils sont délicieux...

— Merci, je ne fume pas!...

Le député en reste coi. Mais pas longtemps. Il réfléchit soudain qu'il a manqué sérieusement aux usages en invitant un inconnu sans même s'être fait connaître et lui avoir présenté sa femme. Et pour réparer sa gaffe :

— Oh! monsieur, je ne sais comment m'excuser de mon étourderie. J'ai négligé de vous dire que j'étais le député S. et de vous présenter ma femme.

Alors, le voyageur, après un coup d'œil rapide à la rombière :

— Merci, je ne baise pas!...

Pour les dames

Un Anglais étant de passage à Paris et se promenant sur les boulevards, fut pris d'un besoin pressant. Apercevant des water-closets, il se précipita aussitôt à l'intérieur sans se rendre compte que le compartiment dans lequel il venait de pénétrer était réservé aux dames, ainsi que le portait l'inscription qui se trouvait au-dessus de la porte. La gardienne de l'établissement courut aussitôt prévenir l'insulaire.

— Hé, milord, lui cria-t-elle à travers la porte, c'est pour les dames ; sortez donc, les messieurs n'entrent point ici.

L'autre, continuant sa fonction, ne répondit pas. La gardienne appela un agent, auquel elle fit connaître l'infraction au règlement dont l'Anglais se rendait coupable. Le sergent de la ville alla aussitôt prévenir celui-ci, disant :

— Milord, c'est pour les miladies, ici...

Le pisseur, se retournant en secouant son membre, répondit :

— Aoh! yes, c'est bien pour les miladies, ceci.

Le Sexe inconnu

vers 1938

Nous avons déjà mentionné rapidement le Dr Magnus Hirschfeld, inlassable vulgarisateur sexologique dont les lecteurs n'étaient pas en majorité des scientifiques, il faut bien le dire, du moins en France. Pourtant aux environs de 1930 un certain nombre de publications, d'origine étrangère pour la plupart, firent progresser l'idée d'une étude scientifique de la sexualité. Le Mercure de France poursuivait volume par volume l'édition des *Études de psychologie sexuelle* d'Havelock Ellis, Payot publiait en 1931 l'édition Moll, la plus complète, de la *Psychopathia Sexualis* de Krafft-Ebing[1], Gallimard publiait Maranon *(L'Évolution de la sexualité et les états intersexuels* 1931) et Stekel *(L'Homme impuissant, la Femme frigide)*, et les Éditions Aldor, à qui l'on devait déjà le livre de Fisher que nous citons page 237, publiaient, en 1931 également, *Perversions sexuelles*, d'après l'enseignement du Dr Magnus Hirschfeld, texte établi par le Dr Félix Abraham, son premier assistant, traduit et adapté par le Dr Pierre Vachet, déjà cité également (page 513). Je pense qu'il faut citer largement l'introduction du Dr Pierre Vachet, qui situe bien l'état de la sexologie en France et en Allemagne dans les années 30, et donne sur Magnus Hirschfeld d'intéressantes précisions :

« L'intérêt que suscitent, depuis plusieurs années, en France, les problèmes de la sexualité, tant normale que pathologique, et le besoin qui s'y fait sentir chaque jour plus pressant de ne point laisser aux pires hasards l'éducation sexuelle des jeunes, garantissent à cet ouvrage le retentissement qu'il mérite. Car Perversion sexuelle est un ouvrage de premier plan qui, pour être destiné au grand public, n'en demeure pas moins un monument scientifique. Aussi bien contient-il la doctrine du célèbre fondateur de l'Institut des Sciences sexuelles à Berlin, du Dr Magnus Hirschfeld…

« Magnus Hirschfeld est né le 14 mai 1868, à Kolberg, sur les bords de la mer Baltique. Son père était lui-même un médecin philanthrope et réputé. Il se voua d'abord à la philosophie et à la philologie, mais s'adonna bientôt à la médecine et aux sciences. Il passa ses épreuves de doctorat en 1893. Dans les années qui suivirent il fit de grands voyages en Amérique, en Afrique, en Orient, en Europe, puis il exerça la médecine à Magdebourg et plus tard à Charlottenbourg. En 1910, il s'établit à Berlin comme spécialiste. Il était le premier médecin à se déclarer " spécialiste des maladies psychiques sexuelles". Depuis lors il ne cessa de développer une œuvre scientifique et sociale considérable.

« Sous le titre Sapho et Socrate, *parut en 1896 son premier livre, écrit à propos du suicide d'un jeune officier homosexuel. Par la suite Hirschfeld publia presque tous les ans un livre nouveau. Je citerai :* Les Lois naturelles de l'amour, Les Invertis, L'Homosexualité de l'homme et de la femme, La Pathologie sexuelle *(en 3 volumes). L'ouvrage le plus remarquable d'Hirschfeld est*

---

1. Dans *La Critique sociale*, n° 3 d'octobre 1931, Bataille écrit : « *Il est possible de regarder le recueil d'observations de Krafft-Ebing comme l'expression d'une grave discorde opposant l'individu à la société.* »

intitulé Science sexuelle *et comporte*
5 volumes. C'est un vaste compendium de
3 000 pages où il n'est pas de problème tou-
chant à la vie sexuelle de l'homme qui ne soit
abordé.
«*En 1897 Hirschfeld créa le " Comité*
scientifique humanitaire ". Vers le même temps
il mettait en circulation la célèbre pétition au
Reichstag réclamant l'abolition du paragraphe
175 du Code pénal allemand qui prévoyait la
punition d'actes homosexuels. Parmi les pre-
miers signataires se trouvaient les grands
savants Krafft-Ebing, List, le chef de la social-
démocratie Bebel, les poètes Dehmel, Gerhardt
Hauptmann, Wildenbruch. Pendant des
dizaines d'années les adhésions à cette pétition
continuèrent d'affluer. En 1908 Hirschfeld
fonda la Revue des sciences sexuelles *en*
collaboration avec Hermann Rohleder de
Leipzig et Frederic S. Kraus de Vienne. En
1913 fut constituée la Société médicale des
sciences sexuelles avec Hirschfeld, Iwan Bloch,
A. Eulenburg et J. Koerber.
«*En 1918 eut lieu la fondation du fameux*
Institut des sciences sexuelles installé dans un
des plus beaux immeubles de Berlin, dont
Hirschfeld s'était rendu acquéreur et dont il fit
le legs à l'État allemand. L'Institut est devenu
un établissement médical et scientifique unique
au monde. On y reçoit, observe et traite des
individus atteints de toutes sortes de troubles
sexuels, on y fait des cours et des conférences.
On y a organisé d'admirables bibliothèques et
collections de documents. A cette organisation,
Hirschfeld adjoignit, en 1919, un bureau de
consultations prénuptiales dont le succès fut tel
que 200 centres analogues furent créés par la
suite en Allemagne et en Autriche.
«*Les travaux de toutes ces sociétés aussi bien*
que ceux de l'Institut ont été publiés dans la
Revue des sciences sexuelles, *les* Rapports
trimestriels du Comité scientifique huma-
nitaire, *un recueil intitulé* Sexus, *etc.*
«*En 1921, Hirschfeld convoqua le premier*
Congrès international pour la réforme sexuelle.
D'autres congrès eurent lieu à Copenhague, à
Londres (1929), à Vienne (1930).
«*Ces congrès eurent pour fruit l'organisation*
de la Ligue mondiale de réforme sexuelle, dont

l'importance est considérable. C'est à la prési-
dence de la section française de cette ligue que
j'ai eu moi-même l'honneur de me voir
nommer.
«*On se représentera mieux l'extraordinaire*
étendue de l'activité de Magnus Hirschfeld en
apprenant qu'il s'est occupé de problèmes
débordant ceux de la science sexuelle et qu'il
s'est mêlé à la bataille des idées qui a suivi la
guerre. Il a consacré des études à l'alcoolisme
(La Gorge de Berlin, Alcool et Vie
sexuelle), à la psychologie de la guerre
(Pourquoi sommes-nous détestés par les
autres peuples, Psychologie de la guerre).
Immédiatement après la Révolution il publia
un pamphlet retentissant : Il nous faut un
ministère de l'Hygiène…
«*Au demeurant l'homme n'est pas que de*
cabinet et à de multiples reprises, il s'est pen-
ché, comme expert devant les tribunaux, sur les
plus étranges infortunes sexuelles, à de mul-
tiples reprises il a lutté devant des juges résis-
tants pour sauver des hommes de la prison, du
bagne, de la mort…

«   Dr Pierre VACHET,
« professeur à l'École de psychologie. »

Hirschfeld se signalait par une défense
opiniâtre de l'homosexualité masculine
qui lui avait valu des désagréments, même
dans l'Allemagne d'avant le nazisme. On
parle de lui dans un livre du début des
années 20, Le Vice organisé en Allemagne,
d'Ambroise Got :

«*Comme conférencier, le Dr Hirschfeld s'est*
montré inlassable, apportant la "bonne parole"
dans toutes les villes d'Allemagne, récoltant des
coups aussi souvent que les lauriers, sinon plus
souvent… Il a été l'objet à Munich (en 1920)
de sévices tels que le bruit de sa mort fut
répandu. Ce n'était, heureusement pour les
homosexuels, qu'une fausse alarme, et après
avoir été alité quelques semaines, le
Dr Hirschfeld a repris son poste de combat.
«*Il est malaisé de discerner ici les divers res-*
sorts qui l'ont poussé à engager sa propagande.
Sans doute est-il convaincu de l'iniquité du
paragraphe 175 qui réprime la pédérastie; sans

doute sympathise-t-il avec les anormaux, peut-être est-il lui-même anormal ; en tout cas, son idéalisme se conjugue parfaitement avec une sorte de cupidité que trahit sa réclame tapageuse, qu'il s'agisse de son Institut où il donne et fait des consultations, de son périodique ou de son film. »

Il est aussi question d'Hirschfeld quelques années plus tard dans le texte de René Crevel (*Documents*, juin 1934) que nous citions à propos des *Pieds dans le plat* :

« Il y a quelques années, à Berlin, au musée Hirschfeld, on voyait, documents et preuves à l'appui, comment, dès leur retour à la vie, civile, d'anciens uhlans, du type le plus brutal, le plus soudard, le plus trousseur de filles, se trouvaient atteints d'éonisme. Ils échangeaient tunique, culotte et caleçons réglementaires contre corsages, jupes et jupons. Et, paradoxe des paradoxes, nombre de ces colosses copiaient, dans leur vêture féminine, certaines raccrocheuses qui elles-mêmes, pour leur tenue de tra-vail, s'étaient inspirées du style le plus violemment soldatesque. Un lustre plus tard, les nazis avaient brûlé les précieuses collections d'Hirschfeld... »

Les Éditions Montaigne, qui publiaient *Le Sexe inconnu* dans une collection d'« Études sexologiques » intéressante, quoiqu'un peu mêlée, firent précéder le texte d'une note des éditeurs :

« Nous avons pensé que, dans une collection d'études sexologiques, l'homosexualité ne pouvait être passée sous silence. Aussi nous n'avons pas manqué de faire bon accueil à l'étude savante que nous en proposait le Dr Magnus Hirschfeld. Il ne nous a pas échappé, assurément, que cette étude aurait pu se cantonner avec plus de rigueur scientifique dans le domaine de l'observation et des faits contrôlés. C'est dire que nous aurions préféré plus de réserve dans l'appréciation philosophique et morale de ces faits. Mais le lecteur saura opposer lui-même son propre jugement », etc.

Chapitre XV
Les lettres de Richard Wagner à sa modiste

COMME LE TERME de masochisme a été formé d'après le nom propre de Sacher-Masoch, le terme de sadisme d'après celui du marquis de Sade, M. Havelock Ellis a proposé, pour le transvestitisme, le terme d'« Éonisme ». C'est dire à quel point le chevalier d'Éon a pu être considéré comme le représentant le plus marquant de cette particularité psychique.

L'aristocratie française a connu encore d'autres cas semblables, tel celui d'un aventurier qui, sous le nom de Mademoiselle Henriette-Jeanne Savalette de Langes, avait été admis dans les milieux les plus exclusifs. Cette personne avait toutes les habitudes d'une vieille fille. Elle confectionnait avec adresse des bonnets de dentelle, des travaux de crochet et de tapisserie, et ses recettes de cuisine furent fort prisées. Les enfants du comte S. R. l'appelaient « tante barbe », tant la peau de sa figure était dure aux baisers. Ce n'est qu'après sa mort qu'on découvrit que Mademoiselle de Langes avait été un homme. Lorsqu'un écriteau, à sa maison de Versailles, annonça : « A vendre à cause de la mort de l'homme qui, durant sa vie, s'était appelé Mlle Henriette-Jeanne Savalette de Langes », on murmura que la femme mystérieuse n'avait été autre que Louis XVII, dauphin de France.

Au début du XIXᵉ siècle parurent, en dix volumes, les souvenirs de la Marquise de Créquy, mémoires qui contenaient une foule d'anecdotes touchantes et galantes sur l'ancien régime. La châtelaine qui publia ses mémoires était un monsieur de Courchamps qui s'était, dans la vie, complètement identifié avec la personnalité imaginaire de la marquise. Une fois, son éditeur le trouva au lit, la tête enveloppée d'une fine dentelle. « Excusez-moi, dit l'écrivain, j'ai aujourd'hui mes vapeurs. » Il écrivait ses mémoires dans une sorte de boudoir, au milieu de glaces, d'éventails, de boîtes à fard, de bibelots et de broderies commencées.

Mais la passion étrange qui nous occupe ici n'est l'apanage ni d'une classe, ni d'une époque, ni d'un certain âge. Parmi dix-sept cas que nous avons analysés dans notre livre *Les Transvestis*, nous avons trouvé trois commerçants, tous dans la trentaine, deux écrivains dont l'un près de la cinquantaine, un libraire, un décorateur, un illustrateur, un médecin, un avocat, ces deux derniers âgés de vingt-cinq ans environ, un officier, un ingénieur, un instituteur, de cinquante ans, un fonctionnaire de la police en retraite, un rentier, un serrurier et une blanchisseuse.

Ces deux derniers cas suffiraient à détromper ceux qui seraient tentés de voir dans le transvestitisme une sorte de « maladie de luxe ». Rappelons aussi l'histoire de « Dorchen », un des sujets opérés que nous avons mentionnés à la fin du chapitre XII.

Dora R. – de son vrai nom Rodolphe R. – était fille de cuisine dans un grand restaurant de Berlin, quand il subit l'intervention chirurgicale qui devait transformer son sexe définitivement. Il était fils de paysans silésiens. C'est lorsque les parents voulurent remplacer le costume de fille, habituel aux enfants de bas âge, par un habit de garçon, que Richard révéla, pour la première fois, par sa résistance obstinée, sa particularité. A l'âge de 6 ans, il essaya de ligaturer son membre viril avec une ficelle pour se débarrasser d'un organe qu'il estimait superflu. On s'en aperçut assez tôt pour lui éviter une nécrose.

En se développant, le garçon prenait de plus en plus les façons d'une fillette, mettant secrètement les vêtements de ses sœurs et se promenant dans cet accoutrement. Il quitta son pays natal et s'établit dans la capitale pour pouvoir donner libre cours à ses penchants ; là, il menait une vie de femme à partir de sa vingt-sixième année, et exerçait différentes professions féminines modestes. Neuf ans avant la dernière intervention, il se fit castrer. En 1930 enfin, on effectua chez lui l'intervention qu'il avait essayé lui-même à l'âge de six ans, à savoir l'ablation du pénis, complétée ultérieurement par la greffe d'un vagin artificiel. Ce sujet, sorti d'un milieu simple, de parents sains de corps et d'esprit, présente à la fois tous les traits du transvestitisme, de l'androgynie et de l'homosexualité.

Quant aux intellectuels, on sait combien, chez les artistes et les savants surtout, la production intellectuelle dépend de détails d'habillement. On dit de Beethoven qu'il ne pouvait composer qu'en robe de chambre, tandis que Haydn, au contraire, n'était en état de grâce qu'habillé de son meilleur habit. Si cette particularité de l'artiste se combine de traits de féminisme, elle peut aboutir sinon à un transvestitisme complet, du moins à des phénomènes qui le touchent de près.

Un écrivain transvestite écrit à M. Iwan Bloch : « Je trouve dans l'habillement féminin le plus grand profit pour mon travail. Si je me mets le soir, à mon bureau, en négligé et en coiffure de femme (perruque riche en cheveux véritables), les idées que je dois péniblement poursuivre le jour me viennent sans aucune difficulté. Je suis alors complètement habillé en femme, en lingerie, jupon et kimono japonais, les jambes gainées de bas élégants, les pieds dans des souliers bas à talons hauts. » Un autre écrivain aux penchants de transvestitisme nous écrit : « J'ai observé cent fois que mon négligé blanc me prédispose particulièrement aux travaux scientifiques, qu'un négligé bleu a une forte influence sur mon style et qu'un costume de ville avec petit tablier blanc de soubrette m'enlève toute fatigue et me donne de l'élan artistique. »

Nous pouvons citer, sous ce rapport, les penchants vestimentaires si étranges qu'a montrés Richard Wagner en vieillissant. Les lettres sensationnelles que Wagner a adressées à sa « modiste » – publiées par Daniel Spitzer – ont donné lieu à mainte interprétation erronée. On a voulu y voir la preuve de sentiments homosexuels, à tort, à ce qui nous semble. Mais les admirateurs maladroits du maître ne sont pas mieux inspirés en voulant expliquer le contenu de cette correspondance par une maladie de peau, au lieu d'en admettre l'importance psychologique.

Pour apprécier comme il convient ces documents, il faut faire abstraction des remarques méchantes et injustes dont Spitzer, antiwagnérien fanatique, les a accompagnés. Il n'y a aucun doute que des courants psychiques très profonds ont déterminé l'étrange penchant de Wagner. Il y a, certainement, là une expression des éléments féminins dans la psyché du maître.

Dans les comptes, établis de la main propre de Wagner, on trouve, énumérés par aunes et par qualités, du satin jaune, lilas, cramoisi, bleu, vert, rouge, clair, chamois, gris clair, rose, blanc, vert plus foncé, blanc, gris, rose, bleu, bleu clair, des guirlandes de roses, des entre-deux, des bottines en satin blanc, rose, bleu, jaune, gris, vert, une chemise de dentelle, des blondes de telle et telle largeur, du ruban rose, bleu, vert clair, jaune clair, et foncé. Tout ceci fait l'objet d'une seule commande atteignant 3 000 florins. On voit que le maître avait besoin, outre les précieuses robes de satin de toutes les couleurs, d'une chemise de dentelle de 400 florins, des souliers en satin, et de coussins, couvertures, etc., de la même matière richement brodés.

Wagner donne, des robes commandées, des descriptions accompagnées de dessins. En voici une : « Satin rose. Doublée d'édredons et piquée en carrés. Légère, pas lourde ; bien entendu, le dessus et le dessous piqués ensemble. Doublée de léger satin blanc. La largeur inférieure de la robe : de six lés, donc très large. Ajoutée à cela – non pas cousue sur le piqué – une ruche bouffante de la même matière, tout autour. A partir de la taille, la ruche doit former un devant bouffant s'élargissant vers le bas. Observez pour cela soigneusement le dessin : le bouffant qui doit être particulièrement riche et bien travaillé, doit s'élargir en bas, des deux côtés, à une demi-aune de largeur et se rétrécir en montant vers la taille à la largeur de la ruche. A côté du bouffant, trois ou quatre beaux nœuds du même tissu. Les manches riches comme celles que vous m'avez faites dernièrement à Genève, avec bordure bouffante ; devant, un nœud, et un autre nœud plus large et plus riche, à l'intérieur en bas des pans qui pendent. Ajoutez à cela une écharpe de cinq aunes de largeur – toute la largeur du tissu – un peu plus étroite seulement au milieu. Les épaules plus étroites pour que les manches ne tirent pas : vous savez ! Alors, en bas six lés de largeur (piqués), plus une demi-aune de bouffant devant chaque côté. Donc, en tout, largeur en bas, six lès et une aune. » « La couleur, écrit l'auteur de la *Tétralogie*, serait rose, selon l'un des deux échantillons marqués un et deux. Calculez les prix des deux, chère Mademoiselle Berthe, car je suppose qu'ils seront différents. Le numéro deux est un peu raide et maigre à l'envers, probablement de fabrication autrichienne, mais la couleur m'est agréable… Quant au bleu, je choisis l'échantillon ci-joint dont il me faudra dix-huit aunes. Envoyez-moi sans faute avec l'atlas bleu pour dix florins de la blonde étroite pour garnitures de chemises. Vous l'avez oubliée. Alors, combien coûtera la robe de chambre d'après le dessin ci-inclus ? »

On ne peut guère en vouloir à M. Daniel Spitzer d'avoir mis en épigraphe de ces lettres les paroles que Hunding prononce dans la « Valkyrie » en contemplant Siegmund : « Comme il ressemble à la femme ! » Et Nietzsche ne semble pas être loin de la vérité quand il dit : « Wagner était, dans ses vieux jours, complètement *femini generis*. » Mais du point de vue de la science, la question reste ouverte, si nous devons voir, dans le penchant étrange que révèlent ces lettres, une poussée de transvestitisme ou plutôt une manifestation de fétichisme vestimentaire. Les deux particularités psychologiques ont ceci de commun que, dans l'un comme dans l'autre cas, l'habillement devient, quoique de manière très différente, l'expression d'un état d'âme, le « miroir de la nature intime » du sujet.

Chapitre XVI
Femmes-soldats et soldats en femme

Nous avons vu quelle importance certaines manies vestimentaires peuvent assumer pour le créateur intellectuel ou artistique. Mais pour le commun des transvestis, l'importance de l'habillement conforme à sa nature n'est pas moindre. Tout au contraire, chez la plupart des sujets tout l'équilibre mental en dépend. Aussi sommes-nous de l'avis qu'il importe de permettre à ces malades la mode de l'habillement qui leur convient, aussi long qu'il n'y a pas matière à scandale.

Mais il y a des circonstances dans lesquelles l'accomplissement du désir transvestitique devient particulièrement difficile. Le service militaire et surtout la guerre sont de cet ordre.

Le fait que pendant la dernière guerre un certain nombre de mobilisés se sont présentés en costume de femme est peu connu. Réprimandés, certains d'entre eux ont déclaré qu'ils ne possédaient pas de vêtement masculin du tout. Nous avons connaissance de près de soixante cas, dans lesquels des transvestis se sont présentés comme tels à l'examen du médecin militaire. Pour quelques-uns d'entre eux nous avons établi une expertise.

Ingénieurs, professeurs de philosophie, chimistes, étudiants, architectes, acteurs sont de ce nombre. Voici un employé des chemins de fer qui déclare : « Mon désir d'être femme existe depuis ma plus tendre enfance. Quand j'étais un peu plus grand, j'achetais, par l'entremise de la femme de chambre, un corset. Le suprême bonheur que je ressentis en le mettant et en me regardant dans la glace, vêtu de pantalons de dentelle, je ne l'oublierai de ma vie. Mon désir de posséder des formes féminines était insurmontable. J'ai essayé tous les moyens possibles. Souvent, la nuit, je rêvais que je possédais un sein débordant. Dernièrement, mon état frise la folie. Mais toute ma misère disparaît comme par enchantement, lorsque je me trouve en robe de femme. Pour être un membre utile de la société, il faut que je puisse être femme en dehors de mon métier. » Voici un industriel qui avait espéré en vain que le mariage le libérerait de sa passion. Avec impatience, il attend le soir pour se mettre en costume féminin. Durant la journée, il doit porter, sous son complet, un corset, une chemise de femme, des bas ajourés et des colliers, et il ne se couche, la nuit, qu'en chemise de femme, paré de bracelets, de colliers et de boucles d'oreilles. Pendant les quelques semaines de service militaire qu'il dut subir, il croyait devenir fou.

Voici M. X., chef d'orchestre célèbre et professeur de musique, qui reconnaît devoir en partie ses qualités artistiques aux éléments féminins de sa nature. C'est surtout après un grand effort artistique que sa nature féminine exige la satisfaction de la transformation en femme. La femme en lui demande plutôt une expression physique, tandis qu'en costume d'homme, il est plus disposé au travail intellectuel. Dans notre expertise, nous avons fait ressortir qu'il doit bien s'agir d'un besoin psychologique profondément ancré dans sa nature et non pas d'un simple caprice, du moment qu'un homme sérieux, d'âge mûr, occupant une situation très en vue et portant titres et décorations se voit sujet à des troubles nerveux si satisfaction n'est pas donnée à son désir transvestitique.

Dans la plupart des cas, l'autorité militaire a montré beaucoup de compréhension vis-à-vis de ces malades et les a réformés. Les transvestis envoyés au front présentaient après peu de temps des symptômes hystériques d'une gravité telle que leur réforme devenait inévitable.

Plus favorisés que les hommes étaient les officiers. Ils n'avaient pas à souffrir de la contrainte continuelle de la vie de caserne. Un officier transvestitique, fonctionnaire dans le civil, presque continuellement au front, d'un courage et d'une capacité militaire hors pair, porteur de nombreuses décorations militaires, passait toutes ses permissions à Berlin en femme. Il y avait chez cet officier scission complète de la personnalité : parfaitement homme lorsqu'il était en homme, il était, en femme, complètement femme. En allant le voir chez lui, un soir, nous fûmes reçus par trois dames élégantes : l'officier, sa femme et un ami transvesti, détective de son métier. C'était bien étrange d'entendre « Madame Édith » raconter les exploits auxquels elle avait pris part en officier courageux. Sa femme nous a décrit d'une manière très plastique la passion de son mari :

« Quelques mois après notre mariage, écrit-elle, mon mari commença à dire que les vêtements féminins seraient plus commodes et plus agréables que le costume masculin. Il revêtit d'abord un de mes négligés et commanda ensuite peu à peu tout un trousseau féminin pour lui-même. Par amour de mon mari, je me suis accommodée de mon mieux de sa passion. Je l'appelais Édith, comme il le désirait, et je sortais avec lui lorsqu'il était en femme. Il prenait l'habitude de me rendre visite en « tante Édith », notre bonne – qui ne se doutait pas du transvestitisme de mon mari – aimait beaucoup tante Édith et faisait de la couture pour elle et notre gosse adore tante Édith. Pour lui, papa et tante Édith sont deux personnes tout à fait différentes. Noël et anniversaire se fêtaient deux fois : une fois en famille et une fois avec tante Édith. Si la fête en famille laisse mon mari plutôt froid, il attend, par contre, avec impatience pendant des semaines la cérémonie pour tante Édith. Sa plus grande joie est le beau linge de dentelle. Poudre et parfums doivent être de la meilleure marque.

« L'amabilité que mon mari montre en femme lui conquiert toutes les sympathies. Tandis qu'en homme, il est plutôt brusque, il est doux et tendre en femme et d'une tendresse particulière pour son enfant. En homme, il ne cède jamais dans une dispute, en femme il est d'autant plus conciliant. Aussi, quand je désire quelque chose, je m'adresse toujours à Édith. »

Un autre combattant, marin celui-ci, nous ayant, lors d'une permission, rendu visite en femme, nous écrivit au retour : « Avec quelle difficulté, avec quelle répugnance n'ai-je de nouveau revêtu les affreux effets d'homme! A Hambourg, je n'en pouvais plus, et je me rendis à la toilette de la gare pour remettre mon costume de femme. J'ai été découvert, forcé de remettre mon uniforme, détenu et condamné. Je vais me pourvoir en appel, car je ne suis pas responsable de ma disposition. Il ne s'agit pas pour moi d'être libéré du service, mais pourquoi ne me donne-t-on pas une place qui convient à ma nature, que ce soit même celle d'une infirmière dans la ligne de feu la plus avancée? Votre Louise B. » Remarquons la signature au prénom féminin, d'un usage général chez les transvestis. (Le correspondant s'appelle Louis.)

Le pendant aux soldats en femme est formé par les femmes-soldats. Dans la plupart des cas, ces femmes parviennent à tromper leur entourage sur leur sexe qui n'est découvert que lorsqu'elles tombent devant l'ennemi ou lorsque des blessures les amènent à l'hôpital militaire ou bien par suite d'autres circonstances extraordinaires.

On se souvient encore du scandale que souleva, il y a quelques années, l'affaire du capitaine Barker en Angleterre. Les journaux du monde entier ont publié alors le portrait et la biographie de cet officier britannique. Le capitaine Leslie Gauntlett Barker qui épousa une jeune femme, Elfriede Havard, et fut puni de prison pour avoir donné à l'état civil une fausse signature, était une femme du nom de Valérie Smith.

Il y a toujours eu des guerrières viriles depuis les temps légendaires des amazones et des valkyries. Dans les guerres de l'indépendance allemande, Eléonore Prochaska a servi, sous le nom d'Auguste Renz, dans le corps des francs-tireurs de Lutzow, et Frédérique Krueger devint sous-officier. De même, Berthe Weiss est devenue sous-officier dans la guerre de 1870. L'Autriche a eu Françoise Scanagatta et Anne Jaeger. En Pologne, Angèle Postowoitoff, une des plus nobles figures de femmes-soldats, se battait pour l'indépendance de sa patrie. Les Russes ont eu Durowa dont le monument s'élève à Jelabuga, Zorka Ilewa, Xenia Kristaya et le fameux cosaque Smolka. Christian Davis se battait dans l'armée anglaise et Hannah Snell dans la marine. Les médecins de l'armée anglaise Maclod et James Barry étaient des femmes.

Mais la gloire de ces guerrières pâlit devant celle de Jeanne d'Arc. A l'opposé de ses sœurs soldats, la pucelle d'Orléans n'a jamais dissimulé son sexe, tout en s'habillant en homme et montant à cheval à la manière d'un homme. Notons d'ailleurs que l'anatome Hyrtl cite le rapport des médecins qui, sur la demande du cardinal anglais, examinèrent Jeanne d'Arc. Ils auraient constaté qu'elle était femme, mais possédait un vagin si étroit que tout rapport sexuel était impossible.

Jeanne d'Arc n'est pas la seule femme qui ait couvert la France de gloire militaire. Il y avait la maréchale Renée de Balagny qui dirigea la défense de Cambrai, il y avait Madame de Balmont, « l'amazone chrétienne », il y avait Christine de Meyrac, mousquetaire sous le nom de Saint-Aubin, Mlle de la Charce, la poétesse Louise Labbé, Madeleine Caulier et l'étrange « Chevalier Balthazar ».

On connaît la part que les femmes ont prise aux luttes de la Révolution française et de la Commune. Alexandrine Barreau se battait, habillée en grenadier, aux côtés de son mari et de son frère dans les Pyrénées. Marie Lollière et Marie Adrian ont été mises à mort en 1793 pour s'être battues contre les républicains. Angélique Duchemin a porté l'uniforme jusqu'à la fin de sa vie. Alessandria Mari, « adjudant en chef de la division du Valdarno », était connue pour sa ressemblance avec le jeune général Bonaparte.

On rencontre parfois des descriptions qui voudraient nous présenter les femmes de la révolution comme des « hyènes sanguinaires ». On est en droit de se demander si la fureur que l'on voudrait leur reprocher ne fait pas plutôt partie de la nature de la guerre que de celle de la femme. A un examen approfondi, ces accusations s'évanouissent. Il en est ainsi pour Louise Michel dont nous avons déjà parlé, la « pétroleuse », la « vierge rouge ».

Il est certain que chez des femmes comme elles, le système nerveux se trouve sous l'influence de l'« andrine », la sécrétion spécifiquement virile qui provient du tissu glandulaire masculin que contient leur corps. C'est ainsi que certaines femmes peuvent accomplir des actes auxquels nous attribuons un caractère masculin. Si nous ne pouvons pas prouver pour toutes les femmes-soldats l'existence d'éléments psychiques masculins importants, la plus grande partie d'entre elles fait, sans aucun doute, partie des échelons intersexuels.

Pour terminer ce chapitre, nous voudrions relater, du temps de la guerre, le souvenir d'un cas dans lequel les qualités masculines et féminines se trouvaient réparties en proportions inverses entre frère et sœur. En quittant l'hôpital militaire, où il avait été soigné d'une grave blessure, un soldat nous rendit visite, accompagné de sa sœur. Il nous confia être transvesti et avoir la vie militaire en horreur. La sœur, d'un an plus jeune, lui ressemblait d'une manière extraordinaire et était de la même taille que lui. Ce n'est qu'au cours de la conversation que nous nous rendîmes compte qu'en réalité la sœur était le frère et le frère la sœur – c'est-à-dire que la personne en costume de femme était le soldat blessé tandis que la sœur était en uniforme. Ils avaient décidé que la sœur se présenterait à la place du frère au régiment, car les penchants de la jeune fille étaient virils au même degré que ceux du soldat étaient féminins. Ils venaient nous demander si nous considérions leur projet comme exécutable. Sur notre réponse négative, ils décidèrent, à la dernière minute, d'abandonner leur projet et, bien à contrecœur, changèrent de costume une heure à peine avant le départ du train. Quelque temps après, le frère est tombé dans la Somme.

Multa Paucis

1 9 3 9

Citons une fois de plus Pascal Pia et ses *Livres de l'Enfer* : « *Recueil de vers grivois et satyrique, composé d'un préambule, de 32 sonnets et de huit autres poèmes "à dire après un bon repas". Leur auteur, Marcel Pénitent, avait été autrefois chansonnier montmartrois et s'était fait entendre notamment dans les années 1918-1922, au cabaret de la Chaumière, dirigé alors par Paul Weil, et qui devint plus tard le théâtre de Dix-Heures.* »

Tirée à 64 exemplaires, cette plaquette présente aussi l'intérêt historique d'avoir été imprimée le 14 août 1939, c'est-à-dire entre la déclaration de guerre du 3 septembre et le célèbre décret du 29 juillet, « *relatif à la famille et à la natalité française* », qui, une fois de plus, témoignait d'une diminution sensible des libertés et d'une tentative d'établissement d'un Ordre moral, *à la veille d'une guerre mondiale.*

Cette anthologie n'est pas une histoire détaillée de la répression de l'outrage aux mœurs par la voie du livre en France. Nous renvoyons aux deux ouvrages de Maurice Garçon *L'Affaire Sade* et *Plaidoyer contre la censure*[1]. Précisions simplement que le décret du 29 juillet 1939 voyait la victoire du parti de ceux qui depuis cinquante ans voulaient abolir le privilège dont jouissait le livre jusque-là : être jugé devant la cour d'assises par un jury représentatif de la société. Désormais correctionnalisées, les condamnations vont se multiplier.

1. Paris, 1957 et 1963, et Paris, 1963. On peut consulter aussi, pour une vue plus générale, *Nouveaux et moins nouveaux visages de la censure* de J.-J. Pauvert, Paris, 1994.

Conférence

Sur la queue de billard

La mode est à la conférence
Aussi vais-je sophistiquer
Sans jamais, en cette occurrence,
De vos goûts m'emberlicoquer.
A mon gré, sans nulle argutie,
Le billard étant mon dada,
Auditeurs, je conférencie
Sur la queue, en latin cauda !

D'abord poids, longueur, diamètre
Sont les points les plus importants

Qu'il me faut définir, admettre,
Si je ne veux perdre mon temps.
Or le poids est très variable
Et la différence en tout cas
Est toujours inappréciable,
Aussi n'en parlerai-je pas.

Quant à la grosseur : la moyenne,
Si l'objet est en bon état,
Permet souvent, quoiqu'il advienne,
De réussir un coup d'éclat !
Pour longueur prenons la normale ;
Petite on ne l'a pas en mains,
Géante elle est phénoménale,
C'est assez fréquent chez les nains.

Il en est de courtes et grosses,
De longues et minces aussi,
Tout cela sans parler des fausses
Dont je ne veux rien dire ici.
C'est fou de prétendre à l'énorme,
Ne suffit-il pas, c'est un fait,
D'en avoir une en bonne forme
Pour ne rater aucun effet ?

Sous réserve, je n'exagère,
De ne faire dans un piqué
« Nulle peine même légère »
Au tapis le moins requinqué ;
D'éviter surtout que les billes
Bondissent par-dessus le bord,
Ce qui cause maintes bisbilles,
Vous serez un roi du record.

Mais le jeu fini, par prudence,
Ayez grand soin d'en avoir soin,
Car en plus d'une circonstance
Vous pouvez en avoir besoin.
Et sachez que, même en banlieue,
Tout bon joueur a pour devoir
De ne pas égarer sa queue
En des endroits malsains !... Bonsoir !

Intimité (Le Mur)

1939

« Intimité *causa une espèce de scandale par le réalisme de certaines scènes, mais l'auteur, loin d'inciter à la débauche, semblait vouloir nous dégoûter des jeux amoureux* », écrit Jacques Brenner dans son *Histoire de la littérature française de 1940 à nos jours*. « *Ce qui se passe dans l'intimité d'un couple* », précise Xavière Gauthier dans le *Dictionnaire des œuvres érotiques*, « *la littérature le passe souvent sous silence ou y fait des allusions métaphoriques et flatteuses. Sartre a voulu le décrire d'une façon très réaliste, dans la tristesse du quotidien : les draps un peu sales, les gargouillis du quotidien, les règles. Il a choisi le cas — extrême — du mari impuissant et de la femme frigide... Il y a surtout le sentiment d'une horrible et irrémédiable séparation entre les deux sexes que l'acte amoureux rend encore plus solitaires.* »

Il y aurait certainement toute une étude à faire sur la sexualité sartrienne au travers de la représentation qu'il donne dans ses romans de l'amour physique, ce qu'il en a dit dans ses dernières interviews, et les souvenirs, si discrets soient-ils parfois, de Simone de Beauvoir. On peut simplement noter que l'éclairage dirigé par Sartre sur la question est très exactement contraire à la projection surréaliste, qui venait d'atteindre son point culminant avec *L'Amour fou* de Breton (1937) :

« *Il n'est pas de sophisme plus redoutable que celui qui consiste à présenter l'accomplissement de l'acte sexuel comme s'accompagnant nécessairement d'une chute de potentiel amoureux entre deux êtres, chute dont le retour les entraînerait progressivement à ne plus se suffire. Ainsi l'amour s'exposerait à se ruiner dans la mesure où il poursuit sa réalisation même. Une ombre descendrait plus dense sur la vie par blocs proportionnés à chaque nouvelle explosion de lumière... »*

*L*ULU COUCHAIT nue parce qu'elle aimait se caresser aux draps et que le blanchissage coûte cher. Henri avait protesté au début : on ne se met pas toute nue dans un lit, ça ne se fait pas, c'est sale. Il avait tout de même fini par suivre l'exemple de sa femme mais chez lui c'était du laisser-aller; il était raide comme un piquet quand il y avait du monde, par genre (il admirait les Suisses et tout particulièrement les Genevois, il leur trouvait grand air parce qu'ils étaient en bois) mais il se négligeait dans les petites choses, par exemple il n'était pas très propre, il ne changeait pas assez souvent de caleçons; quand Lulu les mettait au sale, elle ne pouvait s'empêcher de remarquer qu'ils avaient le fond jaune à force de frotter contre l'entrejambe. Personnellement, Lulu ne détestait pas la saleté; ça fait plus intime, ça donne des ombres tendres; au creux des coudes par exemple ; elle n'aimait guère ces Anglais, ces corps impersonnels qui ne sentent rien. Mais elle avait horreur des négligences de son mari, parce que c'étaient des façons de se dorloter : le matin, à son lever, il était toujours très tendre pour lui-même, la tête pleine de rêves, et le grand jour, l'eau froide, le crin des brosses lui faisaient l'effet d'injustices brutales.

Lulu était couchée sur le dos, elle avait introduit le gros orteil de son pied gauche dans une fente du drap ; ce n'était pas une fente, c'était un décousu. Ça l'embêtait ; il faut que je raccommode ça demain, mais elle tirait tout de même un peu sur les fils pour les sentir casser. Henri ne dormait pas encore mais il ne gênait plus. Il l'avait souvent dit à Lulu : dès qu'il fermait les yeux il se sentait ligoté par des liens ténus et résistants, il ne pouvait même plus lever le petit doigt. Une grosse mouche embobinée dans une toile d'araignée. Lulu aimait sentir contre elle ce grand corps captif. S'il pouvait rester comme ça paralysé, c'est moi qui le soignerais, qui le nettoierais comme un enfant et quelquefois je le retournerais sur le ventre et je lui donnerais la fessée et d'autres fois quand sa mère viendrait le voir, je le découvrirais sous un prétexte, je rabattrais les draps et sa mère le verrait tout nu. Je pense qu'elle en tomberait raide, il doit y avoir quinze ans qu'elle ne l'a pas vu comme ça. Lulu passa une main légère sur la hanche de son mari et le pinça un peu à l'aine. Henri grogna mais ne fit pas un mouvement. Réduit à l'impuissance. Lulu sourit : le mot « impuissance » la faisait toujours sourire. Quand elle aimait encore Henri et qu'il reposait, ainsi paralysé, à côté d'elle, elle se plaisait à imaginer qu'il avait été patiemment saucissonné par de tout petits hommes dans le genre de ceux qu'elle avait vus sur une image quand elle était petite et qu'elle lisait l'histoire de Gulliver. Elle appelait Henri « Gulliver » et Henri aimait bien ça parce que c'était un nom anglais et que Lulu avait l'air instruite mais il aurait préféré que Lulu le prononçât avec l'accent. Ce qu'ils ont pu m'embêter : s'il voulait quelqu'un d'instruit il n'avait qu'à épouser Jeanne Beder, elle a des seins en cor de chasse mais elle sait cinq langues. Quand on allait encore à Sceaux, le dimanche, je m'embêtais tellement dans sa famille que je prenais un livre, n'importe quoi ; il y avait toujours quelqu'un qui venait regarder ce que je lisais et sa petite sœur me demandait : « Vous comprenez, Lucie ?... » Ce qu'il y a, c'est qu'il ne me trouve pas distinguée. Les Suisses, oui, ça c'est des gens distingués parce que sa sœur aînée a épousé un Suisse qui lui a fait cinq enfants et puis ils lui en imposent avec leurs montagnes. Moi je ne peux pas avoir d'enfant, c'est constitutionnel, mais je n'ai jamais pensé que c'était distingué ce qu'il fait, quand il sort avec moi, d'aller tout le temps dans les urinoirs et je suis obligé de regarder les devantures en l'attendant, j'ai l'air de quoi ? et il ressort en tirant sur son pantalon et en arquant les jambes comme un vieux.

Lulu retira son orteil de la fente du drap et agita un peu les pieds, pour le plaisir de se sentir alerte auprès de cette chair molle et captive. Elle entendit un gargouillis : un ventre qui chante, ça m'agace je ne peux jamais savoir si c'est son ventre ou le mien. Elle ferma les yeux : ce sont des liquides qui gougloutent dans des paquets de tuyaux mous, il y en a comme ça chez tout le monde, chez Rirette, chez moi (je n'aime pas y penser ça me donne mal au ventre). Il m'aime, il n'aime pas mes boyaux, si on lui montrait mon appendice dans un bocal, il ne le reconnaîtrait pas, il est tout le temps à me tripoter mais si on les lui mettait le bocal dans les mains il ne sentirait rien, au dedans, il ne penserait pas « c'est à elle » on devrait pouvoir aimer tout d'une personne, l'œsophage et le foie et les intestins. Peut être qu'on ne les aime pas par manque d'habitude, si on les voyait comme ils voient nos mains et nos bras peut-être qu'on les aimerait; alors les étoiles de mer doivent s'aimer mieux que nous, elles s'étendent sur la plage quand il fait soleil et elles sortent leur estomac pour lui faire prendre l'air et tout le monde peut le voir; je me demande par où nous ferions sortir le nôtre, par le nombril. Elle avait fermé les yeux et des disques bleus se mirent à tourner, comme à la foire, hier, je tirais sur les disques avec des flèches de caoutchouc et il y avait des lettres qui s'allumaient, une à chaque coup et elles formaient un nom de ville, il m'a empêché d'avoir Dijon au complet avec sa manie de coller contre moi par derrière, je déteste qu'on me touche par derrière je voudrais n'avoir pas de dos, je n'aime pas que les gens me fassent des trucs quand je les vois pas, ils peuvent s'en payer et puis on ne voit pas leurs mains on les sent qui descendent ou qui montent, on ne peut pas prévoir où elles vont, ils vous regardent de tous leurs yeux et vous ne les voyez pas, il adore ça; jamais Henri n'y aurait songé mais lui il ne pense qu'à se mettre derrière moi et je suis sûre qu'il fait exprès de me toucher le derrière parce qu'il sait que je meurs de honte d'en avoir un, quand j'ai honte ça l'excite mais je ne veux pas penser à lui (elle avait peur) je veux penser à Rirette. Elle pensait à Rirette tous les soirs à la même heure, juste au moment où Henri commençait à bredouiller et à gémir. Mais il y eut de la résistance, l'autre voulait se montrer, elle vit même un instant des cheveux noirs et crépus et elle crut que ça y était et elle frissonna parce qu'on ne sait jamais ce qui va venir, si c'est le visage ça va, ça passe encore, mais il y a des nuits qu'elle avait passées sans fermer l'œil à cause des sales souvenirs qui étaient remontés à la surface, c'est affreux quand on connaît tout d'un homme et surtout *ça*. Henri ça n'est pas la même chose, je peux l'imaginer de la tête aux pieds, ça m'attendrit, parce qu'il est mou, avec une chair toute grise sauf le ventre qui est rose, il dit qu'un homme bien fait, quand il est assis, son ventre fait trois plis, mais le sien il en a six, seulement il les compte de deux en deux et il ne veut pas voir les autres. Elle éprouva de l'agacement en pensant à Rirette : « Lulu vous ne savez pas ce que c'est qu'un beau corps d'homme. » C'est ridicule, naturellement si, je sais ce que c'est, elle veut dire un corps dur comme la pierre, avec des muscles, j'aime pas ça, Patterson avait un corps comme ça, et moi je me sentais molle comme une chenille quand il me serrait contre lui; Henri je l'ai épousé parce qu'il était mou, parce qu'il rassemblait à un curé. Les curés c'est doux comme les femmes avec leurs soutanes et il paraît qu'ils ont des bas. Quand j'avais quinze ans, j'aurais voulu relever doucement leur robe et voir leurs genoux d'hommes et leurs caleçons, ça me faisait drôle qu'ils aient quelque chose entre les jambes; dans une main j'aurais pris la robe et l'autre main je l'aurais glissée le long de leurs jambes, en remontant jusque là où je pense, c'est pas que j'aime tellement les femmes mais un machin d'homme, quand c'est sous une robe, c'est douillet, c'est comme une grosse fleur. Ce qu'il y a c'est qu'en réalité on ne peut jamais prendre ça dans ses mains, si seulement ça pouvait rester tranquille, mais ça se met à bouger comme une bête, ça durcit, ça me fait peur, quand c'est dur et tout droit en l'air c'est brutal; ce que c'est sale, l'amour. Moi j'aimais Henri parce que sa petite affaire ne durcissait jamais, ne levait jamais la tête, je riais, je l'embrassais quelquefois, je n'en avais pas plus peur que de celle d'un enfant; le soir je prenais sa douce petite chose entre mes doigts, il rougissait et il tournait la tête de côté en soupirant mais ça ne bougeait pas, ça restait bien sage dans ma main, je ne serrais pas nous restions longtemps ainsi et il s'endormait. Alors je m'étendais sur le dos et je pensais à des curés, à des choses pures, à des femmes et je me caressais le ventre d'abord, mon beau ventre plat, je descendais les mains, je descendais et c'était le plaisir; le plaisir il n'y a que moi qui sache me le donner.

Les cheveux crépus, les cheveux de nègre. Et l'angoisse dans la gorge comme une boule. Mais elle serra fortement les paupières et finalement, ce fut l'oreille de Rirette qui apparut, une petite oreille cramoisie et dorée qui avait l'air en sucre candi. Lulu, à la voir, n'eut pas autant de plaisir que d'ordinaire parce qu'elle entendait la voix de Rirette en même temps. C'était une voix aiguë et précise que Lulu n'aimait pas. « Vous *devez* partir avec Pierre, ma petite Lulu; c'est la seule chose intelligente à faire. » J'ai beaucoup d'affection pour Rirette mais elle m'agace un tout petit peu quand elle fait l'importante et qu'elle s'enchante de ce qu'elle dit. La veille, à la *Coupole*, Rirette s'était penchée avec des airs raisonnables et un peu hagards : « Vous ne *pouvez* pas rester avec Henri, puisque vous ne l'aimez plus, ce serait un crime. » Elle ne perd pas une occasion de dire du mal de lui, je trouve que ce n'est pas très gentil, il a toujours été parfait avec elle; je ne l'aime plus, c'est possible, mais ça n'est pas à Rirette de me le dire; avec elle tout paraît simple et facile : on aime ou on aime plus; mais moi je ne suis pas simple. D'abord j'ai mes habitudes ici et puis je l'aime bien, c'est mon mari. J'aurais voulu la battre, j'ai toujours envie de lui faire mal parce qu'elle est grasse. « Ce serait un crime ». Elle a levé le bras, j'ai vu son aisselle, je l'aime toujours mieux quand elle a les bras nus. L'aisselle. Elle s'entrouvrit, on aurait dit une bouche, et Lulu vit une chair mauve, un peu ridée sous des poils frisés qui ressemblaient à des cheveux; Pierre l'appelle « Minerve potelée » elle n'aime pas ça du tout. Lulu sourit parce qu'elle pensait à son petit frère Robert qui lui avait dit un jour qu'elle était en combinaison : « Pourquoi que tu as des cheveux sous les bras? » et elle avait répondu : « C'est une maladie. » Elle aimait bien s'habiller devant son petit frère parce qu'il avait toujours des réflexions drôles, on se demande où il va chercher ça. Et il touchait à toutes les affaires de Lulu, il pliait les robes soigneusement, il a les mains si prestes, plus tard ce sera un grand couturier. C'est un métier charmant et moi, je dessinerai des tissus pour lui. C'est curieux qu'un enfant songe à devenir couturier si j'avais été garçon, il me semble que j'aurais voulu être explorateur ou acteur, mais pas couturier; mais il a toujours été rêveur, il ne parle pas assez, il suit son idée; moi je voulais être bonne sœur pour aller quêter dans les beaux immeubles. Je sens mes yeux tout doux, tout doux, comme de la chair, je vais m'endormir. Mon beau visage pâle sous la cornette, j'aurais eu l'air distingué. J'aurais vu des centaines d'antichambres sombres. Mais la bonne aurait allumé presque tout de suite; alors j'aurais aperçu des tableaux de famille, des bronzes d'art sur des consoles. Et des portemanteaux. La dame vient avec un petit carnet et un billet de cinquante francs : « Voici, ma sœur. » « Merci, madame, Dieu vous bénisse. A la prochaine fois. » Mais je n'aurais pas été une vraie sœur. Dans l'autobus, quelquefois j'aurais fait de l'œil à un type, il aurait été ahuri d'abord, ensuite il m'aurait fait coffrer par un agent. L'argent de la quête je l'aurais gardé pour moi. Qu'est-ce que je me serais acheté? *de l'antidote.* C'est idiot. Mes yeux s'amollissent, ça me plaît, on dirait qu'on les a trempés dans l'eau et tout mon corps est confortable. La belle tiare verte, avec les émeraudes et les lapis-lazulis. La tiare tourna, tourna et c'était une horrible tête de bœuf mais Lulu n'avait pas peur, elle dit : « Secourge. Les oiseaux du Cantal. Fixe. » Un long fleuve rouge se traînait à travers d'arides campagnes. Lulu pensait à son hachoir mécanique puis à de la gomina.

« Ce serait un crime! » Elle sursauta et se dressa dans sa nuit, les yeux durs. Ils me torturent, ils ne s'en aperçoivent donc pas? Rirette, je sais bien qu'elle le fait dans une bonne intention, mais elle qui est si raisonnable pour les autres, elle devrait comprendre que j'ai besoin de réfléchir. Il m'a dit : « Tu viendras! » en faisant des yeux de braise. « Tu viendras dans ma maison à moi, je te veux tout à moi. » J'ai horreur de ses yeux quand il veut faire l'hypnotiseur, il me pétrissait le bras; quand je lui vois ces yeux-là, je pense toujours aux poils qu'il a sur la poitrine. Tu viendras, je te veux tout à moi; comment peut-on dire des choses pareilles? Je ne suis pas un chien.

Quand je me suis assise, je lui ai souri, j'avais changé ma poudre pour lui et j'avais fait mes yeux parce qu'il aime ça, mais il n'a rien vu, il ne regarde pas mon visage, il regardait mes seins et j'aurais voulu qu'ils sèchent sur ma poitrine, pour l'embêter, pourtant je n'en ai pas beaucoup, ils sont tout petits. Tu viendras dans ma villa de Nice. Il a dit qu'elle était blanche avec un escalier de marbre et qu'elle donne sur la mer et que nous vivrons tout nus toute la journée, ça doit faire drôle de monter un escalier quand on est nue; je l'obligerai à monter devant moi, pour qu'il ne me regarde pas; sans ça je ne pourrai même pas lever le pied, je resterais immobile en souhaitant de tout mon cœur qu'il devienne aveugle; d'ailleurs ça ne me changera guère; quand il est là, je crois toujours que je suis nue. Il m'a pris par les bras, il avait l'air méchant, il m'a dit : « Tu m'as dans la peau! » et moi j'avais peur, j'ai dit : « Oui »; je veux faire ton bonheur, nous irons nous promener en auto, en bateau, nous irons en Italie et je te donnerai tout ce que tu voudras. Mais sa villa n'est presque pas meublée et nous coucherons par terre sur un matelas. Il veut que je dorme dans ses bras et je sentirai son odeur; j'aimerais bien sa poitrine parce qu'elle est brune et large, mais il y a un tas de poils dessus, je voudrais que les hommes soient sans poils, les siens sont noirs et doux comme de la mousse, des fois je les caresse et des fois j'en ai horreur, je me recule le plus loin possible mais il me plaque contre lui. Il voudra que je dorme dans ses bras, il me serrera dans ses bras et je sentirai son odeur; et quand il fera noir nous entendrons le bruit de la mer et il est capable de me réveiller au milieu de la nuit s'il a envie de faire cela : je ne pourrai jamais m'endormir tranquille sauf quand j'aurai mes affaires, parce que là, tout de même, il me fichera la paix et encore il paraît qu'il y a des hommes qui font cela avec les femmes indisposées et après ils ont du sang sur le ventre, du sang qui n'est pas à eux et il doit y en avoir sur les draps, partout, c'est dégoûtant, pourquoi faut-il que nous ayons des corps?

De l'abjection

1939

Pour avoir publié *De l'abjection*, Marcel Jouhandeau eut droit, du moins il le raconte dans *La Vie comme une fête*, aux violents reproches de Jean Cocteau qui pensait, comme Marcel Proust, que tout est permis du moment qu'on ne dit pas « je ».

Pourtant Jouhandeau avait signé de trois étoiles son livre publié chez Gallimard dans la collection « Métamorphoses » de Paulhan, et les audaces de son texte n'approchaient pas celles qu'il devait se permettre quinze ans plus tard avec *Tirésias*.

Premières expériences.
Les plus anciens souvenirs.

I

UNE FOIS, c'était le matin, je devais avoir sept ans; la bonne Rose, ma nourrice, préparait les déjeuners, en l'absence de mes parents, dans l'unique pièce qui servait de cuisine, de réfectoire et de chambre à coucher. Il y avait là seul avec Rose et avec moi un garçon boucher qu'on appelait je ne sais pourquoi le grand Pompée. Sans doute m'étais-je montré particulièrement détestable? Celui-ci en effet sur un ton inspiré au moins par la colère ou l'indignation s'écria : « On aura beau faire, allez, ma Rose, ce chétif-là ne finira jamais qu'au bagne. » Je passais pour un modèle de douceur et de gentillesse. La prophétie était donc inattendue. Qu'avais-je bien pu faire? Ce qui est sûr, c'est que je ne m'explique pas encore comment fut amenée la malédiction. Je ne vois pas l'acte, je ne me souviens, de ma part, d'aucune attitude coupable qui eût pu la justifier. Je ne sais qu'une chose : qu'elle fut prononcée et si je ne l'ai pas oubliée, ce n'est qu'à ma bonne vieille Rose que je le dois, parce qu'il ne se passait pas de jour qu'elle ne la rappelât, mais jamais pour me reprocher quelque chose, seulement pour manifester la rancune qu'elle avait vouée au grand Pompée.

A noter que si l'on remplaçait le mot bagne par le mot Enfer, Enfer semblerait un euphémisme. Pourquoi? Grave inconséquence.

II

Il me semble que c'est un peu plus tard que le frère de ma mère qui avait à ce moment une trentaine d'années partagea mon lit. Comme il dormait le matin, je fis semblant de dormir aussi pour me rapprocher de lui à si petits coups que c'en était merveille à force de patience. Il s'agissait pour moi de toucher de mon corps son corps à un endroit secret, mais le dormeur était si bien protégé par son linge que je ne pus éprouver que sa chaleur qui me rejoignit à travers la chemise et respirer son odeur qui me grisait, à mesure que sa large poitrine velue, que j'apercevais par l'entre-bâillement de la flanelle, m'invitait sournoisement à imaginer des perspectives de plus en plus mystérieuses; au milieu d'une végétation obscure et touffue, des formes cachées d'une bestialité d'autant plus attrayante qu'elle m'effrayait.

III

A la même époque il arrivait que nous allions plusieurs petits garçons en la compagnie de fillettes de notre âge chez ma grand'mère paternelle dans un hameau, à deux kilomètres de la ville, passer l'après-midi l'été. Ma grand'mère, qui ne nous demandait que de n'apporter aucun désordre chez elle et de ne pas la déranger, nous ouvrait tout de suite la buanderie où nous nous enfermions et aussitôt nous commencions à jouer aux Messieurs Dames. Les mariages se célébraient d'abord avec un grand luxe de traînes de voiles, de couronnes de fleurs, cueillies dans le jardin. Et les mariés une fois chez eux « se biquaient », ce qui ne consistait pas (nous ignorions même que ce fût possible) à introduire nulle part un membre qui n'en pouvait mais. Les filles se contentaient de s'étendre, de relever leurs jupes, leur chemise; elles écartaient les jambes et les garçons leur pissaient dessus, mais de façon que l'urine tombât juste sur le sexe qui béait et se répandît ensuite, ce qui le plus souvent les faisait pisser elles-mêmes en même temps. Alors les eaux se mêlaient et inondaient le carrelage, propageant peu à peu entre les deux partenaires et les spectateurs une jouissance profonde et sans remords, bacchique, païenne, qui comblait les mâles de fierté et les petites femelles d'une curiosité sans tendresse. Tout remis en ordre, une poupée logée sous la robe, on accouchait.

Bonne vivante, la grand'mère se doutait bien un peu qu'il se passait « des choses » dans la buanderie, mais « c'est l'école des coqs » devait-elle se dire, en souriant.

IV

Dès que je sus lire un peu plus tard, dans les cabinets de la cour, une inscription, due à la main d'un garçon boucher et qui s'adressait, je pense, à la repasseuse de l'étage, me tomba sous les yeux. « Pâle Joséphine, il y a remède à ton mal : c'est la racine du genre humain que je porte entre mes cuisses et que je planterai, quand tu voudras, entre les tiennes. » Quelques-uns de ces mots galvanisèrent tout de suite mon imagination et me rendirent l'obscénité impossible, à force d'y intéresser je ne sais quelle mythologie.

V

Est-ce que ce fut le lendemain? je jouais dans la boucherie vers midi, bien que mon père ne le tolérât pas, quand un employé qui pouvait avoir dix-neuf ans, une sorte de géant blond et doux, comme je le taquinais, prit ma petite main et la porta sous son tablier dans le voisinage de sa braguette. Je ne savais pas ce qu'il voulait : il me parlait « d'un oiseau » et je vis en effet quelque chose remuer sous l'étoffe. Un moment après le déjeuner il m'appelait dans la cour où nous étions seuls et bloqué dans un coin de l'écurie, il déboutonna son pantalon et me montra de loin un objet inconnu dont les dimensions me semblaient si énormes pour lui et la forme si surprenante, déconcertante, étrange et en tous points si satisfaisante pour ma curiosité que je crus qu'il me trompait, que c'était une fleur ou un fruit ou un légume qu'il avait dissimulé sous sa blouse.

Je vins le retrouver le soir dans un réduit où l'on déposait l'avoine. La porte fermée au verrou, il se découvrit devant moi, mais sans vulgarité, offrant à ma vue son corps et puis son sexe avec un respect et une émotion infinis, plutôt comme on présente à l'adoration dangereuse de quelqu'un une relique d'un autre monde, un fétiche rare, mystérieux, sacré, interdit qui vous étonne vous-même; pas du tout comme qui attendrait le moindre plaisir. Seulement sans doute jouissait-il à ce point de mon trouble, de l'étonnement, de la stupeur que j'éprouvais devant ce qu'il me montrait de lui? à peine sur son invitation ma petite main l'eut-elle effleuré, il se mit à trembler de tous ses membres et un écheveau de soie floche d'une blancheur de lait se dévida lourdement autour de son prépuce gonflé à craquer.

Deux jours plus tard ou le lendemain peut-être (nous avait-on vus ensemble?), ce garçon qui appartenait à une excellente famille du pays fut congédié par mon père sous le prétexte d'un vol peut-être inventé, au désespoir de ses sœurs, ses aînées, deux belles filles blondes qui lui ressemblaient comme deux gouttes d'eau à une troisième et dont les profils demeurent pour moi gravés de chaque côté de lui en larmes.

Dans mon âme ce départ se revêtait de couleurs si romanesques et entre cet homme et moi il y avait déjà un mystère si poignant que je n'avais pas, quoi qu'on pût dire de lui devant moi, à le réhabiliter. A huit ans, j'étais bien capable de garder un secret et d'autant plus dévotement que l'oncle du malheureux, un vieux sabotier du voisinage, m'avait bercé enfant et que rien de mal ne pouvait sortir de sa maison. Eu égard aussi à la manière si douce et noble, toute bucolique, dont il m'avait découvert et montré « la racine du genre humain », je lui ai toujours gardé au fond de moi un souvenir tout frais, comme un nid de mousse où couvent des colombes. Aussi bien aucun plaisir depuis ne saurait me faire oublier la candeur de mon émoi ni la sienne, l'un devant l'autre, et tout aurait pu se passer bien plus mal. Il me reste cependant de cette aventure une sorte d'ébranlement nerveux : peut-être à cause de quelque chose que je n'arrivais pas à admettre comme conforme à ce que j'avais pensé jusque-là du Créateur et de l'Homme. Il me semblait que je portais dans ma chair le principe d'une fonction monstrueuse que je verrais se développer au milieu de moi, aux dépens de moi et que je ne pourrais rien contre elle, pas même la comprendre. Mais ce que je préférais à la fin, c'était cela : de ne pouvoir comprendre, de ne pouvoir intégrer dans ce que j'avais cru deviner ou savoir ce que je venais de voir et de toucher. Notions enveloppées, confuses alors, mais certaines : l'esprit est en effet bien plus facile à admettre, à concevoir que la Bête, mais combien la Bête est une compagne attachante pour l'Esprit, du moment qu'il sait qu'il a partie liée avec elle. Est-ce lui qui l'apprivoisera ou l'asservira-t-elle? C'est là tout le Drame, le nôtre.

Le temps qui précède l'âge de raison est celui de l'innocence qu'aucune expérience encore ne peut ternir. Ce n'est que plus tard que le mal s'installe en nous et c'en est fait alors de la pureté. Bonheur de pouvoir me représenter sans remords cette initiation, parce qu'à ce moment rien ne comptait que ma fantaisie et celle plus fabuleuse de la Nature que je découvrais en moi et autour de moi, sans la juger ni me juger. Age d'or de l'âme et du corps, de leurs ineffables fiançailles qui précèdent l'histoire.

En toute sincérité cependant, je ne puis nier que cette rencontre un peu hâtive n'ait laissé dans les couches profondes de mon être un souvenir lancinant, une image trop vivace qui détermina plus tard un courant obscur de préoccupations et un certain déséquilibre de ma sensibilité. Mais Dieu me garde de me plaindre de ce mal. Sans difficulté avec moi-même, quel intérêt aurait pour moi ma vie?

Je devais avoir de dix à onze ans, quand je fis la connaissance d'un petit garçon de mon âge, le fils d'un peintre en bâtiment qui s'appelait Beatus. La première

fois qu'il me parla, ce fut sur la route qui conduisait chez ma grand'mère paternelle toujours : il m'y fit part de ce qu'il savait sur le plaisir que se donnent
l'homme et la femme et il m'affirma que l'homme n'avait pas besoin de la
femme pour le prendre, qu'il pouvait se le donner seul à lui-même. Dans le grenier d'une petite maison abandonnée où nous arrivions il allait me le démontrer : agenouillé devant moi en effet, il me caressait d'une façon si pressante que
peu après (c'était la première fois) se dressa mon aiguillon et en même temps
Beatus me répétait : « Hein! tu es content! tu as chaud! je te fais du bien! ça te
fait du bien. » J'avais bien besoin d'abord qu'il le prétendît. Un moment même
tout d'un coup, tout mon être en moi frémit, comme si j'allais subir le dernier
supplice, un déchirement, un arrachement mortel et dans les profondeurs de ma
chair, comme au centre de moi, quelque chose, sans que rien apparemment
affleurât, dut se dénouer : je poussai un cri et je me retournai avec effroi vers
mon compagnon. Sans doute allais-je mourir par sa faute? je lui en demandai
compte dans un dernier regard : qu'il me dît ce qui s'était passé? J'avais dû souffrir et souffrir affreusement sans doute. Mon visage s'était crispé et demeurait
convulsé, mais déjà Beatus commençait à me ressembler, c'est qu'il se caressait
maintenant lui-même et je le vis bientôt en proie à la même ivresse qu'il m'avait
donnée, se raidir, changer de couleur, d'expression, presque de visage, ses yeux
fixés sur moi. Sa grimace, son spasme, son trouble me rassurèrent : ils m'expli-
quaient le mien; la volupté, c'était cela? Mon premier mouvement fut de la
détester et de haïr celui qui me l'avait fait connaître, mais peu à peu, à la
réflexion, je trouvais un intérêt poignant, d'un prix infini, d'autant plus grand
qu'elle me paraissait plus dangereuse, à cette panique : à ce pouvoir qui m'était
donné sur moi-même de me mettre un instant hors de moi, dans un état extraordinaire qui m'approchait de la folie et de la mort.

Je crus longtemps que la vie n'était que surprise, que Beatus ne m'avait révélé
qu'un des mille et un moyens de me procurer des délires que j'appelais délices et
je le poursuivais pour qu'il m'apprît d'autres secrets. Pourquoi chacun de nos
membres n'eût-il pas recélé aussi des facultés inconnues, outre celle qui était
naturellement la leur? J'attendais de mon initiateur des révélations sans nombre.
Hélas! il m'avoua que tout le plaisir de l'homme résidait là, mais qu'on en pouvait varier le tout, le rythme, les circonstances à l'infini et à nous deux, en changeant de poses ou de lieux, en nous rendant sur les montagnes, dans les forêts ou
sous les eaux, nous croyions réinventer le plaisir. Ce fut cependant au cours d'un
acte solitaire que se répandit pour la première fois ma semence.

Porté à la volupté d'une façon maladive, je dois reconnaître que ce n'est que
l'excès de mes pollutions et le danger qu'elles faisaient courir à mon intelligence,
à ma santé et à l'estime de moi-même, à ma dignité intérieure qui me firent son-

ger, dès l'âge de douze ans, qu'il y avait des règles : une morale et aussi des secours pour nous permettre de les observer : une religion et certes la morale et la religion que ma famille et les prêtres m'avaient enseignées seraient demeurées lettre morte, si je n'en avais pas découvert, à cause même de mes faiblesses et de leurs profondeurs mortellement menaçantes, le bien-fondé, l'utilité, l'urgente, l'impérieuse nécessité. Ainsi, m'est-il facile aujourd'hui d'admettre que ceux qui n'ont trouvé aucune difficulté en eux-mêmes, ignorent aussi bien le mal que le bien, aussi bien la Loi morale que la Grâce.

Et Dieu me garde de les envier.

L'anomalie qui est la mienne a pris d'abord une forme apparemment sans danger. Il m'arrivait de m'enfermer par exemple dans ma chambre avec une puissante lorgnette et de repérer un terrassier occupé à défricher un terrain vague. Quand j'avais bien installé et isolé mon homme au centre de l'objectif, je passais une journée entière à le regarder agir, se déplacer, se fatiguer, se reposer, se restaurer, s'amuser et à la fin rien ne m'était aussi précieux que cette contemplation, parce que j'étais devenu extrêmement fort, extrêmement savant sur mon terrassier. Je connaissais toutes les coutures de son vêtement, j'en avais compté toutes les pièces, les boutons; je n'ignorais pas de quoi il se nourrissait ni quelle était la mesure de son appétit et de sa soif; j'avais comme de près vu son mouchoir et son couteau. La couleur de sa chemise ne m'était pas inconnue ni la décence qu'il apportait à satisfaire ses besoins; quelle attitude il prenait au passage des femmes. La gamme de ses gestes, je l'avais enregistrée et je savais ce que signifiaient leur précipitation et leur lenteur ou je croyais le savoir; je faisais toutes sortes d'hypothèses pour expliquer certains arrêts plus ou moins brusques de ses manœuvres et comprendre pourquoi par exemple, avant de saisir sa pelle, sa pioche ou les bras de sa brouette, il mimait une seconde l'action qu'il allait faire. Par instants j'étais tenté de découvrir dans cette mimique une ironie, une ironie de forçat, et à d'autres moments, vu le grand calme et l'harmonie qui accompagnaient ses mouvements, je supposais que ce n'était qu'à un jeu désintéressé et plein de douceur que j'assistais d'Adam un instant de retour en Paradis.

Je me souviens qu'un peu plus tard le propriétaire du n° 26, rue Gay-Lussac, ne consentit après de longues instances à me louer deux mansardes donnant sur l'Institut Océanographique que si je m'engageais à ne recevoir aucune femme chez moi : « Je ne veux pas, vous comprenez, Monsieur, me disait-il, exposer mon épouse, madame Bonnet, à rencontrer n'importe quelle fille du boulevard Saint-Michel dans l'escalier. » Il habitait l'immeuble. Pour le narguer ou me venger, dès le mois suivant, j'allai déjeuner avenue d'Orléans dans un restaurant de dernier ordre et j'invitai n'importe qui, pourvu que ce ne fût pas une femme, à venir me voir chez moi : des ouvriers sans travail, plombiers, mécaniciens et sans doute souvent des malfaiteurs, des voleurs, des assassins; il faillit même m'en coûter la vie. Quand ces individus arrivaient dans ma chambre, je leur offrais une cigarette, un verre ou une dînette selon l'heure et si je m'apercevais que leurs ongles étaient trop longs ou malpropres, je leur demandais de me les laisser tailler et fourbir : c'était mon vice. Ainsi pendant longtemps, je tenais leurs mains captives dans les miennes et je les voyais partir un peu inquiets, se demandant si je n'étais pas fou. Un soir de dimanche, il arriva que l'un d'eux boitait. Je le fis se déchausser, prendre un bain de pieds. Je le pansai moi-même. C'était, je crois, un plâtrier qui avait vingt ans, assez beau. Des traces de chaux vive autour de ses chevilles et dans les intervalles de ses orteils faisaient croire à la métamorphose d'une statue qui se fût animée sous mes doigts. Ma dévotion envers les pieds des pauvres gens satisfaite, souvent après ces menus soins, nous devenions plus familiers, mais jamais au point que mes hôtes d'un moment cessassent d'avoir pour moi une espèce de respect mêlé de crainte, si bien que le jour où je surpris l'un d'eux la main sur mon portefeuille, je n'eus qu'à le regarder tristement et il me le rendit, après avoir fait le geste, il est vrai, de se jeter sur moi, je pense, pour m'étrangler. Un midi, comme je rentrais déjeuner, m'attendait sous mon porche orné de lis le juge de paix de C. où habite ma famille. Ses sept enfants l'entouraient. Il me donnait des nouvelles du pays et j'allais me réjouir, quand je vois venir en même temps vers moi un garçon pâle, vêtu d'un large pantalon de velours noir et d'une encore plus large ceinture de flanelle écarlate, un de mes invités qui sortait de l'hôpital, mais je n'eus qu'un geste à faire et le Danger s'éloigna du même pas qu'il était venu. Quel sujet d'exaltation que l'apparition, la présence de ces inconnus dans ma solitude! Certains y prenaient des poses d'esclaves et j'étais devant eux le Roi. Ils m'adoraient. Il arriva aussi que je crus n'être qu'un homme que les dieux visitaient, quand je me mis en tête de leur persuader que j'étais graveur de mon métier; ce qui excusait tout; alors je les priais tout naturellement de se dévêtir et de s'étendre sur mon lit; ils y prenaient l'attitude avantageuse qui leur convenait et je m'armais d'un crayon et d'une feuille de papier pour la forme, tournant de près ou de loin autour d'eux, sans les toucher jamais, tantôt debout, agenouillé ou assis. Une fois Endymion endormi, je cessais de feindre.

CHODERLOS DE LACLOS

1741-1803

Les Liaisons dangereuses

1782/1939

Il y a des enquêtes sociologiques difficiles à faire en remontant dans le temps,
mais pas impossibles, au fond. Quel historien de la nouvelle école sera tenté par
celle-ci : est-ce vraiment entre 1935 et
1950 qu'on a le plus lu *Les Liaisons dangereuses* en France[1]? Je le parierais, mais
quels sont mes indices? Des intuitions,
des souvenirs personnels, des anecdotes
dont certaines tournent autour de Roger
Vailland. Un air du temps aussi, qui
accorde bien pour moi le roman de
Laclos à la montée de la guerre (voir
Cadavre exquis), à l'Occupation, aux
années d'acier qui suivirent. Est-ce le
simple hasard d'une facilité de mise en
scène qui a conduit Vadim et son adapta-
teur Vailland à situer leurs *Liaisons dangereuses 1960* pendant la dernière guerre?

Est-ce encore un hasard si le meilleur
texte critique de Malraux, le seul pénétrant, aigu, cohérent d'un bout à l'autre,
soit le texte sur Laclos qu'il publie dans le
*Tableau de la littérature française de Corneille à
Chénier* que Gallimard met en vente en
1940, visa de censure du 21 octobre 1939?

Que *Les Liaisons* soient une lecture
érotique ne fait j'espère aucun doute
(qu'on se reporte à notre tome I) On l'a
interdite une bonne partie du XIXᵉ siècle.
J'ai connu moi-même l'époque, j'allais
dire récente – enfin, dans les années
40/50 – où un jeune homme se faisait
regarder de travers s'il demandait le livre
dans certaines librairies. Le *Dictionnaire des
œuvres érotiques* prétend encore dans son
édition de 1958 – il exagère un peu – que
« *dans tout manuel de littérature il est de règle*

qu'on s'abstienne de faire mention de Laclos ».
Mais de quel érotisme s'agit-il?

C'est ici que quelques remarques de
Malraux ont leur place. On a vu à quel
point il évitait de s'engager, parlant de
L'Amant de Lady Chatterley. Ici tout à
coup il s'avance :

« *On peut tout mettre sous le mot mystère.
Pour Laclos, il n'eût pu signifier que la part de
l'homme incontrôlable, ingouvernable par lui –
sa fatalité. Et il y a bien une ombre de fatalité
qui règne sous ce jeu d'échecs Louis XVI, malgré les efforts des deux meneurs de jeu pour la
posséder : c'est l'érotisme.*

« *Il y a érotisme dans un livre dès qu'aux
amours physiques qu'il met en scène se mêle
l'idée d'une contrainte. Or, les théories de la
marquise, ses allusions à la liberté sexuelle
– une des parties brillantes, mais les moins originales, les plus "d'époque" du livre – sont
bien orientées vers le simple plaisir; mais rien
de ce qui est* mis en acte, représenté dans Les
Liaisons *ne l'est.* »

Remarque capitale. Remarque d'ailleurs
dont Malraux ne semble pas bien voir
complètement où elle peut mener. Il suffit
d'ailleurs qu'il voie ou elle peut *le* mener,
lui, ce nietzschéen.

« *Tout au long de cette célèbre apologie du
plaisir* » (personne n'a jamais dit que *Les*

---

1. En arrêtant l'enquête à 1958, bien entendu. En
1959, un film de Vadim précipita des milliers d'acheteurs dans les librairies.

Liaisons étaient une apologie du plaisir), « *pas un couple, une seule fois, n'entre dans un lit sans une idée de derrière la tête. Et cette idée c'est, presque toujours, la contrainte.* »

Non. Oui. Enfin, il y a autre chose. Mais comme c'est intéressant.

« *Par leurs deux personnages significatifs,* Les Liaisons *sont une mythologie de la volonté; et leur mélange permanent de volonté et de sexualité est leur plus puissant moyen d'action. Le personnage le plus érotique du livre, la marquise, est aussi le plus volontaire...* »

Et bien sûr, « *qu'une femme capable d'une énergie de cette sorte et à qui Stendhal eût prêté "de grands desseins" ne soit si longtemps occupée que de rendre cocu par avance un amant qui l'a quittée serait une singulière histoire, si ce livre n'était que l'application d'une volonté à des fins sexuelles. Mais il est tout autre chose : une érotisation de la volonté* ». Oui. Mais à partir de là, on s'écarte un peu de notre planète. Tout de même, on l'a survolée de près.

Bien plus tard, Malraux essaiera de revenir sur le sujet, en réimprimant son texte sur Laclos avec deux autres, l'un sur Saint-Just, l'autre sur Goya. C'est ce qu'il appellera *Le Triangle noir*. Nous sommes en 1969. Il veut se raccrocher au train d'*Emmanuelle*, de la «Révolution sexuelle », de tout ce que le ministre Malraux aidait à interdire. Trop tard. *Le Triangle noir* n'est qu'une petite opération de librairie consistant à faire un volume avec trois préfaces, en en rajoutant une pour essayer de lier la sauce. Laclos, Goya, Saint-Just? « *Ces trois personnages ont en commun un domaine essentiel chez Laclos, accidentel chez Goya et chez Saint-Just, et qui n'eût pas rassemblé leurs prédécesseurs : l'érotisme.* » Bien. Suivent, par-ci, par-là, quelques remarques intéressantes : « *Cet érotisme ne vaudrait pas qu'on s'y arrête, s'il n'était que la suite de la gaillardise* »... « *Tout sadisme semble la volonté délirante d'une impossible possession...* » Mais à aucun moment il n'y a un mot, dans le Goya ou dans le Saint-Just, sur un quelconque rapport entre eux et l'érotisme. C'est peut-être dommage. Mais Malraux n'a plus grand-chose à dire là-dessus. Reste un excellent texte écrit trente ans plus tôt.

Le Vicomte de Valmont à la Marquise de Merteuil

Du château de..., 1er octobre 17**.

JE PARIE BIEN que, depuis votre aventure, vous attendez chaque jour mes compliments et mes éloges; je ne doute même pas que vous n'ayez pris un peu d'humeur de mon long silence; mais que voulez-vous? j'ai toujours pensé que quand il n'y avait plus que des louanges à donner à une femme, on pouvait s'en reposer sur elle, et s'occuper d'autre chose. Cependant je vous remercie pour mon compte, et vous félicite pour le vôtre. Je veux bien même, pour vous rendre parfaitement heureuse, convenir que, pour cette fois, vous avez surpassé mon attente. Après cela, voyons si de mon côté j'aurai du moins rempli la vôtre en partie.

Ce n'est pas de Mme Tourvel que je veux vous parler; sa marche trop lente vous déplaît. Vous n'aimez que les affaires faites. Les scènes filées vous ennuient;

et moi, jamais je n'avais goûté le plaisir que j'éprouve dans ces lenteurs prétendues.

Oui, j'aime à voir, à considérer cette femme prudente, engagée, sans s'en être aperçue, dans un sentier qui ne permet plus de retour, et dont la pente rapide et dangereuse l'entraîne malgré elle, et la force à me suivre. Là, effrayée du péril qu'elle court, elle voudrait s'arrêter, et ne peut se retenir. Ses soins et son adresse peuvent bien rendre ses pas moins grands; mais il faut qu'ils se succèdent. Quelquefois, n'osant fixer le danger, elle ferme les yeux, et se laissant aller, s'abandonne à mes soins. Plus souvent, une nouvelle crainte la ramène vers lui. Dans son effroi mortel, elle veut tenter encore de retourner en arrière; elle épuise ses forces pour gravir péniblement un court espace; et bientôt un magique pouvoir la replace plus près de ce même danger qu'elle venait de fuir avec tant d'efforts. Alors n'ayant plus que moi pour guide et pour appui, sans songer à me reprocher davantage une chute inévitable, elle m'implore pour la retarder. Les ferventes prières, les humbles supplications, tout ce que les mortels, dans leur crainte, offrent à la divinité, c'est moi qui le reçois d'elle; et vous voulez que, sourd à ses vœux, et détruisant moi-même le culte qu'elle me rend, j'emploie à la précipiter la puissance qu'elle invoque pour la soutenir! Ah! laissez-moi du moins le temps d'observer ces touchants combats entre l'amour et la vertu!

Eh quoi! ce même spectacle qui vous fait courir au théâtre avec empressement, que vous y applaudissez avec fureur, le croyez-vous moins attachant dans la réalité? Ces sentiments d'une âme pure et tendre, qui redoute le bonheur qu'elle désire, et ne cesse pas de se défendre, même alors qu'elle cesse de résister, vous les écoutez, avec enthousiasme : ne seraient-ils sans prix que pour celui qui les fait naître? Voilà pourtant, voilà les délicieuses jouissances que cette femme céleste m'offre chaque jour! et vous me reprochez d'en savourer la douceur! Ah! le temps ne viendra que trop tôt, où, dégradée par sa chute, elle ne sera plus pour moi qu'une femme ordinaire.

Mais j'oublie, en vous parlant d'elle, que je ne voulais pas vous en parler. Je ne sais quelle puissance m'y attache, m'y ramène sans cesse, même alors que je l'outrage. Écartons sa dangereuse idée; que je redevienne moi-même pour traiter un sujet plus gai. Il s'agit de votre pupille, à présent devenue la mienne, et j'espère qu'ici vous allez me reconnaître.

Depuis quelques jours, mieux traité par ma tendre dévote, et par conséquent moins occupé d'elle, j'avais remarqué que la petite Volanges était en effet fort jolie; et que, s'il y avait de la sottise à en être amoureux comme Danceny, peut-être n'y en avait-il pas moins, de ma part, à ne pas chercher auprès d'elle une distraction que ma solitude me rendait nécessaire. Il me parut juste aussi de me payer des soins que je me donnais pour elle : je me rappelais en outre que vous me l'aviez offerte, avant que Danceny eût rien à y prétendre; et je me trouvais fondé à réclamer quelques droits sur un bien qu'il ne possédait qu'à mon refus et par mon abandon. La jolie mine de la petite personne, sa bouche si fraîche, son air enfantin, sa gaucherie même, fortifiaient ces sages réflexions; je résolus d'agir en conséquence, et le succès a couronné l'entreprise.

Déjà vous cherchez par quel moyen j'ai supplanté si tôt l'amant chéri; quelle séduction convient à cet âge, à cette inexpérience. Épargnez-vous tant de peine, je n'en ai employé aucune. Tandis que, maniant avec adresse les armes de votre sexe, vous triomphiez par la finesse; moi, rendant à l'homme ses droits imprescriptibles, je subjuguais par l'autorité. Sûr de saisir ma proie, si je pouvais la joindre, je n'avais besoin de ruse que pour m'en approcher, et même celle dont je me suis servi ne mérite presque pas ce nom.

Je profitai de la première lettre que je reçus de Danceny pour sa belle, et après l'en avoir avertie par le signal convenu entre nous, au lieu de mettre mon adresse à la lui rendre, je la mis à n'en pas trouver le moyen : cette impatience que je faisais naître, je feignais de la partager, et après avoir causé le mal, j'indiquai le remède.

La jeune personne habite une chambre dont une porte donne sur le corridor; mais, comme de raison, la maman en avait pris la clef. Il ne s'agissait que de s'en rendre maître. Rien de plus facile dans l'exécution; je ne demandais que d'en disposer deux heures et je répondais d'en avoir une semblable. Alors correspondances, entrevues, rendez-vous nocturnes, tout devenait commode et sûr : cependant, le croiriez-vous? l'enfant timide prit peur et refusa. Un autre s'en serait désolé; moi je n'y vis que l'occasion d'un plaisir plus piquant. J'écrivis à Danceny pour me plaindre de ce refus, et je fis si bien que notre étourdi n'eut de cesse qu'il n'eût obtenu, exigé même de sa craintive maîtresse qu'elle accordât ma demande et se livrât toute à ma discrétion.

J'étais bien aise, je l'avoue, d'avoir ainsi changé de rôle, et que le jeune homme fît pour moi ce qu'il comptait que je ferais pour lui. Cette idée doublait, à mes yeux, le prix de l'aventure : aussi dès que j'ai eu la précieuse clef, me suis-je hâté d'en faire usage. C'était la nuit dernière.

Après m'être assuré que tout était tranquille dans le château, armé de ma lanterne sourde et dans la toilette que comportait l'heure et qu'exigeait la circonstance, j'ai rendu ma première visite à votre pupille. J'avais tout fait préparer (et cela par elle-même), pour pouvoir entrer sans bruit. Elle était dans son premier sommeil, et dans celui de son âge, de façon que je suis arrivé jusqu'à son lit sans qu'elle se soit réveillée. J'ai d'abord été tenté d'aller plus avant, et d'essayer de passer pour un songe; mais craignant l'effet de la surprise et le bruit qu'elle entraîne, j'ai préféré d'éveiller avec précaution la jolie dormeuse, et suis en effet parvenu à prévenir le cri que je redoutais.

Après avoir calmé ses premières craintes, comme je n'étais pas venu là pour causer, j'ai risqué quelques libertés. Sans doute on ne lui a pas bien appris dans son couvent à combien de périls divers est exposée la timide innocence, et tout ce qu'elle a à garder pour n'être pas surprise : car, portant toute son attention, toutes ses forces, à se défendre d'un baiser, qui n'était qu'une fausse attaque, tout le reste était laissé sans défense ; le moyen de n'en pas profiter ! J'ai donc changé ma marche, et sur-le-champ j'ai pris mon poste. Ici nous avons pensé être perdus tous deux : la petite fille, tout effarouchée, a voulu crier de bonne foi ; heureusement sa voix s'est éteinte dans les pleurs. Elle s'était jetée aussi au cordon de sa sonnette, mais mon adresse a retenu son bras à temps.

« Que voulez-vous faire, lui ai-je dit alors, vous perdre pour toujours ? Qu'on vienne, et que m'importe ? A qui persuaderez-vous que je ne sois pas ici de votre aveu ? Quel autre que vous m'aura fourni le moyen de m'y introduire ? et cette clef que je tiens de vous, que je n'ai pu avoir que par vous, vous chargez-vous d'en indiquer l'usage ? » Cette courte harangue n'a calmé ni la douleur, ni la colère ; mais elle a amené la soumission. Je ne sais si mon ton lui prêtait de l'éloquence ; au moins est-il vrai qu'elle n'était pas embellie par le geste. Une main occupée pour la force, l'autre pour l'amour, quel orateur pourrait prétendre à la grâce en pareille position ? Si vous vous la peignez bien, vous conviendrez qu'en revanche elle était favorable à l'attaque ; mais moi, je n'entends rien à rien, et, comme vous dites, la femme la plus simple, une pensionnaire, me mène comme un enfant.

Celle-ci, tout en se désolant, sentait qu'il fallait prendre un parti, et entrer en composition. Les prières me trouvant inexorable, il a fallu passer aux offres. Vous croyez que j'ai vendu bien cher ce poste important : non, j'ai vendu bien cher ce poste important : non, j'ai tout promis pour un baiser. Il est vrai que le baiser pris, je n'ai pas tenu la promesse : mais j'avais de bonnes raisons. Etions-nous convenus qu'il serait pris ou donné ? A force de marchander, nous sommes tombés d'accord pour un second ; et celui-là, il était dit qu'il serait reçu. Alors ayant guidé ses bras timides autour de mon corps, et la pressant de l'un des miens plus amoureusement, le doux baiser a été reçu en effet ; mais bien, mais parfaitement reçu : tellement enfin que l'amour n'aurait pas pu mieux faire.

Tant de bonne foi méritait récompense, aussi ai-je aussitôt accordé la demande. La main s'est retirée ; mais je ne sais par quel hasard, je me suis trouvé moi-même à sa place. Vous me supposez là bien empressé, bien actif, n'est-il pas vrai ? Point du tout. J'ai pris goût aux lenteurs, vous dis-je. Une fois sûr d'arriver, pourquoi tant presser le voyage ?

Sérieusement, j'étais bien aise d'observer une fois la puissance de l'occasion, et je la trouvais ici dénuée de tout secours étranger. Elle avait pourtant à combattre l'amour ; et l'amour soutenu par la pudeur et la honte ; et fortifié surtout par l'humeur que j'avais donnée et dont on avait beaucoup pris. L'occasion était seule ; mais elle était là, toujours offerte, toujours présente, et l'amour était absent.

Pour assurer mes observations, j'avais la malice de n'employer de force que ce qu'on en pouvait combattre. Seulement, si ma charmante ennemie, abusant de ma facilité, se trouvait prête à m'échapper, je la contenais par cette même crainte, dont j'avais éprouvé les heureux effets. Hé bien! sans autre soin, la tendre amoureuse, oubliant ses serments, a cédé d'abord et fini même par consentir : non pas qu'après ce premier moment les reproches et les larmes ne soient revenus de concert; j'ignore s'ils étaient vrais ou feints : mais, comme il arrive toujours, ils ont cessé, dès que je me suis occupé à y donner lieu de nouveau. Enfin, de faiblesse en reproche, et de reproche en faiblesse, nous ne nous sommes séparés que satisfaits l'un de l'autre, et également d'accord pour le rendez-vous de ce soir.

Je ne me suis retiré chez moi qu'au point du jour, et j'étais rendu de fatigue et de sommeil : cependant j'ai sacrifié l'une et l'autre au désir de me trouver ce matin au déjeuner; j'aime, de passion, les mines de lendemain. Vous n'avez pas d'idée de celle-ci. C'était un embarras dans le maintien! une difficulté dans la marche! des yeux toujours baissés, et si gros, et si battus! Cette figure si ronde s'était allongée! rien n'était si plaisant. Et pour la première fois, sa mère, alarmée de ce changement extrême, lui témoignait un intérêt assez tendre! et la Présidente aussi, qui s'empressait autour d'elle! Oh! pour ces soins-là, ils ne sont que prêtés; un jour viendra où on pourra les lui rendre, et ce jour n'est pas loin. Adieu, ma belle amie.

Madame Edwarda

1941

Les éditions sous le manteau furent encore moins nombreuses sous l'Occupation que pendant la Grande Guerre ; le papier était encore plus rare et les imprimeries encore plus surveillées[1]. Il faut ajouter le nouvel Ordre moral, dont la doctrine était que notre immoralité était la cause des malheurs de la France. On se souvient du dessin de Sennep paru au début de l'Occupation : un personnage officiel fait la morale à un paysan, qui l'écoute les yeux ronds : « *Vous faisiez vos délices de Proust, de Gide, de Cocteau…* »

Mais vraiment on ne voit pas du tout pourquoi le gouvernement de Vichy légiférerait contre l'outrage aux mœurs, puisque Édouard Daladier, du parti radical et du Front populaire, a eu l'attention délicate de lui fournir en juillet 39 un arsenal juridique des plus perfectionnés, et qu'il n'y aurait plus le cas échéant qu'à appliquer.

(Peu reconnaissant, Pétain a fait interner dès le début de l'occupation Daladier, Blum, et les principaux leaders de la gauche ; ils seront jugés au procès de Riom en 1942, puis, les débats interrompus, livrés à l'Allemagne.)

Madame Edwarda fut édité par Robert Chatté, personnage doublement, triplement clandestin. Éditeur sous le manteau, il était aussi libraire secret à Montmartre, tout en haut d'un vieil immeuble, et n'ouvrait sa porte qu'à des signaux convenus. N'y aurait-il eu aucun risque, je pense qu'il aurait agi exactement de même ; c'était un clandestin-né.

Il fit deux éditions de *Madame Edwarda*, l'une en 1941, datée de 1937, l'autre en 1945 datée de 1942[2]. On comprend que les bibliographes de Bataille s'y perdent. L'édition originale, devenue introuvable, est un tout petit volume de 10 cm x 16, dont les 52 pages ont été tirées sur divers papiers précieux, suivant les 45 exemplaires. Le livre ne porte pas de nom d'éditeur, mais un nom d'auteur : Pierre Angélique, que Bataille conserva pour le livre jusqu'à sa mort.

On trouvera au tome III des *Œuvres complètes* de Bataille des commentaires inédits importants :

« *J'écrivis ce petit livre en septembre-octobre 1941, juste avant Le Supplice, qui forme la seconde partie de L'Expérience intérieure. Les deux textes, à mon sens, sont étroitement solidaires et l'on ne peut comprendre l'un sans l'autre. Si Madame Edwarda n'est pas demeurée unie au Supplice, c'est en partie pour des raisons de convenance regrettables. Bien entendu, Madame Edwarda m'exprime avec plus de vérité efficace ; je n'aurais pu écrire Le Supplice si je n'en avais d'abord donné la*

---

1. N'oublions pas de nous méfier des dates des érotiques clandestins. Un certain nombre de ceux qui furent publiés après la Libération portent par prudence des dates de pure fantaisie. Ainsi ce Piron illustré se prétendant publié « *Aux dépens des amis du Maki* », en 1943, ou *L'Histoire de l'œil* censée provenir de « Burgos, 1941 », que j'ai fait imprimer à Paris en 1952 ou 1953.

2. Et aussi, en 1943, l'édition originale du *Petit*, datée de 1934.

clé lubrique. Toutefois, je n'ai voulu décrire dans Edwarda qu'un mouvement d'extase indépendant, sinon de la dépression d'une vie débauchée, du moins des transes sexuelles proprement dites... »

Il faudrait pouvoir citer les trois pages de ce texte, qui est formé des ébauches de la préface de Bataille à l'édition Pauvert de 1956, dont nous reparlerons.

*S*I *TU AS PEUR de tout, lis ce livre, mais d'abord, écoute-moi : si tu ris, c'est que tu as peur. Un livre, il te semble, est chose inerte. C'est possible. Et pourtant, si, comme il arrive, tu ne sais pas lire? devrais-tu redouter...? Es-tu seul? as-tu froid? sais-tu jusqu'à quel point l'homme est « toi-même »? imbécile? et nu?*

MON ANGOISSE EST ENFIN L'ABSOLUE SOUVERAINE, MA SOUVERAINETÉ MORTE EST A LA RUE.
INSAISISSABLE – AUTOUR D'ELLE UN SILENCE DE TOMBE – TAPIE DANS L'ATTENTE D'UN TERRIBLE – ET POURTANT SA TRISTESSE SE RIT DE TOUT.

Au coin d'une rue, l'angoisse, une angoisse sale et grisante, me décomposa (peut-être d'avoir vu deux filles furtives dans l'escalier d'un lavabo). A ces moments, l'envie de vomir me vient. Il me faudrait me mettre nu, ou mettre nues les filles que je convoite : la tiédeur de chairs fades me soulagerait. Mais j'eus recours au plus pauvre moyen : je demandai, au comptoir, un pernod que j'avalai; je poursuivis de zinc en zinc, jusqu'à... La nuit achevait de tomber.

Je commençai d'errer dans ces rues propices qui vont du carrefour Poissonnière à la rue Saint-Denis. La solitude et l'obscurité achevèrent mon ivresse. La nuit était nue dans des rues désertes et je voulus me dénuder comme elle : je retirai mon pantalon que je mis sur mon bras; j'aurais voulu lier la fraîcheur de la nuit dans mes jambes, une étourdissante liberté me portait. Je me sentais grandi. Je tenais dans la main mon sexe droit.

(Mon entrée en matière est dure. J'aurais pu l'éviter et rester « vraisemblable ». J'avais intérêt aux détours. Mais il en est ainsi, le commencement est sans détour. Je continue... plus dur...)

Inquiet de quelque bruit, je remis ma culotte et me dirigeai vers les Glaces : j'y retrouvai la lumière. Au milieu d'un essaim de filles, Madame Edwarda, nue, tirait la langue. Elle était, à mon goût, ravissante. Je la choisis : elle s'assit près de moi. A peine ai-je pris le temps de répondre au garçon : je saisis Edwarda qui s'abandonna : nos deux bouches se mêlèrent en un baiser malade. La salle était bondée d'hommes et de femmes et tel fut le désert où le jeu se prolongea. Un instant sa main glissa, je me brisai soudainement comme une vitre, et je tremblai dans ma culotte ; je sentis Madame Edwarda, dont mes mains contenaient les fesses, elle-même en même temps déchirée : et dans ses yeux plus grands, renversés, la terreur, dans sa gorge un long étranglement.

Je me rappelai que j'avais désiré d'être infâme ou, plutôt, qu'il aurait fallu, à toute force, que cela fût. Je devinai des rires à travers le tumulte des voix, les lumières, la fumée. Mais rien ne comptait plus. Je serrai Edwarda dans mes bras, elle me sourit : aussitôt, transi, je ressentis en moi un nouveau choc, une sorte de silence tomba sur moi de haut et me glaça. J'étais élevé dans un vol d'anges qui n'avaient ni corps ni têtes, faits de glissements d'ailes, mais c'était simple : je devins malheureux et me sentis abandonné comme on l'est en présence de DIEU. C'était pire et plus fou que l'ivresse. Et d'abord je sentis une tristesse à l'idée que cette grandeur, qui tombait sur moi, me dérobait les plaisirs que je comptais goûter avec Edwarda.

Je me trouvai absurde : Edwarda et moi n'avions pas échangé deux mots. J'éprouvai un instant de grand malaise. Je n'aurais rien pu dire de mon état : dans le tumulte et les lumières, la nuit tombait sur moi ! Je voulus bousculer la table, renverser tout : la table était scellée, fixée au sol. Un homme ne peut rien supporter de plus comique. Tout avait disparu, la salle et Madame Edwarda. La nuit seule…

De mon hébétude, une voix, trop humaine, me tira. La voix de Madame Edwarda, comme son corps gracile, était obscène :
— Tu veux voir mes guenilles ? disait-elle.
Les deux mains agrippées à la table, je me tournai vers elle. Assise, elle maintenait haute une jambe écartée : pour mieux ouvrir la fente, elle achevait de tirer la peau des deux mains. Ainsi les « guenilles » d'Edwarda me regardaient, velues et roses, pleines de vie comme une pieuvre répugnante. Je balbutiai doucement :
— Pourquoi fais-tu cela ?
— Tu vois, dit-elle, je suis DIEU…
— Je suis fou…
— Mais non, tu dois regarder : regarde !
Sa voix rauque s'adoucit, elle se fit presque enfantine pour me dire avec lassitude, avec le sourire infini de l'abandon : « Comme j'ai joui ! »

Mais elle avait maintenu sa position provocante. Elle ordonna :

— Embrasse !

— Mais…, protestai-je, devant les autres ?

— Bien sûr !

Je tremblais : je la regardais, immobile, elle me souriait si doucement que je tremblais. Enfin, je m'agenouillai, je titubai, et je posai mes lèvres sur la plaie vive. Sa cuisse nue caressa mon oreille : il me sembla entendre un bruit de houle, on entend le même bruit en appliquant l'oreille à de grandes coquilles. Dans l'absurdité du bordel et dans la confusion qui m'entourait (il me semble avoir étouffé, j'étais rouge, je suais), je restai suspendu étrangement, comme si Edwarda et moi nous étions perdus dans une nuit de vent devant la mer.

J'entendis une autre voix, venant d'une forte et belle femme, honorablement vêtue :

— Mes enfants, prononça la voix hommasse, il faut monter.

La sous-maîtresse prit mon argent, je me levai et suivis Madame Edwarda dont la nudité tranquille traversa la salle. Mais le simple passage au milieu des tables bondées de filles et de clients, ce rite grossier de la « dame qui monte », suivie de l'homme qui lui fera l'amour, ne fut à ce moment pour moi qu'une hallucinante solennité : les talons de Madame Edwarda sur le sol carrelé, le déhanchement de ce long corps obscène, l'âcre odeur de femme qui jouit, humée par moi, de ce corps blanc… Madame Edwarda s'en allait devant moi… dans des nuées. L'indifférence tumultueuse de la salle à son bonheur, à la gravité mesurée de ses pas, était consécration royale et fête fleurie : la mort elle-même était de la fête, en ceci que la nudité du bordel appelle le couteau du boucher.

PIERRE BETTENCOURT

né en 1917

Ni oui ni non

1942

Il faudra faire un jour une grande exposition de tous les livres qui sont sortis des presses de Pierre Bettencourt, les siens et ceux des autres. Pourquoi pas à la Bibliothèque Nationale? Elle honorerait ainsi une des plus originales aventures éditoriales de notre époque, totalement marginale et indépendante, pratiquement inconnue du grand public.

Ni oui ni non, qui a été « *achevé d'imprimer le 28 juillet 1942 pour les 25 ans de l'auteur et sur sa presse, a été tiré à cent soixante-dix exemplaires numérotés* ». C'est, d'après la page de titre, « *dessins 69 poèmes avec une histoire coupe-papier* ».

L'histoire coupe-papier est un fragment de *Teleny* qui court en bas de chaque page sur une ligne imprimée en italique. Au-dessus, le texte des poèmes. C'est ce que nous avons essayé de rendre, ce qui n'était pas commode, par notre disposition typographique.

Tes yeux
me font peur
mets de la douceur
à me prendre
N'oublie pas que j'ai

sa main pénétra par l'ouverture et palpa la peau douce

moi, mon beau secret
sous la cendre

Ne déchire pas
mes bas
Laisse
Rien ne presse
Et j'ai des caresses
sur le bout des doigts

Une pour ici
mon loup,

et chaude. Non, dit la dame essayant de l'arrêter

Tout à ton affaire
tu n'écoutes pas

pas cela, je vous en prie; vous me chatouillez. Défense

Moi je suis la terre
je marque le pas

Comme le prophète
avec sa baguette
pousse
le désert
à mettre à l'air
la petite source

tu me dis « Y es-tu? »
Turlututu chapeau pointu

qui ne fit que l'exciter et lui faire plonger audacieusement

ton souci
un peu trop précis
d'entrer dans la bergerie

Sais-tu que j'ai là
comme un coquillage
un écho de mer, de voyage
autour de la terre
Hop, hop, holà!

attention voilà
Hop hop holà!

les doigts dans la fine toison. Elle continuait

OLIVIER SÉCHAN

né en 1912

Les corps ont soif

1942

Les jeunes gens découvrent avec stupeur que la France de 1940/44 connaissait des soirées de gala, des programmes de music-hall et des succès de librairie. En 1942 *Le Mythe de Sisyphe*, et surtout *L'Étranger*, de Camus, avaient été remarqués, mais n'atteignirent pas les tirages du *Charcutier de Mâchonville*, de Marcel E. Grancher, des *Décombres* de Rebatet, best-seller des best-sellers, comme on ne disait pas, ou des *Corps ont soif*, roman « audacieux ». Le passage qui suit donne une assez bonne idée de ce qui passait pour osé dans la France des Chantiers de la Jeunesse et de *Maréchal nous voilà*. C'est le plus polisson du livre.

En 1942 aussi, les Éditions de la Nouvelle France prenaient le risque inouï de publier *L'Enfer des Classiques*, « *poèmes légers des grands écrivains français du XVᵉ au XVIIIᵉ siècle* »; textes expurgés, mots remplacés par des initiales, on mesure la régression si l'on se reporte au *Cabinet satyrique* de Fleuret et Perceau (1924) ou au *Cabinet secret du Parnasse* de Perceau seul (1930/1935).

*T*U ME FAIS RIRE, dit-il sans se redresser. Tu meurs d'envie de te baigner, mais tu n'oses pas parce que je suis là! Comme si j'étais un de ces godelureaux d'en bas! Devant eux, je comprendrais. Mais devant moi!...

Il se redresse.

— Alors, dit-elle, hésitante, rien que les pieds.

— Rien que les pieds? Tu prendras froid. Quand on y va en entier, ça fait la réaction, tu comprends?

— Je pourrai garder ma chemise?

Il hausse les épaules, indulgent.

— Faudra bien l'enlever pour la sécher.

— Je mettrai ma robe pendant ce temps.

Il reste debout au milieu du ruisseau. L'eau lui va jusqu'à mi-cuisse.

— Toi, dit-il en cessant de sourire. Toi, tu me fais marcher, tu fais trop d'histoires. Tu as peur de moi? Mais c'est que tu es mal foutue, bon Dieu! Tu n'oses pas te montrer?

Il claque des mains sur ses bras humides, puis il secoue la tête.

— Si tu savais comme j'en ai eu des femmes! Et des vraies. Alors, qu'est-ce que ça peut me faire de te voir?

Il la voit hésiter, regarder autour d'elle.

– On n'en parlera à personne, dit-il pour la rassurer. Ce sera un secret.

Elle regarde encore autour d'elle, comme si elle espérait et craignait à la fois l'arrivée de quelqu'un. Mais c'est la solitude complète, ensoleillée. Il n'y a rien. Dans la haute pâture hérissée de cailloux, le grand troupeau s'est groupé à l'ombre de quelques arbres. Les chiens sommeillent. De l'autre côté du ruisseau, c'est le vaste pays désert, pierreux, les montagnes d'un bleu dur sur le ciel ardent.

– Ce sera un secret, répète-t-il.

Il sourit de nouveau. Il est debout, les bras croisés sur sa poitrine nue, les yeux plissés, les cheveux allongés par l'eau en longues mèches irrégulières. Les deux coins de sa bouche se relèvent et de fines rides percent sa peau.

Et l'idée du secret semble la tenter. Pourtant, elle ne se presse guère. Mais il sait déjà qu'elle va lui obéir, et il n'insiste plus. Il reste encore un moment dans l'eau, puis il en sort lentement, s'éloigne même de quelques pas, indifférent en apparence, se détourne tandis qu'elle s'assied dans l'herbe, enlève ses sandales.

– C'est froid! dit-elle en trempant le bout des pieds dans l'eau claire.

– On s'y habitue vite, répond-il sans bouger.

Elle jette un rapide regard autour d'elle, quoique persuadée par avance qu'ils sont seuls. Puis elle s'abrite derrière un arbuste, enlève sa robe de toile brune qu'elle pose par terre.

– Ne regardez pas! supplie-t-elle.

Il a un rire brusque.

– Tu te dépêches? Ou je me retourne!

Elle entre rapidement dans l'eau, s'y accroupit à petits coups, relève chaque fois un peu plus sa chemise, l'enlève enfin d'un seul coup et la jette dans l'herbe. Puis elle replie les bras sur sa poitrine, cherche à se cacher dans l'eau.

– Oh! O-o-oh! gémit-elle. C'est froid!

Il se retourne, et elle se plonge complètement. Mais l'eau est trop froide, et la voilà qui en sort, ruisselante, courbée en avant, les mains aux épaules, le visage effaré et à demi riant.

– Si au moins j'avais un costume, dit-elle, ça irait mieux!

– Je t'en paierai un.

Il s'approche les mains aux hanches.

– N'aie pas peur. Plonge-toi d'un seul coup, et essaie de nager…

– Je ne sais pas… Et puis, c'est pas assez profond…

Il entre dans le ruisseau, s'approche d'elle, appuie les mains sur ses épaules, l'immerge. Elle lève le visage vers le ciel, les yeux fermés, la bouche entrouverte, halète…

– Laisse-toi aller! dit-il.

Il la prend à bras-le-corps, sans qu'elle résiste, l'allonge à l'endroit le plus profond. Sans paraître remarquer sa nudité, il la fait flotter, la retourne, s'amuse d'elle, en prenant soin de lui maintenir la tête hors de l'eau.

— Remue les bras, dit-il.

Et elle fait un vain simulacre de nage, barbote, reprend pied, se redresse à demi. Le froid, l'émotion l'empêchent de continuer à rester sur ses gardes. Déjà, elle ne cherche plus à se cacher. Jérôme est calme, sûr de lui, sourit avec une bienveillance amusée.

— Vous n'en parlerez à personne ? demande-t-elle.

— Penses-tu ! Pour quoi faire ?

— C'est que si on savait...

Il la prend doucement par la taille, la chavire dans l'eau, en arrière. Elle bat des bras, sa gorge blanche émerge. Tranquillement, il passe une main sur ses seins durcis par l'eau glacée.

— Tu es une belle fille, dit-il calmement.

Elle le regarde un instant, penché au-dessus d'elle. Le soleil la frappe en plein visage et elle doit cligner des yeux. Son regard est à la fois inquiet et amusé, et elle finit par rire, montrant ses petites dents régulièrement plantées.

— C'est drôle ! dit-elle.

Il approuve, d'un léger mouvement de tête, puis il la remet sur pied.

— Maintenant, il faut sortir. Tu pourrais prendre froid.

Mais elle se trouve bien dans l'eau, s'amuse encore à barboter, et il faut qu'il lui répète son injonction pour qu'elle regagne la rive.

Elle est assise dans les cailloux, courbée en avant, les bras enserrant ses genoux repliés sur sa poitrine. Le soleil sèche l'eau par plaques dans son dos.

— Étends-toi ! lui dit Jérôme.

Et, comme si elle était fascinée par son regard, elle obéit, déplace quelques cailloux qui la gênent, s'étend de biais, un bras soutenant la tête, l'autre jeté en travers de son corps.

— Une belle fille ! répète-t-il en la contemplant.

Mais sa voix est toujours aussi calme. Il semble faire une constatation qui l'emplit de plaisir, mais sans conséquence. Aussi, quand il vient s'asseoir à côté d'elle, ne bouge-t-elle pas, rassurée. Même lorsqu'il la touche, fait mine de la frictionner pour la sécher plus vite, elle le laisse faire, se contente de dire :

— Quand même ! Si on nous voyait !

— Mais on ne nous voit pas, réplique-t-il. Et puis, j'aimerais que quelqu'un ose dire quelque chose !

— Vous, on ne vous dirait rien, fait-elle, un peu inquiète. Mais à moi...

— On ne te dirait rien, tranche-t-il. Parce que c'est moi ! C'est tout de même pas comme si c'était un de ces godelureaux d'en bas !

– Bien sûr, vous n'êtes pas n'importe qui!

Il sourit flatté.

– Tu sais, dit-il. Il y a plus d'une femme qui aimerait être à ta place, je ne te le cache pas. Il y en a plus d'une qui ne demanderait pas mieux…

Et comme, curieuse, elle le questionne, il a son sourire assuré et ironique.

– Oui, plus d'une. Et la patronne en premier, si je voulais. Je ne sais pas ce que je leur ai fait, aux femmes. Autrefois, si tu avais pu voir mes négresses, en Afrique. Bon Dieu! J'étais le roi, là-bas, je n'avais qu'à choisir. Et ici, ça n'a pas changé.

Il parle, de sa voix calme et confiante. Du bout des doigts, il touche à ce jeune corps dont la peau se réchauffe déjà. Délicatement, comme par jeu, il en suit les contours, épouse le creux doux des hanches, remonte vers les seins, mais sans cesser de conserver son attitude de souveraine supériorité.

– Vous ne me faites plus peur, lui confie-t-elle bientôt.

– Pourquoi aurais-tu peur? Je te fais quelque chose que tu ne veuilles pas?

Elle secoue la tête.

– Tu veux te rhabiller? demande-t-il.

Elle hésite un instant, puis, comme par bravade :

– Oh! Pas tout de suite. Je suis bien.

Un peu plus tard, il s'allonge auprès d'elle, mais se contente de la caresser, d'éveiller de petits frissons de plaisir sur sa peau. Puis, quand elle se relève, il lui passe ses vêtements.

– Tu vois, dit-il, tu vois comme je suis. La femme qui me plaît, je la respecte comme une reine. Parce que moi, j'ai été roi, une fois. Je te raconterai ça si tu restes avec moi, ce soir…

– Mais je ne peux pas!

– Si, dit-il, sans admettre la discussion. Tu resteras ce soir avec moi. Et personne n'osera rien dire.

LOUIS CARETTE

né en 1913

Cadavre exquis

1942

Cette même année 1942, les Éditions du Houblon, à Bruxelles, mettaient en vente le deuxième livre d'un auteur dont on avait déjà remarqué le premier roman, *Le Péché de complication*, et qui donnera encore *Naissance de Minerve*, un brillant essai sur la littérature, avant de devenir, un peu plus tard, Félicien Marceau, aujourd'hui de l'Académie française. Les romans de Louis Carette, homme de droite plutôt, ne sont pas sans parenté parfois avec ceux du communiste Roger Vailland, dans un libertinage froid venu tout droit des *Liaisons dangereuses*, et une morale qui tient de Montherlant. A seize ans, le personnage de Horka m'avait fait grande impression. J'en suis revenu depuis, non du roman, qui reste agréable à lire, mais du personnage, séducteur qu'une de ses conquêtes décrit comme « *un arbre incendié couvert de glace* », avec un « *visage de nuit de décembre* ».

L'érotisme de *Cadavre exquis* est tout de situation, de scènes rapides, plus suggérées que décrites. J'avais choisi pour les citer la fin du chapitre XII, où Horka commence à séduire une très jeune fille, une de « *ces petites filles à la limite de l'école et des soirées en ville, posées entre le journal de classe et le carnet de bal* », et le début du chapitre XIII, où il couche avec la sœur aînée (« *Dans ce monde de convenances et de principes, la victoire est à qui les oublie. Pour dérouter les êtres, il suffit de mener son jeu avec des règles différentes des leurs. Françoise joue au bridge, moi aux quilles. Comment pourrait-elle résister? "Étendez-vous, dit Horka. — Je chiffonnerais ma robe. — Enlevez-la. " Elle reste étourdie, sans forces…* »). Pour des raisons qu'il ne m'a pas données, certainement respectables et que je n'ai d'ailleurs pas le loisir de discuter, Félicien Marceau a préféré que les pages en question ne figurent pas dans cette anthologie.

ANDRÉ THIRION

né en 1907

Le Grand Ordinaire

1943

André Thirion fit partie vers 1930 du groupe surréaliste. Il en a raconté l'histoire dans un gros livre, *Révolutionnaires sans révolution*. *Le Grand Ordinaire* fut imprimé sous l'Occupation, sans nom d'auteur, d'imprimeur ni d'éditeur. André Thirion a dit, dans sa *Préface à la réédition* de 1970, comment se passèrent les choses : ébauché en 1929 sous le titre *La Vie de château*, le livre prit forme lentement, en 1941 et 1942. Sur les conseils d'Oscar Dominguez et avec l'encouragement de Georges Hugnet, le manuscrit fut remis au printemps de 1943 à Robert J. Godet. Celui-ci le publia clandestinement en datant chaque volume de 1934. Il en fit imprimer environ 300 exemplaires (la justification dit 128). « Le manuscrit fut acheté par Picasso. »

« *Godet et l'auteur vendirent eux-mêmes ou donnèrent une partie du tirage à des libraires ou à des amis; selon l'un des commanditaires de* l'opération, M. de R..., la Gestapo aurait saisi, à son domicile en 1944, la totalité du stock. Moins de 150 copies ont été distribuées à Paris et en province, en 1943... »

Pour André Thirion, « Le Grand Ordinaire *n'est pas un livre érotique. Il faut l'aborder avec l'esprit que l'on apporte à la lecture des œuvres les plus singulières de Swift, par exemple à* La Modeste Proposition *pour empêcher les enfants d'Irlande d'être une charge pour leurs parents et leur pays. Dans la composition du livre l'auteur a essayé d'être plus réaliste que les romanciers traditionnels en juxtaposant des épisodes apparemment hétéroclites* »...

L'édition originale était illustrée par Oscar Dominguez de dessins qui, d'après Thirion, « *ressemblent davantage à un commentaire qu'à une illustration, y compris le portrait du Maréchal Pétain dont le personnage n'apparaît pas dans le livre* ».

J'AVAIS ÉMANCIPÉ les femmes! J'avais ajouté quelques revendications à celles touchant la prise du pouvoir par le prolétariat, l'abolition de la propriété privée, etc. Ça pouvait aller pour la journée. Il me plaisait surtout que le mariage devînt, dans mon système, une affaire purement privée à propos de laquelle l'État – s'il en restait un – n'interviendrait plus d'aucune manière. Mais la station assise décantant quelque peu mes idées, je dus reconnaître bientôt avec atterrement que j'avais parcouru un tout petit chemin. J'avais bouleversé le monde et je n'avais pas troublé ma voisine. La grande girouette passionnelle était toujours devant moi avec sa constante indication de beau fixe, si manifestement fausse! En admettant que j'eusse donné, avec toutes les commodités que m'offraient à cet égard quelques illustres devanciers, une réponse satisfaisante au souhait formulé par Diderot à la fin de son admirable article, souhait tendant à ce que les femmes fussent *affranchies* et *sacrées*, je ne me trouverais pas plus avancé qu'avant en face du premier éclat de rire entendu ou du prochain mensonge de ma maîtresse.

La partie la plus difficile à ne pas jouer restera toujours celle où l'on s'engage entre vingt-cinq et quarante-cinq ans, alors que les plus belles *cristallisations*, formées à la surface même du désir, sont à la merci du moindre changement dans la tension de cette surface, ce qui est si vite fait par le contact de deux paumes, une érection brusque ou plus simplement l'insensible dégradation du désir lui-même. A ce propos, les conseils que j'avais donnés à l'homme de la cabine n'étaient pas si mauvais! Les avait-il suivis? Je brisai le superbe verre à pied posé sur la table voisine en me levant avec trop de précipitation. J'avais aperçu mon ami Wilfred, à deux pas, sur le trottoir des Capucines.

Je le trouvai forci, avec un peu d'embonpoint. Je lui en fis le compliment.

– J'ai passé quelque temps à la campagne, me dit-il. Le grand air m'a fait du bien. J'ai fait saillir quelques belles juments poulinières. Il faut venir me voir.

Je déplorais que nous eussions été si éloignés l'un de l'autre depuis longtemps. Il en convint.

– Je repartirai demain, ajouta-t-il. Accompagnez-moi donc chez la doctoresse C… Je vais y prendre le thé, mais comme c'est une de mes plus vieilles amies, je crois pouvoir me permettre de vous emmener. Vous verrez, c'est une femme supérieure, d'une conversation prodigieuse. Par exemple, il ne faut pas que nous y arrivions les mains vides. Aidez-moi à trouver un pâtissier!

Nous fîmes l'emplette, dans une épicerie, d'une énorme boîte de confitures à l'orange et de quelques livres de gâteaux secs. Wilfred était joyeux comme un enfant.

– Cette confiture est la meilleure qui soit. On l'importe directement de Tasmanie, mais je suis quelque fois plusieurs semaines sans en trouver!

La doctoresse habitait place de l'Alma. Une légère odeur d'antiseptique flottait dans les pièces très silencieuses de son appartement. J'avais eu déjà l'occasion de rencontrer la maîtresse de maison, aux heures d'affluence, sur la plate-forme de quelques autobus. C'était une assez forte fille, et point désagréable. Avec sa blouse blanche, qui laissait à nu les avant-bras, elle faisait envie.

Wilfred l'embrassa longuement : « Comme c'est gentil, lui dit-elle, de ne pas être venu seul. (Son regard, d'une façon générale, était assez tendre.) J'aime tellement vos amis… parce qu'ils sont vos amis, corrigea-t-elle aussitôt. Et vous avez eu une bonne idée de venir juste pour le thé. Je ne suis tranquille qu'à ce moment-là. Mais, Wilfred, vous avez fait des folies! Quelle admirable confiture vous avez apportée, mon ami! Quelle merveilleuse marmelade! Comme je suis contente! Vous savez que je préfère la confiture à toutes les fleurs. Si vous voulez me faire un très grand plaisir, ajouta-t-elle en se tournant vers moi, achetez, un jour que vous aurez l'envie de venir me voir, de la confiture à l'orange. »

Elle sonna l'infirmière : « Vous pouvez servir, Mariette ! »

Mariette déposa plusieurs tasses à thé et un petit broc sur une table basse. Elle s'en retourna vers l'office pour y chercher la théière, pensais-je. Je me trompais. Elle apporta trois pliants, un grand et deux petits.

Je fus alors témoin d'une scène bizarre. La doctoresse disposa les pliants en triangle, devant un sofa, tout près de la petite table où Mariette avait placé les tasses, le broc, la confiture et les gâteaux. Puis elle dégrafa sa blouse et sortit de son corsage ses deux seins, qu'elle avait gros et très gonflés. Elle s'allongea, la tête et le haut du buste sur le sofa, le ventre sur le grand pliant, dans la posture de l'élève nageur à qui le maître veut apprendre les mouvements de la brasse. Les jambes étaient écartées et les genoux s'appuyaient sur les petits pliants.

Wilfred releva la blouse et la jupe jusqu'au milieu du dos, découvrant ainsi de fortes cuisses et un cul très large, rose comme une aube de mai. La doctoresse ne portait pas de pantalon. Le pubis, très blond et très touffu, était bien dégagé du grand pliant.

Wilfred enduisit de confiture à l'orange les fesses de son amie, en insistant particulièrement sur le sillon anal. La boîte y passa presque en entier. Ensuite il mangea la confiture, d'abord en la raclant à l'aide d'un gâteau sec, puis, au fur et à mesure qu'il s'animait, en se servant de ses doigts comme racloirs ; enfin, il lécha les fesses qui étaient devenues dorées et brillantes et plongea furieusement son nez et sa langue dans le sillon anal. De temps à autre, il levait vers moi son visage barbouillé de confiture. Lorsqu'il fut tout près d'avoir terminé, il prit une tasse à thé et la plaça sous le pubis de la doctoresse qui urina incontinent. Il remplit ainsi deux ou trois tasses, qu'il reposa pleines sur le plateau. Dès qu'une tasse était pleine, Mariette la vidait aux trois quarts, y versait, enfin, du thé bouillant que Wilfred lampait d'une seule gorgée. On me servit, à moi aussi, une tasse de ce breuvage où je trempai poliment mes lèvres. Le petit broc que je croyais être destiné au lait fut aussi employé comme urinal. Wilfred reçut d'abord le jet sur les mains qu'il essuya, quand tout fut fini, à l'intérieur de sa braguette, semble-t-il.

Je commençais à comprendre que j'étais de trop ; je partis discrètement quand Wilfred se mit en devoir de sodomiser la doctoresse. Ce n'est que plusieurs heures après mon départ que je remarquai l'exceptionnelle douceur avec laquelle Mariette m'avait tendu mes gants et mon chapeau, ainsi que la légère mélancolie de son adieu… Je ne revis plus jamais Wilfred qui fut éventré, dans un pré de sa ferme, par une vache furieuse. Mais je pensais souvent à la doctoresse et à son infirmière. Elles furent plusieurs fois le prétexte d'une légère masturbation lors de ma toilette du soir. A quelques semaines de là j'eus l'idée d'une visite à la place de l'Alma. Je me munis d'une boîte de confiture à l'orange qui pesait bien cinq kilos. Je n'atteignis pas le domicile de la doctoresse sans une certaine émotion, mais j'avais oublié le nom et l'étage, et la concierge était dans l'escalier!

Cet incident se produisit au cours d'un de ces moments ternes qui ne sont malheureusement pas rares. Il était de nature à ajouter encore à l'indétermination qui fait attendre on ne sait quoi de longues journées où il ne se passe rien. Je n'avais aucun goût particulier pour aucune femme, aucun dégoût non plus pour celle que je voyais le plus. Je relus, sur un cahier où je l'avais notée à cause de son allure paranoïaque, cette surprenante phrase de Fourier : « Les propriétés de l'amour sont calquées sur celles de l'ellipse. » Je pensai aussitôt à un ellipsoïde de révolution, puis à l'objet usuel qui s'en rapproche le plus, *l'œuf*, qui, je crois, a déjà été donné comme symbole parfait de l'amour, avec beaucoup de bonheur. Mais bien qu'il faille tenir compte du goût immodéré – et d'ailleurs si communicatif – de Fourier pour les analogies, la grande minutie qui caractérise toujours les constructions de ce penseur nous interdit de substituer l'œuf ou même l'ellipsoïde de révolution à l'ellipse qu'au reste il ne considère que du point de vue de ses propriétés géométriques. Il me revint à la mémoire la définition de cette courbe plane, *telle que la somme des distances de chacun de ses points à deux points fixes, situés dans son plan, soit constante.* En assimilant ces deux points aux deux pôles de la féminité dont il est fait mention au chapitre précédent, le pôle charnel et le pôle maternel, j'obtins un résultat dont quelques instants plus tôt j'aurais tenu la poursuite pour absurde : une définition raisonnable de l'amour-passion chez les femmes comme lieu géométrique de la combinaison des deux sentiments essentiels.

Les suppositions les plus folles pouvant être faites à propos de la *constante* – est-elle variable, mais *donnée* pour chaque femme, ou liée à la distance entre les pôles par une relation à découvrir – aussi bien que sur la longueur focale, ce qui conduit à la représentation des amoureuses célèbres par des ellipses plus ou moins allongées, Mme de Rénal étant une ellipse très renflée, un gros ovale, et Mme Bovary une ellipse très aplatie (on voit tout de suite ce que gagnerait le roman psychologique à être abandonné aux géomètres), je me décidai de me reporter aux sources et de reprendre la lecture du *Traité des quatre mouvements.* On sait en quelle estime Frédéric Engels tenait son auteur, si peu fréquenté de nos jours, si recommandable à tous égards et qui, entre autres, a si bien réglé leur compte au romantisme clérical et à la morale de Jean-Jacques Rousseau.

Je feuilletais plus que je ne lisais. J'étais distrait par une des bibliothécaires, jeune femme d'allure intellectuelle, mais point revêche; je lui trouvais un air de ressemblance avec la doctoresse C... On pouvait lui supposer un corps très ferme et peut-être ses dehors un peu austères cachaient-ils des goûts intéressants. Je cherchais à attirer son regard, mais pour éviter que mon insistance ne parût gênante, je revenais souvent à mon texte. J'avais envie d'avoir l'opinion de cette femme sur le passage dans lequel Fourier affirme que l'humanité de son temps n'a pas connu plus d'un huitième des plaisirs de l'amour. Se pouvait-il que le XVIIIe siècle n'eût pas tout découvert en matière de plaisirs sexuels? Le débat eût mérité d'être engagé avec une jeune bibliothécaire principalement. On peut admettre que Fourier n'avait en vue que la généralité des humains, excluant la petite minorité de quelques favorisés célèbres, ce qui confirmerait l'expérience que chacun de nous a faite de la misère sexuelle dans les casernes et dans les camps. Mais l'afflux d'une grande quantité d'appétits ne manquerait pas de modifier, *pour tout le monde*, les données du problème. Tout de même, me disais-je, depuis l'ennuyeux Premier Empire, nous pouvons enregistrer quelques progrès collectifs, un bon huitième, deux, peut-être! Je tournai la page avec le sentiment qu'il y aurait encore de beaux jours pour les explorateurs.

Une lecture plus attentive – qui, ce jour-là, n'aurait pu être tentée qu'en compagnie de la bibliothécaire – m'aurait peut-être apporté quelques éclaircissements, et même évité de graves erreurs d'interprétation. Je m'en excuse par avance. Les commentaires auxquels je me livre ici sont de l'espèce parabolique, comme l'artillerie à longue portée! C'est ainsi que je constatai, avec une perplexité qui allait grandissant, combien Fourier faisait peu de cas de l'amour sexuel individuel, de cet amour qui, pour reprendre une expression de Lénine, *n'est satisfait que dans la vie commune avec un individu déterminé de l'autre sexe.* Les préoccupations de Fourier me paraissaient avoir été d'un ordre différent. Soit qu'il eût considéré cet amour comme une simple particularité d'un phénomène plus général, soit qu'il estimât que ce sentiment perdrait presque toute importance avec la nouvelle position des femmes dans la société et la licence absolue accordée aux rapports sexuels, il ne l'a pas spécialement dignifié. Et pourtant son utopie n'entraîne pas la communauté des femmes! Celles-ci, violemment émancipées de la tyrannie ménagère, occupent même, dans d'admirables manoirs ramifiés comme des coraux, une situation éminente. Il leur accorde, sous des réserves de pure forme, le droit à un géniteur, à un amant, que sais-je encore. Il n'est pas hostile aux courtisanes. L'amour proprement dit paraît réduit, par la force même des choses, à de beaux feux de paille. La question des droits, dans le monde *totalement* libre que nous souhaitons, n'est pas en cause. Mais le témoignage de Fourier, si anticipé qu'il fût, m'épouvantait un peu. J'étais alors trop conscient des épines qui, au dedans et au dehors, s'apprêtent à déchirer la tunique immaculée de l'amour unique, la transfigurante tunique à surfaces gauches, enveloppant l'homme et la femme et les prolongeant, à la façon d'un hyperboloïde à nappes de soleil, pour ne pas prêter la plus grande attention aux utopies de celui qui, au dire d'Engels, « a introduit l'anéantissement futur de l'humanité dans la philosophie de l'histoire ».

On sait que la mante religieuse mange son époux le jour même de ses noces; les circonstances de ce repas méritent l'examen. M. Rafaël Dubois rapporte qu'une mante religieuse femelle, surprenant un mâle et une autre femelle qui se préparaient au copula, se précipita sur sa congénère et la dévora; puis elle se retourna vers le mâle et « l'ayant saisi dans ses formidables pattes ravisseuses, elle lui déchira, avec son armature buccale, la mince membrane qui relie la face supérieure de la tête à celle du protothorax; le vaisseau dorsal fut sectionné; il s'écoula un peu de sang que but la mante; continuant son œuvre de décapitation, elle sépara les centres nerveux de la tête... du reste de la chaîne ganglionnaire... ». Le mâle avait néanmoins grimpé sur la femelle. Son corps, toujours maintenu par les pattes ravisseuses, exécutait les mouvements rituels de l'accouplement. L'amour dura toute la nuit. Ce qui restait du mâle fut dévoré à l'aube.

La décapitation du mâle favorise, affirme-t-on, les contractions amoureuses. Le cannibalisme aurait pour objet, dit-on encore, de fournir à la femelle des substances éminemment propices à une bonne gestation. L'amour ne s'accomplirait donc totalement qu'en se détruisant lui-même. Mais un fait ruine aussitôt cette hypothèse trop vite avancée : la mante religieuse peut recevoir, successivement, les hommages d'une demi-douzaine de mâles, lesquels, d'ailleurs, subiront tous le sort du premier.

La vie de son amant peut-elle être vue par l'amoureuse autrement qu'à travers le célèbre conflit du Maître et de l'Esclave? Il semble bien qu'au contraire la passion soit à ce prix. La femme éprouve d'abord une curiosité timide pour tout ce qui concerne son amant. Puis vient l'ivresse de toucher à ce que l'être aimé contient de plus intime, de plus secret. S'ensuivent d'ineffables effusions. La connaissance les dissipe bientôt; elle a vite donné la mesure de l'homme : on sait exactement l'intérêt qu'il prend à ses propres démarches, l'utilité subjective de ses recherches, la nécessité de son application et surtout la gêne qu'entraînerait la cessation de ses travaux, le trouble que produiraient de petits dérangements. Mais la compréhension de l'amour est essentiellement négative. Plus encore que l'homme, la femme veut être aimée et désirée et la force qu'elle y emploie nous est absolument inconnue. Elle entreprend contre son amant une lutte de pur prestige dont les commencements sont adorables et dont l'enjeu est la réalisation même de l'amour.

J'ouvre ici une parenthèse. N'y aurait-il pas intérêt à amortir les chocs? Il m'est difficile de concevoir l'amour individuel en dehors de la communauté absolue des amants, et pourtant je fais tous mes efforts pour l'éviter, sachant par expérience quels dangers fait courir à l'amour une entreprise d'un genre aussi exaltant. Que l'on songe seulement à cette gageure : ne pas laisser se dégrader le désir, maintenir au plus haut le désir du désir! Ne vaudrait-il pas mieux demander l'éternité pour la jeunesse de l'amour que pour la jeunesse de la vie? Mais tout cela est comme la fusion d'un corps sans point de fusion.

La lutte dure. L'adversaire est coriace. Il n'y comprend rien; il essaie de sauver tout bêtement ce qui lui paraît, à tort, être si évidemment *à côté* de l'amour. La tension augmente; le premier accroc est déjà fait. Et nous n'en sommes encore qu'aux exigences un peu trop passionnées, aux sommations entourées de grâces. Une sourde colère naît peu à peu. C'est alors que la taquinerie se change en torture; l'amante n'a de cesse que lorsqu'elle a réussi à obtenir de sa victime le renoncement aux occupations qui lui étaient les plus chères. Sorties, lectures auxquelles vos goûts vous convient sont prohibées par la dévorante passion de vous nuire qui anime votre maîtresse. Elle vous aime encore, mais les preuves d'amour qu'elle vous demande ne sont rien d'autre que votre propre désaveu, la démolition de votre être tout entier au profit de ses caprices. Elle croit ainsi retrouver l'ivresse de ses premiers succès. Mais ces effroyables combats ont tout usé : l'élan, l'enthousiasme, l'appréhension délicieuse des premiers temps. On recherche des conciliations impossibles, l'accord dans le désaccord. La réunion est une dispute, la séparation un déchirement. On persiste néanmoins dans ce saccage jusqu'au jour où l'ennui l'emporte tout à fait sur l'amour au sein de l'habitude, de la misérable habitude, de la rabougrissante habitude…

LAURE

1903-1938

Histoire d'une petite fille

1943

« *L'une des existences les plus véhémentes, les plus traversées de conflits qui aient été vécues* », ainsi Georges Bataille et Michel Leiris parlaient-ils de celle « *qui s'est désignée elle-même sous le nom de Laure* », en présentant *Le Sacré* dans l'édition hors commerce qu'ils firent de ces textes en 1939. On trouvera des détails biographiques dans la préface de Jérôme Peignot aux *Écrits* de Laure, et dans les tomes V et VI des *Œuvres complètes* de Bataille. Laure traverse aussi *La Règle du jeu* de Leiris. Elle fut la compagne de Bataille de 1934 à sa mort. « *La douleur, l'épouvante, les larmes, le délire, l'orgie, la fièvre puis la mort*, dit Bataille, *sont le pain quotidien que Laure a* partagé avec moi et ce pain me laisse le souvenir d'une douceur redoutable mais immense ; c'était la forme que prenait un amour avide d'excéder les limites des choses, et cependant combien de fois ensemble avons-nous atteint des instants de bonheur irréalisable, nuits étoilées, ruisseaux qui s'écoulent.* » Ils se rendirent ensemble au bord du cratère de l'Etna et sur la tombe de Sade.

Histoire d'une petite fille fut publié dans les mêmes conditions que *Le Sacré* par Bataille et Leiris, c'est-à-dire dans une édition hors commerce à très petit nombre, cette fois en 1943. Le blanc entre crochets correspond à un passage illisible du manuscrit.

ANNONCES TRAGIQUES, visites de condoléances, voyages funèbres, messes d'anniversaires, défilé des amis de la famille, articles de journaux, prises de voiles et commandes à « La Religieuse », c'était pain bénit pour tout un lot de vieilles filles pieuses et inoccupées qui venaient flairer le deuil dans notre maison, se repaître d'héroïsme à l'ombre de notre famille et raconter d'autres drames, d'autres cas tragiques dont aucun, paraît-il, n'atteignait en beauté ce qui chez nous s'était passé. Et après, comme des parvenues frayant avec la noblesse, elles s'en allaient colporter nos gloires nouvelles et d'autres deuils. Un jour comme tous ceux-là, mais pis encore, je crus bon d'aller en classe. Qu'y avait-il de changé ? est-ce que cela ne faisait pas des mois et des mois que nous pleurions ? pourquoi ne pas sortir ? mais je fus rappelée à l'ordre, honteuse de mon acte, un « manque de cœur ». Et je restai là, auprès de ma mère dont les sanglots redoublaient à chaque visite. Je remarquais malgré moi qu'elle n'essuyait pas ses larmes et ne se mouchait pas, le résultat était odieux et je pensais que c'était pour avoir « le visage baigné de larmes » comme dans les livres, je m'en voulais. Une de mes tantes, au contraire, se tamponnait les narines et les paupières par petits coups attentifs à un fard sommaire, cela aussi me semblait drôle. De mon coin j'observais le spectacle de la douleur. De temps en temps, on parlait des enfants et ma mère m'appelait auprès d'elle, le spectacle me semblait tourner à la comédie car les dames me faisaient des petites mines apitoyées et il y avait dans tout cela quelque chose de surchargé qui ne m'allait pas. J'avais honte de mes yeux secs et puis un remords atroce de ne pas souffrir assez car, dans la prostration générale, il m'arrivait à moi de suivre des yeux le vol d'une mouche et son trajet sur la vitre et de m'amuser bien si elle se frottait les pattes ou les ailes, il m'arrivait aussi d'avoir bon appétit et de désirer me distraire. L'enfant incarne la vie, le mouvement, il est tout en métamorphoses et renouvellements subits… mais on ne me faisait pas grâce d'une messe basse dans la crypte.

Et pourtant, il y eut un rayon de soleil. C'était un bébé blond, une fille de deux ans à laquelle je m'attachai subitement plus qu'à aucun être au monde. Je tressais des fleurs sur sa tête et son sourire m'enchantait. Un beau jour, elle ne vint plus au jardin. Je voulus la voir : « Impossible, elle est malade. » Ses cris aigus venaient jusqu'à moi dans la nuit. Je surpris par hasard une phrase de grande personne : « Ça va très mal, le pus sort par les yeux et les oreilles. » Ces mots-là dansèrent dans ma tête. On m'empêcha d'entrer mais j'aperçus la petite morte toute blanche couverte de roses… Encore une fois, le cercueil traversa la maison et on partit pour l'église. Je tenais l'un des rubans qui s'échappaient aux quatre coins d'un édifice en bois sculpté noir porté à bras d'hommes. A l'église j'ai veillé toute seule près du cercueil pendant le « déjeuner de famille », attendant l'heure du cimetière. J'étais à l'extrême limite de la peine et de l'horreur. Sous cet amoncellement de roses, je croyais sentir une odeur. L'âme de la petite morte s'en irait-elle au ciel dans ce rayon lumineux en brisant les vitraux de la chapelle? Mais non, j'étais à côté d'elle veillant sur le prie-Dieu…

Il y eut la descente de la petite boîte dans la fosse. Alors, mais alors seulement, je compris la mort… celle-là et toutes les autres.

La torpeur de ces longues journées devait petit à petit m'enliser. Moi aussi je fus « en danger ».

— Est-ce que je vais mourir? Où est cette sœur très tendre qui se penche et répond :

— Non, nous n'avons plus peur pour toi.

Ainsi, on avait eu peur. C'est bien ce que je pensais. Et au cours d'invraisemblables rechutes j'attendis, comme ça, très simplement, car vraiment mes chances étaient égales du côté des morts ou de l'autre. Un jour, on glissa sous mon oreiller une médaille de Lourdes. Je sursautai et la jetai au visage de ma sœur en disant que je n'avais pas besoin de ça. Le prêtre vint avec la communion, je suppliai qu'on me laissât tranquille, mais non, il fallait en passer par où ils voulaient tous et encore subir ces complications, ces airs extraordinaires, ces linges et ces objets. Je m'efforçai à la méditation mais quoique croyante encore j'étais « absente » et le livre retombait sur les draps. Pendant ces nuits d'étouffements, je regardais la photographie des morts. Enfin j'allai mieux. Un infirmier mutilé des deux mains et devenu simple gardien venait chaque jour me porter au soleil. Il passait ses bras sous mon corps douloureux, me faisait rouler sur ses moignons et m'installait dans les avant-bras repliés. J'avais horreur de cet homme et de cet instant et préférais ne pas quitter mon lit. On me transporta désormais sur un brancard. Moi aussi je faisais « victime de guerre ».

Les mains rêches étaient toutes gonflées. Pendant une année entière elles avaient tordu les compresses d'eau bouillante, rempli des poches de glace, rechargé les feux. Ces mains toutes crevassées d'où le sang s'échappait avaient « pour moi » renoncé au large anneau d'or.

On me dit que mon filleul, un gars du Nord, chasseur alpin affublé de moi comme marraine par l'intermédiaire d'une bonne sœur, avait été tué. C'est lui qui *au début* de la guerre m'envoyait des photographies de chapelles aux armées avec des Jeanne d'Arc tout enrubannées et puis des bagues, des douilles d'obus. Je répondais sur un papier à petits drapeaux (format pour enfants). Quand il vint en permission, je l'attendis comme une joie, une distraction, mais il y eut une gêne terrible.

« Nous pensions que vous raconteriez de belles histoires à votre petite marraine » – mais il était là, muet. On m'avait dit de poser des questions, je demandai « comment c'était les attaques ? ». Au dessert, il refusa le gâteau, un gâteau à étages de crème et de confiture. Je fus consternée, on insista, alors il se fourra l'index dans le fond de la bouche : il avait mal aux dents et le sucre ne lui valait rien. Avec des « comment donc » et force dénégations nous mîmes un morceau dans son assiette, il en avala une bouchée puis le laissa. Décidément, rien ne romprait la glace et il n'y aurait pas d'histoires de batailles. Ma mère était vexée comme le jour où elle reçut un ami de mon frère qui laissé seul un moment au salon fut retrouvé sanglotant dans les coussins. Il avait dit, paraît-il :

– C'est affreux, affreux.

– Du courage, avait répondu ma mère qui en nous racontant cela, ajoutait : « Un vrai soldat ne pleure pas. » Un mois après il était tué.

La disparition de mon filleul me laissa indifférente : rien n'avait plus prise sur moi, je ne savais plus écrire ni marcher et préférais ne pas parler. J'avais treize ans et une apparence de squelette d'enfant. Abrutie, très docile aux injonctions de ma mère, j'étais devenue son nouveau culte, son héroïne, guérie grâce à ses soins d'une maladie dont on ne relève pas. « Ne t'ai-je pas donné la vie une seconde fois ? »

Bientôt, par un *ave maria* libérateur, le sacrilège pénétra dans ma vie qu'il emprisonna. « Je vous salue! Marie, merde, Dieu. »

Personne ne venait nous voir, sauf « Monsieur l'abbé », le seul, le vrai, le grand ami de la famille. Il avait l'habitude d'attirer ma sœur dans les coins, de lui presser la poitrine en disant « sois bien en paix » et de lui toucher le derrière en rentrant la jupe entre les deux fesses puis la retirant. Je trouvais cela bizarre, étrange, déplaisant. Ma sœur se laissait faire, ne trouvant là, apparemment, ni plaisir ni dégoût et appelant ce prêtre « Monsieur l'abbé chéri ». Elle était un être candide et très sain. Un jour, j'allai chez « Monsieur l'abbé » et trouvai une demi-douzaine de jeunes filles assises en rond par terre et raccommodant soutanes, bas et caleçons. « Puisque tu ne sais pas coudre, tu vas découdre » – et j'eus aussi ma part du festin. C'était un grand honneur pour toutes ces filles envoûtées par ce Raspoutine à la manque.

Il venait à la campagne dire les messes d'anniversaires. Le matin, il passait dans notre chambre, faisait la prière agenouillé au pied du lit de ma sœur et glissait sa main dans les draps. Une fois il entra, elle était à demi nue. Je restai interloquée. Cette question d'abbé me causait une gêne intolérable, un dégoût dont je n'osais parler à personne. Que pouvais-je dire? Quels mots employer? J'avais de grandes inquiétudes sexuelles qu'aucun dictionnaire ne satisfaisait, j'ignorais même « comment on fait les enfants », mais je n'identifiais pas mes inquiétudes avec les manœuvres du prêtre. Ce fut lui qui un jour me prenant sur ses genoux se chargea de m'expliquer le mariage en termes médicaux, puis il accusa mon frère de connaître des femmes, me vanta mon « intelligence », ce qui me flattait, et accusa ma mère de me rendre malheureuse, ce qui était vrai et lui valut de me voir revenir. En sortant de chez lui, je croisai un couple : jeune homme et jeune fille bras dessus, bras dessous gais, rieurs; cette vision fut un choc terrible pour moi : « Jamais je ne serai comme eux. » Je remontai la rue en pliant le dos, en rentrant les épaules : j'aurais tout donné pour que cette explication n'eût pas lieu, pour que ce prêtre n'existât pas avec ses manœuvres louches et son odeur. Je ne disais toujours rien, mais peu à peu les choses prirent un autre aspect : je m'accusais à lui de mauvaises pensées sans oser dire que lui-même les provoquait par son attitude avec ma sœur surtout quand elle restait dans sa chambre jusqu'à deux heures du matin et revenait, le peignoir tout défait, auprès de moi qui n'avais cessé de grelotter de peur. Un jour, après le catéchisme, « Monsieur l'abbé » se cacha derrière une porte, m'attrapa par le bras et dit : « Il ne faut pas qu'on nous voie », puis il appliqua ses lèvres contre les miennes et s'enfuit en courant. Je me frottai la bouche avec dégoût. Il me reçut chez lui sans allumer la lampe, je voyais seulement la lueur sinistre d'un feu de boulets dans la cheminée. Il me prit sur ses genoux, releva mes jupes et passa sa main sur mes cuisses sous prétexte « d'arracher ces tout petits boutons qu'on a sur la peau », puis il me dit : « Avec ta sœur je fais comme ça », et il entrouvrit mes jambes, posa sa main contre mon sexe. Je bougeai vivement et il retira sa main, tout en sueur, il continua à peloter longuement mon corps et à me serrer très fort dans ses bras; puis se calma. J'avais une hâte folle de sortir de là, j'étouffais. Désormais j'étudiai cet homme et tous ses gestes avec une répugnance totale et me refusai à faire le guet quand il embrassait ma sœur derrière les portes.

J'étais traquée de tous les côtés.

A qui parler? Comment parler?

Mon frère, avec ses airs gourmands et faciles, ne m'inspirait pas confiance. Il ne prenait rien au sérieux et se tirait de l'emprise familiale par un cynisme joyeux et superficiel. Après des jours et des nuits d'absence il revenait, sans vouloir remarquer les airs tragiques que ma mère nous imposait à cause de lui. A table, je remarquais ses lèvres gonflées et sa drôle de tête. J'étais toujours à son sujet entre l'attirance et le dégoût. Il lisait Anatole France, c'était son Dieu. Monsieur l'abbé venait souvent dîner. Il était d'une gourmandise répugnante et avait pour habitude de ramasser du bout de ses doigts d'un geste sec et nerveux les plus infimes miettes tombées sur la nappe. Ces repas! silence entrecoupé seulement du *benedicite* puis des moindres manquements de la bonne à l'ordonnance du service; un jour on entendit un bruit sec et métallique : mon rond de serviette se brisait dans mon poing serré. Ma sœur fit remarquer d'un ton acerbe que c'était « charmant » et bien révélateur. On ergota : « C'est du vieil argent usé »; elle s'exclama : « C'est tout de même du métal, il faut croire qu'elle a le poing serré! »

A qui parler? Ma sœur aînée ne s'occupait que d'elle-même, de son amour inconscient pour l'abbé, de ses démêlés avec notre mère. Mon autre sœur suivait le mouvement et tous me traitaient comme une enfant. Ma mauvaise santé excluait toute possibilité d'amitié : à la grande satisfaction de ma mère, je ne sortais pas de la maison. Ce qu'elle ignorait c'est que je vivais dans une sorte de rêve intérieur que moi seule connaissais bien! A cette époque aussi, je voyais la nuit venir avec une sombre terreur chaque jour accrue. Je savais que durant des heures j'allais lutter et qu'après avoir résisté à la tentation puis m'y être livrée sans frein [ ] à une débauche d'imagination.

Un après-midi d'été mon frère voulut m'emmener chez des amis, « un milieu impossible, entendions-nous dire à la maison, où les femmes cherchent à plaire, ce qui est criminel, et où les jeunes filles prononcent ce mot flirt qui est abominable ». Il y eut du tirage, mon frère insista, et moi je me préparai à ce contact avec « le monde » comme à une expédition extraordinaire. J'arrivai là, muette, « supérieure », incapable de dire bonjour, m'efforçant maladroitement de copier les autres; j'écarquillais les yeux : tous ces gens me paraissaient jouer la comédie, faire joujou à la vie. Je surprenais tout un décalage des mots, certains très expressifs employés en riant me faisaient grincer des dents, d'autres me semblaient mal placés, trop riches de contenu pour être si pauvres de son. Mon frère était horripilé de mon attitude, je sentais que je le décevais dans son désir sincère de « me distraire un peu ». Quand nous revînmes cahotés dans la nuit par une mauvaise route, il était frais et dispos après une journée de sport, moi, très sombre : je revenais d'un spectacle ridicule où je ne pouvais jouer aucun rôle, j'avais hâte de retrouver mes livres.

JEAN GENET

1907-1986

Notre-Dame-des-Fleurs

1944

Il sera parlé plus longuement de Jean Genet dans le volume suivant, *D'Eisenhower à Emmanuelle*. Contentons-nous ici de marquer l'apparition discrète[1] d'un écrivain « *chez [qui] l'on assiste à une inversion généralisée de toutes les valeurs de la morale courante* [2] » à l'heure où s'organise dans le fracas l'installation de ce long et brinquebalant avant-guerre où nous sommes encore.

« *Un enfant trouvé dès son plus jeune âge fait preuve de mauvais instincts, vole les pauvres paysans qui l'ont adopté. Réprimandé il persévère, s'évade du bagne d'enfants où il a bien fallu le mettre, vole et pille de plus belle, par surcroît se prostitue. Il vit dans la misère, de mendicité, de larcins, concluant avec tout le monde et trahissant chacun, mais rien ne peut décourager son zèle : c'est le moment qu'il choisit pour se se vouer délibérément au mal : il*

décide qu'il fera le pire en toute circonstance et, comme il s'est avisé que le plus grand forfait n'était pas de mal faire, mais de manifester le mal, il écrit en prison des ouvrages abominables qui font l'apologie du crime et tombent sous le coup de la loi [3]. »

Bien peu de gens en 1944, pensent que l'auteur inconnu de cet «érotique clandestin» peut jouer un rôle, un jour, dans la vie littéraire française.

---

1. *Notre-Dame-des-Fleurs* était un livre clandestin à tirage limité (350 exemplaires), prétendument édité « *Aux dépens d'un amateur, Monte-Carlo* ». Ce n'était vrai que pour l'amateur et ses dépens.

2. Jacques Brenner, *Histoire de la littérature française de 1940 à nos jours*.

3. J.-P. Sartre, *Saint-Genet, comédien et martyr*, Paris, 1952.

NOTRE-DAME-DES-FLEURS fait ici son entrée solennelle par la porte du crime, porte dérobée, qui donne sur un escalier noir mais somptueux. Notre-Dame monte l'escalier, comme l'ont monté bien des assassins, n'importe lequel. Il a seize ans quand il arrive au palier. Il frappe à la porte, puis il attend. Son cœur bat, car il est résolu. Il sait que son destin s'accomplit et, s'il sait (Notre-Dame le sait ou paraît le savoir mieux que personne) que son destin s'accomplit à chaque instant, il a le pur sentiment mystique que ce meurtre va faire de lui, par vertu du baptême du sang : Notre-Dame-des-Fleurs. Il est ému devant ou derrière cette porte, comme si, fiancé en gants blancs... Derrière le bois, une voix demande : « Qu'est-ce que c'est? »

– C'est moi, murmure l'adolescent.

Avec confiance, la porte s'ouvre et se referme sur lui.

Tuer est facile, le cœur étant placé à gauche, juste en face de la main armée du tueur, et le cou s'encastrant si bien dans les deux mains jointes. Le cadavre du vieillard, d'un de ces mille vieillards dont le sort est de mourir ainsi, gît sur le tapis bleu. Notre-Dame l'a tué. Assassin. Il ne se dit pas le mot, mais plutôt j'écoute avec lui dans sa tête sonner un carillon qui doit être fait de toutes les clochettes du muguet, des clochettes des fleurs du printemps, des clochettes en porcelaine, en verre, en eau, en air. Sa tête est un taillis qui chante. Lui-même, il est une noce enrubannée qui dévale, violon en tête et bouton d'oranger sur le noir des vestons, un chemin creux d'avril. Il croit bondir, l'adolescent, de vallon fleuri en vallon fleuri, jusqu'à la paillasse où le vieux enfouissait son magot. Il la tourne, la retourne, l'éventre, la vide de sa laine, mais il ne trouve rien car rien n'est difficile à découvrir comme l'argent après un meurtre commis exprès.

« Où qui le planque son fric, la vache », dit-il tout haut. (Ces mots ne sont pas articulés, mais, étant seulement sentis, ils sortent mêlés en tas de la gorge qui les crache. C'est un râle.)

Il va de meuble en meuble. Il s'énerve. Ses ongles restent aux rainures. Il arrache des étoffes. Il veut reprendre son sang-froid, s'arrête pour souffler, et (dans le silence), au milieu des objets qui ont perdu toute signification, maintenant que leur habituel usager n'est plus, il se sent soudain dans un monde monstrueux, fait de l'âme des meubles, des choses : la panique le saisit vif. Il se gonfle comme une baudruche, il devient énorme, capable d'avaler le monde et lui-même avec, puis se dégonfle. Il veut se sauver. Aussi lentement qu'il peut. Il ne songe plus au corps de l'assassiné ni à l'argent perdu, ni au temps perdu, ni à l'acte perdu. La police doit être tapie là. Partir vite. Du coude, il heurte un vase posé sur une commode. Le vase tombe et vingt mille francs s'étalent gracieusement à ses pieds.

Il ouvrit la porte sans anxiété, sortit sur le palier, se pencha, et regarda, au fond de ce puits silencieux ménagé entre les appartements, la boule de cristal à facettes, qui scintille. Puis il descendit, sur le tapis nocturne, et dans l'air nocturne, à travers ce silence qui est celui des espaces éternels, de marche en marche dans l'Éternité.

La rue. La vie n'est plus immonde. Léger, il court à un petit hôtel qui se trouve être un hôtel de passe et loue une chambre. Là, pour l'assoupir, la vraie nuit, la nuit des astres vient peu à peu, quelque peu d'horreur soulève son cœur : c'est ce dégoût physique de la première heure, de l'assassin pour son assassiné, dont m'ont parlé bien des hommes. Il vous hante, n'est-ce pas? Le mort est rigoureux. Votre mort est en vous; mêlé à votre sang, il coule dans vos veines, suinte par vos pores, et votre cœur vit de lui, comme germent des cadavres les fleurs du cimetière… Il sort de vous par vos yeux, vos oreilles, votre bouche.

Notre-Dame-des-Fleurs voudrait vomir son macchabée. La nuit, qui est venue, n'apporte pas l'effroi. La chambre sent la putain. Pue et fleure bon.

« Pour échapper à l'horreur, avons-nous dit, livre-t'y jusqu'aux yeux. »

D'elle-même, la main de l'assassin cherche sa verge qui bande. Il la caresse par-dessus le drap, doucement d'abord, avec cette légèreté d'oiseau qui volète, puis la serre, l'étreint fort; enfin, il se branle et jouit, décharge, croit-il, dans la bouche édentée du vieillard étranglé. Il s'endort.

Aimer un assassin. Aimer commettre un crime de connivence avec le jeune métis peint sur la couverture du livre déchiré. Je veux chanter l'assassinat, car j'aime les assassins. Sans fard le chanter. Sans excuses. Sans prétendre, par exemple, que je veuille obtenir par lui la rédemption, encore que j'en aie grande envie. J'aimerais tuer. Je l'ai dit plus haut, plutôt qu'un vieux, tuer un beau garçon blond, afin qu'unis déjà par le lien verbal qui joint l'assassin à l'assassiné (l'un l'étant grâce à l'autre), je sois, aux jours et nuits de mélancolie désespérée, visité par un beau fantôme dont je serais le château hanté. Mais que me soit épargnée l'horreur d'accoucher d'un mort de soixante ans ou qui serait une femme, jeune ou vieille. J'en ai assez de satisfaire sournoisement mes désirs de meurtre en admirant la pompe impériale des couchers de soleil. Assez mes yeux s'y sont baignés. Passons à mes mains. Mais tuer, te tuer, Jean. Ne s'agirait-il pas de savoir comment je me comporterais, te regardant mourir par moi?

Plus qu'à un autre, je songe à Pilorge. Son visage découpé dans *Détective* enténèbre le mur de son rayonnement glacé, qui est fait de son mort mexicain, de sa volonté de mort, de sa jeunesse morte, et de sa mort. Il éclabousse le mur de beauté. La nuit sort de ses yeux et s'étend sur son visage, qui devient pareil aux pins les soirs d'orage, son visage pareil aux jardins où je passais la nuit : des arbres légers, la brèche d'un mur, et des grilles, des grilles bouleversantes, des grilles festonnées. Et des arbres légers. Ô Pilorge! Ton visage, comme un jardin nocturne seul dans les Mondes où les soleils tournent! Et sur lui, cette impalpable tristesse, comme au jardin les arbres légers. Ton visage est sombre, comme si au grand soleil une ombre s'était portée sur ton âme. Tu as dû en ressentir un très léger froid, ton corps frissonne d'un frisson plus subtil que la chute autour de lui d'un voile de ce tulle que l'on appelle « tulle illusion », car ton visage est voilé de milliers de rides microscopiques, fines, légères, plus peintes que gravées, en croisillons.

Déjà l'assassin force mon respect. Non seulement parce qu'il a connu une expérience rare, mais qu'il s'érige en dieu, soudain, sur un autel (qu'il soit de planches basculantes ou d'air azuré). Je parle, bien entendu, de l'assassin conscient, voire cynique, qui ose prendre sur soi de donner la mort sans en vouloir référer à quelque puissance d'aucun ordre (car le soldat qui tue n'engage pas sa responsabilité, ni le fou, ni le jaloux, ni celui qui sait qu'il aura le pardon; mais bien celui que l'on dit réprouvé, qui, en face que de soi-même, hésite encore à se regarder au fond d'un puits où, pieds joints, en un bond d'une risible audace, il s'est, curieux prospecteur, lancé. Un homme perdu).

Pilorge, mon tout-petit, mon ami, ma liqueur, ta jolie tête hypocrite a sauté. Vingt ans. Tu avais vingt ou vingt-deux ans. Et j'en ai!... J'envie ta gloire. Tout aussi bien qu'au jeune et beau Mexicain, tu aurais fait mon affaire, comme on dit au tombeau. Durant tes mois de cellule, tu eusses tendrement craché de lourds glaviots raclés de ta gorge et de ton nez, sur ma mémoire. J'irais bien facilement à la guillotine, puisque d'autres y sont allés, et surtout Pilorge, Weidmann, Ange Soleil, Soclay. Je ne suis du reste pas sûr qu'elle me soit épargnée, car je me suis rêvé dans bien des vies agréables; mon esprit, attentif à me plaire, m'a confectionné sur mesures des aventures glorieuses ou charmantes. Le plus attristant, c'est que, j'y songe quelquefois, les plus nombreuses de ces créations sont absolument oubliées, bien qu'elles forment tout mon concert, spirituel passé. Je ne sais même plus qu'elles furent, et, s'il m'arrive de rêver maintenant une de ces vies, je la crois nouvelle, je m'embarque sur mon thème, je vogue, sans me souvenir qu'il y a dix ans je m'embarquai sur lui et qu'il sombra, épuisé, dans la mer de l'oubli. Quels monstres continuent leur vie dans mes profondeurs? Leurs exhalaisons, leurs excréments, leur décomposition peut-être font éclore à ma surface quelque horreur ou beauté que je devine suscitée par eux. Je reconnais leur influence, le charme de leurs drames feuilletonesques. Mon esprit continue de produire de belles chimères, mais jusqu'aujourd'hui aucune d'elles n'a pris corps. Jamais. Pas une fois. Maintenant, il suffit que j'entreprenne une rêverie, ma gorge sèche, le désespoir brûle mes yeux, la honte me fait baisser la tête, ma rêverie se casse net. Je sais qu'un possible bonheur m'échappe encore et m'échappe parce que je l'ai rêvé.

L'accablement qui suit me fait assez semblable au naufragé qui, à la vue d'une voile, se croit sauvé quand, tout à coup, il se souvient que le verre de sa lunette porte un défaut, une buée : cette voile qu'il a vue.

Mais alors ce que jamais je n'ai rêvé demeure accessible, et comme je n'ai jamais rêvé malheurs, ce ne sont guère que des malheurs qu'il me reste à vivre. Et des malheurs à mourir, car je me suis rêvé des morts splendides à la guerre, en héros, ailleurs couvert d'honneurs, jamais par l'échafaud. Il me reste donc.

Et que me faudra-t-il pour le gagner? Presque rien encore.

Notre-Dame-des-Fleurs n'avait rien de commun avec ces assassins dont j'ai parlé. Il était − on peut dire − l'assassin innocent. Je reviens à Pilorge, dont le visage et la mort me hantent. A vingt ans, pour lui voler une misère, il tua Escudero, son amant. Devant la Cour, il se moqua d'elle; réveillé par le bourreau, il se moqua de lui; réveillé par l'esprit gluant de sang chaud et parfumé du Mexicain, il lui eût ri au nez; réveillé par l'ombre de sa mère, il l'eût tendrement narguée. Ainsi Notre-Dame naquit de mon amour pour Pilorge, avec au cœur et sur ses dents blanches bleutées le sourire que la peur, exorbitant ses prunelles, ne lui arrachera pas.

Mignon l'avait fait un matin d'avril (ce qui le fit naître en décembre) à une fruitière de la rue Lepic, dont nous ne saurons jamais rien. Seize ans plus tard, le père et le fils devaient se retrouver juste à temps pour dévorer ensemble les vingt mille francs du vieux étranglé. Jusqu'à la fin du livre, – malgré ma tentation, car l'inceste commis aux cabinets entre père et fils est bien la forme d'amour exquise (à la promenade, ne resté-je pas longtemps dans l'escalier avec l'espoir de rencontrer ce père qui a violé son fils? L'enfant de quinze ans est au quatrième, avec les mineurs. Le père est à quelques cellules de moi), – jusqu'à la fin du livre, Notre-Dame et Mignon doivent ignorer ce qui les lie.

Un jour, Mignon, oisif, rencontra dans la rue une femme d'une quarantaine d'années, qui devint subitement folle d'amour pour lui. Je hais assez les femmes amoureuses de mes amants pour avouer que celle-ci saupoudre de poudre de riz blanche sa grosse figure rouge. Et ce léger nuage lui donne de ressembler à un abat-jour familial à transparent de mousseline rose. D'un abat-jour, elle a ce charme pourléché, familier et cossu.

Quand il passa, Mignon fumait, et juste se trouva l'âme de la femme, ouverte dans sa dureté d'une fente d'abandon qui accroche l'hameçon jeté par les objets sainte-nitouche. Il suffit que vous teniez mal bouclée une ouverture, que flotte un pan de votre douceur, et vous êtes fait. Au lieu de tenir sa cigarette entre la première phalange de l'index et de l'annulaire, Mignon la pinçait avec le pouce et l'index, en la couvrant des autres doigts de la main, comme les hommes et même les petits garçons, au pied d'un arbre ou face à la nuit, ont l'habitude de saisir leur queue pour pisser. Cette femme (parlant d'elle avec Divine, il disait « la morue » et Divine « cette femme ») ignorait la vertu de cette attitude et, à partir de certains détails, jusqu'à l'attitude même; mais le charme sur elle n'agit qu'avec plus de promptitude. Elle sut, et sans trop savoir pourquoi, que Mignon était un bandit, car pour elle un bandit est surtout un mâle qui bande. Elle en devint folle. Mais elle venait trop tard. Ses formes rondes et sa féminité molle n'agissaient plus sur Mignon, habitué maintenant au dur contact d'une verge raide. Aux côtés de la femme, il restait inerte. Le gouffre l'effrayait. Toutefois, il fit quelque effort pour surmonter son dégoût et s'attacher cette femme, afin d'avoir par elle de l'argent. Il se montrait galamment empressé. Mais vint un jour où, n'en pouvant plus, il avoua qu'il aimait un – il eût dit garçon un peu plus tôt, mais maintenant il doit dire un homme, car Divine est un homme – un homme donc. La dame fut outragée et prononça le mot de tapette. Mignon la gifla et partit.

Mais il ne voulait pas que lui échappât son dessert (Divine était son bifteck), et il revint l'attendre un jour à la gare Saint-Lazare, où elle descendait, venant chaque jour de Versailles.

La gare Saint-Lazare, c'est la gare des vedettes de cinéma.

Index des noms

Auteurs, éditeurs, mouvements et périodiques

J

Jacob Max, 10, 290-291.
Jammes Francis, 176-177.
Janin Jules, 136, 449.
Jankélévitch S., 844.
Jankélévitch Vladimir, 13.
Jarry Alfred, 10, 15, **21**, 39, 137, 176, **447**, 688.
Jean Raymond, 76.
Johnson Virginia-Eshelman, 231.
Jolas Eugène, 509.
Jong Erica, 842.
Jouffroy Théodore, 598.
Jouhandeau Marcel, 10, 541, **930**.
Journal du dimanche, 563.
Jouve Pierre Jean, **615**.
Jouvenel Henry de, 361.
Joyce, 10, **623**, 624.
Jung Carl-Gustav, 14, 68.
Juven (éditeur), 39.

K

Kahan (Dr), 758.
Kahane Jack, 804.
Kahnweiler Henri, 137, 307.
Kessel Joseph, 551, **563**.
Kinsey Alfred-Charles, 231.
Klee Paul, 14.
Klossowski, 615.
Koerber J., 913.
Kostrowitsky Mme de, 15, 16.
Kra Simon (éditions), 290, 307, 389, 489-490, 683, 781.
Krafft-Ebing, 73, 912-913.
Kraus Frederic S., 913.

L

Lacassagne, 844.
La Fontaine Jean de, 268.
Laforgue Jean (éditeur), 128.
La Fouchardière Georges de, **814**.
Lalanne Louise, 136.
Lamarck, 137.
Lamartine, 9, 224.
La Mettrié, 844.
Lande Louis de, 269.
Lang, 541.
Langlade Jacques de, 821.
Larbaud Valery, 10, **106**, 230, 624.
Laure, **961**.

Laurencin Marie, 136, 198.
Laurent Jacques (cf. Saint-Laurent Cécil), 12, 389, 751.
Lautréamont, 185, 489.
Laval, 662.
D. H. Lawrence, 623, **727**, 739, 752.
Léautaud Paul, 10, **28**, 39, 232, 441, 528.
Lebey André, 472.
Le Brun Annie, 21-22, 453, 465, 543.
Lecompte du Nouÿ, 13.
Lefèvre Frédéric, 725.
Léger Alype (Pascal Pia), 482.
Léger Fernand, 224.
Legman Gershton, 76, 174, 209, 473, 623.
Leiris Michel, 502, 509, 961.
Lely Gilbert, 449, 683-684, **749**.
Lemerre et Charavay, 684.
Lénine, 958.
Léoni Aldo, 200, 203, 205, 241.
Lerouge Gustave, 39.
Lesage, 654.
Lettres modernes (Les), 136.
Létraz Jean de, **497**.
Lewis, 695.
Leyde A., 272.
Lhote André, 224, 266.
Limbourg Georges, 509.
List, 913.
Littérature, 353, 416, 418.
Little Review (The), 623.
Londres Albert, 567.
Lorrain Jean, 39, 595.
Louÿs Pierre, 10, 106, **472**, **510**, **614**, 690, 811, **903**.
Lumière (les frères), 11.
Lurçat Jean, **465**.

M

Mac Mahon, 16.
Mac Orlan Pierre, 10, 156, 231, 257, 614.
Machard Alfred, **218**, 434.
Machard Raymonde, 218, **434**, 532, 843.
Machet Anne, 624.
Malherbe, 268.
Malkine Georges, 509.
Mallarmé, 185, 674.
Mallet-Joris Françoise, 891.
Malraux André, 9, 123, 307, 328, 727-728, **739**, 745, 752, 937-938.
Malraux Clara, 307.
Mandiargues André-Pieyre de, 106, 472-473.

S

Sabatier Madame, 486.
Sabatier Robert, 486.
Sacher Masoch Leopold von, 375, 914.
Sade D.A.F. de, 7, 15, 51, 68, 76, 136-137, 209, 230-231, 233, 268, 314, 375, 379, 449, 456-457, 540, 574, 595, **683**, 689 à 691, **702**, 749, 768, 844, 914, 922, 961.
Sadi-Carnot, 128.
Sadinet, 257.
Sadoul Georges, 509, 592, 602-603.
Sagittaire (éditions du), 781.
Saguet Julien.
Saillard Raoul (éditions), 761.
Saint-Agen Adrienne, **89**.
Saint-Jorre J. de, 176, 449.
Saint Just, 938.
Saint-Point Valentine de, **179**, **224**.
Saint-Pol Roux, 532.
Saint-Vallier G. de (cf. Beuque Jean de la), **567**.
Salmon André, 10, 177, 230-231, 290, 814.
Saltas (Dr), 447.
Sand George, 9.
Sandre Thierry, 472-473.
Sansot-Orland E., **39**.
Sartines Antoine de, 141.
Sartre Jean-Paul, 344, 752, 881, **924**, 967.
Saussay Victorien du, 39.
Savigny Cécile de, 254.
Savitsky Ludmilla, 624.
Schaudinn, 12.
Schnitzler, 68.
Schönberg, 14.
Schopenhauer, 225.
Schroeder-Devrient Wilhelmine, **198**.
Séchan Olivier, **949**.
Sennep, 943.
Serfati (Dr), 683.
Sermaise Robert, **789**.
Shimazaki Toson, 123.
Sic, 250, 291.
Simenon Georges, 9, 650, 895.
Simone Madame, 532.
Slavy Bob, **314**.
Smith Hal, 752.
Soulages Gabriel, **379**.
Soupault Philippe, 415.
Spaddy, **884**.
Speiser M., 727.
Spencer, 137.
Spohr W., 69.
Stendhal, 486, 718.

Stévenard Louis, **257**
Stravinski Igor, 14, 224.
Striensky, 34.
Süe Eugène, 489.
Swift Jonathan, 954.

T

Tabarant Adolphe, 823.
Taihade Laurent, 12, **389**.
Tallement des Réaux, 141.
Tanguy Yves, 509, **592**, 594 à 596, 598-599, 601.
Tardié Marie, 624.
Tayama Kataï, 123.
Tchou Claude (éditeur), 163.
Teilhard de Chardin, 13.
Temps (Le), 129.
Théry, 28.
Thibaudet Albert, 9 à 11, 73, 396.
Thirion André, **954**.
Tilly, 64.
Tinan Jean de, 34, 116.
Tomy, **190**.
Toulet Paul Jean, 34, **61**, 116.
Toussaint Franz, **288**.
Treich Léon, **458**.
Triptyque, 268.
« *391* », 250.
Tual Roland, 509.
Tzara, 9, 250.

U

Unik Pierre, 509, 592 à 594, 597-598.

V

Vachet Pierre (Dr), **513**, 567, 912-913.
Vadim Roger, 937.
Vailland Roger, 937, 953.
Valéry Paul, 8, 10, 21, 472, 528.
Valette Alfred, 275.
Valotaire Marcel, 657.
Van Bever A., **39**, 129.
Van de Velde Th., 98, 129, 136, 156, 169, 805-806.
Van Dongen, 136.
Van Rod Aimé, 156, **169**.
Varay André, 563.
Varèse, 224.

Index des œuvres

A

A distance, 465.
Affaires de mœurs, **814**.
Affaire Sade (L'), 540, 922.
A la manière de Kipling, **215**.
Alcools, 198, 229.
Alcool et Vie sexuelle, 913.
Amant de Lady Chatterley (L'), **727**, 739, 937, 863.
Amants féminins (Les), **89**.
Amant légitime (L'), 418.
Amies (Les), 397, 514, 664, 955 .
Amour en Allemagne (L'), 809.
Amour en visite (L'), 21.
Amour épileptique (L'), 185.
Amour, terre inconnue, **555**.
Amour fou (L'), 924.
Amour et hygiène, 410.
Amour la poésie (L'), **631**.
Amour plural (L'), 67.
Amour vénal (L'), **430**.
Amoureuse initiation, **148**.
Amours, 809.
Amours charmantes et cruelles, récits du quattrocentto, 129.
Amours d'un hospodar (Les), cf. Les Onze Mille Verges.
Amphitryon, 428, 676.
Anaïs, The Érotic life of Anaïs Nin (Érotique Anaïs Nin), 804.
André Breton, naissance de l'aventure surréaliste, 416.
André Malraux ou le conformisme, 307.
Année des chapeaux rouges (L'), 354.
Anthologie hospitalière, **174**, 473.
Anthologie universelle des baisers, **184**.
Anus solaire (L'), **580**.
Aphrodite, 472, **614**, 903.
Aphrodites (Les), 517.
Après-midi d'un faune (L'), 674.
Arétin moderne (L'), 273.
Ariane, 344.
Ariane, jeune fille russe, **263**, 296.
Art de jouir (L'), 44.
Art du contrepet (L'), 817.

Arden, **749**.
Art érotique, **44**, 98.
A rebours, 559, 768.
Astarti, 904.
Astrée (L'), 125.
Atala, 711, 769.
Athalie, 665.
Auberge du « cul volant », 354.
Au bord du lit, **485**.
Au pays des hommes nus, 809.
Aux fontaines du désir, 863.
Aux griffes des bédoins, 567.
Aventures de Jean-Foutre La Bite, 585.
Aventures du roi Pausole (Les), 472, 903.

B

Baby douce fille, 156.
Baignade (La), 895.
Bagatelles pour un massacre, 841.
Bal du comte d'Orgel (Le), 480.
Barbares de l'Orénoque (Les), 567.
Batouala (« véritable roman nègre »), **284**, 427.
Bazar des voluptés (Le), **462**.
Belle de jour, 551, **563**, 573.
Belle main (La), 87, 248.
Bestiaire (Le), 198.
Bibliographie du roman érotique français au XIXe siècle, 76, **662**.
Biche au bois (La), 483.
Blé en herbe (Le), **361**.
Bois de Boulogne, Bois d'amour, 462.
Bonne vie (La), 551.
Bon sens (Le), 439.
Bouquinade (La), 129 .
Bourgeoise pervertie (La), **670**.
Bout de viande (Le), 873.
Bouteille et Vénus, **758**.
Brelan de joie (Le), 633 .
Bruit de nos pas (Le), 375.
Buveuse de larmes (La), 54.

C

Cabinet satyrique (Le), 129, 949.
Cabinet secret du Parnasse (Le), 268, 949.

L

M

TABLE DES MATIÈRES

Nous remercions les auteurs, les éditeurs
et les ayant-droit qui nous ont autorisé,
aux conditions d'usage,
à reproduire les textes
dont ils étaient propriétaires.
Nous remercions tout particulièrement
ceus qui l'ont fait gracieusement.
Nous prions ceux que nous n'avons pu joindre,
malgré tous nos efforts,
de bien vouloir nous en excuser,
et nous serions heureux
qu'ils se fassent connaître.

Achevé d'imprimer
par Maury-Eurolivres S.A.
45300 Manchecourt

Nº d'édition : 7436
54-07-4534-01/1
ISBN : 2-234-04534-7